1 MONTH OF
FREE
READING

at

www.ForgottenBooks.com

By purchasing this book you are eligible for one month membership to ForgottenBooks.com, giving you unlimited access to our entire collection of over 1,000,000 titles via our web site and mobile apps.

To claim your free month visit:
www.forgottenbooks.com/free658607

ISBN 978-0-265-46755-8
PIBN 10658607

ZEITSCHRIFT

FÜR

DEUTSCHE PHILOLOGIE

HERAUSGEGEBEN

VON

DR. ERNST HÖPFNER   UND   **DR. JULIUS ZACHER**
PROVINZIALSCHULRAT IN KOBLENZ   PROF. A. D. UNIVERSITÄT ZU HALLE

SECHSTER BAND

HALLE

VERLAG DER BUCHHANDLUNG DES WAISENHAUSES

1875

VERZEICHNIS DER BISHERIGEN MITARBEITER.

Prof. dr. Arthur Amelung in Freiburg. †

Prof. dr. G. Andresen in Bonn.

Prof. dr. Aug. Anschütz in Halle. †

Gymnasiallehrer dr. A. Arndt in Frankfurt a. O.

Director prof. dr. J. Arnoldt in Gumbinnen.

Gymnasiallehrer dr. Richard Arnoldt in Elbing.

Professor Bauer in Freiburg i. B.

Subrector dr. F. Bech in Zeitz.

Oberlehrer dr. E. Bernhardt in Erfurt.

Schulrat dr. H. E. Bezzenberger in Merseburg.

Dr. A. Bezzenberger, privatdocent in Göttingen.

Prof. dr. A. Boretius in Halle.

Director dr. Ludw. Bossler in Bischweiler.

Realschullehrer dr. Boxberger in Erfurt.

Dr. J. Brakelmann in Paris. †

Prof. dr. H. Brandes in Leipzig.

Franz Branky, lehrer an der k. k. lehrerausbildungsanstalt in Wien.

Dr. W. Braune, privatdocent in Leipzig.

Prof. dr. Sophus Bugge in Christiania.

Prof. dr. W. Crecelius in Elberfeld.

Prof. dr. Berthold Delbrück in Jena.

Gymnasiallehrer Dr. Dittmar in Magdeburg.

Dr. B. Döring in Dresden.

Oberlehrer Friedr. Drosihn in Neustettin. †

Gymnasiallehrer dr. Osk. Erdmann in Königsberg.

Geh. Staats-Archivar dr. E. Friedländer in Berlin.

Dr. Hugo Gering in Halle.

Professor dr. Ge. Gerland in Strassburg.

Oberlehrer dr. Gombert in Gross-Strehlitz.

Redakteur H. Gradl in Eger.

Dr. Justus Grion, director des lyceums in Verona.

Oberlehrer dr. Haag in Berlin.

Pfarrer dr. Th. Hansen in Lunden i. Dithmarschen.

Gymnasiallehrer Dr. Ignaz Harczyk in Breslau.

Director prof. dr. W. Hertzberg in Bremen.

Prof. dr. Moriz Heyne in Basel.

Dr. Karl Hildebrand, privatdocent in Halle. †

Prof. dr. Rud. Hildebrand in Leipzig.

Prof. Val. Hintner in Wien.

Dr. S. Hirzel, buchhändler in Leipzig.

Schulrat dr. Ernst Höpfner in Koblenz.

Dr. R. Holtheuer in Delitzsch.

Prof. dr. A. Hueber in Innsbruck.

Oberlehrer dr. Oskar Jänicke in Berlin. †

Dr. E. Jessen in Kopenhagen.

Dr. F. Jonas in Arolsen.

Dr. Friedr. Keinz, k. staatsbibliothek-secretär in München.

Prof. dr. Adalbert von Keller in Tübingen.

Buchhändler Alb. Kirchhoff in Leipzig.

Gymnasiallehrer dr. Karl Kinzel in Berlin.

Prof. dr. C. Fr. Koch in Eisenach.†

Gymnasiallehrer dr. Artur Köhler in Dresden. †

Bibliothekar dr. Reinhold Köhler in Weimar.

Dr. Eugen Kölbing, privatdocent in Breslau.

Director prof. dr. Adalbert Kuhn in Berlin.

Prof. dr. Ernst Kuhn in Heidelberg.

Geh. reg. r. prof. dr. Heinrich Leo in Halle.

Staatsrat dr. Leverkus in Oldenburg. †

Prof. dr. Felix Liebrecht in Lüttich.

Director dr. Lothholz in Stargard.

Oberlehrer dr. Aug. Lübben in Oldenburg.

Prof. dr. J. Mähly in Basel.

Prof. dr. Ernst Martin in Prag.

Prof. dr. Konrad Maurer in München.

Dr. Elard Hugo Meyer, lehrer an der handelsschule in Bremen.

Prof. dr. Leo Meyer in Dorpat.

Prof. dr. Theodor Möbius in Kiel.

Dr. Herm. Müller, custos in Greifswald.

Prof. dr. G. H. F. Nesselmann in Königsberg.

Oberlehrer dr. J. Opel in Halle.

Pastor Otte in Fröhden.

Prof. dr. H. Palm in Breslau.

Prof. dr. H. Paul in Freiburg.

Gymnasiallehrer dr. R. Peiper in Breslau.

Director dr. C. Redlich in Hamburg.

Prof. dr. Karl Regel in Gotha.

Dr. Al. Reifferscheid, privatdoc. in Bonn.

Dr. Max Rieger in Darmstadt.

Prof. dr. Ernst Ludw. Rochholz in Aarau.

Prof. dr. Heinr. Rückert in Breslau. †

Dr. O. Rüdiger in Hamburg.

Bernh. Schädel in Bonn.

Staatsrat dr. A. v. Schiefner in Petersburg.

Prof. dr. A. Schoenbach in Graz.

Prof. dr. Richard Schröder in Würzburg.

Gymnasiallehrer dr. J. W. Schulte in Sagan.

Prof. dr. Schweizer Sidler in Zürich.

Dr. jur. G. Sello in Potsdam.

Prof. dr. E. Sievers in Jena.

Prof. dr. E. Steinmeyer in Strassburg.

Prof. dr. A. Stern in Bern.

Gymnasiallehrer dr. B. Suphan in Berlin.

Gymnasiallehrer dr. R. Thiele in Wesel.

Prof. dr. Ludwig Tobler in Zürich.

Prof. dr. S. Vögelin in Zürich. †

Prof. dr. Wilhelm Wackernagel in Basel. †

Gymnasiallehrer dr. Wegener in Zeitz.

Prof. dr. Karl Weinhold in Kiel.

Franz Wieser in Innsbruck.

Dr. E. Wilken, privatdocent in Göttingen.

Oberlehrer dr. E. Wörner in St. Afra bei Meissen.

F. Woeste in Iserlohn.

Dr. R. Wülcker, privatdocent in Leipzig.

Prof. dr. Julius Zacher in Halle.

Prof. dr. J. V. Zingerle in Innsbruck.

Prof. dr. J. Zupitza in Wien.

INHALT.

Litteratur:

ZWEI PARALLELSTELLEN AUS VULFILA UND TATIAN.

Gelegentlich einer vergleichung der bibelübersetzung des Vulfila mit der ahd. evangelienharmonie (dem sog. Tatian) bin ich auf zwei stellen gestossen, an welchen die deutschen übersetzer beide von dem ihnen vorliegenden originale abweichen und mit einander eine höchst auffallende übereinstimmung zeigen. Die erste stelle ist Joh. 3, 4:

Vulfila: *hvaiva mahts ist manna gabairan alþeis visands? ibai mag in vamba aiþeins seinaizos aftra galeiþan jag gabairaidau? πῶς δύναται ἄνθρωπος γεννηθῆναι γέρων ὤν; μὴ δύναται εἰς τὴν κοιλίαν τῆς μητρὸς αὐτοῦ δεύτερον εἰσελθεῖν καὶ γεννηθῆναι;*

Tatian (119, 2): *vvuo mag ther man giboran uuerdan, thanne alt ist? vvuo mag her in sinero muoter uuambûn abur ingangan inti uuerde giboran? — quomodo potest homo nasci, cum senex sit? numquid potest in ventrem matris suae iterato introire et nasci?*

Der grund, weshalb der Gote von dem griechischen text abwich, ist leicht zu erkennen und bereits mehrfach richtig angegeben worden (vgl. Grimm, gr. IV, 59*; Köhler, in Bartschs germ. stud. I, 95). Entweder muste nämlich Vulf. die schon einmal gebrauchte construction (*mahts ist* c. inf.) widerholen, was offenbar den satz sehr eintönig und schleppend gemacht hätte, oder er muste den gr. inf. pass. durch got. part. praet. mit *vairþan* widergeben, eine umschreibung, die dem Goten ungeläufig gewesen zu sein scheint und nur selten (in verbindung mit einem praeterito-praesens nur einmal, Luc. 9, 22) vorkomt. So zog er es also vor, aus dem zweiten inf. einen selbständigen satz zu bilden. — Anders steht die sache bei Tatian. Dem ahd. übersetzer ist die verbindung des part. praet. mit *uuerdan* etwas ganz gewöhnliches (sie findet sich 14, 2. 25, 1. 85, 4. 95, 4. 5. 108, 7. 119, 2. 4. — dicht vor und hinter unserer stelle — 134, 8. 166, 3. 218, 4) und ebenso oft komt auch part. praet. mit *uuesan* an stelle lat. inf. pass. vor (60, 3. 90, 4. 97, 3. 4. 112, 2. 141, 4. 6. 145, 1. 4. 4, 12). Auch in dem gleichzeitigen Hêliand sind beide constructionen belegt: part. praet. mit *werdan* 617. 621. 1309. 1394. 2139. 2177. 3200. 3636. 3980. 4762. 5858, mit *wesan* nur dreimal: 261. 1318.

3320 (die citate nach der ausgabe von Heyne). Ebenso findet sich die construction bei Isidor (*unerdan* 3, 18. 21, 32. 27, 20. 31, 3. 28. 33, 18. 19. 35, 31, *unesan* nur 33, 13; die citate nach Weinhold), Notker (Gff. VI, 463), Otfrid,[1] den Monseer glossen etc. Es ist also anzunehmen, dass den übersetzer nicht stilistische bedenken zu der änderung der construction veranlassten. Vielmehr scheint der gedanke, dass das geboren werden erst eine folge der rückkehr in den mütterlichen leib sei, die einfache coordinierung der infinitive, wie sie im lat. originale vorlag, verhindert zu haben. Entweder ist nun *inti unerde giboran* geradezu als consecutivsatz aufzufassen und *inti* als denselben einleitende partikel anzusehen,[2] oder *inti* ist einfache conjunction und der opt. ist gebraucht, „weil das zweite ereignis als eine auf der grundlage des ersten beruhende ausführung und also durch dasselbe bedingt erscheint" (Erdmann, otfr. synt. § 65). Welcher von beiden erklärungen man den vorzug einzuräumen habe, lasse ich dahingestellt. Natürlich ist die stelle aus Vulf., wenn man auch annimt, dass die änderung hauptsächlich aus stilistischen gründen erfolgt ist, auf gleiche weise zu erklären: jedesfalls ein interessantes beispiel von der gleichen auffassungsweise zweier germanischer zeitlich durch mehrere jahrhunderte von einander getrenter übersetzer.

Eine zweite höchst interessante parallelstelle findet sich Joh. 11, 44:

Vulfila: *jah urrann sa dauþa gabundans handuns jah fotuns faskjam jah vlits is auralja bibundans:* — καὶ ἐξῆλθεν ὁ τεθνηκὼς δεδεμένος τὰς χεῖρας καὶ τοὺς πόδας κειρίαις, καὶ ἡ ὄψις αὐτοῦ σουδαρίῳ περιεδέδετο.

Tatian (135, 26): *inti sliumo framgieng thic dâr uuas tôt, gibuntan hanton inti fuozin mit strengin inti sîn annuzi mit sucizduohu gibuntan:* — et statim prodiit qui fuerat mortuus, ligatus pedes et manus institis, et facies illius sudario erat ligata.

Der grund, weshalb beide übersetzer hier änderten, kann kaum zweifelhaft sein. Die coordination der sätze, wie sie in den grundtexten vorlag, beizubehalten, hinderte sie die richtige einsicht, dass der mit καὶ resp. et angefügte, höchst schleppende nachsatz, ebenso wie

---

1) Doch belegt Erdmann (unters. über die synt. der spr. Otfrids, p. 224) nur *sîn* mit dem part. pract. an 2 stellen: II, 3, 20. III, 14, 38.

2) Vgl. E. Kölbing, zs. f. d. ph. IV, 347 fg. Die dort zusammengestellten beispiele lassen sich noch durch eins aus Tat. vermehren, welches vielleicht gerade für unsere stelle zur vergleichung herangezogen werden könte: *uuer ist iz, trohtin, inti ih gilolibu in inan? quis est, domine, ut credam in eum? 133. 1.* Die verschiedenheit des modus in beiden beispielen ist durchaus irrelevant.

der vorhergehende participiale, nur eine nebenbestimmung der haupt-
handlung enthalte, also auch wie dieser subordiniert werden müsse.
So setzten sie also das verbum finitum in das part. um, wodurch die
construction offenbar concinner und logisch richtiger wurde: *gabundans,
bibundans; gibuntan, gibuntan* stehen zum hauptsatze in dem gleichen
verhältnis. Auffallend scheint nur, dass trotzdem beide übersetzer den
nominativ des originals beibehielten (denn *sîn annuzi* ist wol, wie auch
Sievers im glossar zum Tatian ansetzt, ebenso gut nom. wie *vlits*).
Jedoch ist wenigstens der got. nom. leicht erklärbar. Man weiss, wie
genau Vulf. sich dem originale anschliesst und nicht gern irgend ein
wort desselben, sei es auch nur das kleine αὐτοῦ, unübersetzt lässt:
wollte er aber dies αὐτοῦ beibehalten, so muste auch der nom. stehen
bleiben; man kann nicht sagen: er kam heraus, den kopf desselben mit
einem schweisstuch umwunden. Überdies ist nom. absol. in der gotischen bibel noch an einer andern stelle belegt: Marc. 6, 21. Genaue
übersetzung ist also: er kam heraus, indem er gebunden war an händen und füssen mit binden, und indem sein haupt mit einem schweisstuch umbunden war. — Wie steht es nun im ahd.? *sîn annuzi* kann
nom. und acc. sein. Im ersteren falle wäre also auch hier nom. abs.
anzunehmen: dieser ist freilich im ahd. selten (Grimm, gr. IV, 900
belegt nur zwei beispiele), ebenso selten ist aber auch der acc. der
sache bei dem part. praet. der verba *kleiden, binden* usw. (Grimm,
gr. IV, 645) und die sonstige übereinstimmung mit der got. stelle spricht
entschieden für den ersteren casus. — Schliesslich mache ich noch
auf die interessante tatsache aufmerksam, dass auch Luther in gleicher
weise übersetzt: der verstorbene kam heraus, gebunden mit grabtüchern
an füssen und händen und sein angesicht verhüllet mit einem schweisstuch. Ob hier nom. oder acc. vorliegt, wage ich nicht zu entscheiden.

HALLE, JULI 1874.   HUGO GERING.

REINHART FUCHS IM KANZLEIBRIEFSTELLER.

Die beiden hier im abdrucke folgenden lateinischen musterbriefe
des löwen an den hasen und esel, und des hasen antwort, sind im jahre
1824 aus einer handschrift zu Palermo und einer anderen zu Wolfenbüttel erwähnt worden von Pertz, im Archive der gesellschaft für ältere
deutsche geschichtskunde 5, 374 und 387, in einem „Petri de Vinea
epistolae" überschriebenen berichte über 32 dahin einschlägige für die
Monumenta Germaniae historica untersuchte handschriften. Zehn jahre

1*

später hat J. Grimm in seinem „Reinhart Fuchs" s. CCV. die betreffenden angaben aus jenem berichte des archives widerholt, sich aber durch
dessen überschrift verleiten lassen, die beiden briefe dem Petrus de
Vinea beizulegen, während Pertz sich jeder äusserung über ihren verfasser enthalten hatte. Den brief des löwen hat Wattenbach im jahre
1851 im 10. bande des Archives der gesellschaft für ältere deutsche
geschichtskunde s. 662 bei gelegenheit einer aufzählung und beschreibung von handschriften der Prager universitätsbibliothek aus einer solchen mitgeteilt. Ohne jene früheren mitteilungen zu berücksichtigen
hat Höfler im jahre 1859, in Pfeiffers Germania 4, 109, denselben brief
aus derselben Prager handschrift nochmals abdrucken lassen, und aus
den von ihm beigegebenen erörterungen ist zu schliessen, dass er den
Dominicus Dominici, den verfasser einer in jener handschrift enthaltenen
Summa dictandi (eines formelbuches oder briefstellers) auch für den
verfasser dieses briefes gehalten hat. Endlich sind 1858 beide briefe
aus einer Breslauer handschrift erwähnt worden, bei veröffentlichung
eines auszuges aus preussischen handschriftenverzeichnissen, im Archive
der gesellschaft für ältere deutsche geschichtskunde 11, 701.

Es sind also, soviel mir bis jetzt bekant worden ist, folgende
vier handschriften, welche die gedachten briefe darbieten:

1) Die handschrift des fürsten von Fitalia in Palermo (= F),
nach Verlust einiger blätter gegenwärtig noch 133 baumwollenpapier-
blätter in folio befassend. Die schrift setzt Pertz bis zu dem stücke
no. 141 in das erste viertel des 14. jahrhunderts. „Den inhalt" aber
„machen," nach Pertz s. 361, „keinesweges die sechs bücher Petrus
von Vinea, sondern eine samlung von briefen, urkunden, gedichten,
zur geschichte des 13. und der ersten decennien des 14. jahrhunderts,
mit besonderer rücksicht auf Sicilien; ein brief gehört noch ins 12. jahrhundert, mehrere andere sind ohne geschichtlichen wert." Von der
unter no. 113. 114 stehenden „Missiva leonis ad asinum et leporem mit
der antwort" teilt Pertz nur die wenigen auch schon von J. Grimm
(Reinhart s. CCV) widerholten zeilen aus der antwort mit: „*quod reddiens ad cor suum pro multis maleficiis dudum commissis religionis
susceperat habitum Deo celi et non regi ferarum de cetero responsura
et ideo retrusa in heremo contemplacioni dedita reddire nullatenus proposuerat ad actiuam.*" Nach diesen wenigen zeilen zu schliessen ist
der anscheinend nahe zu B sich stellende text nicht schlecht, wenngleich nicht fehlerfrei.

2) Die handschrift der herzoglichen bibliothek in Wolfenbüttel
(= W), cod. Helmstadensis 298 chart. et membr. in fol. min. sec. XV.

Über diese handschrift, welche mit der des fürsten von Fitalia in keinem näheren verwantschaftsverhältnisse zu stehen scheint, berichtet Pertz, auf grund einer untersuchung des bibliothekars Ebert, im Archive der gesellschaft für ältere deutsche geschichtskunde 5, 386 fg.: „Die bandschrift besteht aus 136 [139] blättern, führt die inschrift *Iste liber continet capita diversarum epistolarum papalium imperialium et aliarum et inter ceteras sunt plures super dissensione paparum et Frederici ac successorum suorum, quae imperiales editae creduntur per Petrum de Vineis secretarium Imperialem et etiam continet plura alia.* Die ganze samlung von kaiserlichen, päbstlichen, übungs- und vertraulichen schreiben ist ohne allen plan durcheinander geworfen, ja es kommen dazwischen genug bezugslose gedichte und selbst eine *epistola leonis regis animalium* mit vor, die in den sagenkreis des Reineke Fuchs gehört." Diese epistola leonis und die dazu gehörige antwort stehen auf blatt 92ᵃ bis 93ᵃ. Abschrift derselben verdanke ich der güte des herrn prof. E. Steinmeyer.

3) Die handschrift der k. k. universitätsbibliothek in Prag, III. G. 3. mbr. in quart (= P). Höfler scheint die handschrift noch ins 13. jahrhundert zu setzen; Wattenbach setzt sie in den anfang des vierzehnten. Höfler gibt keine beschreibung der handschrift, aus der man eine deutliche vorstellung von ihrem inhalte gewinnen könte, und drückt sich so aus, als ob sie nur die *summa dictaminis des Dominicus Dominici* enthielte. Wattenbach dagegen bietet eine ausführliche und auf das einzelne eingehende inhaltsangabe. Darnach bildet den anfang der handschrift ein *Liber de amore et dilectione Dei et proximi et aliarum rerum, et de forma vite*, von *Albertanus causidicus Brixiensis de ora S. Agate*. Dann folgt fol. 52. *summa dictaminis mag. Dominici Yspani.* Hinter dieser, fol. 67, „fangen auch andere briefe an," von denen Wattenbach, bis fol. 105 der handschrift, eine lange reihe aufzählt, darunter auf fol. 95 verso: „*Rex leo fortissimus animalium asino et lepori*" etc. Der brief des löwen gehört mithin nicht zu der summa des Dominicus, wie auch der herausgeber dieser summa, Ludw. Rockinger (Quellen zur bayerischen und deutschen geschichte. Neunter band, zweite abteilung. München 1864. s. 517—592), jener beiden briefe nicht gedenkt. Auch würden sie wol wenig zu dem übrigen inhalte der wahrscheinlich in den achtziger jahren des dreizehnten jahrhunderts abgefassten summa des aus der portugiesischen stadt Viseu stammenden Dominicus Dominici passen. Denn diese, die den titel führt: *summa dictaminis secundum quod notarii episcoporum et archiepiscoporum debeant notarie officium exercere*, ist, nach Rockinger s. 517, „eine ohne zweifel auf der pyrenäischen halbinsel entstandene

und speciell für die in den erzbischöflichen und bischöflichen kanzleien verwendeten individuen angelegte mustersamlung."

4) Die handschrift der königlichen und universitätsbibliothek zu Breslau I. Q. 102. mbr. (= B) ist bereits, auf grund des von dr. Friedrich angefertigten Breslauer handschriftenkataloges, kurz beschrieben, unter erwähnung der beiden briefe des löwen und des hasen, im Archive der gesellschaft für ältere deutsche geschichtskunde. Hannover 1858. 11, 701. Genauere auskunft, und abschrift der beiden briefe, verdanke ich der güte des herrn gymnasiallehrers dr. Peiper in Breslau. — Die handschrift enthält zu anfange eine lange reihe lateinischer theologischer tractate und gedichte. — Dann folgt fol. 156ᵇ—179ᵃ, gut geschrieben, *Excepta de summa artis dictandi*, etwa zur hälfte bestehend aus schlesischen stücken, von denen datierung und namen der aussteller sich nachweisen lassen. Mit ziemlicher sicherheit ergibt sich, dass das buch um die mitte des 14. jahrhunderts für das kloster Heinrichau in Schlesien verfasst worden ist, dem es auch bis zu dessen aufhebung angehört hat. In einer grösseren anzahl von formeln wird auf dies kloster rücksicht genommen, und auch die übrigen schlesischen Cisterzienserklöster werden erwähnt. In dieser summa dictandi, gegen deren ende, auf fol. 178ᵇ und 179ᵃ, stehen auch die beiden briefe, des löwen und des hasen, hinter denen nur noch vier andere stücke folgen, von welchen die beiden letzten zwei vor 1335 fallende briefe des herzogs Heinrich von Schlesien sind, an pabst Johann XXII. und an den könig von Jerusalem und Sicilien. — Weiter folgen widerum lateinische gedichte bis bl. 185ᵃ. — Dann, von ganz anderer hand, *summa magistri Dominici de arte notariatus*. — Dahinter endlich fol. 196ᵃ—211ᵇ, von rascher hand, zwei andere artes dictandi.

Aus dieser handschriftenbeschreibung folgt unmittelbar, dass kein grund vorliegt, den Italiener Petrus de Vinea oder den Portugiesen Dominicus Dominici für verfasser der briefe des löwen und hasen zu halten, oder hieraus einen schluss auf die bekantschaft der Italiener oder Spanier mit der tiersage zu ziehen.[1] Auch lässt sich nicht

1) Der Arcipreste de Hita, in der zweiten hälfte des 14. jahrhunderts, bietet zwar, ausser den von Grimm (Reinhart Fuchs s. CCIV fg.) erwähnten und mit unserer tiersage nicht zusammenhängenden fabeln, in copla 740—753 „noch ein besonderes charakteristisches bruchstück aus der extravagante de lupo pedente, welches die ackerteilung des wolfes für die widder und die begebenheit des wolfes mit der sau enthält, die sonst nirgends vorkommen als im Reinardus und im Renart (Grimm s. CXCIII)." Aber Ferdinand Wolf, der auf diese stelle des Arcipreste de Hita aufmerksam gemacht hat (Haupt und Hoffmann, altdeutsche blätter 1, 5 fg.), bemerkt auch sogleich dazu: „Es ist möglich, dass der erzpriester diese und andere

erkennen, ob die beiden briefe ursprünglich einer bestimten ars dictandi (einem briefsteller) eines bestimten verfassers angehört haben mögen, denn in allen vier handschriften, in denen sie bis jetzt nachgewiesen sind, scheinen sie ohne planmässige absicht in solche samlungen aufgenommen zu sein, die unabhängig von einander aus sehr verschiedenartigen bestandteilen zusammengestellt worden sind. Überhaupt vermag ich den briefen selbst und ihrer bis jetzt mir bekanten überlieferung einen sicheren und fruchtbaren anhalt für die ermittelung des verfassers und der zeit und des ortes der entstehung nicht abzugewinnen. Auffallend ist freilich, dass sie bis nach Unteritalien gedrungen, und dort zu anfange des vierzehnten jahrhunderts in der handschrift des fürsten von Fitalia unter stücke eingereiht worden sind, die sich auf

fuchsfabeln nicht unmittelbar aus den zum kreise des Reinardus und Isengrimus gehörigen gedichten, sondern aus einem Ysopet mit den extravaganten, die auch Grimm s. CLXXXVII noch während des 14. jahrhunderts in Frankreich entstanden glaubt, geschöpft hat. Grade dieser dichter war mit der französischen litteratur genau bekant, und dieselbe fabel findet sich, genau nach der lateinischen extravagante, in einer der Steinhöwelschen ganz ähnlichen, im 16. und 17. jahrhundert öfters unter dem titel „La vida y fabulas del clarissimo y sabio fabulador Ysopo" gedruckten spanischen fabelsamlung, in der ausgabe En Anvers, en casa de Juan Steelsio, o. j. 12° bl. 76ᵃ fg."

Der berühmte franciscaner Ramon Lull (Raimundus Lullus, geb. 1235, gest. 1315) hat, neben vielen anderen werken, auch ein sehr umfängliches „Libre de maravelles" in catalanischer sprache verfasst, dessen siebentes buch „de les besties" eine art tierepos in prosa enthält, welches Konrad Hofmann neuerdings aufgefunden, herausgegeben, und mit einer deutschen analyse begleitet hat (Abhandlungen der philosoph.-philolog. Classe d. kgl. bayer. Akad. d. Wissensch. Bd. 12. München 1871. 4°. s. 171 —240). Es ist dies aber eine samlung kleiner erzählungen, welche zusammengehalten werden durch den rahmen einer anderen erzählung, worin berichtet wird, wie und mit welchem erfolge der fuchs sich in den rat des königes eingeschlichen habe. Das ganze hat einen lehrhaften zweck, wie auch im schlusssatze ausdrücklich angegeben wird: „Hiermit ist das buch von den tieren beendigt, welches Felix einem könige brachte, damit er aus der art, wie die tiere handeln, abnehmen möchte, in welcher weise ein könig regieren, und sich vor bösem rate und falschen menschen hüten solle." — Wie die damals ziemlich beliebte form der rahmenerzählung wahrscheinlich auf orientalischem vorbilde beruht, so stammen auch die hier angeführten geschichten, wie es scheint, aus orientalischer quelle, zunächst wol aus dem Arabischen, dessen Lull ja vollkommen mächtig war. Es ist nichts darin, war unmittelbar an unsere einheimische tiersage erinnerte. Nur für den fuchs braucht Lull, statt der gewönlichen spanischen benennungen zorra oder raposa, die namensform Renart oder Rrenart, und zwar als femininum: Na Rrenart. Doch ist daraus kein schluss auf wirkliche unmittelbare bekantschaft mit unserer tiersage zu ziehen; denn die deutsche benennung Reinhart hatte sich nicht nur in der form renard über Frankreich, sondern in der form ranart auch noch weiter über den nordosten von Spanien verbreitet. (Diez, etym. wörterb. d. roman. sprachen. 3. a. Bonn 1870. 2, 413.)

Sicilien beziehen; doch weiss ich aus diesem umstande um so weniger eine förderliche schlussfolgerung abzuleiten, als die samlung, nach Pertzens ausdrücklicher angabe, auch briefe ohne geschichtliche bedeutung enthält, und als grade die ganze von no. 110 bis 117 reichende gruppe, innerhalb deren diese beiden briefe stehen, nach den kurzen angaben auf s. 373 fg. des archives zu schliessen, nur briefe dieser ungeschichtlichen, bezugslosen gattung, blosse übungsbriefe, zu enthalten scheint. Aus dem namen der villa, wo die heimkehrenden gesanten ihr nachtquartier nicht nehmen wollten, weil sie von dem klagegeschrei der durch den fuchs geschädigten hühner erfüllt war, würde sich vielleicht ein fingerzeig entnehmen lassen, wenn er sicher und richtig überliefert wäre. Aber die namensformen Neoych in der Breslauer, Nemodi in der Wolfenbüttler handschrift, fallen leider beide unter den verdacht der verderbnis. Doch erinnern sie an den mesire Costant Desnoes im Renart, den vilain, dem der fuchs einen hahn geraubt hatte, welcher ihm aber wider abgejagt wurde. Jacob Grimm (Reinhart s. CXLV) hat bei diesem Desnoes an la Noe, les Noes, einen alten ort in der Champagne, gedacht.

Da der brief des hasen bis jetzt meines wissens überhaupt noch nicht veröffentlicht ist, während er den widerholt gedruckten des löwen doch an bedeutung bei weitem übertrifft, schien es mir nicht überflüssig, beide briefe zusammen herauszugeben, zumal das mir zugängliche handschriftliche material die herstellung eines genügenden textes ermöglichte.

Über den inhalt beider briefe äussert sich herr professor Martin, dem ich sie handschriftlich mitgeteilt hatte, und der auf grund seiner sehr ausgedehnten handschriftlichen forschungen über die tiersage das competenteste urteil fällen kann: „die epistola und das rescriptum sind schwerlich direct aus einer bearbeitung der tiersage entnommen. Wenigstens ist mir keine bekant, welche alle in den beiden briefen berührten umstände enthielte. Einzeln aber finden sich die meisten züge in den verschiedenen [lateinischen, niederländischen, deutschen und französischen] gedichten wider." Der verfasser hat diese einzelnen züge geschickt und mit natürlicher begabung für das komische und humoristische zu einem ansprechenden ganzen gestaltet, dessen lateinischer stil klassische studien durchblicken lässt. Neben ausdrücken des pandektenlateins finden sich reminiscenzen aus den dichtern der Augusteischen zeit. So erinnern die *horrenda Menala* des zweiten briefes an Ovid, Metam. 1, 216:

Maenala transieram latebris horrenda ferarum.
Des esels warnung vor den *hospitia, quae introrsum habent vestigia,
retrorsum nulla* hat ihr vorbild in den horazischen versen, Epist. 1, 1, 73:

> *Olim quod volpes aegroto cauta leoni*
> *Respondit, referam: Quia me vestigia terrent*
> *Omnia te adversum spectantia, nulla retrorsum;*

und die nutzanwendung am schlusse ist wörtlich entnommen aus Ovid
Remedia amoris 91:

> *Principiis obsta. sero medicina paratur,*
> *Cum mala per longas convaluere moras.*

Diese briefe geben ein beredtes zeugnis von dem kräftigen leben
und der verbreitung der tiersage. Sie scheinen aber wol das einzige
beispiel von verwendung eines aus deutscher volkssage geschöpften stoffes zu einem briefmuster des lateinischen kanzleistiles jener art zu sein,
welche die damaligen briefsteller zum kanzleigebrauche darboten, die
unter der benennung *summa* (oder *ars*) *dictaminis* (oder *dictandi*) oder
unter ähnlichen titeln allgemein verbreitet und beliebt waren, und sich
teils aus gesammelten wirklichen und für mustergiltig erachteten, teils
aus solchen briefen zusammensetzten, die eigens zu dem zwecke gemacht
worden waren, für vorkommende fälle als vorbild oder anhalt zu dienen, und die man etwa als übungsbriefe bezeichnen kann. — Zwei
andere von Haupt in seinen altdeutschen blättern 1, 3 fgg. aus einer
Wiener handschrift des 15. jahrhunderts veröffentlichte lateinische briefe,
des hahnes an den fuchs nebst des fuchses antwort, lassen nur den
hahn das schicksal der hühner beklagen, von den menschen geschlach-
tet und verzehrt zu werden, und den fuchs dagegen den rat erteilen,
aus der gesellschaft der menschen in die freiheit des waldes zurückzu-
kehren. Sie haben also aus dem inhalte der tiersage nichts entnommen, und rühren an diese nur durch den namen des hahnes, Canta-
clerier, oder Cantaclerius. Für diese letztgenanten beiden briefe vermutet Haupt italienischen ursprung, den die meisten stücke jener Wiener handschrift entschieden zeigen.

EPISTOLA LEONIS AD ASINUM ET LEPOREM UT CITENT VULPEM AD PRESENCIAM SUAM.[1]

Rex leo fortissimus animalium asino et lepori fidelibus suis gratiam suam et bonam uoluntatem. Cúm omne genus ferarum et omnis

---

1) Mandat leo Rex animalium Asino et lepori, fidelibus suis, ut citent personaliter peremptorie uulpem, quod pro sibi obiectis septimo kał. Aprilis coram ipso
se debeat presentare gallis et gallinis legitime résponsura. W.

bestiarum terrestrium multitudo,[1] tam mitium quam inmitium, nostre ditionis[2] subsint[3] inperio[4] et obediant,[5] sola deceptionis fabricatrix[6] uulpecula contumax inuenitur, que nostre potentie[7] magnitudinem non ueretur, eademque citata multotiens[8] in nostra noluit curia[9] comparere. pro cuius excessibus sedes[10] nostra tota est impleta[11] querelis, et conquerentes[12] de ipsa nullam[13] potuerunt[14] assequi[15] rationem. Quapropter fidelitati uestre precipiendo mandamus,[16] quatenus[17] ipsam[18] peremptorie citare curetis,[19] ut[20] pro sibi obiectis nostro se debeat conspectui presentare VII Kal. aprilis[21] gallis et gallinis legitime[22] responsura. Formam citationis, diem,[23] coram quibus, et[24] quicquid[25] inde feceritis[26] nobis postmodum[27] per litteras uestras[28] intimare curetis.[29]. Datum 2c.[30]

RESCRIPTUM LEPORIS AD LEONEM.[1]

Fortissimo regi regum, dominatori omnium generum[2] ferarum et bestiarum que sub celo sunt, magnifico et excellentissimo[3] domino leoni lepus suus humilis et deuotus,[4] cum sui[5] recommendatione,[6] ad uestigia pedum oscula.[7] Regalis magnificentie summos apices et reuerendos pronis uultibus et osculis[8] suscipientes ad persequendum[9] uestre iussionis officium nobis iniunctum iuxta formam uestri[10] mandati cum idoneis testibus sine aliqua tarditate[11] uulpem adiuimus citaturi, quam in quadam specu[12] ualde prerupta,[13] nimie[14] altitudinis, ultra horrenda[15] Menala, que nec[16] homini facilis erat nec feris adeunda,[17] inuenimus, rebellionis potius quam obedientie[18] animum pretendentem. Cumque

---

1) omnis multitudo bestiarum (terrestrium *fehlt*) *P*.   2) iurisdictionis *W*. dominacionis *P*. 3) subsit *W*. 4) imperio *W*. 5) obediat *W*. 6) fabricatrix *fehlt BP*. 7) potencie *P*. 8) multociens *P*. 9) curia noluit *P*. 10) curia *W*. 11) inpleta *P*. repleta *B*.   12) conquerens *W*.   13) nullo modo *P*.   14) poterunt *B*. possunt *W*.   15) consequi *B*.   16) prec. mand.] predico *P*.   17) ut *W*. 18) *fehlt P*. 19) curet *W*.   20) quod *W*.   21) VII. kal. apr. *vor* nostro *W*. 22) legittime *B*.   23) et diem *W*.   24) coram quibus et *fehlt W*.   25) quisquis *W*. 26) fecerit *W*. 27) nobis postmodum *fehlt B*. 28) per vestras literas *P*. per nostras literas *W*.   29) studiosius intimatis *P*. transmisuri *W*. 30) Datum 2c. fehlt *BP*.

1) Rescriptum Asini et Leporis ad leonem *B*. Rescribit lepus domino leoni qualiter Asinus et ipse adimpleuerunt officium legationis per eum ipsis commissum super citacionem uulpis et qualiter Asinus in ipsorum regressu fuit commestus a lupo *W*. 2) omnis generis *W*. 3) excellenti *W*. 4) Asinus et Lepus sui humiles et deuoti *B*. 5) omni *B*. *fehlt W*. 6) commendatione *B*. recommendatione se ipsius *W*. 7) ad vest. ped. osc. *fehlt W*. 8) osculo *W*. 9) prosequendum *W*. 10) nostri *W*.   11) tarditate qualibet *W*.   12) spelunca *W*.   13) prorupta *W*. 14) minime *B*.   15) orrenda *W*.   16) nec *fehlt W*.   17) adeunda feris *W*. 18) reuerentie *W*.

ad[19] locum tam arduum[20] ascendere nequiremus, cum[21] alterum nostrum grauitas,[22] alterum uero[23] timor opprimeret,[24] fidum amicum nostrum et fidelem socium,[25] dominum[26] caprum barbatum, senem et circumspectum in omnibus, sursum rogauimus ascensurum. Qui non moleste ferens nostrarum precum instantiam;[27] ascendit ad locum, et ipsi uulpecule[28] egrotare similanti[29] aduentum nostrum et causam[30] exposuit. qui uix obtinuit, ut ipsa nobis ex illa supereminenti specula[31] loqueretur, nedum ad[32] nos uellet descendere mandatum regium susceptura. per quandam tamen rimulam[33] emisso capite cucullato,[34] prorumpens in uerba, quod non esset ad curiam citanda,[35] exceptiones duplices allegauit:[36] primo enim, se graui dicebat infirmitate[37] teneri; secundo, quod[38] rediens[39] ad cor suum pro multis maleficiis dudum[40] commissis[41] religionis susceperat[42] habitum, deo celi et non regi ferarum de cetero responsura. et ideo, reclusa[43] in heremo, et[44] contemplationi[45] dedita, redire[46] nullatenus uitam[47] disposuit[48] ad actiuam. Et uolens instanter ostendere, se esse[49] mutatam de uitio ad[50] uirtutem, me uerbis lenibus demulcere temptabat,[51] ut ad ipsam[52] ascenderem,[53] sibi reconciliandus,[54] propter multa mala, que mihi[55] fecerat, et multas persecutiones et innumerabiles, quas[56] multotiens irrogarat; qui, saniori utens consilio, fraudulentam reconciliationis[57] gratiam euitaui.[58] Nobis tamen uolentibus plenius[59] de ipsius infirmitate cognoscere, frater Asinus, cuius sensus in omni[60] parte medicine theoricus noscitur,[61] ipsius urinam sibi petiit presentari.[62] qua presentata nullius infirmitatis signa cognouit, sed potius erant sinthomata sanitatis. Denique attendentes[63] quod nil[64] proficiebamus ibidem, inde discessimus, et diuertimus ad uillam nemodi,[65] que non multum distabat abinde,[66] ibidem pernoctare credentes. Sed tot erant ibi lamenta, tot ploratus

---

19) Et cum (ad *fehlt*) *W.* 20) altum *W.* 21) quia *W.* 22) premebat grauitas *W.* 23) uero] uel reliquum *B.* 24) opprimeret *fehlt W.* 25) sociumque fidelem *W.* 26) dominum *fehlt W.* 27) instantia *B.* 28) uulpi *W.* 29) fingenti *W.* 30) nostri causam aduentus *W.* 31) ut ex illa supereminenti specula nobis *B.* 32) nedum quod ad *W.* 33) que per quandam rimulam *W.* 34) cugullato *B.* 35) quod citanda non erat ad curiam *W.* 36) appellauit *B.* 37) primo quod dicebat se in infirmitate *B.* 38) quia *B.* 39) reddiens *F.* 40) dudum *F.* malefitiis multum *B.* 41) pro m. m. d. c. *fehlt W.* 42) suscepit *B.* 43) retrusa *BF.* 44) et *fehlt BF.* 45) uite contemplatiue *B.* 46) reddire *F.* 47) uitam *fehlt BF.* 48) proposuerat *F.* 49) inmo cum multa instantia uolens se ostendere *B.* 50) in *W.* 51) fratrem leporem demulcebat *B.* 52) ad ipsam *fehlt W.* 53) ascenderet *B.* 54) reconciliandus eidem *W.* 55) mi *W.* fratri lepori *B.* 56) fecerat et m. p. et inn. quas *fehlt B.* 57) reconsiliationis *W.* 58) euitauit *B.* 59) Nos tamen uolentes (plenius *fehlt*) *B.* 60) in prima *W.* 61) noscebatur *W.* inuenitur theoricus *B.* 62) assignari *B.* 63) actendentes *B.* 64) non *B.* 65) neoych *B.* 66) abinde *fehlt B.*

et ululatus,[67] que[68] galli et gallino promebant de[69] perditis filiis et
filiabus, quos uulpes ipsa uorauerat,[70] quod ab ipso loco declinauimus,
cum leta tristibus non concordent. Et cum transitum[71] haberemus per
quedam deuia lustra, ecce[72] frater lupus placido uultu nobis occurrit,
uolens trahere nos[73] in domum suam; quod frater asinus penitus[74]
recusauit, stillans mihi[75] in auribus hoc secretum, illa esse fugienda
hospitia,[76] que introrsum habent uestigia, retrorsum nulla,[77] feris[78]
latronibus habitata.[79]

Nocte uero superueniente iam nos requiescere oportebat; et ecce
camerarius domine uulpis nobis occurrit, qui, conducens nos in[80] hos-
pitium[81] suum, gallinas, pullos, anseres, columbas,[82] omniaque genera
pennatorum mense[83] apposuit[84] et famem nostram multis deliciis[85]
terminauit. Sed, proch dolor! ad primum galli cantum ecce clamor
factus est. Venit enim fur et latro, lupus cum complicibus suis, et
hostia pulsauit.[86] Quo percepto vix per posticum ego euasi;[87] sed[88]
socius meus asinus, utpote[89] grauis et tardus ad fugam, lupinis fauci-
bus preda remansit et esca. Que[90] regie maiestati duxi presentibus
intimandum; nam ex[91] illa fuga ita confracta sunt ossa mea,[92] quod
ad pedes celsitudinis uestre personaliter uenire nequiui tot pericula rela-
turus. Attendat[93] ergo, si placet, prouidentia uestra regia[94] sui regni
pericula, antequam crescant in inmensum;[95] sumatis[96] gladium ad uin-
dictam. multa enim ultioni debentur in regno uestro; que si non fue-
rint in breui tempore resecata, ita dilatabitur iniquitas et crescet mali-
tia, quod nulla poterit succurrere medicina, iuxta illud:

Principiis obsta. sero medicina paratur,
Cum mala per longas inualuere moras.

Quodsi uestris nuntiis et legatis talia facta sunt, quin aliis peiora fiant
uestre magnificentie[97] non est aliquatenus dubitandum. Dat.[98]

HALLE.   J. ZACHER.

67) tot ullulatus tot ploratus *W.*   68) quos *W.*   69) de *fehlt B.*   70) uora-
iat *B.*   71) transsitum *W.*   72) ecce *fehlt B.*   73) nos trahere *W.*   74) penitus *fehlt B.*   75) mi stillans *W.*   76) hospitia *fehlt B.* illa sunt hospicia fugienda *W.*   77) que apertum habent introitum non egressum *W.*   78) foris *B.*
79) fer. latr. hab. *fehlt W.*   80) ad *B.*   81) hospicium *W.*   82) columbos *W.*
gallinas. pullos. gallos. columbas. anseres *B.*   83) mense *fehlt W.*   84) aposuit *W.*
85) delitiis *B.*   86) propulsauit *W.* factus est, uenit enim fur et latro. Lupus
cum compl. suis hostia pulsauit *B.*   87) ego lepus euasi *B.* per hostium vix
euasi *W.*   88) sed *fehlt W.*   89) azinus utpute *W.*   90) Quod *W.*   91) in *B.*
92) omnia ossa mea *W.*   93) Actendat *B.*   94) regia prouidencia (vestra *fehlt*) *W.*
95) in inmensa *W.*   96) sum : at *mit rasur hinter* m *W.*   97) magnificencie *W.*
98) *fehlt B.*

ÜBER ZWEI TIROLISCHE HANDSCHRIFTEN.

I.

ALTES PASSIONAL.

In der fürstbischöflichen seminarbibliothek zu Bri-
xen befindet sich eine handschrift, papier, 237 folioblätter, doppel-
spaltig, die spalte zu 38 — 40 zeilen. Das am oberen rande nicht vollständige erste blatt begint:

> wie man d . . . .
> von den lieben gotes chint, die hie nach geschriben sint.
> Petrus von christo waz erwelt
> vnd nicht allain auch gezelt usw.

Unter der geschmackvollen roten und schwarzen initiale steht von derselben hand „Jorge von Gufedaun" mit dessen wappen. Dieser herr
ist aber urkundlich nachgewiesen a. 1380. 1398. 1404. Unsere handschrift gehört somit dem ende des vierzehnten oder dem beginne des
funfzehnten jahrhunderts an, ist sorgfältig und reinlich geschrieben.
Die initialen und überschriften sind rot. Bl. 1 — 142ᶜ enthält der
Apostel Buch aus dem Passionale. Ich gebe als probe den anfang
(Hahn 155, 64).

> Petrus von christo waz erwelt
> vnd nicht allain auch gezelt,
> daz er war ain apostel gots.
> nach dem willen seins gepots
> 5   ist im vor in allen
> die er an gevallen,
> daz er sei furst unter in.
> sein hailig minnender sin
> waz vor in genug haiz,
> 10 da von er statichleich sich flaiz,
> wa si sulten wandern, .
> daz er vor die andern
> Christum fragte sere vil.
> an dem iungisten zil,
> 15 Do Christ mi seinen iungern saz
> vnd sagte in offenleichen daz,
> Wa sein verräter wär,
> do forschte in vmb die mär

Der chvne, der vil güt
20 waz in sulhem müt,
Als die hailigen habent vor geseit,
het er gewist die poshait,
Wie iudas phlag vmbiagen,
er het in selb erslagen.
(Hahn 156) 25 Durch daz waz er im verholen.
Die sluszel wurden im entpholhen
zu des himels porten etc.

Die verse *in einer figure* (Hahn 172, 72) bis *wol nach willen an ein stat* (H. 174, 43) fehlen, da ein blatt ausgerissen ist.

Bl. 15ᵈ   Nu merchet hie pei
daz leiden sand Pauli (rot. Hahn 180ᵃ)

Bl. 28ᵇ   Hie nach schreib ich me
von dem guten sand Andre (rot. Hahn 200ᵃ)

Bl. 36ᵃ   Von dem merern sand Jacob,
lis hie sein leben vnd sein lob. (rot. Hahn 212ᵃ)

Nach den versen:

unde lebte liepeleichen seit
wol gesunt mange zeit,

womit bei Hahn (226, 76) die legende dieses heiligen abschliesst, gibt unsere handschrift noch folgende auf St. Jakob bezügliche erzählungen:

Dem geleich geschach ein dinch:
ez was zeimal ein iungelinch,
der mit schoner andaht
(Bl. 46ᵃ)   an die gewonheit was praht,
5   Daz er in tugentleicher art
saut Jacobes petvart
ze wandern dick pflach.
zemal die selbe zeit gelach,
Daz er da hin wolde,
10 do schüf der unholde,
Der tiefel, dem er volge iach,
daz dur einzil mit svnden prach
vnd in ein haubtsünde cham,
doch im niht vndernam
15 Dur svntleiche fleck,
er ergriff an den weck
Mit andern pilgreinen hin,
Die auch trug ir williger sin

Die strazz, die im was gelegen.
20 do si chameu vnderwegen
Vnd in ein stat wurden praht,
da si rvten vber naht
Gewonleich an der pet vart,
da chom der alte hellewart,
25 Der tiefel, der mit listen
sich schuf in den fristen
In die gestaltnüzze,
als ob éz vil gewisse
Jacob der pot wäre.
30 der vil vngewäre
zu dem iungeling sprach,
do er in lieplich an sach.
„Eya,“ sprach er, „pin ich dir lieplich bechant?“
„nein,“ sprach iener sa zehant.
35 Sprach der tiefel: „so wil ich
sein wol vnderweisen dich.
Ich pin ez Jacob der güt,
den du mit rainem müt
Bl. 46ᵇ Ze haus dick süchest.
40 wenne auch du dés geruchest,
Daz du mein frewnt seist, so wil ich
dar an immer fleizzen mich,
Wie ich dich ze frevnde hab,
wan du mir pist ein lieber chnab.
45 Des ich gedenchen sal an dir.
nv hast du dich ein teil gen mir
Vnd gegen got vergezzen,
dein hertz ist besezzen
Mit der svnden vngemach,
50 der dir an der stat geschach.
Ditz soldest du gepeichtet haben,
e du dich auz hest erhaben
als ein miner pilgereim,
und wizz, datz der sünden sleim,
55 Die du mit dir her hast praht,
benimet dir gar die andaht
vnd verderbet dein vart,
si ist dir, als daz nie gewart,
Vnnütz vnd hilfe lôs.“

60 mit der red er in verchos,
    Daz si an einander sahen niht.
    von der selben geschiht
    Der pilgerein vil sere erschrach.
    die red er also hoch wach,
65 Daz er nv ze haus wold varn
    vnd mit der peiht sich bewarn (?)
    Vnd von newes wider chomen.
    als er daz het an sich genomen
    Vnd den willen geviench,
70 der tiefel aber zu im giench
    Als sant Jacob gestalt.
    „tu hin,“ sprach er, „wan du niht salt
Bl. 46ᶜ Solhem willen volgen mit.
    ez ist ein torohter sit,
75 Ob du durch daz ze land wilt.
    ist daz dich sein niht bevilt,
    Do sag ich dir die warheit:
    die svnd vnd daz grozz leit,
    Daran sich swachet dein leben,
80 wirt dir nimmer vergeben,
    Du pringest dich in not.
    wild du durch mich slahen tot
    Vnd ein marterer wesen,
    so pist du ewigcleichen genesen,
85 Wan ich dir gar ein hilf pin.“
    der pilgereim vil auf den sin
    Torleich, als die toren tvnt,
    wan er sich gäntzlich verstvnt
    D' warheit, da mit im was gelogen.
90 sein tvmmer sin wart gepogen.
    Der sich niht eben vor sach,
    sein selbes swert er durch sich stach
    Vnd lag dar abe tot.   ·
    do deu grimige nott,
95 Si fluhen diepleich algemain,
    Wan si vorhten alle,
    daz man von disem valle
    In iht laides täte.

73 solhen | mir *hs*.

von solben vngeräte
100 Erschrach do leut vil genug.
dar nach do man ze grab in trüg
Vnd in prâhte zu der gruben,
die levt do entsuben
Vil wunderleicher dinge
105 an disem iungelinge,
Wan er stvnt auf vnd genas,
so daz im nihtes niht enwas,
Bl. 46ᵈ Darab er moht wesen cbranch.
mit aller freud er auf spranch
110 Vnd sprach zu den levten:
„durch got lat eu bedeuten,
Wie mit mir ist geworben;
daz ich was erstorben,
Daz schuf des tiefels unfuch,
115 wan ich durch seinen rat mich sluch,
Der mir was ein volleist.
manig swartz übel geist
Mich heten vnder sich begriffen.
mein trost was gar zesliffen,
120 Wan si mich trawricleichz phat
begunden furen zu der stat,
Do ich in moht niht enphliehen.
die weil si mich so hin ziehen
Mit ir schall harte groß,
125 da chom sand Jacob,
Durch den ich hie valle.
von laitleichem schalle
Wold er mich do losen.
„eija,“ sprach er, „ir posen,
130 Ir valschen lugnâre,
daz ir mit valscher lere
Meinen frevnt habet betrogen
vnd woldet in nv haben gezogen
In die helle so hin dan.
135 ein ander weg sol drabe gan,
Daz er niht chvmet in ewren tamph.“
si heten maniger hande camph
Vmme mich da vnder in.
ze iungest chomen wir fri hin

140 Auf einen wunnicleichen plan,
da wir die ivnckfrawen sau,
deu chron ob allen frawen hat,
maniger hand frevden grat

Bl. 47ᵃ Was da an heiligen leuten.
145 do begund Jacob deuten
Der chünginn vnd ir clagen,
wie ich mit valschet was erslagen,
Inden der tiefel mir lock
vnd mein gemüt nider pock,
150 Daz ich mich ze tod erslug.
als er der frawen des gewug,
Do sprach deu chünginne
auz chaiserlichem sinne
Mit gewaltes volleiste:
155 „wol hin ir vbeln geiste
In der leiden helle glut!"
deu edel iunchfraw gut
Hiez do mein sel wider chvmen.
nu seht, zu disem grozzen frvmen
160 Hat mir jacob geholfen so."
die leut wurden alle fro
Vnd danchten vnserm herren,
der so grozzen werren
Durch seiner heiligen willen
165 so ordenlich chan stillen
In seiner tugentleichen art.
der pilgreim gie für die vart
Zu den gesellen, die er vant,
vnd macht in froleich bechant
170 Sein leben nach dem valle.
des frevten si sich alle.

Ein ritter des vil dick phlag,
daz er durch valschen beiach
Den nam, den er niht engap,
175 vnd betrüg sich dar ap.
Als nu sein übel vnderschiet
zeimal im die iagde geriet,

151 genug *hs.*

Wan im ein reicher chauffman

Bl. 47ᵇ Da vor allez sein leben phlag.
180 daz die lieb im nahen lag,
Die er zu Jacobe trug.
des mante er in genug
Mit manges gelubdes gift
vnd pat sich lazzen auz d.. stift,
185 Dar inne er leitleich was bebaft.
da twanch der grozzen tugende chraft
Jacobum den zwelfpoten,
daz er von allem laides chnoten
Vnd von den veinden pösen
190 den frevnt wolde lösen.
Er chom an zuchtleichen siten
zu im in den turn hin mitten,
Da er lag mit swåre.
des turnes hůtåre
195 Wachten algemeine.
do nam jacob der reine
Den chaufman, der nach im trat.
er praht in auf an die stat,
Da er des turnes veste
200 allerhôhest weste,
da·im hilfe erzeigte.
der turn sich also neigte,
Daz der chauffman von der stat
gemächleich zu der erden trat.
205 Er hiez in fliehen. Do floch er.
die wahtår rieffen wol her.
Der chaufman ist worden frei.
alle die da waren pei,
si lieffen pei im her vnd dar
210 vnd wurden sein doch niht gewar,
Wan er vnsihtig was.
alsus der gůt man genas
Vnd chom froleich herabe.
Bl. 47ᵉ vnbeschatzet was sein habe,
215 Wan in der zwelfpot gůt
het ane schaden wol behůt.

180 lag] tag *hs.*

Drei ritter wurden des inein,
daz si wolden gemein
Sich auf die petvart bewarn
220 vnd als arm leut varn
Hintz sand Jacobe.
ir gelüb was darobe,
Daz si pei einander beliben.
ditz wart ze end getriben,
225 als von in vor was begert.
igleicher nam ein pfert,
Daz er ze hilfe im wolde.
als die edeln holde
Nach gewönleichem siten
230 ein teil des weges hin geriten,
Do giench ein frawe auf dem wege,
die mit swârleicher pflege
Ir chost in irm sack trug.
die ritter wurden do genug
235 Gepeten vnd vil ser,
daz si durch gotes er
Vnd durch Jacobes willen
ir leit wolden stillen
Vnd fûrten ir fürbaz den sack.
240 ir einen disev pet erwack,
Wan si Jacoben naute, ,
mit willen er gewante
Vnd nam ir säckel auf sein pfert.
die weil er alsus fürwert
245 Reit, do sach er ein man,
dem verseit was sein gan
Durch siechtum, den er leit.
der ritter wart auf in beweit,
Als in betwanch sein petvart.
(Bl. 47ᵈ) 250 in vil tugentleicher art
Hûb er den siechen auf sein pfert.
der ritterleich helt vil wert
Nam den stab vnd den sack,
durch rehter tugende beiach
255 Giench er mit hinden na.
si chamen churtzleichen alda,
Da si sich nider wolden lan.

deu fraw vnd der siech man
Namen sack vnd stap,
260 ir igleich im alda gap
Mit gûtleicher stimme don
manig reich gotes lon.
Nv was der ritter auf dem wege
von der sunnen heizzer pflege
265 Erhitzet also sere,
daz er in clagender lere
Unmazzen ser nider lag.
so hert sein die seuche pflag,
Daz im gelag die zunge.
270 mit frevndes manunge
Die zwen in gûtleichen paten,
daz er im liez raten
Zu der sel mit der peiht.
„ez mag ergan vil leiht,“
275 Sprachen si, „daz du geleist
und dein leben auf geist,
In dem man dich e sach.“
d' siech sweig durch vngemach,
So daz er innen drein tagen
280 nie moht ein wort zu in sagen,
Des ir iegcleich erschrach.
do ez cham an den vierden tag
Die zwen in grozzem leide
nach seiner hinscheide
(Bl. 48ª) 285 Stunden vnd sahen.
es began der sieche vahen
Eine chraft, die seuch in floch.
mit seuftzen er do wort zoch
Vnd sprach alsus: „nv seit mit lobe,
290 got vnd sand Jacobe
Genad ewigcleich sei geseit,
wan ich ein vngefûgez leit
Mit im wol pin vber chumen.
wizzet, daz ich han vernumen
295 Swaz ir sprachet ie zu mir.
alles meines hertzen gir
Wold ez gern han volpraht,
wan ich genûg han erdaht,

Daz ich ze reht peihten sal.

300 nu waren da her auf meinen val
Vnmazzen vil tiefel chumen,
die mir heten vnderdrumen
Die chel vnd die verstricket.
ich was vil nach ersticket

305 Vnd mohte niht gesprechen.
als ich wold vnderprechen
Mein sünd vnd mich entleihten,
so liezzen si niht peihten
Mich, als ich begerte.

310 die sorg an mir werte,
Untz Jacob der gute cham
vnd in die lenken hant nam
Der frawen sack für einen schilt.
mein leit was mit im bezilt,

315 Wan er mir vollen trost gap.
er nam des chranken mannes stap
In die hant als ein swert.
der himelische chemphe wert
Nach den vbeln geisten slug,

320 die ir fluht also vertrug,
daz ir niht ist pei mir.

Bl. 48ᵇ nu pringet mir, daz ist mein gir
Den priester, lat mich peihten
vnd dar ab entleihten,

325 Wes ich ze leitleichem schaden
in dem hertzen pin verladen.
Schaffet auch mir das himelprot,
daz mit gewalt leides not
Von mir gar vertreibe;

330 wan ich niht lange beleibe
In disem chranchen leben,
daz mir von got ist geben.“
Ditz geschach, als er sprach,
wan er mit peiht entzwei prach,

335 Swar an er sich gepunden sach,
des er sich dort mûst schamen.
Unsers herren leichnamen
nam er in tugentleicher art.

338 nam] wan *hs.*

Alsus wart er wol bewart
340 auf des todes hervart.
Daran druckte sein gepein.
do sprach er zu der zweier ein,
Die mit im auz huben sich:
„durch got, gevert, hôre mich,
345 Waz ich zu dir hie wil sprechen:
du solt dich pald entprechen
Von deinem herren, dem du pist
mit dienste hie ze aller frist.
Tûst du des niht, gelaub ez mir,
350 ez erget vil vbel dir
Vnd auch gar in churtzen. tagen
so wurdest du iamercleichen erslagen
Vnd mit immerwerendem clagen
hin ze der helle getragen.
355 Do von tû dich turnes abe
vnd .begiench dich deiner habe.
(Bl. 48ᶜ) Gib. deinem herren deinen schilt,
ob du niht ersterben wilt
Mit iâmerleicher volleist."
360 hie mit gab er auf den geist
Vnd fûr mit sant Jacobe.
im waren die geverten obe,
Vntz er wart begraben da.
do si chomen heim dar na,
365 Der ritter sein geferte
sich des niht enwerte,
Als im das was bevoln.
man sach in gût von hofe holen;
Als er da vor dick pflag.
370 der rat im vnnahen lag,
Den im riet sein geselle.
Des wart sein ungefelle
Deis war iâmercleich genug.
ein gewonheit in vor trûg,
375 Daz er mit schuste auf einen stach,
den man gegen im reiten sach.
Der was auch ein manhafter ritter,
ein glevende pitter
Neigte er an rehter mazze

380 nach ritterleicher sazze.
Also geleichs er in traf,
daz im wart sein leben slaf.
Sus lag er tot mit iámercheit,
als im do vor was geseit.

385 Kalixtus ein pabst hat geseit
von einem man in reinicheit.
Ze sand Jacob auf der vart
so iámer
Datz er het nihtesniht.
390 seiner scham zuphliht
Hiez in niht peteln gan.
er was ein guter hande man,
Bl. 48ᵈ Des beleib er sus verirret.
er was also verwirret
395 Von den, den er was erchant,
daz im nieman pat die hant,
Des er getrostet wurde.
in diser leiden púrde,
Deu mit hunger auf in lief,
400 viel er nider vnd entslief
Des weges pei einem paume.
do dauhte in in dem traume,
Wie sant Jacob châme.
der gotes pot genâme
405 Gab im ze ezzen genug.
deu zeit sich also hin trug,
Vntz er auz dem slaffe cham.
vil fröleich er do vernam
Waz im sein herr hilf pot.
410 er sach ein underaschen prot
Alda ze seinem haubte ligen.
seines leides er wart verzigen,
Wan er daz prot zerte,
daz in auch vollich nerte
415 Des wegs funfzehen tage.
mit im er chom auz aller clage
Heim zu seinen frûnden.
man horte in darnach chvnden,
Die er in zwein malen az

420 sein prot vnd dar nach fürpaz,
des andern tages sa zehant
sein prot er in dem sack vant.
Des erpot er sich mit lobe
got vnd sand Jacobe,
425 Wan er getrewlich wart
gespeiset auf derselben vart.

Bl. 49ᵃ Der selb pabest hat geseit
ein mår in rehter warheit,
Daz einem ritter geschach,
430 den man durch got wandern sach
In sant iacobes vart.
vereinet er in dem hertzen wart,
Daz er auf der selben stat
anders nihtes niht enpat,
435 Wan daz er vngevangen belibe,
ob seiner veinde ieman tribe
Auf in vbel mit gewalt,
in der vänchnvsse chlobe.
Der pat er sant Jacobe.
440 hiemit er auch ze haus schiet.
Darnach im auch sein vart geriet
in einem schiffe vber mer.
Daz was sunder starch wer
wegriffen von den heiden.
445 si begvnden vnderscheiden
Den raup, als in was bedaht.
der ritter wart ze marchte praht
Vnd verchauft als ein pawr.
in vber giench vil leider schauer
450 An grozzem vngeråte.
idoch was pei im ståte
Deu chraft von der petvart.
als er besvnder sere wart
Mit cheten vnd mit slozzen,
455 so schrei er vnverdrozzen
An Jacoben durch gemach.
hie mit gar von im prach
Swamit er was gevangen.
so chom er auz gegangen

460 Vnd moht niht von dannen chomen.

Bl. 49ᵇ er wart wider ie genomen
Vnd verchauft fürpaz.
also lang traib sich daz,
Daz er ze dreizehen maln wart

465 verchauffet auf dirr vart
Vnd wart ie also dick los.
ze iungest einer in erchos,
Der in mit chauffe an sich nam.
do er heim ze haus cham,

470 Er leit auf in zwivaltig cheten.
do si in sus gevestent heten
Vnd er an Jacoben schrei,
die cheten prachen all entzwei,
Daz er wart ledig vnd frei.

475 sant Jacob was im pei,
Der im erschein vnd zu im sprach:
„guter mensch, do man dich sach,
Daz du wâr hin getreten
zu mir vnd saldest peten

480 Vme der armen sel heil,
do ieschte du ein chranchen teil,
Daz dem leib an gehoret.
hie von so wart zerstôret
Dein er vnd dein gelucke

485 vnd leit auf deinem rücke
Ditz vngemach hie vnd dort.
dein pet ist daran wol erbort,
Daz dich nieman chan besmiden,
got enchünne dich befriden

490 Nach deiner girde gepot.
seit aber nv der gût got
Mer gibet, dan man in pit,
so sei daz fürwart dein sit:
Als du iht piten wilt durch heil,

Bl. 49ᶜ 495 daz du gedenchest der sel teil.
Got hat mich zu dir gesant,
daz ich dich für alzehant
Wider heim ze deinen steten.“
do nam der ritter von der cheten

500 In die hant ein stücke,

auf daz er sein gelücke
Den frevnden mohte. weisen.
er trug mit im daz eisen
Vnd gieng durch purch vnd durch stat,
505 vnd swer im indert widertrat
Vnd wolt in vahen auf vnheil,
so zeigte er im daz cheten teil,
Da mit er an die fluht in twanch.
sein weg nas dick vil lanch
510 Durch die wiltnüsse preit,
da im nach gewonheit
Wider fûr vil tiere.
die fluhen vil schiere,
Als si daz cheten stuck ersan.
515 Der ritter chom sus heim gegan
Vnd danchte dem guten gote,
des heiliger zwelfpote
In het gûtleich getrost
vnd von gevanchnuß erlöst.

520 Nach christes gepurt al für war
zwei hundert vnd aht vnd dreizzig iar
Des abent sant Jacobes,
der pilleich vol ist alles lobes
Mit got in seiner ewicheit,
525 do wart auf tötleichez leit
Wegriffen ein iungelinch
Durch ainer hande pose dinch,
Des man in wârleich schuldig vant.
er het reiff chorn verprant
Bl. 49 ᵃ 530 Vnd gemachet vnbederbe
auf sein selbes erbe,
Daz im von handen was bechomen
vnd niht mit rehte genomen.
Des rach er seinen zorn.
535 dem verprant was sein chorn
Von grozzem vnmûte cham,
daz er mit dem hals nam
Den iungelinch durch die schuld.
in prinnender vngeduld
540 Wart er für geriht praht.

        do man sich het wol bedaht
        Nach rehtem vnheile,
        do ward im ze teile,
        Daz man in sleifte auf daz velt.
545   Da solt im werden widergelt
        Mit vnwerde seiner posheit,
        wan er daz chorn het an geleit,
        Damit sich der mensch ernert.
        des sold auch er vnerwert
550   Mit dem fewr swinden.
        do man in‾wolde pinden
        Hinden zu dem pferde
        vnd sleiffen auf der erde,
        Do rief der halb tot man
555   sant Jacoben an, .
        Des tag sold morgen wesen.
        „herre, ob ich nv mag genesen,“
        Sprach er, „ich will immer me
        vor svnden hûten paz dan e
560   Vnd will auch zu dir wallen.“
        man pant in vor in allen
        An die phert da hinden.
        die wurden von den chinden
Bl. 50ᵃ Hin getriben für die stat.
565   des volches vil nach im trat
        Durch wunder, daz an im geschach,
        wan man gesunt in sleiffen sach
   .   Vber manigen scharphen stein,
        daz nindert ein wund erschein
570   In allem seinem leben.
        auch giengen da beneben,
        Die in tôten solden.
        die selben niht enwolden
        An die wunder schawen.
575   si dahten: „ot verhawen,
        Sein leben daz wâr vnerlost.“
        do wart bereit ein michel rost,
        In den man in gepunden warf.
        swie die flamme was vil scharf,
580   Noch was sein craft an in erwant,

556 Des] der *hs.*

Deu hitz löste ot im die pant,
Da mit er was gepunden.
so lebhaft si in funden
In dem gesvnd hin vnd dar,
585   daz im ninder einich har
In dem leib was verschart.
mit vil grozzer zuvart
Hŭp sich daz leut allez her.
peide ir will vnd ir ger
590   Was, daz man in liez gan.
peide weip vnd man
Danchten gotes güte,
der in der grozzen glüte   .
Durch des zwelfpoten willen
595   niht lie disen villen,
Der nach hilf an in rief.
Der iungelinch von dannen lief
Vnd leiste seinen weg zehant.
Bl. 50ᵇ   nv süll wir immer sein gemant,
600   Daz wir den heiligen Jacobum
piten fleizzigcleichen darum,
Daz er mit seinem gepete
ze got liepleich für vns trete,
Wan er ein nützer pot ist.
605   gelobet seist du Jesu Christ.

Da nach mag man wol lesen,
wie sand Johannes ewangelist leben ist gewesen (rot)
Iñ hochgelobter pote
geminnet svnderlich von gote etc. (Hahn 226ᵇ)

Bl. 61ᵈ   Das leben sand thomas,
der ain gut gesell was. (rot. Hahn 244ᵇ)

Bl. 72ᵇ   Ditz ist der mynner Jacob,
der volget tagleich gots gepot. (rot. Hahn 260ᵇ).

Der Bericht von der zerstörung Jerusalems (Hahn 267, 8 — 278, 73)
fehlt in unserer handschrift, denn unmittelbar auf die verse:

da mit er wold erwaichen
Iren falschhaften sin
vnd pringen zu der puez hin

folgt Bl. 76ᶜ:

> Hie merchet ane spot
> Philippum den zwelfpot. (rot.)
> Philippus der herre gut etc.

Bl. 79ª   Hie nach ich geschriben han
          von Bartholome dem rainen man (rot. Hahn 282ª.)

Bl. 87ᵈ   Matheus ain ewangelist
          vnd ain apostel pei Jesu Christ (rot. Hahn 295ᵇ.)

Bl. 92ᵇ   Furpas merchet daz
          von Symon vnd Judas. (rot. Hahn 302ᵇ.)

Bl. 98ᶜ   Mathias der zwelfpote,
          der auz erwelt waz von gote (rot. Hahn 312ᵇ.)

Bl. 105ᶜ Von sand Barnabas,
          der auch gots iunger was. (rot. Hahn 321ᵇ.)

Bl. 106ª Nu rede wir von sand Lucas,
          der ain hailig ewangelist was. (rot. Hahn 324ª.)

Die bei Hahn 325, 87 fehlende Zeile lautet:

> den guten sand Lucam.

Bl. 107ᵇ Von sand Marco
          lis auch also. (rot. Hahn 326ª.)

Bl. 112ᶜ Hie merchet den nachgengel
          von sand Michel dem ertzengel. (rot. Hahn 334ª.)

Bl. 120ᵇ Von Johanni gots tauffer
          vnd von seim erwelten vorlauffer. (rot. Hahn 345ᵇ.)

Nach diesem abschnitte folgt Bl. 135ª unter der roten aufschrift:

> Nu chund ich hie dar ob
> vnser lieben frawen lob
> und ander gut ding me.
> Ditz sint laudes Marie

Marien lob, das bei Hahn 145—154 steht. Mit diesem lobe schliesst Bl. 141ᶜ der das Passional enthaltende teil unserer handschrift ab. Der zweite teil der handschrift, Bl. 142—237, enthält ein ascetisches werk in prosa von anderer hand:

Bl. 142ª: Swer an geistleichen tugenden sich uben wil vnd volchomen sein wil, der sol sich maistail zwair ding fleizen. Das erst ist

stete gewonhait haben, aintweder das er pete oder gotleiche schrift hör
oder selb lese. Swer petet, der raunt mit gote. Swer gotleiche schrift
horet oder list, mit dem ratet got etc.

Schluss Bl. 237ᵈ: Es lag ain gute chlosterfrawe an irem end.
Do paten sei die frawen, das si in saite von irem leben. Si sprach:
„Do vbt ich mich an vier tugenden. Die erst tugent was, das ich ain
miltes hertz het ze geben. wenn ich nicht het ze geben mit der hand,
so gab ich mit dem hertzen. Die ander tugent was: wer mich petrubte,
dem reichte ich etleichen dinst oder liebe, das ich nicht getan hete
des selben tages, ob er mich nicht hete petrubet. Die dritte tugent
was, das ich ain iglichen menschen als lieb het als mich selben. Die
vierd tugent was, das ich niemant chlagt mein lait, wan got allain,
vnd wart zehant auff der stat getrostet, vnd mit den vier tugenden
erwarff ich vmb gote, das ich in het als dicke, als ich wolte."

Nu walt des got: chom noch geluck vnd ain gut jar, so wart es
nie arg.

Zum schlusse gebe ich, um das verhältnis unserer handschrift
zur Heidelberger no. 352 zu veranschaulichen, die abweichenden lesarten aus dem abschnitte vom h. Matheus.

Hahn **295**, 66. im in] mit. 67. reichleich. 69. er ain ew. 70. apostel. 71. in auch besunder aus l. 79. unde *fehlt*. 81. enstat. 83. er so o.
296, 3. pilleich. 4. gotes pote. 7. hintz morenlande. 11. volch hin an.
14. ain laider. 15. von den sein heilig. 16. unfreuntleich was. 17. wann.
18. wart weiten. 19. ouch *fehlt*. 24. e *fehlt*. 28. da *fehlt*. 30. irem
sinne. 33. irem gaukchel mueten. 42. secht *fehlt*. selb. 43. tump-
leicher. 45. falschleichem spote. 46. wolden. 51. waz. 53. Vadaber.
54. was hauptstat übers. 57. vil *fehlt*. 65. gutleich. 66. do *fehlt*.
68. dautunge. 70. wundert. 71. warumb. 82. allem volche. 88. ende-
haftem. 90. wann. 91. von | mitewist. 92. teufelhaftiger. 93. ditz.
95. iegleichen. 96. ez ot war. **297**, 3. laitleich. 20. innen. 21. resch-
leich. 24. waz wunders hie w. 25. zauberåren. 26. trachen.
27. fewr | spewen. 28. muwen. 29. irem. 30. ist. 31. sihet. 33. wann
40. lielfen. 43. uberwunden. 45. gantzleich. 50. habet gephlegen.
51. in. 53. ewr. 55. ew was aus g. 57. ieh es. 58. euch an g.
60. ew. 61. ir e h. 63. ewr. 64. michel. 65. wann. 66. ain grosses.
70. wann. 75. daz nieman ir seit schade. 78. den *fehlt*. 87. manige
reicheit. 88. es] ist. 89. edlem. 90. ouch *fehlt*. 91. ewichleiches.
298, 2. ze. 5. chlagender. 7. wann. 9. iegleicher. 11. ritter. 15. hin
fehlt. 16. da] daz. 17. die leich. 18. wes des iegleicher gephlag.
19. chunigs. 20. all. 21. warn. 22. wider *fehlt*. 24. secht *fehlt*.

25. ainen. 28. war. 30. ainen. 31. dar inne. 33. dem. 34. alze.
35. wann | ze | chomen. 36. den glauben. 41. fur den. 42. chunig.
46. zehant. 49. wann. 50. da *fehlt*. 51. chunig. 52. wann es sich
gefuget het. 57. iesa. 58. mir balde *fehlt*. 61. in der | pild ist cho-
men. 62 ditz vernomen. 63. ze hauffe. 64. des si schiere. 66. chu-
nig. 67. lobleich | schreib. 68. vertreib. 71. opfer | maniger. 75. hoch.
78. sulher irrcheit. 80. lieben pruder. 82. ze | woldet, 83. plinden
willes. 88. ew. 89. ew. 90. ew. 91. ouch *fehlt*. **299**, 3. do *fehlt*.
4. si sich. 5. ainen schonen. 8. weichte. 9. wol dreissig jar. 11. tet.
12. und becharte. 15. sant er der. 16. wann. 20. iegleicher. 21. an-
dachtiger. 25. ain | schon und. 27. welt. 28. an] mit. 33. in chausch.
36. reinicheit. 37. Innen. 41. und er mit. 42. man *fehlt*. 43. des
ist | zam. 44. wann | tail sich beseiten nam. 47. arbentleicher. 51. er
wol bewiste also. 55. wann. 58. ze. 59. Epigenia. 68. ze. 69. ze
dem chloster chomen. 72. an] mit. 76. vil guten. 79. wann | zu ir.
82. 83. *fehlt*. 84. do *fehlt*. 87. ze himel. 88. der welt sich verwegen.
89. gar *fehlt*. 91. in. 92. tugent. 94. do *fehlt*. **300**, 1. endehaftem.
3. wa. 5. ouch *fehlt*. 9. und gedachte. 13. das mach. 16. umbe.
18. sprach er zu. 19. bedeute. 20. höret lieben. 23. ew. 25. euch
selb verstan. 28. da *fehlt*. 36. ey. 40. ist gegeben über l. 41. in.
42. tatest. 43. dar zu vil u. 46. veruntrewest. 47. falsch irrcheit.
50. und waz. 52. secht *fehlt*. 53. in so harte dranch. 54. ouch *fehlt*.
60. daz man si mochte. 61. hertichleiche. 64. wann. 70. er sprach:
waz ir leiden. 72. vur] durch. — ew. 74. ir euch nimmer. 75. wann. —
in gut. 79. lasse. 82. beleib. 84. da *fehlt*. 85. versturzen sein l.
86. wann. 87. ze ainem. 91. messe. 94. ouch *fehlt*. **301**, 3. ze.
5. new. 12. da *fehlt*. 14. er tot vor in g. 16. der. 17. ze himel.
19. edel. 20. ze. 23. daz er in was e. 24. rew. 25. an. 27. ze.
28. ze. 29. tot *fehlt*. 32. iegleicher abe. 34. si liessen sich chaume st.
37. tot was geslagen. 41. zehant. 47. wann. 51. ie *fehlt*. 52. zepre-
chen. 53. paid chloster. 54. cham benehen. 58. fewr. 59. umb und
umb dran g. 61. schriren jamerleich ze. 64. des wurden si harte fro.
65. lies. 67. prinnenden. 68. er in bot. 69. gen dem fewr mit.
70. prinnen. 71. wann es. 72. iedoch | sich. 73. des fewers daz man
fligen sach. 77. enpran. 81. im helfe tun. 83. danne. 84. diser.
86. do *fehlt*. 87. verdrukchet. 88. entzukchet. 89. lieff. 94. beleib.
96. freidich. **302**, 1. unflatich. 2. niemer envant. 4. ertznei. 5. bessern. 6. senftenuß. 7. seuche. 8. secht *fehlt*. sein. 9. seuche.
10. seins. 12. und fur hin do nach. 13. das es sich gefugt het. 18. het.
23. daz selb. 24. nu. 29. wann | da zu. 35. christenleichem. 36. vil
fehlt. 41. beliben. 42. und unglaub. 43. wann. 46. statichleich.

48. ditz hielt. — alls.   49. auff.   50. selb tun.   57. ewangelist.   58. matheus vor got.   61. es.   64. bechantnus.   65. mitewist.   66. des sei gelobt.

INNSBRUCK.   IGNAZ ZINGERLE.

ZU WALTHER VON DER VOGELWEIDE.

1) *Ich hân gemerket von der Seine unz an die Muore,*
   von dem Pfâde unz an die Traben erkenne ich al ir fuore.
   L. 31, 13.   Wilm. 83, 1.   P. 118.   W. u. R. 5, 10.

In dieser stelle ist *Seine* die allgemein beglaubigte lesart, weshalb auch die herausgeber keinen anstoss daran genommen, die erklärer aber verschiedene wege zur deutung eingeschlagen haben. Wackernagel zu Simrocks übersetzung (Berlin 1835) 2, 175 erregt die französische Seine kein bedenken, und er fragt nur, wie Walther dahin gelangt sei, ob 1198, als kaiser Philipp und Philipp August von Frankreich ein bündnis schlossen, oder 1213, als kaiser Otto eine gesantschaft an den könig von Frankreich schickte. Auch scheine es auf eine überlieferung von einem aufenthalte Walthers am Pariser hofe zu deuten, dass der verfasser des Wartburgkrieges ihn die milde des königs von Frankreich preisen lasse. Bis zur Trave möchte er bei gelegenheit der fehden gekommen sein, die Otto gegen seinen schwager Waldemar II. von Dänemark führte. Pfeiffer, welcher aus dieser stelle nur schliesst, Walther habe auf seinen wanderungen die grenzen des deutschen reiches überschritten, wenn man auch nicht wisse, wann und bei welcher gelegenheit er nach Frankreich gekommen wäre, meint, vielleicht sei *Seine* nichts als ein verderbnis für *Rîne*, das sich leicht daraus erkläre, dass die quelle dieses spruchs eine österreichische handschrift war, die *Reine* statt *Rîne* schrieb. In diesem falle gäben, wie auch an sich wahrscheinlich sei, die flussnamen nur eine umschreibung des deutschen reichs, wie sie bei Walther sowol (56, 14 L.) als bei anderen dichtern vorkomme. Dass Walther alle diese flüsse wirklich gesehen habe, sei dann nicht einmal nötig. Dass Walther mit den flussnamen eine allgemeine bezeichnung der reichsgrenzen geben wolte, ist wol ausser zweifel, eben deshalb aber auch Wilmanns erklärung nicht annehmbar, welcher nicht an die Seine in Frankreich denkt, sondern die Sein (richtiger Sain, gewöhnlich Sayn) annimt, einen nebenfluss oder vielmehr ein flüsschen (häufig als bach bezeichnet), welches in südwestlichem lauf zwischen Neuwied und Ehrenbreitenstein, also auf dem rechten Rheinufer in den Rhein mündet. Es ist wirklich schwer

zu begreifen, dass Walther dieses flüsschen als westgrenze gewählt
haben solte.

Allerdings wird von der Seine, einem rein französischen flusse,
der zu dem im spruche ausgesprochenen gedanken nicht passt, ahzu-
sehen sein; aber ein blick auf die karte zeigt, dass wol kein anderer
fluss gemeint sein könne als die Saône (Sône), auf die man wol nur
deshalb nicht gekommen ist, weil man zu viel respect vor dem handschriftlichen Seine hatte. Die Saône, Caesars Arar, mlat. Sagona,
Saucona, Saugonna, in den Vogesen entspringend, fliesst in anfangs
westlich-südlicher, dann rein südlicher richtung, bis sie sich mit dem
Rhone vereinigt, und bildete im 13. jahrhundert, nachdem sie von der
grenze Lothringens den palatinatus Burgundiae durchströmt hat, von
da, wo der Doubs sich mit ihr vereinigt, die grenze zwischen dem deutschen Burgund und Frankreich. Innerhalb dieses gebiets aber ist Bisanz
(Besançon), wo oft genug deutsche reichstage gehalten wurden, an deren
einem (1201) Walther gegenwärtig gewesen sein mag. Eine reise nach
Paris ist dann nicht nötig, und wir erhalten eine gute parallele zur
Mur. Auch finde ich bei Rudolf v. Rotenburg (MSH. I. 74 a) die Sône
in ähnlicher weise als grenzbestimmung: von Trôie unz ûf die Sône
(: schône). Auch graphisch steht dieser veränderung nicht viel im
wege, und so mag wol der vorschlag erlaubt sein, zu lesen:

Ich hân gemerket von der Sône unz an die Muore.

2) *Swâ man daz spürt, ez kêrt sîn hant, und wirt ein swalwen
zagel.* L. 29, 14. Pf. 146, 10. Wi. 84, 100. W. u. R. 44, 4.

Simrock übersetzt: „wenn man das merkt, so schüttelts sich
und wird ein schwalbenzagel," und in den anmerkungen heisst es: „so
wie man dem argen treiben eines solchen doppelzüngigen auf die spur
komt, so wendet er die hand nach gauklers art (wobei auf den spruch
genuoge hêrren sint gelîch den gougelæren verwiesen wird) und zeigt
etwas ganz unschuldiges und gleichgiltiges." Vielleicht aber sei
W. Grimms erklärung vorzuziehen „so hebt das ungeheuer die hand,
kehrt sie aufwärts und macht einen schwalbenschwanz, d. h. der böse
schwört, dass er nichts böses im schilde führe." In der volkssprache
heisse nämlich noch jetzt einen schwalbenschwanz machen so viel als
die beiden finger ausstrecken, einen eid schwören.

Über diese erklärung, gegen welche sogleich einzuwenden ist, dass
nicht der volks-, sondern der gaunersprache dieser figürliche ausdruck
eigen ist, sind wir wesentlich noch nicht hinaus gekommen. Lachmann
und Wilmanns haben sie in den anmerkungen aufgenommen. Nur

Pfeiffer hat bedenken gegen beide erklärungen, für die verstellung sei schwalbenschwanz ein sonderbarer unnachweislicher ausdruck, und wenn der böse einmal erkant sei, könne beteuerung kaum noch etwas frommen. Die einzige Pariser handschrift biete keine gewähr für die richtige überlieferung des spruchs, und änderungsvorschläge würden erlaubt sein; Bech vermute *eins wolves zagel*, Pfeiffer aber möchte lesen *eʒ rêrt sîn hût u. w. e. scorpenzagel*, wenn man nemlich seine doppelzüngigkeit merke, es sich also in seiner wahren gestalt erkant sehe, werfe es seine haut (hülle) von sich und zeige sich in seiner wahren scorpionsgestalt.

Beide änderungen und erklärungen erscheinen zu gezwungen. Einer änderung aber bedarf es nicht, wenn nur *swalwenzagel* richtig gedeutet wird, und diese deutung ergibt sich aus dem zusammenhange, der klar vorliegt. Unser vers schliesst die schilderung des heuchlers, hinter dessen freundlichkeit sich untreue und bosheit verbirgt; komt man ihm aber auf die spur, so kehrt er die hand und weist einen schwalbenschwanz, dieser muss also eine fingergeberde sein, aber gewis nicht aufrecken der schwurfinger, da der schwur des erkanten bösewichts keinen glauben findet, sondern jene, deren sich der so viel in geberden sprechende Italiener häufiger als jeder anderen und in der mannigfaltigsten bedeutung bedient: die geballte hand mit ausgestrecktem und gespreiztem zeige- und kleinem finger, wodurch die figur des schwalbenschwanzes entsteht, und die auch, um böses abzuwenden, allgemein als amulet getragen wird; vgl. Andrea de Jorio La mimica degli antichi investigato nel gestire napolitano. Napoli. 1832. Bei dem damals so regen verkehr mit Italien und Italienern konte diese geste, welche sie *gli fichi* nennen, einem die feigen weisen, Walther nicht unbekant sein, und die übersetzung von *gli fichi* durch *swalwenzagel* wäre eine glückliche. In unserer stelle würde sie etwa sagen „geh zum teufel,‟ denn gerade als geste der verhöhnung und verwünschung wird sie gern gebraucht. Der sinn wäre also: komt man der untreue des falschen auf die spur, so kehrt er die hand und macht die geberde der verwünschung, d. h. er verwünscht und verspottet einen.

Es fragt sich nur noch, ob bei dieser erklärung *wirt* gelesen werden dürfe. Ich glaube es zwar, da attraction angenommen werden darf; aber lieber möchte ich an v. 6 des spruchs „*er bîʒet* usw.‟ anknüpfen, da das ganze sich doch auf den bösen mann, v. 4, bezieht und lesen: „*er kêrt sîn hant und wîst ein swalwenzagel,*‟ eine geringe änderung, die graphisch ganz gerechtfertigt ist, jede schwierigkeit hebt und den gedanken abrundet.

3*

3) *nû lére êtz in sîn swarzez buoch, daz ime der hellemôr*
hât gegeben, und ûz im lese êt sîniu rôr.

L. 33, 7.   Pf. 111, 7.   Wi. 83, 17.   W. u. R. 31, 7.

Hier teile ich zunächst die bedenken J. Grimms, in Seebodes
krit. bibl. 1828 s. 35 [b], gegen die conj. *lére* und *lese*, die nicht in den
zusammenhang passen, da der pabst nicht erst zu lernen braucht, was
er bereits verübt hat, noch der dichter wünschen kann, dass jener es
lerne. Die beiden verse enthalten vielmehr den grund von den beiden
ersten zeilen des spruchs: „*ir sît verleitet* usw." Sagt ihr, fährt Walther fort, der pabst habe St. Peters schlüssel, so sagt auch, warum er
dessen lehre (Act. 8, 20) aus der bibel tilge, sie nicht befolge. Dass
man gottes gabe nicht kaufe oder verkaufe, das ist uns schon bei der
taufe verboten (Freid. 16, 6. *gotes licham bîhte unde touf die sint erlou-*
bet âne koufi). Hiernach erfordert der gedankengang notwendig einen
gegensatz, der aber mit einer satirischen ermahnung zu schwach ausgedrückt wird, und es muss eine bestimte tatsache entgegengestellt
werden, das verbum im indicativ stehen. Diesen bieten auch die handschriften, *leretz* C, *leret* A, *leset* AC, und liegt kein triftiger grund zu
dem nach Lachmann von allen herausgebern angenommenen *lêr êtz* und
les êt vor.

Indessen damit allein ist der dunklen stelle noch nicht geholfen.
J. Grimm a. a. o. sagt: „dass *rôr* den bekanten truncus in ecclesia,
auf welchen Lachmann gedeutet hatte, bedeuten soll, ist mir schon
darum zweifelhaft, weil dieser sonst überall *stoc* genant wird; könte
nicht *rohr lesen* aus unserm sprichwort „wer im rohr sitzt, hat gut
pfeifen schneiden" erklärung empfangen? man erhielte einen sinn,
wenn man änderte *ûz im lesent si nû rôr*, aus der erfindung des höllischen buches schneiden sie nun pfeifen; soll aber *sîniu* bleiben, so
dürfte *liset* stehen und auf den pabst bezogen werden." Anders
W. Grimm in Gött. gel. anz. 1827. st. 204: „*ûz im* (dem zauberbuche)
leset sîniu rôr, ir kardenâle, ir decket usw. Aus diesem schwarzen
buche müsst ihr, kardenäle, lesen, d. h. des pabstes briefe erklären."
Die erklärung von *rôr* durch schrift sei freilich nur vermutung. Walther brauche das ungewöhnliche wort, die zaubercharaktere damit anzuzeigen. Vielleicht wäre auch besser „*und ûz im list er sîniu rôr.*"
Dagegen Wiggert (Scherflein 1, 32): „so aber (wie jetzt die sachen
stehen) unterweist ihn (*lêret in*), den pflichtvergessenen pabst, sein
schwarzes buch, das ihm die hölle gegeben hat, damit er daraus seine
halme (ähren) lese (*les et*, vielleicht aber *les er*), seine ernte tue, seinen schnitt mache, oder (mit bezug auf das bild des folgenden verses)
damit er daraus sein stroh oder rohr zum dachdecken samle." Wie

viel auch hiergegen einzuwenden ist, so ist doch Wiggerts erklärung der beiden letzten vv. des spruchs, die Lachmann zum teil in die anmerkung aufgenommen hat, ganz zutreffend; s. u.

Auf einen andern weg führt Wackernagel, indem er sich mit Simrocks übersetzung: „nun lehrt es ihn·sein schwarzes buch, das ihm der höllenmohr gegeben hat: er liest daraus sein hohles rohr" und mit der erklärung von *rôr* durch *truncus* nicht einverstanden erklärt und meint, vielleicht sei *blæset* zu lesen, nämlich: mit seinen pfeifen zum tanze aufspielt.

Nach allen bis jetzt gemachten erklärungsversuchen — Wilmans gibt nichts neues — bleibt, glaube ich, nichts anders übrig, als Wackernagels vorschlag anzunehmen und *blæst er* zu lesen; nur ist *rôr* anders zu nehmen, mehr in dem sinne Pfeiffers als rohrpfeifen, mit denen man leichtgläubigen etwas vorpfeift, die locktöne, die zur betörung leichtgläubiger aus dem höllischen zauberbuche gelernt werden. Wir haben hier die sprichwörtlich vielfach gewante sentenz Catos: *„fistula dulce canit. volucrem dum decipit auceps."* Der pabst ist's, welcher *verleitet* und mit des teufels stricken *seitet* (fesselt), nicht mit worten der heiligen schrift, sondern mit süssen locktönen; *sîniu rôr* sind also des pabstes incantamenta, die die christenwelt betörenden zauberlieder, die in Rom ersonnenen falschen lehren, die auf bereicherung und machterweiterung der curie zielen. Damit wird die beziehung auf Simon den zauberer Act. 8, 18 fgg. vollständig. Allerdings ist *blæst* nicht handschriftlich, allein diese änderung ist wol die einzige, die sich genau genug an das handschriftliche anschliesst; in *les ét* ist nun einmal mit beziehung auf *sîniu rôr* kein sinn zu bringen.

Demnach wäre zu lesen:

nû lêrt eʒ (oder *lêreʒz*) *in sîn swarzeʒ buoch, daʒ ime der hellemôr hât gegeben, und ûʒ im blæst er sîniu rôr.*

Hieran knüpft sich dann (vgl. Wiggert), indem der dichter die kardinäle den verführten deutschen bischöfen und geistlichen gegenüberstellt, die rüge, jene deckten nur den eigenen chor (mit beziehung darauf, dass bei kirchenbauten vor allem der chor fertig gestellt wurde), sorgten nur für sich selbst, aber für die wahre kirche (*unser alter frône*) und das wol der gemeine sorgten sie nicht, sondern liessen sie unter der üblen traufe stehen.

MERSEBURG. H. E. BEZZENBERGER.

DER SCHLEGEL.

Im 2. teile der „Statistischen und topographischen Beschreibung des Burggraftums Nürnberg, unterhalb des Gebürgs" von Joh. Bernh. Fischer, Markgräflich brandenburg-anspachischem geheimen Kanzlisten, Anspach, bey dem Verfasser 1787, fand ich s. 201 fgg. folgende nachricht:

„Kühnhard, ein gut gebauter Weiler, nur eine halbe Stunde vom Pfarrdorf Mosbach gelegen. Hier trift man eine sonderbare altherkömmliche Gewohnheit an. Mitten im Weiler steht eine sehr hohe Tanne oder Hahnenbaum. An diesem hängt ein zimlich groser, aus einem Stück geschnitzter Schlegel, an welchem 5 Mann zu heben haben. Hat nun ein Weib mit ihrem Mann Uneinigkeit, und rauft oder schlägt sie selbigen, so wird augenblicklich der Schlegel herabgenommen und dem Mann an die Hausthüre gehängt. Dieser mus alsdenn um deßen Wiederwegnahme bey dem Bauernmeister ansuchen, und so bald dies bewilligt ist und von der Gemeinde geschieht, mit solcher in das Wirthshaus gehen, dort einen Gulden und 15 Kreuzer erlegen, und dies Geld mit vertrinken helfen. Will er nicht mittrinken, so wird er noch mehrers gestraft. Verunehrt er aber gar den Schlegel selbst, so hat er die ganze Gemeinde beleidigt und er setzt sich sogar dadurch einer amtlichen Strafe aus. Über diese Gewohnheit hält die Gemeinde zu Kühnhard so stark, daß hierinnen kein Bruder den andern verschont. Wahrscheinlich nur deswegen, weil es dabey zu trinken giebt. Doch hat dieser Schlegel auch noch einen andern Nutzen. Fällt im Winter starker Schnee, so nimmt die Gemeinde selbigen herab, schleift ihn durch 2 oder 4 Ochsen nach Mosbach, und bricht sich dadurch an den Kirchentagen die Bahn."

Zu „Hahnenbaum" fügt er die anmerkung:

„Diese Bäume, welche man in den meisten anspachischen Dörfern antrift, werden an der Kirchweihe geputzt und der gewöhnliche Kirchweihplan um selbige aufgeführt. Bey der ersten Kirchweih wird mehrenteils um den Preis eines Lammes, bei der Nachkirchweih aber um einen Hahn getanzt. Daher der Name Hahnenbaum."

Diese „sonderbare altherkömliche gewonheit" verdient eine nähere betrachtung. Wichtig ist es zunächst, dass der schlegel mitten im weiler an dem baume aufbewahrt wird, um den herum die gemeinde ihr fest feiert. Lässt sich nun ein mann von seinem weibe schlagen, dann wird der schlegel abgenommen und dem manne an die haustüre gehängt: weil er das entsetzliche erduldet hat, ist er und sein ganzes haus verfemt. Der mann darf selbst den schlegel nicht wegnehmen, noch weniger darf er ihn verunehren, will er nicht die ganze gemeinde beleidigen. Bei dem ältesten der gemeinde muss er um wegnahme des schlegels, um entsühnung seines hauses anhalten. Nimt die gemeinde sein gesuch an, dann muss er an einer entsühnungsfeier teilnehmen, deren kosten er zu tragen hat. — Wir sehen, alles deutet auf einen rechtsgebrauch von hohem alter, der gegen das ende des vorigen jahrhunderts in der genanten gegend noch in streng verpflichtender geltung war.

Für unsere auffassung ist es befremdend, dass der geschlagene mann und nicht etwa das zanksüchtige weib gestraft werden soll. Unsere vorfahren dachten aber anders, wie sich dies in andern hierhin gehörenden rechtsgebräuchen[1] deutlich zeigt.

In einigen gegenden Deutschlands war es noch bis gegen ende des vorigen jahrhunderts sitte, dass, wenn ein mann von seinem weibe geschlagen worden war, die nachbarschaft sich versammelte und dem ehepaar das haus über dem kopfe abdeckte. „Die entehrung ihres nachbarn war den markgenossen so unerträglich, dass sie ihn nicht mehr unter sich dulden konten und ihm sein haus zu grunde richteten, welches symbolisch durch die abtragung des daches geschah."[2] Wenn der mann sich mit seinen nachbarn abfand und verglich, dann zogen sie wider ab, ohne verletzung des hauses. Besonders streng sind die Blankenburger stat. vom jahre 1549: hat der mann sich von seiner frau schlagen lassen, so soll er „des rathes beide stadtknechte mit wüllen gewand kleiden,[3] oder, da ers nicht vermag, mit gefängnis gestraft und ihm hierüber das dach auf seinem hause abgehoben werden." — Eine bestimmung des Benker heidenr. berührt sich mit einem zuge in dem von mir oben mitgeteilten rechtsaltertume: „(der man) *sall nemen en pandt bi sich enes goldgüldens werde und nemen twee siner naberen bi sik und vertrinken dasselvige pandt."* Die vorhergehenden bestimmungen dieses rechtes („*he sall en ledder an dat huis setten und maken en hohl durch den dak und dan sin huis to pahlen*") lassen den sühnecharakter des trinkens mit den zwei nachbaren deutlich hervortreten.

1) Vgl. Grimm RA. 723 fg., 722.

2) Grimm a. a. o. 724.

3) In den Teichler stat. heisst es blos: „er soll den rathsdiener kleiden." Aber auch hier wird das kleiden ursprünglich ein kleiden mit wollen gewand gewesen sein. Diese bestimmungen sind offenbar milderungen späterer zeit: früher muste der geschlagene mann selbst die entehrende kleidung tragen, „wollen" gehen, vielleicht auch barfuss. „Wollen und barfuss" ist die gewöhnliche bestimmung, vgl. Grimm a. a. o. 712, und in der histôrie van S. Reinolt in dieser zeitschrift V. 3, 275 „*wullen ind barvôis.*"

In andern rechtsgebräuchen ist eine spätere auffassung unverkenbar. So muste eine frau, die ihren mann geschlagen hatte, rückwärts auf einem esel reiten; war der mann „in offener fehde von ihr besiegt," dann muste er den esel leiten. Auch die bestimmungen der Teichler stat. sind so zu beurteilen: „lässt sich ein mann von seinem weibe schimpfen, raufen, schlagen, soll er den rathsdiener kleiden, sie aber ans halseisen treten und dem mann öffentlich abbitten." Dasselbe gilt von der nachricht bei Lyncker, Die sagen und sitten in hessischen gauen, s. 233, wo dachabdeckung und eselritt eigentümlich verbunden werden. Bei Lyncker, a. a. o. 232 geht sogar die frau dem zuge mit wein und brantwein entgegen, um sich damit von der strafe zu lösen.

Die symbolische bedeutung des schlegels in dem bisher unbeachtet gebliebenen rechtsaltertume lässt sich unschwer erklären. Der mann, der das entsetzliche duldet, der sich von seinem weibe schlagen lässt, verdient nicht mehr, in der gemeinde zu leben: man soll ihn mit dem schlegel totschlagen. So tritt dieser schlegel in nahe beziehung zu der keule, mit welcher man nach dem bekannten spruche die eltern totschlagen soll, die ihren kindern hab und gut gehen und selbst not leiden.

  Wer seinen kindern gibt das brot
  und selber dabei leidet not,
  den sol man schlagen mit dieser keule tot
sagt eine inschrift, die sich neben einer keule auf dem stadttore mehrerer schlesischer und sächsischer städte findet, vgl. Grimm in Haupts zeitschr. 5, 72 fg., der auch auf die oft behandelte erzählung vom schlegel (kolben) hinweist. Vgl. noch Simrocks quellen des Shakspeare II.[2] 231 fgg. und Oesterley zu Paulis schimpf und ernst no. 435. Ich gebe diese erzählung im folgenden, wie sie sich in Geilers „buoch arbore humana" Strassb. 1521. f. 172[c] findet, sie weicht nämlich eigentümlich von Paulis erzählung ab.

  „Wir lesen von einem reichen gewaltigen man, der was alt vnd schwach, gab sein dochter mit allem seinem gůt einem iungen gesellen, er solt im sein lebtag die pfrün geben. Das erst iar het er in bei im sitzen an seinem tisch. Das ander iar satzt er in vnden an den tisch, gab im wie den knechten. Das drit iar satzt er in zů den kinden vff das erdreich. Item die fraw bedorft der kamer, da er in lag, stieß in vß der kamern, betet im bei einer thür in einer schüren in ein zel. Der alt man erbarmet sich selbs, het mangel, gedacht wie er der sach thet, vff ein mal kam er zů seinem dochterman an dem abent, bat in, er wolt im ein liecht vnd ein sester leihen, er müst es bruchen, der iung thet es. Hören doch waz er machen wolt, stůnt vor der thür des

hütlins, da macht er ein gethön mit den rechenpfenigen, als het er vil
geltz bei im, da es morgens ward, da gab er innen das meß wider,
vnd mit fortel hat er ein pfenning stecken lassen in einem spalt, der
iung fand in, fragt den alten was er mit gethon het. Er sprach ich
hab noch ein klein gelt behalten in einem trog, für mein sel, dz vbe-
rig sollen ir auch haben, wan ir mir trüwlich thůn, vnd mich wol-
halten; da sie daz | horten, waren sie fro, gaben im die kammer wider,
satzten in an iren tisch, bekleiten in wol, hofften groß gůt zů vber-
kummen; da der alt man an dem hinziehen lag, giengen sie vber den
trog, da funden sie nichts darin, dan stein vnd sand, vnd ein kolben,
da waz ein zedel an, da stůnt in engelischer sprach: Mit disem kolben
sol man alle die schlahen, die iren kinden geben, das sie darnach mangel müssen leiden."

Bei Konrad von Ammenhausen im schachzabelbuch heisst es ganz
allgemein: man solle mit dem kolben totschlagen, die andere förderten
und sich selbst säumten.

> *An dem briflin alsus stunt:*
> *„ich Johan von Canacia tuon kund,*
> *das ich ze selgerete hinder mir lan*
> *disen kolben, das man da mit sol slan*
> *ze tode alle, die tuont so tœrlich,*
> *das sie ander liut furdernt und sument sich*
> *selber und hine geben das sie hant,*
> *und si danne petlen gant."*

Vgl. W. Wackernagel in Kurz und Weissenbachs beiträgen I. 372.

Grimm führte a. a. o. die keule zurück auf den heiligen hammer
des gottes (Donar). Ihm stimte Simrock a. a. o. 233 bei. Aber
W. Wackernagel sagt a. a. o.: „der schlegel bei Rüdiger, der kolbe
bei Konrad ist schwerlich mit Grimm H. Z. 5. 72 auf den heiligen
hammer des donnergottes, sondern einfach auf die keule auszudeuten
mit welcher man im heidentume sich der abgelebten und unnütz gewordenen eltern entledigte, vgl. H. Schreibers taschenb. f. geschichte 5. 286."

Unser rechtsaltertum scheint dagegen für die identität des schlegels mit dem heiligen hammer des gottes zu sprechen: der schlegel
wurde an das haus des mannes, der sich von seinem weibe hatte schlagen lassen, gehängt, um anzudeuten, dass das haus und seine bewohner dem gotte verfallen seien, der früher durch seinen hammer das
brautpaar geweiht hatte, vgl. Weinhold, die deutschen frauen in dem
mittelalter, 257.

BONN. · AL. REIFFERSCHEID.

DER FADEN UM DIE ROSENGÄRTEN.

Es ist bereits öfters die ansicht ausgesprochen, dass unter den in mittelalterlichen sagen erscheinenden rosengärten das totenreich zu verstehen sei. Da wir — wie ich aus dieser Zeitschr. IV. 240 sehe — demnächst eine ausführliche arbeit über die rosengärten von E. H. Meyer zu erwarten haben, so kann ich mir eine aufzählung aller der momente, auf welche sich jene ansicht stützt, ersparen. Die richtigkeit derselben voraussetzend, erlaube ich mir, kurz einen zug zu besprechen, der mehreren der betreffenden sagen gemein ist. Das gedicht vom könig Laurîn erzählt (v. 66):

> *in tiroleschen landen*
> *hât eʒ* — [*daʒ getwerc Laurîn*] — *im erzogen zarte*
> *einen rôsengarten;*
> *daʒ diu mûre solde sîn,*
> *daʒ ist ein vadem sîdîn.*

Ähnlich heisst es im gedicht vom grossen rosengarten (ed. W. Grimm v. 165):

> *sie* — [*Krímhilt*] — *heget einen anger mit rôsen wol bekleit,*
> *der ist einer mîle lang und einer halben breit;*
> *dar umme gêt ein mûre, daʒ ist ein borte fîn:*
> *trutz si allen fürsten, daʒ ir einer kume drîn.*

Wir dürfen aus diesen worten unbedenklich schliessen, dass eine alte deutsche vorstellung sich das totenreich mit einem faden umgeben dachte, oder denselben in irgend einer weise damit in zusammenhang brachte. Ob dieser faden — dass es ein seidenfaden ist, hat keine bedeutung, und die borte ist wol nur eine elegante vertretung desselben — mit den nordischen *vébönd* zusammenhänge (Grimm DRA. s. 809), zweifle ich. Meines wissens sind fäden zu ähnlichen zwecken, wie jene *vébönd* in Deutschland wenigstens in späterer zeit nicht gebraucht, sie konten demnach vom gerichtsplatz auf den rosengarten nicht übertragen werden, und dass eine solche übertragung schon in alter zeit stattgefunden habe, ist schwerlich anzunehmen, denn einen ort, den alle lebenden wesen von selbst fliehen, versieht ma⟩ ⟨⟩ht mit einer grenze, die doch nur darauf berechnet ist, ihm durch ⟨⟩chen eindruck schutz zu gewähren; die idee eines gerichtes nac⟩ ⟨⟩em tode endlich ist dem deutschen heidentume fremd. Dass unser negender seidenfaden gar mit

dem bande Gleipnir (Simrock, Myth. s. 116) oder mit den in dänischen
volksliedern von den helden zum festmachen benutzten *silketraad* (Grimm
DRA. s. 184) in irgend einem inneren zusammenhange stehe, ist noch
viel weniger anzunehmen. Die letzteren vertreten vermutlich die not-
oder sieghemden, gewissermassen als *pars pro toto*, ersetzen jedoch
vielleicht, da sie um den helm gebunden wurden, die darauf in früherer
zeit als zauber getragenen schlangen (Grimm, D. Myth. s. 652). Kurz, es
findet sich auf germanischem boden nichts, mit dem sich jene vorstellung vermitteln liesse; sie scheint uralt zu sein und steht, wie ich
glaube, in verbindung mit einem brauch der Parsis, auf den Grimm
(DRA. s. 188) bereits aufmerksam gemacht hat. Die Parsis, welche
wegen der heiligkeit des feuers und der erde ihre toten weder verbrennen, noch begraben dürfen, bringen sie auf eine art von gebäude —
Dakhma genant — damit sie dort von den vögeln und fleischfressenden
tieren verzehrt werden. Anquetil gibt einen ausführlichen bericht über
die erbauung der dakhmas (vgl. Spiegel, Übersetzung des Avesta II.
XXXV) in dem für uns nur das wichtig ist, dass man dieselben mit
einer schnur umzieht, die aus 100 fäden von gold oder baumwolle
besteht. „Diese fäden bedeuten — sagt Anquetil — dass der grund
des dakhma, ja das ganze gebäude in freier luft aufgehangen ist, ohne
die erde zu berühren." Demnach dienten jene fäden dazu, den unreinen dakhma von der erde symbolisch zu sondern, damit sie durch ihn
nicht unrein werde. Ich weiss nicht, ob jene deutung den ansichten
der Parsen entspricht; auch wenn das der fall ist, kann sie doch nicht
alt sein, da sie den anschauungen des Avesta widerspricht, nach denen
die erde, auf der die dakhmas stehen, unrein ist (vgl. Vend. VII. 49 W.).
Sie ist ferner, wenn sie die entstehung jenes brauches erklären will,
unrichtig. Hätten nämlich jene fäden ursprünglich die ihnen von Anquetil zugeschriebene bedeutung, so würde man sie nicht aus gold oder
baumwolle, d. h. einem reinen, der guten schöpfung Hôrmezds angehörigen, sondern aus einem unreinen stoff, etwa seide verfertigt haben.
Dass dieser unterschied zwischen seide und baumwolle gemacht wurde,
erfahren wir aus dem *Mainyô-i-khard*, wo es ausdrücklich heisst
(XVI. 64 der ed. by E. W. West): „Was die kleidung betrifft, welche
die menschen tragen, so ist seide gut für den körper, und baumwolle
für die seele, deshalb, weil seide von einem *khervaster* — einem unreinen, schädlichen tier — komt, aber die nahrung der baumwolle komt
vom wasser und ihr wachstum von der erde, und zum besten der seele
heisst sie gross, und gut und wertvoller." Das gold ist als metall
selbstverständlich rein. Man könte nun annehmen, dass das unreine,
als das abnorme durch das reine begrenzt werden müsse, allein nach

den religiösen ansichten der Parsis steht das unreine dem reinen vollkommen berechtigt gegenüber, da Hôrmezd und Âharman einen ver-
trag schlossen, nach welchem die existenz des letzteren und seiner
übelen schöpfung auf 9000 jahre gesichert wurde (*Mainyô-i-khard*
VIII. 11.). Demnach hätten die Parsen gewiss nicht etwas reines
gewählt, um die trennung des unreinen von dem reinen anzudeuten.
Anquetils behauptung ist also zurückzuweisen; nun aber tritt die frage
nahe, wie die auffällige erscheinung zu erklären sei, dass der unreine
dakhma gerade mit fäden von gold oder baumwolle umgeben wurde.
Am einfachsten geschieht dies durch die annahme eines uralten brauches, die begräbnisstätten mit einem kostbaren faden zu umgeben; so
mag die verwendung eines fadens von gold, oder auch einer aus gold-
fäden bestehenden schnur vorzoroastrisch sein — wenn auch im Avesta
nicht erwähnt --, in späterer zeit, als sich die vorstellungen von der
guten und bösen schöpfung festgesetzt hatten, ergab sich die vertretung desselben durch einen baumwollenfaden naturgemäss. Ist das
richtig, so dürfen wir den die rosengärten umgebenden faden damit
unbedenklich in zusammenhang bringen. In Deutschland mag jener
brauch schon frühzeitig geschwunden sein, und die sage übertrug den
ursprünglich das grab einhegenden faden auf das ganze totenreich.
Weitere combinationen will ich nicht wagen; mit dem kosti, der heiligen schnur, mit welcher der in den religiösen verband aufzunehmende
bei den Parsis umgürtet wird, kann jene die dakhmas umgebende
schnur aus verschiedenen gründen nichts zu tun haben.

Zufällig ist die oben nachgewiesene übereinstimmung gewis nicht;
dagegen spricht die einstweilen noch unerklärliche, aber unbestreitbare
enge verwantschaft germanischer und persischer mythen und sagen, die
ich demnächst ausführlich darlegen zu können hoffe.

MERSEBURG, 24. DEC. 1873.   ADALBERT BEZZENBERGER.

DIE RIGISCHEN „GELEHRTEN BEITRÄGE" UND HERDERS ANTEIL AN DENSELBEN.

Es galt um die mitte des vorigen jahrhunderts den gelehrten in den grösseren, sogar in manchen mittelstädten unseres vaterlandes für eine ehrensache, den bedarf an geistiger nahrung, den ihre gebildeten oder nach bildung strebenden mitbürger hatten, aus eigenen mitteln zu bestreiten. Solche auf nutzen und ehre der vaterstadt gerichteten bemühungen waren des beifalls der bürgerschaft sicher, welche in ererbtem mistrauen gegen alles, das von aussen kam, sich mit behagen an dem genügen liess, was daheim erzeugt auf den geschmack seines engen leserkreises, auf den am orte üblichen ton völlig eingieng. Den eifer, ja die eifersucht, mit der stadt und landschaft ihre eigentümlichkeiten zu wahren bestrebt waren, muss man sich vergegenwärtigen, um die fülle der örtlichen wochenschriften zu begreifen, die in dem angegebenen zeitraume zur welt gekommen, auf den namen der geburtsstadt, bisweilen auch mit sonderbaren beinamen getauft, selten über den heimischen boden hinaus bekant, ein längeres oder kürzeres dasein gefristet haben. Gefristet nicht blos durch die treufleissige arbeit namenloser gelehrter, denen die zufriedenheit eines kleinen publicums ausreichenden lohn gewähren durfte; auch mancher treffliche und berühmte hat es nicht verschmäht, an so bescheidenem orte seine gabe niederzulegen. Und solche abseits geborgene wertstücke sind es eben, die den litteraturfreund noch manchmal zu jenen verstaubten und vergessenen denkmälern gelehrter kleinstaaterei hinziehen.

Zu den vergessenen schriften dieser art wird man die „Gelehrten Beiträge zu den Rigischen Anzeigen" unbedenklich rechnen dürfen; fast für verloren haben sie ausserhalb der landschaft, für welche sie einst geschrieben sind, gegolten. Dass mir zwei exemplare derselben (wahrscheinlich die einzigen erhaltenen) bekant geworden sind, danke ich der freundlichen nachweisung des um die littcrargeschichte der Ostseeprovinzen hochverdienten herrn dr. Beise, die benutzung des Rigenser exemplars ist mir durch das bereitwillige entgegenkommen des oberbibliothekars herrn dr. Berkholz zu Riga ermöglicht worden. Es ist nicht allein der aus der seltenen zeitschrift gewonnene zuwachs zu Herders schriften, um dessen willen ich den genanten gelehrten zu dank verpflichtet bin; denn als ein zeugnis von dem litteraturzustande Rigas zu einer zeit, da in Livland ein lebhafter anteil an dem geistigen leben Deutschlands erwacht, verdienen die beiträge im ganzen beachtung, und so glaube ich auch mit den mitteilungen, zu denen ich sie hier benutze, nichts unverdienstliches zu leisten.

Die „Rigischen Anzeigen" wurden im heumonat des jahres 1761 von Abraham Winkler, einem rechtsgelehrten aus Leipzig, gegründet; stand und geburtsort lassen vermuten, dass der begründer ein verwanter jenes Leipziger professors gewesen, dessen philosophisches collegium dem jungen Goethe nicht so gut munden wollte, als die kräpfeln des zuckerbäckers am Thomasplane. Das bleibe dahingestellt; unseres Winklers anzeigen erwarben sich ein dankbares publikum und bestanden nach dem bald erfolgten tode des mannes als ein wöchentliches intelligenzblatt mit amtlichem charakter fort. Unter der masse des geschäftlichen stoffes bringen sie hin und wider bei anlass kirchlicher oder politischer feste ein poetisches stück. So hat hier (1765. St. XXVII) die ode auf die „throngelangung Katharinens" eine stelle gefunden, die Herder[1] am tage seiner öffentlichen einführung (27. brachmonats) als collaborator in dem hörsaale der domschule als schluss seiner rede vorgetragen hat. Hier (1765. St. LIV) veröffentlicht auch ein poet, der sich H-d---l unterzeichnet, ein gedicht „Auf die feierliche Einweihung des neuen Rathhauses," das mit seinen wörtlichen anklängen an Herders Rigenser gedichte zeugnis von dessen einfluss auf das jüngere geschlecht ablegt: denn ohne zweifel ist es ein mitglied der familie Heidevogel, das sich von Herder ermutigt mit seinem gesange hervorwagt, jener gastfreundlichen familie, auf deren landsitz Grafenheide[2] der erholung pflegend, Herder „sein leben neu verjüngt empfand."

Zu diesen anzeigen erschien alle vierzehn tage ein „gelehrtes" beiblatt, meist nicht über anderthalb bogen in quarto stark. Winkler hat wahrscheinlich auch dieses unternehmen angeregt; nachweislich aber hat das meiste verdienst um den bestand desselben Johann Gottfried Arndt, conrector des lyceums in Riga, gehabt, ein gelehrter, der mit sei-

---

1) In dem vorberichte wird der dichter mit entstelltem namen Harder genant. Daher steht in den Königsbergischen Zeitungen, welche gedicht und einleitung (diese etwas abgeändert) aus dem Rigenser blatte entnehmen, der name wider falsch Härder geschrieben, wunderlich genug, da doch der dichter den Königsbergischen Zeitungen als mitarbeiter nahe genug stand. Aus dem originaldrucke ist eine berichtigung des textes zu entnehmen. Hier, und also auch im Königsberger nachdrucke, lautet die zeile 22: Vom Eismeer bis zu uns; von China bis zum Belt. In der vulgata liest man nach einer willkürlichen änderung des herausgebers: „vom Lena bis zum Belt."

2) In der ausgabe der gedichte (1817. I, 129) ist in der überschrift des gedichts „Grafenheide" der besitzer des landgutes in einen „Schreivogel" verwandelt. Die berichtigung rührt von dr. Berkholz her (vgl. Erinnerungen aus dem Leben Herders 1820. I, 116).

ner „Livländischen Chronik" einen ehrenvollen platz unter den geschichtschreibern des landes behauptet.[1] Er hat nach dem zeugnisse des
zuverlässigen Gadebusch (Livländische Bibliothek, Riga 1777. I, 13)
„die meisten beiträge geliefert, besorget, erbeten." Seinen tod überlebte
die zeitschrift nur um einige monate; sie schloss mit dem XXV. stücke
des jahrganges 67.

Als im jahre 1764 die Königsberger ihre „Gelehrten und Politischen Zeitungen" gegründet hatten, fand es ein mitarbeiter der Rigischen Beiträge angebracht, die bemühungen der gelehrten seiner „nordischen Provinz" dem geachteteren ostpreussischen leserkreise bekant
zu machen. Es ist sehr wahrscheinlich der aus Kants, Hamanns und
Herders lebensbeschreibungen bekante Lindner, welcher in vier stücken
der Königsbergschen Zeitungen von 1764 (39. 40. 87. 88) einen auszug
aus dem ersten jahrgange und der ersten hälfte des zweiten liefert.
Eine fortsetzung ist nicht erfolgt, und eben dies berechtigt uns auf
Lindner zu schliessen, der im frühjahre 1765 Riga verliess und in seine
preussische heimat zurückkehrte. „Ob gleich Schiffe und Handel den
vornehmsten Flor Rigas ausmachen, so lebe man doch auch für die
Wissenschaften und den guten Geschmack darinnen." Nach dieser bescheidenen einführung lässt sich der einsender über inhalt und absicht der
zeitschrift aus. „Zum Nutzen des Publici und des kleinen Zirkels von
Liebhabern der Gelehrsamkeit sowol als besonders der Geschichte des
Landes werde das Journalwerk unterhalten. Man richte in den G. B.
sein Hauptaugenmerk auf Liefland, seine Einwohner, Produkten u. dgl.,
doch versage man auch nicht dem, was sonst zum Unterricht oder zur
Belustigung dienen könne, nach seinem Werth, den Zutritt." Anderwärts stand meist das religiös-moralische oder das aesthetisch-kritische im vordergrunde, hier herschte das historisch-praktische vor.
Man wird, um sich den unterschied zu erklären, an ein urteil denken,
das Herder noch ein vierteljahrhundert nach der periode, die wir
betrachten, über Riga abgab: „Der Kaufmann gibt den Ton an, und
der Gelehrte bequemt sich dem Kaufmanne"; auch wird man sich der
personen des begründers und des an der herausgabe am meisten beteiligten gelehrten erinnern: denn der historiker wie der rechtsgelehrte
geht dem theologischen und noch mehr dem, was nach schönen wissenschaften schmeckt, gern aus dem wege.

Knapp also ist der raum dem theologischen, und besonders dem
dogmatischen zugemessen. „Man wurde bald müde, ihn zu lesen,"

1) Gadebusch, Abhandlung von Livländischen Geschichtschreibern (Riga 1772)
s. 1. 186 fgg.

bemerkt der ehrliche Gadebusch von einem theologen, der Bengels
Erklärung der Apokalypse verkürzt und in frag- und antworten abgefasst eingerückt hatte. Die gebildete Rigenser gesellschaft, die sich
bald um die kanzel Herders scharte, der ihr bibel und religion „menschlich" vortrug, mochte von der geschmacklosen streittheologie ihrer alten
und veralteten seelsorger nur mit widerwillen etwas in der wochen-
schrift finden. Desto lieber aber sah man darin etwas von den dingen
dieser welt, und erstaunlich ist es, wie weitherzig die gelehrsamkeit
der redaction ist, diesem geschmacke zu genügen. „Von Kaffe, Thee
und Schokolade" (vier stücke) — „Von den Mitteln zur Feurung, besonders vom Torf" — „Der Karpenteich" — „Ein altes Küchen-a b c"
(zwei stücke), diese titel mögen die grenzen bezeichnen, bis zu denen
die betrachtungen über gegenstände des hauswesens sich ergehen. Gegenstände und erscheinungen aus den naturrreichen werden erörtert,
witterungsbeobachtungen, meteorologisches und medicinisches vorgebracht, immer mit rücksicht auf den „gemeinen nutzen."

Solcherlei ernste und schwere stoffe wechseln mit der üblichen würze
der wochenschriften, moralischen charakteren und ehrbarwitzigen erzählungen ab: „Der junge Herr und seine Flinte" — „Der [politische]
Raisonneur" — „Der Glückstopf," und wie die stücke weiter lauten,
die als massstab des herschenden geschmacks genommen, die lobes-
erhebungen des jungen Herder auf Riga in ein seltsames licht stellen.
„Die Stadt," wie es in der oben erwähnten schulrede heisst, „wo keine
mönchsmässige Gelehrsamkeit herscht, sondern wo nutzbare, schöne und
weltübliche Wissenschaften Verehrer finden, wo man die gründlichen
Wissenschaften mit Nutzbarkeit und Grazie vereint sehen will," diese
stadt beherbergte doch noch ein gut teil pedanterie, und, die auserlesene gesellschaft mehrerer vornehmer handelshäuser ausgenommen,
stand sie wol von dem ideale eines nordischen Genf, mit dem ihr der
junge collaborator schmeichelt, um ein erhebliches ab. Bald genug
muste dieser seines irtums inne werden. „Hier," äussert er sich ver-
stimt in einem fünf vierteljahre später an Hamann geschriebenem briefe,
„hier, wo man die lose Kunst, die Sie anstechen — gemeint ist die
kunst der schönen rede — gleich jener hält, Linsen [durch ein nadel-
öhr] zu werfen, und wo man alles mit Mass, Zahlen und Gewicht misst,
selbst in denen Wissenschaften: Sie sehen, dass ich an einem solchen
Orte meiner Lieblingsseite eine Lähmung des Schlages anwünschen muss,
um mit der andern zu arbeiten" (Herders Lebensbild I, 2, 180). Zu
diesem bekentnisse geben die „Beiträge" anschauliche belege. Ärmlich
in anzahl und inhalt ist, was sich von poetischen erzeugnissen daselbst
findet, so dass sich die Herderischen gedichte, so wenig sie uns befrie-

digen mögen, in dieser nachbarschaft ganz stattlich darstellen. Ausser ihnen ist für die litteraturgeschichte nur eins von wichtigkeit, das im VII. stücke des jahrgangs 1766 (s. 50—60) steht: „Der Versöhnungstod Jesu Christi, besungen von einem Jünglinge in Dorpat, J. M. R. L.," des damals funfzehnjährigen Reinhold Lenz zuerst veröffentlichtes gedicht. Dasselbe fand trotz seiner ungeschickten hexameter und seines überspanten ausdrucks gute aufnahme. „Man machte diesen jüngling zum andern Klopstock," bemerkt Gadebusch; „als er aber (1769) mit seinen Landplagen an das licht trat, belehrten ihn die offenherzigen kunstrichter eines andern."

Hat das schöne und angenehm erdichtete nur ein kümmerliches wachstum auf dem schmalen raine zwischen dem nutzbaren und unterhaltenden, so ist wenigstens das feld der geschichte reichlich angebaut. Hat auch hieran der geschmack der leser einigen anteil? Den bürger, der durch seine betriebsamkeit an die wirkliche gegenwart gewiesen ist, erfreut es, zu wissen, was in früherer zeit an den orten getrieben ist, die er jetzt mit seiner tätigkeit erfüllt. So werden auch den Rigensern die zahlreichen mitteilungen willkommen gewesen sein, die sich über alle perioden der landesgeschichte bis auf die zeit Peters des Grossen und Katharinas erstrecken. Die behandlung freilich ist für den laien nicht ansprechend, und zumal bei den oft eingerückten urkunden hatten die gelehrten nur sich selber im auge.

Statt einer übersicht des inhaltes ist es lohnender eine nachricht von einigen „beiträgern" zu geben und von dem, was ihnen mit sicherheit zugesprochen werden kann.

Die ältesten zustände der provinz fanden einen bearbeiter an Johann Jakob Harder, der in den sechziger jahren pastor zu Sunzel im rigischen kreise war, zu anfange der siebziger als director an das lyceum zu Riga berufen wurde, und somit die stelle erhielt, auf welche Herder bei seinem abgange von Riga die sicherste anwartschaft gehabt, die aber, als sie ihm im april 1771 wirklich angetragen wurde, seinen ansprüchen nicht mehr zusagte. Der namensverwante gelehrte rückte also ein, und dieser erhielt in den nächsten jahren bei ruhigem zuwarten auch eine höhere geistliche stelle, ohne welche Herder das schulrectorat nicht hatte antreten wollen. So floss vielleicht bei den harten urteilen über diesen mann, die uns in Herders briefwechsel mit seinem Rigenser freunde und verleger Hartknoch begegnen (Von und an Herder II, 23. 24. 43) einige persönliche misstimmung mit ein.

So fern sich aber auch Herder dem manne fühlte, dessen name und äussere schicksale uns zu einer zusammenstellung mit ihm auffordern, so sind sie doch in ihrer schriftstellerei beide bis zur verwech-

selung einander nahe gerückt. Diese bemerkung gilt nicht jener unbe-
deutenden namensvertauschung, deren wir oben (s. 46 anm. 1) im vor-
beigehen gedachten. Die im jahre 1768 in Hartknochs verlag erschienene „Philosophie der Geschichte des verstorbenen Hrn. Abtes Bazin,
aus dem Französischen übersetzt und mit Anmerkungen begleitet," eine
arbeit Harders, ist öfters Herder zugeschrieben worden. Georg Müller
hat in den „Erinnerungen" (I, 100 anm.) den irtum berichtigt; aber
damit war er nicht aus der welt geschafft, und so konte es kommen,
dass Heinrich Kurz in seiner Geschichte der deutschen Literatur
(III, 649 a) der vielgetadelten vulgata von Herders Werken auch daraus
einen Vorwurf gemacht hat, „dass sie diese zum teil bedeutenden anmerkungen nicht mitgeteilt hat." Auch Herder ist ein gegner jener Voltairischen schrift, die er in Riga studiert hat,[1] aber in anderem sinne
als Harder; dieser hat es als theologe hauptsächlich mit dem veräch-
ter der christlichen religion zu tun, Herder als philosoph mit der mecha-
nischen anschauung von dem fortgange der menschengeschichte, auf
der Voltaires werk beruht.[2] So äussert er denn über seinen ersten
geschichtsphilosophischen versuch, „dieser habe mit Voltaire und Harder zum Glück nichts als den Titel gemein." (Von u. an H. II, 43.)

Aber ausser diesen zufälligen und zugemuteten beziehungen finden
sich auch nähere und begründete. Harder, aus Ostpreussen gebürtig,
wie Herder, und an derselben universität wie dieser gebildet, hat dem
um zehn jahre jüngeren landsmanne wo nicht anregung, so wenigstens
stoff zu einigen arbeiten geliefert. In Herders Volksliedern (II, 89 fg.)
finden wir angaben über die lettische lieder- und rätselpoesie, die sich
auf die Rigischen Gel. Beiträge als ihre quelle berufen. Sie stammen
aus einem aufsatze Harders, der vier stücke (II. V. VII. XII) des jahrgangs 1764 einnimt: „Untersuchung des Gottesdienstes, der Wissenschaften, Handwerke, Regierungsarten und Sitten der alten Letten, aus
ihrer Sprache." Herder hat bei der widergabe den breiten ausdruck
ins kurze gezogen; er benutzte bei der redaction jedenfalls einen auszug, den er sich bei erster lectüre angelegt hatte. So komt es, dass

1) Als eine frucht der beschäftigung mit diesem buche liesse sich nach
Hayms — wenngleich mit behutsamem zweifel vorgebrachter — vermutung die
recension der Voltairischen schrift in den Königsbergischen Gel. Zeitungen von 1765
St. 87 bezeichnen. (Herder und die Königsb. Zeitung II. Im Neuen Reich 1874.
I. 510.) Aber der besonnene forscher hat wol daran getan, bei schliesslicher zusammenstellung der Herderischen stücke in den K Z. diese recension wider fallen zu
lassen. Weder im stil, noch im ton, der viel zu sehr der eines auf die freigeister
insgemein erbosten theologen ist, hat sie mit Herders anderen arbeiten verwantschaft.

2) David Strauss, Voltaire s. 207. 211

er das rätsel vom mohnkopf einfach unter die lettischen setzt, während dort Harder dasselbe nebst einem zweiten [1] als ein gemeinsames gut des preussischen und des lettischen stammes in beiden sprachen und mit deutscher übersetzung anführt. In dieser abhandlung, als deren verdienst der verfasser hervorhebt, zuerst in Livland die sprache für die culturgeschichte verwertet zu haben, fand Herder ferner die idiotismen in ihrem werte anerkant, auf die er selbst dann in der ersten samlung der Fragmente mit nachdruck hinwies. „Wenn man in einer Sprache dergleichen Redensarten und schildernde Worte findet, so muss die Handlung oder der Begriff, die durch dergleichen Worte ausgedruckt werden, dem Volk in dieser Sprache eigen sein, wenigstens muss man daraus auf eine unter ihnen eigne Gewohnheit und Sitte oder Begriff schliessen können."

Harder bescheidet sich dabei, eine anregung gegeben zu haben, und will eine gründlichere behandlung demjenigen überlassen, „der eine starke innere Känntniss des Genies der lettischen Sprache besitze"; er „zweifelt nicht, dass viele Stärke genug bey sich fühlen werden, weiter zu kommen, als er selbst sich getraue": aufforderung genug für ein genie wie Herder, den der trieb, die seele des volks in allen ihren äusserungen zu beobachten, innig beherschte. Wirklich sehen wir diesen bald nach der ankunft in Riga angeregt, die lettische sprache zu lernen. Er meldet seinen vorsatz bald, im anfange des jahres 1765, dem älteren Königsberger freunde, der die nachricht beifällig aufnimt. (Lb. I, 2, 90.) Indessen blieb es über jahr und tag bei dem vorsatze. Die ausführung kündigt sich dann in einem ebenfalls an Hamann gerichteten briefe an. „Aus Verzweiflung hab' ich das Lettische auch angefangen seit Ostern (1766); wir werden uns also die Stenderschen Fabeln [2] überhören können." (Lb. I, 2, 133.) Zu einem genauen und sichern verständnis freilich konte ein solches erholungsstudium nicht führen; aber soviel hatte der jüngling doch von dem genie der sprache erobert, dass ihm die meisterhaften übersetzungen lettischer lieder gelangen, welche wir in den Volksliedern finden. Seine neigung für die liebliche sprache kam auch in jenen für die entwickelung unserer litteratur hoch bedeutenden gesprächen zum ausdruck, die er in Strassburg mit dem empfänglichsten und edelsten seiner dichterischen freunde führte. [3]

---

1) Entnommen aus Matthaei Praetorii Nachricht von der alten Preussischen Sprache.

2) Lettische Fabeln und Erzählungen. Mitau 1766. „Stender hat sich vorgesetzt, den Witz und die Sitten der Letten dadurch zu bilden." Gadebusch, Livl. Bibl. III, 206.

3) Schoell, Briefe und Aufsätze von Goethe aus den Jahren 1766—86. s. 122.

4*

Kehren wir aber zu Harder und seiner abhandlung zurück, die
für Herder höchst wahrscheinlich die brücke zur bekantschaft mit dem
lettischen gewesen ist, so lernen wir den livländer geistlichen in derselben auch wegen seiner toleranten und humanen denkungsart achten.
Indem er die erwähnten proben von der lettischen volkspoesie gibt,
komt es ihm besonders auch darauf an, menschliche teilnahme für das
landvolk der heimischen gegend zu erwecken. Aus den rätseln, sagt
er, möge man darauf schliessen, was man aus einem muntern lettischen
knaben machen köte, wenn man ihn wol erzöge. Er ereifert sich über
die härte vieler deutscher pächter und grundbesitzer, „die den armen
Bauern bis zum Vieh heruntersetzen"; das einheimische landvolk achtet
er „wegen seiner edlen Hantierung" weit höher als alle die deutschen
landsleute, die als abenteurer hereingekommen seien, „sich eine Per-
rücke und einen Degen gekauft haben, und nun sich Kungs (herren)
nennen lassen." Und noch von anderer seite will er die eingebornen
gegen willkürliche behandlung schützen. Ihn betrübt es, dass zelotische
amtsgenossen die alten segenssprüche und zauberformeln verfolgen, die
das volk ohne ein bewustsein ihres zusammenhanges mit dem alten
heidentume als ein erbstück der väterzeiten liebe. Er verwirft andrerseits den oberflächlichen unterricht in der christlichen religion, der über
ein einprägen der symbolischen formeln nicht hinausgehe. Die abstrac-
ten begriffe derselben allegorisiere sich das volk in seine sinlichen vorstellungen, zumal wenn sie ihm in ungeschickter übersetzung zugebracht
seien; so denke es bei dem worte geist an warmen dampf, bei dem
attribute allwissend an einen überaus schlauen gott.

Wie nahe berührt sich in dieser humanen zuneigung für das
„volk" in allen seinen eigenheiten Herder mit dem verfasser des cul-
turhistorischen aufsatzes. Über die lage des leibeigenen bauernstandes
nachzudenken ward jener bald durch eigene anschauung angeregt. Die
leibeigenenfrage beschäftigte während seines Rigenser lebens den land-
tag der livländischen ritterschaft,[1] es wirkte mancher von den herren
in edlem eifer darauf hin, die hörigen von dem auf ihnen lastenden
drucke zu befreien, so der milde freiherr von Budberg, Herders edler
freund.[2] Solchen veranlassungen und der ihnen begegnenden natürlichen liebe Herders zu der untersten klasse entsprangen betrachtungen

1) Jegòr von Sivers, Humanität und Nationalität. Berlin 1869. s. 10 fg.
2) Herders Lebensbild I, 2, 41. K. C. Sonntag, Woldemar Dietrich Freiherr von Budberg, in der Livona. (Ein histor.-poet. Taschenbuch für die deutsch-
russ. Ostseeprovinzen. Riga und Dorpat 1812 s. 155—164.) (Das buch ist mir
durch herrn Döring in Mitau aus der bibliothek des Kurländischen Museums zugekommen.)

wie die über die ausstattung der bauern mit freiem grundbesitz, von
welcher sich eine skizze unter seinen handschriften gefunden hat.

Noch einmal finden wir in den Rigischen Beiträgen Harder als
einen freundlichen beobachter des niederen volks, und widerum hat dieser aufsatz dazu gedient, ihm ein denkmal in den schriften seines berühmten doppelgängers zu bereiten. In jenem höchst anziehenden kleinen
aufsatze „Das Land der Seelen" — zuerst erschienen in den Zerstreuten Blättern VI, 95 fgg. — erzählt Herder, um die vorstellungen der
baltisch-nordischen völker von dem zustande nach dem tode zu veranschaulichen, die geschichte eines livländischen bauermädchens (s. 132),
die in der verzückung eines traumhaften zustandes sich mit dem jenseits in verbindung geglaubt, ihrer idee nachhängend beharrlich speise
und trank verschmäht habe und so ein opfer dieses wahns geworden
sei. Die geschichte hat Herder aus den R. Beiträgen (1763 St. 21.
Geschichte eines wahnsinnigen Bauermägdchens), und Harder eben ist
es, der sie dort vorgetragen und zu ihrer erklärung aufgefordert hat.

Zu den beiträgern im historischen fache gehört ferner Friederich
Konrad Gadebusch, den wir wegen seiner litterarhistorischen arbeiten
schon widerholt als gewährsmann genant haben. Hier jedoch werden
wir nicht auf seine beiträge zur landesgeschichte achten, sondern auf
eine höchst schätzbare arbeit, die ins lexicalische gebiet gehört. Sein
eigentum sind die „Zusätze zu Johann Leonhard Frischens Deutschem
Wörterbuch," die als zwölf lieferungen ebenso viele stücke der zeitschrift vom jahrgange 1763 bis 1767 einnehmen.[1] Als die hälfte derselben erschienen war, schrieb Herder in der ersten samlung der Fragmente (s. 50): „Eine fleissige Seele in Liefland hat einen Anhang zu
Frischens Wörterbuch, aus der Bibliothek der schönen Wissenschaften,
Litteraturbriefen, Lessings, Uz und dergleichen Schriften gemacht; aus
dem ich, weil er doch zu gut ist, um in einem Winkel ohne Anwendung zu vermodern, wenn er vollendet seyn wird, einen Auszug liefern
werde." Er hat den entschluss nicht ausgeführt, und desto sicherer
ist das schicksal eingetroffen, welches er der redlichen arbeit prophezeit hat. Woldemar von Gutzeit, in der vorrede zu seinem Wörterschatz der Deutschen Sprache Livlands (Riga 1864. s. VII) ist der einzige, der das andenken an die leistung des gelehrten Dorpater bürgermeisters erneuert; wir möchten diesem eine bescheidene stelle in einer
der vorreden von Grimms wörterbuch gönnen, die ja sonst jedes redliche verdienst dankbar verzeichnet. Eine solche stelle verdient er

---

1) 1763. St. XIV. 1764. St. IV. XI. XV. 1765. St. VI. VIII. 1766. St. XVII.
XXI. XXVI. 1767. St. IX. XV. XXIV.

nicht blos bei historischer schätzung — denn wer hat neben Lessing
in der periode zwischen Frisch und Adelung zu lexicalischen zwecken
so emsig gesammelt wie er? — seine arbeit hat ausserdem, so viel
auch von den einzelnen ergebnissen veraltet sein mag, einen unverjähr-
baren wert. Wie dankbar sind wir Lessing dafür, dass er uns dann
und wann bei einem worte angibt, wann es in seiner jetzigen form
oder in einem neuen sinne schriftgebräuchlich geworden ist. Gadebuschs samlung lesen wir jetzt ganz in diesem gesichtspunkte. „Ich
habe seit einigen Jahren, meldet er im vorbericht, bey dem Lesen der
deutschen Bücher fast beständig das Frischische W. B. zur Hand genommen, um dem darin befindlichen Mangel abzuhelfen. Was ich in demselben nicht fand, zeichnete ich an.“ Das meiste aber was Gadebusch
in dieser weise durchgearbeitet hat, besteht in den schönwissenschaft-
lichen und geschichtlichen schriften, die seit 1741 erschienen sind.
Manche gedichtsamlung und besonders ein gut teil der breiten prosa-
litteratur jener zeit hat er durchgemustert, die auch der sorgfältige
samler heute höchstens gelegentlich berücksichtigen kann, und diese
verschollenen schriften enthalten für den, der der geschichte des wort-
gebrauchs nachspürt, nicht selten ebenso wichtige beläge als die schriften, die sich länger im leben der litteratur behauptet haben. Von den
bedeutenden schriftstellern vermissen wir auffälliger weise Klopstock.
Gadebusch ist ein anhänger der Gottschedischen schule, und bei Klopstocks poesie ward dem nüchternen gelehrten nicht wol; aber damit ist
die ausschliessung des Messiassängers doch nicht genügend erklärt.
Denn die schriften der Schweizer und ihrer freunde sind sorgfältig
benutzt, wir finden Iselin, Wieland u. a.; freilich ist ihren sprach-
neuerungen manche bedenkliche note angehängt, wie die: „wer unsere
reiche Muttersprache also vermehrt, der verunstaltet sie.“ Überhaupt
ist Gadebusch ein abgesagter feind aller der neuerungen, die durch
„nachäffung“ fremder sprachen, besonders der französischen entstanden
sind;[1] ebenso streng ist er gegen lateinische eindringlinge.[2] Dagegen
sieht er mit freude gute alte wörter wider eingeführt. Nicht selten
sind bei ihm bemerkungen, wie die, mit der er das wort staunen
begleitet. „Dieses Zeitwort war nach Frischens Zeugnis nicht mehr im
Gebrauche. Allein Herr von Haller hat wider angefangen sich desselben zu bedienen; dem viele andere gefolgt sind …“ und nach einer

1) Er verwirft z. b. das zu seiner zeit aufkommende wort s t i m m e n m e h r-
h e i t (pluralité des suffrages).
2) Sehr eifrig ergeht er sich gegen die „unmässigen Liebhaber der lateinischen Brocken“ bei gelegenheit des wortes i n v e n t a r i u m, wofür er mit Frisch
f u n d b u c h, oder mit Logau f u n d r e g i s t e r sagen will.

reihe von beispielen aus Lessing, Cronegk, Wieland, Karschin (die es
mit vorliebe braucht): „so leicht können veraltete Wörter erneuret werden, wenn ein bestätigter Dichter sie wider gäng und gäbe macht."
Ähnlich bei h ü l l e (vgl. e n t h ü l l e n), s c h w a l l u. a. Auch ausserhalb der litteratur, in der umgangs - und geschäftssprache findet er
bemerkenswerten sprachgebrauch. So weiss er bei dem worte e i n s c h u b
anzugeben, dass es in der amtssprache der preussischen armee üblich
sei. Besonders erfreulich aber ist die sorgfalt, mit der er auf provin-
zialismen achtet. Eine ziemliche anzahl führt er aus seiner neuen heimat, andere aus seinem vaterlande Pommern und aus Preussen an, wo
er sich mehrere jahre aufgehalten hat. Über diese freisinnigkeit des
alten Gottschedianers wundern wir uns weniger, wenn wir erfahren,
dass er auf dem Hamburger gymnasium ein schüler Richeys, verfassers
des Hamburger Idiotikons, gewesen ist. Als ein liebhaber des kern-
haften deutschen bewährt sich Gadebusch ferner durch seine genaue
bekantschaft mit der sprache Luthers; manches, was er aus Luthers
schriften zusammengetragen hat, ist erst durch das Diezische Wörterbuch entbehrlich geworden.[1]

Mit den zwölf lieferungen waren die lexicalischen arbeiten des
rüstigen mannes nicht abgeschlossen. Bei einem nochmaligen abdrucke,
meldet er in seiner Livländischen Bibliothek (I, 16. 389), könten die
beiträge noch einmal so stark werden. Wenige jahre nachher regte ihn
das neu erschienene Adelungsche Wörterbuch zu einer zweiten reihe
von beiträgen an. Er fieng an, sie in Gottlieb Schlegels Vermischten
Aufsätzen und Urtheilen, im ersten stücke des zweiten bandes (1780)
zu veröffentlichen; aber das dort gedruckte geht nur bis zum buchstaben C. Das übrige material blieb, wahrscheinlich ungeordnet,
in seinem nachlasse; es ist nach W. v. Gutzeits angabe verloren
gegangen.[2]

1) Als probe seiner gelehrsamkeit und zur vergleichung mit Diez stehe hier
der artikel F e l d s t i f t. Gadebusch weist das wort nach in Luthers Erklärung zu
Matth. 24, 26: „Die Wüsten aber sind die Wahlfahrten und Feldstifte." ... „Frisch
hat f e l d s i e c h und F e l d s u c h t, leprosus, lepra. Wie? wenn F e l d s t i f t so viel
wäre, als ein Pesthof oder Lazaret; welche Gebäude gemeiniglich vor den Städten
auf dem Felde angetroffen werden." Gadebusch hat das richtige getroffen. Siehe
Baur, Hessische urkunden II, 375: *„infirmis in hospitali ad eorum solacium 1
marcam. Item leprosis in campo 1 fertonem"*; legat aus d. j. 1285.

2) In Beises Nachträgen und Fortsetzungen zu v. Recke und Napierskys Livl.
Schriftstellerlexicon (Mitau 1859. s. 205) findet sich allerdings, im anschlusse an das
hauptwerk (II, 3—8) ein nachweis über den verbleib des nachlasses; von Gutzeits
angabe aber ist jüngeren datums, und der letztere gelehrte hat wahrscheinlich nach-
suchungen nach den papieren, die für ihn nicht unwichtig waren, angestellt.

Einige angaben über die persönlichkeit unseres lexikographen dürfen nun wol hier ihre stelle finden. Gadebusch stamt von der hei-
matsinsel Ernst Moritz Arndts. Aus den nachrichten, die er uns von
seinen lebensschicksalen gibt, lernen wir ihn als einen arbeitseligen,
rüstig emporstrebenden, widerwärtigkeiten durch sein unbeugsames,
widersacher durch sein selbstbewustes wesen bezwingenden mann kennen.
Ein jahr, nachdem er sich häuslich in Dorpat niedergelassen, verlor
er durch eine feuersbrunst, die sein haus zerstörte, sein vermögen, seine
bibliothek; „er bedaurete nichts so sehr als seine deutsche Reichshistorie, woran er über zwanzig Jahre gearbeitet, und die er bis an Leopolds
Tod vollendet hatte."

Mit Herders anerkennenden worten haben wir die nachrichten
über Gadebusch eingeleitet; mit einem hinweise auf die förderung, die
Herder durch das gelehrte wirken des mannes erfahren hat, seien sie
geschlossen. Nächst Lessings wörterbuch über Logaus sprache,[1] das
auch Gadebusch als die einzige verdienstliche arbeit auf diesem gebiete
lobt, sind es die nachträge zu Frisch, welche Herder zu einem aufmerksamen beobachter des wortschatzes der muttersprache gemacht
haben. Wir finden unter Herders handschriften den anfang eines auszuges aus Frisch, der ebenso wie ein solcher aus Wachter in der zeit
des aufenthaltes in Riga entstanden ist. Gadebuschs ansichten von dem
werte der alten wörter sind von Herder angenommen und vertieft, die
achtung, die jener vor den provincialismen und idiotismen hat, wird
bei diesem zu schützender vorliebe. Gadebuschs entschiedenes urteil
über den vorzug des deutschen vor dem französischen, sein spott über
die verkehrte und nutzlose tätigkeit der „deutschen gesellschaften"
kehrt in dem ersten teile der Fragmente wider.

Auch von der neigung zur politischen geschichte, die wir bei den
Rigischen Beiträgern und so besonders bei unserm Gadebusch stark entwickelt finden, sehen wir Herder beeinflusst. In Königsberg hatte er
sich unter Kants leitung der geschichte der „menschheit" (humanität)
zugewant, den plan zu einer „Geschichte des menschlichen Verstandes"[2]
gemacht. Jetzt erfasst er auch die politische seite. „Ich habe," eröffnet er im jahre 1768 seinem freunde Scheffner, „im Ernst lange den
Gedanken gehabt, einen historischen Versuch über das 15. und 16. Jahr-

---

1) Aus dem Wörterbuche, wie aus dem „Vorberichte von der Sprache des
Logau" hat Herder sich in Königsberg einen auszug angelegt, der in einem seiner
studienhefte erhalten ist.

2) Ein handschriftlicher entwurf unter dieser überschrift zeigt uns wahrscheinlich den ersten versuch, mit dem sich der jüngling an seine aufgabe gewagt hat.

hundert zu machen — es ist das wichtigste seculum und die Quelle der neuern Geschichte." (Lb. I, 2, 361.) Auf die vaterländische geschichte insbesondere hat er sein augenmerk gerichtet. Mit treffender schärfe redet er im dritten teile der Kritischen Wälder (s. 156—171) von dem gesichtspunkte, in dem eine reichshistorie sich halten müsse. Nicht eine kaiserhistorie mit charakterbildern der regenten soll dieselbe sein, sondern eine darstellung des processes, wie die einzelnen glieder des grossen körpers sich zur selbständigkeit herausbilden, um schliesslich als staaten für sich zu bestehen. „Hauptgesichtspunkt der deutschen Geschichte ist, dass man diese allmähliche Schöpfung zum heutigen Staatskörper bei jeder Progression der Umbildung merke, genau aus Urkunden anmerke, auszeichne."

Der zug zum nationalen ist in dieser geschichtlichen wie in jener sprachlichen [1] beschäftigung Livländischer gelehrter unverkenbar. Auf einem so ausgesetzten posten hielten gelehrte und bürger an der deutschen art treuer fest, als an vielen orten im mutterlande. Ähnliches streben zeigt sich, den gleichen ursachen entspringend, in Ostpreussen, das damals eine insel im slawischen meere, den Leipzigern wie den Berlinern ein „verschrieenes Böotien" war. So ist es kein zufall, wenn eben der fähigste und feurigste aus dieser nordischen schaar alsbald die losung „von deutscher art und kunst" erschallen lässt und zu einer widergeburt der litteratur in nationalem sinne aufruft.

Diesen jüngling aber in den jahren, die sein weitreichendes wirken vorbereiten, als einen mitarbeiter an dem bescheidenen werke des provinzialen intelligenzblattes aufzuzeigen, ist der zweck der weiteren darstellung.

Herders erster beitrag tritt uns zu unserer verwunderung schon im XXIV. stücke des jahrgangs 1764 entgegen. Er steht daselbst (s. 185—190) unter dem titel: Ueber den Fleiss in mehreren gelehrten Sprachen. Dieser aufsatz sieht nämlich einer schulrede, die in Herders Lebensbild (I, 2, 151—162) unter den briefen und arbeiten des jahres 1766 abgedruckt ist, so ähnlich, als nur ein zwilling dem andern. Es zeigt sich bei näherer vergleichung, dass jener eine überarbeitung der rede ist, und dass beide ebenso zu einander gehören, wie die halbvollendete abhandlung von der Grazie des Lehrers (Lb. I, 2, 63—75) zu der oben erwähnten ersten Rigenser schulrede (ebenda s. 42—63). Nur hält sich bei dem ersten paare die über-

---

1) Neben Gadebusch nennen wir Hupel mit seinem Idiotikon der deutschen Sprache in Lief- und Estland und Gustav von Bergmann, Sammlung livländischer Provinzialwörter (Salisburg 1785).

arbeitung weit mehr an der oberfläche, erstreckt sich wenig auf die
ausbildung der gedanken, gar nicht auf die anordnung. Die zahlreichen änderungen des ausdrucks aber und die dem gegenstande weit
angemessenere herabstimmung des tones der rede zu dem der abhandlung
verleihen der in den „Beiträgen" vorliegenden gestalt einen entschiedenen vorzug vor der im Lebensbilde nach der (nachmals verloren
gegangenen) handschrift gebotenen. Die datierung der letzteren beruht
also auf einem irrtume des herausgebers, der seine ansetzung selbst
nicht für sicher ausgibt und bemerkt, dass die rede ihren schriftzügen
nach eher früher als später geschrieben scheine.

Wie aber konte diese arbeit schon so früh in die Beiträge eingerückt werden, da der verfasser selbst kaum in Riga eingetroffen war?
Das stück XXIV der zeitschrift ist in der ersten hälfte des december
erschienen, Herder erst am 22. november aus Königsberg abgereist,
am 7. december privatim als collaborator in die domschule eingeführt.
(Lb. I, 1, 322. Erinnerungen I, 85). Wie hätte nun während der unruhe
und unmusse der ersten tage die zeitungsarbeit entstehen können?
Die zu grunde liegende rede muss der Königsbergischen schulpraxis
angehören; sollte aber nicht auch die umarbeitung noch in den alten
verhältnissen vorgenommen sein?

Die aussicht, von dem Königsberger Friedericianum, der in pedan-
tisch-theologischem sinne geleiteten anstalt an die Rigische schule über-
zugehen, eröffnete sich Herder im october 1764. In dem briefwechsel,
der sich mit Lindner, dem rector der domschule, anspann, suchte Herder seine kentnisse und fähigkeiten in das günstigste licht zu stellen,
wie denn auch Hamann das seinige tat, „den liebenswürdigen jüngling
mit etwas triefenden augen," dem rector, seinem alten freunde, ange-
legentlich zu empfehlen.[1] „In der latinität," meldet Herder, „habe er
grosssecunda, in der mathematik secunda, auch im französischen eine
klasse gehabt." In der erwiderung hat Lindner jedenfalls proben seiner fähigkeiten gewünscht. Dem nächsten briefe wurden also etliche
schriftstücke beigeschlossen; ihnen gelten die worte (s. 319): „In der
Eil schicke das erste, das beste; das eine ist eine Rede, die ich hier
habe deklamieren lassen: das zweite eine Schulmaterie; das übrige — —
ich hoffe, man wird die Nachsicht beweisen, mich hieraus einigermassen
beurtheilen, nicht aber messen zu wollen." Nun, eine schulmaterie ist
ja unsere abhandlung im eigentlichsten sinne; und die actusrede, die
als ein zeugnis der fähigkeit, latein in oberen classen zu lehren, mit-
gieng, ist wahrscheinlich dank dieser sendung, ebenfalls unter Herders

---

1) Lebensbild I, 1, 310 fgg. Hamanns Schriften 3, 302.

papieren erhalten geblieben, wenigstens so lange, bis sie im Lebensbilde (I, 284 — 295) zum abdruck kam. Der herausgeber, der sie
dort „eine von Herder auf dem Friedericianum gehaltene rede" betitelt,
hat sie unmöglich durchgelesen; sonst hätte er ohnfehlbar bemerkt,
dass der redende iuvenis ein schüler ist. Eine wunderliche latinität
ist es, die Herder damals gelehrt oder wenigstens geduldet hat; und
dass ihm dieser lateinische geist auf schulen so übel behagt hat, wie
es die harten äusserungen im dritten teile der Fragmente kundgeben,
mögen wir ihm nicht verdenken.

Es kann nach dieser darlegung wol nicht mehr fraglich bleiben,
wann und wo die erste in den Beiträgen gedruckte arbeit Herders in
ihrer letzten form entstanden ist. So wie wir sie dort finden, ist sie
anfang octobers 1764 mit benutzung einer älteren arbeit rasch niedergeschrieben.

Die schulmaterie füllt aber das stück der Rigischen Beiträge
nicht; auf den drei letzten seiten steht „Der Charakter des Menschen-
feindes, aus den Königsbergschen Zeitungen." Dass Herder ein mitarbeiter dieser „Gelehrten und Politischen Zeitungen" in den ersten
jahren ihres bestehens gewesen, ist nun durch die auf sorgfältiger forschung beruhenden aufsätze Hayms (s. s. 50 anm. 1) auch in weiterem kreise
bekant geworden. Es lässt sich zwar nur eine reihe von recensionen[1]
und eine kleine anzahl von gedichten mit voller sicherheit als sein
anteil ermitteln, dagegen keiner von den originalaufsätzen in dieser
zeitung; indessen ist Hayms vermutung, dass auch unter diesen stücken
manches ihm zugehören mag, nicht ohne grund, und wir werden zu
ihrer bestätigung im weiteren verlaufe einige tatsachen anführen, welche
die beschäftigung Herders mit ähnlichen stoffen beweisen. Sollte es
nun blosser zufall sein, dass jener „charakter," der einzige aus den
Königsbergischen Zeitungen, überhaupt aus einer auswärtigen zeitschrift
aufgenommene aufsatz, mit der Herderischen abhandlung in einem stücke
zusammen steht? Oder ist dieser populär - psychologische versuch
etwas von dem „übrigen," das die sendung an Lindner enthielt? Soviel
wenigstens lassen die gedankenstriche, lässt die entgegenstellung und
das bescheidene abbrechen erraten; dass dieses „übrige" nichts schul-
mässiges war, und so wäre es wol das nächste an etwas belletristisches
zu denken. Eine solche freiere arbeit vorzulegen hatte ja Herder vollen grund, da er als „ein lehrer des schönen und weltmässigen" beson-

1) Mit ausnahme von zwei recensionen, die im jahrgange 1767 stehen und
die chiffre Hr haben, sind sämtliche arbeiten Herders unbezeichnet. Der „Menschenfeind" ist mit der sonst nirgends in den Zeitungen wider gebrauchten note B
unterschrieben.

ders die übungen im deutschen stil an der neuen anstalt leiten sollte.
(Lb. 1, 2, 45.) Sehr wol würde zu der vermutung[1] stimmen, dass der
„charakter“ in dem 71. stücke der Königsbergischen Zeitungen steht, das
am 5. october erschienen ist; denn der brief an Lindner trägt das
datum des 16. october.

Die wahrscheinlichkeit lässt sich noch einen schritt weiter treiben. Jene nummer der Rigischen Beiträge wurde schon am 19. december an Hamann geschickt; dieser, der dieselbe mit dem ersten (nicht
mehr vorhandenen) briefe seines jungen freundes erst am 7. januar des
nächsten jahres erhalten hatte, erwidert mit bezug auf die sendung:
„Für Mitteilung Ihres eingerückten Stücks statte Ihnen meinen Dank ab,
und nehme an der guten Aufnahme Ihrer Erstlinge allen freundschaft-
lichen Antheil.“ (Lb. I, 2, 7.) Wer sich an den wortlaut dieser briefstelle hält, dürfte in dem ersten satze das ganze Stück (XXIV) der
Beiträge mit seinem doppelten inhalte bezeichnet, im zweiten oben-
drein die mehrheit der aufsätze verbürgt finden. Allein das hiesse mit
der genauigkeit misbrauch treiben. Ein stück wird, neben jenem der
zeit eigenen redegebrauche, auch ein einzelner aufsatz, wie ein einzelnes gedicht benannt. So schreibt Hamann (a. a. o. s. 33): „Mit Ihrem
Gesang auf die Asche Königsbergs bin ich gar nicht zufrieden gewesen,
aber das neue Stück (gemeint ist der Altarsgesang: der Opferpriester)
ist mehr nach meinem Geschmack.“ Von der aufnahme der erstlinge
kann aber Hamann eben so wol im hinblick auf die zu erwartende weitere tätigkeit seines schützlings reden.

Die historischen beweismittel verhelfen uns also nicht zur sicherheit, und eines versuchs, durch betrachtung des stils ein festeres ergebnis zu erlangen, dürfen wir uns nicht entschlagen. „Selten wird man
zum Menschenfeinde geboren,“ heisst es nach den ersten einleitenden
zeilen. „Weit gefehlt, dass wir von der Natur Regungen des Hasses
empfangen sollten, so treten wir vielmehr mit einem Keime geselliger
Liebe in die Welt. Nach und nach schiesst dieser Keim höher auf; unsre
Bedürfnisse vermehren sein Wachsthum.“ Zum schlusse heisst es von
dem geschilderten charakter: „Er liebt zuweilen, und liebt heftiger,
als jemand .... Die Natur behauptet stets ihre Rechte über alle ihre
Wesen; sie weiss sie gültig zu machen, sobald es ihr gefällt; die mensch-

---

1) (Nachträglich). Bestätigt wird diese vermutung durch den amtlichen
bericht des rectors an den Rigenser magistrat. „Der Rector hätte die, von diesem Herder verlangte Specimina, wovon eins deutsch, das andere lateinisch wäre, ...
dem Referenten zugestellt... Sonsten gäbo ihm auch der Rector das Zeugniss,
dass er anderweitig, in den neuen schönen Wissenschaften, Stärke und
Geschmack verrathe.“ (Herder in Riga. Urkunden, herausg. von J. v. Sivers s. 40.)

lichen Vorurteile vermögen nichts wider sie." Wie anfang und schluss, so läuft die ganze darstellung zumeist in schlichten, knappen, oft antithetisch gebildeten sätzen dahin; bildlicher ausdruck ist nicht vermieden, aber er hält sich, wie in den gegebenen proben, in bescheidenen schranken. Es fehlen die starken eigentümlichkeiten des Herderischen stils, welche die grossen arbeiten und so manche kleinere aus der Rigenser periode auszeichnen: im satzbau der rhetorische wurf, die leidenschaftliche bewegung; im ausdrucke des einzelnen die bildliche fülle und kraft, welche das metaphorische nicht blos als ein aufgestreutes schmuckwerk verwendet, sondern es oft als ein organisches glied aufnimt, durch das sich der gedanke weiter treibt oder spielt. Dieser einem phantasievollen, jugendlich feurigen schriftsteller natürliche, von Herder überdies nach theoretischer überzeugung[1] und mit bewuster absicht ausgebildete stil ist es, an dem sich uns die anonymen Herderischen stücke zu erkennen geben; übereinstimmung der bilder und vergleichungen, die widerkehr derselben allusionen ermöglicht es oft, die überweisung mit einleuchtenden belegen zu rechtfertigen; eine genügende zahl solcher parallelen darf für einen vollgiltigen ersatz eines historischen beweises angesehen werden.

Unser „Menschenfeind" lässt sich keine stelle abgewinnen, an der man das mittel der vergleichung erproben könte. Verstärkt also wird die wahrscheinlichkeit durch die stilbetrachtung keineswegs; aber vielleicht geschwächt — aufgehoben? Auch dies nicht.

Dem genaueren beobachter entgeht es nicht, dass Herder seinen charakteristischen stil nicht in allen seinen arbeiten beibehält; ja dass er die gabe besitzt, sich desselben zu entäussern. Ein herabsteigen von dem „stil der Fragmente" findet Haym mit recht in den meisten Königsbergischen recensionen. Weit auffälliger ist die abweichung in den Rigenser predigten;[2] diese geben das beste zeugnis von „der glücklichen Leichtigkeit, sich zu bequemen und seine Gegenstände zu behandeln," die Hamann[3] an dem jünglinge Herder rühmt. Hier ist es die rücksicht auf das publikum, welche zum verlassen des „hohen Stils" getrieben hat; in den recensionen gewahren wir öfters die elastische

---

1) „Von Jugend auf dünkte es mich, dass sich die Prose viel mehrern Schmuck des Wort- und Periodenbaues erlauben dürfe, als die Poesie." Zerstreute Blätter III, Vorrede s. VIII fg. (1787).

2) Dabei blieb diesen predigten immer noch so viel von dem eigentümlichen Herderischen colorit, dass die gegner sie als „ein Geklingel von schönen Worten — eine Kette von Gleichnissen, Bildern und Anspielungen" verschreien konten. Wie sehr dieser vorwurf übertrieben ist, beweisen die übergebliebenen reden.

3) Hamanns Schriften 3, 302.

natur des jünglings, die von dem frisch gelesenen eindrücke aufnimt
und diese in ton und haltung des berichtes widergibt. Ob ihn diese
dithyrambensamlung mit ihrem feuer „angeglüht," jener philosophische
tractat mit seinen geschwollenen paragraphen angegähnt, ob die fülle
des inhalts an einem historischen, geographischen werke seine lern-
begier in vollem masse beschäftigt hat, merken wir dem tone der litterarischen berichterstattung leicht an. Einen dritten grund der stil-
abweichungen können wir endlich namhaft machen, der sich zunächst
an Herders poetischen productionen deutlich nachweisen lässt.

Des ihm natürlich eigenen poetischen stiles ist sich Herder wol
bewust. Er bezeichnet ihn selbst als den „hohen stil," und die gedichte,
die sich in demselben halten, mit den erzeugnissen der noch rohen,
zur schönheit nicht durchgedrungenen ältesten periode der dichterei
(Lb. I, 2, 179). Und so findet er in jener frühen zeit allerdings für
die begeisterung, die andacht, allenfalls auch für die grimmige ironie
den rechten ton; oft freilich überspannt er ihn. Aber neben gedichten
dieser art enthalten seine poesiehefte eine beträchtliche zahl von versuchen in allerlei leichten gattungen: nachahmungen Gerstenbergs,
Uzens, Gleims, die ihm, wenn sie nicht seine handschrift beglaubigte,
niemand zugeschrieben haben würde, Es sind poetische exercitien, entsprungen aus der absicht, sich in der technik der von der mode begün-
stigten dichtungen zu befestigen und geschmeidigkeit in mannigfaltigem
ausdrucke zu erwerben.

Hat Herder solche studien auch in der prosa gemacht? Dass
sich beweise dafür finden, haben wir schon angedeutet (s. 59). Etliche
aufgaben zu „charakteren," zu moralischen erzählungen hat er sich
gestellt; nur von einer der letzteren sind einige zeilen des anfangs
erhalten.[1] Hat er etwas davon ausgeführt, so ist es jedenfalls ebenso
in dem tone der modestücke geschehen, wie beispielshalber unter jenen
poetischen studien die idylle: Der Baum,[2] eine schäfergeschichte von
Daphnis und Daphne, in der form von Gerstenbergs Tändeleien geschrieben ist.

1) Wo wohnet das Glück? Nach einem verdrüsslichen Tage warf ich mich
müde von Geschäften; siech am Körper und voll Gram in der Seele wälzte ich mich
in meinem Schlafstuhl umher, der Schlaf flohe meine Augenlieder, und ich war in
den Traum von Gedanken versenkt: Unglücklicher? Wo wohnt das Glück auf der
Erde? hast du je eine Person gefunden, die völlig glücklich, die jeden Tag glücklich wäre, die nie klagte? Hast du je einen gesehen, dessen Loos .... (bricht ab).
Geschrieben spätestens 1766.

2) Der überschrift nach sollte es „eine Folge von 3. Idyllen" sein. (vgl.
(Erinn. I, 84.) Erhalten ist in dem Königsberger hefte nur der brouillon der ersten.

Wahrscheinlich ist es, dass von den stücken dieser art etliches in den Königsbergischen zeitungen gedruckt ist, besonders von den poesien. Alles dieses wird sich auch dem sorgfältigsten forscher entziehen; nur das ipse feci in irgend einem briefe, oder die erhaltene handschrift kann uns zum funde verhelfen.

Für unsern „Menschenfeind" fehlt von der letzteren seite jede gewähr; die sachlichen gründe haben aber höchstens zur wahrscheinlichkeit geführt. Zu der aufnahme desselben unter die werke Herders werden wir uns also nach den gründen gewissenhafter kritik nicht entschliessen können. Als ein allgemeineres ergebnis der erwägungen, in die wir dieses stückes halber eintreten musten, stellen wir jedoch den kritischen grundsatz auf, dass — soweit es sich um die arbeiten der ersten schriftstellerjahre Herders handelt — einem sachlichen beweismittel gegenüber die abweichung des stils zur einsprache nicht berechtigt.

Fahren wir in der musterung der „Beiträge" fort, so treffen wir schon in der ersten nummer des jahrgangs 1765 auf eine arbeit Herders, den Lobgesang am Neujahrsfeste. Wir kennen denselben aus dem abdrucke in den „Erinnerungen" (I, 117 fgg.), der, von besonderheiten der schreibung abgesehen, an zwei stellen von dem originale abweicht, am stärksten darin, dass er die neunte strophe auslässt. Der dichter besingt die segnungen der herschaft Katharinens und den besuch, den sie im verflossenen jahre Riga abgestattet.

Wir . .

(8)   sahn Sie, deren Scepter
Allmächtig Riga hält:
(9) So schwebt am Allmachtsscepter Gottes
Der Erde Tropfen; und Ihr Kaiserthron
Auf den er Sie uns gab zur Landesmutter
In Gnaden, nicht im Zorn.

Diese strophe fehlt; die letzte zeile der vorangehenden lautet: „Mit Weisheit Riga hält." Beide änderungen rühren nachweislich von der willkür des herausgebers her.

Auf das gedicht folgt im ersten stücke, s. 4 — 6, ein moralischer aufsatz: „Aussichten über das alte und neue Jahr," und das stück schliesst (s. 7. 8) mit einem scherzhaften gedichte: Wünsche, die sich reimen, zu welchem der aufsatz mit seiner schlusswendung überleitet. Widerum werden wir durch eine stelle eines Hamannischen briefes angewiesen, auf die nachbarschaft der Herderischen arbeit aufmerksam zu achten. In einem verloren gegangenen briefe muss Herder diesem von seinem neujahrsbeitrage gemeldet haben. Erst in Mitau

aber, wohin Hamann mitte juni 1765 übergesiedelt, und wo er von
nun ab anderthalb jahre lang seinem jungen freunde ziemlich nahe
gerückt war, hat er den jahrgang der zeitschrift zur hand genommen.
„Ihr Neujahrsstück im Intelligenzwerk,“ schreibt er nun, am
30. juni (Lb. I, 2, 90) — „habe ich hier erst zu sehen bekommen und
bitte mir solches aus, wie auch alles übrige, woran Sie einigen Antheil
genommen, weil ich jetzt sehr geneigt bin, dasjenige vorzuziehen, das
Sie vielleicht nicht der Mühe werth halten, mir zu communiciren.“
Dass diesmal unter dem Neujahrsstück die ganze nummer verstanden werden muss, darüber lässt uns die beschaffenheit des mittleren
aufsatzes nicht in zweifel. Dieser ist ganz in Herders geist und ton
geschrieben.

„Man durchlaufe mit mir,“ heisst es darin, „die Schreibtafel des
vorigen Jahres; nicht aber Comtoir- und ökonomische Rechnungen, noch
Journäle; sondern da ich als Mensch rede, das Buch der menschlichen Handlungen“ — eine wendung, die Herder, dem schüler
Rousseaus, in jener zeit überaus geläufig ist. „Ich stehe in Gedanken
vor dem Altar der Zeit, derjenigen Göttin, die mit der Äegyptischen
Isis, war und ist, und seyn wird.“ Dieselbe anspielung finden wir in
einem etwa zwei jahre späteren aufsatze Herders: „ich stehe vor dem
guten Geschmack, wie vor dem Altare der Isis, die da war usw.“
(Lb. I, 3, 1, 341.) Aber diese spätere stelle dürfte man als eine
reminiscenz aus der lectüre des Neujahrsaufsatzes ausgeben — wenn
nicht das ganze bild von dem altare der zeit, so ausgemalt, wie es
in diesem aufsatze steht, an eine noch frühere arbeit Herders bestimt
anklänge. In dem bruchstücke eines lehrgedichtes über zeit und ewig-
keit, an dem sich Herder wahrscheinlich zu anfange der universitäts-
zeit, wo nicht schon in Mohrungen versucht hat, heisst es:

> Zwei Haufen fluchen heut (?) dort bei der Zeit Altare
> Dem war die Zeit zu kurz und dem zu lang im Jahre.
> Der Thor, der es verschlief und jetzt zu spät erwacht,
> Zu spät ihm nachgefleht (es hört und flieht und lacht)
> Wiegt fluchend sich zum Traum usw.

Ähnlich folgt in den „Aussichten“ dem angeführten satze dieser
„Ich höre ein Murren über die Kürze der Zeit, und bemerke darunter
diejenigen blos, die vormals über die Länge der Zeit jähneten.“ Wört-
liches zusammenstimmen zeigt ferner die stelle: „Um die Zeit aufs
beste anzuwenden, muss ich auch einen Theil davon wegzuwerfen wissen:
und die Kunst zu verschwenden gehört nothwendig in die
Ökonomie eines Reichen, der sich Vergnügen erwuchern will“ —

mit dem satze einer, wie unten nachgewiesen werden wird (s. 68 a. 1), im jahre 1765 geschriebenen abhandlung (Lb. I, 3, 1, 240), wo den worten: „lasst uns drei Viertheile unsrer Gelehrsamkeit über Bord werfen" der gleiche schlussgedanke sich anreiht, nur dass es hier heisst: „eines Reichen, der nicht zu satt und arm (?) seyn will." Keinenfalls jünger als der Neujahrsaufsatz ist das prosäische stück „der Redner Gottes," in welchem Herder sein ideal eines predigers ausmalt. Dort heisst es: „Statt über die Frage: welches ist ein glückliches Jahr? zu grübeln, soll der heutige Tag lieber ein Fest von Entschlüssen seyn"; und hier von dem schlusse der predigt: „dieser Augenblick soll ein Fest von Entschlüssen seyn." (Lb. I, 2, 86.) Bis auf kleine grammatische eigentümlichkeiten finden wir in den „Aussichten" Herders stil wider; auch in diesem aufsatze zum beispiel die härte in beziehung eines substantivs auf das folgende verbum mittels einer präposition,[1] die in Herders Rigenser schriften öfters vorkommt.

Erwerben wir aber diesen aufsatz als Herderisches gut, so müssen wir auch das folgende gedicht mit in den kauf nehmen. „O es ist lächerlich," schliesst der aufsatz, „Wünsche auf der langen Bahn zu schieben; sie sind meistens alle ohne prophetische Salbung, beynahe alle unpassend und ungereimt, beynahe alle bis zum Lachen schön. In diesem gesichtspunkt lese man, statt der Neujahrswünsche des Nachtwächters von Ternate[2] die folgenden Neujahrsreime: *Ridentem dicere verum — — quis vetat?"* Das gedicht, auf welches solcher gestalt nicht blos hingewiesen, sondern auf dessen — wenn man so sagen darf — pointe schon bezug genommen wird, muss eine zugabe aus der poesiemappe des neujahrsmoralisten sein, eine zugabe, die wir ihm gern erlassen möchten. Um jeden preis möchte er witzig sein. Er hat den Logau fleissig gelesen,[3] und dieser hilft

1) „ein Luftbaumeister in leeren Hoffnungen werden." Ganz ebenso „der Gelehrte in fremden Sprachen" im XXIV. stück des j. 1764. „eine Hofmeisterin in Komplimenten" (fragment einer abhandlung, mitte 1765. Lb. I, 2, 67). „Ein Weiser über die Kindheit der Zeiten" (einer, der über die ältesten zeiten philosophiert) Fragm. II ausg. s. 161. „Ein Montesquieu über den Geist der Wissenschaften" (ein autor, der wie ein M. über den geist der wiss. schreibt; handschriftlich, 1766).

2) Für eine erklärung dieser mir dunkeln anspielung würde ich dankbar sein.

3) Aus Logau ist das motto des ersten Kritischen Wäldchens; aus demselben das auf G. Jacobi und andere liebesdichter gemünzte citat in den (von Haym zuerst wider veröffentlichten) „Gefundenen Blättern aus den neuesten deutschen Litterstandannalen von 1773": „thaten nichts als lieblich liebeln usw. (Lessing 5, 185) Eine reminiscenz aus Logau (5, 214 No. 59) steht in einem Rigenser aufsatze; da

ihm nun mit einem einfalle auf den weg. Hören wir zunächst diesen
(Lessing 5, 145. Lachm.). Mit der überschrift Reime hat er (no. 68)
folgendes sinngedicht:

> Ich pflege viel zu reimen; doch hab ich nie getraut,
> Was bessers je zu reimen, als Bräutigam auf Braut,
> Als Leichen in das Grab, als guten Wein in Magen,
> Als Gold in meinen Sack, als Leben und Behagen,
> Als Seligkeit auf Tod; — — Was darf ich mehrers sagen?

Den einfall zu einem neujahrscarmen zu erweitern hat sich der herr
collaborator einen erprobten mitarbeiter gewonnen:

> „Der Wein löst Zung und Phantasie,
> Macht reimreich; und kein Reim ist nie
> Beym Neujahrswunsch verloren.
> Ich reim zum neujahrswunsche dann
> Auf Jungfern — reimt sich nichts — als Mann ...

und nun folgen so viel sogenante reimpaare, als der witz des dichters
auf die beine bringen kann: „Bräutigam auf Bräute" — „auf Schul-
mann — ey! nur nicht Pedant" — —

> „Zu Neujahrswunsch reimt sich Präsent,
> Das ist mehr als ein Compliment,
> Und das reim ich für mich."

„Uns fehlen freilich witzige Aehte," schrieb Herder nachmals, um den
faden breiten stil der deutschen unterhaltungslectüre zu erklären; aber
„der junge abt" — wie Hamann den um weltmännische tournüre
bemühten freund spöttisch nent — war doch mit seinen „gedanken-
fahrten" dem gefälligen scherze des Galliers auch eben nicht auf
der spur.

Für einen gelehrten von profession sei der boden seiner neuen heimat ein *solum papaveriferum*, auf dem er fast einschlummere, schreibt
Herder 1..o einem ausluge von mismut an seinen Hamann: es fehlten
ihm, setzt er erklärend hinzu, die türen zu bekantschaften und stacheln
zu kleinen arbeiten. Jedoch bald änderte sich stimmung und urteil.
Als privatlehrer erhielt er zutritt zu den vornehmsten häusern; durch
das wohlwollen, mit dem ihm die patrone der anstalt, die angesehensten männer, begegneten, fühlte er sich gehoben; der geschäftsgeist
und politische blick dieser handels - und ratsherren erregten seine bewunderung, die tüchtigkeit des bürgerstandes seine teilnahme, und so voll-

heisst es von dem blassen teint der mädchen: „Eine weisse Lilie verwandelt sich
oft in eine gelbe."

zog sich an ihm eine völlige umwandlung: aus dem stubengelehrten wurde ein praktischer mann, der patriotischen sinnes ein „mitarbeiter" zum gemeinen nutzen zu sein trachtete. Aus solch freudiger teilnahme am bürgerlichen leben ist schon die abhandlung entsprungen, die Herder zur feier der beziehung des neuen gerichtshauses verfasst hat. Denn während bei dieser gelegenheit der fachgelehrte sich bemühte, etwas „über die würde der städte durch rathäuser" [1] und von den rathäusern der alten zusammenzustellen, tat Herder einen griff in das volle leben der gegenwart mit seiner frage: Haben wir noch jetzt das Publikum und Vaterland der Alten? [2] Das andenken des tages der beziehung, an dem die ganze bürgerschaft in ihrem stattlichen wolhaben, ein wolgegliedertes ganzes, sich hervorgetan, und jenes früheren in aller munde lebenden, da die kaiserin selbst jenes haus eingeweiht hat, setzt ihn in freudig stolze aufregung. „Wer ist ein Patriot, der hiebei kalt bleibet? — Nein! ein jeder, dem das Blut eines Bürgers nicht blos seine Zunge durchströmet, sondern auch sein Herz erwärmet: wer ein Glied unserer Stadt nicht blos im Genuss, sondern auch im Gefühl, und in Thaten ist: nimmt Theil hieran: und kann er nichts mehr, so — — freuet er sich mit. — Ja so stolz ein Spartaner auf den Stein war, den er zum Bau eines Tempels dazu trug: so stolz dünket er sich bei dieser patriotischen Freude." Nicht blos worte will er säen; sein zweck ist, das herdfeuer des städtischen gemeingeistes zu der höheren flamme der vaterlandsliebe anzufachen. Der einzelne mann, die einzelne bürgerschaft hat die bedeutung, welche nur in den alten freistaaten ihnen eigen gewesen ist, eingebüsst: so fühle man denn mannes- und bürgerwert durch opferfreudiges wirken für die ehre und macht des grossen vaterlandes. Gewiss waren begeisterte worte, wie sie diese abhandlung und ihr schlussgedicht durchhallen, den bürgern der Dünastadt ein neuer „silberton."

Aber auch jenen beschränkteren patriotismus, der an dem stetigen gedeihen des wolstandes in der eigenen stadt sein genüge findet, [3] lernte

1) Thema des vom rector Schlegel verfassten festprogramms der domschule.

2) Den originaldruck dieser sehr seltenen abhandlung besitze ich als ein geschenk des herrn dr. Buchholtz zu Riga.

3) „Man muss allerdings in Verfassungen der Art gelebt und sie liebgewonnen haben, um auch die kleinen, versteckten Züge, die das Gemählde eigentlich beleben, zu schätzen und zu bemerken." Mit diesen worten eines bisher als Herderisch nicht nachgewiesenen kleinen aufsatzes (Teutscher Merkur 1780. IV, 81—84) hat Herder zum ersten male öffentlich seine treue anhänglichkeit an die stadt Riga und seine achtung vor ihrer verfassung und ihrem gemeingeiste bezeugt (Anzeige der Schrift: „Blatt zur Chronik von Riga mit angezeigten Urkunden. Der stil und die unterschrift H lassen Herder unschwer als den verfasser erkennen).

5*

Herder in dem auserlesenen kreise seiner Rigischen gönner und freunde
wertschätzen. Ein andenken voll inniger verehrung weiht er ihnen und
besonders einem der würdigsten unter ihnen in den Briefen zu Beförderung der Humanität (6, 138—199); in einem auszuge aus einer
patriotischen schrift dieses mannes stellt er die bestrebungen der gesellschaft dar, deren lebendiges glied er selbst gewesen war. Gesinnun-
gen, wie die in diesem kreise gehegten, legten ihm die pflicht auf, zur
aufklärung und veredelung seiner mitbürger beizutragen. War ihm
doch schon in den akademischen jahren bei der lectüre Rousseaus der
name volk liebenswert und ehrwürdig geworden. Auf das ernstlichste
beschäftigte er sich nun mit der frage, welche bildung dem volke not
tue. Ein zeugnis dieses eifers ist uns die im Lebensbilde (I, 3, 1,
207—253) veröffentlichte abhandlung, welche die frage zu lösen sucht:
„Wie kann die Philosophie mit der Menschheit (humanität) und Politik
versöhnt werden, so dass sie ihr auch wirklich dient?" Der plan zu
dieser arbeit und versuche der ausführung sind schon in Königsberg entstanden; in der form, wie sie uns vorliegt, ist sie im ersten jahre der
Rigenser zeit niedergeschrieben.[1]

Folgendes sind die hauptsätze dieser abhandlung. Die philosophie
muss sich, wenn sie nicht einzig den fachgelehrten nützen will, von
den sternen zu den menschen herablassen; ihr abstractes wesen ist für
die gesellschaft unbrauchbar, sogar schädlich. Statt der logik tut eine
philosophie des gesunden menschenverstandes not, statt der moralphilo-

1) Die preisfrage, als deren beantwortung die arbeit sich ankündigt (s. 211),
war von der Patriotischen Gesellschaft in Bern für das jahr 1764 aufgestellt.
(Anzeige in den Literaturbriefen, Theil XVI, s. 139, 4 und in der von Hamann
geschriebenen recension derselben: Königsberg. Gel. u Pol. Zeitt. 1764. St. 13:
„Wie können die Wahrheiten der Philosophie zum Besten des Volkes allgemeiner
und nützlicher werden?" Die absicht, die leistung den preisrichtern vorzulegen,
komt in stellen wie s. 212 und 214 oben deutlich genug zum vorschein. Vielleicht
hat Kant persönlich, jedenfalls hat sein beispiel (er hatte i. j. 1764 den zweiten
preis von der Berliner akademie erhalten) zu der bearbeitung angeregt. Als jahr
der ausarbeitung ergibt sich 1765. Es zeigt sich eine mehrfache übereinstimmung
mit den arbeiten dieses jahres; so auf s. 252 fg. mit dem ersten teil der abhandlung über Publikum und Vaterland. Die anspielung auf Peter den Grossen (s. 220)
steht ebenso in jener abhandlung wie in dem aufsatze über den Fleiss in fremden
Sprachen. Auf dasselbe jahr weist die stelle s. 237. die an den „Schmuck der
Rathäuser" erinnert. Gegen eine spätere abfassungszeit spricht vornemlich die
unbegrenzte bewunderung, mit welcher Rousseau gefeiert wird (s 213) und die rück-
haltlose annahme seiner pädagogischen und socialen theorien. Hierin ist seit dem
jahre 1766 in folge des eingehenden studiums des Shaftesbury ein einhalten und
zum teil ein bedächtiges rückschreiten zu bemerken. (Lb. I, 2, 298; Über Thomas
Abbts Schriften s. 25; Fragmente. II. ausg. s. 175; Vom Ursprung der Sprache
s. 177. 182.)

sophie wirke die predigt und öffentliche politische belehrung, statt der
ästhetik gebe man eine anleitung zu schönem denken, zu geschmack-
vollem ausdrucke. „Ich muss zu dem Volke in seiner Sprache, in seiner Denkart, in seiner Sphäre reden; seine Sprache sind Sachen und
nicht Worte; seine Denkart lebhaft und nicht deutlich; gewiss, nicht
beweisend; seine Sphäre wirklicher Nutzen im Geschäfte ... aber (oder?)
lebhaftes Vergnügen. — Siehe! was ich leisten muss, um was
ich will, gesagt zu haben: und das meiste zum Glück Aussichten, die mir schon längst Lieblingsplane waren!"
(s. 235 fg.) Zu praktischen vorschlägen übergehend macht Herder einen
unterschied zwischen zwei klassen der bildungsfähigen. Die eine, „den
gemeinen Mann," muss die philosophie blos zu handelnden maschinen
bilden; der anderen — er nent sie „das feinere Volk aus Büchern" —
kann. der weltweise schon einen ton zum denken angeben, ohne sie
doch in seine zunft aufzunehmen. Jener erstere teil soll das mark der
philosophie zu schmecken bekommen und zum nahrungssafte verdauen,
ohne dass er es je erkent. „Lege ihm statt Worte eine Menge Handlungen vor, statt zu lesen, lass ihn sehen, anstatt dass du seinen Kopf
bilden wolltest, so lass ihn sich selbst bilden und bewahre ihn nur,
dass er sich nicht misbildet." In der zweiten klasse unterscheidet Herder wider „das Frauenzimmer" und „die edleren Mannspersonen." Die
abschnitte, welche sich auf die bildung dieser beziehen, sind blos skizziert; eine vortreffliche ausführung des capitels von weiblicher bildung
ist verbunden mit dem über populäre schriften gegeben im dritten teile
der Fragmente (1767. s. 50—65); als verkündiger einer gesunden, aller
pedanterie entwachsenen volksbildung schaut hier der verfasser weit
über die schranken seines zeitalters hinaus. Über die bildung der höheren gesellschaft gibt der entwurf nur andeutungen, vorläufer des grossen planes zur umgestaltung des Rigischen lyceums, den Herder auf
seiner seereise niedergeschrieben hat. Schon in der skizze aber erkennen wir, dass Herder eine geschichte der „menschheit" für eins der
wesentlichsten mittel dieser vornehmsten classe der „unphilosophen"
ansieht.

Die philosophie — so dürfen wir nun den inhalt der abhandlung
zusammenfassen — ist als wissenschaft dem volke höchst entbehrlich,
nicht im mindesten aber der philosoph. Nur sei er — und hier vernehmen wir den schüler Kants — von der rechten art: ein philosoph,
der „die Zergliederung der Producte unsres Geistes, es mögen Irrtümer oder Wahrheiten sein," zu seinem hauptwerke macht. (s. 210.)

Der jüngling, der diese abhandlung als das programm seiner eigenen schriftstellerischen tätigkeit ansah, konte sich unmöglich von der

arbeit an dem „intelligenzwerke" der heimischen gelehrten ausschlies-
sen. So liesse sich mit recht mutmassen; und eine bestätigung dieser
annahme bieten Herders studienhefte. Denn als beweise von dem widerholten entschlusse zu einer regen und nachhaltigen teilnahme an den
Beiträgen dürfen uns ein paar reihen von aufgaben gelten, die sich
Herder hier zusammengestellt hat.

Zuerst finden wir auf einer seite folgende themen verzeichnet:

(1) Betrachtung über die Findelhäuser und ihre Moralité.

(2) Betrachtung über die Urteile der Schönheiten.

(3) (4) Betrachtung über den Fortgang der Gelehrsamkeit in Deutschland — in Russland.

(5) Sind heute zu Tage noch Zeiten, da grosse Revolutionen aus
Kleinigkeiten entstehen können.

(6) Warum der Kaiser Peter keine Epopee erhalten können; wäre
nicht noch ein bessrer Biograph als V(oltaire zu wünschen).

(7) Von neuen Entdeckungen in der Natur.

(8) Probe: wie viel schon die [Petersburger] Akademie der Wissenschaften geleistet habe — aus den Kommentar.

(9) (10) Vorschläge zu einer Kaufmannsbibliothek: — einer Frauen-
zimmerbibliothek.

(11) Ob unter den Deutschen noch Originale von Dichtern seyn werden.

(12) Geschichte der schönen Wissenschaften in Liefland — nach Haug
in den Litter. Br. (d. h. nach der in den Litteraturbriefen XIV
Br. 227—230 von Abbt recensierten schrift Haugs Über den
Zustand der sch. W. in Schwaben).

(13) Das Leben eines Kaufmanns: Bericht nach dem Protocolle eines
Unsichtbaren.

(14) Herr Jost, ein Schulpedant (ein charakterbild nach Hagedorn;
vgl. Lb. I, 2, 48).

(15) (16) Versuch einer Erzälung nach Tristr. Schandy, dem Mon-
tagne.

(17) Vom Despotismus und Libertinismus im Umgange.

(18) Dass es heut zu Tage nicht mehr Freunde gebe.

Diese reihe mag um die mitte des jahres 1765 aufgestellt sein;
die zweite trägt das datum: d. 21. August (1766) und die überschrift:
Plane. Sie ist mit mehreren fehlern abgedruckt im Lebensbilde I, 3, 1
s. XVII fg. Hier sollen nur die mutmasslichen beiträge zu der Zeitschrift (mit berichtigung) widerholt werden:

1. Wie weit sich der Geschmack der Völker verändert. In die
Gel. Beitr.

3. Über die Fehler der hiesigen Theatr. Gesellschaft in Tragoedien.[1]
7. Über das Trauerspiel Freygeist: Moralische und Aesthetische
Betrachtung. S. Beurtheil. des Sal(omo).[2]
8. Plan einer Boccazischen Geschichte zwischen Imma und Egin-
hard. — nach Baile.

Unter dieser zweiten reihe steht als nummer 1 einer dritten, die
nicht über diesen ansatz hinaus gekommen ist:

Aus Shakesp. Joh(annisnachts) Tr(aum): Spielt ein Gott, wie Puck
mit unsern Wünschen — Leidenschaften, kleinen Aergernissen —
Sind Landplagen, Strafen ein Spiel vor ihn: — hat er Mitleid —
Fraglich ist es, ob mehr als eine von diesen aufgaben zur ausführung
gekommen ist. Jene oben angeführte moralische erzählung: Wo wohnet das Glück? die wir wol auch in diesen kreis ziehen dürfen,[3] ist
nach einem flüchtigen versuche an der einleitung fallen gelassen, und
besser wird es den meisten der hier verzeichneten themen nicht ergangen sein. In entwürfen nimmer müde, an „aussichten" erstaunlich
reich, freute sich der jugendliche schriftsteller an der fülle seiner pläne,
unbekümmert um das wann? und wie? der ausführung. Mitten unter
erholungen und zerstreuungen werden solche pläne ihm lebendig. Er
wohnt der aufführung von vier theaterstücken bei. „Es ist leicht zu
erachten, dass mein Projektfach in der Seele dabei nicht leer geblieben,
sondern dass für 4 Ort ich eine Kritik über das Schlegelsche und Crü-
gersche Lustspiel, eine Umbildung des Trauerspiels, und ein ganzes Nach-
spiel im Kopfe habe." (Lb. I, 2, 138 fg.) Dieser wunderbar gährende
zustand ist es, den Herder „dem schutzgeiste seiner autorschaft," dem
erprobten Königsberger freunde, in dem bekentnisse schildert: „Meine
studien sind zweige, die durch ein ungewitter mit einmal ausgetrieben
worden ... Aber wissen Sie auch, dass ich noch nicht im alter der
reife, sondern der blüte bin? Eine jede hält eine ganze frucht in sich,
aber viele fallen freilich auf die erde .... Stellen Sie sich meine pein
vor, die ich haben muss; um einen gedanken auszubilden, zehn jüngere
zu verlieren." (october 1766. Lb. I, 2, 179.)

1) Vgl. Lb. I, 2, 192. (Herder an Scheffner, october 1766).
2) Gemeint ist die beurteilung des Klopstockischen Salomo in der Bibliothek der schönen Wissenschaften XII St. 2, welche Herder, ohne Klopstock zu nahe
zu treten, anerkennt. (Königsb. Zeitt. 1765. St. 94).
3) Auf einem sonst unbeschriebenen quartblatte steht in form des titels einer
für den druck fertigen abhandlung die aufgabe: Was hat die Welt, um das
Verdienst zu belohnen? Man muss annehmen, dass wenigstens ein teil dieser abhandlung in der reinschrift fertig gewesen ist. Zu derselben wird Herder
durch seinen lieblingsschriftsteller Thomas Abbt angeregt worden sein.

Nur eine von den verzeichneten aufgaben hat eine, wenn gleich
halb reife, ausbildung erhalten. Es ist die zweite in der ersten reihe,
bestimter als erste in der zweiten serie widerholt. „Ich arbeite" —
meldet Herder fünf wochen nach dem termine der widerholten aufzeichnung jenes themas an Scheffner (Lb. I, 2, 195) an einer Abhandlung:
„über die Veränderung des Geschmacks und der Grundsätze bei Nationen
blos durch die Zeitfolge," und habe eine bereits eingerückt in die
genannte Beiträge .... Die jetzige wird mir schwerer, weil sie mehr
in die Geschichte läuft." Die breit angelegte nebenarbeit blieb stecken,
da das erste grössere werk, mit dem Herder vor der nation erscheinen
wollte, seine kraft vollauf in anspruch nahm; es wird von derselben
kaum viel mehr zu stande gekommen sein, als die beiden fragmente,
die im Lebensbilde I, 3, 1, 187 — 199. 199 — 204 mitgeteilt sind,
deren erstes als ein einleitendes capitel die verschiedenheit der geschmacks-
urteile überhaupt behandelt, während das zweite schon der eigentlich
geschichtlichen frage näher tritt.

Die eine, bereits eingerückte abhandlung bezeichnet Herder in der angeführten briefstelle durch angabe des titels: „Ist die
Schönheit des Körpers ein Bote von der Schönheit der
Seele?" Sie füllt das zehnte stück des jahrgangs 1766. (S. 77 — 88.)
Schon im zwölften stücke (s. 97 — 108) schliesst sich der zweite beitrag
dieses jahres an: Die Ausgiessung des Geistes. Eine Pfingst-
kantate. Dieselbe steht in der glättern form, welche sie bei einer
späteren überarbeitung erhalten hat, in der Sammlung der Gedichte
Herders (1817. II, 256 — 262). Bei der ersten veröffentlichung aber
ist die dichtung ausgestattet mit einer „Vorläufigen Abhandlung, die
den Gesichtspunkt dazu bestimmet." Auf beide beiträge beziehen sich
die briefe Herders an Hamann (Lb. I, 2, 150) und an Scheffner
(194 fg.).

Hiermit ist die aufzählung der Herderischen stücke geschlossen.
Es lässt sich nach durchprüfung sämtlicher beiträge der zwei letzten
jahrgänge mit bestimtheit versichern, dass keiner ausser den zwei
beglaubigten aus Herders feder geflossen ist. Vermuten könte man seine
verfasserschaft höchstens bei den zwei stücken des letzten jahrgangs,
die sich auf die Katharineische Gesetzgebung beziehen. Das erste derselben (St. XVIII. s. 141. 142) ist eine mit geschichtlicher reflexion und
patriotischer wärme geschriebene vorrede zu einer übersetzung der von
Katharina eigenhändig verfassten Instruction für die zu entwerfung eines
neuen gesetzbuches berufenen abgeordneten (s. 143 — 159); die zweite
(St. XXI) eine in gleichem sinne geschriebene einleitung zu einem mit
benutzung von d'Alemberts arbeit in der Encyclopédie angefertigten

„Grundriss" von Montesquieus Esprit des Lois (s. 170 — 176), des werkes, dem Katharina als gesetzgeberin vorzügliche aufmerksamkeit wid-
mete. Wir kennen Herders begeisterung für das grossartige gesetz-
geberische wirken der kaiserin [1] und den eifer, mit dem er jede hierauf
bezügliche erscheinung aufnahm (Lb. I, 2, 241. 316); indessen beweise
hierfür in jenen beiden artikeln zu finden, müssen wir aufgeben. Zeigen schon die einleitungen bei mancher kleinen ähnlichkeit mit Herders
stil [2] viel zu wenig von der gewantheit des verfassers der Fragmente,
so liegen vollends die steifen übersetzungsstücke fernab von seiner kunst.
Eher dürfte uns jene beobachtete ähnlichkeit dazu berechtigen, in dem
verfasser einen aus dem kreise der bewunderer und schüler Herders zu
suchen.

Die ausbeute an Herderischen arbeiten ist also an zahl nicht eben
beträchtlich: drei gedichte, von denen zwei schon bekant waren; vier
prosaaufsätze, und auch von diesen lag einer, wenn schon in unzuläng-
licher gestalt, bereits vor. Als zugabe wären die fragmente eines fünften für das intelligenzwerk bestimten aufsatzes zu betrachten.[3] Aber
das gewonnene reicht aus, ans eine vorstellung von der art der publi-
cistischen schriftstellerei Herders zu geben.

Herder hat — wie ein blick auf die reihen der unausgeführten
themen lehrt — ein glückliches verständnis für das, was den gebildeten
laien interessiert. Die meisten aufgaben sind mit verständiger erwägung der fähigkeiten und neigungen eines publikums von durchschnitts-
bildung gewählt. Und auch im ausdrucke sucht er den bedürfnissen
und dem geschmacke seiner leser genüge zu tun. Der kaufmann ist es
besonders, auf dessen denkweise er bis zum bildlichen und gleichnis-
artigen eingeht. Nicht minder bedenkt er den andern teil seiner leser,
das frauenzimmer; ja er liebt es, sich an diese mit geziemend ehr-
samen verbeugungen zu wenden. Besondere liebhabereien seines publi-

---

1) Jegòr von Sivers, Humanität und Nationalität, s. 6 fg.

2) St. XVIII (Überschrift: Vox Populi Vox Dei): „Welch ein grosser tief
nachgedachter Plan! So giebt der Schöpfer den moralischen Kräften in der Welt
zugleich Freyheit und Richtung, zu einem grossen allgemeinen Zweck zu wirken." —
St. XXI: „in der Encyclopedie — in diesem Ocean der Wissenschaften"; vgl. Herder im vierten Kritischen Wäldchen (msc.): „Homes Grundsätze sind ein Ocean von
Bemerkungen und Phaenomenen." Fragm. I (zweite Samml.) 274: „ein Ocean von
Betrachtungen."

3) Die unvollendete abhandlung über die Grazie in der Schule sollte, wie
ihre ganze anlage zeigt, selbständig erscheinen, wie die über Publikum und Vaterland, kann also hier nicht mitgezählt werden.

kums, wie den musikalischen dilettantismus,[1] lässt er nicht ausser acht,
wo sie sich nutzbar erweisen, um das interesse für das dargebotene zu
erhöhen.

Die anordnung seines vortrages ist ganz darauf berechnet, einen
leser von gutem gesundem menschenverstande zu sachgemässer reflexion
anzuleiten, oder vielmehr einen solchen auf dem ihm natürlichen wege
des nachdenkens zu begleiten und in der richte zu halten. Eine allgemein angenommene maxime, ein sprichwort dient als ausgangspunkt;
dasselbe wird ausgedeutet, der zergliederte inhalt erweist sich weiteren
nachdenkens wert. Gilt es dabei eine tatsache des geistigen lebens zu
erklären, so werden des lesers eigene erfahrungen heraufgerufen; es
drängt sich herzu, was auserlesene geister verwichener zeiten über den
gleichen fall geurteilt: soll eine erscheinung des äusseren lebens anschaulich werden, so wird der gesichtskreis möglichst weit gezogen, fremder
völker sitte und brauch neben das heimische und bekante gestellt. Ver-
gleichend und abwägend verständigt man sich über das rechte. Nun
wird dasselbe in das praktische leben verpflanzt. Wie soll das bewährte
dem bürgerlichen, dem häuslichen kreise zu gute kommen? Wie soll
man es vor allem bei dem werke der erziehung nützen?[2] Was vor
dem verstande gerechtfertigt ist, wird schliessslich, wo es angeht, auch
dem gemüte „menschlich" nahe gebracht: die altvorderen haben es
geübt und erprobt, den werten kern in der anspruchslosen hülle einer
lebensregel auf die nachkommen vererbt.

Diese höchst natürliche entwicklungsart hat Herder für alle zeit
in seinen populären lehrvorträgen beibehalten. Derselbe faden zieht sich
durch die abhandlung von körper- und seelenschönheit wie — um eins
der spätesten beispiele zu geben, — durch den in den Horen (1795. III,
1—21. Ww. z. Ph. u. G. VIII, 9—30) erschienenen aufsatz vom
Eigenen Schicksal.

Von der wirksamkeit und dem verdienste einer populären landschaftlichen zeitschrift hatte Herder einen hohen begriff. Aber kaum
eine von den damaligen wochenschriften — es ist der Hypochondrist,[3] —

1) „Da der feine musikalische Geschmack überhaupt an unserm Orte blüht,"
sagt der vorbericht der pfingstcantate, „so würde ich mich freuen, wenn ich eben
durch das Gefallen, auch erbauen könnte." „Sollte Ihr Genie zur Musik" — erinnert Hamann schon im mai 1765 — „für Riga nicht brauchbarer seyn als Ihre
archaeologische Muse? — Concerte pflegen sonst dort ein Schlüssel zum Umgange
zu seyn." (Lb. I, 2, 33). Vgl. Herders Reise nach Italien s. 34.

2) Dieselbe paedagogische richtung schlagen die Rigenser predigten mit vorliebe ein. Lebensbild I, 2, 466. Ww. z. R. u. Th. IX, 211.

3) Als eine solche „Provinzialwochenschrift in hohem Verstande" hat Herder
später Mösers Beiträge zu den Osnabrücker Intelligenzblättern gerühmt und schon

war den ansprüchen, die er an eine solche stellte, gewachsen. „Der gemeine Mann," erklärt er sich darüber an einer schon erwähnten stelle der Fragmente — „liest wenig, und noch weniger ist für ihn geschrieben. Dies Wochenblatt soll für ihn geschrieben sein? — Unmöglich! denn es ist voll Bücherwitz, voll gelehrter Gründlichkeit, in einer Sprache, die die Büchermotten verstehen mögen, aber nicht er, der statt Büchern unter Menschen wandelt, sie mögen seyn, von was Stande sie wollen. Der Mensch, Der Mann, Die Frau, Der Gesellige, und wie der Leser weiter will, ist vor dem Pulte geschrieben, und hat nicht die Sprache in seiner Gewalt, die jeder Leser sich von der Zunge gerissen glaubt, in der er seine Worte und mit ihnen seine Ideen wiederfindet." Wie zwecklos und verfehlt musten ihm, da er dieses schrieb, die versuche der heimischen gelehrten erscheinen, die selbst wo sie sich zum küchen-abc herabliessen, sich ihrer wissenschaftlichen gravität nicht entäussern konten! Denen es doch die höchste befriedigung schaffte, ihren gelehrten hausrat überall aufzuweisen. Er dagegen hatte die hauptsache früh erfasst, dass nicht der hausbackene, alltägliche gegenstand, sondern gang und form der darstellung den populären schriftsteller mache. Was konte aber nunmehr ihn reizen, an einer kleinen zeitschrift von gelehrten für gelehrte anteil zu haben!

Bei der gelehrten zunft hatte der feurige und neuerungssüchtige kopf ohnehin wenig freunde, und so muste ihm auf die dauer seine verbindung mit diesem kreise mancherlei kränkung und verdruss bringen. Einer der angesehensten zunftgenossen war Gottlieb Schlegel, der nach Lindners abgang rector der domschule geworden war, ein landsmann Herders. Das freundschaftliche verhältnis, das sich zwischen diesem und dem um fünf jahre älteren vorgesetzten anfänglich zu gestalten schien (Lebensb. I, 2, 61. 89), löste sich bald, da einer in dem andern einen gefährlichen rivalen zu erkennen vermehnte. Der riss wurde unheilbar, und noch in der Bückeburger zeit gedenkt Herder des mannes, der ihm nachstrebend gleichfalls eine weite bildungsreise unternommen hatte, mit herber verachtung. (Von und an Herder 2, 23.) Schlegel dachte nicht gering von seinen fähigkeiten zu den schönen wissenschaften und hielt denn auch mit proben in den „Beiträgen" nicht zurück. Eine ostercantate von ihm erschien in der fastenzeit des jahres 1766. Sie fand beifall und man hielt Herder für den dichter — kränkung genug für diesen, der in dem gedichte ein elendes machwerk

ehe sie gesammelt waren, dem jungen Goethe empfohlen. (Wahrheit und Dichtung, Buch XIII, gegen das ende.) Noch in den Briefen zu Beförderung der Humanität (IV, 171 fg.) erwähnt er sie in diesem sinne.

sah. Eine eigene leistung sollte ihn von dem schmählichen verdachte reinigen. Er schrieb seine pfingstcantate und versah sie mit der einleitung, welche „insonderheit gegen die Schlegelsche cantate gerichtet sein sollte.“ „Jetzt muste ich es doch zeigen,“ meldet er in hellem eifer seinem Hamann (Lb. 1, 2, 150), „wie ich glaube, dass eine Cantate aussehen soll.“

Ohne dieses eigene bekentnis würden wir die polemische absicht des vorwortes schwerlich erraten. Rammler, der meister unter den cantatendichtern, erhält ein widerwärtiges gegenbild in dem — wegen seiner Theokritübersetzung von Lessing verhöhnten — Lieberkühn, über dessen pfingstcantate strenges gericht gehalten wird: „seine Sprache der Empfindung ist meistens Non-sens und sein Musikalisches eine Häufung von harten Sylben, von l, m, n, r und sonst wenig mehr.“ Nun der verdeckte hieb. „Da Deutschland an Tonkünstlern bereits Italien und Frankreich übertrifft: so sollten seine Dichter auch der Tonkünstler würdig werden, und den Vorwurf: Deutsche Härte, rauhes Ohr der Deutschen! entfernen. Allein wenn Brokes einen Telemann, Ramler einen Graun, Zachariä einen Fleischer, und Clodius einen Hiller verdient hat: so dürften noch immer Tonkünstler seyn, denen Kantatendichter fehlen.“ Solch ein componist, wird angedeutet, sei der heimische künstler Müthel,[1] und um dieses kenners beifall bewirbt sich die dichtung.

Das ziel dieses kritischen manövers zu erraten war aber der spürkraft der guten Rigenser zu viel. Ja eben weil das zweite gedicht dem ersten den rang ablief, meinte mancher, dieses letztere könne nur der herr rector gemacht haben, und so muss auch Gadebusch gedacht haben, der das pfingstgedicht unter Schlegels namen aufführt.

Solcherlei unerquickliche erfahrungen — kränkender für die denkart jener zeit, da das litterarische wesen alles andere öffentliche interesse verschlang — machten dem reizbaren jungen schriftsteller die mitarbeit widerwärtig, und nun wird es doppelt begreiflich, warum er seit der mitte des jahres 1766 seinen beitrag vorenthielt. Ein jahr später befand er sich an einem orte, „von wo aus sich — wie er an Kant schrieb (Lb. I, 2, 300) — „nach der Lage und bürgerlichen Verfassung seiner Zeit am besten Cultur und Menschenverstand unter den ehrwürdigsten Teil der Menschen, das Volk, bringen liess.“ Seitdem er von der kanzel als einem lehrstuhle der durch Christi religion geläuterten menschlichen moral in unmittelbarster weise auf seine mitbürger

---

1) Müthels name war damals in Deutschland nicht unbekant. Compositionen von ihm werden in den Messkatalogen angekündigt.

einwirken konte,[1] fiel vollends jeder antrieb, die zeitschrift als organ zu benutzen, hinweg. Als die frühesten und auf lange zeit einzigen proben der schriftstellerei für, das grössere gebildete publikum wären die besprochenen arbeiten neben den hauptwerken der ersten periode an und für sich merkwürdig; ihres eigentümlichen inhalts wegen sind aber drei besonders zu beachten; wir meinen die abhandlungen vom studium fremder sprachen, von der schönheit und von der cantate. Die erste von den dreien verkündigt am frühesten einen grundsatz, dem Herder einen nicht geringen einfluss auf die bildung seines stils eingeräumt hat. Er betont, dass die stilfertigkeit durch den umgang mit vorzüglichen geistern des auslandes mannigfach gewint. „Mit dem deutschen Fleisse," ruft er sich deshalb zu, „suche ich die gründliche englische Laune, den Witz der Franzosen und das Schimmernde Italiens zu verbinden." Hier berührt er nun die möglichkeit, die muttersprache mit hilfe der ausgebildeten fremden sprachen zu vervollkomnen. „Wenn wir unsere Muttersprache auf der Zunge behalten, so werden wir desto tiefer in den Unterschied jeder Sprache eindringen. Hier werden wir Lücken, dort Überfluss — hier Reichtum, dort eine Wüste erblicken: und die Armuth der einen mit den Schätzen der andern bereichern können." Wie fruchtbar diese früh gewonnene einsicht für die gestaltung der Herderischen sprache geworden ist, zeigt sich uns aller orten in den schriften der ersten periode. Eigentümlichkeiten des satzbaues und einzelne charakteristische wendungen sehen wir bald um der nachdrücklichen kürze,[2] bald um der lebhaftigkeit[3]

---

1) Schon in dem aufsatze über nutzbarmachung der philosophie nent Herder den prediger einen philosophen, der die grösste wirkung auf das volk übe. (Lb. I, 3, 1, 246).

2) Zur umgehung breiteren ausdrucks die dem englischen nachgebildeten participia praesentis mit negativer vorsilbe (unermüdend, Lb. I, 3, 2, 278, schon vorher von Klopstock gebraucht, Messias, II. ausg. I. s. 96; unbemerkend, ebenda s. 226. unerröthend, Krit. Wäld. II, 158. So noch in späten schriften: untheilnehmend, Herders Reise nach Italien s. 247; vgl. das comparativische „unmittheilender" bei Voss in der übersetzung des Shaftesbury II, 173; ungaffend, Adrastea VI, 40, undenkend, ebenda 272. Substantivierung des infinitivs statt des üblichen subjectsatzes: „mein nachbarn mit den Litteraturbriefen (denn so muss in der vorrede der II. ausgabe der Fragmente statt meinen nachbarn gelesen werden) wie *my neighbouring with*. Nach französischem muster der oben erwähnte harte gebrauch der praepositionen nach (verbalen) substantiven: „die umarmung Hektors an seinen Astyanax" Krit Wäld. I, 44; „die Gaben der Venus an Paris" Lb. I, 3, 1, 299.; „ein landstreicher nach fremdem Ruhm" (msc.) usw.

3) So statt der schwerfälligen concessiven periodenbildung die übertragung von *let it be* „lass es sein, dass . . ."; das den Franzosen, besonders Rousseau

willen aus dem Englischen, häufiger aus dem Französischen entlehnt;
hier widerholt denn der schriftsteller auch die empfehlung dieses mittels, die zur gelehrten sprache erstarrte muttersprache zu dem ausdrucke der munteren conversation zu beleben. „Schreib, als ob du
hörest,"[1] soll des schriftstellers oberstes gesetz sein; diese fertigkeit
soll durch nachahmung der sprachen gesteigert werden, welche den ton
des lebendigen umganges treuer bewahrt haben. So klingt uns am
schlusse[2] der ersten samlung der Fragmente jene frühe behauptung
sachgemässer und durchgebildeter entgegen: „Unsre Sprache kann
unstreitig von vielen andern was lernen, in denen sich dies und jenes
besser ausdrücken lässt: von der Griechischen die Einfalt und Würde
des Ausdrucks, von der Lateinischen die Nettigkeit des mittlern Stils,
von der Englischen die kurze Fülle, von der Französischen die muntre
Lebhaftigkeit, und von der Italienischen ein sanftes Malerische." Wie
sehr aber Herder in ausübung dieses grundsatzes einem auf die besten der
gleichzeitigen schriftsteller gleich mächtig wirkenden zuge folgte, dessen
war er sich wol bewust. Verteidigungsweise äussert er sich darüber
in einem gegen Heinze, als den wortführer der puristen, gerichteten
capitel des (ungedruckten) Zweiten Stückes vom Torso (über Thomas
Abbt): „Uebersetzen und Lesen bildet unsre Sprache so unvermerkt
nach einer andern, dass ich .... kaum die französischen Wendungen in
Abbt, den Litteraturbriefen und den besten neuern Schriften aufzählen
wollte. Hier entschuldige man die Menschliche Seele, die nichts ohne
Worte denken kann, die sich so gern wahrgenommene Sachen mit ihren
Zeichen eindrückt, bei welcher die Form und das Vehikulum so gern
mit dem inliegenden Gedanken wiederkommt. Auch hier schlage sich
ein jeder an die Brust: „ich bin ein Mensch."

Einen aufschluss auf seiten des sprachlichen, formellen gewährt
uns also der erste aufsatz; der zweite fesselt uns ganz durch seinen
sachlichen inhalt. Er gibt uns einen beleg für das, was Herder unter

---

abgelernte ironische *adieu!* „Wenn so etwas auf mich wirken müsse — Lebe
wohl Theater! so bin ich in der Lazarethstube." Krit. W. I, 64. Ein gleiches beispiel Fragm. I, 40, und im IV Krit. W. (msc.): „Ist der Hauptgegenstand also
dunkles Gefühl, lebe wohl! Philosophie! wir sind im Lande dunkler Schwärmereien."
Französische art der inversion zeigt sich in zahlreichen fragesätzen. „Diese sinnlich deutlichen Ideen, sollen sie blos im Grundrisse seyn?" Lb. 1, 3, 2, 435.
Nach dem französischen *soit-il* gebildet ist das mit vorliebe angewante „sei es,
(dass)," an dem Hamann, wie an den vielen andern „naevis, sommersprossen und
pockengrubchen der verzogenen Schreibart" Herders starkes ärgernis nahm, (an Herder d. 30. mai 1779. Schriften 5, 81).

1) Fragmente, erste ausg., I, 138. 151; zweite ausgabe s. 74. 114. 116.
2) Zu vergleichen sind andere stellen, wie s. 135. 142.

seiner „menschlichen philosophie" verstand; ja er ist aus dieser früheren zeit die einzige selbständige probe dieser psychologie über und für die gesellschaft.

Angeregt durch Platos Phaedrus und wahrscheinlich durch seinen damaligen lieblingsphilosophen Shaftesbury, der am schlusse der „Moralisten" die einheit des schönen und guten verfechtend den satz aufstellt: „in der schönen Form lieben wir die Schönheit der Absicht und des Geistes"[1] wirft Herder die frage auf, die das thema der abhandlung bildet. Den kern des „platonischen Märchens" von der einsiedelung der schönen und der hässlichen seelen in den ihnen angemessenen menschlichen leibern denkt er in dem satze enthalten, dass „in dem Leibe unserer Mutter so wohl die Bildung unseres Körpers, als Geistes ihre Form bekommt." Ohne sich auf die fragen einzulassen: „ob unsere Seele mit dem Körper zugleich ... sich fortpflanze und wie ein Theil in den andern wirke," sucht er empirisch den nachweis zu führen, wie die „Menschenpflanze" bei allen und besonders den seelischen zuständen der mutter in die innigste mitleidenschaft gezogen wird, wie unregelmässigkeit und schwachheit der leibesbildung hauptsächlich von jenen zuständen der mutter herrührt. Schwachheit und stärke des körpers sind aber, im naturstande wenigstens, zeugen von den gleichen eigenschaften der seele. Auch in anbetracht der schönheit stehen seele und körper in einem verhältnis der wechselwirkung, so lange die natur ungestört waltet. Versetzt man aber die frage auf den boden der modernen gesellschaft, so wendet sich das interesse an dem menschlich schönen einseitig dem geschlechte zu, dem die gesellschaftssprache unbedingt das prädicat schön beilegt. Nach den graden der empfindung des schönen, die je nach der bildungsstufe den verschiedenen klassen der männlichen gesellschaft einwohnt, lassen sich grade der schönheit unterscheiden, und bei jedem dieser grade ist das verhältnis des äusseren zum inneren im einzelnen zu bestimmen. Der niedrigste geschmack lässt sich an der blossen völligkeit genügen und findet die schönheit hauptsächlich in der farbe. So wenig aber das colorit an sich die schönheit ausmacht, so wenig hat es ein recht, ein bote der geistigen schönheit zu sein. Der feinere geschmack erhebt sich zu der empfindung der regelmässigkeit, und „diese kann in so fern ein guter Bote sein, dass sie einen eben so regelmässigen Geist verspricht." „Die dritte und höchste Stufe der Schönheit ist der geistige Reiz, die belebende Grazie, und diese hat das grösste Recht wahrscheinlich

---

1) Shaftesbury, Philosophische Werke. Aus dem Engl. übersetzt (von Hölty und Voss). Leipzig 1776—1779. II, 503.

vor sich, eben den Reiz des Geistes anzukündigen." Mehr als wahrscheinlich ist das kenzeichen keinenfalls; denn einerseits kann der mensch
im zustande der gesellschaftlichen cultur mängel, die seiner seele von
früh auf anhafteten, durch bearbeitung seines innern beseitigen, während die äussere bildung unverändert bleibt; andererseits verursacht
dieselbe cultur häufig auch eine verbildung der seele, neben welcher
sich äussere wolgestalt erhält. „In seiner Einschränkung würde also
unser Problem heissen: Die Schönheit des Körpers (Regelmässigkeit und
Grace) ist ein wahrscheinlicher, aber nicht untrüglicher Bote von der
Schönheit der Seele, wenn diese nicht wirkliche Grösse und moralische
Güte, sondern nur eine leichte und fühlbare Anlage dazu bedeutet."
Als praktisches resultat bilden einige lebensregeln den schluss.

Gewarnt wird vor dem „immer trüglichen Schlusse aus dem Gesichte
auf das Herz," wie vor dem meist trüglichen „auf die wirkliche Geschick-
lichkeit, Grösse und Stärke des Geistes." „Aber von natürlicher Fähigkeit ... von einer natürlichen Empfindbarkeit ... von der Art der Erziehung und von dem, was man gern sein will, davon kann die Mine
zeigen, kurz von dem Charakter der Seele, wenn ich das Wort Charakter nur in dem leichten französischen Sinne nehme."

In der analytischen, empirischen methode ist der schüler Kants
unverkenbar; und ebenso ist für die wahl der gattung, in welche dieser
philosophische versuch gehört, Kants vorbild und anweisung von bestim-
mendem einfluss gewesen. In dieser gattung hat Herder seinen lehrer
am höchsten geschätzt, am besten verstanden und gewürdigt. „Kant"
— rühmt er ihn im vierten Kritischen Wäldchen (Lb. I, 3, 2, 486)
„ganz ein gesellschaftlicher Beobachter, ganz der gebildete Philosoph,
nimmt in seiner Abhandlung vom Schönen und Erhabenen, auch insonderheit die bildsame Natur des Menschen, die gesellschaftliche Seite
unsrer Natur in ihren feinsten Farben und Schattierungen zum Felde
seiner Beobachtung. Das Grosse und Schöne an Menschen und menschlichen Charakteren, und Temperamenten und Geschlechtertrieben und
Tugenden und endlich Nationalcharakteren: das ist seine Welt, wo er
bis auf die feinsten Nuancen fein bemerkt, bis auf die verborgensten
Triebfedern fein zergliedert, und bis zu manchem kleinen Eigensinn,
fein bestimmt — ganz ein Philosoph des Erhabenen und Schönen der
Humanität! und in dieser menschlichen Philosophie ein Shaftesbury
Deutschlands." Und gerade an die im eingange genante „kleine Schrift
Von so reichem Inhalte," auf welche sich diese lobende charakteristik
hauptsächlich stützt, lehnt sich der Herderische aufsatz völlig an. Sie
enthält die grundzüge, die hauptgedanken desselben; bis auf einzelne
beobachtungen und beispiele erstreckt sich die entlehnung. Herder hat

den dritten abschnitt[1] für seine abhandlung fast zu schülermässig ausgenutzt. Aus diesem entnimt er mit geringer und nicht eben geschickter abänderung die stufenleiter in der empfindung des schönen; und nur daraus, dass Kant in diesem abschnitte die beiden geschlechter als das erhabene und schöne einander gegenüberstellt, erklärt sich der auffällige sprung, mit dem Herder vom schönen auf das schöne geschlecht gerät. Des einzelnen abgeborgten findet sich nicht wenig:[2] so ist fast wörtlich übernommen die stelle (s. 165 a. a. o.), die dem manne die hochachtung, dem weibe die liebe als ziel des strebens bezeichnet. Auch aus den übrigen abschnitten ist einiges aufgenommen. Und unser aufsatz ist es nicht allein, der sich aus dieser schrift bereichert hat; in dem hauptsächlich ausgebeuteten dritten abschnitte finden wir ideen über frauenbildung, auf denen Herders oben (s. 69) besprochene darstellung beruht. Wenn aber trotz dieser auffälligen abhängigkeit Kants name in dem aufsatze nirgend erscheint, so lässt sich dies wol nur aus der absicht des verfassers, seine person zu maskieren, erklären.

Als Herders eigentum stellt sich besonders der physiognomische bestandteil des aufsatzes dar. Wir sehen den jungen schriftsteller in behutsamer weise zu der wissenschaft oder halbwissenschaft stellung nehmen, die in dem nächsten jahrzehnt anspruchsvoll auftreten sollte. In dieser späteren zeit hat ihr Herder, wie sein briefwechsel mit Lavater, seine beisteuer zu dessen Physiognomischen Fragmenten, seine eingehende besprechung dieses werkes[3] beweist, lebhafte teilnahme zugewant; aber als eine trügliche kunst, wie er sie früh erkant hat, hat er sie auch in ihrer blütezeit betrachtet. Dem schwindel der gesichtsausspürerei hat er sich zu keiner zeit ergeben; die gesunden grundsätze, die ihn davor bewahrten, sind gerade in den der Lavaterschen Physiognomik gleichzeitigen schriften: „Plastik" und „Vom Erkennen und Empfinden der menschlichen Seele" ausgesprochen.

In dem dritten aufsatze, der einleitung zur pfingstcantate, bequemt sich Herder zunächst dem geschmacke seines publikums und nimt die richtung auf das erbauliche. Zum schlusse aber kann er sich nicht versagen, „einige seiner Leser gleichsam auf die Seite zu führen und ihnen einen andern Gesichtspunkt anzuweisen." Dem auserlesenen ästhe-

---

1) Kants Werke in chronolog. Reihenfolge, herausgegeben v. Hartenstein II, s. 251—266.

2) So die beobachtung über das urbild, nach dem sich die schönheitsurteile formen; das urteil über die absolute geistige unfähigkeit der Neger (s. 276).

3) Lemgoische Auserlesene Bibliothek der neuesten Deutschen Litteratur IX, 191—208 (über den „ersten Versuch"). X, 335—365 („zweiter Versuch"). Beide recensionen fehlen in der vulgata der Sämtlichen Werke.

tischen cirkel trägt er seine gedanken von wesen und würde der cantate vor. „Wie sehr haben Griechen und Römer ihre mythologische
Fabeln durch Dichtkunst und Musik verbrämt, und wir bleiben nach,
da unsere heilige Religion uns die prächtigsten Sujets, die wunderbar-
sten und rührendsten Begebenheiten mit so hellen Farben schildert,
dass Poesie und Tonkunst nur von ferne stehen, zitternd nachahmen
und ihre Versuche zu den Füssen der Offenbarung legen müssen." Die
sprache, die zum schlusse wol nicht absichtslos an Klopstocks worte
anklingt, hat doch nichts gesucht feierliches. Eine liebevolle erinnerung an eigene versuche in der heiligen poesie gibt ihr diesen schwung.
Den erhabensten, feurigsten ton hatte Herder in seinen früheren religiösen gedichten anzustimmen gewagt, „christliche Dithyramben, trun-
kene Gesänge einer heiligen Religionsbegeisterung" schaffen wollen. Ein
gedicht dieser art, den „Ostergesang," hat er in den Königsbergischen
Zeitungen (1764. St. 24) veröffentlicht; ein zweites, „Taufgesang der
ersten Christen am Ostertage" befindet sich fast vollendet unter seinen
papieren. Jenes, eine lyrische dichtung in Pindarischer strophenform,
feiert den sieg des auferstandenen in einem wunderlich geformten und
geworfenen ausdrucke; der Taufgesang, der diesem im parenthyrsus
durchaus nichts nachgibt, hat ein dramatisches element: der gesang
begleitet die unter neophyten, diakonen und bischof verteilte handlung
der taufe, des liebesmahls, der weihung. Dramatisch und dialogisch
angelegt ist aber besonders ein drittes heiliges poem, die gleichfalls
in den Königsbergischen Zeitungen (1764. St. 23) erschienene passions-
handlung „Ein Fremdling auf Golgatha." Dieses gedicht komt in seiner einrichtung der cantate so nahe, dass die umschmelzung desselben
in die reine form, die Herder in Bückeburg vornahm, ziemlich leicht
von statten gegangen ist. In dem pfingstgedichte versuchte Herder,
durch den umgang mit musikkennern befähigt, zum ersten male diese
reine form; des gelingens froh dichtete er noch in demselben jahre
seine zweite cantate zur einweihung der Katharinenkirche auf Bickern.
(Lebensb. I, 2, 181 — 187). Untersuchungen über das wesen der poetischen gattung, an welche er sich wagen wollte, waren aber voraus-
gegangen; und diese untersuchungen eben sind in dem ästhetischen
teile der einleitung enthalten.

„Die Cantate ist so sehr in dem Innersten der Poesie und unserer Empfindung gegründet," begint der theorist, „dass ich eine glückliche Cantate ... gleich nach dem Heldengedicht und dem Drama setze.
Wenn in den Recitativen eine Begebenheit mit allen Farben der Dicht-
und Tonkunst gemalt wird; wenn die Arie es erreicht, Empfindungen
und Gespräche des Herzens in aller Stärke auszudrücken; wenn Chöre

und Choräle diese Empfinduug der Brust darauf zu einen vollen Be-
känntniss des Mundes erheben können: so wird ... das Ganze einer
Cantate, wo alle diese Stücke durch Symmetrie und Eurythmie zusam-
mengesezt sind, doch gewiss ein poetisches Genie fodern ... das so wohl
den Pinsel des Malers, als die Sprache der Empfindung, so gut den
Wohlklang der Dichtkunst, als der Musik in seiner Gewalt haben muss."
Ein besonderer wert wird der cantate darin beigemessen, dass in ihr die
malerische und empfindungsvolle poesie einen bund mit der musik eingeht. Wer sich daran erinnert, dass Herder sich auch durch den Laokoon die schildernde poesie nicht rauben liess, den wird nicht befremden, dieselbe begründung in dem späteren briefe an Scheffner wieder-
zufinden, wo an der cantate gerühmt wird, dass in ihr die samenkörner
der rührenden und malerischen dichtkunst liegen. (Lb. I, 2, 194 fg.)
Beachtet man, wie an dieser stelle die hauptsätze der abhandlung fast
wörtlich widerholt, und dann zu betrachtungen über die grenz- und
näherungslinien der künste überhaupt erweitert werden, so gewahrt man
leicht, dass Herder bei der dichtungsart, die ihm vordem ein inniges
religiöses gefühl wert gemacht hatte, nun nicht minder gern wegen
seiner kunstphilosophischen überzeugung verweilte. Die cantate ist eine
von Herders lieblingsdichtungen geblieben,[1] auch nachdem nach folge-
rechter weiterbildung des princips das musikalische drama in der theorie ihre stelle eingenommen hatte.

Es hiesse den faden zu weit spinnen, wenn wir bei dieser gelegenheit über Herders cantatendichtung mehr als andeutungen geben
wolten. Der wert der hier zuerst bekant gemachten stücke liegt ja,
soweit sie nicht einen völlig neuen stoff bieten, darin, dass sie uns
seine forschungen und die früchte seines wirkens im entstehen und
organischen heranwachsen darstellen. Kehren wir von seinen reifsten
leistungen zu den ursprüngen seiner schriftstellerei zurück, so empfangen wir von ihnen den gleichen eindruck, den Goethe bei der rück-
erinnerung an die Strassburger gespräche Herders mit den worten widergibt: „Alles, was Herder nachher allmählich ausgeführt hat, wird hier
im Keime angedeutet."

BERLIN, JUNI 1874.   B. SUPHAN.

1) Von deutscher Art und Kunst s. 117 fg. Adrastea III, 320 fg.

BEITRÄGE AUS DEM NIEDERDEUTSCHEN.

Misdeder.

Sündenf. (Schoenem.) 3214: „*unde alse ein midde der vorstot.*" Ohne frage war in *misdeder* (missetäter) zu bessern; vgl. Seib. qu. II. 306: „*hangen se ock an de bome gelyck mysdederen.*"

Klûten.

Sündenf. 1577. 1578: „*dre korne de ck hebbe in dussem kluten.*" Glossar; „*kluten,* sack." *Klûten,* wie ags. *clût,* n., engl. *clout,* ist lappen. Das heutige *klunt, klunter* verhält sich dazu, wie *mund* zu alts. *mûth,* ags. *mûd,* engl. *mouth,* oder wie *mund* in *ôsenmund* zu *mûd* in *mûdspelli.* Der grundbegriff: „etwas zusammengedrücktes, zusammengeballtes" ergibt sich aus der vergleichung des heutigen *klûte, klû-ten,* m. (= mnd. *klôt*) mit holl. *klont, klonter.*

Doged.

Sündenf. 258: „*Virtutes dat sin de gode* (: *bogede*).*" Für „*de gode*" muss *dogede* (tugenden) gelesen werden.

Vorscûven.

Sündenf. 275: „*vorscoven*" ist ptc.; 717: „*vorscoven*" ist prät. pl. von *vorskûven* = verschieben, verdrängen, verstossen, heute *verschûven.* Es durfte also im glossar kein „*vorscoven,* betrügen" dafür angesetzt werden.

Warwordich.

Sündenf. 3654: „*Her rader, wârwodich schulle gy wesen.*" Ein „*warwodich* = gerecht, unerbittlich" gibt es nicht. Ohne frage ist dafür *wârwordich* (wahr in seinen worten) anzusetzen.

Foden.

Sündenf. 1104: „*or* (ihrer) *seal sik hir nein mêr ûtfoden.*" Glossar: „*ûtföden,* ausruhen." Es war *ût föden* zu schreiben. *ût* gehört zu *hir;* also „hieraus," d. i. aus dem paradiese. *Sik föden,* heute: *sik faüen* oder *sik faien,* ist: sich füttern, sich nähren.

Yutoene, iutuns.

MChr. I. 276: „*ghy hebben wal gehoirt, wat Johannes van der Lyppe daer yutoene sachte van koppen tho houren.*" Glossar: „zu euch." Hoffm. findl. 43: „*iutuns, inyttuns,* immerzu." Beide deutungen sind falsch. *Yutoene, iutuns* bedeuten jetzt oder jetzt eben = mnd. *jeto, ieto, ioto, ietto.* Es sind unorganische verlänge-rungen von *into,* woraus mnd. und neundd. *itsont, itsunt, itsunds* her-vorgegangen sind; vgl. mhd. *iezont.*

Bat-juncvrowen.

Seib. Westf. Urk. 765: „*baet juncvrowen.*" Glossar: „bitt-
oder kranzjungfern bei hochzeiten." Das kann es nicht heissen. *Baet*
steht für *bate* (hilfe); also hilfsjungfrauen.

Bole.

Seib. urk. 877: „*unse here unde bole van Minden.*" Glossar:
„unser herr und haupt." *Bôle* = *buole* bezeichnet hier den anverwanten (oheim oder vetter); vgl. mhd. *buole.*

Boneyden.

Seib. urk. 511: „*boneyden deme sypen de van dem Scharpen-
berg her aff kommet.*" Glossar: *boneyden,* beneben." Es ist = *beneden,* unterhalb. *Bo-* für *be-* (vgl. Gr. gr. I³ 257) ist in südwestf.
urkunden häufig. Eine Iserlohner von 1448: „*boneden der drenke*" =
unterhalb der tränke; eine andere von 1384, „*bouen ind beneden* (unten)
in deme lande; eine Hemersche von 1520; „*dar boneden*" = unterhalb dieser stelle.

Vewede.

Seib. urk. 585: „*bewede.*" Glossar: „beiweide, halbweide auf
waldemeinen." Es ist verlesen für *vêwêde,* viehweide, wofür in einer
Iserlohner Urk. von 1336: *vôwêde:* „*winte de stad van Lon zal desse
woldemeyne hebben tho erer vowede.* Beiläufig: Ein *ôhof* (mutter-
schafehof) hat wol nie existiert, vermutlich aber ein *vôhof* = *vêhof* (viehhof), oder ein *ûthof.*

Droteghen.

Seib. urk. 604 no. 3: „*weret al zo dat de vrent den man droteghen wolden mit der iuncurowen.*" Im glossar keine erklärung. Wir
verstehen: Wäre es der fall, dass die anverwanten überdruss zwischen
dem manne und der jungfrau hervorrufen wollten. *Droteghen ênen mid,*
einem etwas verleiden, wird aus einem adj. *drotech,* drüssig, überdrüs-
sig, geflossen sein, gibt es ja ein mhd. *driez* = überdruss.

Loden.

Seib. urk. 720: „*dat ick echte und vrygh geboren sy und so gelodet, dat ich de burschopp van Sassendorpe van rechte eyge.*" Ebenda
938: „*dat he echt recht ond só gelodet sy.*" Glossar: „*geloedet* 938
von leumund so beschaffen." *So gelodet* bedeutet so gewachsen,
h. l. von solcher herkunft; vgl. M. beitr. I. 227: „*in stede der doiden andere levende gelik wo de doiden gelodiget gewest deputert und
gesatz mogen werden.*" Helj. *hliothan, crescere, pullulare.*

Kunne-quarte.

Seib. urk. 604 no. 26: „*des sal dey wynman en bi dem kneyghte senden ene kunne-quarte.*" Glossar: „kenntliches, d. h. bekanntes, gebräuchliches mass, z. b. wein." *Kunne* ist probe, wie mhd. *kunnen = explorare.* Also *kunne-quarte* = ein quart zur probe.

Vurreydersche.

Seib. urk. 853: „*vurcydersche.*" Nicht erklärt. Es wird = *vûr-reydersche* (feueranmacherin, heizerin) sein. Nach diesem ausdrucke erklärt sich in 904 (bd. III. 16): „*heymliche veyrederie.*" „Verräterei" (Lieiner. volksl. III, 329, 8 [4]: *de vorrederie*), wie das glossar deutet, wird es nicht sein, weil unmittelbar *verruit* folgt. Es ist verderbt oder verlesen aus *vuirrederie,* brandstiftung, mordbrand.

Luckel.

Seib. urk. 899: „*luckele Gerlach.*" Glossar: „*Luckele* 899 Ludwig." *Luckel,* von *luck* (heute *lück*) = *luttik* abgeleitet, bedeutet klein. Darnach ist auch der ortsname *Luckelen Scithusen* zu verstehen.

Nugen.

Seib. urk. 617: „*wolde dat* (sc. *alde recht) we den wollboren luden nugen oder breken, dat solle wy borgere emme helpen keren nha alle vnser macht.*" Glossar: „*nugen,* bestreiten, verneinen." Unter voraussetzung, dass richtig gelesen sei, denn es wäre ein *bûgen* denkbar, bemerken wir: *Nûgen oder brêken* ist hd. biegen oder brechen. Wo im ags. der stamm mit *v* auslautet, findet sich im südwestf. oft *g;* z. b. *sâvan: säggen, saigen; mâvan: mäggen, maigen.* So ist *nûgen* = ags. *cncóvan (flectere),* Am abfalle des anlautenden *c* darf man sich nicht stossen, vgl. unsere *nückel, näcken* gegenüber ags. *cnuel* und engl. *knacker* (töter). Für uns wenigstens ist *nûgen* ein unicum, daher vermuten wir *bûgen.*

Plegsede.

Seib. urk. 601: „*plegzide.*" Glossar: „gebräuchliche zeit." *Zide* ist sitte; eine urkunde des Syberger archivs s. 9 hat *zidde,* f. (sitte). *Plegzide* ist pflegsitte, gewohnheit; vgl. Fahne Dortm. urk. II. s. 116: „*vnd hyr genck oner ordel vnd recht alze to Dorpmunde eyn reicht is vnd eyn pleghsede.*" Ludolf v. Suthen, reisebuch (v. d. H. Germ. VI. 66) schrieb: *plegsede.*

Voden.

Seib. urk. 719 no. 32 (s. 414): „*des gelycken (ein sal) nummant kene bome weden, de dem andern schedelich syn*" u. s. w. Hier ist *weden* für *voeden* (ernähren, ziehen) gelesen.

Sellen.

Zu Seib. urk. 765 (seite 477 anmerk.) wird glossiert: „*zalen, zelde* 765 verzapfen, verzapfte.“ *z* steht oft für *s*. Es ist *sellen*, verkaufen, was im mnd. auch sonst vorkomt; z. b. Scheller shigtbôk 170: *sellen, seller* (verkäufer), Flos (Bruns) 236: *sold* (verkauf); halbniederd. fragm. (v. d. H. Germ. X s. 175): „*iz ne lezet nemane kopen ofte sellen*“ (verkaufen).

Vischerye.

Seib. urk. 755: „*wischerye dat waldemeyne is.*“ Glossàr: wiese, wiesegrund.“ Ein nd. *wischerye* (wiese) gibt es so wenig, wie ein hd. wieserei! Es ist bekant, dass *w* häufig für *v* geschrieben steht, vielleicht manchmal in folge mundfauler aussprache. *Wischerye* an unserer stelle ist also fischerei, die zur *waldemeyne* gehören konte. Nachher liefert dieselbe urkunde *wische* für *vische:* „*vnse hoff wische* (fische) *wel wy tho vorn dar ut hebn.*“ Soll hier etwa wiese = heu gemeint sein!!

Vingeren.

Seib. urk. 765 no. 2: „*vingeren scho.*“ Glossar: „handschuh.“ Man hätte also wol statt handschuh — fingerschuh gesagt!! Es heisst hier: fingering, schuhe. RA. s. 577 wird aus dem Ssp. der pl. *vingerne* angeführt.

Vorspan.

Seib. urk. 540 artik. 60: „*vorspan.*“ Glossar: „gesponnenes.“ Es ist ahd. *furspan,* mhd. *vürspan,* brustspange, die das gewand zusammenhält. Vgl. der selen troist 8; bort Christi 423. RA. s. 578.

Ift.

Sündenf. 390: „*unde ist gy ôk sin wandels fry.*“ Für *ist* lese man *ift* (wenn).

Begaden.

Seib. westf. urk. zeigen das wort in folgenden stellen:

700: „*darweder nit dun noch begaden*“; 714: „*wir geloyuen — dar weder nyet zu doen of zu begaden*“; 805: „*vortme sullen wir dem Greuen — sicherlichen weruen ind begaden dat huys in der drancgassen zu Coelne.*“ Glossar: „beginnen.“

Wallraf Wb. urk. von 1391: „*sie* (die pächter) *sullen mir dat geilde zur zyt begaden.*“ Erklärt: erstatten.

Fahne Dortm. I s. 188 (no. 162): „*vort sal ich — tuschen hir vnd Paschen begaden vnd antworden van Wescele — dat hey den vredelosschap nider geschlagen hebbe.*“

Lud. von Suthen (v. d. H. Germ. VI s. 56): *„do alle ding wol fan en forsated weren und begaded, do lét de formunder des orden de boden — for sik laden.“*

In allen diesen stellen passt die bedeutung „ins werk richten oder besorgen,“ wie auch mhd. *begaten* dieselbe hat.

Sik rosten.

Sündenf. 1324: *„wol dat ik my van older nu roste, so lende* (l. *levde) ik jo* (doch) *gerne, wen ik moste* (dürfte).“ Glossar: „alt, schwach werden.“ *Sik rosten* heisst eigentlich nur ausruhen, der ruhe pflegen, ist hier aber *de conatu* zu verstehen, also: ausruhen d. i. sterben wollen. Bemerkenswert der vocalwechsel: *rosten, rusten, rüsten, resten*, hd. rasten. Beisp. MChr. I. 116: *„yn welcker capelle he rostet* (ruht) *myt er in der erden.* Fahne Dortm. IV. 272: *„gerostet laten“* = in ruhe lassen. Koene z. Helj. 6948: *roeste*, ruhe. — Lacombl. arch. I. 175: *„rusten“*; Schuren chron.: *„rusten.“* — Tappe adag. 78ᵇ holl.: *„Gedaen werk is goedt rüsten up.“* Heute: *Nà gedàn werk is guad resten.* Halbniederd. fragm. (v. d. H. Germ. X. 177): *reste*, ruhe. Alts. *rasta.* Hoffm. findl. 43: *„rastich, quietus.“* Die reflexive form auch in der heutigen volkssprache, z. b. *„läffe us mäl resten!“*

Schrag.

Laurenberg (ausg. v. 1700) s. 127: *„schrage tydt der fasten.“* *Schrage* hat hier nichts mit *schrae* (rolle) zu schaffen; es bedeutet elend, mager; vgl. Kantz. 53; engl. *scrag* (dünn, mager), südwestf. *schrà.* Der ausdruck entspricht also dem franz. *jours maigres.*

Alvenlocke.

Laurenb. s. 38: *„De hadde schön lanck haer, gehl als ein avenlock.* Wie man sich auch das ofenloch denken mag, der vergleich scheint nicht recht zu passen. Vielleicht liegt hier eine verderbte und schon von L. nicht mehr verstandene redensart vor, die ein schönes langes gelbes lockenhaar mit dem lockenhaare der Elbinnen (süderländ. *schonholden*), die so geschildert werden, vergleicht. Die erhaltung des *a* wird einer frühen verderbnis des vergleichs beizumessen sein.

Hauwen up den quast.

Liliencr. hist. volksl. III. 324, 17⁴: *„se hauweden frisch up den quast, dar was sulk rad, dem Kalenberg geschach dar nen quad.“* Nicht erklärt. *Quast* bedeutet hier, wie noch im holl., astknoten. Da sich ein solcher schwer durchhauen lässt, so drückt unsere redensart aus: vergebliche anstrengungen machen. Ähnlich ist *howen op eynen ôst*, z. b. Soest. fehde (Emmingh. memorab. Susat.

s. 591): „*Do nu im frede tho syn verhopeden dey van Soest, hoggen sey werliken op eynen oest*" = sie hofften vergebens. *Ôst = uost* ist ags. *ôst*, heutiges südwestf. *aust*, auch *naust*, m. = astknoten.

Hawen.

Liliencr. III. 329, 28 [6]: „*de hawe hen und binde ein gud foder!*" Der herausg.: „der eile hin und." Aber *hawen* heisst nicht eilen. *Hawen* (hauen) ist hier mähen; auf das mähen folgt das einbinden des gemähten futters ins grastuch (*graselâken, drëgelâken*).

Brost.

Liliencr. III. 110: „*dat was orem budel ein heimlike streffi* (: *lost*)." Der herausg. will lesen: „*des was on or budel e. h. trost.*" Das gäbe einen guten sinn, ist aber gleichwol abzuweisen. Woher die lesart *streff*? Ein abschreiber fand in seinem exemplare *brost*, was er nicht kante, weil bei ihm dafür *borst, borste* oder *boest* gesagt wurde. Den sinn der stelle aus dem zusammenhange ratend, schrieb er *straffe* oder *straff* (strafe), woraus weiter *streff* verderbt ward. Das ursprüngliche *brost* oder *broste*, f. bedeutete bruch, dann brüchte, also geldstrafe. Wie so häufig ward das *r* versetzt und es entstanden *borst, borste*, ja *boest*. Beisp.: Fahne Dortm. III. s. 50 (no. 144): „*so brekt he ene mark dem gerichte dat het ein borste* (brüchte). Ebenda s. 40 (no. 59): „*welch man boede ein tuich to voren vor gerichte, worde hei des tuiges borstich* (brüchtig) *de clage en mach he nit ande(r)zeden.*" Ebenda s. 36 (no. 18): „*dat were eine brocke van einer marck und hedde gebrocken ene boest dem gerichte.*" Dazu eine alte glosse, die nach no. 144 erklären will: „*Item eine boest dat is ein marck.*" Aber mit nichten; *boest* heisst brüchte. Das wort bedeutet auch bruch in *erdborste*, f. (erdbruch, erdspalte), urk. des arch. Hemer von 1520. Die heutige volkssprache verwendet das masc. *bürst*; z. b. *dat glas hët en bürst; en wolkenbürst* (wolkenbruch).

Stege.

Liliencr. III. 329, 21 [4. 5]: „*ein ider sehe wol to, dat de wulf nicht dorch den stegen bite.*" Der herausg.: „es wird das hd. stige: steige, gitter, verschlag gemeint sein: dass der wolf das gitter vor dem schafstall nicht durchbeisse." Aber hier steht nicht „den stegen durchbeissen," sondern „durch den stegen beissen." Sicher ist also etwas gatterförmiges gemeint. *Stege* bedeutet ags. (*stige*, f.), engl. (*sty*) und soviel nachweislich mnd. (*stege*) immer nur schweineperch, wiewol es natürlich eben so gut einen schafpferch bezeichnen könte Unser wort steht auch in Seib. Qu. I. 106; daselbst in einem Arnsberger Weistum von c. 1350: „*wan men dey swyn in dat eykeren driuet, so sall in uweliker marke nicht dan* (nur) *cyn stege wesen.* Ebenda s. 115: „*dat man unser gnedigen heren kuchen swyn* (küchenschweine) *eyne stege machen sal in die Herbremen.*" Das wort scheint also masc. und femin., st. und sw. Der gemeinte pferch im walde muss durch eine art „*sliggentûn*" (gatter) gebildet worden sein, in der weise, wie unsere kleinschäfer denselben heute statt der hürden anwenden.

Sadenwert.

Lilienc. III. 329, 4 [5]: „*de hebben einen sadenwert man vorlorn.*" Trotz des *sadelprein* (330, 57) kann sich der schreiber unserer stelle etwas bei *sadenwert* gedacht haben. *Man* ist nur, wie 329, 4 [5]; 396, 15 [7]; 398, 28 [2]; 398, 41 [5]. *Sâdenwert* kann heissen: einen rasen wert = sehr wenig wert; vgl. altfries. *sâtha*, soden, rasen. Man vgl. auch: *helling wert* = einen heller wert.

Mûle.

Lilienc. III. 331, 7 [3]: „*de mull is dar gebunden.*" Wir billigen die vom herausg. für 7 [6] vorgeschlagene änderung von *gefunden* in *gesunden*, nicht aber die von *mull* in *munk* (mönch). Sinn der stelle: Das maul, welches prahlte, sein haus solle vor gewalt bewahrt bleiben, ist da gestopft; vgl. südwestf. *mûle*, f., berg. *mull*, f. und n.

Luchte.

Lilienc. III. 263, 6 [1]: „*de bussenschutt bi der luchten lach.*" *Luchte*, südwestf. *löchte*, ist nicht der leuchtturm selbst, sondern die leuchte auf dem leuchtturme, neben welche sich der schütze gelegt hatte.

De blinden.

Lilienc. III. 331, 9 [6]: „*im storme segen se de blinden, hinder den widen mocht men se finden.*" Nicht erklärt. So mag denn, bis auf besseres, unsere deutung gelten. In einem gedichte, wie das vorliegende, kann eine derbheit nicht auffallen. Die Braunschweiger bürger, wird hier gesagt, statt sich am sturme auf Peine zu beteiligen, stellten sich hinter die weidenbäume und sahen sich die dort liegenden *blinden*, d. i. kothhaufen an. Wir Südwestfalen nennen dergleichen „blinde hasen." Wir wollen hier gelegentlich auf ein synonymon für diese blinden bei Shakespeare aufmerksam machen, dessen erklärung vergeblich versucht worden. Es ist die schelte *finchegg* (Troil. and Cress. V. 1). Orte, wo finkeneier d. i. blinde hasen in mehrzahl vorhanden sind, nennen wir Südwestfalen stinkfinkennester.

Alts. kôswîn und kôkitti.

Über *kôswîn* (Frek. rolle) ist viel verhandelt worden; vgl. Wigand
arch. I. erstes h. s. 100. Heyne (Kl. altnd. denkm.) deutet „weibliches
schwein." Abgesehen davon, dass der ausdruck, so gefasst, als bezeichnung einer abgabe an unbestimtheit leiden würde, wäre es auch wunderlich, wenn man das weibliche geschlecht beim schweine durch „kuh"
bezeichnet hätte. Ein *dog-fox* und *cock-pigeon* lässt man sich viel
eher gefallen.

Die Werd. trad. (ztschr. d. Berg. gesch. ver. VI, 62) bringen uns
nun auch ein *kôkitti*. Da hätten wir denn, nach Heyne, ein kuhzicklein,
ein weibliches zicklein (*chitzi*). Aber — bis besseres gefunden wird,
verstehe man: kauschwein und kauzicklein; *kô* zu *kôen*, Schueren: *couwen*. Es sind also junge tiere gemeint, welche nicht mehr
saugen, sondern ihr futter schon kauen. In Südwestfalen unterscheiden
wir bei jungen schweinen (*kodden*) *suogkodde* und *spænkodde*. *Kôswîn*
ist also eine *spænkodde*, und *kôkitti* ein *spænhittken* (*spænen*, entwöhnen). Einige ähnlichkeit mit *kôkitti* hat südwestf. *frẹtpåst* (märk. *pås*,
pusus), fressjunge, was freilich jetzt den sinn von „gefrässiger junge"
angenommen hat.

Alts. sarkbôm.

Wie ein Werd. heberegister (Lacombl. arch. II, 256) uns lehrt,
dass die abtei zum fleischräuchern (*rôkelen*) eine vorrichtung im grossen
besass, da sie sich zwei mal zwölf *plaustra rôkelwide* (räucherholz),
d. i. wachholder liefern liess, so lernen wir aus derselben stelle, dass
damals noch *toten*- oder *sargbäume* in gebrauch waren; denn *sank-
bome* kann nur für *sarkbome* verlesen oder verschrieben sein.

Alts. skimo, mnd. schin.

Beide ausdrücke, welche an den betreffenden stellen zur übertragung von *adumbrare* und *obumbrare* dienen, sind misverstanden worden.
Skimo im Helj. 279 (Heyne), nicht *skîmo*, ist schatten,
scheme (prov. 27, 9). Dies folgt nicht allein aus dem contexte, sondern auch aus den formen späterer mundarten. Das wort erhielt sich
als *schimme* (Kil. *schimme* j. *scheme*, *umbra*), *schim* (holl.) und *schiəm*
(südwestf., Altena). Durch *imm* und *iəm* sollte kurzes *i* gewahrt werden.

Schin steht bei Ludolf (reisebuch c. 7): „*dar he besworken wart
mit ener lucht unde mit eme schine, dat me ene nicht mer en sach.*"
Misverstand des *schin* wird Kosegarten verführt haben, *lucht* als „leuchte,
licht"[1] zu fassen. Aber in unserm reisebuche ist *lucht* sonst luft

---

1) *Lucht* bedeutet allerdings in nd. mundart auch licht, fenster (Richey);
lampe (Lyra), überdies in Brem. chron. söller, kornboden, wie engl. *loft*.

(z. b. c. 15), und was wichtiger ist: wo wirklich licht oder lampe auszudrücken war. da stehen auch diese wörter; vgl. c. 24. Man deute
daher *lucht* durch l u f t. Natürlich ist eine dunkle und verdunkelnde
gemeint, die wir heute *swark* nennen würden; vgl. *et is en swark*
(gewölk) *an der lucht; et list en swark* (dicker nebel) *op der wiese.*
Eine *lucht*, durch welche *besworken* wird, kann eben nur ein *swark*
sein. *Schin*, wol zu trennen von *schyn* (*schin*) *der sunnen* c. 14, ist
s c h a t t e n, und verhält sich zu *schim*, wie *kinen* zu *kimen*, *kwinen* zu
kwimen, *snaügen* zu schweiz. *smäugen*, *nöpen* zu *möpen.*

Alts. tîla.

Tîla bei Lac. arch. II, 250: „*ad decimam* XXX *tilas frumenti*"
hat bei Heyne keine aufnahme gefunden. *Tîla* (zeile) ist s t i e g e. Eine
urkunde des Syberger arch. s. 36 hat: „*dat sey de thilen recht setten
sollen, damit dey thender dat sine darvan recht krege.*" Zur bezeichnung einer *stiege*, d. h. 20 garben, ist das wort noch heute an der unteren Lenne gebräuchlich. *Üntilen* bedeutet: die garbenstiege umsetzen.

Alts. kotto.

In Lac. arch. II, 230 komt *cottus* vor, ebenda 64 *chozzo*. Letzteres deutet Lac. mit einem ? durch „schürze." Heyne setzt *cottus*
unter *cot* (rock). Beide irren. *Cottus* ist latinisiertes *kotto* oder *koto*
(ahd. *chozo*) und entspricht süddeutschem *kotze* (decke). Wir haben
uns den *kotto* von wolle (fries) zu denken. Er hatte nach Lac. arch.
II, 230 den wert von 20 m. avenæ oder 10 m. siliginis. Kindl. münst.
beitr. II s. 120: „*et unum cottum* IIII^or *ulnarum tam in longitudine
quam in latitudine.*" Das war doch sicher eine d e c k e.

Mwestf. mechthilde sumer.

An die heute in Südwestfalen gebräuchlichen namen für fliegen-
den sommer: *kobbesen-fenne* und *laiwe-frauen-sommer* (*fil de la Vierge*,
vgl. den anziehenden aufsatz in Matinées de Timothée Trimm p. 145)
dürfte sich ein mwestf. *mechthilde sumer* reihen lassen, da in Seib.
westf. urk. no. 665 (hd. II, 286) ein „*Gobelinus de Rodenberg dictus
Mechthilde sumer*" erwähnt wird. Da nun ferner Mechthildis = Mette,
wie Seib. urk. no. 703 (vgl. mit der bezüglichen deutschen urk.) lehrt,
so werden auch die nds. namen der sommerfäden: *mettcn, mettken sommer* (Richey 162) auf Mathilde führen, und nicht, wie Mannhardt (Germ.
mythen 638) meint, nach ags. *melen* zu verstehen sein. Eine myth.
Mechthildis erscheint in den bair. *mechthildenkränzen*, welche Wolf
(beitr. 73. 177) auf die frühlingsgöttin Ostara bezieht. Jene spinnfäden,
welche sich im frühlinge zeigen, mögen für unsern landmann eine ähn-

liche bedeutsamkeit gehabt haben, wie sie es nach Linné für den schwedischen hatten, als zeichen nämlich, dass die zeit der aussaat gekommen sei.

Mnd. tîdelôse, mhd. zîtlôse.

Sowol in mhd. als in mnd. schriftstücken (z. b. lob der frauen,
van d. 11000 megeden, Anselmus boich) wird eine blume dieses namens
als bild der Maria und anderer h. frauen verwendet. Müller im mhd. wb.
3, 915 gibt weiter keine bedeutung, als zeitlose. Es ist aber unwahrscheinlich, dass in den bezeichneten fällen die schädliche wiesenblume,
nackte hure (*colchicum autumnale*) gemeint sei. Wie durfte diese mit
lilie, rose und viole in gesellschaft gebracht werden! Wahrscheinlich ist
die narcisse gemeint. In nd. mundarten komt *tîdlôse* zwar für herbstzeitlose vor, wird aber beim volke meist nur für narcisse gebraucht:

Altm. *zittlos*, weisse narcisse. Danneil.

Nds. *tidlôseken*, gelbe narcisse. Schambach.

Ostfr. *tierlôse*, gelbe narcisse. Stürenburg.

Nordwestf. Nach Jüngst (westf. flora) ist die bauerschaft Tielosen
  standort der gelben narcisse, wird also von dieser den namen
  tragen.

Südwestf. zu Werl: *witte tillôse*, weisse narcisse; *tillôse* narcisse;
  zu Unna: *tillôse*, gelbe narcisse; bei Iserlohn: *pillôse*, gelbe narcisse.

Berg. *tillôse*, gelbe narcisse; bei Solingen, wo sie wild wächst:
  ôsterblôme.

Nl. Kil.: *tijdloose, narcissus;* die gelbe auch *sporckelbloeme;* ausserdem *tijdloose* auch *colchicum.*

Der gemeine mann weiss in der regel, dass *tîdlôse, tillôse, pillôse*
die narcisse bezeichnet, während ihm für die herbstzeitlose meist der
name fehlt. Wahrscheinlich ist die gelbe narcisse von jeher in Deutschland einheimisch, da sie nicht allein einer bauerschaft den namen gegeben hat, sondern auch an stellen vorkomt, wo sie schwerlich verwildert
sein kann. Sie wird von alters her den namen *tîdelôse* geführt haben,
als eine vor und ausser der rechten blumenzeit blühende, weshalb dieser name hin und wider auch auf *anemone nemorosa, primula veris*
und *bellis perennis* fallen konte. Erst die einführung der weissen narcisse in unsere gärten brachte den namen gelbe narcisse. *Colchicum
autumnale* erhielt die namen herbst- oder wiesenzeitlose, wie die differenzierung vermuten lässt, erst später, aber ebenfalls, weil sie ausser
der rechten blumenzeit blüht. Auch die ansicht, sie sei in Virgils
„*nec sera comantem narcissum*" gemeint, mag dazu beigetragen haben,
sie dem namen nach den narcissen anzureihen. Vgl. Dasyp. s. v. nar-

cissus: „*ein kraut so die apothecker narcyssen nennen: elliche meynen es sey zeitlossen,*" ebenso die alten kräuterbb. bei der zeitlose.

Mann für -ing.

Patronymica sind früh und häufig iu Westfalen zu hofnamen geworden. Ein recht altes beispiel ist *Bekemennine* im Werd. heberegister (Ztschr. d. berg. g. v. II, 308). Mitteilenswert dürfte die erscheinung sein, dass in den letzten jahrhunderten das -*ing* solcher namen oft mit -*mann* vertauscht ward. Ein hof im amte Menden, der im 15. jahrhundert urkundlich *Neckinck* hiess, führt heute, auch auf karten, den namen *Neckmann*. In der hellwegischen parochie Asseln gab es sonst zahlreiche hof- und hausnamen mit -*ing*. Jetzt haben sie dafür -*mann*. Es ist, als ob man den sinn des -*ing* noch herausgefühlt, aber, um des familienwechsels auf höfen willen, unpassend gefunden und mit dem angemesseneren -*mann* vertauscht habe.

ISERLOHN.   F. WŒSTE.

(Wird fortgesetzt.)

MITTELDEUTSCHER FIEBERSEGEN AUS DEM ZWÖLFTEN JAHRHUNDERT.

In der schönen foliohandschrift der herzoglichen bibliothek zu Gotha, welche auf 414 wol erhaltenen pergamentblättern grösten formats zuerst das alte und neue testament in lateinischer sprache und dann noch eine längere reihe kleinerer homiletischer, dogmatischer und historischer stücke von verschiedenen verfassern, ebenfalls nur lateinisch, enthält (Membr. nr. 1, Biblia Latina aus der mitte des 11. jahrh., vgl. Friedrich Jacobs Beiträge II, 11), hat herr bibliothekar Aldenhoven mitten zwischen dem durchaus lateinischen texte in einer etwas verschiedenen, aber wenig jüngeren hand einen deutschen abschnitt entdeckt, welcher ohne zweifel der veröffentlichung wert ist. Offenbar hat der spätere schreiber den ihm lebhaft am herzen liegenden gegenstand in dem prachtvollen, mit ganz anderen dingen angefüllten Codex, der ihm fertig und abgeschlossen vorlag, nicht nur überhaupt anbringen, sondern ihn demselben vielmehr untrennbar einverleiben wollen; denn statt ihn als etwas dem inhalte des gelehrten geistlichen buches ganz fremdes lediglich an das äusserste ende desselben zu stellen, hat er ihn schon auf einen leergebliebenen raum der ersten spalte von fol. 407 zu schreiben begonnen, und als er sah, dass der platz hier nicht vollständig ausreichte, mit den worten: *Quere aliam partem in ultimo folio istius libri* auf die fortsetzung verwiesen, welche er am schlusse des werkes in der vierten spalte von fol. 414 hinzugefügt hat, indem er auch, damit keinem leser des buches der erste teil seiner aufzeichnung entgehen möchte, zuletzt wider mit den worten: *Quere octauam commemorationem sanctarum rcliquiarum et inuenies primam partem huius benedictionis* auf den anfang des von ihm in die handschrift eingeschmuggelten stückes zurück verweist.

Leider ist dieser schlussteil auf dem letzten blatte des buches, wol durch die beim auf- und zuschlagen des schweren einbanddeckels verursachten reibungen, an mehreren stellen so stark abgescheuert, dass einige wörter bis auf geringe überreste verschwunden sind, und auch durch die sorgsamste anwendung von reagentien nur wenig lesbarer haben gemacht werden können; doch dürfen die mit genauer berücksichtigung sowol der sichtbar gebliebenen buchstabenreste und des leeren raumes in den zeilen als auch der erfordernisse des klar vorliegenden zusammenhanges gemachten ergänzungen, welche ich in eckige klammern eingeschlossen habe, als fast ganz sicher betrachtet werden. Nachstehend gebe ich den text dieses fiebersegens mit strenger beibehaltung der schreibweise des originals, indem ich nur einige getrente wörter verbunden oder zusammengeschriebene getrent habe, wo es nötig schien, und zur leichteren vermittelung des verständnisses die interpunction hinzugetan habe.

Contra febres. fol. 407ª.

Inweiz der minsche nit, dat he biden sal
durg unses heren godes wille inde des gůden
sente petirs, dat men ime des Riden bůze dů,
so sal der giner, de di bůze kan, sprechin:
,Mensche, bide mich důrg unses herin godes
wille inde des gůden sente petirs, dat ich
dir des riden bůze dů!' Tunc rogabit, — so
sal he sprechin: ,ganc in godes namen inde
des gůden sente petirs! dů hes des Riden
bůze van den worden, di ich sprechen sal:
des haue starken geloue, so hilf(dit dir! inde
enkeine andere erzedie indů herzů me, noch
encheiner hande spise, di einich kirstin minsche
eizen mach, di ensaltů nit schůwen!'

Nů willen ich bit helfin unses heren des   fol. 414ª.
heiligen kirstes inde sente [marien] inde sente
yseb[eten] inde sente annen inde sente [iohane]
inde des gůden sente petirs inde aller godes

heiligen [bůzen] Henriche [adde] Hildegunde
des Ridden inde aller siner . . . . boser
siden in kirstes namen! amen! amen!
S[an]fide inde wale gebar [sente yschel] sente
[iohanne]. — sanfide inde wale gebar sente
[anne] sente [mari]en, — sanfide inde wale gebar
sente [marie unsen] here[n den] heiligen [kirste], —
Also sanfide inde also wale ge[laze den min]schen
Y [der Ridde] inde alle sine bose siden! In
kirstes namen! amen! amen!" Herena saltů
sprechin drů paternoster bit drin venijn inde
drů auemaria bit drin venijn.

Die von mir bei dieser abschrift eingeführten veränderungen
beschränken sich auf die verbindung des in der handschrift getrent
geschriebenen *in weiz, en keine, in dů, en cheiner, en saltů, pater
noster, aue maria* und auf die trennung des in der handschrift verbundenen *herengodes, heringodes.* Von den ergänzungen ist eigentlich nur
ge[laze] (derelinquat) ganz willkürlich nach dem sinn ohne allen anhalt
an einen buchstabenrest geraten.

Dass die sprache des kleinen denkmals mitteldeutsch ist, das
bedarf keines beweises, sondern ergibt sich unmittelbar aus dem was
Franz Pfeiffer (Einl. z. Nicol. v. Jerosch. p. LVI fgg.), Reinhold Bechstein (Einl. z. Evangelienbuch des Matthias v. Beheim p. LIX fgg.) und
Ernst Wülcker (Beobachtungen auf dem gebiete der vocalschwächung
im Mittelbinnendeutschen) über die md. lauteigentümlichkeiten gelehrt
haben; besondere beachtung scheint nur zu verdienen, dass einesteils
die graphische vorliebe der md. schreiber für *ů* in unserem Fiebersegen
sich verhältnismässig reichlich betätigt (*ů* statt md. *û*, mhd. *uo* in
bůze, dů faciat, faciam, *gůden, zů; — ů* statt md. mhd. *û* in *dů* tu,
saltů, ensaltů, nů; — ů statt md. *û*, mhd. *iu* in *schůwen* horrere,
drů tres; — *ů* statt md. mhd. *u* in *důrg* per), andernteils dass auch
md. erscheinungen wie der wechsel des *c* mit *ci* (in *cizen* edere), der
eintritt des inlautenden *v* für *b* (in *hauc* habeas), der abfall des *t* in
der 2. sg. praes. (in *dů hes* habes, habebis) und die unorganische anfügung von *n, en* an eine verbalform (in *willen ich* volo) in unserem
denkmal ihre belege finden. Auffallend und vielleicht nur schreibfehler
ist der mangel des *t* der 3. pers. sg. praes. in *hilf* (juvat, juvabit) und
erinnert an das ebenfalls vereinzelte *schrif* (scriptura) bei Bechstein
Einl. p. LXVIII. Noch anstössiger in dem sonst rein mitteldeutschen
schriftstück sind die darin auftretenden specifisch niederdeutschen for-

men *dat* (quod), *de* (qui), *he* (is), *dit* (hoc), *minsche* (homo), *geloue* (fides), welche auf der nähe des abfassungsortes an der niederdeutschen sprachgrenze oder auch auf der nd. herkunft des schreibers beruhen mögen.

In bezug auf den sinn und inhalt unseres segens muss zunächst bemerkt werden, dass die beiden namen *Henriche alde Hildegunde* wol nur beliebig und schematisch in die beschwörungsformel eingesetzt sind, damit an ihre stelle bei deren anwendung im concreten fall der wirkliche name der zu heilenden (männlichen oder weiblichen) person treten sollte, wie auch das auffallende zeichen *Y* mitten im text nichts weiter als die allgemeine stellvertretende bezeichnung des hier speciell einzufügenden personennamens zu enthalten scheint. Dann ist hervorzuheben, dass der dem Fiebersegen ursprünglich zu grunde liegende heidnische glaubenskern fast bis zur völligen unerkenbarkeit von der gewöhnlichen christlichen formelhülle umkleidet ist, was sich nicht nur in der widerholten anrufung der helfenden kraft gottes und seiner heiligen zeigt, sondern namentlich in der gestaltung der eigentlichen beschwörungsformel: denn ebenso wie in dem nd. blutsegen des Goth. arzneibuchs das stillstehen des Jordans unter dem rutenschlag der jungfrau Maria als symbolischer zauberbann für den stillstand des strömenden blutes gebraucht ist (*myn vrouwe sunte maria, de sloch ene roden in de hillighen Jordanen, — de Jordane entstund: also de Jordane entstund, so entsta du, blot! nü vnde jummermere, in den namen des vaders vnde des sones vnde des hilgen geistes. Amen.* s. mein osterprogr. von 1872 über das mnd. Gothaer Arz. B. p. 2), ebenso wird hier der heilige vorgang der drei leichten und glücklichen geburten — des täufers Johannes, der jungfrau Maria und unseres heilands selbst — als ein wunderkräftiges symbol für das leichte und glückliche ausscheiden des fiebers aus dem körper des leidenden benutzt. Aber es ist doch hierbei nicht zu verkennen, dass sich schon in dieser geheimnisvollen vergleichung des ausscheidenden fieberübels mit dem aus dem mutterleibe ans licht tretenden lebendigen kinde die alte vorstellung von dem *riten* als einem persönlichen wesen deutlich ausspricht, welche sowohl in der herkunft dieses wortes von ahd. *rîdan, rîdôn* tremere (Grff. 2, 475. 476. Schmell. bair. Wb. 3, 54. 165. Zarncke Mhd. Wb. 2 [1], 698[a]), als auch in den mhd. wie noch volkstümlich mit dem *ritten* häufig verbundenen prädicaten des schüttelns, stossens und erstossens (s. meine Ruhlaer Mundart p. 136. 137 und Diefenb. goth. Wb. 1, 410) ihre sichere bestätigung findet.

Nicht minder klar drückt sich diese ursprüngliche anschauung von dem fieber als von einem den kranken schüttelnden und quälenden

dämonischen unhold auch in der unserem md. Fiebersegen eigenen verbindung *des Ridden inde aller siner boser siden, der Ridde inde alle
sine bose siden* aus: schon wenn wir, was ja am nächsten liegt, dieses
md. *side* schw. m. oder schw. f. dem mhd. *site* (mos) gleich stellen,
welches neben der vorherschenden starken auch häufig schwache formen zeigt (Müller Mhd. Wb. 2², 322ᵇ. Lexer 2, 911), so weist der
begriff „die bösen sitten des Ritten" unzweifelhaft auf ein ganz con-
cret und persönlich gedachtes subject hin, indem man einem abstrac-
ten zustande doch kaum böse oder gute sitten beilegen kann. Noch
stärker und lebendiger aber würde die grundvorstellung von einem solchen elbischen wesen heraustreten, welches mit boshafter schadenlust
von einem menschen besitz ergreife und ihn mit schlimmen zauberkräf-
ten peinige, wenn es erlaubt wäre unser md. *side* als einen zu altnord.
seiðr m. incantatio magica, incantamentum, *siða* stv. incantamenta
exercere (Egilss. 691ᵇ. 710ᵃ. Möb. 363. 368. Gr. D. Myth. 988), ahd.
seid stn. laqueus, plur. *seidir* tendiculae, insidiae, *biseidôn* inlaqueare,
mhd. *seiten* bestricken, umschlingen, ags. *sâda, veal-sâda* schwm.
laqueus, ahd. *seito* schwm. laqueus, tendicula, pedica, fidis, chorda;
ahd. *seita* schwf. mhd. *seite*, nhd. *saite* (s. Gr. 2, 46, nr. 507ᵇ. Grff.
6, 159. Grein gl. 2, 387. 673. Müller 2², 243ᵇ. Lexer 2, 859. 860)
gehörigen, in dieser form sonst nicht erhörten ausdruck zu betrachten:
man würde dann an alles das erinnern dürfen, was Konrad Maurer
(die Bekehrung des Norwegischen Stammes zum Christenthum 2, 136.
142. 143) zur beleuchtung jenes eigentümlichen stärksten zaubers *seiðr*
gesagt und über seine verderbliche ausübung durch Odin aus der Yng-
linga Saga cap. 7 angeführt hat, und man würde danach annehmen
können, dass *der Ridde inde alle sine bose siden* unserer md. beschwö-
rung im alten volksbewustsein eigentlich den tückischen fieberunhold
mit allen ihm zu gebote stehenden fallstricken und schadenstiftenden
wunderkräften bedeute, welcher durch die feierliche hinweisung auf die
heiligsten fälle leichter und glücklicher geburt gezwungen werden soll,
seine unrechtlich erworbene behausung, den leib des von ihm umschlun-
genen und gequälten menschen ohne allen schmerz und schaden für
diesen zu verlassen.

    Aber der grund, auf welchem diese voraussetzungen stehen, ist
ein durchaus unsicherer, und ich habe mit denselben nur auf die möglichkeit eines solchen neuen zusammenhanges zwischen dem dunkeln
glaubensgebiete des germanischen südens und dem helleren des skandinavischen nordens hindeuten wollen.

    GOTHA, IM JULI 1874.   KARL REGEL.

ARTHUR AMELUNG.

Am 6. april d. j. starb Arthur Amelung zu Montreux an der schwindsucht. Kurz vor dem 'ausbruch der krankheit, die ihn so rasch hinwegraffen sollte, war er zum professor der deutschen sprache und litteratur an der universität Freiburg ernant worden. Dem unterzeichneten möge es als dem vorgänger Amelungs in dieser stellung und als seinem freunde gestattet sein, über das leben und die wissenschaftliche tätigkeit des verstorbenen zu berichten. Über Amelungs lebensgang und charakter hat ein freund und schwager des verstorbenen folgendes gütigst mitgeteilt.

„Amelungs familie stamt aus dem Braunschweigischen. Sein urgrossvater, der die noch bestehende glashütte zu Grünenplan 1773 gepachtet hatte, wanderte 1794 in Lievland ein und gründete 8 meilen von Dorpat die spiegelfabrik Katharina mit der dazu gehörigen glashütte Lisette. Ihn begleiteten etwa 40 deutsche arbeiter, deren nachkommen noch jetzt den grundstock der colonie bilden. Der grossvater und vater Amelungs hatten dies geschäft fortgeführt, als Arthur am 15./27. juli 1840 zu Katharina als das fünfte von acht geschwistern geboren wurde. Vater und mutter starben früh und ein onkel führte das geschäft fort. Mit 10 jahren kam Arthur aus dem väterlichen hause in die lievländische erziehungsanstalt zu Werro, im jahre 1856 in die zu Fellin. Der aufenthalt in dieser schule ist für seine spätere richtung vielfach bestimmend gewesen; denn schon hier wante sich sein interesse ganz vorzugsweise der deutschen litteratur zu, ja er trieb, angeregt durch den lehrer Joh. Meyer aus Schaffhausen, in den letzten schuljahren selbst ahd., mhd., gotisch und altfranzösisch. Musikalische und namentlich kunstgeschichtliche studien (für die er eine feine begabung besass, wie er denn auch ein recht geschickter landschaftszeichner war) liefen nebenher, seine spätere vielseitige und feinsinnige weise auch hierin vorbildend.

Als er 1861 die schule verliess, trat an ihn die aufforderung heran, sich für das väterliche geschäft vorzubereiten, da von zwei älteren brüdern der eine unheilbar krank, der andere gestorben war. So studierte er denn nach seiner immatriculation auf der Dorpater universität im januar 1862 zunächst chemie. Aber trotzdem, dass ihn dies studium wenig anzog, so währte es doch noch einige zeit, ehe er sich berechtigt glaubte, dem wunsche der familie entgegen zu handeln und den gedanken an die leitung der spiegelfabrik aufzugeben, die seitdem ein jüngerer bruder des verstorbenen übernommen hat.

Wesentlich eine folge dieses entschlusses, der seiner gewissenhaften und treuen natur sehr schwer geworden ist, war seine übersiedelung nach Berlin im october 1863. Hier gewann Müllenhoff, dem Amelung eine warme verehrung und treue gesinnung bis zu seinem tode bewahrt hat, einen über das ganze spätere leben entscheidenden einfluss auf seine studien. Im april 1868 promovierte er in Halle und lebte seitdem abwechselnd in Petersburg, Katharina und Dorpat, mit den arbeiten an seinem Ortnit usw. beschäftigt, bis er sich im october 1871 in Dorpat habilitierte, wo er sich vorher noch den grad eines magisters hatte erwerben müssen. In Dorpat docierte er bis zum december 1872. Im frühjahre 1873, am 23. februar, langte er in Breslau an.

Dies sind die umrisse seines äusseren lebens, wie es sich aus reichlichen und glücklichen verhältnissen zu einem immer arbeitsvolleren und einsameren dasein bewegt hat. Der schreiber dieser zeilen ist diesen weg seit Amelungs aufnahme

7*

in die Felliner schule schritt für schritt mit ihm gegangen und darf daher auch
davon reden, wie sein innerliches leben sich vertiefte. Auf der schule und in den
ersten Dorpater universitätsjahren ein fröhlicher, harmloser kamerad, ein treuer
freund, ein vielseitiger feiner und klarer kopf, blieb er dem ernst der arbeit und
des lebens im wesentlichen noch fern, obgleich er stets eine mehr innerliche, stille
natur war. Der entschluss der entscheidung zwischen dem väterlichen fabrikbesitze
und der mühevollen laufbahn eines gelehrten war die erste schwere aufgabe, die
ihm das leben brachte. Wie er diese gelöst hat, völlig und interesselos den nöti-
gungen seiner idealgesinten natur folgend, so hat er stets gehandelt, so rein und
edel war er stets, uns allen das muster einer harmonischen seele. Fast nie störte
sich bei ihm das gleichgewicht zwischen treuer und eifriger arbeit und feinsinnigem
genusse, in jahren, wo das leben anderer hastig hin und her zu schwanken pflegt.
In seiner seele sah es fast stets so gleichmässig und reinlich aus, wie in seinen
manuscripten, so ruhig und heiter, wie in seinen briefen, deren köstlichen humor
niemand fremdes dem stillen gelehrten zugetraut hätte.

Wer es weiss, was die wahl einer academischen laufbahn in den germanistischen fächern für Russland, was eine privatdocentur für einen fremden in Deutschland bedeutet, wird auch in diesen entschliessungen Amelungs die energischen
antriebe einer idealen natur herausfuhlen, um so mehr, wenn er den verstorbenen
genug gekant hat, um zu wissen, dass ruhmsucht in dieser überbescheidenen, fast
scheu sich abschliessenden seele keine rolle spielte.

In Dorpat hatte er sich trotz seiner aussichtslosen stellung wenigstens gesell-
schaftlich wol gefühlt; in Breslau kam zu manchen schweren schicksalsschlägen
noch seine vereinsamung hinzu, die einen dunklen schatten über seine seele warf.
Je weniger er sich in grösseren kreisen frei bewegen mochte, desto lebhafter war
bei ihm das bedürfnis an eng befreundete gemüter sich anzulehnen, namentlich in
einer schweren und arbeitsvollen zeit; und solche zu gewinnen ist ihm in Breslau
leider erst zu spät gelungen. Stetes unwolsein und mit ihm sorgen um die zukunft
kamen endlich hinzu, um diese sonst so harmonische seele in eine tiefe verstim-
mung hinab zu drücken, aus welcher sie auch die freudenbotschaft der berufung
nur vorübergehend erheben konte.

Schliesslich darf des besten wol auch noch gedacht werden, dass sich in
Amelung mit den jahren immer mehr ein tiefgehendes philosophisches interesse
herausbildete, das ja auch in seinem aufsatz über Darwin und die sprachwissenschaft, mehr aber wohl aus seiner Dorpater antrittsvorlesung herausblickt: die weite
des umblicks, die consequenz des denkens, welche sich in dem inhalte sowol, als
in dem klar gegliederten aufbau und der ruhigen, feinsinnig anmutigen form verraten, sind dieselben eigenschaften, die seine freunde in wissenschaftlichem disput
so oft an ihm zu bewundern gelegenheit hatten. Und dass er seinen auf philoso-
phischem wege gewonnenen überzeugungen bis zu den letzten schweren stunden
getreu blieb, dafür möge zum beweis dienen, dass er den beistand eines geistlichen, der ihm in Montreux zwei tage vor seinem tode zugeführt wurde, allerdings
mit ausdrücken der achtung für dessen überzeugungen, die er indessen nicht zu
teilen vermöge, zurückwies.

Arthur Amelungs grab befindet sich auf dem herrlichen friedhof von Clarens,
von dessen höhe man weit herab blickt auf den blauen Genfersee und die ewigen
herge über ihm. Eine cypresse und eine marmortafel mit seinem namen bezeichnen
die stätte, wo er zur ruhe gegangen.“ —

Soweit die dem unterzeichneten zugegangenen mitteilungen. Er hat zunächst hinzuzufügen, dass seine bekantschaft mit Amelung mit dem jahre 1864 begonnen hat. Beide bildeten mit J. Zupitza und einigen anderen schülern Müllenhoffs ein germanistisches kränzchen, welches durch gemeinsame cursorische lecture und durch fröhliches zusammensein nach der arbeit gewiss allen teilnehmern förderlich und erfreulich gewesen ist. Auch hier zeigte sich Amelungs liebenswürdige natur in unvergesslicher weise. Später ward dieser verkehr durch die räumliche trennung unterbrochen, bis im vergangenen frühjahre Amelungs berufung nach Freiburg wider zu einem lebhaften briefwechsel und zu einem — freilich von traurigen ahnungen erfüllten — widersehn in Freiburg führte.

Aus Amelungs briefen ist zunächst nachzutragen, dass er in Dorpat während dreier semester Nibelungen, Minnesangs Frühling und deutsche grammatik las und gleichzeitig in jedem semester praktische übungen abhielt in got., ahd. interpretation und in bearbeitung mhd. texte mit einleitendem vortrag über metrik. In Breslau las Amelung während des sommersemesters über Minnesangs Frühling, im wintersemester über ags. und leitete got., ahd. übungen.

Amelungs litterarische arbeiten sind sämtlich im jahre 1871 erschienen. Er beteiligte sich 1) an dem von Müllenhoff veranstalteten Heldenbuche durch die ausgabe des Ortnit und des Wolfdietrichs A (Bd. III und IV. Berlin 1871 und 1873), woran sich der von O. Jänicke — welcher ihm im tode vorangegangen ist — bearbeitete Wolfdietrich B und C anschloss. Selbständig veröffentlichte Amelung 2) „Die Bildung der tempusstämme durch vocalsteigerung im deutschen, eine sprachgeschichtliche untersuchung (Berlin 1871)." 3) Die Dorpater magisterdissertation 1871 enthielt „Beiträge zur deutschen metrik"; sie liegt in dieser zeitschrift vor [in Band III, Halle 1871]. 4) Die am 16. october 1871 gehaltene antrittsvorlesung (Dorpat 1871) handelte „Über das verhältnis der philologie zu den übrigen historischen wissenschaften." Endlich 5) brachte die Baltische monatsschrift bd. II. s. 137—169 einen aufsatz über die Darwinsche theorie und die sprachwissenschaft. Es ist zu erwarten, dass in dem nachlasse Amelungs sich noch einiges zur veröffentlichung reif vorfinden wird, namentlich weitere forschungen über die vocalsteigerung im Deutschen.

Von den unter nr. 1—3 genanten arbeiten ist anzunehmen, dass sie in den händen der fachgenossen sich befinden, die mit den einschlägigen fragen beschäftigt sind. Dagegen dürfte es wol gerechtfertigt erscheinen, wenn die unter nr. 4) und 5) aufgezählten, in Dorpat erschienenen abhandlungen wenigstens in ihrem kerne hier berührt werden. Am schlusse des letztgenanten aufsatzes sagt Amelung (s. 167): „Blicken wir jetzt noch einmal auf alle, die hier erörterten hergänge zurück, so ist denn doch die analogie zwischen der entstehung der sprachverschiedenheiten und der der organischen arten eine sehr oberflächliche und äusserliche. Nicht nur, dass die sprachen und die organismen an sich durchaus heterogene, unvergleichbare objecte sind, (hier handelt es sich um eigentliche gegenstände, materielle körper, lebendige individuen, dort um eine abstracte tätigkeit, einen blossen process, eine reihe zeitlich auseinanderliegender hergänge, vgl. s. 144): auch die allgemeinen ursachen, durch welche hie und dort die fortschreitende veränderung und die spaltung in gesonderte arten bewirkt wird, sind gänzlich verschiedene. Wie dort alles auf der physischen abstammung beruht, so hier alles auf dem socialen verkehr und geistigen austausch. Das reale band, welches verwante sprachen mit einander verknüpft, liegt nicht in dem physiologischen begriff der vererbung, sondern in dem historischen begriff der überlieferung, einem begriff,

der überhaupt nur auf geistigem gebiete anwendung finden kann ... Man darf
sich durch solche bildliche ausdrücke wie abstammung, verwantschaft, descendenz,
wachstum, altern und aussterben der sprachen nicht irre leiten lassen; die realen
hergänge, die damit bezeichnet werden, haben mit den betreffenden physiologischen
hergängen schlechterdings gar nichts gemein als den namen. Es ist ein irrtum,
zu glauben, dass die entwickelung der sprache auf wesentlich anderen grundlagen
beruhe, als die entwickelung jedes anderen culturzweiges, und der unterschied ist
nur relativ, wenn der grosse entwicklungsprocess der sprache noch mehr als jede
andere culturentwickelung sich unbewust vollzieht. Es ist eine übel angebrachte
bescheidenheit gegen unser wissenschaftliches nachbargebiet, wenn wir unsere eigene
berechtigung nicht anders zu documentieren wissen, als indem wir unsere discipli-
nen für naturwissenschaftliche ausgeben. Die abgrenzung der historischen wissenschaften gegen die naturwissenschaften liegt in dem stoff, den sie behandeln. Beide
haben es nur mit den erscheinungen der realen welt zu tun; diese mit den natur-
erscheinungen, jene mit den culturerscheinungen. — — — So lange wir nicht im
stande sind, alle, auch die complicirtesten psychologischen hergänge auf einfache
physikalische gesetze zurück zu führen, werden wir diese teilung des gesamten
gebietes unserer erfahrung in naturwissenschaften und historische wissenschaften
aufrecht erhalten müssen. Dass dieser dualismus in unserem denken endlich einmal versöhnt werde, das ist ja das ziel aller bemühungen auf beiden gebieten; aber
es ist nichts damit gewonnen, sich vorzureden, dass die schranke bereits gefallen
sei, die uns noch überall im wege steht."

Welches nun aber die einzelnen historischen wissenschaften sind, setzt Amelung in der unter nr. 4) verzeichneten Dorpater antrittsvorlesung auseinander.
Indem er hier (s. 15) von Boeckh wesentlich ausgehend zwei hauptgebiete des geisteslebens scheidet, je nach dem psychologischen motiv, das entweder dem rein
psychischen triebe nach theoretischer erkentnis, ästhetischen wolgefallen, ethischer
befriedigung genügen will, oder einen aussen liegenden zweck, im letzten grunde
die erhaltung des lebens und die erweiterung des lebensgenusses erstrebt, stellt er
auf die eine seite kunst, religion und wissenschaft, auf die andere die sprache,
die technischen fertigkeiten, die socialen organisationen. Der begründung dieses
systems nachzugehen ist hier ebenso wenig möglich, als den ausführungen Amelungs über das verhältnis der philologie, welche ihm die erforschung der gesamten
cultur eines der grossen culturvölker ist, zur historik, sowie weiterhin zur neuerdings sogenanten völkerpsychologie.

Soviel wird jedoch aus dem angeführten klar geworden sein, dass Amelungs
anlage und bildung ihn namentlich auf die philosophische betrachtung seiner wissenschaft hinführten, dass er die probleme, die er sich stellte, ebenso tief verfolgte
als er die ergebnisse seiner untersuchungen klar und ruhig darstellte. Er war ein
durchaus selbst denkender kopf. Und wenn er so früh dahin scheiden muste, so
dürfen wir auch auf ihn anwenden, was Lessing einmal sagt: wer viel gedacht hat,
hat viel gelebt.

PRAG, 29. JUNI 1874.   ERNST MARTIN.

Aus Amelungs nachlass wird soeben ein aufsatz Über den Ursprung der deutschen Vocale in der Zeitschrift für deutsches Alterthum, XVIII. bd. (n. f. VI),
s. 161 fg. abgedruckt.   E. M.

LYCEALZEUGNIS JACOB GRIMMS.

Eine copie des lycealzeugnisses Jacob Grimms, angeblich eine übersetzung des lateinischen originals, befindet sich im besitze des fräuleins Dorothea Hassenpflug, einer nichte Grimms. Mein hochgeschätzter freund, herr hauptmann Anton Walter von Waltheim in Hannover hatte die grosse freundlichkeit, diese copie für mich abzuschreiben.

Die copie scheint mir nicht direct aus dem lateinischen übersetzt zu sein, sondern auf eine deutsche vorlage hinzuweisen, denn nur so lässt sich die lücke nach „wissenschaften" erklären. Vor „und" stand höchst wahrscheinlich wider „wissenschaften," das auge des schreibers irrte von dem ersten auf das zweite und er liess so das zwischen beiden stehende ganz aus.

Vielleicht glückt es noch, das original aufzufinden, einstweilen genüge die mitteilung der vorhandenen abschrift.

Über den rector des Kasseler lyceums, prof. Richter, ist die selbstbiographie J. Grimms kl. schr. I. 3 zu vergleichen.

BONN.   AL. REIFFERSCHEID.

L. B. S.

Das lob herrlicher geistesgaben und eines unaufhaltsamen fleisses verdient der edle jüngling J. L. C. Grimm.

Er befleissigte sich so eifrig der schönen künste und wissenschaften nach dem unterrichte, den er in diesem lyceum empfieng, dass er nicht nur seine natürlichen geistesvorzüge und talente bewies, sondern auch seinen eifer und eine edle lobenswerte begierde ihn zu nähren und durch eigne sorgfalt zu vervollkommnen und auszubilden zeigte. Durch diese rühmlichen eigenschaften bewirkte er, dass er in allem, was hier vorgetragen, schnelle, ausgezeichnete fortschritte machte und sich die kenntnisse der lateinischen sprache und der griechischen, wie auch der im menschlichen leben so nötigen und zur ehre gereichenden wissenschaften . . . . und wichtigen studien fortzuschreiten, so darf man die hoffnung hegen, dass ihm dieses vorhaben glücklich und zu seinem ruhme gelingen werde.

Möchte er nur einst freudig erfahren, dass diese hoffnung sicher und gewiss und nicht eitel gewesen sei. Dies ist mein wunsch.

Geschrieben

KASSEL, 13. MÄRZ 1802.   Karl Ludwig Richter,
                                          Rector und Professor des Lyceums.

DIE MANUSCRIPTA GERMANICA DER KÖNIGLICHEN UNIVER-SITÄTSBIBLIOTHEK ZU GREIFSWALD.

MITGETEILT DURCH DR. HERRMANN MÜLLER.

Der vorrat an handschriften in der königlichen universitäts-bibliothek zu Greifswald beträgt der zahl nach 791. Diese gesamtzahl ist in neun klassen verteilt, in Manuscripta Borussica, Pomeranica, Italica, Francica, Batava, Orientalia, Latina, Germanica, Theologica. Innerhalb dieser einzelnen abteilungen ergibt sich folgender bestand:

1) Mss. Borussica 18 [12 in folio, 6 in quarto].
2) Mss. Pomeranica 453 [310 in folio, 138 in quarto, 5 in octavo].
3) Mss. Italica 2 [1 in folio, 1 in quarto].
4) Mss. Francica 5 [4 in quarto, 1 in octavo].
5) Mss. Batava 3 [1 in folio, 2 in quarto].
6) Mss. Orientalia 21 [8 in folio, 4 in quarto, 9 in octavo].
7) Mss. Latina 91 [19 in folio, 61 in quarto, 11 in octavo].
8) Mss. Germanica 122 [73 in folio, 45 in quarto, 4 in octavo].
9) Mss. Theologica 76 [24 in folio, 44 in quarto, 8 in octavo].

Wenn ganz naturgemäss in der universitäts-bibliothek von Greifswald, der stadt, welche den brennpunkt des geistigen lebens der provinz Pommern bildet, die Manuscripta Pomeranica nicht allein numerisch den hauptbestand der handschriften ausmachen und deren zahl reichhaltiger ist, als die der übrigen acht klassen zusammen, sondern auch rücksichtlich des inneren wertes bedeutend überwiegen, so findet sich doch auch in jeder einzelnen der übrigen klassen gar manches wichtige, interessante, oder einzige stück, welches in weiteren kreisen bekant und einer benutzung zu wissenschaftlichen, gelehrten zwecken erschlossen zu werden wol verdient. Der tendenz und der richtung dieser zeitschrift gemäss, muss eine derartige mitteilung sich auf die klasse der Manuscripta Germanica beschränken Durch eine einsicht des verzeichnisses selbst, eine kentnisnahme von dem inhalt der handschriften, bei denen man sich nicht durch die titel irre führen lasse, wird man sich leicht darüber klar werden, in welchem sinne die bezeichnung Mss. Germanica gebraucht ist, die erklärung und den schlussel dazu finden, mit welchem recht die einzelnen codices unter diese rubrik subsummiert sind.

MANUSCRIPTA GERMANICA.

In folio.

1. Papier in folio, 18 blätter, saec. XVIII, von Joh. Boettichers hand geschrieben; — enthält: Ritterrecht des herzogtums Bremen, anfang, enthaltend die bestimmungen erzbischofs Heinrich a. 1577, febr. 22, nebst edicten desselben vom jahre 1580, decbr. 9, und edicten erzbischofs Christoph a. 1556, sowie eine urkunde könig Christians IV von Dänemark, betreffend die wahl eines coadjutors für das hochstift.

2. Papier in folio, 524 blätter, von mehreren händen saec. XVIII geschrieben; — darin: Ritterrecht des herzogtums Bremen, enthaltend die privilegien der Bremischen ritterschaft von der zeit erzbischofs Heinrich [1577, febr. 22] bis ende des 17. jahrhunderts.

3—4. Papier in folio, zwei bände zu 136 und 140 blättern, von Joh. Boettichers hand in den jahren 1724 und 1725 geschrieben; — darin: Joh. Bötticher, reise-protokolle und rechnungen, betreffend seine reise durch Deutschland vom märz 1724 bis mai 1725, zum zwecke einer collecte für den wideraufbau der im letzten kriege eingeäscherten kirchen in der stadt Wolgast. — Band I. Reise vom märz bis ende december 1724 [136 blätter]. Band II. Reise vom 1. januar bis 7. mai 1725 [140 blätter, von welchen jedoch bll. 52—140 nicht beschrieben sind].

5. Papier in folio, 71 blätter, von zwei händen saec. XVII geschrieben; — darin: Dat Lubesche recht, in niederdeutscher sprache; — dahinter von anderer hand saec. XVII bl. 69—71: Rechtsentscheidungen nach Lübischem rechte.

6. Papier in folio, 129 blätter, vom bürgermeister Albrecht Wustrauwe zu Alt-Brandenburg um 1443 und 1453 geschrieben, in zwei columnen, in niederdeutscher sprache. Früherer besitzer der prof. der rechte in Greifswald dr. Schildener; enthält:

1) Bl. 1—98: Vermehrter Sachsenspiegel, sächsische distinctionen in 6 büchern, davon buch I, capp. 48—58 doppelt vorhanden [fol. 28 col. 2 a. f. — fol. 35¹ col. 1. med.]

2) Bl. 99—128: Richtsteig landrechts, in 49 capiteln, mit der vorrede und dem epilog.

3) Bl. 128¹ col. 1—col. 2 med. Verfahren gegen Friedensbrecher.

4) Bl. 128¹ col. 2 m. — Bl. 129 col. 2. Zwei Magdeburger Schöffensprüche.

Auf bl. 129 col. 2 med. die notiz über den schreiber der handschrift; bl. 129¹ von anderer hand beschrieben. Vergl. die beschreibung dieser handschrift bei Homeyer, Die deutschen Rechtsbücher des Mittelalters und ihre Handschriften. Berlin, 1856 p. 102. no. 284, wo aber irrig angegeben wird, dass fol. 28—35 die capitel 60—87 des Sachsenspiegels doppelt vorhanden seien.

7. Papier in folio, 17 blätter vom jahre 1678; — darin: Project der neu revidierten statuten der stadt Zittau.

8. Papier in folio, 19 blätter, saec. XVIII; — darin: Erblicher traditionsrecess zwischen kaiser Ferdinand II und dem kurfürsten Johann Georg von Sachsen, betreffend die abtretung der Ober- und Nieder-Lausitz an Sachsen, d. d. Praga, den 30. mai 1635, ratificiert zu Görlitz den 14/24. april 1636.

9. Papier in folio, 17 blätter, saec. XVIII; — darin: 1) bl. 1—11: Novellae Novellarum über die erneuerte Königlich Böhmische Landes-Ordnung und publicirte Novellen (v. j. 1641—1654) aus bemeldeten Königreichs Landtafel zusammengetragen. — 2) bl. 12—17: Ein singspiel. — Latein. brief könig Karls II von England an Christian V von Dänemark, d. d. Whitehall a. 1675. octbr. 5. — Satyra Batava, edita a. 1670. (Carmen Latinum.)

10. Papier in folio, 20 blätter von verschiedenen bänden saec. XVIII; — darin: Samlung politischer satyren und beiträge zur geschichte des 17. jahrhunderts, nämlich: 1) bl. 1—2: Dialogus zwischen dem papste, dem kaiser, prinz Eugen, einem italienischen hauswirte und einem deutschen soldaten. — Deutsches gedicht a. 1780. — Satyre auf den papst. — Blatt 3 unbeschrieben. — 2) bl. 4: Das baierische vater unser. — Spottgedicht auf den kurfürsten. — 3) bl. 5—7: Verzeichnis von medaillen. — 4) bl. 8—9: Nachricht von dem Balle, welchen die europäischen Potentaten auf dem grossen Saale Deutschlands in diesem Carneval

gehalten haben. Anno 1742. - - 6) bl. 10--13: Spottgedichte auf den prinzen von
Wales — Stettin, 1703. · Spottgedicht auf die zusammenkunft der drei könige in
Potsdam a. 1709. — 7) bl. 14: Französisches und lateinisches gedicht auf Karl II
von Spanien und die niederlage der Russen am Pruth. — 8) hl. 15—16: Satire
auf Mecklenburg in niederdeutscher sprache. — 9) bl. 17: Prognostikon einer bai-
erischen nonne, welche kaiser Karl VII noch bei lebzeiten Karls VI die nachfolge
im reiche prophezeit hatte. — 10) hl. 18: Gedanken über den marsch der Franzosen ins reich a. 1742. — Gedicht. — 11) bl. 19--20: Die glückliche wahl eines
neuen schulzen im dorfe Hermannsdorf a. 1742.

11. Papier in folio, 8 blätter saec. XVII ex. und XVIII; — enthält: Extract
aus Herzog Magnus, bruder Friedrichs II von Dänemark, Verzichtbrief auf
seinen anteil in den herzogtümern Schleswig-Holstein, d. d. 1559, august 29 und
andere dahin gehörige documente. — Vidimierte abschrift d. d. 1680 octbr 19.

12. Papier in folio, 5 blätter, saec. XVII; — darin: Fürstlich Dithmarsische
Constitution, wonach die professio bonorum und in catastrum redactio in Norder-Dith-
marschen soll verrichtet werden. Unterzeichnet: Friedrich, d. d. schloss Boltörf den
20. juni 1638. (Copie.)

13. Papier in folio, 29 blätter, saec. XVIII; — darin: Constitutiones Zitta-
viensium. Enthält das stadtrecht, die ordnung und polizeivorschriften, welche vom
magistrat für die stadt erlassen worden sind, s. d.

14. Papier in folio, 6 blätter, saec. XVIII; — darin: Wahre bedeutung des
Verhängnisses der baldigen und zukünftigen ohne einer letzten Zeit. 1700. -- Enthält prophezeiungen über die geschichte der jahre 1700—1875.

15. Papier in folio, 33 blätter, saec. XVIII; -- darin: Kaisers Ferdinandi
Newe Münzordnung. Sampt Valuirung der Gulden und silberin Müntzen und darauff
erfolgtem Kayserlichen Edict, zu Augspurg alles im Jahr 1559 auffgericht und
beschlossen.

16. Papier in folio, 5 blätter, saec. XVIII; — darin: Das älteste und echte
Liefflländische Ritter- und Land-recht, wie solches weyland Bischoff Albrecht
zum Ersten zu Riga mit Rath Meister Volquini und seines Ordens, auch Bewilligung
seines Adels und anderer Zugezogenen, auffgesetzet und publiciret worden ist, umbs
Jahr n. Chr. Geb. 1228.

17. Papier in folio, 130 blätter, von 2 händen saec. XVIII geschrieben;
darin: 1) bl. 1—65: Liefländisches ritterrecht. Buch 1—3. — 2) bl. 66—
69[1]: Bauerrecht. — 3) bl. 69[1]—116[1]: Weitere abschnitte aus dem Liefländischen rechte. — 4) hl. 116[1] ex.--130: Samlung rechtlicher und polizeilicher
verordnungen aus der Liefländischen gesetzsamlung.

18. Papier in folio, 82 blätter, saec. XVIII; — darin: 1) bl. 1—62: Der
königl. stadt Riga gerichtsordnung und statuta de a. 1680. Buch 1—6. --
2) bl. 63—82: Samlung königl. Schwedischer plakate und verordnungen für Liefland, aus den jahren 1631, 1681, 1682, 1684.

19. Papier in folio, 46 blätter, saec. XVIII; — darin: Caspar Schütz, Kurtzer und gründlicher Bericht von Erbfällen, wie es damit im Lande Preussen nach
Magdeburgischem, Sächsischem und Culmischem Rechte frey und Gewohnheit gehalten wird; und sonderlich was desfalls der Königl. Stadt Dantzig Rechtsgebrauch ist.
Dantzig, 1576.

20. Papier in folio, 21 blätter, saec. XVIII; — darin: Recess zwischen bürgermeister und rat und der bürgerschaft zu Lübeck, vollzogen am 6. januar 1669.

21. Papier in folio, 138 blätter, saec. XVIII; — darin: Joh. Rhode, erzbischof von Bremen, Registrum bonorum et jurium ecclesiae Bremensis. In niederdeutscher sprache; geht bis 1506.

22. Papier in folio, 8 blätter, saec. XVIII; — darin: Species Facti wegen der Chur-Braunschweigisch-Lüneburgischen Differentien mit dem Dom-Capitul in Hildesheim. Anno 1711.

23. Papier in folio, 24 blätter, saec. XVIII ex.; — darin: 1) bl. 1—18: Inhalt der fünf bücher lehen-recht in der Wiecke und im Stichte von Oesell, nach capiteln aufgezählt. —- 2) bl. 19—24: Gerichtliche Ordnung der Gehaten Gerichts Stichtischer Rechte . . . . aus gemeinen Stichtischen landläufigen Rechten kürzlich begriffen und ausgezogen.

24. Papier in folio, 25 blätter, saec. XVII ex.; — darin: Über das Chur-Brandenburgsche Ceremoniale. teil 1. 2. 3. 1686.

25. Papier in folio, 19 blätter, saec. XVII ex.; — darin: Demüthige Supplications-Schrifft Churfürstl. Pfältzischer Gemahlin Charlotte, von wegen ihres Gemahls, Churfürstens in der Pfaltz (Karl Ludwig) aussgesetzter Ehepflichtung, sub praetextu denegatae cohabitationis, an Ihro Kayserl. Majestät (Leopold I) abgelassen. Heidelberg 1661, juli 26. Nebst briefen der kurfürstin an ihren gemahl und der correspondenz des letztern mit seiner maitresse, Maria Susanna von Degenfeld.

26. Papier in folio, 21 blätter, saec. XVII; — darin: Cartell etzlicher ritterlicher Exercitien, so auf Anordnung Seiner Churfürstl. Durchlaucht, Herrn Christian, Hertzogs zu Sachsen, zur Feier der Entbindung seiner Gemahlin Sophie, gebornen Markgräfin zu Brandenburg, am 5., 7. und 8. Juni 16... auf dem Schlossplatze zu [Meissen] gehalten werden sollen. — Mit detail-bestimmungen über die einzelnen turniere und einem verzeichnis der siegespreise.

27. Papier in folio, 24 blätter, saec. XVII; — darin: Ceremoniell für die feierliche bestattung des kurfürsten Friedrich Wilhelm von Brandenburg in Berlin, am 12. september 1688.

28. Papier in folio, 5 blätter, saec. XIX; — darin: Über den herzog von Mantua († 25. september 1637) und herzog Victor Amadeus von Savoyen; († 7. october 1637). Beschreibung des todes des letztern und beurteilung der bedeutung beider für Italien. — Bruchstück einer italienischen geschichte oder übersetzung eines solchen.

29. Papier in folio, 10 blätter, saec. XVIII ex.; — darin: Reichs-Matricul de anno 1598.

30. Papier in folio, 7 blätter, saec. XVIII; — darin: Abschiedt dess Regensburgischen Collegial-Tages, anno 1630, novbr. 12.

31. Papier in folio, 10 blätter, saec. XVII ex.; — darin: Reinssburgisches [Regensburgisches] Reichstags-Protocollum, im Fürstenrath gehalten. Sessio 1—20. (1640, sept. 18/8 — octbr. 15/25.)

32. Papier in folio, 3 blätter, saec. XVII; — darin: Urkundliche Relation dessen, was mit einem Chur-Brandenburgischen Gesandten an den Grafen, General Tilly, in einem vertraulichen Gespräch vorgegangen, am 15., 16. und 17. Febr. 1629.

33. Papier in folio, 14 blätter, saec. XVIII; — darin: Münz-edict des Reichstages, d. d. Augsburg a. 1677. juni 21.

34. Papier in folio, saec. XVIII; — darin: Die Churfürstl. Brandenburgischen, in dem Fürstenrathe auf gegenwärtigem Reichstage wegen Magdeburgs abgelegten vota, vindizirt von den beschwerlichen und unerfindlichen Auflagen, womit dieselben in dem Österreichischen voto beleget werden sollen. Anno 1682.

35. Papier in folio, 4 blätter, saec. XIX; — darin: Convention wegen evacuierung Cataloniens, und des waffenstillstandes in Italien, geschlossen zu Utrecht den 14. märz 1713. (Deutsche übersetzung.)

36. Papier in folio, 18 blatter, saec. XVIII; — darin: Collectanea über die Barden.

37. Papier in folio, 41 blätter, saec. XVIII; — enthält actenstücke zur geschichte Mecklenburgs und zwar: 1) bl. 1: Beschreibung der rückkehr des herzogs Carl Leopold von Danzig nach Schwerin am 8. juni 1730. — 2) bl. 2—4: Briefwechsel desselben und des herzogs Christian Ludwig von Mecklenburg, bezüglich auf die usurpation der herzoglichen gewalt durch letztern, während der gezwungenen abwesenheit Carl Leopolds, d. d. 1730, juni 19. — 3) bl. 5—10: Proclamation des herzogs Carl Leopold an seine untertanen, in welcher er als rechtmässiger fürst ihren gehorsam fordert, d. d. Schwerin, 1732, december 15. — 4) bl. 11—12: Erlass desselben d. d Schwerin, 1733, juni 9. — 5) bl. 13—14: Proclamation desselben an das land d. d. Schwerin, 1733, juni 29. — 6) bl. 15—18: Proclamation des königl. Preussischen generallieutenants von Schwerin im namen des königs, als kreisdirectors, an die Mecklenburger, d. d. hauptquartier Steinbeck, 1733, octbr. 21. — 7) bl. 19: Extract aus dem schreiben herzogs Adolf Friedrich von Mecklenburg-Strelitz an den postdirector Vatry in Stralsund, d. d. Strelitz 1704, januar 14. — Bl. 20 leer. — 8) bl. 21—40: Gegenbericht, wie es mit der Rostockischen Accise und dem dabei denen Bürgermeistern, dem Rathe und der Bürgerschaft angeschuldigten aber unerwiesenen Verbrechen oder Malversation bewandt . . . . . . der Welt vor Augen gestellt. — 9) bl. 41: Extract des von ritterschaftlichen und landschaftlichen bevollmächtigten und deputirten der herzoglichen commission in Rostock überreichten memorials. s. d

38. Papier in folio, 15 blätter, saec. XVIII; — darin: Wahrhaffte und umständliche Beschreibung und Abbildung des im Monat Januarius 1740 in St. Petersburg auffgerichteten merckwürdigen Hauses von Eis, mit dem in demselben befindlich gewesenen Hausgeräthe; nebst einigen nützlichen Anmerckungen von der Kälte überhaupt und derjenigen insonderheit, welche im gedachten Jahre durch gantz Europa verspüret worden. Den Liebhabern der Naturgeschichte mitgetheilt und herausgegeben von Georg Wolffgang Krafft, prof. phys. St. Petersburg, 1741.

39. Papier in folio, 6 blätter, saec. XVIII ex.; — darin: Kurzer Extract aus Hoffmars gründlichem Bericht von denen zu Sedlitz und Seidschütz in Böhmen neu entdeckten bitteren Purgir-Brunnen.

40. Papier in folio, 62 blätter, saec. XVII ex. und XVIII; — darin: Schriften und briefe zur geschichte des Hamburgischen kirchen- und schulwesens; nämlich: 1) bl. 1—6: Nachrichten von der Hamburger stifts- und domkirche, s. XVIII. — 2) bl. 7—12: Von J. F. Mayers hand: Kurtzes theologisches Bedenken, ob und wie das Domkapitel in Hamburg zu reformiren sey? Von Joh. Friedr. Mayer. (Concept.) Nebst begleitschreiben desselben an die Hamburger geistlichkeit. (Concept.) — 3) bl. 13--14: Declaration der Hamburger geistlichkeit wegen beilegung der bisherigen streitigkeiten und irrungen, d. d. Hamburg 1694, juni 8. — 4) bl. 15—19: Brief Joh. Friedr. Mayers an den generalsuperintendent Joh. Fischer zu Stockholm und antwort des letztern, d. d. Stockholm 1694, octbr. 4. — 5) bl. 20—21: Erlass der schwedischen regierung an oberkirchenrat

Mayer, betreffs widerbesetzung der pfarre zum Alten Walde, d. d. Stade 1696, märz 30. (Original.) — 6) bl. 22—23: Eingabe der Hamburger geistlichen an senat und bürgerschaft in kirchenangelegenheiten, d. d. 1697, april 27. (Concept mit zusätzen von J. F. Mayers hand.) — 7) bl. 24: Schreiben derselben wegen widerbesetzung der pfarre zu St. Nicolai, d. d. 1697, mai 10. — 8) bl. 25—26: Extract des protocolles der sitzung der Hamburger kirchspiel-herren und zuraten, d. d. 1698, mai 1. — 9) bl. 27—28: Extract des sitzungs-protocolles derselben corporation, d. d. 1701, august 31. -- 10) bl. 29—42: Leges et constitutiones Gymnasii Hamburgensis, erlassen von bürgermeister und rat, d. d. 1652, januar 2. (8 bl.) Einliegend 2) eine ältere abschrift derselben gesetze, von cap. II, § 5 an, bis zum schlusse, von einer hand saec. XVII. [5 hl.] — 11) bl. 43 —44: Copia eines schreibens des Hamburger senates an das fürstliche stifts-consistorium zu Quedlinburg, d. d. 1698, august 3. [2 hl.] s. XVIII. — 12) bl. 45—46: Joh. Friedr. Mayer, verordnung über den privat-unterricht zu Hamburg, namens der behörden erlassen. s. d. [Concept von Mayers hand.] — 13) bl. 47—54: Verein-barung der deutschen schulmeister im St. Jacobi-kirchspiel zu Hamburg. Anno 1698. (8 bl. saec. XVIII. 4°.) — 14) bl. 55—58: Namen der jetzigen schulmeister im St. Jacobi-kirchspiel. — 15) bl. 59—60: Bittschrift mehrerer lehrer zu St. Johann um eine gratification, d. d. 1699, decbr. 20. (original.) -- 16) bl. 61—62: Bestal-lung für den director der deutschen schule, Heinr. Meissner, d. d. 1688, decbr. 20.

41. Papier in folio, 1 blatt, saec. XVIII; · - enthält: Ordnung und form des juden-eides.

42. Papier in folio, 18 blätter, saec. XVIII; — darin: Russische geschichte vom regierungsantritte Wassilje Iwanowitschs (1521) bis zum jahre 1654, mit appen-dix. Der verfasser nicht genant und nicht zu ermitteln. Bl. 18 leer.

43. Papier in folio, 14 blätter, saec. XVII. med.; — darin: Wismaria, empo-rium auctum et augendum; Confectum a. 1665, mens. Julio. (Wismariae.) Enthält vorschläge zur hebung des hafenplatzes Wismar; gleichzeitige copie mit correctu-ren des verfassers.

44. Papier in folio, 24 blätter, saec. XVIII; — darin: 1) bl. 1--12: Testa-ment des Rostocker bürgermeisters Matthaeus Liebherr, d. d. Rostock 1690, novbr. 1. — 2) bl. 13—24: Testament der eheleute Georg Radau (prof. jur. Ro-stock., später domprobst und stadtsyndicus in Lübeck) und seiner gattin Catharina, geborn. Siebrand, d. d. Rostock a. 1676, febr. 8. Nebst codicill d. d. Lübeck, auf dem Domprobstei a. 1698, märz 3.

45. Papier in folio, 14 blätter, saec. XVIII; — darin: Schulordnung der stadt Lindau am Bodensee, mitgeteilt a. 1725, m. jan., von dem dortigen rector an Joh. Boetticher bei seiner anwesenheit daselbst.

46. Papier in folio, 6 blätter, saec. XVIII; — darin: Instruktion und Ord-nung für die Herren Rectorem und Praeceptores des evangel. Gymnasiums bei St. Anna in Augspurg. (Augspurg, Joh. Ulrich Schönigk. 1634. 4°.) NB. Copie des druckes.

47. Papier in folio, 15 blätter, saec. XVIII inc.; — darin: 1) bl. 5—11: Erlasse königs Christian V von Dänemark und herzogs Friedrich von Schles-wig-Holstein, über das kirchen- und schulwesen des landes a. 1696—1701. (4 origi-nale und 2 copieen) — 2) bl. 12—15: Zwei eingaben des rectors Dan. Hartnack zu Schleswig, an herzog Friedrich, betreffend seine stellung, d. d. 1701, mai 1 und 1701 s. d. (Origg.)

48. Papier in folio, 16 blätter, von zwei verschiedenen händen, saec. XVIII; — darin: 1) bl. 1—9: Joh. Christ. Rachwitz, (rector der stadtschule zu Kiel). Christlicher Vorbericht und wohlgemeinte Ermahnung, was sowol die Eltern, ... als auch die Kinder ...... in Acht zu nehmen haben. — 2) bl. 10—12: Gründlicher Bericht von den Müntzen, wie selbige von 200 Jahren her von Zeit zu Zeit gestiegen und gegolten. (Von Joh. Chr. Rachwitz.) — 3) bl. 13—16 v. a. h.: Kielsche Schul-Gravamina.

49. Papier in folio, 10 blätter, saec. XVIII; — darin: Actenstücke, betreffend die Kieler schulangelegenheiten, nämlich: 1) bl. 1—2: Promemoria des collaborators Joh. Christ. Rachwitz an herzog Carl Friedrich, d. d. Kiel 1728, mai 1. — 2) bl. 2^1—3^1: Promemoria desselben an denselben, d. d. Kiel 1728, januar 10. — 3) bl. 4—4^1: Erlass des herzogs Carl Friedrich an seine regierung und mandat der letztern in betreff der eingaben des collaborators Rachwitz, d. d. Gottorp 1712, octbr. 3.   Dahinter: Extract aus dem protocolle des consistorial-gerichts zu Kiel vom 16. juli 1714. — 4) bl. 5—6: Eingabe des collaborators Rachwitz an das consistorium wegen der privatisten (= privatschulen). — 5) bl. 7—10: Bittschrift desselben an den herzog wegen aufhebung der privatschulen, s. d. — Bl. 10 ist nicht beschrieben. (Sämtlich copieen.)

50. Papier in folio, 42 blätter, von mehreren händen, saec. XVII und XVIII geschrieben; — darin: Actenstücke, betreffend die kirchenangelegenheiten der schwedischen provinz Stade, nämlich: 1) bl. 1—2: Erlass königs Karl XI an die regierung und das tribunal zu Wismar, d. d. Stockholm 1694, octbr. 6. (Original.) — 2) bl. 3—4: Erlass desselben an den oberkirchenrat Mayer in Hamburg, d. d. Stockholm 1694, octbr. 10. (Original.) — 3) bl. 5—6: Erlass desselben an denselben, d. d. Stockholm 1694, octbr. 10. (Original). — 4) bl. 7—8: Erlass desselben an denselben, d. d. Stockholm 1694, decbr. 1. (Original.) — 5) bl. 9—10: Erlass herzogs Friedrich von Schleswig an denselben, d. d. Tremsbüttel 1695, mai 4. (Original.) — 6) bl. 11—12: Erlass desselben an denselben, d. d. Tremsbüttel 1695, mai 11. (Original.) - 7) bl. 13—16: Erlass königs Karl XI an denselben, d. d. Stockholm 1696, juli 17. (Original.) — 8) bl. 17—18: Rescript der regierung zu Stade an denselben, d. d. Stade 1697, febr. 8. — 9) bl. 19—20: Brief der Stader geistlichkeit an denselben, d. d. Stade 1697, märz 4. — 10) bl. 21—22: Eingabe derselben an könig Karl XII. d. d. Stade 1701, febr. 7. — 11) bl. 23—24: Eingabe derselben an oberkirchenrat Mayer, d. d. Stade 1701, novbr. 9. — 12) bl. 25—26: Extract aus einem sitzungsprotocolle der regierung zu Stade vom 30. novbr. 1706, in sachen des pastors Mende, d. d. Stade 1706, decbr. 14. (2 bl. in 4°.) — 13) bl. 27—42: Urteil des tribunals zu Wismar in sachen des superintendenten Gerhard Meyer zu Bremen, klägers, gegen den dortigen pastor primarius am dome, Ulrich Mende, verklagten, d. d. Wismar 1708, febr. 29. (Abschrift. 16 bl.)

51. Papier in folio, 69 blätter, saec. XVIII; — darin: Collectanea einiger von Koenigen und Fürsten denen bey ihren Höffen residirenden Abgesandten, und dieser wiederumb jenen, wie auch der Abgesandten unter sich selbst, gegebenen scharffsinnigen, theils ernsthafften, theils ironischen, theils grossmüthigen, theils zweiffelhafften, Antworten und Reparties, mit andern darunter lauffenden anmuthigen Begebenheiten. (Von einem dieser gesandten verfasst.)

52. Papier in folio, 165 blätter, saec. XVII; — darin: 1) bl. 2—127: Des fürstentums Esthland ritter- und land-recht, buch I—VI, nebst register; dahinter 2 leere blätter. (Blatt 1 der vorrede fehlt.) — 2) bl. 1—38 v. a. h.: Samlung gerichtlicher erkentnisse aus dem bereiche des Ehstländischen landrechtes.

53. Papier in folio, 301 blätter, von zwei verschiedenen händen a. 1632 und saec. XVII med.; — enthält: 1) bl. 1—296: Leben des heil. Benedict von Nursia und der heiligen männer und frauen des ordens in niederdeutscher sprache. Am schlusse: „Uhtgenomen van vellen perickelen dar de ehrwirdige Doctor Helynandus, de van den Orden S. Benedicti was, in dem Kloster Frigidi Montis ser velle van geschreven hefft . . . . . . Anno Domini 1632." Dahinter hl. 296 [1] das inhaltsverzeichnis des ganzen werkes. — 2) bl. 1—5 v. a. h. saec. XVII med.: Des heiligen beichtigers Aegidii leben. Hochdeutsch.

54 — 54 [a]. Papier in folio, 2 bände von 247 und 212 blättern, von drei verschiedenen händen saec. XVII; — darin: Reimarus Kock, pastor zu St. Peter, Chronika der kayserlichen Stadt Lübeck. — Thl. I, enthaltend buch 1 — 6, Geschichte der jahre 980—1437; das jahr 1438 am ende fehlt. — Thl. II, enthaltend buch 1—2, Geschichte der jahre 1439—1499, von zwei verschiedenen händen geschrieben. — (Thl. III, die jahre 1500—1549 umfassend, fehlt.) — Die vorstehende abschrift gehört zur 2. klasse der handschriften; cf. Grautoff, Lübeckische chroniken I, vorrede p. 38.

55. Papier in folio, 279 blätter, saec. XVIII; — darin: 1) bl. 1—161 [1]: Reimarus Kock, Chronika der Kayserlichen Stadt Lübeck. — Thl. I. buch 1 — 6: Die jahre 980—1437 enthaltend, abschrift der vorhergehenden handschrift; hl. 162 —164 sind nicht beschrieben, bl. 165 enthält ein weiteres excerpt aus Kocks chro- nik. — 2) bl. 166—174 [1] v. a. h. a. 1738: Henrici Kerckring, cons. Lubec. Verzeichniss von denen Adels - Familien der Zwickel - Gesellschaft in Lübeck. (Lübeck) 1689. 4⁰. — Excerpt aus diesem drucke, geschrieben a. 1738; — bl. 175 und 176 unbeschrieben. — 3) bl. 177—242 [1] v. a. h.: Register über R. Kocks Lübeckische Chronicka. (Reinschrift.) — Bl. 243—247 nicht beschrieben. — 4) bl. 248—279 v. ders. h.: Dasselbe register. (Concept.)

56. 57. Papier in folio, zwei bände zu 351 und 359 blättern, saec. XVIII, in niederdeutscher sprache; — darin: (Johann Renner) Chronika der stadt Bremen. — Mit aktenstücken. — Bd. I. Enthält buch 1—3, Die geschichte von der ältesten zeit bis zum tode des 43. erzbischofs, Johann Rohde (1511, decbr. 4.). — Bd. II. Enthält die fortsetzung von erzbischof Christoph (1512) bis zum jahre 1585; dahinter späterer zusatz: „Anno 1583 hat de Raht zu Bremen" bis zur cursiven beerdigung erzbischofs Heinrich a. 1647 zu Bremervörde. Dahinter v. a. h. Auszug aus einem protokolle von 1640, juni 2, mit einer notiz über den kirchlichen glauben des erzbischofs. — Die chronik schliesst im originale auf bl. 358 [1] mit dem jahre 1583, in welchem der verfasser starb; alles übrige ist späterer zusatz. — Das original dieser noch nicht gedruckten chronik befindet sich in der stadt- bibliothek in Bremen; abschriften davon sind sehr verbreitet.

58. Papier in folio, 14 blätter, von mehreren händen saec. XVII und XVIII geschrieben; — darin: 1) bl. 1: Epistola Andr. Helvigii ad amicum de aera Indic- tionum, d. d. Strathburgi, e museo nostro, a. 1640, decbr. 8. — 2) bl. 2—3: Claud. Salmasii Testimonium, datum Arnoldo Neumanno, d. d. Leidae 1646, juni 5; — Ejusdem Epistola ad eundem, d. d. ibid. 1646, juli 26. — 3) bl. 4: Monumentum Cardinalis et Ducis Richelii, ab Armando Joh. Plesseo Cardinali compositum. (Ist die lateinische grabschrift des cardinals Du Plessis auf Riche- lieu.) — 4) bl. 5 — 6: Gespräch zwischen prinz Eugen von Savoyen und dem duc de Villeroy. Gedruckt zu Cremona. (Aus dem Französischen.) — 5) hl. 7—8: Brief der königin Henrietta Maria von England an ihren gemahl Karl I, d. d. Haag 1642, octbr. 8. — 6) bl. 9—10: de Wolter, Relation de l'état de la maladie de feu S. Majesté Impériale, d. d. Munic, le 24 janvier 1745. — 7) bl 11— 12: Sidonia Hedwig Zäunemann, poetische zeilen auf die zu Erfurt am 21. october entstandene und 22. october 1736 noch fortwährende feuersbrunst. — 8) bl. 13 —14: Recepta wider den stein.

59. Papier in folio, 101 blätter, saec. XVIII; — darin: Mecklenburgische chronik, buch 1—7 von einem ungenanten verfasser. — Begint mit den Herulern und Wenden und schliesst mit der vermählung herzogs Sigismund August von Mecklenburg mit Anna Maria, tochter herzogs Bogislav von Pommern a. 1593.

60. Papier in folio, 492 blätter, von mehreren händen, saec. XVIII; — darin: 1) bl. 1—314: Mag. Bernhardi Latomi Wismariens. Mekelnburgisches Genealo-Chronicon, teil 1—3 bis 1609, novbr. 1. (cf. bl. 88 inc.) — Die vorreden zu teil 1 und 2 sind datiert Neu-Brandenburg 1610, märz und mai 1. — 2) bl. 1—33 v. ders. h.: Joh. Frid. Chemnitii, Icti Mecklenburg. Epitome genealogico-historica Ducum Principumve Mecklenburgensium. Kurtzer genealogischer und historischer Begriff aller fürstlichen und hertzoglichen Personen des durchlauchtigsten hauses Mecklenburg, bis a. 2654. — 4) bl. 1—45 v. a. h.: Nicol. Marscalci Thurii, Geschichte des fürstlichen Hauses Mecklenburg, buch 1—5 in versen. Buch 5 (bl. 43—45) handelt von den Wenden und Vandalen. — 5) bl. 1—47 v. a. h.: Fratris Lamberti Slagghert, Chronik des S. Clara-klosters zu Ribbenitz in Mecklenburg, von a. 1210 bis 1578; — bl. 41—47 enthält nach dem schlusse der chronik die verzeichnisse der zum kloster gehörenden kirchen, besitzungen, dann die predigt-texte für das ganze kirchenjahr, die namen sämtlicher seit der stiftung im kloster gewesenen nonnen, der äbtissinnen, beichtväter, der woltäter des klosters, nach städten geordnet, des in der sakristei aufbewahrten schatzes an kleinodien, die namen der verstorbenen nonnen, endlich ein verzeichnis der sämtlichen bistümer und klöster in Mecklenburg. — In niederdeutscher sprache verfasst.

61. Papier in folio, 278 blätter, von verschiedenen händen saec. XVII ex. und XVIII geschrieben; — darin: 1) bl. 2—16 saec. XVIII: Ritter-Recht, das ist: Des Bremischen Adels landläufige Gebräuche und Satzungen in Erb- und andern Fällen, dem Bremischen Domkapitel a. 1577 am 22. Decbr. von Erzbischof Heinrich confirmiret und bestätiget. — 2) bl. 17—25 v. ders. h.: Constitution des erzbischofs Heinrich wegen wucherischer contracte im herzogtum Bremen, d. d. schloss Bremervörde, den 9. december 1580. — 3) bl. 26—47 v. a. h.: Baldahlscher landtags-recess, abgeschlossen zwischen den deputirten des herzogtums Bremen und den commissarien der Schwedischen regierung, d. d. Bremen, den 30. juni 1651, mit der formel des huldigungs-eides an königin Christine am schlusse. — 4) bl. 48—52 von ders. h.: Bestätigung der special-privilegien der Bremischen ritterschaft durch königin Christina, d. d. Stockholm, den 5. juli 1651. — 5) bl. 53—57 v. a. h.: Bestätigung der General-privilegien der Bremischen stände durch dieselbe, d. d. ibidem den 7. juli 1651. — 6) bl. 58—278 v. verschied. händen: Acta der grossen Königlich Schwedischen Haupt-Commission zu Bremen und Verden a. 1688—1693. (28 actenstücke zur geschichte der herzogtümer Bremen und Verden.)

62. Papier in folio, 21 blätter, saec. XVIII; — darin: Krayss-Abscheidt des Ober-Sächsischen kreises, d. d. Zerbst, den 17. april 1588.

63. Papier in folio, 166 blätter vom jahre 1557, 1559 und 1565; — darin: 1) bl. 1—165: Hamburgische chronik, teil 1—4, von Karl dem Grossen bis auf Karl V a. 1555; — am schlusse: „Absolutum est hoc opus Hamburgi, a. 1557, den 29. decbr." — 2) bl. 165¹—166: v. ders. hand: Geschlechtstafel der herzöge von Schleswig - Holstein, und historische notizen aus dem jahre 1559, nebst liste der bewilligten zulagen in den jahren 1554—1565.

64. Papier in folio, 4 blätter, saec. XVIII; — darin: Beschreibung des actus introductionis des königl. hohen tribunals zu Wismar. Geschehen den 17. mai 1653.

65. Papier in folio, 29 blätter, v. verschied. händen saec. XVIII; — darin; Vergleiche und recesse wegen einrichtung und unterhaltung des königl. tribunals zu Wismar, aus den jahren 1656—1721.

66. Papier in folio, 69 blätter, saec. XVIII; — darin: 1) bl. 2—12: Ernst Augusts, bischofs zu Osnabrück und herzogs zu Braunschweig - Lüneburg, accise - und consumptions - ordnung, publiciert den 20. october 1686; der schluss fehlt; — blatt 13 leer. — 2) bl. 14—34: Zoll - und accise - rollen für das herzogtum Bremen - Verden. — 3) bl. 35—69: Zoll - und accise - rollen, im auftrage der Schwedischen regierung aufgesetzt, d. d. Stade, den 28. märz 1690. — Bl. 54 nicht beschrieben und hier lücke im text. — (Die im inhaltsverzeichnisse des bandes weiter aufgeführten fünf schriften fehlen jetzt.)

67. Papier in folio, 32 blätter, saec. XVIII; — enthält: Beschreibung von China, verfasst von einem daselbst lebenden missionär.

68. Papier in folio, 21 blätter, saec. XVIII med. von zwei verschiedenen händen; — darin: 1) bl. 1—14: Allgemeiner friedens - tractat zu Aachen, den 18. octbr. 1748. — 2) bl. 15: Protest der markgrafen von Baden auf dem reichstage gegen die dem kurfürsten von Braunschweig - Lüneburg im Aachener frieden gegebene gewährleistung seiner deutschen lande mit bezug auf Lauenburg, und gegen den desfallsigen protest des hauses Anhalt, d. d. Regensburg, den 29. juni 1749. — 3) bl. 16—20 von Schwartzs hand: A. G. Schwartz, bemerkungen zu den öffentlichen akademischen vorlesungen über den Aachener definitiv - friedens - tractat vom jahre 1748, gehalten im sommer 1749; dahinter 1 leeres blatt.

69. Papier in folio, 36 blätter, von zwei verschied. händen saec. XVIII; — darin: 1) bl. 1—4: Testament der kaiserin Katharina I von Russland — der schluss fehlt. — Abschrift nach dem zu Wien gedruckten exemplar. — 2) bl. 5—36 v. a. h.: Urkunden und manifeste der russischen kaiser und kaiserinnen: Anna, Johann III, des herzogs Biron von Curland bericht über seine gefangenschaft; urkunden der kaiserin Elisabeth; aus den jahren 1739—1747.

70. Papier in folio, 16 blätter von verschiedenen händen saec. XVII; — darin: Turnierordnungen und gedicht auf das ringelrennen; 1601.

71. Papier in folio, 323 blätter, saec. XVIII ex.; — darin: Theodor Drewitz, wörterbuch der Sassisch-Niederdeutschen oder sogenanten Plattdeutschen sprache. Ein idiotikon für Neu - Vorpommern und Rügen. Mit besonderer rücksicht auf etymologie und orthographie. Band I. Von A—Ligt. Seite 193—228, 253—264, 301—303 und 310—312 fehlen.)

72. Papier in folio, 34 blätter, saec. XVII und XVIII; — darin: Urkunden und actenstücke zur geschichte der universität Kiel, aus dem jahre 1683—1701, zusammen 19 actenstücke.

73. Papier in folio, 17 blätter von A. G. Schwartzs hand, saec. XVIII; — darin: Hanseatica. Urkunden zur geschichte Hamburgs und der Hansa, aus den jahren 1606—1618. Gesammelt von A. G. Schwartz. — (Ist bl. 159—175 von MSS. Pomeran. Folio 25.)

In quarto.

1. Papier in quarto, 377 blätter, saec. XVII ex. — XVIII med. von verschiedenen händen; — darin: Samlung deutscher und lateinischer gelegenheits- und anderer gedichte verschiedener verfasser — im ganzen 56 gedichte und schriften.

2. Papier in quarto, 122 blätter, saec. XVI med.; — darin: bl. 1—36. Dat neddersten Rechte-Boeck der Keyserlichen Stadt Luebeck; — bl. 34—36 leer. — Annex.: 1) bl. 1—69: Lübisches recht, mit register zu anfang; — bl. 1. 9. 10. 70—74 sind nicht beschrieben. — 2) bl. 1—17: Wisbyer seerecht. — Am schlusse: ,,Hyr endiget syck dat Gohtlandsche Waterrecht, dat de ghemeyne Koppmann unde schyppers gheordineret hebben to Wyssby, dat sick eyn yder darna rychten mag. The endiget unde vullenbracht ys dys boeck am avende der Hemmelvart unses herren Jesu Christi a. D. 1541.'' Bl. 18—29 sind nicht beschrieben.

3. Papier in quarto, 390 blätter von verschied. händen saec. XVIII; — darin: 1) bl. 1—135: Mecklenburgische reimchronik, in vier büchern, verfasst durch Nicol. Marschalck Thurius (rat herzogs Heinrich); dahinter 4 leere blätter — 2) bl. 1—59: Genealogia der Hertzogen von Mecklenburg. (Verfasser wahrscheinlich Thurius.) — Dahinter 2 leere blätter. — 3) bl. 1—107 v. a. h.: Verzeichniss etzlicher gedenckwürdiger Geschichten, zu Schwerin vorgelauffen, von Mag. Bernhardo Hederico, Rectore scholae daselbst, trewlich zusammengebracht. — 4) bl. 1—76 v. a. h.: Michael Cordesius, prediger an St. Georg zu Rostock, Chronicon Parchimense, oder historische Beschreibung der stadt Parchim im Hertzogthumb Mecklenburg .... Mit angefügtem Stammbaume der Hertzogen von Mecklenburg.

4. Papier in quarto, 6 blätter, saec. XVII; — darin: bl. 1—4: Über den ethnicismus.

5. Papier in quarto, 355 blätter, von zwei händen a. 1710 geschrieben; — darin: Mag. Andreas Westphal, Anclam. Systema juris naturalis et gentium, adornatum ad methodum et dispositionem jurisprudentiae naturalis et gentium domini Buddei Phil. Prof. hac ratione, ut simul juris naturalis et gentium controversi habeatur ratio, omniaque ex historia recentissima saec. XV^i, XVI^i et recentissimi illustrentur et controversiarum concinnetur historia nexu accurato, subjunctis scriptis in utramque partem editis. Gryphiswaldiae, 1710, die 28 August. — (Bl. 1—119, 193—228 sind von Westphals hand, der rest von einem schreiber geschrieben.)

6. Papier in quarto, 374 blätter, von mehreren händen saec. XVII u. XVIII; — darin: 1) s. 1—179: Fr. Jasteri, Prof. Eloqu. Collegium oratorium fundamentale in C. J. Hübneri Quaestiones oratorias, habitum in Gymnas. Carolin. Sedin. a. 1706, m. Junio. (Von Joh. Boettichers hand geschrieben.) — Adnex. 1) s. 1—108: Ejusdem Observationes quaedam ac monita ad Hübneri Quaestiones oratorias, Sedini a. 1708 m. Januario habitae, von and. hand; — dahinter: s. 109—112: Praecepta brevia de conscribendis epistolis, und andere notizen von verschiedenen händen. — Adnex. 2) fol. 1—23 v. a. h.: Rhetorica. — Adnex. 3) fol. 1—9 von Joh. Boettichers hand: De Chriis expositio. — Adnex. 4) fol. 1—54 v. a. h. a. 1672: Dan. Schulteti, Prof. Sedin. Dictata oratoria, a Frid. Calsovio Gryphisw. Palaeo - Sedini a. 1672, m. Maio excepta. — Adnex. 5) fol. 1—22 v. ders. h. a. 1673: Ejusdem Dictata rhetorica ab eodem excepta ibid. a. 1673 m. Martio. — Adnex. 6) fol. 1—8 von Boettichers hand: Disput. de Rhetorica praeside Kirchmanno habita anno 1704 Febr. 7; — bl. 5—8 sind nicht beschrieben — Adnex. 7) fol. 1—39 v. a. h. 1666: Frid. Dedekindi Prof. Gryph. Collegium metaphysicum anno 1666 m. Septembr. habitum. (Eigentum von Paul Wigand, welcher wahrscheinlich der schreiber ist) — Adnex. 8) p. 1—105 von Boettichers hand: Joh. Boetticheri Miscellanea s. Excerpta, tumultuario ordine absque titulis convenientibus ex clarissimorum et rariorum auctorum scriptis realia. Sedini, a. 1707. —. Adnex. 9) fol. 1—15 v. ders. hand: Excerpte und notizen.

7. Papier in quarto, 230 blätter, von verschiedenen händen saec. XVII und XVIII; — darin: bl. 1—113: Auszug aus den „Altonaischen Novellen" a. 1681— 1687; aus der „Europäischen fama" a. 1708 und andern zeitschriften, von Boettichers hand. — Adnex. 1) bl. 1—14 v. ders. h.: Designatio historiae Gallicae et series regum. — Adnex. 2) bl. 1—5 v. ders. h.: Jac. Wolff, Aus Pufendorfs einleitung. Excerpt. Stralsund, 1705. Dahinter 5 weitere blätter von ders. hand. — Adnex. 3) bl. 1—11 v. a. h.: Discursus historicus exponens historiam universalem recentiorem, maxime duorum saeculorum proxime elapsorum. Auf bl. 1 die bemerkung von Boettichers hand: Sedini 1714, ex communicatione Burmeisteri, Pastoris S. Johannis. (In deutscher sprache) — Adnex. 4) s. 1—43 v. a. h.: Novissima Historia Sueciae. (Deutsch.) — Adnex. 5) bl. 1—27 v. ders. h.: Einleitung zur neueren Polnischen geschichte; mit einem anhang: Von der Liefländischen Historie (bl. 16—20) und Einleitung zur neueren Moscowitischen historie. (bl. 24—27.) — Adnex. 6) bl. 1—36 v. a. h. a. 1700: Guilh. Stricker (Rector Scholae Neo-Brandenburgensis) Brevis et succincta in historiam tam profanam quam sacram introductio, ab illo dictata exceptaque ab Hinrico Knoch, Loetz-Pomerano, anno 1700 octavo Kal. Julii.

8. Papier in quarto, 62 blätter, von einer hand a. 1543; — darin: 1) bl. 1-- 47 r.: Historia van Herrn Joh. Bandschouw, Burgermeister, und Herrn Henrick van Haren, Rathsherr zu Wismar, welcher Gestalt desulven a.. 1427, am Tage Laurentii, daselbst enthövet sind, mit etlichen Spröken göttlicher Schrifft geziret. (Niederdeutsch.) — 2) bl. 48—62: Die Vorsöninge van Herr Joh. Bandschowen und Herr Hinrick van Haren, dat en God gnädig si. In 22 Artikeln, d. d. Wismar. a. 1430˙ Dingestag vor Mittfasten, 21. März. (Ist eine öffentliche erklärung des bischofs von Schwerin uud des rathes zu Wismar in sachen der beiden hingerichteten.) — Auf bl. 47 ¹ die jahreszahl 1543.

9. Papier in quarto, 170 blätter, von drei verschied. händen saec. XV; — enthält: 1) bl. 1—99¹: Arzneybuch, über wein und verschiedene arzneimittel, geschrieben a. 1430, am Montage Marie. — cfr. bl. 99¹ ex. —, in 117 kapiteln. — 2) bl. 100—120¹ v. ders. h.: Gesundheitsregeln und Arzneibuch. Fragment. — Enthält nur capitel 38, 43, 113, 114, 140—145 und capitel ohne nummern. — 3) bl. 121—123 inc. v. a. h.: Von gepranten Wassern. — Bl. 124 —158 sind nicht beschrieben. — 4) bl. 159¹—163¹ v. a. h.: Von Edeln Gestein; — ein gedicht auf die edelsteine; — bl. 164—170 unbeschrieben.

10. Papier in quarto, 234 blätter, saec. XVII inc. von Joh. Boettichers hand;— darin: 1) bl. 1—101: Buddeus, Vorlesung über Philosophia moralis a. 1704, nachgeschrieben von Joh. Boetticher. — 2) bl. 1—132: Desselben vorlesung über Instituta moralia in 6 capiteln, von demselben nachgeschrieben.

11. Papier in quarto, 141 blätter, von Joh. Boettichers hand a. 1706 und 1719 geschrieben; — darin: 1) hl. 1—135: Andr. Westphal, Prof. Gryph., Vorlesung über die geschichte der europäischen staaten, a. 1719. — 2) bl. 137—141: Joh. Phil. Palthenius, Prof. Gryphisw., Collegium privatum über die jetzt regierenden staaten von Europa. 1706.

12. Papier in quarto, 6 blätter, saec. XVIII; — darin: Bittschrift der französischen protestanten an könig Ludwig XIV, um aufhebung der königl. declaration vom 17. juni 1681 in betreff der kinder protestantischer eltern im alter von 7 jahren. Aus dem Französischen. 1681.

13. Papier in quarto, 16 blätter, saec. XVIII; — enthält: Vollkommene beschreibung dessen, was in der Dobberanschen kirche zu sehen und zu lesen ist.

14. Papier in quarto, 7 blätter, von verschied. händen saec. XVIII; — darin: 1) bl. 1—2¹: Mazarinsches Kartenspiel, wie es der König von Frankreich mit dessen Adhaerenten von a. 1672 bishero gespielt. (Eine satyre.) — 2) Bl. 3—4 v. a. h.: Auflösung eines Räthsels von Matthias Lonicer gestellet. — 3) bl. 5r. v. a. h.: In mortem Pontificis Clementis. — 4) bl. 6—7¹ v. Joh. Boettichers hand: Grabschrift Caroli von St. Denis, Ritters von St. Evremont. Stettin, 1708.

15. Papier in quarto und octavo, 22 blätter, saec. XVIII; — darin: Excerpta ex chronologia curiosa sive mnemonica Schurtzfleischii, Prof. Witteberg.

16. Papier in quarto, 20 blätter, von mehreren händen saec. XVIII; — darin: 1) bl. 1—8¹: Andr. Westphal, Anclam. Historie von Land-Charten, a. 1710 in Greifswald geschrieben; — dahinter: Vom Tode des Dauphin; von den Miquelets in Spanien; Über Kaiser Josephs I Regierung. — 2) bl. 9—12 v. a. h.: Miscellanea, collecta Sedini a. 1714. (Über landkarten und ihre verfertiger.) — 3) bl. 13—18¹ v. a. h.: Verzeichniss der besten Land-Charten. — 4) bl. 19—20 v. a. h.: Excerpte aus dem buche: „Gründlicher und ausführlicher Bericht der Course, Landkrümmungen, Streckungen, Einläufe, Bänke, Grunde, sammt Klippen der ganzen Ostsee, von Joh. Manson, Schwedischem Steuermann." Verteutscht durch Schiffer Hans Wittenburg. Wismar 1669. 4°.

17. Papier in quarto, 23 blätter, saec. XVIII; — darin: Stammtafeln deutscher fürstenhäuser, aus Hübners genealogischen tabellen.

18. Papier in quarto, 538 blätter, saec. XVII, — darin: Eberhard Windeck von Mainz, Chronik des Kaisers Sigismund. Am Schlusse: Ditz puch ist gend worden in Eger, am Freitage nach S. Veit's Tag, nach Christi Geburt Tausend vierhundert und in dem ein und sechtzigsten Jahre, geschrieben (von) Ulricus Aicher, Diener ader ercher (?) der Stat Eger, mit seiner Hand, und ist der gepurth von Kotzeng. Got helff ym mit Lib und die Junckfrau Maria, das er das und mer schriben musse, und lange bleibe gesund mit seiner schonen frawen Barbara, des Caspar Richter's doselbs Tochter.

19. Papier in quarto, 250 beschriebene und 36 nicht beschriebene blätter, saec. XVII und XVIII von verschied. händen; — darin: Samlung von 18 verschiedenen schriften in französischer, deutscher und lateinischer sprache, über erziehung und unterrichtswesen; nämlich: 1) bl. 1—15 saec. XVIII: Instruction donnée au Gouverneur du jeune Czarevitz de Moscovie, touchant l'éducation de ce prince, d. d. Schlüsselburg, 1703, April 3. — 2) bl. 1—6 von Boettichers hand: Von Vortheilen, wie ein junger Printz, auch sonst ein junger Politicus, in geist- und weltlichen Wissenschaften, wohl anzuführen und auf leichte Art gelehrt zu machen sey. — 3) bl. 1—10 v. ders. h.: Detlev Marq. Friesen, Schwed. Rath, Vorschlage wegen erziehung der söhne des general-feldmarschalls grafen Nicol. Bielcke, d. d. Stettin 1693, juli 7. — 4) bl. 1—8 v. ders. h.: Instructionen für das studium und die reise vornehmer junger Schweden. (1680. 1682.) — 5) bl. 1—8 v. a. h. saec. XVIII: Instruction des kanzlers Esaias von Pufendorf für den sohn eines schwedischen ministers und dessen hofmeister, s. d. — 6) bl. 1—65 von Boettichers hand: B. C. de Jaeger, Methodus studiorum nobili maxime Germanico commendanda. 1778. — Deutsch mit randbemerkungen. — 7) bl. 1—4 v. a. h. a. 1710: Mag. Grube zu Greifswald, Vorschlag über den unterricht. 1710. — 8) bl. 1—7 von Boettichers hand: Verschiedene excerpte aus drucken von 1712—1733. — 9) bl. 1—36 v. a. h. saec. XVII: Zwei schriften über den unterricht, nämlich: a) bl. 1—27: Methodus informandi; b) bl. 28—36: Methodus habendi collegia privata. Anno 1675. — 10) bl. 1—14 von Joh. Boettichers hand: Drei excerpte aus gedruckten werken über unterricht. (1680—1723.) — 11) bl. 1—24 v. ders. h.: Johann Joviani Pontani ad Alphonsum Calabriae ducem, De principe Liber, aus der Edit. Aldina, Venetiis 1518, m. Junio, copiert. — 12) bl. 1—25 von ders. h.: Drei Briefe von Joh. Caselius, Prof. Helmstad. (Abschriften aus drucken.) — 13) bl. 1—5 von ders. h.: B. C. von Jaeger, Reg.-Rath, Instruction und Gutachten dem Schlosshauptmann von Klinckowström wegen seines Sohnes damaliger Information gegeben. Aus dem eigenhändigen concepte Jaegers von Bötticher copiert. a. 1730. — 14) bl. 1—5 v. ders. h.: Treuherzige Ermahnung eines vornehmen Mannes (von Jaeger) an seine kinder. Aus dem concept des verfassers abgeschrieben. — 15) bl. 1—2 von ders. h.: Henningii Corsvant Iudicium de examine juvenum aliquot nobilium, d. d. Lassani a. 1684, Nov. 25. — 16) bl. 1—8 v. a. h. saec. XVIII: Theanus, welche man eine tochter der Pythagorischen Weisheit nannte, nachdenckliches Schreiben von Auferziehung derer Kinder. — 17) bl. 1—5 v. a. h. saec. XVIII a. m.: Excerpt aus der zeitschrift „Die Matrone" jahrg. 1730, stück 16 vom 20. april, enthaltend 3 briefe von C. J. Spätreif, von W. J. K.... und Atychis an die „Matrone" d. d. 1730, April 1, April 3 und April 6, über Erziehung. — 18) bl. 1 von Boettichers hand: Excerptum aus Erasmi Francisci Kunst- und Ritter-Spiegel ausländischer Nationen. Nürnberg, 1670. Folio.

20. Papier in quarto, 121 blätter, von Joh. Droysens hand a. 1707 geschrieben; — darin: Joh. Phil. Palthenii Collegium über die izo blühende Europäische Staaten, im Jahre 1707 gehalten.

21. Papier in quarto, 149 blätter, von Joh. Droysen in den jahren 1706 und 1708 geschrieben; — darin: Collegienhefte der vorlesungen des Greifswalder professors Joh. Phil. Palthenius, nämlich: 1) bl. 1—56: Joh. Phil. Palthenii, Lectiones in litteras, vulgo „Avisen." Excerptae a. Joh. Droysen a. 1706. — 2) bl. 1 —93: Desselben fortsetzung vorstehender vorlesung, gehalten 1706 septbr. 15 bis decbr. 12. Von Joh. Droysens hand a. 1708 geschrieben.

22. Papier in quarto, 361 blätter, von Joh. Boettichers und auch von anderer hand geschrieben, saec. XVIII; — darin: Samlung litterarischer excerpte.

23. Papier in quarto, 205 blätter, von zwei händen saec. XVIII; — enthält: 1) bl. 1—102 von Boettichers hand: Christian Thomasius, Wie man sich wol bey Hoff, gelehrten und ungelehrten, auch gemeinen Leuten in Conversation und auf Reisen klüglich aufführen soll. Abgeschrieben Sedini 1716. — Dahinter hl. 105 —106: Cérémoniel d'audience d'un Envoyé extraordinaire. — 2) bl. 1—24 v. ders. h.: Joh. Franc. Buddaei Collegium politico-morale, publice Halae habitum. Excerptum a. 1717. m. Augusti usque ad m. octob. — 3) bl. 1—36 von ders. h.: Verschiedene excerpte. — 4) bl. 1—39¹ v. a. h.: Ethices delineatio methodica.

24. Papier in quarto, 187 blätter, saec. XVIII; — darin: Joh. Boetticher, Scholae Wolgast. Rector. Hodoeporica ecclesiastico - scholastica, cum nonnullis litterario - miscellaneis, in itinere per Germaniam subinde concinnata. (1724.) — Von Boettichers hand, deutsch.

25. Papier in quarto, 120 blätter, saec. XVIII; — darin: Jac. Droysen, Collectanea miscellanea in deutscher sprache.

26. Papier in quarto, 98 blätter, von zwei verschied. händen a. 1690 und saec. XVIII; — darin: Diarium von Artzney-. Hauss-, Feldt-, Garten- und andern Sachen (auch curiosen Kunststücken). Von Joh. Boettichers hand geschrieben und später von einer hand s. XVIII (bl. 21¹ p. m. — bl. 91) mit zusätzen versehen.

27. Papier in quarto, 78 blätter, von Joh. Boettichers hand geschrieben a. 1715; — darin: Adnotata ad novissimum lexicon eruditorum Germaniae (d. i. J. Chr. Jöchers Gelehrten - Lexicon). Lipsiae, 1715. — Deutsch.

28. Papier in quarto, 6 blätter und 2 blätter in octavo, saec. XVIII; — enthält: 1) bl. 1—2: Succincta recensio alphabetica praecipuorum apud Pontificios patronorum (= Heiligenverzeichniss). Von Joh. Boettichers hand. — 2) bl. 3—4: Brief eines geistlichen, B. Luther, an einen ungenannten über fälle religiöser bekehrung. — 3) bl. 5—6: Promemoria, wie und wann die Milch-Kur am nützlichsten zu gebrauchen?

29. Papier in quarto, 4 blätter, saec. XVIII inc.; — darin: Fürstlich Mecklenburgische Rang-Ordnung. Schwerin, den 25. juli a. 1704.

30. Papier in quarto, 26 blätter, saec. XVIII; — darin: J. Caroc, Prof. Gryphisw. Collegium historiae philosophicae, in deutscher sprache.

31. Papier in quarto, 16 blätter, saec. XVIII; — darin: Abschrift des druckes „Von den newen Insulen unnd Landen, so itzt kurtzlichen erkunden sind, durch den Konigk von Portugal" (in 16 kapiteln, ebenso viele briefe von Albericus Vespuccius an Lorenzo di Medici aus dem jahre 1501 enthaltend). Leypzick (Wolffgang Muller, alias Stöcklin) 1505. 4°. — (Fehlt bei Panzer.)

32. Papier in quarto, 4 blätter, a. 1670; — darin: Grundlicher und durch eigenen Praxin gewiss befundener und ergrundeter Processus ⊙, deutlich entworffen von D. C. A. K..... und geschrieben von Johann Schütz, Theol. et Phil. Stud. Rostochii a. 1670, m. Augusti.

33. Papier in quarto, 8 blätter, von Joh. Boettichers hand, saec. XVIII; — darin: Über das liebesverhältnis des herzogs Eberhard Ludwig von Württemberg und des fräulein von Graebnitz, nebst poetischen episteln beider.

34. Papier in quarto, 16 blätter, saec. XVIII; — darin: 1) bl. 1—4: Hamburgische Müntz-Ordnung d. d. 1622, April 8. — 2) bl. 6—12: Hamburgische revidirte Gerichts-Ordnung d. d. 1632, octbr. 5. Bl. 13—16 sind nicht beschrieben.

35. Papier in quarto, 6 blätter, von Joh. Boettichers hand saec. XVII ex.; — darin: Verschiedene Excerpte, darunter aus Pufendorfs und anderer briefen.

36. Papier in quarto, 4 blätter, saec. XVIII med.; — enthält: Eine gewisse Prophezeiung, so ein Bauer mit Namen Michael Andreas Heyndorff aus dem Fürstenthum Sagan in dem Dorfe Bernstadt gesaget hat anno 1730, Dec. 17.

37. Papier in quarto, 6 blätter, saec. XVIII; — darin: Abschrift des druckes „Die mir erlebte grosse Wasser-Fluth, welche sich in der Christnacht bis auf die folgende Nacht des abgewichenen 1717 Jahres begeben, viele Länder überschwemmet, ... in zweyen Liedern kürtzlich beschrieben." Gedruckt in diesem Jahre 1718.

38. Papier in quarto, 4 blätter, saec. XVII; — darin: Privilegia oder Freiheit der Alten. — Satyre.

39. Papier in quarto, 8 blätter, saec. XVIII; — darin: Merkwürdigkeiten der bibliothek zu Jena.

40. Papier in quarto, 78 blätter, a. 1707; — darin: Joh. Phil. Palthenii, Prof. Gryphisw. Collegium über die itzo blühenden Europäischen Staaten. Greifswald, 1707.

41. Papier in quarto, 30 blätter, im jahre 1705 von Joh. Droysen geschrieben; — darin: Joh. Phil. Palthenii, Annotata curiosa ad Hübneri Quaestiones geographicas. Scripsit Joh. Droysen. Gryphiswaldiae, 1705, die 8 Mai. Der schluss fehlt. — In deutscher sprache.

42. Papier in quarto, 150 blätter, von Joh. Droysen saec. XVIII inc. geschrieben; — darin: Joh. Phil. Palthenius, Collegium über den Staat von Deutschland.

43. Papier in lang-quarto, 28 blätter, saec. XVIII; — darin: H. Stoltenauw, Genealogische Tabellen derer Regenten in Europa.

44. Papier in quarto, 200 blätter, von A. G. Schwarzs hand, saec. XVIII; — darin: Alb. Georg Schwarz, Sammlung zur Mecklenburgischen Lehen-Historie. A. 407—1740.

45. Papier in quarto, 14 blätter, geschrieben a. 1655; — darin: Fundament des Buchhaltens. Anno 1655. May 19.

In octavo.

1. Papier in octavo, 16 blätter, von Joh. Boettichers hand saec. XVIII; — darin: Joh. Boetticher, Excerpta jocosa, in deutscher sprache.

2. Papier in octavo, 189 blätter, von Joh. Boettichers hand saec. XVIII; — darin: Joh. Boetticher, Litterarische notizen über atlanten und kartenwerke der einzelnen länder, zusätze zu einer grösseren publication über diesen gegenstand, von welcher s. 257—547 am rande citiert werden. Dahinter (bl. 183—186) das register.

3. Papier in octavo, 37 blätter, von mehreren händen saec. XVII u. XVIII; — darin: 1) bl. 1—7 von zwei händen saec. XVII und XVIII: a) bl. 1—3 s. XVIII: Vorschriften zur baum- und frucht-cultur, zur behandlung der gemüse und andere notizen; — b) bl. 7[1] s. XVII: Lateinischer brief von C. R..... an einen freund, s. d. — 2) Bl. 1—10 v. a. h. s. XVIII: Recepte, p. 5—23 einer grösseren samlung. — 3) Bl. 1—10 von Boettichers hand: Mittel gegen den scorbut. — 4) bl. 1—10 v. ders. und andern händen s. XVIII: Recepte.

4. Papier in octavo, 14 blätter von Joh. Boettichers hand, saec. XVIII; — darin: Schlüssel zu den verdeckten namen, welche in Menantes (Pseudonym für Christ. Frid. Hunold) „Europäischen Höfen" zu finden.

ZUR ALTDEUTSCHEN SYNTAX.

P. Piper, über den Gebrauch des Dativs im Ulfilas, Heliand und Otfrid. Programm der Realschule zu Altona 1874. 30 s.

A. Moller, über den Instrumentalis im Heliand und das homerische Suffix *φι*. Programm des Gymnasiums zu Danzig 1874. 24 s.

A. Arndt, Versuch einer Zusammenstellung der altsächsischen Declination, Conjugation und der wichtigsten Regeln der Syntax. Programm des Gymnasiums zu Frankfurt a/O. 1874. 24 S.

Drei mir freundlichst übersante osterprogramme dieses jahres behandeln, sich unter einander vielfach berührend oder ergänzend, fragen der altdeutschen syntax.

In der zuerst genanten schrift beabsichtigt herr Piper eine darstellung des gesamten dativgebrauches in den ältesten grossen quellen für drei glieder unserer sprachfamilie. Das hervortretendste merkmal der arbeit ist die reichhaltigkeit der mit grossem fleisse gesammelten belege, bei denen mit ausnahme weniger ganz gewöhnlicher fälle absolute vollständigkeit erstrebt zu sein scheint; in dieser vollständigkeit des materials bietet die arbeit eine ergänzung der als vorarbeiten genanten untersuchungen Grimms in der grammatik und Köhlers (Dresden 1864. Germania XI, 260), so wie der nicht genanten und wie es scheint nicht gekanten gotischen grammatik von v. d. Gabelentz - Löbe im zweiten teile der Ulfilasausgabe. Die belege sind aus Ulfilas, Heliand und Otfrid zusammengestellt nach stamm - und sinnverwantschaft der verba, adjectiva und substantiva, mit denen ein dativ verbunden ist, so dass eine vergleichung der drei dialekte und dadurch eine einsicht in die entwicklung des dativgebrauches in der von ihnen umfassten zeit möglich gemacht wird.

Freilich kann man nicht sagen, dass der verfasser selbst das gesammelte material für diese ihm nach s. 1 vorschwebenden zwecke selbst erschöpfend verwertet habe; er überlässt es vielmehr mit ausnahme weniger andeutungen über das allgemeinerwerden bestimter verbindungen oder änderungen der construction (z. b. s. 14 as. *is mi niud* gegen ahd. acc.; s. 16 possessiver dativ; s. 20 reflexiver dativ im Heliand) dem leser, eine vergleichung der verschiedenen dialekte anzustellen und seine folgerungen daraus zu ziehen. Erschwert wird diese aufgabe dadurch, dass seine arbeit zum grösten teile aus citaten besteht, die oft unvollständig angeführt, oft nur durch stellenangabe bezeichnet werden.

Dass alle stellen ausgeschrieben wurden, war weder auf dem beschränkten raume möglich noch für alle ganz gewöhnlichen verbindungen wünschenswert; wol aber wird jeder eine grössere ausdehnung des die citate verbindenden textes wünschen, der das charakteristische einer jeden vom verfasser gebildeten gruppe klar und deutlich anzugeben und die eigentümlichen, altertümlichen und in irgend einer weise auffallenden belege aus der grossen menge der gewöhnlichen hervorzuheben hat. Hier hätte meines erachtens die grammatik von Gabelentz - Löbe, die wenige aber charakteristische und sorgfältig ausgewälte belegstellen für jede art des gebrauches und mit berücksichtigung des griechischen textes bietet, dem verfasser zunächst für das Gotische als anhalt dienen können. So scheint mir z. b. die aufzählung der merkwürdigen stellen, in denen im Gotischen ein sächlicher instrumentaler dativ ohne accusativisches object bei bestimten verben steht, die wir als transitive mit einem objectsaccusativ zu verbinden pflegen (Marc. 10, 50 *afvairpands vastjai seinai* = einen abwurf machend mit seinem kleide für: sein kleid abwerfend u. a.) bei Gab.-L. § 240, 3 reichhaltiger und belehrender als bei Piper s. 28; überraschende übereinstimmungen bietet auch hier der slavische Instr. Miklosich Vgl. Gramm. IV, 695 (g). 699. Mehrere altsächsische und alle althochdeutschen belege aber, welche Piper an die gotischen anreiht, erscheinen bei näherer betrachtung doch schon sehr verschieden von den gotischen, da in den ersteren — Hel. Heyne 1447 (Schmeller 43, 16). 5791 (171, 17) — ein passives verbum gebraucht ist, in den letzteren aber — Otfr. L. 30. II, 9, 85. IV, 27, 27 — überall ein objectsaccusativ beim verbum steht und der instrumentale dativ eine causale oder modale bestimmung der ganzen handlung gibt. Überhaupt sondert P. nicht wie Gab.-L. § 239, 2 die causalen instrumentale von den anderen, enger zur tätigkeit des verbums gehörenden ab.

Die sorgfältige untersuchung Gab.-L. § 231, 2 über den persönlichen dativ bei passiven verben hätte Piper doch wol davon abhalten können, diese stellen einfach (s. 29. H) zum instrumentalen dativ zu ziehn, dem auch Hel. 1564 (47, 3) *that siu im ni werde farloran* doch wol eben so wenig angehört als unser nhd. dass sie ihm nicht verloren werde oder gehe. Mangelnde sonderung der belege zeigt sich s. 7, wo die stelle Otfr. 1, 5, 26 *fatere giboranan ebanêwigan*, die Grimm IV, 714 mit recht als ablativisch heraushebt (= aus dem vater geboren als ein gleichewiger) bei Piper ohne bemerkung steht zwischen stellen wie got. Luc. 2, 11 *gabaurans ist izvis* (den hirten) *himma daga nasjands*. Hel. 123 (4, 10) *that thi kind giboran fon thinera alderu idis .. skoldi werdan* und Hel. 369 (11, 18) *that iru* (der Maria) *sunu ôdan warđ, giboran an Bethleêm*, wo der dativ nur zu *ôdan warđ*, nicht zu *giboran* zu construiren ist. Diese beispiele werden das urteil rechtfertigen, dass man bei benutzung und verwertung des in Pipers arbeit gebotenen materiales der sorgfältigen nachprüfung und des nachschlagens jeder stelle nicht überhoben ist; das letztere ist für den Heliand dadurch, dass nach den seitenzahlen der Schmellerschen ausgabe citiert wird, allen erschwert, welche diese nicht zur hand haben.

Ein wichtiger punkt bleibt noch zu besprechen. Die in neuerer zeit aus der vergleichung der verwanten sprachen auch für die germanische syntax gewonnenen ergebnisse, wie sie namentlich in den schriften von Delbrück schon seit längerer zeit vorliegen (ablativ, localis, instrumentalis schon 1867; dativ 1868 in Kuhns Ztschr. XVIII, 81 fgg.; vgl. die von Curtius Erläuterungen[2] s. 173, Scherer Zur Gesch. d. deutschen Spr. s. 268 u. a., Jolly Gesch. des Infinitiv s. 130 gegebenen andeutungen), hat herr Piper ganz unberücksichtigt gelassen. Eine folge davon es, dass seine anordnung im grossen und kleinen sowol vom historischen als vom allgemein sprachwissenschaftlichen standpunkte in vielen punkten angegriffen werden kann. Die functionen des indogermanischen ablativs und localis, welche nach Delbrück auf den germanischen dativ übergegangen sind, versucht Piper nicht auszusondern. Allerdings sind die meisten im altdeutschen schon durch verbindungen mit präpositionen ersetzt, aber es blieb doch zu untersuchen, ob nicht auf den ablativ z. b. noch das erwähnte *fatere giboranan* O. I, 5, 26, der dativ bei verben der trennung, im got. noch bei einfachen (Piper s. 2), ahd. nur bei zusammensetzungen mit *ir-*, *int-*, die nach Piper durch diese zusammensetzungen „zielend" geworden sind (s. 21), und einige andere fälle, auf den localis der temporale dativ (bei Piper s. 25 ein „ursprünglich zielender"), sowie vielleicht einige adverbiale und· absolute dative zurückzuführen sind. Piper unterscheidet also nur eigentlichen dativ und instrumentalis; aber auch in der sonderung und gliederung dieser haupt-

abteilungen wird man schwerlich mit ihm einverstanden sein können. Beim eigentlichen dativ wird unterschieden a) der gebrauch bei „zielenden" (s. 1 fgg.) und
b) bei „zielend gedachten" verben (s. 14 fgg.); — dieselbe unterscheidung tritt
beim adjectivum auf s. 22. 23: „adjectiva, deren zielende kraft nicht in ihnen
selbst, sondern nur in der auffassung des sprechenden besteht," und beim substantivum s. 23: „das [mit dem dat. verbundene] subst. kann an sich nicht zielend sein,
sondern nur zielend gedacht werden." Der wortlaut der unterscheidung ist nichts-
sagend, denn alle worte und wortverbindungen bedeuten jedesmal genau das, was
redende und hörende unter und an ihnen denken und auffassen. Was herrn Piper
bei diesem gegensatze vorgeschwebt hat, ist nicht etwa die unterscheidung zwischen
sinnlich wahrnehmbaren bewegungen und geistigeren beziehungen, die unter dem
bilde derselben aufgefasst werden, denn er führt in seiner abteilung a) verba beider bedeutungen an, während z. b. der dat. bei ahd. *queman, werdan, sin* s. 19
unter b) behandelt ist; — er will vielmehr, wie er s. 14 deutlicher ausspricht,
unterscheiden zwischen dativen, die die **notwendige ergänzung** eines verbal-
begriffes bilden, und solchen, die nur die person oder sache darstellen, **in beziehung auf welche** die tätigkeit des verbs vor sich gehend gedacht wird" — also
doch wol nicht notwendig, sondern nur im bestimten einzelnen falle. Ich halte die
unterscheidung für berechtigt, sobald man sie nicht als eine a priori gegebene,
sondern als eine historisch entwickelte auffasst und ausspricht. Die verbindung
mit dem dativ ist allerdings bei gewissen verben und adjectiven wegen ihrer
bedeutung so gewöhnlich und geläufig geworden, dass wir dieselben selten ohne
dativ brauchen und etwas vermissen, wenn kein dativ bei ihnen steht; und der
dativ kann ferner einer durch ein beliebiges verbum mit bestimmungen jeder art
ausgedrückten aussage frei hinzugefügt werden, um die an der ganzen handlung
irgendwie (d. h. in einer anderen, entfernteren weise als es durch den acc. bezeichnet wird) beteiligte person auszudrücken. Diese zweite art des dativgebrauches,
mag man ihn als dat. ethicus, commodi oder anders bezeichnen, halte ich für die
frischere, originellere, und ich glaube, dass in ähnlicher freier weise der dativ
ursprünglich auch zu den ersterwähnten verben gesetzt wurde und ihnen unentbehrlich wurde nur dann, wenn man sich gewöhnte die bedeutung des verbums auf
eine tätigkeit zu beschränken, bei der in der regel eine solche entfernt beteiligte
person wahrgenommen wird. In dieser fassung halte ich also allerdings diese
unterscheidung neben der erwähnten zwischen sinnlicher und übertragener bedeutung
der verba für die einzige, nach der man versuchen kann, die eigentlichen **persönlichen dative** zu gruppieren, wie sehr auch beide unterscheidungen subjectiv bleiben
und im einzelnen für jede sprachperiode und bei jedem beobachter verschieden aus-
fallen können. Die anwendung zur bezeichnung des **sächlichen zieles** einer bewegung ist im deutschen dativ sehr beschränkt, und die aus ihr doch wol übertragene zur bezeichnung des zweckes einer handlung hat er ganz an verbindungen
mit der präposition *zu* abgegeben. Ohne präposition ist unser dativ in höherem grade
als in irgend einer verwanten sprache der reine casus der persönlichen beziehungen
geworden, als den ihn Grimm (IV, 684) ebensowol als K. F. Becker bezeichnet,
und wird es voraussichtlich bleiben, denn ich glaube und hoffe, dass die bisweilen
gemachten versuche, ihn im falle der flexions- und artikellosigkeit durch ein fran-
zösierendes **an** zu ersetzen („ich habe das buch an Karl gegeben!") dem
deutschen sprachgefühl noch lange unausstehlich sein werden.

Der **instrumentalis** bezeichnet nach Piper s. 1. 26 fgg. „die person oder
sache, von der eine bewegung ausgeht oder als ausgehend zu denken ist." Die

aufstellung einer grundbedeutung für einen casus ist freilich überhaupt schwierig,[1] aber dass diese dem ablativ zukommende für die meisten verwendungen des deutschen instr. sehr schlecht passt, lehrt doch wol nicht nur die auseinandersetzung von Delbrück, sondern auch die bekante tatsache, dass die jener bedeutung fern stehende präposition mit im verlaufe der alten deutschen sprache vor unseren augen mehr und mehr in die functionen dieses casus eintritt und sie noch in ihrer jetzigen verwendung rein und vollständig auszudrücken scheint. Dass allerdings der altdeutsche instr. auch den indogermanischen localis und ablativ vertritt, kann man versuchen, entweder aus einer gemeinsamen allgemeinen grundlage aller drei casus (Scherer s. 268) herzuleiten, oder, was mir wahrscheinlicher ist, daraus, dass in jener periode der instrumentalis (instr.-dat.) wegen seiner häufigen adverbialen verwendung geeignet war, auch die eigentlich von anderen ausgangspunkten entwickelten localen, temporalen, modalen bestimmungen der anderen casus in sich aufzunehmen und dem dativ zuzuführen, oder eigentlich durch ihn in das immer ausschliesslicher diesen sächlichen und adverbialen bestimmungen zugewiesene gebiet der präpositionsverbindungen überzuleiten. Im einzelnen bietet die besprechung des instr., die bei Piper bedeutend kürzer ist als die des eigentlichen dativ, mir noch gelegenheit zu folgenden bemerkungen. S. 29 G: Direct mit adj. und subst. verschmolzen ist der ahd. instrumentale dativ schwerlich; er wird in allen von Piper angeführten stellen als bestimmung des ganzen satzes zu betrachten sein. So gehört auch der gotische dat. pl. *sainaim raginam* Col. 2, 14 als causale bestimmung zum verbum *afsvairbans*. S. 29 H: 2. Tim. 3, 6 steht im texte gar nicht der reine dativ, sondern präp. *du lustum*. S. 30 K: Die absoluten dative der Otfridstellen IV, 13, 53 *gisuntên uns* = so lange wir gesund und stark sind, V, 25, 7 *gote helphante* möchte ich als vereinzelte latinismen auffassen; sonst unterscheidet sich der gebrauch der participia im adverbialen dativ nicht von dem der adjectiva.

Herr prof. dr. Moller tritt gleich in den einleitenden worten seiner arbeit in bezug zur vergleichenden syntax, die „mit sicherheit und rechtem erfolge nur dann wird vorwärtsschreiten können, wenn ununterbrochen specialuntersuchungen über syntaktische eigentümlichkeiten der einzelnen sprachen und ihrer hervorragendsten denkmäler begleitend sie unterstützen." Eine solche wird hier für den instrumentalis gegeben, indem alle stellen des Heliand, die eine vom dativ noch lautlich unterschiedene instrumentalform zeigen, aufgeführt werden in einer anordnung, die sich im allgemeinen an die Delbrücks anschliesst, im einzelnen aber durch sehr sorgfältige unterscheidung der eigentümlichkeiten jeder verbindung auszeichnet. Der instrumentalis bezeichnet demnach (allein oder mit der präposition *mit* verbunden), I. als sociativer instr. eine begleitung im eigentlichen sinne, sodann dauernde eigenschaften und vorübergehende stimmungen der handelnden person, und endlich äussere nebenumstände der handlung (s. 4. 5); II. als instr. im engeren sinne das sächliche mittel oder werkzeug einer tätigkeit, wobei sich eine formelhafte ausbildung im gebrauche des instr. bei bestimten verben und von bestimten substantiven zeigt (s. 5—7); die ursache einer handlung; endlich das mass einer vergleichung (s. 8). Der instrumentalis findet sich aber ferner als vertreter des ablativs bei verben der trennung, und zwar, was ein sehr beachtenswertes resultat ist, stets ohne präposition (s. 9). Endlich steht er nach Moller als vertreter des localis (s. 9—12) bei den präpositionen *an, bi, te, wiđar, wiđ, aftar, fora, undar*. Diese

---

1) **Miklosich**, Vgl. Gramm. IV, 683 geht auch für den instr. im Slavischen von der bezeichnung des (die handlung umfassenden) raumes aus.

beispiele beschränken sich jedoch mit ausnahme von zwei kritisch nicht vollkommen sicheren stellen mit *an* (1396. 3602) auf die sächlichen pronominalformen *hwi, thiu;* und die bedeutungen, auf welche z. b. die verbindungen mit *bi, widar* und *wid* beschränkt sind, machen es nach meiner ansicht nicht notwendig, einen ursprünglichen localis anzunehmen.

Es folgt (s. 12. 13) ein (weiter auszuführender, vgl. Arndt s. 18, 1—5) versuch, ausgewählte dativformen solcher substantiva, die keine besondere instrumentalform unterscheiden, den aufgestellten gruppen deutlicher instrumentale anzureihen. Zum schluss der untersuchung (s. 14—16) werden die casus besprochen, welche im as. für die gebrauchsweisen des absterbenden instrumentalis eintreten. Der dativ tritt für den eigentlichen instrumentalis häufig auch schon bei denjenigen substantiven ein, die in anderen stellen noch eine besondere instrumentalform bewahrt haben; ebenso für die meisten fälle des „localen" instrumentals bei präpositionen, während bestimte bedeutungen derselben (wie ahd.) noch auf die verbindung mit dem instr. des sächlichen pronomens beschränkt zu sein scheinen. Neben dem adverbial-bestimmenden instr. aber findet sich zuweilen, und neben dem ablativischen (ausser den präp. *af* und *fon* mit dat.) sehr häufig ein genetiv in ganz ähnlichen wendungen. Ich möchte bei gelegenheit dieser im allgemeinen schon bekanten tatsache die von Moller nicht erörterte frage anregen, ob nicht in der art, wie diese beiden unter sich so verschiedenen casus die vertretung des instr. und abl. übernommen haben, ein unterschied zu erkennen ist. Die vertretung eines casus durch einen andern kann entweder dadurch entstanden sein, dass durch lautliche veränderungen die form des einen mit der des anderen zusammenfiel, wobei die bedeutungen beider möglicher weise im sprachbewustsein noch lange als verschiedene empfunden sein können (Moller s. 13), oder dadurch, dass der eine casus seine bedeutung von innen heraus erweitert und den anderen verdrängt. Ich möchte annehmen, dass der erste fall eingetreten sei beim altdeutschen dativ, dessen form erst teilweise, dann vollständig für die des instr. (abl. loc.) eintrat, die verwendungen desselben aber nicht dauernd behielt, sondern sämtlich an präpositionsverbindungen abgab; beim genetiv dagegen, der formell von den anderen casus stets viel deutlicher geschieden war und dessen mannigfaltige bedeutungen doch unter einander vielfache übergänge und berührungen zeigen, ausschliesslich oder hauptsächlich der zweite. Sowol der adverbial bestimmende als der ablativische gen. lässt sich mit der mannigfaltigen verwendung des partitiven gen. bei verben in verbindung bringen, wie es auch Curtius Erläuterungen s. 165 für das griechische hervorhebt. Ein belehrendes beispiel scheint mir das as. *tholôn* (Arndt s. 14) zu sein. Dieses verbum heisst ohne abhängigen casus einfach leiden, dulden; ebenso mit objectsacc. etwas erdulden; mit dem gen. verbunden aber entwickelt es eine separative bedeutung, ohne dass deshalb der genetiv ein ursprünglich ablativischer ist: Hel. 3552 *liohtes tholôdun* = sie litten in bezug auf das licht = sie entbehrten des lichtes.

Als ein aus Mollers darstellung sich ergebendes resultat hebe ich ferner hervor, dass auch der as. instrumentalis fast ausschliesslich sachen oder allgemeine abstracte begriffe bezeichnet; auch im sociativen instr. (s. 4) stehn nur collective substantiva und zweimal bei der präp. *mit* das neutrale subst. *barn.* Auch hierdurch steht der instr. in einem klar empfundenen gegensatze zu dem persönlichen dativ.

Die bedeutung der präpositionen fasst herr Moller doch wol zu eng, wenn er s. 9 sagt: „sie treten hinzu lediglich zur verstärkung der in dem blossen casus schon liegenden function," wenn dies auch für unser *mit* und *von* vielleicht passt; in den meisten fällen aber drückten diese partikeln doch wol eine specialisierung des im blossen casus allgemein angedeuteten verhältnisses aus und konten daher in verbindung mit dem casus auch zu verwendungen kommen, die der blosse casus nie gehabt hat oder die sogar der grundbedeutung desselben sehr fern liegen. Grimm gramm. IV, 862: „präpositionen sollen das casuelle verhältnis nicht nur ersetzen, sondern auch verfeinern."

Der zweite teil der abhandlung s. 18—24 gibt eine übersicht über den gebrauch des homerischen suffixes -φι und weist nach, dass dasselbe dieselben functionen umfasse, wie das instrumentalsuffix in der sprache des Heliand und auch durch dieselben casus bei seinem absterben vertreten werde; ich möchte hinzufügen, dass auch in der bedeutung der substantiva, an welche es tritt, sich mit den as. instrumentalformen berührungen zeigen, und dass es namentlich nie bei bezeichnung persönlicher einzelwesen gebraucht wird. Die sorgfältig und übersichtlich geordneten belege werden zum teil anders erklärt, als es bei Delbrück Abl. loc. instr. der fall ist, namentlich wird s. 20 das nach Delbrück rein dativische φρήτρηφιν ἀρήγῃ (Il. II, 363) durch eine ansprechende auffassung der bedeutung des verbums zum ablativ gezogen; die erklärung von Ἰλιόφι κλυτὰ τείχεα (Il. XXI, 295) komt doch auf einen annominativen gebrauch heraus, den man gewöhnlich nur dem reinen genetiv beilegt. Wenn herr Moller aus der vergleichung den schluss zieht, dass auch das homerische -φι ursprünglich ausschliesslich ein instrumentalsuffix gewesen sei, so ist die möglichkeit dieser annahme zuzugeben, dagegen nach Curtius Erläuterungen s. 68 (zu § 178 D), Chronologie s. 257 daran zu erinnern, dass das sskr. -*bhi* zur bildung mehrerer casus, die unter sich durch weitere angefügte suffixe unterschieden werden, verwant wird, sowie dass -*bi* in dem (freilich geschlechtslosen) dativ der lat. pronomina *tibi*, *sibi* sogar herschend geworden ist, so dass wir die voraussetzung Mollers (s. 18), dass dies suffix im Griechischen einem einzigen bestimt ausgeprägten casus ursprünglich angehört haben müsse, nicht zugeben können. Grössere sicherheit in diesen fragen wird nur erreicht werden können, soweit es gelingt bei jeder einzelnen wortverbindung die bedeutung, welche sämtliche bestandteile derselben bei ihrer entstehung hatten oder haben konten, festzustellen und dann die ausbildung und ausbreitung der fertigen wortverbindung zu verfolgen. Dazu gehört, dass der allgemein vergleichenden grammatik hineindenken und einleben in den sinn jeder stelle entgegenkomme; und mit dem dankbaren hinweise darauf, dass auch nach dieser seite die Mollersche abhandlung vielfache belehrung und anregung gewährt, gestatte ich mir die anzeige derselben zu schliessen.

In der dritten abhandlung gibt herr dr. Arndt zunächst (s. 1—10) eine übersichtliche darstellung der as. formenlehre, beschränkt auf die wirklich im Heliand belegten formen. Etymologische nachweise sind nicht gegeben, auch sind die vereinzelten abweichungen (in der längenbezeichnung der vocale sowie in der ansetzung seltenerer casusformen) von Heynes laut- und flexionslehre nicht motiviert; doch ist dankenswert namentlich für das praktische bedürfnis der lectüre die anführung zahlreicher beispiele (mit der nhd. bedeutung) zu jedem flexionsparadigma, auch die zusammenstellungen über schwankungen der flexion sowie des grammatischen geschlechts der substantiva (s. 3).

S. 10—24 folgen bemerkungen über alle teile der syntax, natürlich nicht alle gleich vollständig und zu einem erschöpfenden system geordnet, aber überall

bemerkenswerte eigentümlichkeiten des sprachgebrauches hervorhebend. Aus der
casuslehre sind am reichhaltigsten genetiv und dativ behandelt; zwar wird auch
hier weder vollständigkeit der belege noch historische begründung der sprach-
erscheinungen erstrebt, doch sind die hauptsächlichen verwendungen der casus deutlich gesondert und mit sorgfältig ausgewählten beispielen belegt, bei deren auf-
suchung das Heynesche glossar ein vorzügliches hilfsmittel war. Bei vergleichung
der betreffenden abschnitte mit den beiden anderen abhandlungen habe ich kein
irgendwie auffallendes beispiel derselben bei Arndt vermisst; eine ergänzung zu beiden bietet z. b. der präpositionslose locativ *ferne* = in der hölle (Hel. 2511), den
ich bei Piper vergebens gesucht habe und den Moller nicht anführt, weil er schon
die dativendung hat. Auf die im as. sich zeigende freiheit in der verbindung
eines verbums mit verschiedenen casus in wechselnder bedeutung ist häufig (z. b.
s. 14. 19) hingewiesen; s. oben über *tholôn*.

Aus den anderen abschnitten bedarf die bemerkung (s. 20): „der artikel kann
zum substantiv treten oder nicht, ohne wesentlichen unterschied" doch wol einge-
hender prüfung. Aus der wol am meisten fragmentarisch behandelten modus- und
satzlehre hebe ich heraus die (auch in Heynes glossar unter *that* erwähnten) verbindungen von *that* mit dem imperativ (s. 21) in den versen 32. 70. 2993, die sich den
von Grimm in Kuhns Ztschr. I, 144 fgg. besprochenen stellen anreihen und durch
bewahrung des modus der directen rede in lockerer satzfügung zu erklären sind;
s. 22 excipierendes *ne si* und *ne wâri* je nach dem vorhergehenden tempus, während Otfrid ausschliesslich das erstere gebraucht; s. 23 ausgedehnten gebrauch der
partikel *the* nicht nur in relativsätzen jeder art, auch neben dem flectierten persönlichen pronomen, sondern auch im zweiten gliede der doppelfrage, wo eine
erklärung derselben mir sehr schwierig scheint. Weshalb s. 21 (mit Heyne) die mit
der partikel *wita* in auffordernder bedeutung verbundenen formen 223 *kiasan*, 228
fragôn, 3996 *wonian* als infinitive betrachtet werden sollen, sehe ich nicht ein,
da der auffordernde conjunctiv von Arndt unmittelbar vorher belegt ist, auch
z. b. in der letzten stelle unmittelbar vorher und nachher ohne *wita* die formen
3996 *wernian wi*, 3997 *tholôian*, 3999 *duan*, 4000 *folgôn, ni lâtan* gebraucht sind,
die doch wol einfacher als 1. pl. conj. präs. aufgefasst werden; die auslassung des
persönlichen pronomens entspricht dem imp.

Im ganzen glaube ich, dass die arbeit sowol zur einführung in die lectüre
des Heliand als auch namentlich in ihrem syntaktischen teile zur vergleichung mit
dem sprachgebrauche anderer quellen vielen ein brauchbares und willkommenes hilfsmittel sein wird.

GRAUDENZ IM JULI 1874.   OSKAR ERDMANN.

Halle, Buchdruckerei des Waisenhauses.

BRUCHSTÜCKE EINER HANDSCHRIFT DES JÜNGEREN TITUREL.

Die grossherzogliche hofbibliothek zu DARMSTADT bewahrt zwei pergament-doppelblätter einer zweispaltig geschriebenen Titurelhandschrift des vierzehnten jahrhunderts, die bis jezt noch unbeachtet geblieben sind. Um sie dem buchdeckel, auf dem sie aufgeklebt waren, anzupassen, sind sie um ein viertel ihrer breite gekürzt worden und es ist dadurch der verlust von spalte II^b, II^c und III^b, III^c herbeigeführt, deren jede uns sechs und eine halbe strophe gewährt haben würde und von deren zeilen nun nur noch die ersten oder lezten buchstaben zu lesen sind, ausserdem ist noch von dem zweiten blatte die unterste zeile weggeschnitten. Die höhe der blätter beträgt 21, die breite 19 centimeter. Der schreiber, der bei den reimpunkten nicht absezte, trente die strophen, deren anfänge durch rote initialen bezeichnet sind. Nach dem Hahnschen drucke [1] enthalten die stücke strophe 195 — 218, 363 — 369, 381 — 391, 405 — 411 und 558 — 580, ausserdem aber noch sechs und eine halbe strophe, die sich in der Heidelberger handschrift nicht finden, wovon die auf str. 385 folgende die Murauer hand-

---

[1] Den strophenzahlen der Hahnschen ausgabe habe ich die des alten druckes von 1477 in Klammern beigefügt, nach der in meinem besitze befindlichen Büschingschen abschrift desselben, welche ich schon bd. II s. 80 fgg. zu gleichem zwecke benuzt habe.

Darnach gliedern die Darmstädter bruchstücke sich folgendermassen:

Hahn.   alter druck.

str. 195--218 = cap. 1. Wie Tyturel der rechte herre. des grales geboren ward. str. 205 — 228. 248 — 249.

„ 362 — 369 = cap. 3. Wie Tyturel daz slosz zům grale, genant Montsalvatsch, buwete und ein kostleiche capelle darinne. str. 381. 394 — 396. 426 — 429.

„ 380 — 391 = cap. 3. str. 403 — 408. 440.* 409 — 413. 415.

„ 404 — 411 = cap. 3. str. 386 — 393.

„ 557 — 570 = cap. 5. Wie Tyturel seine kinde lerte tugende und in geistliche betiutunge des grales seite. str. 616 — 628. 638 — 639.

„ 571 — 580 = cap. 6. Wie Frymutel künig im grale wart und seine zwů töchter Tschoysiane und Hertzelaude herauz gab in die ee. str. 640 — 643. 629 — 634.   Z.

schrift (Zeitschr. f. deutsche phil. II s. 82) als str. 440 nach der zä:
lung des druckes von 1477 bietet. Der schreiber, der zwar d
vorlage in seine mitteldeutsche mundart übertrug, hat sich, wie
scheint, keine weiteren änderungen erlaubt, so dass die in unser
bruchstücken erhaltenen strophen bei weitem lesbarer sind, als die en
sprechenden stellen in der ausgabe von Hahn. Der rechte wert d
Darmstädter bruchstücke wird sich aber erst feststellen lassen bei ein
untersuchung des gesamten handschriftenmaterials des Titurel.

   BONN.   BERNHARD SCHÄDEL.

fol. I*
195 Der vberker kegen den vngelouben.
(205) mit helfehant des hohesten. begunden se de heidē sus irroubē.

(206) Se waren de gesigenden. mit krefte an allen siten.
Vñ sarrazine de ligendē. mit tote vū ouch mit tefen wunden wite
De sich mit dem toufe geben wolten.
der widersaz mit tote crist tze lobe vñ tzů erē wart v'golten.

196 Diz was sin erste herte. ich meyne des edelen iungen.
(207) Vf siner selten verte. da von im engel sûze gedone svngen.
Sit do her in von tugenden quam ṣo nahen.
Do se in tzů dem grale beleyten vū in dar nach tzů den hime
              ruchtē vntphaheu.

197 Sit daz he scunferture. den heyden was gescehende.
(208) Der clare ivnge gehure. vrowet sich sam der morgen sterne brehenc
Dem wachter tût deme kalter nacht belanget.
Vnd als der milte riche vrowet de de lange in noten sint v'twang

198 Wer titurellen sehende. was den werden sûzen.
(209) Der was im vrowde iehende. so daz her allen sorge kvnde bozen
Wes ovgen sin ovgen ie berûrten.
der was de vrowde habende sam in geluckes rade hohe vûrten.

199 Dona spirit' sancte. siben valt vū mere.
(210) wem got der e v'hancte, der hat von rechte wol kegē selten kere.
Salomone dauites kinde gelichet.
Tyturel mit selten wen h' nv mit den grale wird gerichet.

200 Ane an dem gewalte. d' wite vū ouch der breyte.
(211) Da wider so betzalte. tyturel von dusent werdicheite.
Mit ritterscaft de engelscar tzů merē.
Vñ daz her lange lebende was vū ne gewauchte an gotes erē.

201 Aber von siner clare.   de vrowde were so gebende.
(212) Iz tete der seltenbare.   de bar im selten vil de wile er lebende.
fol. I^b Was der ich eyn teil von im benenne.
   Vñ ist daz ich mit lebene   noch von gote d' iar so vil bekeñe.

202 Von clarheit also grozer.   saget dise abenture.
(213) Doch selicheit genoz er.   so daz sin angesichte vrowden sture.
   Gap gelich den meye wunne berende.
   der allen creaturen   vf d' erden vrowden vil ist werende.

203 Her vrowt alsam de svnne.   tût nach kaldē rifen.
(214) Ir vrowden vber wunne.   der trûren sorgen tût vil gar verslifen.
   Her vrowet sam d' von hitze in noten ist lebende.
   Vñ iem ein bruñe ein linde   ist sûzen luft vnde breiten scaten geben

204 Her vrowt sam kv̂ninges grûzen.   tût de gar v'herten.
(215) Vñ wil in daz nv̂ bûzen.   mit gerichte al nach ir durfte v'ten.
   Her vrowt alsam ein heyde rich geblomet.
   tût de vrowdē gerenden   de gerne sûlcher vrowde sint gerûmet.

205 Her was eyn vrowden tzvnde.   als de gesichte des blinden.
(216) Wen her ist wider .. de.   sus mochte man an den sûzen vrow
                                           vinden.
   We vrowet nach tûrste win der luter vñ clare.
   we vrwet amys amyen [1]   da stete leb wont al svnder vare.

(217) We vrowt den gast ellende.   mit hvnger naz vñ mûte.
   Herberge rich vñ behende.   wer im der wirt tzû denste meyen blo
   . . . h' nicht vûr williche wandelunge.
   der werden angesichte   ich wene dist vrowde wol vber clunge.
fol. I^c
206 Al sin vru begvnnē.   se daz vil gerne sahen.
(218) De werden wol v'sunnē.   daz se im alle sûlcher wirde iahen.
   An im gebrach nicht wen ein cleyne vnsculde.
   Vater mûter vrohten   daz her da von v'lure gotes hulte.

207 Nù was iz got doch gebende.   wes solte h' in do tzihen.
(219) Ir ist leyd' vil nv lebende.   daz in d' hoheste geben kan vñ lihen.
   Vñ we se des ie mer von gote vntfahent.
   Ie grozer vñ ie mer   mit der selbē gabe se got vûrsmahent.

208 De selben sint vûrkeret.   vil me dan der sus tete.
(220) Ob in ein torheit leret.   daz h' vf henden genge vñ vûze hete.

---

1) amys amyen *mit einer dunklern dinte durchstrichen und unterpungiert*
                                                                        9*

Vn stro alsam eyn rint vûr salmen eze.

vñ h' iu stark' glot   gerner dan vf linden plumē seze.

209
(221) Des mocht ich vil gemezzen.   dem sûmeliche tûnt geliche.

Des hat ouch ir besezzen.   vil de helle vûr daz himelriche.

De got mit seltē vnde erē bette beratē.

da mite se in eren solten   vñ im da mete nicht wen laster taten.

210
(222) Her kan ouch se wol scenden.   de im da laster betent.

An allē selten phenden.   vñ nimb' dekeiner eren sich genetent.

Den got da git de sint von rehte im gebende.

Tyturel der w'de   was mit gotes helfe mit gote lebende.

211
(223) Her helt ouch svnd' lere.   da von man sin nv urochte.

Man sol den vrowen ere.   beten daz vil w'dicheit ie wrochte.

Dem werden māne d' vrowen eren kvnde.

se wenet vil maniger eren   da mite her in tzû rucke last' bunde.

212 Wer vrowen erē welle.   der sol ir werde merē.
(224) Ir wirde h' nicht tzû velle.   de rechte maze kan nicht baz geleren.

fol. Iᵈ Wen al de wile daz man si lebende in iugende.

So halte sich kvsche reine   so cronet h' vrowē ere ob alle tugend

213 Vûr daz h' kvsche brichet.   sunder eliche stete.
(225) Vn stete man irsprichet.   vñ in ir beid' ere wirt durchgrete.

He vñ dort tzû gote vñ ouch tzûr werlte.

de reynicheyt v'coufet   ist de man wieget tzûm hohesten gelte.

214 Secht juden vñ dar tzû heyden.   dise ere habent in bûte.
(226) De cristen gar gesceyden.   sint da von daz ieman des nv mûte.

We reyne se doch mit toufe sin begozzen.

vnde da so witze cleydet   vnkvsche tût de blenke gar vbervlozzē.

215 Sus wirt der touf gevneret.   da tzû man vnde wibe.
(227) Ir wirde wirt v'keret.   de grozeste so se was an beyder libe.

De reynicheit der sele vnde werltlicher ere.

wirt iz tzû gote versûnet   iz scadet an eren dannoch sere.

216 Were iz den mānen ere.   se solte iz doch lazen.
(228) Dar vmbe daz imber m're.   de vrowen an werdicheit sint v'wazen.

So sprichʒ wankelbolt des steten mûtes.

Tete se iz we gerne ich iz tete   so gan h' vrowē erē weynich gû

217 Wer sich kusche haltē.   wil der kv̑me tzûr stete.
(248) Vñ sol der also waltē.   daz sele vñ ere in tzû missetete.

Icht he vñ dort tzû heyden sitcu bringe.

w' sine e tzûbrichet   der hat ir beider ere gemachet riuge.

218 Wen als d' man v'keret.   den mût an der minne.
(249) Her hat de sinne gevneret.   vil me dan ob h' kegen ir hette de sinn
Daz h' de keiserinne vûr sich nicht wolte.
Da mite wer se geweret   noch baz

l.II*
362   ner gev'ten   gehuset hetten beidenthalp nicht v're.
(381)
363 Der tempel in mitten inne.   het ein werk so riche.
(394) Gote vñ dem (so) tzû minne.   irbowet scone den tempel vberal gelicł
Wen daz de kore alle sunder altar warē.
anders im da nicht gebrast   diz werk vberal vûlquam in dritzich iare

364 Nicht wen eyn altere.   da inne was geherret.
(395) De kore al svnder lere.   sus richeite wund' was dar an gemerret.
Vûr de clochus da stundē riche zimborie.
dar inne der heyligē bilde   iegeliches bref seit da sin historie.

365 Der selbe tempel riche.   besvnd't wart dem grale.
(396) Daz man in tageliche.   da inne solte behalten tzallen male.
Vñ vf vnpor irhabē in solher mazen.
daz ein sacristen.   wit vñ clar dar vnder was verlazen.

366 Dri was d' portē.   nicht me svnd' wane.
(426) Der eyne kegen den norte.   d' werlte daz man heizet meridiane.
De andere hette vzvart kegen occidente.
de dritte kegen aquilone   von dannen kvmt vns selten gût presente

367 Ir palas vñ ir dormter.   stundē kegē meridiane.
(427) Eyn cruceganc wol geformter.   da twischē lach des warẹn se nicht aı
Als iz tzû der broderscefte wol horte.
gerende lobes riche   tzirte wol iegeliche porte.

368 De porten waren riche.   von luttern roden[1] golde
(428) Gesteinet gar ordenliche.   da vf v'wiret ich ne weiz wes man se solı
Vntgelten lan se waren ot ouch gerichet.
mit slozzen vñ gespenget   daz vf erden in ne nicht wart gelichet.

369 Mit listen man do nam trachte.   vor iegelicher porten.
(429) Al der steine slachte.   de lagen
ol.IIᵈ
380 Durch daz in allen koren   de muren mit smaragd warē gemēget vas
(403)
381 De louber warē dicke.   wen sich eyn luft enborte.
(404) Daz man se sunder scricke.   in einer sûzer stimmen clingē horte.

1) roden *von derselben hand über der zeile nachgetragen.*

Rechte als ob sich tusent valken swungen.
in einer scar geliche   vñ scellen groz vö golde an im irclungeu.

382 De reben al vbervlucket.   waren mit scar der engel.
(405) Als ob se warē getzucket.   ˙vz paradise vñ weune de reben gengel.
Der louber clank begunde wegende vûren.
de engel so gebartē   sam se sich lebelich kvndē rûren.

383 Der hoeste kor d' vrone.   wart ie dar vzgesvndert.
(406) Mit aller tzirde scone.   dise tzirde ist turer dan ander hundert.
Rebe vñ engel dar zû was bereitet.
daz wint dar in v'holne   mit listen groz vñ balgen was geleitet.

384 Der music vñ pervseu.   beide hohe vñ lise.
(407) Als ie von dem winthusen.   d' meister da geleitet gap de wise. _
Mit der pafheit gaben sûz gedone.
d' engel scar gelichē   don svnd' wort ia was in dannoch scone.

385 Als in de tzirde riche.   so vil gab vrowdenluste.
(408) So sprachē se al geliche.   got h're vat' vñ slûgen sich tzûr bruste
Sit du vns v'legen hast sulche ere.
was hastu den tzem trone.   da iz ist hund't dusent valtich m'e.

(440) Tzû lobe mit sulchem rate.   der tempel ist irbowen.
D' hohen trinitate.   vñ d' meyde gesegent ob allen vrowē.
Vñ tzû lere d' cristenheit kegē himelriche.
als sanct thomas in india   den sal mit worte bŷwete lobeliche.

fol.IIIᵃ Ob ir ein spil nv were.   doch sol al menschē kvnne.
He denken bi deu mere.   engel wirde vñ himelsce wunne.
De mensche vñ engel habē in gotes antluze.
Daz se dar nach mit sinne   werben so wirt in daz spil vil nutze.

386 Ob da were icht slufte.   nicht herre got enwelle.
(409) Daz vnder erdenslufte.   sich reyner diet immer velsch geselle.
Als iz etteswenne in gruftin wirt gesamet.
man sol vns an dem lichte   cristen gelouben kvndē vñ sin amet.

387 Cleiner vñ grozer.   cristalle gelicb den hûten.
(410) Gele var vnde rozer.   balsam vasz de brünen sam se glûtē.
Vf iedem kore was dri stunt tzwey gehangē.
vñ vzen vûr den koren   ie tzwei von golte an richen strangen.

388 Dar obe engel swebetē.   in clafter tzwey gemezzeu.
(411) Als se do licht da hebeten,   vñ oberhalb wart mit gesicbte v'gezz

Der strange we se de engel mûsten halten.   ·
biz vf an daz gewelbe. sus wart da maniger richer kost gewaltē.

389 Vil engel kerzē habten. vf cancellen vn̄ vf mure.
(412) He gewunden dort de gestabten. we se doch richer kost nam vntuɪ
Der se vûn balseme groze richeit haten.
doch wolten se von kertzē durch gûte wonheit lichtes nicht geratɛ

390 Vil crone rich von golte. da vf vil kertzē luchte.
(413) Gehangen alse se solte. ein engel habete clafter tzwa mich duchte
Her wolte de crone hin kegen den luften vûren.
nemā enkvnde kesen ob se da haben golt mit richē ·snûren.

391 Welicher leye stimme. in dem tempel wart gehoret.
(415) Irclenchte von edelicheit d' gimme. von d' wite vn̄ hohe wart.
fol.IIIᵃ
404   wunsche gar vûlvûret
(386) heiz mich des iemā legen ich wene den selten kvnst od' kost beror

405 Tzû iclichem gaten. dru venster an allen wenden.
(387) Gespinnelet vzberaten. da in gedreit daz werk das ougē penden.
Kvnde vf siner weyde kegen der svnnen.
ir dak gelich des tempels ir knope rûbin groz de vaste brunnen.

406 Vf den knopen crutze. hohe snevar cristalle.
(388) Dem tubel tzû einer scutze. want im da gar gesaget was betalle.
Scak vn̄ mat vûrraten vn̄ vûrscunden.
daz werde houegesinde v'sigelet was vûr allen houbetsvndē.

407 Vz golte ein ar gerotet. gevûget vnde gevunket.
(389) Vf ylich crutze gelotet. verre sehende neman des bedunket.
Wen daz h' vlûgelichen selbe swebete.
Daz cruce von der lut' gesicht v'los da vffe her sich vnthebete.

408 Ein turn all enmitten. stunt in disen allē.
(390) Vz manig' golt smitten. was richeit groz vón werke dar an gevall
Vn̄ manich tusent clar lichter steine.
tzwier andern hohe wite vnde tzirde lach an disem eine.

409 Des cnop ein licht karbunkel. was michel groz tzû loben.
(391) Wen de nacht was dunkel. daz man gesehe beide niden vn̄ oben.
Ob in den walte de templeise verspetē.
Daz se von sime glaste wisunge tzû recht' herb'ge heten.

410 Dar tzû vil manich and'. edel stein gap sture.
(392) Des varwe sam ein tzander. glest d' da gloyet in den vure.

Dem breheu' gab der karbunkel helfe.

Seben gestirnen se geswigen　　da schein dusent valtich gestirne r
　　　　　　　　　　　　　　　　　　　　　　gelfe.

411 He rot da gel
(393)

fol.IV*　　　　　　　　　　　　　　　　　　was iehende.

557 ware minne vn̄ rechte vrochte　　mûz vns tûn d' engel scar gesehen
(616)

558 Da stunt ouch wol turneren.　　der ivngen diet tzû leren.
(617) Durch strites kv̊nduerē.　　kegen heidenscefte gote vn̄ den gral tzû er
Scirmē scezen loufen vn̄ springē.
der liste vunde lere　　stund da gescriben mit worten al vmbe tzû ring

559 De vzer lere der iugende.　　des ersten wart besceyden.
(618) De se d' inneren tugende.　　vzē trûgen riche tzv̊ werdē cleiden.
Vn̄ deste baz da vnder wûrden venge.
Wan hort der hohesten tugende　　was ie de kvnst d' tzuchte anegen

560 Do sus sin w'de witze,　　de ivngen tzû den alten.
(619) Bewiste ienz vnde ditze.　　do sprach her sus nv wil ich iamers walt
Durch waz mich got so maniger dinge letzet.
ervar ich des de kvnde　　ich wandelz ob in ruwen sculde irgetzet.

561 Richawden her was mir nemende.　　wunsch al miner vrowden.
(620) Der mich ie was getzemende.　　ich wer noch vil vnnach in d' bescowd
In betriesen wise min ere irstarp in dem hefte.
ob richaude noch lebete　　so lebete ouch ich an werder ritterscefte.

562 De craft in h'tzeleide.　　sich hette bi mir vernucket.
(621) De wart mir anderweide.　　vō clarissen tode gar vntzucket.
Ob sich d' gral so werd' vruchte was scamende.
so wil ich der vnwerdē　　ouch mangel han de sint an wirde irlamen

(622) Hey kvnd ich iheremiam.　　tzû miner clage irmeten.
Durch sine melodiam.　　in lametacien wolt ich irbeten.
Clagender leiche
fol.IVᵇ　　　　　　　geherten　　sus lert min h'tze iam' daz v'wunte.

563 We daz der gral so lange.　　sich tragens hat besetzet.
(623) Daz min' vrowde ein tzange.　　de mich nv hat vierhvnd't iar geletz
Mit welher tat min lip iz habe v'sculdet.
daz mûz ich sin der clagende　　biz da min lip nv vulle ein sterl
　　　　　　　　　　　　　　　　　　　　　　duldet.

564 Tzů clagene mich noch setzet.[1]   ein dinch mit iamers lere.
(624) Daz firmitel gesetzet.   noch nicht ist dem grale an kvnincliche ere
Noch anders nemā dem ich selten gunde.
Daz ist mir iamer gehende   d' mir vůr alleme iamere get von grunc

565 Tzwolf min' kinde.   sin he von mir gesceyden.
(625) Tzů iamers houegesinde.   můz mich daz selbe nv von sculden cleid
Daz ir deckein den gral ne solte berůren.
vñ plagē doch d' tugende   se mochte ein engel wol mit erē vůrē.

566 De was richawde berende.   mit hoh' richer tzuchte.
(626) Ich clage daz nicht[2] merende.   sint he tzůme grale d' mīnen vruch
Vñ ich mit vrowden riche w' der lebende.
Halet in paradise   wen ich gote sulchen wůcher w'e gehende.

567 Ich gan in wol des riches.   al dort tzem paradise.
(627) Doch het ir iegeliches.   ein kvnne groz al dar geborn tzů prise.
So w' iz dort also nicht gar v'einet.
Als ich he von richawden   de is nach der min h'tze in iam' weyne

568 Ob ich von mīnen grůze.   ˙ie werdē trost vntfenge.
(628) Vñ ob d' mīne sůze.   ie selden craft an mir begenge.
Wart mir ie groz von mīninchlichen wibe.
Der ist nv gar irwildet˙   mime sechen sendē clagendē libe.
ol.IVᶜ
569 Min aller hoheste girde.   de ich gewan vf
(638)   an himelriche mit gote ie gerde.
Vñ w' vf erden wunsches leben solte.
der gerde ouch nicht mere.   den daz her lange mit eren lebē wolte

570 Des was ich ie der gerende.   tzů gote mit stet' girde.
(639) Des was h' mich wol werende.   daz ist mir nv v'wandelt in vnwirc
Dar an de wisen suln wol gedenken.
neman kan vf erden   lip gůt wirde haben sunder crenken.

571[3] So w'dichlichen scone.   hete mich d' hoeste besoldet.
(640) Iz wart ne kůninges crone.   mit also richen selden me v'goldet.
Vůr vntugenden bin ich her behalten.
ey hertzelebe firmitel   wan soltes du mit sulichen seltē alten.

        ·   1) setzet *ist von derselben hand durch übergeschriebenes* w *in* wetzet *v*
ändert.
        2) nicht *von derselben hand über der zeile nachgetragen.*
        3) *vor str. 571 in kleiner roter schrift:* Abĕtur we firmitel . . . wart tz
graile.

572 Du kanst d' selden sinne.   kegē tugenden nicht v'lesen.
(641) Durch werder wibe mīne.   mûstu an dem libe scadhen kesen.
Vñ anfortas ich vant iz amme grale.
ein tol doch nicht den vûllen   gesûnt wart ich ne sit dem male.

573 Dise rede nv horte.   beide ritter vñ vrowen.
(642) Den iz ir vrowde storte.   an witzen vñ an truwen de v'howen.
Se wûrden noch betzalt de des vnbaren.
ob selber iam' rûrte   so werden lep dem se iz gebundē waren.

574 Noch do h' was in crefte.   her gap in iamers vreise.
Wen h' vz ritterscefte.   wundē vûrte vñ alle de templeise.
De h' dicke brachte vz grozer herte.
Wen her mit siner hohen crefte   vñ mit irer hilfe den gral mit wiı
                                                              werde.

(643) Der starke mit der crefte.   waz nv d' swache wûrden.
Von alters anehefte.   vñ daz her ouch de craft nach ritters ordē.
Tzû was daz
fol. IVᵈ   ie gab im v'lust vñ richawden leit mit sorgen.

575 Al siner clage d' grozē.   wil in d' gral irgezzen.
(629) Mit vrowden vnd'stozen.   he wart sin leit daz h' mit wirde setzen.
Solde den svn an sine stat nv scone.
Do h' de scrift was lesende   firmutel d' sol he tragen crone.

576 Vnd daz ein irregengel.   vûr allem velsche were.
(630) De maget d' tugēde ein engel.   so reine so gût vñ ouch so seldebe
Daz se den gral des ersten solte rûrē.
tzû tragene w'dincliche.   daz kvnde im siner leyde vil vntfûren.

577 Do iamer he gemeret.   wart titurel so starke.
(631) Des vant h' scrift geheret.   d' gral w' aller diet vûr dot ein arke.
An welhem tage mā d'en gral were sehende.
de selbe woche vmme   were an im dekein sterbē gescehende.

578 Vrow ebenture ir creget.   vûr hohe meister brechen.
(632) Ich ne weiz ob ir vns treget.   daz min h' walter kvnde sprechē.
Daz hulde gotes vñ got vñ w'ltliche ere.
in ein scrin icht mochtē   de gebet ir grales diet vñ vûrbaz mere.

579 So daz se wunsch mit lebene.   haben svnd' sterben.
(633) Vñ in d' gral tze gebene.   daz habe so woldich immer g'ne werbē.
Tzûme grale wesen vûr alle kvnincriche.
ey vrunt vou blienveldē   du spriches mir tzallen tzitē w'liche.

80 Dv wenest mir han becrenket.   vñ dine witze gemeret.
34) Ob dir nv witze nicht wenket.   so wirt din selte dusent valt geheret.
Dan ob din houbet tzům grale w' tragende crone.
so tů nicht wan daz gůte

DER HUMOR IM DEUTSCHEN RECHT.

Vor längerer zeit schon, bei gelegenheit von Homeyers funfzig-
jährigem doctor-jubiläum, hat prof. Gierke unter obigem titel (Berlin
1871) eine kleine, in mehrfacher beziehung höchst anziehende schrift
herausgegeben, die jedoch erst jetzt mir zu gesicht gekommen ist und
mir anlass zu näherer erörterung einiger einzelner punkte gibt, woraus
auch erhellen wird, dass mancher rechtsbrauch, der einen humoristi-
schen anstrich besitzt, genauer betrachtet, denselben verliert und ihn
zuweilen sogar in sein gegenteil umschlagen lässt. Gleich der erste
brauch, den ich hier besprechen will, gewährt ein solches beispiel,
indem es (s. 14 fg.) heisst:

„Sodann entstehen mancherlei besonderheiten von unverkenbar
poetischem gehalt durch die deutsche neigung dem leblosen ein gewis-
ses leben, dem gegenständlichen eine selbständige wesenheit anzu-
dichten .... Hier wurzelt die uralte satzung, dass, um die geheiligte
schwelle des hauses nicht zu entweihen, der leib des darin erschlagenen
missetäters oder des selbstmörders durch ein loch unter der schwelle
herausgezogen werden soll." Hier handelt es sich jedoch keineswegs
von der heiligkeit der schwelle; der ursprüngliche grund dieses weit-
verbreiteten und auch ausserhalb Deutschlands sich findenden brauches
ist nämlich ein ganz anderer und beruht in der vorstellung von der
widerkehr verstorbener, namentlich gewaltsam getöteter,[1] wenn diese
gefürchtet wird, und welche dadurch gehindert werden soll, dass man
die leichname aus der wohnstätte durch eine solche frisch gemachte

---

1) Diese widerkehr wird von den mit solchem tode bedrohten auch ihrerseits
oft angedroht; so z. b. in einer neuisländischen sage, wo es sich von dem kampfe
eines gewissen Jon mit einem ächter (geächteten, bandit, strassenräuber) auf freiem
felde handelt: „orgaði útilegumaðr þá afarhátt, og hotaði að ganga aptur og
drepa Jón, ef hann dræpi sig." (Da brüllte der ächter entsetzlich und drohte
nach seinem tode wider zu kommen und Jon totzuschlagen, wenn er ihn
totschlüge). Jon schützt sich aber gegen den widergänger durch das gewöhnliche
gleichfalls humoristisch aussehende mittel. „Jón setti höfuð útilegumanns við
þjó honum, og kvaðst ætla, að nú mundi hann ekki gánga aptur." (Jon setzte
den abgeschlagenen kopf des ächters an den hintern desselben und sagte, er dächte,
dass er nun nicht widerkommen würde). Árnason 2, 167.

öffnung (wie z. b. die angeführte unter der schwelle) fortschafft, die man leicht wider zumachen kann, was bei der tür nicht der fall ist. S. meine besprechung von Birlingers unlängst erschienenen Sagen, legenden usw. (zu no. 359) in der Zeitschrift für Ethnologie 1874 s. 74 (wo zu lesen zu gemacht st. gemacht). Noch will ich erwähnen, dass die von Gierke (s. 36 anm. 121 und s. 53) angeführte durchziehung der leiche eines getöteten lauschers durch die traufe und eines säumigen schöffen unter der schwelle sicherlich auf ein späteres noch viel vollständigeres vergessen der ursprünglichen bedeutung des in rede stehenden gebrauches hinweist.

An einer anderen stelle (s. 17) bemerkt Gierke: „Der ersatz für ein getötetes tier wird als ein wergeld aufgefasst, und wie einst in vorgeschichtlicher zeit beim manne, so soll noch bis über das mittelalter hinaus nach uralter tradition beim tiere das wergeld durch beschütten des toten körpers mit rotem weizen ermittelt werden." Auch diese art wergeld findet sich weithin und selbst in Afrika; s. meine nachweise in Pfeiffers German. X, 108 (zu Simrocks Mythol. 2. a. s. 553) so wie oben Band V. s. 481 (zu Palladius Visitatsbog, Ordsaml. „hylae og fylde").

„Zur zeit der erwähnten weistümer überhaupt nur noch als überlieferung fortlebend ist jenes recht (auf die erste nacht) auch in der alten zeit der strengsten unfreiheit nicht etwa wörtlich gemeint gewesen." (S. 27.) Hierzu bemerke ich, dass das *jus primae noctis* im europäischen mittelalter bekantermassen nicht nur in Deutschland, sondern auch sonst noch weithin beansprucht und auch geübt wurde, wie in Schottland, Nordengland, Russland, Frankreich und Italien, s. ausser den von Gierke angeführten schriftstellern auch noch Weinhold, Die deutschen Frauen des Mittelalters s. 194 fg., die erklärer zu Shakespeares Henri VI. part. II. act 4. sc. 7; über das italienische *cazzagio* s. Roquefort Gloss. Supplem. p. 106. Dass dieses recht (wie ich teilweise aus einem früheren artikel in den Heidelb. Jahrb. 1869 s. 810 fg. widerhole) auch in Spanien einst wirklich bestand und ausgeübt wurde, zeigt Ferd. Wolf, Ein Beitrag zur Rechtssymbolik aus spanischen Quellen, Wien 1865 s. 24 fg. (oder Sitzungsber. der philos.-hist. Classe der k. Akademie d. Wiss. bd. LI s. 90 fg.), wo es so heisst: „7. (Symbolische handlungen) zur bezeichnung des *jus primae noctis* (in Galicien *Peyto Bordelo*, in Catalonien *Forma d'espoli forzada* [l. forçat] oder *Derecho de prelibacion* genant; ausserdem galt dieses recht nur noch in Aragon, aber hier im ausgedehntesten masse, indem es sich hier nicht blos auf die brautnacht beschränkte, sondern dem herrn jederzeit über die weiber und töchter seiner hörigen zustand): *Pragmatica de Cataluña*, lib. IV. tit. XIII (aus der *Sentencia arbitral* Ferdinands des Katholischen, wodurch dieser so wie andere *malos usos* für immer abgestellt wurden). „*No pugan la primera nit, que lo pagés pren muller, dormir ab ella, ó en senyal de senyoria la nit de las bodas, apres que la muller será colgada en lo llit, pasar sobre aquel sobre la dita muller* [d. h. „Sie sollen in der ersten nacht, wo der bauer ein weib nimt, nicht bei ihr schlafen, noch auch als zeichen der oberherlichkeit in der hochzeitnacht, nachdem das weib sich ins bett gelegt hat, über dieses und das besagte weib hinwegsteigen dürfen"]. Vgl. Hist. de la legisl. Tomo VI p. 67—68. 498 u. 500; — Helfferich, Westgothenrecht s. 408 — 414." Endlich führe ich noch folgende stelle an aus einer besprechung der *Histoire du droit dans les Pyrenées* par M. G. B. Lagrèze. Paris, imprimé par l'ordre de l'Empereur à l'imprimerie imperiale 1867 in der beilage zur Augsb. Allgem. Zeitung vom 18. april 1868 s. 1661 fg., wo es so heisst: „Das andere noch seltsamere institut ist das *droit du seigneur* oder *jus primae noctis*. Seit geraumer zeit wurde in Frankreich viel geschrieben über die frage: ob dieses recht als solches jemals existiert habe. Während Bouthors 1854 seine existenz nachzuweisen gedachte, bestritt dieselbe Veuillot mit aller entschiedenheit in einem 467 seiten starken werke. Die frage kam mehr als einmal im schosse des instituts zur sprache. Lagrèze selbst beteiligte sich an diesem streite durch eine 1855 erschienene monographie; seitdem hat er die forschungen fortgesetzt und das ergebnis in vorliegendem werke niedergelegt. In Deutschland hat ein solches recht niemals bestanden, wenn sich auch in einzelnen gegenden andeutungen finden, dass es *per nefas* in anwendung gebracht worden sei [man vergleiche jedoch das oben in betreff des Westgothenrechts angeführte]; dagegen hatte es sich in mehreren romanischen ländern zu einem förmlichen rechte fixiert [vielmehr, wie wir sehen werden, aus urältester zeit erhalten]. So übte es der adel von Piemont unter dem namen *cazzaggio* aus, und obwol es im übrigen Spanien unbekant ist, konte es erst Ferdinand der Katholische durch gesetz vom 11. april 1468 in Catalonien mit einigen andern harten abgaben aufheben und an ihre stelle eine geldleistung setzen. Hier war es unter dem namen *firma de esposa forzada*[1] bekant. In Frankreich war es in verschiedenen landschaften heimisch, so in Limousin, der Bretagne und der Auvergne. Hier wurde es jedoch schon früh in geldleistung umgewandelt; am längsten aber erhielt es sich in seiner ursprünglichen gestalt in Bearn und Bigorre. Noch im 17. jahrhundert bestand es in voller übung, wie der verfasser durch mehrere documente

---

1) Spätere erklärung des oben angeführten *ferma de espoli forçat*, dessen wörtliche bedeutung dunkel ist (*ferma* oder *firma* = unterschrift); lateinische urkunden haben dafür „*firma sponsalitiorum coacta*." So teilt mir prof. Milá in Barcelona mit.

nachweist. Über die entstehung dieser misgeburt des mittelalterlichen rechts kann bei dem mangel ausführlicher urkunden nicht einmal eine vermutung ausgesprochen werden. [S. jedoch das hier weiter unten folgende]. Soweit sich überhaupt klarheit in dieses gebiet bringen lässt, ist es dem verfasser gelungen; mit grossem fleiss hat er alle spuren dieses rechtsinstituts aufgesucht, das wol zu keiner zeit einer genauern schriftlichen fixierung sich erfreute. Damit scheint diese angelegenheit auch für Frankreich erledigt." Diese darstellung enthält, ausser den von mir angedeuteten, auch in der Spanien betreffenden stelle einige ungenauigkeiten, wie die vergleichung mit dem oben aus Ferd. Wolfs abhandlung angeführten zeigt; so galt das in rede stehende *jus* nicht blos in Catalonien, sondern auch in Aragon und Galicien, und das spanische *malos usos* bedeutet nicht „harte abgaben," sondern „schlimme herkömlichkeiten." Wenn ferner, wie wir sehen werden, jenes *jus* nicht erst in Europa und im mittelalter entstand, wenn dasselbe vielmehr einst fast überall existierte und geübt wurde, warum sollte dies nun nicht auch in Deutschland der fall gewesen sein? Grimm, der daran zweifelt, führt jedoch selbst ein Züricher Weisthum (RA. 384 Anm. 2) an, wo es heisst: „*so das hochzit zergot, so sol der brütgam den meier bi sinem wip lassen liegen die erste nacht, oder er soll sie lösen mit 5 sch. 4 pf.*" Er fügt freilich hinzu: „Er wird also nie verfehlt haben diese kleine summe zu erlegen;" allein zur zeit der abfassung dieses späten Weisthums war das ursprüngliche recht allerdings wol für ein geringes ablösbar geworden, was jedoch durchaus nichts gegen die ursprüngliche wirkliche ausübung desselben beweist; um so weniger als dieses *jus* früher nicht blos, wie wir gesehen, bei den Westgothen, sondern auch in Holland bestand; dies erhellt aus Bayle, Dict. Crit. s. v. Sixte IV ed. 1730. IV, 224, randglosse no. 56, wo in bezug auf dasselbe gesagt wird: „*Monsieur Pars, Ministre de Katwic, raconte dans un ouvrage, intitulé Katwykse Oudheden, c'est à dire Anti-quités de Katwic pag. 196 que certains Seigneurs de Hollande (il en nomme quelques uns) ont eu un semblable privilege et que les etats l'ont aboli en leur donnant quelque argent.*" Also erst die general-staaten hoben dort dieses recht gegen eine abfindungssumme auf. Aber auch noch älter und weiter herschend, sogar bis nach Asien und Afrika hin findet sich das in rede stehende *jus;* so übte es nach Solinus c. 22 der könig der Ebudischen inseln, nach Herod. 4, 168 der des libyschen stammes der Adyrmachiden (vgl. die sage von dem sohne des kephale-nischen königs Promnesus bei Heraclid. Pont. fragm. 31), in Arabien masste es sich an ein alter könig der stämme Dschadis und Thasm, s. Caussin de Perceval, Hist. des Arabes 1, 28 fgg., und in betreff des

königs von Ziamba (südlich von Cochinchina in dem südöstlichen teile
der halbinsel Cambodscha) berichtet Marco Polo (buch III cap. 6 n. 360
der engl. übersetzung von Marsden. London 1854): „*In the first place
it should be noticed that in his dominions no young woman can be
given in marriage, until she has been first proved by the King. Those
who prove agreeable to him, he retains for some time, and when they
are dismissed he furnishes them with a sum of money, in order that
they may be able to obtain, according to their rank in life, advanta-
geous matches. Marco Polo, in the year 1280, visited this place, at
which period the king had threehundred and twenty-six children, male
and female. Most of the former had distinguished themselves as vali-
ant soldiers.*" Aber auch in Indien finden sich spuren davon, dass
jenes *jus* einst dort herschte, wie ich aus einer stelle bei Burnes entnehme, der in seiner reise nach Bokhara und Lahore (London 1834;
französ. in Bibliothèque univers. des Voyages etc. par Albert Monté-
mont vol. 37 p. 423. Paris 1835) folgendes berichtet: „*A cinquante
milles environ de Tolumba* [am Ravy] *dans la direction de l'est, je
m'avançai de quatre milles dans l'intérieur des terres pour examiner
les ruines d'une antique cité nommé Harapa . . . . La tradition fixe
la chute d'Harapa à la même époque que celle de Shorkote* (welches
wahrscheinlich durch Alexander den Grossen zerstört wurde, Burnes
l. c. p. 419 fg.) *et les indigènes ajoutent que ce fut une vengeance
divine exercée contre le gouverneur qui reclamait certain pri-
vilège lors du mariage de chaque couple et qui dans le
cours de ses sensualités se rendit coupable d'inceste.*" In Brasilien
beanspruchen dieses recht die priester, speciell bei den Calinos (am
untern Purus) der häuptling; s. Bastian, Die Rechtsverhältnisse bei verschiedenen Völkern der Erde. Berlin 1872 s. 179 (nach Spix und Martius). Fasst man nun alles bisher angeführte zusammen, so kann nicht
der mindeste zweifel darüber herschen, dass sich in dem besprochenen
uralten und überall verbreiteten rechtsgebrauch eine spur jenes Hetä-
rismus, jener ἐπίκοινος μίξις erhalten habe, deren einstige herschaft
Bachofen in seiner erschöpfenden untersuchung über das mutter-
recht (Stuttgart 1861) ausführlich besprochen hat. Die inhaber der
gewalt hielten, wie es scheint, länger an dem ursprünglich allgemeinen rechte fest, als es schon längst in den übrigen volksschichten verschwunden war. Vielleicht jedoch gehört hierher auch was Maundeville
berichtet (c. 27); „*In another isle* (im gebiet des Prester John), *which
is fair and great, and full of people, the custom is, that the first
night that they are married they make another man to lie by their
wives, to have their maidenhead, for which they give great hire and*

much thanks. And there are certain men in every town that serve
for no other thing; and they call them cadeberiz, that is to say, the
fools of despair, because they believe their occupation is a dange-
rous one." —

„Der häufigste fall des scheinrechts ist die scheinbusse. ....
Gedungene kämpen nämlich und ihre kinder erhalten als busse das
blinken eines schildes gegen die sonne (*den blik von eme kampscilde*
jegen die sunne); spielleuten aber und allen, die sich selbst zu eigen
gegeben haben, gibt man als busse den schatten eines mannes. ....
Leuten, die wegen unehrenhafter lebensweise oder weil sie gewinn der
ehre vorziehen, rechtlos sind, gewährt man einen blossen schein, in
in dem zugleich misachtender spott liegt; nicht mehr als ein schildes-
blinken erhält der gedungene kämpe, der um lohn sein leben einsetzt;
nicht mehr als einen mannesschatten, an dem er rache nehmen mag,
der spielmann oder wer selbst das höchste gut, die freiheit, dahingege-
ben, weil die persönlichkeit ohne ehre nicht mehr als der schatten
vollberechtigter an der ehre vollkommener persönlichkeit ist." (S. 33 fgg.)
Ganz anders jedoch erklärt diesen rechtsbrauch Rochholz, Glaube und
Brauch im Spiegel der heidnischen Vorzeit 1, 112 fgg., wo jener am
schatten genommenen scheinbusse eine ursprüngliche, für wirksam
erachtete wesenheit beigelegt wird. Es heisst dort unter anderm: „Dem
mit seinem schatten unziemlich spielenden kinde wird von jenem eigenhändig ins gesicht und dem schatten des gegners wird vom unfreien
spielmann an den hals geschlagen. Dort nimt sich der schatten selbst
rache, hier wird sie an ihm genommen, in beiden fällen aber zum
unheil des schattenwerfenden, denn diesem soll damit ans leben gegriffen sein." —

„Der seidene oder zwirnene faden (mit dem der verbrecher angebunden wird) bedeutet einfach das loseste nur dem schein nach bin-
dende band. Er komt auch sonst oft in ähnlicher bedeutung vor, z. b.
in der redensart, ein gut oder haus solle so hohen frieden haben, als
sei es mit seidenem faden umfangen oder umhangen; oder auch wol
blos, es sei mit einem faden umhangen und deshalb geschützt. Denn
auch hier soll der faden nicht etwa eine besonders starke, heilige,
sei es wirkliche oder vorgestelte hegung ausdrücken; es ist vielmehr
gemeint, der friede des grundstücks solle so stark und heilig sein, dass
die loseste, geringste umhegung, ja die blosse vorstellung einer solchen
gegen jeden eingriff schützen solle, als wäre sie die mauer." (S. 38.)
Hierzu heisst es in der anmerkung: „Nach den bei Grimm RA. s. 183
bis 184 gegebenen beispielen könte diese bedeutung zweifelhaft und
vielmehr, wie Grimm dies annimt, eine wirkliche symbolische hegung

gebannter grundstücke durch einen darum gezogenen faden sein." Allerdings ist Grimms annahme die richtige; s. meine angaben Germania XVI, s. 224. Hierher gehört auch die von Gierke (in derselben
anm. 129) aus dem Weistum zu Meudt angeführte stelle. Dass eine
abhegung zur erhöhung der heiligkeit und sicherheit zuweilen auch da
in anwendung kam (in wirkliche oder gedachte), wo sie eigentlich überflüssig war, erhellt aus dem beispiel ebend. aus Kaltenbäck I, 469
§ 14 in bezug auf ein haus.

„Scheinladung durch umkehren eines steines vor dem hause.
Grimm Weisth. I, 305." (S. 39 anm. 134.) Was hier als scheinladung
auftritt, war ohne zweifel ursprünglich bei der wirklichen ladung in
gebrauch, dass nämlich vor dem hause ein stein umgekehrt wurde. In
der Historia septem Infantium de Lara, authore Ott. Vaenio. Antwerp.
1612 komt der eigentümliche in dem betreffenden spanischen romanzen-
cyklus (Durans Romancero General. Madrid 1849—51 vol. I no. 665
bis 694) nicht erwähnte umstand vor, dass vor die tür des alten Gon-
zalo täglich sieben steine gelegt werden, um ihn an die sieben durch
verrat umgekommenen söhne zu erinnern. Ob nun wol dieser wahrscheinlich auf alter sitte beruhende umstand mit dem oben angeführten
zusammenhängt und in demselben eine art ladung und aufforderung zur
rache enthalten ist?

„Nach einer bestimmung des Benker heidenrechts soll der mann, der
von seiner frau geschlagen wurde, aus dem hause weichen, eine leiter
ansetzen, das dach höhlen (*maken en hohl durch den dack*) und das
haus zupfählen usw." (S. 42.) Was ist der sinn dieser durchbrechung
des daches, nachdem der mann selbst das haus verlassen? Ich denke,
dieselbe wird vorgenommen, damit der eingesperrten frau nur dann die
möglichkeit, gleichfalls aus dem hause zu kommen, gelassen werde,
wenn sie durch das loch im dache hinauskrieche. Letzteres aber ist
eine reminiscenz des aus- und eingangs, wie er in ältester zeit stattfand, nämlich durch die dachöffnung oder das rauchloch, was durch
das von mir in der Zeitschr. f. Ethnographie 5, 101 fg. mitgeteilte
bestätigung erhält. Auch ebendas. 3, 165 heisst es: „Wie die winter-
wohnungen der Kamtschadalen und die der Mandanen in Amerika, so
hatten auch diese aleutischen häuser ihren zugang durch luken im dache,
aus denen man durch leitern niederstieg und welche zugleich als rauch-
öffnungen ... am tage zur beleuchtung dienten." Ja, alle die zahlreichen hypaethraltempel des altertums weisen sicherlich auf jene ursprüngliche bestimmung der dachöffnungen hin, wie dies schon Grimm, Gesch.
d. d. Spr. s. 117 fg. (1. a.) erkant hat („Es sollte, seitdem man got-
teshäuser mauerte, wenigstens oben im dach ein loch für den eingang

und ausgang des gottes gelassen werden"); nur dass diese öffnung eben
nicht auf tempel beschränkt war, sondern auf die hütten der urzeit
zurückgieng und bei jenen als altehrwürdige reminiscenz an dieselbe
beibehalten war.

Schliesslich noch will ich meine vollkommene zustimmung zu dem
ausdrücken, was der verfasser über das sagenhafte recht bemerkt
(s. 19 fg. 56), welchem nichts im leben entspricht. so dass es daher
nicht mehr zu dem wirklichen recht zu rechnen ist, wozu namentlich
die androhung nicht ernst gemeinter grausamer strafen gehört. Ganz
richtig nämlich fügt Gierke hinzu. dass in allen solchen fällen dem
spätern geschlecht leicht das als sagenhafter scherz erschien. was den
vorvätern bitterer ernst gewesen war. Auch bei Grimm RA. 739
heisst es: „Manche strafen beruhen bloss auf dem rechtsglauben
und auf der sage; geschichtlich zu erweisen ist nicht, dass sie in
Deutschland vollstreckt wurden, wohin namentlich die unter 3. 4. 5. 7.
8. 9. 13. 18 genanten todesstrafen gehören. Ableugnen lässt sich freilich die möglichkeit ihrer vollstreckung im höheren, roheren altertum
nicht, und einzelne strafen, deren wirklichkeit man sonst noch bezwei-
feln würde, sind nach unbestreitbaren zeugnissen vollzogen worden."
Namentlich in betreff der no. 13 (s. 695 „Mülstein aufs haupt fallen
lassen") glaube ich nachgewiesen zu haben (Benfey's Orient und Occid.
2, 269 fgg.: „Eine alte Todesstrafe"), dass dies keineswegs eine bloss
„mythische strafe" war und auch bei einigen andern der genanten strafen dürfte sich der gleiche nachweis geben lassen.

In dem vorhergehenden habe ich mich ebenso wie Gierke auf das
deutsche recht im engern sinne beschränkt, sonst hätte sich noch mancher andere gebrauch herbeiziehen lassen, wie z. b. der von mir in den
GGA.1871 s. 1032 fg. besprochene und auch Ztschr. f. d. Kulturgesch. 1872
s. 376 erwähnte, wonach nicht nur in Frankreich und Italien, sondern auch
in den Niederlanden, ja wahrscheinlich auch selbst in Deutschland zah-
lungsunfähige schuldner sich gegen jeden persönlichen zwang schützen
konten, wenn sie auf öffentlichem markte den hintern entblössten. wobei
sie zuweilen auf eine dazu bestimte säule stiegen. Dieser dem anschein
nach sehr humoristische rechtsbrauch geht jedoch auf einen höchst
grausamen ursprung zurück, wie ich in Pfeiffers German. 2, 256 wahrscheinlich gemacht. Eine andere humoristische weise der strafe ledig
zu werden erwähnt Weinhold, Die Deutschen Frauen im Mittelalter
s. 294 anm. 2 nach stadtrechten des mittelalterlichen nordens, wonach
es die schuldigen von jeder strafe befreite, wenn die frau den ehebrecher
an dem sündigen gliede durch die stadt strasse auf strasse ab zog. Ich
mutmasse gar sehr, dass ursprünglich die ehebrecherin gezwungen

wurde, den mitschuldigen ihres vergehens mit eigenen händen zu ent-
mannen. Nicht minder humoristisch ist, was Grimm RA. 453 aus dem
englischen recht anführt. Die wittwe des verstorbenen *tenant* behielt
ihr *freebench* (wittwengut), *dum sola et casta fuerit;* aber auch wenn
sie sich vergangen hatte, konte sie sich im besitz erhalten, wenn sie
auf einem s c h w a r z e n W i d d e r rücklings vor gericht ritt und einen
demütigenden spruch hersagte, welchen Addison angibt.[1] Das rück-
lingsreiten (jedoch auf einem esel) findet sich auch als strafe der frauen,
die ihren mann geschlagen; Gierke s. 52. Was aber den w i d d e r
betrifft, so fällt mir ein, dass Adam Flasch, Argonautenbilder, München 1870 s. 7 fg. bildliche darstellungen einer auf einem w i d d e r
sitzenden frau auf Aphrodite bezieht. Ob also wol der englische rechtsbrauch irgendwie aus einem von den römischen legionen aus Südeuropa
nach England gebrachten brauch herstammen mag?

Ehe ich nun aber die in rede stehende arbeit Gierkes verlasse,
will ich erst noch zu den das. s. 11 anm. 28 angeführten sühnformeln
folgende formel gegen sühn - und friedensbruch hinzufügen, die den
(handschriftlichen) C o s t u m e n v a n A n t w e r p e n cap. XXX art. 8
und 9 entnommen ist und so lautet; *„Hoort, goede mannen, hoort wat
ick hier gebiede van mijns Ghenadichs Heeren, ende van der Stadt
weghen.“*

*„Soo ghebiede ick hier ban ende vrede, van uwes Vaders weghen
ende uwes Moeders wegen, van uws Broeders ende van uws Susters
wegen, van uws Ooms ende Moyens wegen, van uwe Neven ende Nich-
tens weghen, ende van allen den ghenen dier van bloets wegen aencle-
ven mogen, het zy geboren oft. ongeboren soude mogen worden, also
v e r r e d e n w i n t w a y e t e n d e d e n r e g e n s p r e y e t: So ghebiede*

---

1) Auch Raumer (England 1, 437) erwähnt diesen rechtsbrauch und den
spruch, welchen die unkeusche wittwe hersagen muste, während sie auf einem
schwarzen bock (d. h. schafbock, widder), d e n s c h w a n z in d e r h a n d, zum nächsten gerichtshof ritt; er lautete, wie folgt:

> *„Here I am riding upon a black ram*
> *Like a whore as I am.*
> *And for my crincum crancum*
> *Have I lost my bincum bancum:*
> *And for my tail's game*
> *Am brought to this worldly shame;*
> *Therefore, good master Steward,*
> *Let me have my land again.“*

Grose erklärt *crinkum crankum* „*a woman's commodity*“ (i. e. *cunnus);*
unter *bincum bancum* ist wol das „*freebench*“ zu verstehen; der umstand, dass
die schuldige den schwanz in der hand hat, weist auf das „*tail's game*“ hin.

ick ban ende vrede, eenwerff, anderwerff, derdewerff, viermael over recht, dat ghy d'een den anderen hier en boven niet en misdoet noch doet misdoen, in woorden noch in wercken, heymelick noch openbaerlick, by u selven noch by yemanden anders, ende oft ghy hier en boven yet misdoet oft deet misdoen, dat soude zyn op Soenbrake ende Vredebrake, ende daer over soudemen van wegen ons G. Heeren des Hertoghs van Brabant, rechten oft doen rechten ghelijckmen over eenen Soen-breker ende Vrede-breker schuldich waer te rechten, nae den ouden Lantrechte. Aende ommestaenders gedraghe ick my dat ick den Vrede aldus ghedaen ende gheboden hebbe."

LÜTTICH.   FELIX LIEBRECHT.

ÜBER DAS PASSIONSSPIEL BEI ST. STEPHAN IN WIEN.

Mein verehrter freund Joseph Maria Wagner in Wien macht mich gütigst aufmerksam, dass ich bei meiner untersuchung der Marienklagen (Graz, november 1874) das „passionsspiel bei St. Stephan in Wien," welches durch Albert ritter von Camesina in den Berichten und mitteilungen des altertumsvereins zu Wien, band X (1869) s. 327 — 348 veröffentlicht wurde, übersehen habe. Der codex nr. 8227 der k. k. hofbibliothek zu Wien, welchem v. Camesina das passionsspiel entnommen hat, führt den titel: „Kurze Beschreibung auf was Weise die kais. Residenz und Hauptstatt Wienn in Oesterreich anfänglich zum christlichen Glauben bekehrt, wie die geistliche Obrigkeit bis 1685 Item was für Kirchen, Cappel, Clöster daselbst bevindlich, alles mit sonderbarem Fleiss aus vielen alten Archiven etc. zusammengetragen durch Joannem Mathiam Testarelle della Massa Bohemie regis equitem Prothonotarium Apostolicum und des Hohen Thumb-Stüffts zu Wienn Canonicum capitularem et Seniorem." Der catalogus canonicorum ad S. Stephanum gibt an, dass Testarella „obiit 18. Februarii 1693 aetatis suae anno 57."

Die aufzeichnung Testarellas schildert zuerst die ceremonien, welche am palmsonntag in der Stephanskirche abgehalten werden, dann die pumpermetten am mittwoch, donnerstag und freitag der charwoche und gibt den gesang der nach den metten um den friedhof und in der kirche herumziehenden processionen an. Es folgt eine erzählung der gründonnerstagsfeier, darauf die passion am charfreitag vormittag. Nachdem die grablegung geschildert und die frommen verse, welche die

26 zünfte haben auf die von ihnen gespendeten kerzen (?) schreiben lassen, aufgezählt worden sind, führt Testarella noch die dramatische darstellung am charfreitag nachmittag genau an.

Das „Teutsche uralte Gesang" bei der erwähnten procession enthält zunächst zwei lateinische strophen, in denen Christus und Maria angerufen werden, mit deutscher übersetzung.

Darauf folgen — und wol als hauptteil — zwölf deutsche strophen. Jede derselben enthält vier verse, die in zwei halbverse zu drei (vier) hebungen mit meist klingender, mitunter gereimter cäsur zerfallen. Die endreime sind stumpf.[1] Jeder strophe folgt: Kyrie eleison, Christe kyrie.

Der processionsgesang soll die hauptmomente des leidens Christi vor der kreuzigung anführen. Es ist nicht wahrscheinlich, dass alle strophen desselben zu gleicher zeit entstanden sind. Von den letzten fünf strophen beschäftigen sich nämlich 8—11 ausschliesslich mit Petrus, strophe 12 lautet:

> O, du armer Judas, wie dein Vatter hiess,
> Er hatt ein staubiges Hütel auff, darzu ein rostigen Spiess,
> Er thet sich ritterlich wehren, er stundt wohl hinter der Thür.
> Als baldt die schlacht fürüber, da tratt er wider herfür.

Diese spottverse passen nicht nur gar nicht zu den früheren strophen vom leiden Christi, sondern stehen mit ihrer in der bezüglichen sage nicht begründeten heiteren auffassung von Judas' vater im directen widerspruche zu strophe 7, welche heisst:

> O du Armer Judas, wass hast du gethan,
> Das du Vnssern Herrn also verrathen hast,
> Darumb so mustu leiden die höllische Pein,
> Lucifers geselle mustu Ewig sein.[2]

Diese strophe gibt einen ganz passenden schluss des processionsgesanges ab. Es gewint dadurch auch die folgende notiz Testarellas bedeutung: „Von disem Uhralten gesang werden jeziger Zeit unter obgesagter Procession nur die ersten 7 gesungen." So werden wir wol mit zuversicht die letzten fünf strophen als späteren zusatz auffassen können. Ob nicht schon innerhalb der ersten sieben strophen eine aus-

---

1) Mit ausnahme von 3 ₃. ₄ gefangen : erhangen, welcher reim jedoch im dialekt auch kann als stumpf gegolten haben.

2) [Es ist die übliche vierte strophe des kirchenliedes feria quarta septimanae sacrae. Vgl. Schmeller ed. Frommann 1, 1203. Z.]

scheidung vorzunehmen sei, lasse ich dahingestellt.[1] Sicher aber ist,
dass unter den strophen 8—12 zuerst 8, 10, 11 gesungen wurden.
Denn man vergleiche:

> 8. Die Juden kommen gegangen mit einer grossen schaar,
> Die Jünger all entrunnen, St. Peter der blieb stahn,
> Er zucket wol in grimmen vndt schlug in hauffen dar,
> Da gab er eim ein schwinderling[2] vndt traff in an ein ohr.

und 9. Sie trungen all den gartten zu, ein Jeder wolt hinein,
> Da fielen etlich Juden mit laithern über die Zäun.
> Es brach einer schier den halss ab, es fählt kaum umb ein
> haar,
> Da kam S. Peter auch darzu, vndt schlug ihm ab das ohr.

Diese beiden darstellungen desselben ereignisses können nicht wol nach
einander gesungen worden sein, sondern nur eine von beiden konte
verwendet werden. Ich möchte strophe 8 für die ältere halten.

Von der am charfreitag vormittag aufzuführenden passion sagt
Testarella: „Unter wehrenden Gottesdienst wird herunten in der Kirchen auff der Bühn, da dass Crucifix den vorigen tag darauff gestellt
worden, von den Stewerdienern der Stadt Wienn das bittere Leyden
oder passion vnsers lieben Herren durch die von Uhralten zeiten hero
verfasste reymen dem Volck vorgetragen.“

Das nun folgende stück wird mit unrecht ein passionsspiel genant,
wie schon v. Camesina selbst s. 342 bemerkt hat. Denn es enthält
klagen über den tod Christi, verhandlungen des Joseph von Arimathäa
mit Pilatus und die grablegung.

Zuerst spricht prologus 170 verse. Die einleitung wird durch
eine in den üblichen worten abgefasste aufforderung zum schweigen
gebildet. Was prologus aber erzählt, unterscheidet sich von dem bei
anderen stücken gegebenen resumé des leidens Christi. Ein solches

---

1) Es lautet 3:
> Pilatus vnd sein knechte, Judas der falsche Mann,
> Die haben gar vnrechte an vnsern herrn gethan.
> Es blieb nicht vngerahen (l. vngerochen), sie wurden gefangen.
> Pilatus war erstochen vndt Judas erhangen.

und 6 (Pilatus hat vnrechte an vnsern herrn gethan.
Die widerholung ist auffallend und 3 hat hauptsächlich auf das künftige schicksal
von Pilatus und Judas hinzuweisen. Man nehme hinzu anm. 1.

2) Schwinderling — maulschelle, wol eine gründliche, worüber einem hören und
sehen vergeht. Schmeller, bair. wörterb.² II 637. [Weinhold, beiträge zu einem
schlesischen wörterbuche. Wien 1855 s. 89. Z.]

begint erst mit vers 43. In der vorhergehenden partie wird davon geredet, dass Christi leben von der geburt im stall bei mitternächtlicher kälte bis zum kreuzestode nichts als leiden enthalten habe. Daran schliessen sich die verse 39—42:

Nun bitt ich euch durchs jüngst gericht,
halt diess nicht für ein schlechtes gedicht,
last Euchs einmahl zu hertzen gahn.
hebt also zu gedencken an.

Nach dieser sonderbaren einschaltung und ermahnung wird nun wie in der Bordesholmer Marienklage (HZ. XIII, 288 fgg.), in der tirolischen klage mit den propheten (Pichler, über das drama des mittelalters in Tirol s. 115 fgg.) und andern das leiden Christi rasch berichtet und mahnworte angeknüpft.[1] Ich glaube, dass die erste partie spät zugesetzt worden ist.

Magdalena und die beiden ersten Marien sprechen klagen. Die verse jeder dieser drei personen und auch die der meisten folgenden zerfallen in zwei teile, einen der gesprochen und einen der gesagt wird. Es hat sich in dieser differenzierung der alte unterschied der cantat- und dicitverse lebendig erhalten. Magdalena klagt in ihrer rede ihre frühere sündhaftigkeit als ursache des todes Christi an. In ihren versen erinnert

Meine weltliche freüdt im rosengartt
. . . . bringt solchen lohn

an das „mundi delectatio" derselben frau im Benedictbeurer osterspiel. Ist der „rosengartt" vielleicht mit der „auwe" zusammenzuhalten, in welcher Magdalena mit dem jüngling nach dem von Jos. Haupt (im I. bande von Wagners Archiv für die geschichte der deutschen sprache und dichtung) veröffentlichten osterspiele v. 311 fgg. sich aufhielt?

Die verse der beiden ersten Marien enthalten nur umschreibungen der die Trierer Marienklage (Fundgruben II, 260) einleitenden allgemein bekanten worte. Maria, die mutter Christi, spricht zuerst 4 verse:

O, liebe kinder der Christenheit,
helfft mir tragen mein gross hertzen leydt,
auff klieb sich die Erdt und die stein,
dazu die gräber ins gemein.

Hier sind die schon erwähnten ersten verse der Trierer Marienklage:

1) Dass 97. 8 koht : spott, 125. 6 stadt : katt gereimt wird, darf nicht auffallen.

O lieben kint der kristenheit,
helfet klagen mir mîn grôz herzeleit.
Mîn klage ist erde unde steine
und die ganze werlde algemeine usw.[1]

mit dem in meiner schrift als XI bezeichneten gemeinschaftlichen
versikel:

diu sunne birget iren schin
al der werlt gemeine,
diu erde erbidemt, swie si lit,
ûf kliebent sich die steine

in gedankenlosester weise zusammengearbeitet. Für das schlechte
gedächtnis des verfassers war „stein" der anhaltspunkt zur verknüpfung.
Die verse, welche Maria sagt, gehören diesem stücke an, enthalten
aber nichts merkwürdiges. Johannes spricht 10 trostverse, die nur oft
verwendete gedanken widergeben, ohne dass man sie einer bestimten
quelle zuweisen könte. Dagegen sind die vier von Maria gesprochenen
verse, welche folgen:

Ihr Prawen klagt den jamer mein,
wie ist erzogen das kindte mein
mit ruthen und mit geisslen ser,
Ich weiss nicht wo Ich mich von mein lieben Kindl hin kehr

nur eine aus mangelhaftem gedächtnis aufgezeichnete fassung von 41—45
der Münchner Marienklage (Altdeutsche blätter II. 374 fg.):

Lieb frawn, ich chlag den schaden mein:
mir ist erczogen mein kindelein
mit wunden und mit pesemser,
wellend ich vil armew cher
von meinem lieben chinde!

Auch in dem passionsspiel aus Eger (Germania III, 284, 17 fgg.)
sind diese verse erhalten. Was Maria weiter sagt, das erinnert in seinem anfange an die klagen in dem Trierer stück 264, 27 fgg. und
268, 21 fgg., welche auch sonst vorkommen. Aber schon die nächsten
verse, die Christi heilende tätigkeit besprechen, sind wider eigenes
werk des verfassers. Es folgt eine scene zwischen Simon und Maria.
Simons verse sind neu. Er spricht sie, indem er „das schwerdt auss-
ziehet und giebts Maria ins hertz." Das ist dieselbe action, welche
mit Maria in der Bordesholmer klage ausgeführt wird. Dort gibt die

---

1) Besser im Alsfelder passionsspiele (ausgabe von Grein) 5906 fgg.

spielordnung Marias bewegungen an, welche sie ausführt „*cum gladio Symeonis quem tenet beatus Johannes ante pectus ejus.*" Man vergleiche noch daselbst die spielangaben vor den versen 376, 400, 421, 473, 567, 654, 690. Die antwort Marias:

> Ein scharffes schwerdt mir geheizzen war
> aus Simeonis munde,
> Jesu Christ, da ich ·deiner genass.
> das schneidt mich heüt zur stunde.

gibt nur die von mir unter VI zusammengefassten verse wider, welche lauten:

> ein swert mir geheizzen was
> von Sîmeônis munde,
> Jhesu Krist, do ich dîn genas;
> daz snîdet mich ze stunde.

Marias nächste acht verse umschreiben nur das eben angeführte.

Die scene der abnahme Christi vom kreuze hat der verfasser des vorliegenden stückes mit einer ausführlichkeit, welche sonst nur im Alsfelder passionsspiele vorkomt, in eigenen versen bearbeitet, ja auch mit neuen zügen bereichert. Zwar ist der schutzengel, welcher zuerst den Longinus ermahnt und dann alle sünder, hier übel hereingebracht, um so besser ist, dass Longinus vom Pilatus abgesant wird, um nachzusehen,

> ob Er schon gestorben sey.

Longinus sticht in die seite Christi, wird sehend und zeigt den tod des erlösers dem Pilatus an. So steht die Longinusscene in sicherer verbindung mit dem ganzen. Im Alsfelder passionsspiele sendet Pilatus den centurio und die Longinusscene bleibt unvermittelt. Auch des Pilatus sohn, der seinen hier ohnedies sehr mild behandelten vater zu entschuldigen sucht, ist von dem verfasser selbst hinzugetan worden.

Maria und Johannes besprechen den entschluss, der abnahme vom kreuze beiwohnen zu wollen. Wenn auch die ersten 18 verse keineswegs ganz neu sind, so gehören doch die letzten 12 diesem stücke. Joseph redet nur Maria mit der bitte an, dass ihm gestattet werde, Christum zu begraben. Die acht verse, welche Maria antwortet, sind höchst ungeschickt interpoliert,[1] denn in der spielangabe heisst es sogleich: „Maria schweigt still und Johannes redet an statt Maria zu Joseph." Johannes sagt:

---

1) Die beiden ersten verse dieser stelle finden sich, an Nicodemus gerichtet, im Alsfelder passionsspiele 6695. 6.

> Josseph du guter getrewer mann,
> du solst mir nicht vor übel han,
> den mein frau vor grosser klag
> dir jetzt nicht mehr andtwortten mag.
> bestätt Jessum zum grab nach Ehren,
> dass will ich dich für sie gewehren.

und noch 14 verse später sagt Joseph:

> — alss die reine nicht mehr thät sprechen.

Die nächsten 76 verse, von Nicodemus, Joseph und dessen knecht gesprochen, sind dem Wiener stück eigentümlich. In acht versen fleht Maria Nicodemus um den leichnam Christi an. Die verse sind neu, die gedanken spricht Maria auch im Alsfelder passionsspiele 6689 — 6690 aus. Nach einer klage Magdalenas wird während einiger verse, die Joseph und sein knecht sprechen, der leichnam entfernt. Maria spricht:

> Es ist nun zeit dass ich mich scheidt.
> O Gott, warumb nimbst unss nicht heydt?
> ich bitt dich mit inniglichen sinnen,
> lass mich deines zorns werden innen.
> O wehe dass ich erlebt den tag,
> daran mein kindt gestorben ist.
> O todt, nimb mich hin zu diesser frist.

Dem fünften vers fehlt der entsprechende reim. Schon diess beweist, dass unsere stelle aus dem gedächtniss aufgeschrieben wurde; selbstgefertigte verse haben keine lücken. 6801 fgg. des Alsfelder passionsspieles heissen:

> Owe, dass ich ie gelebet dissen tagk,
> dass ich armes wipp nit gesterben magk!
> owe toid, komme hude
> und nim mich durch din gudde!

Ob in den beiden ersten schlechten versen des Johannes, die nun folgen:

> Maria, du solst auch stehen
> und mit mir nach hausse gehen —

eine erinnerung an 6793. 4 des Alsfelder passionsspieles liegt? Diese lauten:

> Johannes, wo soln mer aber hin gen
> Mit den luden, die hie sten —?

Zu den folgenden vier versen Marias vergleiche man auch v. 90 der oben erwähnten Münchner Marienklage.

72 verse werden noch am vormittage beim heiligen grabe von den drei Marien, Magdalena und Johannes gesprochen. Sie gehören unserm stücke. Johannes führt Maria auf den berg Sion.

Die verse der am charfreitag nachmittag um das heilige grab herum aufgeführten scene mahnen zwar häufig an in andern Marienklagen vorkommendes, sind aber selbständig.[1] Jedoch ist diese nachmittagsklage nur eine erweiterung der vormittagsklage; die verse, welche Johannes 330b vormittags spricht, hat er sehr ähnlich 337c nachmittags zu sagen. Die ganze scene enthält gar keine handlung und ist offenbar entstanden, um der sehnsucht des volkes nach recht vielen herzbrechenden klagen zu genügen.

Der verfasser des Wiener Stückes — dessen entstehungszeit wol erst in die zweite hälfte des XVI. jahrhunderts fällt — hat ohne zweifel eine der alten Marienklagen gekant, ganz gewiss aber nicht mehr vor sich gehabt. Dass diese alte klage der gruppe angehört hat, welche aus den in meiner schrift als DEF bezeichneten stücken — also der Münchner, Trierer und der ins Alsfelder passionsspiel aufgenommenen Marienklage — besteht, ist nach den gegebenen anführungen wol sicher.

GRAZ, IM NOVEMBER 1874.   ANTON SCHÖNBACH.

---

1) Zu den worten Marias beim grabe 338c vergleiche man Fundgr. II. 260, 8 fgg. und Alsfelder passionsspiel 5912 fgg. — Marias verse 337c beginnen mit einer übersetzung des: *Quis dabit capiti meo aquam et oculis meis fontem lacrimarum?* etc. Jerem 9, 1.

DIE ORTSNAMEN DES KREISES WEISSENBURG IM ELSASS.

Mit vollem rechte findet W. Hertz in den sagen des Elsass[1] „noch urdeutsches volkstum," bei welchem „von verwälschung nichts zu spüren" ist. Darum geht er in das reich der sage zurück und zeigt uns, wie sage und geschichte im Elsass in engster verbindung stehn, wie „die nationale eigenart der Elsässer deutsch, kerndeutsch" ist.

Ein gleiches interesse wie die sagen bieten uns die ortsnamen und um so mehr, da gerade sie am meisten uns die alten formen bewahrt haben, die ihnen von den alamannischen und fränkischen vorfahren unserer heutigen Elsässer gegeben worden sind.

---

1) Deutsche sage im Elsass. Stuttgart 1872.

Im folgenden sollen nun nur die ortsnamen eines und zwar fast
durchweg von Franken bewohnten kreises besprochen werden: hoffentlich kann in kürze eine bearbeitung der ortsnamen des ganzen Elsass
nachfolgen. Bei der jetzigen arbeit musten besonders die Traditiones
possessionesque Wizzenburgenses (herausgegeben von Zeuss, Speier 1842)
berücksichtigt werden, die nicht allein eine sehr vollständige samlung
von urkunden vom 1. mai 693 an bis zum 25. april 861 enthalten,
enthalten. sondern auch in ihrem zweiten teile eine grosse anzahl von
ortsnamen in der sprache des 13. jahrhunderts bieten. Von Schöpflins Alsatia illustrata wurde die bearbeitung von Ravenèz (5 bände,
Mühlhausen 1849 — 1852), ausserdem das Dictionnaire géographique,
historique et statistique von Baquol (Strassburg 1851), Schöpflins Alsatia diplomatica, B. Hertzog, Edelsasser Cronik u. a. benutzt. Die
anordnung ist im grossen und ganzen die von Weigand (Oberhessische
Ortsnamen im Archiv für Hessische Geschichte und Alterthumskunde.
Aus den Schriften des historischen Vereins für das Grossherzogthum Hes-
sen bd. 7 s. 241 — 332) eingehaltene, wenn auch einige änderungen
eintreten musten.

Nach einer ziemlich allgemeingültigen beobachtung sind die einfachen ortsnamen im vergleich mit den zusammengesetzten nur sehr
wenige. Die auch hier vereinzelt auftretenden e i n f a c h e n o r t s -
n a m e n sind meist dative mit ursprünglichem aber schon frühe wider
weggefallenem *zi, zë, zu* und dem artikel. Hierher gehören zuerst als
ursprüngliche dative des singular:

B ü h l, *zu dem buhelen, bühelen, bühel*, zu dem mässigen hügel
(ahd. *puhil, buhil*, auch *puol, buol*); R o t t, *Rode quod vulgo dicitur
Manglotzanda* Poss. W., zu der anrodung, dem neubruche, von ahd.
daz rod. Mit dem keltischen stamm *sal*, deutsch *salt:* S e l z, im Iti-
nerarium Antonini (vergl. Als. ill. I, 568) *Saletio*, bei Ammian VI, 2
Saliso, bei Fredegar (7. Jahrh.) *Saloissa*, unter den Ottonen *Salise,
Salso, Salsa, Celsa, oppidum Salsense* (Als. ill. I, 431; Baquol 395),
Salsa 1084 und 1213. dazu in den Poss. W. *in pago salinense*, mit-
hin zur salzstadt. Auch S u l z, *villa sulcia* 737, *Sulza* in den Poss.
hat seinen namen von einer nicht vor gar langer zeit noch benutzten
salzquelle. Zu dem nämlichen stamme gehören endlich auch die am
Selzbache gelegenen orte R i e d s e l z (*ritsalse* Poss.) und S t e i n s e l z. —-
W ö r t h, *Werda* 1132, *zu dem werde*, zu der von dem Sauerbache (der
Sauer) gebildeten insel (ahd. *warid*).

Ein dativ plur. lässt sich in dem kreise nicht aufweisen. Dagegen sind mehrere einfache ortsnamen von personennamen gebildet, und
zwar:

Hatten, *Hadana villa* 808, *Hatana* 816, zum wohnsitze des
Hado oder Hatto, während Förstemann (Die deutschen Ortsnamen,
Nordhausen 1863. s. 232 fg.) hier einen eigentlichen flussnamen ver-
mutet. Rödern, *Rotheren* 1084, auch *Rutheren*, zum wohnsitze des
Rother oder Ruther, in Ober-Rödern und Nieder-Rödern, welches
letztere einige für das von Ptolemäus im gebiete der Nemeter genante
Rufiana halten wollen. Siegen, zum wohnsitze des Sigo (vergl. För-
stemann, altdeutsches Namenbuch I, 1086).

Endlich schliesst sich hier noch an Mothern, vielleicht *Matravilla* in urkunden des 8. und 9. jahrhunderts, zum wohnsitze an der
Moder, was aber wol auf Modern bei Buchsweiler zu beziehen ist.
Mothern im kreise Weissenburg ist dagegen „zum wohnsitze des Mothar
oder Mother" (Förstemann, altd. Namenb. I, 934).

Durch Zusammensetzung sind weitaus die meisten ortsnamen
gebildet, und zwar:

1) Mit ahd. *diu aha*, got. *ahva* (entsprechend dem lateinischen
aqua): Kefenach, zu dem wasser, an welchem schoten- und hülsen-
früchte (ahd. *diu chëvâ*, mhd. *këve*, schote, hülse) wachsen. Hierher
gehört wol auch Lobsann, früher *Lubesahe*, auch *Lusau* und *Lubesan*
(1347), vielleicht zum wasser, an dem koriander (*luopi*, *luopes*)
wächst.

2) Mit ahd. *dër* und *diu pah, bah*, mhd. *bach*, kleines fliessendes
wasser: Asbach (Aschbach), ein im Elsass mehrmals vorkommender
name, *Aspa-aha*, zum wasser, an dem die espe (ahd. *aspa*) wächst.
Birlenbach, früher *Birelbach*, was auf ahd. *biril*, korb schliessen
lässt, zum bache, an welchem korbweiden wachsen. Bremmelsbach,
zum bache, an dem die brombeere (ahd. *brâma*) wächst. Diefenbach,
öfters im Elsass vorkommend, im 15. jahrhundert *in der Diefenbach*,
zum tiefen bache. Dürrenbach, auch ein im Elsass mehrfach und
früher als *Durrenbach* (12. jahrh.), *an dem Dürrenbach* (15. jahrh.) vorkommender ortsname, zu dem dürftigen (ahd. *durri*), d. h. im sommer
austrocknenden bache. Eberbach, *Erbenwilare* 808, mithin mit *Eribo,
Erbo*, nhd. erbe zusammengesetzt, zum aufenthalte des Eribo. Esch-
bach, zum bache, an welchem die esche, *der asc*, wächst. Klim-
bach, Klincbach, zum rieselnden oder rauschenden bache (vergl. ahd.
klingan). Laubach, zu dem mit laub überwachsenen bache. Lembach, *Lonunbuach* 786 (von Zeuss für Laubach gehalten), *Lonenbuoch,
Lonenbuacho, Loenenbach* (mit übergang des *buoch* in *bach*), also eigentlich zum Lohn- oder Lehen-buchwalde (ahd. *lôn* und *buocha*): in der
tat ist Lembach ein lehen des bistums Strassburg gewesen. Über den
übergang des *lonun-, loenen-* in *Lem-* vergl. Als. ill. III, 315. Lau-

terbach (Ober- und Nieder-), *Lûterenbach*, zum hellen bache. Salm-
bach. *Salhunbach* 1046, *Salenbach* Poss. W., später *Salembach*, zum
bache, an welchem die weide (ahd. *saluha*, plur. *saluhun*, *salhen*)
wächst. Seebach (Nieder- und Ober-), schon sehr frühe *Sebach*,
zum bache, der sich dort seeartig (got. *sairs*, ahd. *sco*) erweitert.
Spachbach wird wol aus *aspa-aha* entstanden und -bach ein späterer zusatz sein, da die erklärung „zum lärmenden (von mhd. *spahen*,
lärm machen) bache" zu gewagt erscheinen muss. Steinbach (Ober-
und Nieder-), zum steinigen bache. Sulzbach (Langen-). *Solzbach*
1369, von dem bache benant, der den ort durchfliesst und den stamm
salt, eine im verhältnisse des ablauts stehende nebenform zu *salt*
(s. oben bei Selz) in sich schliesst. Trimbach, *Drigenbach*, zu dem
orte, an welchem sich drei (*drige*) kleine bäche vereinigen. Winzenbach, *Winzingas* 774, auch *Winzingen*, erst später *Winzenbach* 1163,
also eigentlich zum besitze des Winzo oder Wanzo (Graff, althochd.
Sprachschatz I. 906). Dagegen ist Hundsbach eine misverstandene
form für Hunspach, *in Hunonis pago*, im gebiete des Huno (statt Uno,
Unno mit unorganischem h.)

3) Mit brunnen, born, bronn, aussprudelnde zu tage kommende
quelle (ahd. *der prunno*, *brunno*, mhd. *brunne*): Drachenbronn,
Pfaffenbronn (weil der Weissenburger abtei gehörig) und Mors-
bronn (*Mornsbrunnen* 1219, zum brunnen des Moring oder Mauring,
nhd. Möhring).

4) Mit ahd. *diu puruc*, *burc:* mhd. *burc*, nhd. *burg*, mit mauern
umschlossener ort: Kleeburg, *Klea* Poss. W., entweder zu ahd. *klê*,
nhd. *klee* oder zu nhd. *klei*, engl. *clay*, thon gehörig, vergl. Förstemann, altd. Namenbuch II. (2. bearbeitung), s. 408. — Lauterburg,
villa nomine Lutera (wie der fluss) 1103, im 13. jahrhundert *Lutter-
burg*, zur burg an der Lauter, soll nach Schöpflin das *Tribuni* der
Römer sein. Schönenburg, *Sconenburc*, *Sconinburc*, zur burg von
schönem ausschen. Surburg, *Suraburgum* 740, *monasterium Surburg*,
zur burg an der Sauer (*Sura*). Weissenburg, ursprünglich name des
heutigen dorfes Altenstadt (s. unten), dann der abtei und erst seit dem
11. jahrhundert nach der vollständigen zerstörung des alten ortes auch
name der heutigen stadt, *Wizzunburg*, *Wizenberg* 675, *Sebusium*
(Beat. Rhen. Rer. germ. III 324), *Albiburgum* bei Peutinger, auch *Leu-
copolis* — zur burg vom weissen ausschen. Dagegen ist Walburg
keine zusammensetzung, sondern der name der heiligen Walpurgis, der
dort in dem Hagenauer walde (dem heiligen forste) eine gegen die mitte
des 16. jahrhunderts an das Weissenburger stift gekommene abtei geweiht
gewesen ist.

5) Mit *daz dorf*, dorf: Betschdorf (Ober- und Nieder-), analog Betschweiler am Odilienberg aus *Bernhardsdorf*, später *Bertschdorf* entstanden und nicht, wie Schöpflin annimt, aus *Biberesdorf*. Discheldorf, vielleicht *Disteldorf*, zum dorfe, bei welchem viele disteln (ahd. *distil*) wachsen. Goersdorf, *villa Gerleches, Gerlaigesvilare, Gerlaigovilare, Gerlaichestorf, Gerlachestorf* 8. jahrh., zu dem dorfe des *Gerolah* (Gerlach) oder *Gairelaig* (Gerlich), s. Förstemann, altd. Namenb. I, 482. Kesseldorf ist vielleicht ähnlich zu erklären wie das oberhessische Kesselbach (Weigand a. a. o. s. 275): zum dorfe, „bei welchem der kessel zum kochen des opferfleisches über das feuer gesetzt zu werden pflegt;" wenn es nicht einfacher „zu dem in einem talkessel gelegenen dorfe" ist; an den personennamen *Kezil, Chezelo* ist wol nicht zu denken. Mitschdorf, *Mediovilla* 757, *Muzzinchesdorph* 791, *Muzzingdorf*, zum dorfe des Muzzinc. Oberdorf, *Oberndorf* 1332, zu dem oberen dorfe. Preuschdorf, *Bruningesdorf* 772, dann *Bruoningesdorf* und *Briungesdorf*, zum dorfe des Brüninc (abkömling des Brûno), nhd. Brenning, Brüning. Vergl. Breungeshain bei Weigand a. a. o. s. 310.

6) Mit ahd. *hart*, wald, zusammengesetzt ist Scheibenhard, *Scheibenhart* 1206, wol corrumpiert und vielleicht statt *Scheidenhart*, zum gränzwalde.

7) Mit *daz heim*, haus, das man bewohnt, wohnsitz, heimat: Beinheim, *Badanandovilla, Batanandovilla* 745, auch *Batanandovilare, Batenandovilare*, das später zu *Banenheim, Bainenchain* 773, *Beinenheim, Beninheim* 884 geworden ist — zu dem wohnsitze des Badanand oder Batauand (Förstemann, altd. Namenb. I, 199). Biblisheim, *Biberes*- und *Bibures*-, später (1310) *Bibelies*, zu dem an dem Biberbache gelegenen wohnsitze. Forstheim, zu dem im walde gelegenen wohnsitze. Hegeney, *Aginoni villa* 786, *Heckenheim* 1158, zu dem von Agino (Hagino, Hegino), dem vater des in der urkunde vom jahr 786 (Trad. W. nr. 82) als donator genanten Engilbertus, erbauten und nach ihm benanten wohnsitze. Ingolsheim, *Ingoldeshahe* und *Ingoldesaha* Poss. W., zum wohnsitze des Ingolt. Wingen = Windheim, zu dem dem winde ausgesetzten wohnorte.

8) Mit *hoven*, dem dativ plur. von *der hof*, hof, „inbegriff der zu einem gute gehörigen gebäude," was auch als simplex in Hoffen, früher wol auch *hoeffen*, vorkomt: Geitershöfen, zu den höfen des Giselbert (?). Oberhofen, zu den oberen höfen. Memmelshofen, *Meinmolshoven, Meimelshofen* 1347, zu den höfen des Maginold oder Meinhold. Rittershofen, *Rottershoven* 1227, auch *Rutershofen*, zu den höfen des Hruodhart oder Ruthart.

Mit mhd. *hûsen*, ahd. *hûsun* von *daz hûs*, nhd. haus: **Albrechts-
hausen**, zu den häusern des Albrecht. **Elsasshausen**. *Eselshusen*
1422,[1] wol aus *Ecelishusen* entstanden, zu den häusern des Azzilo oder
Ezzilo. **Kutzenhausen**, *Chuzincusi* 742, *Kutzenhusen* 1312, zu den
häusern des Chuzo (Förstemann, altd. Namenb. I, 317). **Münchhausen**. *Munikhusa* 788, *Munikhusen* Poss.·W., zu den häusern der
mönche.[2] **Schaffhausen**, *Scaphusa* 782, *Scafhusa*, *Scaphhuson* 784,
Scaphhusa 788, nach Förstemann, altd. Namenb. II, 1296 fg., zu den
vorrats- oder lagerhäusern, was auch auf die lage am Rheine passt.

10) Mit ahd. *lôh*, lucus, wald: **Hölschloch**, *Heldenslug*, *Hei-
lensloch*, zum walde des Heribold. **Lampertsloch**, zum walde des
Lampold oder Lampert.

11) Namen mit *stat*, stadt: **Altenstadt** oder **Altstadt**, *zi dëro
Altunstat*, *Aldenstat*; noch jetzt beim volke „in der Altstadt," zu der
alten ortschaft, im gegensatze zum neueren Weissenburg, dessen namen
Altenstadt früher trug, wie aus einer urkunde des 8. jahrhunderts hervorgeht, in welcher das *monasterium Wizenburg* neben dem *castrum
Wizenburg* genant wird (Trad. W. nr. 152). Letzteres, sowie auch das
Nithardi historiarum lib. III c. 5 genante *Wizzinburg*[3] kann sich aber
nur auf Altenstadt beziehen, auch beweist eine urkunde vom jahre 775
(Trad. W. nr. 108), dass das kloster Weissenburg in Altenstädter gemar-
kung (*in marca urcuvilare*) erbaut worden ist. Altenstadt heisst in
einer urkunde Heinrichs VII. aus dem jahre 1311 und auch sonst öfters
vetus villa, nach Schöpflin (Als. ill. I, 583) ist es das römische *Con-
cordia*; übrigens ist es wenigstens zweifelhaft, ob der ort römischen
ursprungs ist: die dort in gräbern des 17. und 18. jahrhunderts gefundenen römischen münzen sind nicht als beweis für jene behauptung
anzunehmen. — **Gunstett**, vielleicht zur kampfstätte (ahd. *gund*).

12) Mit *daz tal*, thal: **Schleithal**, nach der analogie von
Schleifeld in Oberhessen (Weigand a. a. o. s. 287 fg.), zu dem an einem
sanften abhange gelegenen thale. **Mattstall**, im 16. jahrhundert
Matstal, zum wiesenthal (ahd. *mato*, mhd. *mate*, nhd. matte = wiese).

13) Mit dem vom lateinischen *villa* hergeleiteten *vilare*, ahd. *wilari*,
wiler, *wilre* (als simplex in **Weiler** bei Weissenburg) sind meist perso-

---

1) „*Lehen gelegen zu Froeschwilre mit namen der hof genant Eselshusen.*"
Schon 20 jahre später tritt E. als dorf auf.

2) Der ort gehörte der abtei Selz, die vielleicht nicht so alt ist wie M.
S. Als. ill. IV, 420.

3) „*Quibus peractis Lodhuvicus Renotenus per Spiram et Karolus juxta
Wasagum per Wizzânburg Warmatiam iter direxit.*"

nennamen zusammengesetzt: Fröschweiler, *Froscheim* 820, *Fröschwilre* 1406, nach Förstemann (die deutschen Ortsnamen s. 147) aus *Frosincheim* hervorgegangen, zum wohnsitze der Frotsindis. Hermersweiler, Hermannsweiler, zum wohnsitze des Hermann. Hochweiler, *Hohenwilari* 8. jahrh., *Hochweiler* 1521. Kröttweiler (auch Grepern) ist wol eine arg corrumpierte form für Gretweiler. Leutersweiler (auch Leitersweiler) *liutereswilari* 1356, zum wohnsitze des Leuthard. Merkweiler, *Margbergavillare* 769, später Merchweiler, zum wohnsitze der Marcberg (Förstemann, altd. Namenb. I, 913). Merzweiler, *Morezunwilare* und *Morizanwiler* 968,[1] zum wohnsitze des Morizo, Gen. Morizun. Reimersweiler, *Rimenwilare*, villa Remoni, zum wohnsitze des Ragimar, Reginmar, Rainmar, nhd. Reimer. Retschweiler, *Retersweiler* 1391, zum wohnsitze des Retere, Rathar. Schwabweiler, *Suabwilare*, 13. jahrhundert, zum wohnsitze des Suabo, nhd. Schwab.

WEISSENBURG I. E. IM MÄRZ 1873.   DR. LUDWIG BOSSLER.

---

1) Am 16. november 968 übergab Kaiser Otto I. seiner gemalin Adelheid fünf königliche schlösser im Elsass, darunter auch M.

BESPRECHUNGSFORMELN UND NOTFEUER.

Aus den im original in meinem besitze befindlichen acten über einen zu Wittenburg in Mecklenburg im märz/april 1689 abgehandelten hexenprocess entnehme ich folgende besprechungsformeln:

I. Dit Hövet Vei hefft sick Verfangen
   Unse H. Christus ist gehangen,
   Sobalt alse Unse H. Christus ist vom Hangen Kahmen,
   sobalt schall dem Hövet Vei dat Verfangen Vergahn.
   Im Nahmen des Vaders, des Sähns und des Hillgen Geistes.

In zeile 3 und 4 lässt sich der reim leicht durch umstellen der schlussworte herstellen.

Vgl. Kuhn und Schwarz, nordd. sagen s. 450, no. 383. Kuhn, märk. sagen s. 388.

II. Dat Hövet Vei hefft sich Verfangen
    Im Water undt im Winde.

Vgl. Kuhn und Schwarz, nordd. sagen s. 450, no. 384.

III. Gegen das mal auf dem auge bei vieh und menschen:

Drey Junfern lepen gerade, gerade, gerade.
Dei eine lep dat graß Uth der Erde,
Dei Ander lep dat loff vam Bohm,
Dei Drüdde lep dat Mahl vam oge
Im Nahmen usw.

vgl. Kuhn und Schwarz, nordd. sagen s. 441 no. 331, s. 442 no. 333.
Ad. Wuttke, der deutsche volksaberglaube, 2. bearb. s. 160.

IV. Wider das Unbenämbt oder Heyl. Ding.

Die Glocken sindt woll geklungen
Dem Hilligen Dinge ist woll gelungen.
Du schast nicht Ecken,
Du schast nicht strecken,
Du schast nicht kellen,
Du schast nicht schwellen,
Du schast still stahn,
Asset Marien Ehren Ahten hefft gahn.
Im Nahmen usw.

vgl. K. Russ, bilder aus der volksheilmittelkunde. Unsere zeit bd. 18,
s. 711:

Ich höre eine glocke klingen
Und alle heiligen singen,
Und ein heiliges gebet lesen,
Du sollst vom rotlauf genesen.

Wuttke a. a. o. s. 161 von der rose. Vgl. Grimm, Deutsches wörterb.
2, 1164. 10. Frischbier, Hexenspruch und Zauberbann (in der prov.
Preussen). Berlin 1870 s. 82 fgg.

V. Christus hielt uff seine Handt,
Damit Stille Ick für und Brandt.
Im Nahmen usw.

Wenn die inquisitin diese worte gesprochen, so hätte sie dabei
„gepustet."

vgl. Wuttke a. a. o. s. 161.

VI. Den huck hätte sie folgender massen gestillt:

Sie nehme einen Keßelhaken, so ufu feur herde hengende, in
die handt, ließ den Ahten darüber gehen undt Japete darüber
undt sagte:

Jode, Joduth
Ick kan den Kehtelhaken nicht upschluken.

Im Nahmen usw.

Ausdrücklich wird bemerkt, dass sie niemals „amen" dabei gesagt habe. (Vgl. Alb. Höfer, bienensegen aus Pommern. Germ. I, 109.)

„Wenn das zäpfchen angeschwollen ist und dadurch, grösser geworden, die hintere zunge berührt, so sagt man, die hucke, d. i. das zäpfchen, ist herabgefallen. Die hucke muss wider aufgezogen werden, was gewöhnlich mit einem löffelstiel geschieht, den man gegen das zäpfchen drückt" usw. Frischbier a. a. o. s. 65.

Wenn eine hexe einer andern ihre künste mitteilen will, so nimt sie einen weissen stock von der strasse beim zaune, tut ihn ihr in die hand und sagt, sie sollte „an den witten stock griepen undt gott vorlahten."

Der teufel erscheint als ein „glatter kerl," schwarz gekleidet, mit einem krähenfuss und schwarzem hut.

Drei- oder viermal hat inquisitin mit dem teufel gebuhlt, und ist es darnach wie ein schwarzer vogel in gestalt einer krähe von ihr gekommen und fortgeflogen.

Inquisitin kann mittels eines „senckels" aus einem „ständer" milchen.

Hierzu füge ich eine stelle aus Hieronymus Bocks kräuterbuch, fol. 404 der ausgabe von 1587, Strassburg, über das notfeuer, welche in Grimms mythologie wenigstens nicht steht:

Und darmit ich der Nerrischen superstition unnd mißbreuch einer gedencke, so haben etliche der Teutschen, sonderlich im Waßgaw, ein solchen glauben und zuuersicht, so bald ein Vibe sterben einher felt, vermöge dasselbig durch kein ander mittel abgeschafft werden, es werde dann ein Notfewr angezogen, das bringen sie auß dürrem Eichen holtz, mit großem not gezwang einer stangen zů wegen, dieselbig můß man auff dem dürren Eichen holtz mit gewalt wie ein schleiffstein herumber treiben, und ist solche stang auff beiden seitten der understen höltzer mit ketten angebunden, das sie keins wegs mag weichen, unnd so man gemelte gebundene stang ein zeit lang mit arbeit umbtreibet, so kompt nach viler bewegung erstmals ein grosse hitz, nach der hitz folget ein Rauch, und nach dem Rauch enttzündet sich das Notfewr, das empfahet man mit andacht und grosser reverentz inn Zunder unnd anders.

11*

Auff solch gezwungen Notfewr seind etliche Jungfrawen blosses
leibs, mit etlichen Ceremonien ordiniert und bestellet, tragen blosse
Schwerter inn ihren händen, darzü sprechen sie ihre reimen unnd sprüch,
als bald darnach würt ein grosses Fewr angezündet mit vilem holtz,
zü stund treibet man das Vibe mit ernst und andacht durch das errun-
gen Notfewr, güter hoffnung und zůversicht der unfall unnd Vibe sterben soll dardurch gewendet werden, und wie diß Volck glaubet, also
geschichts etwann.

Man müß aber vorhin, ehe das Notfewr gemachet ist, alle andere
Fewr im Dorff und Flecken, als untüchtig unnd schädlich, mit Wasser außleschen, unnd so jemands diß gebot uberfüre, der würt hart
gebüsset.

POTSDAM.   DR. G. SELLO.

ZUR DEUTSCHEN HELDENSAGE.

1. Müllenhoff, Zeugnisse und excurse XXX, 10 (Haupts zeitschr.
12, 379) gibt aus Jacob Ayrers historischem processus iuris, 1656,
interessante zeugnisse zum Hürnen-Siegfriedslied. Es sei mir gestattet,
aus der ausgabe Frankfurt a/M. 1604 fol. einige kleine ergänzungen und
varianten mitzuteilen.

S. 331 spricht Belial in der versamlung der teufel: „deßgleichen
wöllen wir den riesen Kuperan, welcher mit dem Hürnen Sew-
fried dergleichen sachen gehabt, zum zeugen benennen."

S. 342 (1656 s. 538): „so hat der rieß Kuperan dem ritter Siegfried, könig Sigmunds in Niderland sohn, für den schlüssel, welchen
er zu Crain gehalten" (verunstaltung des namens, die einigermassen
zu Nic. Olahus Kreinheiltz, Grimm, HS. 2. aufl. 307 stimt), „deß
königs Leibrechts tochter am Rhein in gefängnuß gehabt, unwarhaff-
ter weiß verläugnet, und darnach zum andermal ein falschen eydt dar-
wider geschworen und sich darmit meineydig gemacht und sich selbsten
berühmbt" (scheint mir mit rücksicht auf Hürn. Seyfr. 113 passender
als 1656 „beraubt"), „daß er nicht zeug sein könne."

Nicht uninteressant ist auch s. 362: „Letzter zeug der rieß
Kuperan, der ein ungläubiger heyd, epicurer, tyrann und todtschläger
ist, antwort zu dem andern gemeinen fragstück, er hab sich mit essen
und trinken ernehrt. Und bey dem sechsten fragstück, er sey darumb

ein ritter und kriegsmann, daß er die leut erschlagen wöll, hab ihr viel erschlagen und hab auch selbsten einen solchen lohn empfangen."

2. Erwähnenswert scheint es mir auch, was Hermann Conring de origine iuris Germanici cap. XXX (Jena 1720 s. 180) vom verfasser des Ssp. erzählt:

„Aliis dicitur Epko: nonnullis etiam Eccardus audit, crediturque is esse fidus Eccardus qui in proverbium apud Germanos abiit, quod tamen nihil habet simile vero."

Ich habe diese stelle noch nicht erwähnt gefunden, und kann es hierbei nicht unterlassen, meine verwunderung auszusprechen, dass K. Bartsch in seinem vortrage „Die deutsche treue in sage und poësie 1867" den in die altgermanische sage eingedrungenen geist des christentums besonders in der gestalt des vor dem Venusberge sitzenden treuen Eckart erkennen will, welcher eine typische figur für das verhältnis der treue gegen den nebenmenschen geworden sei. Eckhart am Venusberg und als vorgänger der wilden jagd findet sich erst spät und lokal beschränkt (?), und durch sein warnertum erscheint der beiname des „getreuen" wenig motiviert; tritt er doch viel eher auf als ehrwürdiger herold, der vor dem züge der göttin oder der unholde einherschreitet, profanum vulgus arcens, und allerdings in dieser seiner tätigkeit auch aufmerksam machend auf die folgen neugierigen fürwitzes. Den schönen beinamen, der ihn bis heut unvergessen gemacht hat, und den wir schon im jahre 1041 finden (fidelissimus fidelis noster Eccardus), den ihm das Rosengartenlied, Alphart, Biterolf beilegen, hat er sich einzig als Harlungentrost erworben. Nur schade, dass wir verhältnismässig so wenig von ihm wissen, und dass die tat, welche seine treue erst im schönsten lichte erscheinen lässt, die rache an Ermenrich oder Sibich, uns so mangelhaft in der prosaischen vorrede zum alten heldenbuch, im lied von der Rabenschlacht, und von Agricola überliefert ist.

3. Bei dem citat aus Luther (Grimm HS. no. 146) ist es mir nie recht ersichtlich gewesen, warum darin eine anspielung auf den Laurin gefunden werden soll; mir scheint es viel natürlicher, dabei an den Sigenot zu denken, wobei der zwerg, welcher die demut bezeichnen soll, meines erachtens eine viel entsprechendere stellung erhält.

4. Zu den citaten aus Fischart (Grimm HS. no. 150) vermag ich eine kleine nachlese zu geben, leider nur nach Scheibles abdrücken:

„Bechtungisch messerwerfen." Gargantua, nach der ausgabe von 1617 s. 327. — „Bedörfen kein brustfleck, denn sie haben die Rauch Elß zuvor daran." Aller praktik großmutter, nach der ausgabe von 1623 s. 609. — „Ach ihr Dannheuserische, Sachsenheimische trew Eckart dauren mich." a. a. o. s. 614. — „Weist nicht den Hildenbrandischen spruch:

> Wer sich an alte kessel reibt,
> der empfahet gern den ram."

(Casp. v. d. Roen, v. d. Hagen, heldenbuch 1825 s. 220 s. 14. Uhland, volksl. no. 132 v. 13.) a. a. o. s. 131.

5. Zu Rollenhagens Froschmeuseler:

„Denn der ursach halben haben auch die alten Deutschen des Dietrichs von Bern, des alten Hildebrandes taten gereymet, welchen die historien Celtam Brennum, das ist den held Brenner nennen." Vorrede: dem günstigen leser (1595 sign, Bjj [6] 1683 s. 8.)

Von der maus Stückeldieb heisst es:

> „Sah auß gleich als der wilde mann,
> der mit Bernern zu streiten kam."

III, 2, c. 2 (1683 s. 586.)

6. Bücher und schriften Philippi Theophrasti Bombast von Hohenheim, Paracelsi genant. Basel 1589. 4°. 2 teile.

„Nuhn ist nicht minder, es ist etwas daran: dann wie die unholden ihr bulschafft haben auf dem Höberg, und da zusammen kommen und erlangen von den geistern künst, damit sie umbgondt, also haben auch die mann ein Höberg, den sie Venusberg heißen (ist aber nicht der Venusberg, vonn dem das Carnüffel spilen stehet). Da sie dergleichen zusammen kommen, und der teufel in einer frawen gestalt, zu einer frawen wirdt, der ihn auch solche charakter anzeigt und fürhelt mit ihren ceremoniis." I. s. 324.

7. Grimm, D. WB. ad vocem biermärte sagt, Christ. Weise schriebe biermeethe und citiert die drei erznarren nach der ausgabe von 1704. Die ausgabe Leipz. 1688 s. 109 hat: biermehrte, ebenso in den „Drei klügsten leuten" Leipz. 1684 s. 51.

NEUES PALAIS BEI POTSDAM.   DR. JUR. GEORG SELLO.

HERDERS THEOLOGISCHE ERSTLINGSSCHRIFT.

Die ostermesse des jahres 1766, rühmlichen andenkens in der geschichte unserer litteratur — Agathon, Laokoon, und, wenn auch verfrüht, Herders Fragmente stehen auf ihren Tafeln — hat zwei kleine theologische schriften auf den markt gebracht, um die sich bis heute niemand hat kümmern mögen. „Schrift- und vernunftmässige Erläuterung der Lehre von der Heiligen Dreyfaltigkeit" betitelt sich die eine; die andere, ihr widerpart, „Nachricht von einem neuen Erläuterer der H. Dreieinigkeit." Nach dem herkommen und dasein dieses feindlichen geschwisters erkundigungen anzustellen durfte ich mir deswegen nicht erlassen, weil an der letzteren schrift der name Herders überlieferungsmässig haftet. Von zwei Rigischen Freunden meiner arbeit, dem stadtbibliothekar dr. Berkholz und dem dr. Buchholtz, treulich unterstützt, bin ich nach langwierigem suchen beider stücke habhaft worden; jenen freunden danke ich es, dass ich die untersuchung habe durchführen können, deren ergebnisse ich hier vorlege.

Beide schriften tragen auf dem titelblatte ausser der angabe des inhalts nur die jahreszahl; aber wir gehen schwerlich fehl, indem wir Kur- oder Livland als ihre heimat, Mitau oder Riga als druckort bezeichnen. In Riga haben sich die nach meinem wissen einzigen exemplare erhalten: die „Erläuterung" ist, zusammengebunden mit einer in Hamburg 1763 gedruckten erbauungsschrift und mit einem theologischen tractat von Gottlieb Schlegel, 1783 zu Riga in Hartknochs verlag erschienen, laut einer alten einzeichnung ex dono bibliopolae in die dortige stadtbibliothek gekommen. Der Rigische buchhändler kann nur der auf dem titel der dritten genante Friedrich Hartknoch sein. Freilich findet meine vermutung über die örtliche herkunft keine unterstützung an Gadebuschs „Livländischer Bibliothek," die weder die „Erläuterung" noch die „Nachricht" unter die heimischen schriften aufnimmt; um so bestimter aber weist nach den baltischen provinzen der bericht Goldbecks, der in seinen „Litterarischen Nachrichten von Preussen" (Berlin, 1781, I s. 163) die „Nachricht" unter Herders Schriften anführt, als den verfasser der „Erläuterung" aber G. F. Stender anzugeben weiss, jenen durch seine verdienstliche Lettische grammatik bekant gewordenen Kurländischen prediger.

Auf Goldbecks gewährleistung hin hat dann die „Nachricht" in allen umfänglicheren verzeichnissen der Herderischen schriften eine stelle gefunden, zuletzt in Goedekes grundriss (s. 658). Eine angabe jedoch, die wenigstens von äusserlicher bekantschaft zeugte, findet man nur bei Beise in den Nachträgen und Fortsetzungen zum Schriftsteller-lexicon von Reckes und Napierskys (I, 253); den inhalt gekant und genutzt hat einzig der anonyme verfasser von „Herders Dogmatik" (1804), eines in forschung und darstellung unverächtlichen, doch wenig bekant gewordenen buches. Wenn nun hier von einem mit Herders theologischen arbeiten wol vertrauten gelehrten die schrift unbedenklich anerkant, eine lange stelle (s. 30—32) daraus als beleg entnommen wird (s. 230 fgg.), so befremdet es andererseits, dass Georg Müller, der die herausgabe der theologischen werke Herders übernommen hatte und in dem gleichen jahre 1805 damit begann, aus der gesamt-ausgabe das büchlein ausgeschlossen hat, ohne sich irgend über gründe, die ihn geleitet haben könten, zu erklären. Die frage nach der authenticität ist offen gelassen, wir sehen uns nach den mitteln um, sie auf sicherer grundlage zu erledigen.

Bei der Goldbeckischen notiz fühlen wir diesen sicheren boden nicht unter uns. Der bibliograph, und wäre er auch so gewissenhaft, wie unser Goldbeck, übernimt für seine nachweisungen anonymer schriftsteller keine unbedingte verantwortung. Es mögen sich dieselben in vielen fällen auf mitteilungen des autors, des verlegers, auf zuträgerei gut unterrichteter, schlecht verschlossener freunde stützen; dennoch bleiben fälle genug, wo das blosse gerücht, oder gar nur das meinen und tasten des historikers auf den namen geführt hat. Wahrscheinlich ist es in unserem falle, dass der berichterstatter aus zuverlässiger quelle schöpft; denn unter denen, „die ihm durch mitteilung einiger nachrichten förderlich gewesen," führt Goldbeck neben dem diakonus Trescho, dem unholden beschützer Herders in seinen letzten schuljahren, mehrere männer an, mit denen Herder während seines akademischen lebens nachweislich in verkehr gestanden hat, einem verkehr, der mit einigen auch nach der entfernung aus Königsberg nicht ganz abgebrochen wurde. Die biographischen angaben zwar bis zum jahre 1768, die anscheinend Trescho geliefert hat, sind im einzelnen nicht genau; über die schriftstellerischen leistungen seines berühmten landsmannes aber, selbst ihre journalistischen anfänge, bringt Goldbeck die zuverlässigsten angaben, zu denen ihm nur ein nahe eingeweihter behilflich gewesen sein kann. Dürfen wir ihm also auch nicht unbedingt glauben schenken, so wäre es doch widerum unverzeihlich, der spur, auf die er uns weist, nicht nachzugehen. Wir verlieren sie nicht aus den augen, wenn wir, den termin des erscheinens beider schriftchen näher zu ermitteln, unsere untersuchung von vorn aufnehmen.

Als „fertig gewordene schriften" führt der messkatalog die beiden dreieinigkeitsschriften und ebenso die „Zwey Fragmente über die deutsche Litteratur, als Beyträge zu den Briefen, die neueste Litteratur betreffend. 8. Riga bei J. Fr. Hartknoch" auf. Die ankündigung ist spätestens im laufe des april an die redaction des katalogs eingeschickt, und noch früher also müssen sich sowol die anonymen dogmatischen schriftchen als die Herderischen Fragmente druckfertig in den händen des verlegers befunden haben; andernfalls wären sie in die serie der „Schriften, welche künftig herauskommen sollen," verwiesen worden.

Unzweifelhaft verhält es sich also mit den Fragmenten. Mitte märz, spätestens den 20., des jahres 1766 schickt Herder an Hamann, der sich damals in Mitau aufhielt, drei manuscripte. „Ändern Sie darin nach Belieben, lesen Sie sie als mein erstgeborner Kunstrichter, und schreiben Sie mir Ihre Meinung sonder Arglist, Rückhalt, Fehd, Gefährde und Schonen." (Herders Lebensbild I, 2, 127.) Schon am 24. erwidert Hamann (ebenda s. 128 fgg.), dass er in Hartknochs buchladen — der damals noch in Mitau war — die manuscripte abgelegt habe. „Ohne einen sorgfältigen und gelehrten Corrector wird es um den Druck schlecht aussehen." Der druck stand folglich unmittelbar bevor; das beweisen zudem auch die nächsten zeilen, in denen Hamann mit bezug auf eine lücke, die er entdeckt zu haben meint, hinzusetzt: „Sorgen Sie dafür, dass es (das fehlende wort) durch Hartknoch eingesetzt wird." Aus des verlegers hand sollte das manuscript ungesäumt in die druckerei geliefert werden; darum „hat Hamann auch nichts darin geändert, als etwa ein zweimal geschriebenes Wort ausgestrichen," und darum vertraut er zwei sachliche bemerkungen, die er nötig findet, lieber dem briefe an. Glücklich für uns: denn diese bemerkungen, die eine über den sinn des wortes καλὸς κἀγαθός, die andere auf die geschichte des dithyrambus bezüglich, gehören unverkenbar zur zweiten samlung der Fragmente (s. 280 fgg. 305 fg.).[1]

---

1) Hamann teilt die wichtige stelle aus dem Herodot (I, 23) über Arion, den erfinder des dithyramben mit. „Sie müssen hiebei wissen, liebster Freund, dass ich den Herodot für keinen Fabelschreiber mehr halte." Herder hatte, unbekant mit jener stelle und unzuverlässigern nachrichten folgend, einen ältern ursprung des dithyramben und Theben als heimat der Bakchischen dichtung ange-

Den eindruck, den er bei lectüre des ganzen empfangen, gibt
Hamann in dem tone warmer anerkennung und mit der genugtuung
wider, die der lehrer über die wolgeratene erstlingsleistung seines schülers empfindet. „Mit der Ordnung, dem Reichthum, der Schönheit des
Entwurfs sowohl, als der Ausführung bin ich im Ganzen zufrieden." Dies urteil über das ganze beweist, dass die erste samlung sich
ebenfalls bei dem anvertrauten befunden hat; zu dieser hatte aber
Hamann einzelne bemerkungen deswegen nicht zu machen, da er bei
einem besuche in Riga zu anfange des februar ausreichende gelegenheit
zu mündlicher erörterung gefunden hatte (Lb. 112), und die von dem
autor angenommenen verbesserungen schon der noch in demselben
monate vorgenommenen „gänzlichen Umschmelzung" dieses ersten teiles
(s. 119. 123 a. a. o.) zu gut gekommen waren.

Wir kennen somit das erste wie das zweite manuscript. Solte
nun unter dem dritten einfach die dritte samlung der Fragmente verborgen sein? Unmöglich; denn diese wurde erst im mai ernstlich in
angriff genommen. „Gegenwärtig," meldet ein brief aus dieser zeit,
„arbeite ich am 3. Fragment, nachdem der Messkatalog wieder etwas
den Funken meiner Autorschaft angefacht." (S. 139 a. a. o.) Ein
stück von mässigem umfange muss es doch aber gewesen sein, dieses
dritte manuscript; wie hätte es sonst neben jenen beiden selbständig
aufgeführt werden dürfen? Sollte nicht aber eben darum der zum richter berufene freund wenigstens mit einem worte darauf zu sprechen
kommen? Wir mustern den Hamannischen brief noch einmal. Einen
sehr vergnügten abend und nachmittag habe er bei der lectüre gehabt —
aber doch habe die zeit für das angenehme geschäft nicht ausgereicht.
Darauf folgen die mitgeteilten urteile und bemerkungen, sämtlich den
Fragmenten gewidmet: selbst die den corrector betreffende besorgnis
wird nur bei einem blicke auf die zahlreichen griechischen stellen, mit
denen Herder gerade dieses buch verbrämt hat, verständlich.[1] Die

---

nommen. Die erhaltene belehrung nötigte zu einem einschiebsel, dessen fugen sich
noch sehr wol erkennen lassen. „Er mag nun in Thebe oder dem wollüstigen
Korinth von einem oder dem andern erfunden seyn: gnug, es war noch eine
Zeit, da sich die Delphine von dem Arion, dem angegebenen Erfinder, bezaubern
liessen." Die angeklebte anmerkung: „wie Herodot anführt, den ich für mehr als
Fabelschreiber halte," widerholt einfach die worte des lehrmeisters.

1) Hamanns warnung war begründet genug. Die griechischen citate sind
durch die ungeheuerlichsten druckstünden entstellt, zum teil unverständlich geworden;
keine auffälliger, als die stelle aus Proklus über den dithyrambus (s. 309). „Die
Druckfehler" — sagt die der dritten samlung angehängte Nachschrift — insonderheit in den griechischen Stellen, wird der Leser dem Verfasser nicht anrechnen,

kritischen bemerkungen und ratschläge sind anscheinend abgetan, der briefsteller wendet sich einer persönlichen angelegenheit zu: „Herr prof. Lindner schreibt, dass meine Engländer (es sind die gedruckten gemeint) schon hier seyn müssen; noch habe aber nichts erhalten" — da fällt ihm ein, dass er seiner censorpflicht noch nicht volles genüge getan, und er holt das versäumte nach: „Ihre Widerlegung des St. habe am flüchtigsten durchlaufen müssen; bin aber auch damit zufrieden" — kurz und gut, so wie es die auf die neige gehende seite oder geduld hat erlauben wollen. Dies „bin aber auch damit zufrieden," welches das vordere „bin im ganzen zufrieden" recht geflissentlich wider aufnimt, worauf kann es gehen, als ebenfalls auf ein eigenes ganze, auf das manuscript numero 3? Dafür spricht der wortlaut, dafür die selbständige stellung der sentenz, und — um allen zweifel zu entfernen, an die Fragmente kann bei diesem nachtrage einfach deswegen nicht gedacht werden, weil dort von vorn bis hinten kein widerlegter St. aufgetrieben werden kann.

In Goldbecks fusstapfen sind wir also wider eingetreten, denn es hiesse den schatten des bescheidenen mannes beleidigen, wolten wir uns seine auskunft über den verfasser der Erläuterung jetzt nicht, wenigstens versuchsweise, zu nutze machen. Behält sie doch ihren wert, wieviel man auch ihr wahres gewicht herabsetzen mag. Mag sie ihren inhalt einem blossen in gelehrten kreisen gehenden gerüchte verdanken; dieses gerücht, jedenfalls sofort nach veröffentlichung des büchleins ausgekommen, wäre von Hamann oder Herder aufgegriffen, und so bei jener erwähnten mündlichen verhandlung Stenders name mit der erläuterungsschrift in verbindung gebracht.

Aber eine vermutung, und wäre sie noch so annehmbar, bleibt es doch immer; eine vermutung, die nach einem einblick in die Nachricht von manchem Herderkenner für höchst fragwürdig erklärt werden könte. Besser aber können wir uns auf diesem wege unseres fanges nicht versichern. Die rechte hat sich an ihrer historischen handhabe müde gearbeitet; die linke, die gern nach handschriftlicher beglaubigung greifen möchte, greift in das leere. Die beute droht zu entgleiten. Was bleibt zu tun? Was jener tat, der sein beuteschiff nicht fahren lassen wolte. Man beisst sich auf gut philologisch am rande fest; und will die schärfe versagen, so hilft am ende die zähigkeit aus.

Aus der genauen betrachtung der form muss sich die überzeugung von dem Herderischen besitzrecht an der Nachricht ergeben, wenn

der 200 Meilen von seinem Druckort [Leipzig] entfernt lebt. Sie machen meine Anführungen in diesem Theil sparsamer usw."

anders er ihr verfasser ist. Denn ein stärkerer beweis liegt in der
übereinstimmung der form, als in der des inhalts. Dieser kann und
braucht, in erzeugnissen eines rastlosen kopfes besonders, nicht durchweg mit dem übrigen im einklange zu sein. Die formbetrachtung aber
ergibt eine untrügliche gewissheit, wenn sie gelingt. Sie gelingt, wenn
der nachweis erbracht wird, dass ein schriftwerk so viele und so volle
übereinstimmung mit den übrigen, in deren kreis es gehören soll, kurz,
dass es so viel familienähnlichkeit besitzt, dass des bildners hand unverkenbar bleibt.

Zahlreicher und augenfälliger müssen die berührungen sein, wo
das erzeugnis eines schriftstelles vorliegt, der rasch und mehrerlei
neben einander zu arbeiten pflegt, und ein solcher ist Herder, wenigstens in der periode seiner entwicklung. Von seinem zwanzigsten jahre
an sehen wir ihn in einem überaus fruchtbaren schaffen begriffen.
Ausser den Fragmenten beschäftigen ihn in den beiden ersten Rigenser
jahren mehrere grosse aufgaben. Die eine ist die früher besprochene
abhandlung über den nutzen der philosophie für das volk, von der ein
grosser teil ausgeführt vorliegt. Zwei andere lässt Herder als „künftig erscheinend" schon zur ostermesse des jahres 1766 ankündigen:
„Beyträge zur Geschichte des lyrischen Gesanges" und „Vergleichung
der griechischen und französischen Tragoedienschreiber. Aus dem Französischen und mit Anmerkungen für das deutsche Theater." Auch von
diesen arbeiten ist, wie von der erstgenanten, zu jener zeit nichts ans
licht gekommen; was aber hiervon und von minder ausgebildeten andern
entwürfen später im Lebensbilde vorgelegt ist, komt an umfang den
beiden ersten teilen der Fragmente mindestens gleich. Neben dem selbständigen schaffen regt sich, besonders lebhaft im jahre 1765, die lust
am recensieren. Solch geniale fülle ist wahrlich staunenswert; freilich
zeigt sie auch eine sehr bedenkliche kehrseite. Gegen das ende der
Rigenser periode erhebt Hamann einmal mit schonungsloser strenge seinen warnruf wider die überreizung der productivität, in der Herder
sich vermesse, „vier und vielleicht fünf Werke auf ein mal anzufangen
und die Fortsetzung davon zu versprechen." „Kann man bei einer solchen Zerstreuung sammeln? verdauen und con amore arbeiten? Sind nicht
Mattigkeiten, Nachlässigkeiten, Widersprüche, Wiederholungen und so viel
andere Menschlichkeiten unvermeidlich?" (Lb. I, 2, 428 fg.). Von seinem
genius gewarnt, hat Herder sich vor der einen gefahr, sich selbst aus-
zuschreiben und zu widerholen gehütet; der anderen, der einförmigkeit
des ausdrucks, häufiger verwendung der gleichen stilmittel, ist er nicht
ebenso geschickt ausgewichen. Dies zeigt sich indessen nicht so auf-
fällig bei einer wechselsweisen betrachtung der drei hauptwerke jener

periode, der Fragmente, des Torso und der Kritischen Wälder, als bei einem zusammenhalten dieser ersteren mit der masse der kleineren, der unausgebildeten schriften; oft empfängt man den eindruck, als habe der junge autor an diesen erst die feder geprobt. Und allerdings hatte solch nebenläufiges schriftstellern in Herders augen fast nur den wert einer zeitweiligen übung; keineswegs gewillt jene „hingeeilten stücke,‟ recensionen, kleine aufsätze, später als die seinen in anspruch zu nehmen, liess er sie demselben zwecke dienen wie die grösseren essays, die er im pulte behielt. Was im einzelnen trefflich geraten, gleichsam typisch vollkommen erschien, zog sich aus den vorläufern in die hauptwerke bald mit, bald ohne absicht hinüber, und Herder, der sich in Riga gar ängstlich vor einer „predigerfalte‟ hütete, drückte sich, ohne es zu merken, bald autorfalten ein, die ihn oft zu eigenem verwundern für freund und feind kentlich machten.

Diese falten, in die sein stil sich gewöhnte, die gleichen wendungen, auf die er unwillkürlich verfällt, bedeutsame worte, die, einmal glücklich gefunden, sich bei erster bester gelegenheit wider hervordrängen, diese bieten sich uns zu gehilfen an, die autorschaft Herders nachzuweisen. Je grösser der zusammenfluss aller dieser merkmale, desto festeren fuss hat der erweis; denn einzelne, selbst die überraschendsten ähnlichkeiten, geben, besonders in den schriften jener zeit, durchaus kein genügendes beweismittel ab, da absonderliche ausdrücke am leichtesten aus einem buche ins andere wandern, und die augenfälligsten häufig aus der gemeinsamen quelle eines englischen oder französischen modeautors den verschiedensten schriftstellern in die feder geflossen sind.

Durch die menge des übereinstimmenden im wortgebrauche, nicht minder aber bei vergleichung von grösseren satzganzen durch den gleichen tenor derselben, gibt sich nun die Nachricht als eine arbeit Herders zu erkennen.

Das büchlein hat, das titelblatt abgerechnet, dreissig seiten; die seite trägt ohngefähr soviel text, als eine seite in der originalausgabe der Fragmente. Sechs seiten (7—12), mit einem fast wörtlichen auszuge aus der kritisierten schrift angefüllt, fallen nicht unter die gesetze des Herderischen stils. Von den übrigen vier und zwanzig ist keine, an der man nicht Herders griffel erkennen müste. Bald ist es ein satzgepräge, eine längere wendung, bald ein metaphorischer ausdruck, eine anspielung, bald ein eigen geformtes wort, welches an seine sprachwerkstatt gemahnt. Bequemer, und gewiss unterhaltender wäre es, von seite zu seite mit einem „Siehe!‟ und „Vergleiche!‟ zu blättern; um zu einem unanfechtbaren urteile über eine grössere schrift, wie die

vorliegende es ist, zu gelangen, finde ich es rätlicher, die gleichen
erscheinungen zu gruppieren.

Herders prosa, die sprache der aesthetischen, wie der geschichtsphilosophischen abhandlungen jener jahre, hat durchweg den bewcglich-
sten charakter. „Räumig geschürzt" schreitet die rede vorwärts, in kurzen, leicht zu übersehenden sätzen, von periodischer gliederung möglichst frei gehalten. Hat ein schritt zu weit ausgeholt, so wird mit
leichtem seiten - oder rücksprunge liegen gebliebenes nachgebracht;[1] am
liebsten wird aber der einmal angeschlagene tritt ganze strecken hin
eingehalten. Wie viel auch hieran „angeborne munterkeit," lebensalter des schriftstellers anteil haben mag: dieser stil steht in einem so
grellen gegensatze zu den observanzen des zeitalters, dass er nicht aus
willkür, sondern nur aus bewuster ausübung eines klar erkanten grund-
gesetzes hervorgegangen sein kann. Ein schriftsteller, der so früh die
sprache zum gegenstande der untersuchung gewählt, über die mängel
der muttersprache und ihre verbesserung nachgesonnen hatte, und
zu der erkentnis gekommen war, „das Deutsche sei noch in der Zeit der
Bildung begriffen,"[2] wie hätte der nicht in seinem eigenen vortrage die

1) Fragm., II. ausg. s. 94: „So wenig unser Deutsch an Inversionen leidet;
so wenig sind noch alle in Gang gebracht, die in den Formen desselben liegen.
Wenn die Geschichte, der Dialog, die Prose des Umganges, und die Poesie, jedes
seine eigensinnigste Wendungen nutzen, und ganz zwanglos brauchen wird: wie
manches wird alsdenn ans Tageslicht kommen, das jetzt im Schoos der Nacht
begraben liegt?" Die glücklichste gewantheit im gebrauch neuer inversionen muss
selbst Klotz in seinen recensionen bewundernd anerkennen. Hier nur ein beispiel.
„Dass wir doch also ja nicht mathematische und physische Akustiken für das halten, was wir suchen: können diese Erfahrungen und Berechnungen enthalten, die
für uns sind — wohl! und ohne diese müssen wir nie schliessen; aber auch gewiss
es nicht bei ihnen bewenden lassen usw. (IV Krit. Wäldch. Lb. I, 3, 2, 363.) Ein
anderes: Fragm. II, 3. Saml. s. 7.

2) Mit gleicher stärke als in den Fragmenten bricht diese ansicht noch zu
einer zeit hervor, da Herders grundsätze schon längst allgemeine geltung erlangt
und die segenvollste und tiefgreifendste wirkung hervorgebracht hatten. „Wir
verstümmeln die Sprache" — erklärt er im IV. teile der Theologischen Briefe, 2. ausg.
s. 378 (i. j. 1786), „schreiben Kraftlos oder geziert; kurz das reine ächte Deutsch,
das unsre Vorfahren schrieben, ehe so viele fremde Sprachen in Deutschland
bekannt waren, hat sich in der neuesten Zeit ziemlich verlohren. Es wird sich
wiederfinden und vielleicht aus unserm Verderbniss eine reiche, schönere Sprache
hervorgehen; warten Sie also und üben sich in der Stille." Und von derselben
überzeugung ist er noch im anfange des neuen jahrhunderts durchdrungen; ihr ist
der grundgedanke zu den „Briefen, den Charakter der Deutschen Sprache betreffend," entsprungen, die nach Herders tode im letzten hande der Adrastea erschienen. (VI, 176—208. vgl. 221—228) Wie sie auch in seine schulreden eingang
gefunden hat, das höre man von Philipp Wackernagel rühmen. (Der Unterricht in
der Muttersprache s. 108.)

mittel erproben sollen, durch die eine eingewurzelte verbildung beseitigt, verlorene tüchtigkeit zurückerobert, alte erstarrung in ein frischrollendes leben aufgelöst werden konte? Das gröste hindernis einer lebensvollen entfaltung erkante aber Herder in der herschaft der lateinischen periodenform, die von ihrer alten burg, der gelehrten litteratur aus, allmählich· fast die ganze büchersprache unter ihré botmässigkeit gebracht hatte und die unterjochung der gesprochenen sprache zu vollbringen drohte. Eine schwere gefahr, das sah er zum ersten male deutlich, lag für die nationallitteratur darin, dass der mann von einfacher bildung, sobald er ein buch zur hand nähme, sich erst seiner denkart entwöhnen, und es lernen solte, durch ein künstlich verworrenes gitterwerk ein ganzes bild zu sehen. Er fühlte es, dass durch das fremdartige der form der lebendige anteil am inhalte erstickt werden, und dass schliesslich, wenn diese abstossung sich vollzogen habe, die schriftsprache selbst, vom lebendigen gedanken abgesondert, in einer leeren formgerechtigkeit erstarren müsse.[1] Dem war nur vorzubeugen durch ein entschlossenes zurückgreifen auf die gesprochene sprache. „Sprache des Lebens und der Bücher mehr zu verbinden,“ lautet das recept in der kürzesten form, wie sie eine seiner randbemerkungen im handexemplar der Fragmente bietet. „Ton der welt werde herrschend in allen Schriften der Bildung, die ich hier von Gelehrsamkeit unterscheide,“ befiehlt dann die zweite ausgabe (I, 145), und in diesem sinne ist der glückwunsch ausgebracht: „Wohl den Schriftstellern unter uns, die da schreiben, als ob sie hören.“ (74.) Dies ist es, worin nach seinem urteil die Franzosen seinen Deutschen weit voraus waren. „Die Franzosen schreiben immer lieber für ein Publikum und schönes Publikum, wenn der Deutsche für Studierstuben und Katheder schrieb: man sah bei ihnen die Bücher immer mehr für schriftliche Gespräche, für Unterredungen im schönen Ton an,“ sagt schon die erste ausgabe treffend (I, 173), während die zweite die tatsache verzeichnet, dass „unsere Sprache durch die Übersetzung der französischen Prose, die immer schreibt, als ob sie spräche, merklich viel angenommen hat.“ (115.)[2] Und die seinige hat dies nicht zum mindesten getan.

Herder hat sich in die discursorische redeweise der Franzosen so eingelebt, dass sie vornehmlich seinen drei ersten kritischen schriften

---

1) Fragmente, III. samml. s. 5—86. Den schärfsten spott giesst er über die akademischen periodenkräuseler aus in der II. ausg. der I. samlung, s. 118 fg. Wissenschaftlich begründet hat er seine ansicht von der unverträglichkeit der lateinischen periode mit der natur des deutschen satzes im (ungedruckten) Zweiten stück des Torso, cap. 7.

2) Vgl. Fragm. II (3) s. 30.

das gepräge verliehen hat. „Discours“ überschreibt er einen abschnitt
der Fragmente, dieselbe benennung komt den meisten capiteln mit dem
gleichen rechte zu. In den ersten beiden jahren seines akademischen
lebens hat Herder täglich mehrere stunden der Rousseaulectüre gewidmet;[1] Rousseau gehört noch ende 1766 unter seine tägliche lectüre
(Lb. I, 2, 193); begreiflich also ist es, dass unter den zeilen gar oft
die formen Rousseauscher satzgebilde durchscheinen. Um so leichter
aber lebte sich der junge schriftsteller in diese art des vortrags ein,
da ihn sein beruf in unausgesetzter mündlicher übung erhielt. Ihm
als dem lehrer der reiferen jugend, bald auch als geistlichem redner,
— er war ein vorzüglicher katechet — gedieh der mündliche ausdruck
immer geschmeidiger, und die klare und lebhafte rede ward zur natur-
notwendigkeit. Es ist ein bekentnis eigenster erfahrung, das Herder
schon im ersten teile der Fragmente ablegt (138): oft rühre die dunkel-
heit von einer stubengelehrsamkeit her, die durch den mündlichen vortrag nicht habe lebendig werden können; denn durch diesen werde man
deutlich, man lerne den besten gesichtspunkt, fasslich zu sein, bemerken. „So lerne es der Lehrer in dem Kreise seiner Zuhörer, wenn er
sie nicht als Maschinen behandeln will: so trete der Gelehrte in die
grosse Welt, um sich seiner Kathedersprache zu entwöhnen.“

Der discours, die sophistische form im besten sinne, hat bei Herder, wie bei Rousseau, seinem vorbilde, leicht erkennbare eigentümlichkeiten. Die geringste berührung hat er mit der dialogischen form,
einer gattung, deren unterhaltenden reiz und anregende kraft Herder
früh und spät anerkant, zu deren anbau nach dem muster der alten
er dringend aufgemuntert hat,[2] die ihm selbst aber, so oft er sich auch
an ihr versucht, nicht sonderlich geglückt ist. Im discours ist und
bleibt es ein einziger redeführer, der es versteht, sich zum mittelpunkte der unterhaltung zu machen, und, um im mittelpunkte sich zu
behaupten, sichs angelegen sein lässt, den leser, oder vielmehr hörer
immerfort in atem zu erhalten, sei es durch fragen, die er an ihn

1) In seinem ältesten arbeitshefte, das von Mohrungen auf die akademie mit-
gezogen ist, steht der arbeitsplan, an den er sich im ersten semester gebunden
hat. 7—8 Rousseau. 8—9 Praeparat. im Fr(anz.) und Ode. 3—4 Histor. 5—6
Handlungsfach. 6—7 Spazz. gehen. 7—8 Bibliothek. 9—10 Theol. 10—11
Rousseau. (Die verwendung der zeit von 5—6 nachmittags beweist, dass Herder
eine zeit lang ernstlich den vorsatz gehabt hat, in Kanters buchladen einzutreten,
wo sein freund Hartknoch handlungsgehilfe war. Die „Bibliothek,“ in der er von
7—8 arbeiten will, kann kaum eine andere sein, als das stattliche bücherlager
Kanters. Von 9 v.—3 n. wurden die collegia gehört).

2) Fragm. I, 80. Briefe, das Studium d. Theol. betr., I. ausg. 4, 281 fg.
Vom Geist der Ebr. Poesie I, s. XI. Gott, (I. ausg. 1787.) s. VI. s. 250 fg.

richtet, oder in dessen namen aufwirft, sei es durch ansprache und aufforderung zu gemeinsamer prüfung und gedankenarbeit. Wenn der dialogist die gedanken, die er entwickeln will, vor seinem leser in rede und widerrede mehrerer gleichberechtigter parteien nach und nach hervorwachsen lässt, legt der discoureur — man erlaube, dass ich das wort hier in einem stilistischen sinne gebrauche — die gedanken fertig und frisch, wie er sie ausgedacht hat, in eigner person vor; den schein der frische und unmittelbarkeit aber sucht er vor allem auch darin zu wahren, dass er seine denkoperationen ausdrücklich ankündigt, und die empfindungen, welche sein nachdenken begleiten, einfliessen lässt.

Wo wir nur in den jugendschriften Herders blättern, klingt das eigentümliche dieser form hervor. Daher eben komt es, dass sich der leiseleser bei ihm unbehaglich und choquiert fühlt; nur der, der seinen rat annimt: „lies, als ob du hörest!" (Fragm. I, 2. ausg. s. 277. II, 3. saml. s. 67.) sich mit ihm befreunden lernt.

Nicht selten entspinnen sich bei ihm zwischenspielartig ansätze zur dialogischen form; aber sie dienen nur zur notwendigsten abwechselung, bleiben in den engen schranken weniger fragen und noch kürzerer antworten, und weichen gar bald einem „Katechismus von Fragen," auf die zu antworten dem gegenredner bald die lust ausgehen muss. [1]

Die person des autors drängt sich hervor. Wunderlich genug ist den alltagsköpfen unter den zeitgenossen dabei zu mut gewesen. Klotz findet in diesem hervortreten eine unverzeihliche unverschämtheit. Und allerdings, der acteur tut des guten bisweilen zu viel. „Ich denke, ich überlege, ich besinne mich, ich zweifele, ich sehe zu" klingt es aller orten. Häufig sind die erklärungen darüber, wie ein gedanke, eine vorstellung den redenden gemütlich berührt hat; ja bis in nerven und fibern hinein möchte er uns seinen zustand beschreiben. „Ich walle auf," bei einer entdeckung erhebender art — „ich schlage die Augen nieder und will lieber denken" (msc.), [2] wo eine grossartige behauptung eines andern aufstösst — „weh! so schmerzt mir mein Ohr!" nach einer reihe übelgeformter ausdrücke (IV. Krit. Wäldch. a. a. o. 421) — „meine Hand ermüdet mir," hinter einer citierten inhaltleeren, breiten stelle (ebenda 299) — „Mich macht die Hypothese unruhig" (msc.). Er

---

1) Fragm. I. s. 59 fg. 359. II, 3. saml. 27 fg. 69 fg. IV. Krit. Wäldch. (Lb. a. a. o. 415); eine probe aus den handschriften (1767): „Die Geschichte der Wissenschaft, Kunst und Weisheit: wo fängt sie für uns an? in Griechenland. Hier bricht für unsre Welt die Morgenröthe der Litteratur hervor usw."

2) Die aus dem manuscript gegebenen stellen gehören meist der umarbeitung der zweiten Fragmentensammlung an.

„erröthet," er „verfärbt sich vor sich selbst," wo man den sinn seiner
worte zu verdrehen sucht. Sehr häufig aber komt ihn das zittern an.
Ihm wird bange vor den machtsätzen des Laokoon: „Ich zittre vor
dem Blutbade, das diese Sätze unter alten und neuen Poeten anrich-
ten müssen" (Krit. W. 1, 227). So ist es ihm öfter vor tief einschnei-
denden behauptungen, die durch eine mächtige autorität gedeckt werden, nicht geheuer. Winkelmann hat vier Perioden, vier stile in der
entwicklung der kunst angesetzt nach dem grundsatze: „Die wissenschaft geht in der kunst der schönheit voraus." „Ich zittre für der
Nachahmung dieser Stilarten," ruft Herder entgegen — „als Zeitfolgen
der Natur betrachtet: Winkelmann selbst. ist in manche üble Parallele
der Kunst und Wissenschaft gefallen" (msc.).[1] Auch vor einem grossen plane, dessen ausführung trotz der unzulänglichkeit der mittel nicht
länger verschoben werden darf, wie etwa einer archaeologie des orients,
steht er mit bangen: „Muss ich bloss aus den Quellen der Griechen
schöpfen, so zeichne ich auf mein Werk mit zitternder Hand: Geschichte
des Altertums, wie sie uns durch die Griechen überbracht ist." Liest
man all diese bekentnisse in der frauenhaft zierlichen, ebenmässigen
handschrift, so kann man sich der vorstellung von einer fast weiblichen
ziererei oder koketterie kaum erwehren.

Ebenso gemütlich, ja leidenschaftlich teilnehmend stellt er sich
seinen leser vor. „Nun, lieber Leser, halte dir den Kopf!" rät er
ihm, da er ihm den wust einer verkehrten und verzwickten erklärung
hat vorlegen müssen. Anreden werden nirgends gespart. Überschwäng-
lich reich gespickt ist mit ihnen das Vierte Wäldchen, aus dem ich
etliche beispiele auslese. Bald sind sie allgemeiner art: „Ich bin die
Capitel nur durchflogen; Leser! danke es mir, dass ich nicht weiter
kann" (518), bald auf einzelne klassen der leser gemünzt. „Lehrlinge
der Wissenschaft! so schläft eure Seele ein ... Fahret also eine Zeit-
lang fort, in diesem ruhigen Schlafe Worte anderer in euch zu träumen .... fahret fort, in kurzer Zeit wünsche ich euch Glück zu eurer
erstarrenden, schlaffen Seele." (303.) „Du lerntest alles aus Büchern,
wohl gar aus Wörterbüchern: schlafender Jüngling, sind die Worte,
die du da liesest .... die lebenden Sachen, die du sehen solltest?"
(304). „Menschen eines spätern ganz veränderten Geschlechts! nehmet
das Gefühl eurer Urväter zurück, und ihr werdet eine weit nähere,
natürlichere Quelle der Musik finden." (305. vgl. 359). „Schall ist

---

1) „Wenigstens mag ich nicht mit Heinze hinschreiben: ‚Die Griechischen
Arten zu reden sind erst mit dem Verfall des Lateins in die Prose oder Beredsam-
keit gekommen, und sind ein Theil solches Verfalls.' Meine Hand zittert, da ich
dies nachschreibe." ... Torso, II. Stück, cap. 8. (msc.)

nur Zusammensetzung ... Schüler des Wohllauts, weissest du damit auch das kleinste etwas vom sinnlichen Moment eines Tones?" (388). So bannt der autor den leser in seinen kreis, beredet ihn, gemeinsame sache mit ihm zu machen. Nun muntert er ihn an zur mitarbeit; wie Rousseau -mit seinem voyons! so er mit dem anruf: „Wir wollen sehen," [1] öfter „lasst uns sehen."

Ganz und gar trägt nun diesen charakter des discours unsere „Nachricht." Auch hier tritt der schriftsteller sofort als redendes subject hervor; [2] hier wie in den Fragmenten drängt sich beim ausdruck unwilliger verwunderung sogar die interjection ein. [3] Hier wie dort die appellation an den leser. „Er (der kritisierte Erläuterer) siehet Aehnlichkeit! armer Leser, wenn du sie nicht siehest usw." Auch die übertragung des voyons! (s. 5. 23.) fehlt nicht. Das rhetorische mittel ferner, die einen gedanken begleitende stimmung mit auszusprechen, wird auch in der Nachricht angewant. Der Erläuterer hat eine widersinnige auslegung der stelle Psalm 2, 7 gewagt. Der kritiker verwirft sie: „So hat doch alsdenn die Auslegung: ,du bist mein Sohn, heute habe ich dich zum Könige eingesezzt': ungleich mehr scheinbaren Zusammenhang, als diese; ja in der Angst will ich lieber sagen: David rede blos von sich als einem Könige Gottes." Einer aufdringlichen falschen meinung mit einem angstentschlusse aus dem wege zu gehen, ist ein auskunftsmittel, das Herder sich gern bereit hält (Fragm. II, 3. samml. 163 fg.); sogar denselben wunderlichen schnörkel, mit dem dies hier in der Nachricht geschieht, finden wir von dem Fragmentisten nachgezeichnet. Dieser stutzt vor dem machtspruch Lessings: „Homer ward eben so wenig von allen Griechen verstanden als Klopstock von allen Deutschen." Dass Homers dichtung weit tiefer von der nationalbildung eingesogen worden, als Klopstocks poesie in das bewustsein seines volkes übergegangen sei, gilt ihm für unanfechtbar. Er erinnert sich der stelle in des Isokrates Panegyrikus, die im Homer

1) Fragm. I. (2. samml.) 355. „Wir wollen diese zwei Ursachen sehen!" u. s. f.

2) S. 13. Bei eröffnung der untersuchung: „Ich sehe zuerst nach der Beträchtlichkeit der neuen Erklärung, und bedaure, dass es dem Verfasser nicht beliebt, seinem Titel genauer nachzukommen ... Nun aber wird uns in einer so wichtigen Sache die Erläuterung, blos, als eine Hypothese vorgelegt usw."

3) Das französische ciel! und ganz wie dieses angewant, Nachr. 14: „Nun Himmel! so kann man ja viele Erklärungsarten aus sich spinnen, und weben." Vgl. Fragm. II (3. samml.) 308. „Himmel! was sieht der Mann alles?" 304. „Mein Gott! wo hat der Mann das alles her?" Vgl. s. 28 „Wie denn? Grosser Gott! als eine Politische, als eine Galante, als eine Reimreiche Sprache suchte man sie zu bilden." 131: „lieber Gott!" 145: „Gottlob!" Selbst das familiäre „Mein!" wird versucht. (Msc.)

12*

das grundbuch der nationalen erziehung anerkent. „Wo wird nun in
unsern Schulen unser Homer in diesem Zweck gelesen? Das Geschichtchen vom alten Homer weiss ein Knabe wohl aus seinen historiis selec-
tis, dass Alcibiades jenem Schulmeister eine Ohrfeige gab, der nicht
den Homer in der Schule hatte: .... Dies Geschichtchen hat nun wohl
ein Knabe gelesen, aber Deutsche Homere? Viel eher, sage ich, in
der Angst, den Griechischen selbst.“ (I, 283.)

    In solch erregtem tone hält sich das ganze schriftchen. Hier eine
probe aus dem letzten abschnitte. Der Erläuterer hat es seiner methode
nachgerühmt, dass sie „manchen vernünftigen Juden dahin gebracht,
die Dreieinigkeit zuzugeben.“ Die „Nachricht“ entwickelt die sätze,
mit denen die juden ihr verbleiben beim monotheismus stützen. Sie
müsten, führt sie aus, mit der dreieinigkeit zugleich die ganze lehre
vom erlöser, von unserer heilsordnung ... in den kreis ihres systems
aufnehmen. „In diesen Gesichtspunkten muss man ihnen die Dreieinigkeit erläutern. Aber unser Verfasser? — zuerst! erläutert er die Lehre
seiner Dreieinigkeit aus dem A. Testamente, auf welches die Juden
doch ihre hartnäckigte Einheit bauen? Nichts! denn der Spruch,
Sprüchw. 8, 22 wird ja schon von den Juden selbst so ausgeleget usw.
Und alle angezogne Örter des N. T. sind ja für Christen oft schwan-
kend, wie sollten sie denn für Juden treffend seyn?“

    Nicht minder als der bau der rede im ganzen stimt die form der
sätze zur Herderischen stilistik. Gern verwandelt Herder die verbindung eines subject- und eines prädicatsatzes in das hypothetische satz-
gefüge. „Wenn jene Fruchtbringende Gesellschaft der Katze und dem
Schorsteine neue Namen geben wollte: so war sie am Kopfe krank ....
Aber wenn Halle über Künste und Handwerke eine neue Sprache redet ...
wenn er die Geschichte der Thiere nicht wie ein Lehrer der einfältigen Natur uns erzählet ... so ist das ein schöner Schriftsteller von
Geschmack.“ (Fragm. II, s. 55 fg.) An dem letzten satzpaare zeigt
es sich deutlich, dass die umwandlung der regelrechten form nur der
neuheit und abwechslung halber beliebt worden ist. Und gerade von
dieser art finden sich nicht wenige beispiele. Oft ist dem so des nachsatzes ein bekräftigendes ja angereiht. „Die alten Lacedaemonier war-
fen ihre schwachen Kinder weg .... Sie thaten ohne Zweifel auch
schon politisch Unrecht; aber man kann ihren Fehler doch aus ihrer
kriegerischen Verfassung wenigstens erklären ....; wenn aber in
unsern schwachen Zeiten Wegelin ihre Stärke nachzuahmen sucht, und
Rousseau sich nicht sehr abgeneigt bezeigt gegen diese Kinderprüfung;
so ist ja die Vergleichung unleidlich.“ (Über die Schönheit des Körpers und der Seele. Rigische Beiträge 1766, Stück X s. 80.) „Gess-

ner ist hierinn (in Küchen - und Landschaftsstücken) noch vortreflich, und mischt diese Schilderungen nur ein; aber wenn seine Nachfolger mittelmässige Schilderungen zum Hauptwerk ... machen; so weicht dies ja ganz von den Alten ab." Die gleiche satzgestalt liebt der verfasser der Nachricht. Der Erläuterer hat definiert: „Eine Person ist ein Unterschied in Gott." Jener setzt hinzu: „Gut! auch nach unsrer Lehre findet sich dies bei der Person; aber wenn der göttliche Geist, sein Bild, und seine Kraft, als Unterschiede n e b e n einander gesezt werden: so ist dies ja Unsinn." (S. 26.)

Nicht einzelne worte bloss bekunden die leidenschaftliche schroffheit des kritikers; auch in einer bestimten satzform spricht sie sich aus. Ich meine die peremtorische form des widerspruchs, die darin gipfelt, dass die disjunctive form, in der das urteil vorgetragen wird, scheinbar eine wahl gestattet, die schneidige fassung des zweiten gliedes aber zu schleuniger gutheissung des ersten satzes nötigt. So in der Königsberger recension von Duschs Briefen zur Bildung des Geschmacks (Königsb. Zeitungen 1766 St. 6, 20 Jenner): „Er (Dusch) fordert vom Lehrdichter, wie er meynt, grosse Talente, weil es bey dem Lehrgedicht alles aufs Kolorit ankommt. Nun denn! so ist Titian dem Raphael gleich, oder er sagt nichts zur Sache." Fast bis zum widersinn verwegen wird diese waffe gehandhabt. Im vierten der Kritischen Wäldchen (359) steht folgender satz: „Menschen, die inniges Gefühl für die Musik haben, ihr werdet meiner Erfahrung beistimmen, oder ihr seyd gar nicht zum Gefühl derselben geschaffen." So nun heisst es auch in der „Nachricht" (s. 25): „Seine (des Erläuterers) göttliche Personen, sind ja keine Personen; es sind, so sehr er sich verhüllt, bloss Beziehungen Gottes auf die Welt, oder er spricht ein Non - sens."[1]

Wir glauben bei vergleichung dieser satzgebilde die eigentümlichen geleise und krümmen der Herderischen diction unter uns zu fühlen; als auffällige merkzeichen kommen uns auf dieser wanderung aber etliche formelhafte wendungen zu statten. Folgen wir ihnen, so führt uns der weg direct in die vorratskammern der gedankenfabrik unseres sprachneuerers. Denn an solche vorratsstätten müssen wir doch unwillkürlich bei der beobachtung denken, dass ihm für bestimte fälle etliches material handlich zugerichtet stets bereit liegt. Zu diesem material gehören die interessanten wendungen. Alltägliche gedanken, die nicht

1) Non - sens ist eins von Herders lieblingsworten. Gewöhnlich d e r nonsens; aber auch das neutrum findet sich. Krit. Wäld. II, 177: „Das ganze Nonsense dieses Hauptstücks" 227: „so hat mein Commentator ein Non - sense gesagt." In umlauf gesetzt haben den ausdruck aber schon die Litteraturbriefe.

ausgeschlossen, verkürzt oder blos angedeutet werden konten, sollen
wenigstens nicht in trivialer form auftreten. Betrachtungen wie diese:
Vorschreiben, versprechen ist leicht; aufs ausführen kommt es an —
Müssiges aussenwerk ist im leben wie im schreiben vom übel —
Eine strittige sache wird durch blosses behaupten nicht erledigt —
machen in ihrer knechtsgestalt keinen sonderlichen eindruck. Aber
stecke den wicht in einen anekdotenrock, so präsentiert er sich ganz
leidlich. Das erste von den angeführten urteilen stutzt Herder durch
die Plutarchische anekdote von den zwei baumeistern in Sparta auf:
der erste nimt den mund voll von dem was er leisten will; der zweite
spricht: alles, was du gesagt hast, will ich tun. (Rigische Antritts-
rede, 1765: Lb. I, 2, 59. Fragm. II, 203).[1] Noch geläufiger ist ihm
die umschreibung des zweiten erfahrungssatzes durch das Sokratische
apophthegma: „Wie vieles kann ich entbehren!" und stehend wird
hierbei aus der panegyris mit gemütlicher weitermalung der form,
wie die anekdote bei Diogenes Laertius II, 25 erzählt steht, der echt-
deutsche „Jahrmarkt." Vielleicht stamt die liebhaberei, die Herder
für die schnurre hegt, aus Kants collegium; denn auch dieser lässt sie

1) Dieselbe anekdote, in gleichem sinne, wie an der stelle der Fragmente
angewant, findet sich in der recension von Homes Grundsätzen der Critik, die im
X. stuck des I. jahrgangs (1764) der Königsbergischen Zeitungen enthalten ist. Diese
recension, eines der besten stücke der zeitung, hat denn auch hauptsächlich wegen
dieser auffälligen parallele Haym für Herder in anspruch genommen. (Im Neuen
Reich 1874 s. 418.) Ich gestehe, dass ich vor viertehalb jahren, als ich anfieng
die „Zeitungen" nach Herderischem gut zu durchgraben, ebenfalls geglaubt habe,
diesen fund für mich einheimsen zu können; zugleich aber, dass ich seit jahr und
tag denselben als unrechtmässigen besitz ausgeschieden habe. Mein verehrter mit-
forscher komt zu dem resultate: „Ich wüsste, was den G e i s t der Recension anlangt,
ausser Herder etwa nur Kant selbst, der sie geschrieben haben könnte." Nach
meinem dafürhalten sind die namen der beiden koryphaeen entschieden umzustel-
len, sodann aber ist die clausel hinzuzufugen: „was aber die f o r m betrifft, wortform, grammatische und stilistische form, so hat sie Herder schwerlich geschrieben." Mein urteil könte ich hier in der kürze nicht hinlänglich begründen. Ich
bleibe also bei der auffälligen einzelheit stehen und bemerke nur: 1) die anekdote
hat in den „Zeitungen" einen nebenzug, der sich an beiden stellen bei Herder
nicht findet, während doch dieser sonst höchstens in kürze oder ausmalung variiert:
2) gemeinsames bild- und putzwerk findet sich in den Kantischen schriften der
60er jahre und Herders jugendschriften nicht wenig. Einiges führe ich in diesem
aufsatze gelegentlich an. Hier will ich nur daran erinnern, dass Herder für seine
zwecke wenigstens ein dutzend mal den alten Proteus allusionsartig parodiert. Auch
Kant braucht ihn in diesem sinne — Shaftesbury (Übers. von Voss II, 153) und
Rousseau waren vorangegangen — aber wider charakteristisch für beide ist es, dass
Kant ihn blos in der form der vergleichung citiert, Herder in der reinen metapher.
Kants WW. in chronol. R. F. II, 279. Herders Lb. I, 3, 1, 208. I, 2, 153.
I, 3, 2, 275. Krit. Wäld. III, 176.

als redeputz gern mit unterlaufen.[1] Sicher ist es, dass das spiel mit dieser geschichte bei Herder so alt ist, als die verehrung für seinen lehrer Kant. In einem lehrgedichte „Der Mensch," an dem schon im jahre 1762 von Herder versuche gemacht worden sind, finden wir — es sind Bruchstücke davon in dem ältesten arbeitshefte Herders vorhanden — die zeilen:

— — — die Welt, der Zeitvertreib, die Ehren,
Gelehrtheit, wirf sie fort! „Wie viel kann ich entbehren!"

Dieses gedicht ist es, von dem Herder (Lb. I, 2, 290) bekent: „Mein philosophisches Lehrgedicht an Kant war das Aufstossen eines von Rousseauschen Schriften überladenen Magens." In einem kleinen etwa gleichzeitigen sinngedichte drängt sich die lebensweisheit des „Gymnosophen" in denselben spruch zusammen. (Lb. I, 1, 186.) Aus derselben zeit stamt ein anderes sinngedicht, welches Herder „aus der alten Mappe" seinem freunde Claudius für den Wandsbecker Bothen spendete:

Leben der Götter und Weisen.

Warum die Götter selig leben?
Sie brauchen nicht und können geben!
Einst (Ein?) Sokrates im bunten Trödel spricht:
Was alles darf ich nicht.

(Gedichte I, 199. Redlich, Die poet. Beitr. zum W. B. s. 43.)

Mit besonderem behagen wird aber das jahrmarktsbild in die prosadarstellung eingewebt; bald dient es dazu, das nutzlose der philosophie für das bürgerliche leben (Lb. I, 3, 1, 240), bald um die künsteleien der pädagogen (a. a. o. I, 2, 66. J. 1765), bald den formelkram der schuloratorie und logik bei seite zu schieben (Fragm. II, 48. J. 1767), allerwärts fast mit gleichen worten. „Unsere meisten Erziehungsplane wollen schimmern; man lieset sie durch, und glaubt durch einen Kinderjahrmarkt zu gehen, wo Spielzeug von beiden Seiten glänzt; nur ein Weiser sagt wie Sokrates (Seneka an dieser stelle ist schreibfehler): Wie viel kann ich entbehren." — „Hier (bei der dürren, unfruchtbaren barbarei der schullogik) haben einige neuere Weltweise mit Recht gesagt, wie Sokrates, da er durch den Jahrmarkt voll Volks ging, zu seinem

---

1) Träume eines Geistersehers (WW. hg. von Hartenstein II, 377): „Wenn die Wissenschaft ihren Kreis durchlaufen hat, so gelangt sie natürlicher Weise zu dem Punkte eines bescheidenen Mistrauens und sagt, unwillig über sich selbst: Wie viel Dinge gibt es doch, die ich nicht einsehe! Aber die durch Erfahrung gereifte Vernunft, welche zur Weisheit wird, spricht in dem Munde des Sokrates mitten unter den Waaren eines Jahrmarkts, mit heiterer Seele: wie viel Dinge gibt es doch, die ich alle nicht brauche."

Begleiter: Freund, wie viel können wir entbehren!" Und wunderbar,
wie unverlöschlich die züge dieses bildes bleiben. In der letzten der
classisch vollendeten theologischen schriften (1798), steht es noch eben
so frisch, dies mal zur abwehr des formelwesens, der unnützen grübe-
lei der dogmatiker. „Als S. durch einen Jahrmarkt voll Spielwerks
ging, sprach er zu seinem Freunde: Wie viel, mein Freund, können
wir entbehren?" (WW. z. R. u. Th. 18, 200.) Dasselbe bild ist dem
verfasser der Nachricht geläufig. Den „Zweiten Abschnitt (der die
neue Erklärung mit den gewöhnlichen Bestimmungen vergleicht)" eröffnet er mit folgendem satze: „Bei jedem neuen frägt ein guter Hauswirth: Kann ichs brauchen? und muss er gar etwas von dem, was er
besizzt, und etwas grössers aufopfern: so sagt er, wie S., da er durch
den Jahrmarkt ging: O wie viel kann ich entbehren."

Widerum nimt der Nachrichtgeber gleichen schritt mit Herder
am schlusse dieses abschnitts. „Warum lässt sich nicht der Verfasser
ein, auf unsere Behauptungen zu antworten, und die seinigen zu beweisen? Behauptet er ohne zu beweisen, so könnte es ja sein Gegentheil
auch thun, und denn hiesse es: ich sage Ja! jener Nein! ihr Roemer,
wem glaubt ihr?" Schon früher habe ich darauf aufmerksam gemacht,
dass die vorführung der beiden grammatischen kampfhähne Aemilius
Scaurus und Valerius und der darauf ausgespielte fragende trumpf zu
Herders rhetorischen kunststückchen gehört. Die beiden beispielstellen,
welche ich damals angeführt habe, liegen auch der zeit nach sehr nahe:
die eine in der recension von Kants Träumen eines Geistersehers stamt
aus dem februar 1766; die zweite steht in der zweiten samlung der
Fragmente.

Das anspielungsunwesen, das sich nach zeitüblicher weise in Herders jugendschriften breit macht, zieht hauptsächlich aus den alten
klassikern seine nahrung (Plutarch und Lucian sind die reichsten quellen); auch die stehenden begleitwitze der angeführten art sind zumeist
aus dem alten kalender. Aber auch die neueren, besonders die englischen humoristen und satiriker, Sterne, Fielding, noch öfter Butler
und Swift, erleiden, um die magerkeit des Deutschen anzufrischen,
starke aderlässe.

Wie sehr Herder sich in den grimmigen humor des irischen
dechanten eingelebt hat, weiss jeder aus Goethes selbstbiographie. In
der Bückeburger einsamkeit schien er sich sogar zu einem deutschen
doppelgänger Swifts ausbilden zu wollen, die bekantschaft mit ihm war
aber viel älteren datums. Schon in Riga gehörte Swift zu Herders
vertrauten und lieblingsautoren. Eine anspielung auf ihn drängt sich
schon in die abhandlung „Der Redner Gottes" (1764. 5). In der echten

kanzelrede, heisst es da, herrscht „kein steifer Anstand, wie in der Tonne jenes sehr ehrwürdigen Dechanten" (Lb. I, 2, 79).[1] Es kann uns also auch in der „Nachricht" der spott nicht entgehen, mit dem die unart, bibelstellen ohne rücksicht auf ihren ursprünglichen zusammenhang zu verwenden, gezüchtigt wird. „Auf die Art, wie der Verfasser durch Akkommodationen beweiset, die nur beinahe wahr sind; könnte ich mit leichter Mühe aus dem Werkchen, über das ich schreibe, eine chymische Untersuchung herausbringen, wenn ich so ein Florilegium von seinen Ausdrücken sammlete, als Bruder Peter in Swifts Märchen von der Tonne mit den Buchstaben in seines Vaters Testament für billig fand."

Aber Herder, den sein „patriotischer eifer" nie ruhen liess, der, ein kind aus dem volke, zu den füssen einer biedern mutter gesessen hatte, die das schönste geschick im erzählen alter geschichten besass[2] —

1) Zu dem Märchen von der Tonne hat Herder in seinen späteren jahren „ein Gegenstück" (vielmehr eine fortsetzung) „Das Märchen vom Spiegel" geschrieben, dessen herausgabe von Johannes v. Müller aus falscher scheu hintertrieben, jetzt um so zeitgemässer erscheint. Eine bewundernde zuneigung, gehoben durch inniges mitleid, erhielt Herder dem freunde seiner aufstrebenden mannesjahre; worte aus dem innersten seines herzens hat er ihm in der Adrastea (I, 298—345) gewidmet.

2) Man gönne mir, hier einen trocknen kranz zum andenken der guten frau aufzuhängen, der Herder selbst ein zart rührendes erinnerungslied geweiht hat. (Lb. I, 1, 237. vgl. ierstr. Bl. III, 3.) In der vorrede, die er zu Liebeskinds Palmblättern geschrieben (s. XVIII fg.), rühmt es Herder mit herzlich einfachen worten seiner mutter nach, wie lieblich und eindrucksvoll schlichte erzählungen von ihren lippen geflossen seien. Es ist zwar ein biblischer stoff, den er dort als beispiel anführt, doch ein von Gellert in seiner manier paraphrasierter. Gewiss hat sie auch Gellerts fabeln dem sohne eingeprägt. Denn gerade deswegen feiert er ja in den Fragmenten (I, 2. Samml. 287) Gellert als eine art von deutschem Homer, weil seine fabeln und erzählungen den weg zu dem herzen der einfachsten leute gefunden haben. Noch eine einzelne trockne blüte darf ich vielleicht einflechten. In der anzeige von Anton Trinius Zugabe zu seinem Freydenker-Lexicon lässt unserem Herder das misbehagen an der kritiklos zusammengewürfelten masse von namen das kraftwort entschlüpfen: „alles kommt hier zusammen, was sich kaum auf der Kürschnerstange zusammen findet" (Königsb. Zeitt. 1765 st. 93). Vielleicht eine redensart aus dem munde seiner mutter, der geweckten und „gesprächigen" frau (Lb. I, 1, 31), der tochter des Mohrunger huf- und waffenschmieds, wobei dem recensenten das kleine rauchwaaren-magazin vor augen gestanden hat, in dem die fusssäcke und kappen, die pelzstiefel und mäntel der krethi und plethi von Mohrungen während des sommers vor mottenfrass bewahrt wurden. In Herders sinne wenigstens ist es gemutmasst, wenn man solche einfach kräftigen ausdrücke als mütterliche mitgift erklärt. Achtet er doch die spöttisch gemeinte etymologie: „Muttersprache d. i. eine Sprache der Mütter, der Weiber und Ungelehrten" im ernste für das schönste lob der angeborenen rede. Fragmente II (3) 27;

er koute sich nicht mit der ausbeute aus fremdem laude befriedigen.
Hatte er doch früh wenigstens einen baum auf heimischem boden
kennen gelernt, der seinem unverwöhnten geschmacke genüge brachte:
der baum knorrig, die früchte echte holzbirnen, doch „edelhart" und
gesund. Er versuchte es, auch dem verwöhnten gaumen gelehrter zeitgenossen ein gericht davon aufzutragen. Mösers „niedliche Abhandlung" Harlekin, oder Vertheidigung des Groteske-Komischen
hatte ihm köstlich behagt (Fragm. 1, 157), und durch diese feine und
gelungene schutzrede für das volkstümlich possenhafte fühlte er sich
wol zuerst ermutigt, diesem gesunden elemente auch seinerseits raum in
der litteratur, selbst in der höheren prosa zu schaffen. Durch ihn, und
vielleicht zuerst durch ihn komt Eulenspiegel wider in gute gesellschaft.
Er lässt ihn sogar auf dem katheder des gelahrten akademikers platz
nehmen. „Ein Lehrer der schönen Künste und Wissenschaften," spottet er im vierten der Kritischen Wälder (s. 518), „ist Riedel eben so
wenig als Eulenspiegel ein Maler: er kleckt uns eine Menge Begriffe
hin, ohne Richtigkeit, ohne Kenntnis, ohne Ordnung, ohne Fruchtbarkeit." Eulenspiegel als maler steht bei ihm in besonderer gunst, und
an ihm erlustigt er sich denn auch in jener oben gekenzeichneten
manier anekdotenhafter einkleidung. Er sieht z. b. in den beweisen, in
den ausführungen eines gegners nichts von dem, was dieser hineingelegt
zu haben vermeint. „Himmel," ruft er schalkisch, „was sieht der
Mann alles? Ich bin doch auch, sagte jenes naive Mädchen bei Eulenspiegels Malerei, die kein unächtes Kind sehen sollte, ich bin doch
auch kein Hurenkind, und sehe nichts!" So in dem schlusswort der
Fragmente (II, 308) den anklagen entgegen, die wider Klopstocks
schwärmerische prosa im Nordischen Aufseher von Lessing erhoben
waren. Eben so wenig verschmäht aber auch der theologische kritiker
den ungekämmten gesellen. Sein gegner hat die erläuterung zuerst
als hypothese vorgetragen; darauf die übereinstimmung derselben mit
der Bibel durch sogenante accommodationen zu erweisen versucht. „Er
siehet Ähnlichkeit! armer Leser, wenn du sie nicht siehest: so mag es
dir gehen wie jenen ehrlichen Leuten, die das Bild nicht sehen konnten,
was Eulenspiegel mahlte: es waren unächte Kinder." (S. 16).
    Deutlich genug ruft uns von dieser seite die „Nachricht" den
namen ihres verfassers entgegen. Wir suchen einen zweiten gesichtspunkt, indem wir den bildlichen ausdruck, soviel die schrift davon enthält, ins auge fassen. Ein unverkennbares bedürfnis Herders ist es,

vgl. I, 2. ausg. s. 20. Philipp Wackernagel, Der Unterricht in der Muttersprache s. 105.

gedanken und bild zu gatten; diesem triebe verdankt sein stil ein gut teil seiner eigentümlichkeit. Nicht die „frühlingslebenspracht" freilich schiesst ihm aus mütterlichem boden auf, die in den adern des dichterjünglings zu Frankfurt und Wetzlar schwoll. Wenn dieser „sich immer uneigentlich ausdrückt und niemals eigentlich ausdrücken kann,"[1] so waltet in ihm die macht seiner vollen dichternatur; Herder aber war poetisch befähigt, kein poet. Ein poetisches ganzes zu schaffen, dazu fehlte ihm, wie er klagt, „das Runde, die Wohlgestalt;"[2] und der saft, der den weg zum stamme nicht findet, schiesst notwendig in die nebenzweige; daher denn wirklich manchmal ein üppig verwachsenes strauchwerk von bildern, nicht selten am unrechten orte bei ihm wuchert. Aber auch dies einzelne als solches hat selten Goethische währung. Es fehlt unserm Herder die macht der phantasie, die mit der sinnlichen gegenwart göttergleich schaltet und waltet. Gegen die überfliessende menge des historisch-bildlichen erscheint bei ihm der kreis des der unmittelbaren anschauung entnommenen sehr eng. Hierin bleibt er noch der sohn des zeitalters, über das er hinausstrebt. Und in jenem engeren kreise gelingt es ihm viel seltener die erscheinungen der natur sich dienstbar zu machen, als das treiben und handeln des menschen darzustellen. Bei Goethe ist — um in Herderischer sprache zu reden — das bilden und bildern natur, bei Herder oft nur nachahmung (der Engländer vorzüglich) und eine zur zweiten natur gewordene gewohnheit.

Manches naturbild, das er, in karger und unschöner welt aufgewachsen, früh in seine anschauung aufgenommen hat, gebraucht er mit einer treue, die gar eintönig wirkt. Ein solches ist der sich aufschwingende vogel. Auf einen dichter, mit dem er selbst mehr verwantschaft hat, als er ahnt, geht sein epigramm im Wandsbecker Bothen (1774 no. 21 Ged. I, 194. vgl. s. 181):

> Was schwingest du mit Adlersblick
> Des Strauses schweren Flügel?
> Sieh deinen Leib! er sinkt zurück
> Zum niedern Erdehügel usw.

Auf dies bild stossen wir in der prosa der Königsbergisch-Rigischen periode sehr häufig. Flügel der einbildungskraft,[3] flügel einer dich-

---

1) Goethe und Werther s. 35.

2) Aus Herders Nachlass I, 322. II, 122. 143. III, 56. 76. Er empfand es als einen mangel seiner bildung, dass er nicht genügend im zeichnen unterrichtet worden war. Erinnerungen III, 206. Lb. I, 2, 33. Hamanns Schr. V, 285.

3) „Es kann dies Buch (Mallet, Gesch. von Dännemark) eine Rüstkammer eines neuen Deutschen Genies seyn, das sich auf den Flügeln der celtischen Ein-

terischen schwärmerei [1] finden wir dort mehrmals Lessing hatte in
den Litteraturbriefen der Horazischen ode flügel gegeben (WW. Lachm.
6, 15); Herder verleiht sie mit absichtlicher nachzeichnung des Lessingschen bildes dem Klopstockischen hexameter (Fragm. II, 320). Er
stattet aber sogar ideen mit flügeln aus. „So wie ein Algebraist, wenn
er auf den Flügeln seiner Ideen sich ins Unendliche setzt, ganz Gedanke
wird," sagt er in einer spätestens 1765 geschriebenen theologischen
arbeit (Lb. I, 2, 81), und in den Fragmenten (1, 145) will er dem
bilde, welches „die Muse der Winkelmannischen Schriften" darstellen
soll, „die Flügel hoher Ideen" geben. Die „Nachricht" aber umkleidet mit dem gleichen bilde selbst gedankenwesen, die sich gegen jegliche verbildlichung sträuben. Die philosophische erklärungsmethode,
heisst es daselbst, „findet in den 3 Personen Gottes die 3 Verhältnisse
seines Wesens zu der Creatur. . . . Daher ist vielleicht auch die Pla-
tonische Dreieinigkeit entstanden, weil man diesen 3 abgezognen [abstrac-
ten] Verhältnissen freilich die Flügel einer hohen Einbildung hat geben
können."

Von den menschlichen beschäftigungen dürfte wol die des bau-
gewerks am meisten zu erreichung bildlicher anschaulichkeit von unserem autor herangezogen sein; liegt doch ohnehin wegen der notwen-
digen analogien jedem gelehrten schriftsteller der gebrauch nahe. So
wäre denn also höchstens an nebenstrichen eines so allgemeinen bildes
die hand des einzelnen zu erkennen. Vom herbeischaffen des materials
und von der grundlegung an [2] bis zur krönung des gebäudes mit dem
kranze [3] finden wir bei Herder den bau dargestellt. Der verfasser der
Nachricht ist ebenso mit diesen bildern vertraut. Als erste methode,
die dreieinigkeit zu erläutern, empfiehlt er die kirchlich orthodoxe (s. 31).
„Diese Erklärungsart sollte keinen Eifer gegen sich erwecken . . . .;
wenigstens kann sie, wenn sie treu ist, Baugeräthe liefern. Und
sollte der Gräber auch nicht eben den besten Gebrauch machen, oder
die beste Erklärung treffen: so hat er es ausgegraben; und hat drüber
geraten: ein andrer erkläre und baue. Ich wünsche dieser Arbeit noch

bildungskraft in neue Welten erhebt." (Königsb. recension.) Ebenso in dem aufsatze: „Ist Schönheit des Körpers usw." Rig. Beiträge 1766. X. s. 188.

1) Königsb. Gel. u. Pol. Zeitt. 1767 st. 66 in der recension der Hamburgischen Unterhaltungen.

2) Das merkwürdige gleichnis von den „Grundsteinen der Erkenntnis,"
Fragm. II (3) 51. 111 ist sicherlich eine frucht der eifrigen lectüre des Montaigne,
aus dem vorher (s. 34) der bildliche ausdruck angeführt ist: „Unsere Seele bauet
(im Lernen) Stockwerke über einander."

3) Rig. Beitr. 1764 st. XXIV s. 187. Fragm. I. (2. Samml.) 186 189 (wo
„krönen" widerherzustellen ist) 378. II (3) 133. 148.

viel Hände in unseren Tagen."[1] Hiergegen stelle ich ein seitenbild aus dem ersten teile der Fragmente. Hier ist die rede von dem originalen schriftsteller, der die idiotismen seiner muttersprache zu nutzen weiss. „Das kühne Genie g r ä b t i n [2] die Eingeweide der Sprache, wie in Bergklüfte, um Gold zu finden. Und betriegt es sich auch manchmal mit seinen Goldklumpen: der Sprachenphilosoph probire und läutere es: wenigstens gab es Gelegenheit zu chymischen Versuchen. Möchten sich nur v i e l e finden, die (die Sprache) als G r ä b e r ... durchsuchten." Allerdings ein bild aus einer andern sphaere, aus der des bergmanns und scheidekünstlers, aber ein zusammengesetztes, wie das vorangehende, und zusammengesetzt nach derselben ordnung, mit denselben kleinen nebenzügen, so dass in diesem betracht es mich dünkt, ich sehe den abdruck ein und desselben petschafts, nur hier in rotem, dort in gelbem wachs. Und diese nebenzüge kommen bei wörtlich ähnlicheren gleichnissen noch öfter zum vorschein. Ich denke hier an solche stellen, wie die in der einleitung der Fragmente, wo von aesthetisch - kritischen schriftstellern verlangt wird, sie sollten „einem Sulzer f e r t i g e s B a u g e r ü s t [3] zu seiner allgemeinen Aesthetik l i e f e r n." (S. 16.)

Wenden wir uns vom kunsthandwerk zur kunst, so gehen wir an Eulenspiegels staffelei vorüber, um vor einem nicht minder grotesken bilde zu verweilen. Einen schriftsteller, der eine misratene leistung mit dem anspruche, die idee erreicht zu haben, vorträgt, stellt Herder

1) „Die Alterthümer der Griechen und Roemer, die ... so v i e l e gelehrte H ä n d e b e s c h ä f t i g e n;" Recension von Mallets Gesch. v. Dänn.; Königsb. G. u. P. Zeitt. 1765 st. 64.

2) Nachricht s. 15: „Wenn ein Michaelis i n d e r G e s c h i c h t e d e r E b r ä - i s c h e n, ein Semmler i n d e r G e s c h i c h t e d e r H e l l e n i s t i s c h e n u n d K i r - c h e n S p r a c h e g r ä b t."

3) Mancher möchte hier lust verspüren, B a u g e r ü s t i n B a u g e r ä t h zu ändern. Allein Herder hat in seinem zur II. ausgabe hergerichteten handexemplar den ausdruck unverändert gelassen. Unter B a u g e r ü s t versteht Herder das aufgerichtete oder zum aufrichten fertig geschaffte balkenwerk, welches vom maurer ausgefüllt wird. Fragm. I. (2. samml.) 250: „ in seiner (Klopstocks) Epopee (ist) zu viel Gerüst und zu wenig Gebäude." II, 168 „die Mythologie der Alten, die schon ein gefundnes B a u g e r ü s t e der Dichtkunst ist."; vgl. II, 142. 153 fg. Handschriftlich (zur II. samml. der Fragm., II. ausg.): „nach Regeln und Mustern ein Baugerüst aufschlagen" „nicht eher ans Gerüst gedacht, als an Materialien" (Torso, II. Stück). Briefe zweener Brüder Jesu, s. 20. Kan$_t$, in dessen bildervorrat der bau ebenfalls eine bevorzugte stellung hat, redet von „einem mühsam gesammelten Baugeräthe" (1763), von „einer Ordnung der Dinge (System), die aus wenig Bauzeug der Erfahrung gezimmert ist" (1766.) WW. in chronol. R F. v. Hartenstein II, 110. 350. Auch das bild des „Luftbaumeisters," unter welchem der dogmatische systemfabrikant verstanden wird, haben Kant und Herder gemeinsam. Herder: Rig. Beitr. 1765 st. I, s. 6. Königsb. Zeitt. 1766 st. 9; Kants WW. II, 350.

mit spöttischer ausmalung als den stümper vor, der marktschreierisch
sein gemälde selbst erklärt. „Schon Plato und Xenophon malen uns
den Sokrates verschieden; aber man muss beinahe ausspeien, wenn Wieland auftritt und sagt: Seht! den Kopf des Sokrates.“ (Fragm. I, 297.)
Und so hält es auch der Nachrichtgeber. „Der Verfasser denkt sich
zuerst, was er unter Person verstehen will … und ruft mit einem
erfinderischen Ton: Seht! das soll es bedeuten!“ (S. 14.) „Nachdem
der Verfasser sein Gemälde aus dem Kopfe entworfen, so hält ers gegen
die Bibel, und sagt: Sehet welche Aehnlichkeit!“ (S. 16.)

Wir verlassen die malerwerkstatt und kehren beim schriftsteller
selber ein, bei ihm aber nur, um ihn in der handwerksartigen tätigkeit
zu beobachten, die auf das malen der striche und punkte hinauskomt.
Die gleichnisse vom punkte und striche sind farblos und echt prosaisch;
ihre herkunft vom gänsekiel oder notizstift vermögen sie schwer zu
verleugnen. Harmlose und bescheidene gäste sind es, die der armseligste scribent sich nicht scheut zu tische zu laden, die doch aber
auch der reichste [1] nimmer ganz verschmäht. Herder, der schreibselig-
sten einer, ist auch gegen die verwanten seiner schlichten werkzeuge
freigebig genug gewesen.[2] Aber gerade weil die verwantschaft so gar
gross ist, will es nichts besagen, dass auch in der Nachricht ein punkt-
gleichnis für erlaubt gilt.[3] Statt zu vergleichen möchte ich an dieser stelle
eine·spassige probe davon geben, wie Herder versucht hat, eine faden-
scheinige strichmetapher vermittels einer art von sinlicher darstellung
zu ehren zu bringen. In der volleren form, die durch marginalzusatz
hergestellt wurde, lautet die stelle, der parallele zwischen Theokrit und
Gessner zugehörig (Fragm. I, 2. samml. 360) so: „Je näher ich der
Natur bleiben kann, um doch diese Illusion und dies Wohlgefallen zu
erreichen; je schöner ist meine Idylle: Je mehr ich mich über sie erhe-

---

1) Wer erinnert sich nicht, welch feine metaphorische bezeichnungen Goethe
seinen „Schreibtäflein“ abzugewinnen versteht. Briefe an Frau v. Stein II, 280.
Briefwechsel mit F. H. Jacobi s. 66. 67. Und diese bilder widerholen sich gerade
in den achtziger jahren, also in derselben zeit, aus der wir öftere bekentnisse von
Goethe besitzen, dass es ihm ganz unmöglich sei, an einem inhaltvollen gespräche
sich lernend oder lehrend zu beteiligen, ohne schreibtafel oder griffel in der hand
zu führen. Italiän. Reise: Aus Venedig 12. oct. 1786. Aus Rom 28. sept. und
25. decbr. 1787.

2) „Die poetischen Sitten … sind nur ein kleiner Zustrich“ (msc. II. saml.
der Fragmente, zur I. ausg.). Fragm. II, (3). 37. 92. 102.

3) S. 12. „Ist die Erläuterung der gewöhnlichen Lehre der Dreieinigkeit vorzuziehen? und ist sie neu? dies sind die natürlichsten Fragen, die man thun kann;
die erste ist wichtiger als die zweite, und der Mittelpunkt meiner Schrift.“ Am
nächsten steht der ausdruck: „Mittelpunkt der Untersuchung,“ Fragm. I, 38.

ben muss .... desto mehr verliert sie an Poetischer Idyllenschönheit —
der Mittelstrich meiner Untersuchung: der Unterschied zwischen Theo-
krits und Gessners Charakter." [1]

Aber auch losgeschält von beruf und geschäft wird der mensch
in seinem grundsätzlichen, pflicht- und naturgemässen handeln zum
bilde verwant. Der armseligen gymnosophistik mit ihrem „Wie viel
kann ich entbehren" blieb Herder nicht länger treu, als es die arm-
seligkeit seiner studentenjahre verlangte. In Riga lernte „der junge
abt" (abbé) die reize gemächlichen wollebens kennen, und hier gewann
er auf lebenszeit jenes vornehme wesen, das sich in spärliche, einge-
schränkte lebensart nicht schicken mag. Die pflicht und das maass
einer vornehmen ökonomie wurden nun reiflich erwogen, und auf das
liberalste bestimt. Nicht zufällig ist es, dass auch in die gleichnisse
jener zeit dieser zug sich gern hineinspielt. „Die Kunst zu verschwenden gehört nothwendig in die Oekonomie eines Reichen" (Lb. I, 3, 1,
240; Rigische Gel. Beitr. 1765 st. I); dieser satz wird zweimal mit
verschiedener metaphorischer beziehung ausgesprochen; und so figuriert
die ökonomie als metaphorische tugend öfters bei unserm freunde. Auch
der anonyme theologische kritiker weiss sie zu schätzen; wir kennen
seine meinung schon: „Bei jedem neuen frägt ein guter Hauswirth" usw.
(oben s. 182); aber wahrscheinlich räuchert er der göttin ebenso meta-
phorisch als der junge abt; denn diesen zu einem sparsamen verwalter
seiner einkünfte zu erziehen kostete seine freunde Hamann und Hartknoch
manchen kampf. „Er spricht sehr oft von Oekonomie .... ich glaube,
der Mann ist ein Verschwender," calculiert das fräulein von Barnhelm
nicht uneben; und wenn wir anstatt „Verschwender" sagten „kein
Sparer," so täten wir unserm Herder so wenig unrecht, als Minna
ihrem Tellheim. Denn eine Tellheimnatur ist er in seinem ehrgefühl
wie in der hausvaterkunst: und niemand hat ihn deswegen schöner
getadelt, als sein freund Goethe, der ihm einmal treuherzig vorrückt:
„Du bist auf alle Weise zu honett." (Aus Herders Nachlass I, 99.) [2]

Hiermit könten wir die „lebenden" bilder verabschieden und zu
den „verlebten" übergehen. Man erlaube es, dass ich alles bildliche,
was nach gelehrsamkeit oder lectüre schmeckt, mit diesem harten
namen bezeichne. Herders phantasie hat gar oft zur hausgenossin die

---

1) Vgl. Fragm. I, 2. ausg. s. 265.
2) Am 10. oct. 1788. Über diesen text hat der treue mann nächster tage
der gattin Herders einen commentar gegeben. „Jetzt ist es hohe Zeit," schreibt
diese darauf dem in Rom weilenden gemahl, „seine Eigenheit bei Seite zu setzen,
wenn wir nicht in Noth und Gram kommen wollen." (Herders Reise nach Italien
s. 127 fg.)

erinnerung, welche aus der welt des classischen altertums und der bibel
reichlichen stoff zuträgt. Das antike hat er mit allen zeitgenossen
gemein; das biblische komt durch ihn erst recht zu ehren. Mit wärme
verficht er diesen seinen standpunkt im Torso (Ueber Thomas Abbts
Schriften, s. 46). „Warum soll ich es mir verbieten, dass, wenn ich
nicht blos für den gemeinen Verstand, sondern mit Bildern reden will,
dass ich zu der Quelle eile, in die meine Einbildungskraft in zarter
Kindheit getaucht wurde, aus der in das Gedächtniss meiner Leser Ströme
geleitet wurden.“ Eine zwei bogen lange schrift, und gar eine theologische, hätte gewiss mit Herders namen nichts zu tun, wenn ihr biblische bilder und allusionen fehlten. Aber auch hierin verleugnet die
Nachricht ihren ursprung nicht. „Es dörften nur einige wenige Leser
sagen: er scheint neue Götter zu verkündigen; die meisten, die da prüfen, werden den Kopf schütteln: τι ουν θελοι ο σπερμολογος ουτος
ειπειν; (s. 22).[1] Eine versteckte anspielung auf die Apostelgeschichte
als diese (17, 18) glaube ich an einer zweiten stelle zu entdecken. Es
wird da (s. 31) von der kirchlichen methode der erklärung gesagt, sie
„fodere Gelehrsamkeit, historische und Sprachenkenntniss und einen
Auslegergeist.“ Der ausdruck komt schon in einer etwas früheren
recension der Königsbergischen Zeitungen vor, die auch sonst sichere
merkmale von Herders verfasserschaft trägt.[2] In der Apostelgeschichte
ist nachbarlich jener oben citierten stelle von einer magd die rede, die
„einen Wahrsagergeist hatte.“ (16, 16.) An die Apokalypse, die Herder zu allen zeiten fleissig gelesen hat, erinnert der satz: „Der Verfasser wird doch nicht glauben, dass er ... den Sinn des H. Johannes
entsiegelt[3] habe.“ Ins Alte Testament versetzt uns das nächste bild
(s. 17): „Warum versteckt man sich hinter Worte, die man als Feigenblätter zu Schürzen der Blösse aus Noth braucht?“ Es hat sich in
dieser stereotypen form bei Herder so eingenistet, dass er es schon im
jahre 1765 bei rascher conception bloss noch skizziert. (Lb. I, 3, 1,
238.) Hier wird es auf die seichten philosophen angewant; mit der-

1) Vorher hatte Hamann den spruch als motto verwant zu seinem schriftchen: „Die Magi aus Morgenlande zu Bethlehem.“ WW. 2, 153.

2) 1765 st. 88. J. G. Gr. (d. i. Grünwald) Vernunft- und schriftmässige
Betrachtung über die unlängst neu herausgekommene [Dammsche] seltsame, verwor-
rene und verdrehete Übersetzung und Erklärung ... des N. Testaments. „Damm
verdient in vielen Stücken mehr Züchtigung als Unterweisung, mehr Schärfe als
Menschlichkeit: er hat kein System, keine hermenevtische Regeln, keinen Auslegergeist.“ Selbst einem erfahrenen fänger wie Haym ist dieser vogel durchs garn
geschlüpft.

3) Entsiegeln ist ein von Herder gern gebrauchtes wort; „ein entsiegeltes
Geheimniss“ Rig. Beitr. 1764 s. 187. Fragm. 1, 2. ausg. s. 13.

selben spitze wird es widerholt in der zwei jahre später geschriebenen
abhandlung Von Baumgartens Denkart in seinen Schriften (a. a. o. 338)
von den „schwatzhaften Erklärungen unserer neuen Weltweisen, die
sich hinter die Menge der Worte, wie hinter Feigenblätter verstecken
....; allein hinter diesen Feigenblättern steckt wirklich Blösse;“ und
schöner geformt stellt es sich in der umgearbeiteten ausgabe der Fragmente s. 241 dar.

In loser reihe mögen noch etliche auffällige ausdrücke bildlicher
art folgen. „Die Juden sehen die Lehre von der Einigkeit Gottes für
ein Erbstück aus dem Schoos des A. Testaments an,“ sagt die Nachricht (s. 23); und in den Fragmenten (I, 2. samml. 235) soll das urteil
über unsere orientalisierenden poeten „einem unpartheiischen Fremden“
anheimgestellt werden, „der den Orient kennet, ohne ihn von Jugend
auf, blos als ein Erbstück der Religion [1] zu kennen,“ d. h. ohne ein
schlichter jude zu sein. Macht die Nachricht in ihrem ersten satze
dem zeitalter den vorwurf, „dass die Erläuterungen der Religionswahr-
heiten beinahe zur Modekrankheit geworden,“ so stellt der „Vorläufige
Discours“ vor der zweiten sammlung der Fragmente die „vielen Journäle“ als „die Modekrankheit unserer Zeit“ blos. (s. 192.) „Die Metempsychosis der Begriffe,“ von der s. 31 die rede ist, wird uns verständlicher, wenn wir in den Fragmenten (I, 37) die wandelungen, die mit
den sprachen in der abfolge der zeitalter vorgehen, „eine ganz natürliche Metempsychosis der Sprachen“ genant, wenn wir ferner in der
„Abhandlung über die Ode“ (1764. 5) ein capitel überschrieben finden:
„Über die Metempsychosis der Ode in Ansehung der Empfindung.“
(Lb. I, 3, 1, 63.) Zu bildlichem zwecke erlaubt sich Herder ferner
einen willkürlichen gebrauch des fremdwortes Rhapsodie. „Meine
Beurtheilung (von Willamovs Dithyramben) ist eine Rhapsodie Pindarischer Stellen gewesen,“ sagt er in den Fragmenten (I, 2. samml.
S. 335). Nicht in der gesuchten aesthetischen bedeutung, in der Shaftesbury das wort modernisiert, Mendelssohn es bei uns einzubürgern versucht, noch in dem verzwickt vieldeutigen sinne, den Hamann in die
nussschale dieses wortes „hineingeheimnisst“ hatte,[2] sondern der philologischen erklärung möglichst treu dient es als kunstausdruck für
eine aufreihung ·usserlich disparater elemente nach einem vom ordner

1) Mehr im eigentlichen sinne wird in der recension von Gessners Orphica
(Königsb. Zeitt. 1765. st. 71) diese letzte arbeit des gelehrten philologen „gleichsam
ein Erbstück vom Göttingschen Gessner“ genant.

2) WW. II, 255 Aesthetica. In. Nuce. Eine Rhapsodie in Kabbalistischer
Prose. S. 307.

willkürlich angewanten princip.[1] Und ebenso wird es in der „Nachricht"
gebraucht, wo die rede ist von „einer Rhapsodie von Spruchstellen,
die alle ohngefähr das Wort Geist und Sohn, und auch nicht einmal
ohngefähr einerlei Bedeutung haben." (S. 20.)

Mit den beiden letzterwähnten gelehrten floskeln, der rhapsodie
insbesondere, sind wir schon ganz und gar auf den ebneren boden des
unpoetischen ausdrucks übergetreten. Auch hier bietet sich uns des
gemeinschaftlichen nicht wenig.

Wir erinnern uns des ungewöhnlichen worts „der Gräber," das
wir oben in anderer gesellschaft betrachteten. Herder hat unver-
kennbar seine freude an solchen persönlichen verbalsubstantiven. Er
sucht ihren gebrauch allgemeiner zu machen, er gebraucht einige in
einem neuen sinne, er schreckt nicht vor absonderlichen neubildungen
zurück, um den bestand zu vermehren. „Der Kunstrichter dient der
Litteratur als Schmelzer" (Fragm. I, 2. sammi. s. 186); „man verstehe die Kunst, ein Täucher zu seyn" (ebenda 194); „die Araber sind
Milchtrinker, Butter- und Dattelesser" (Königsb. Zeitt. 1765 st. 88);
„ein ἱεροφαντης in die heiligen Geheimnisse werden" (Lb. I, 3, 2, 2);
und sogar da, wo nicht an eine dauernde ausübung einer tätigkeit, sondern an eine einmalige handlung gedacht werden soll, stossen wir auf
solche auffällige umschreibung. „Doctor Schütze ist Vorredner geworden" (Königsb. Zeitt. 1765 st. 64) soll nichts weiter bedeuten, als: er
hat die vorrede des buchs geschrieben. Das wort beobachter ist zu
Herders zeit schon gebräuchlich; er selbst findet „England voll tiefsin-
niger Beobachter der Natur" (Rig. Beitr. 1764 st. 187); aber um das
eindringliche und minutiöse besichtigen, „des blickes scharfe sehe" auszudrücken, genügt ihm das wort nicht; er wagt es, „der Seher" zu
sagen.[2] In diesem sinne spricht er von einem „philologischen Seher"
(Abhandlung von der Ode; Lb. 1, 3, 1, 96), und mit diesem titel wird
in den Fragmenten Michaelis beehrt (I, 56). Die „Nachricht" (s. 15) will
Ernesti das gleiche lob zusprechen und rühmt ihn als den, der „mit
geschärftem philologischen Auge zu vergleichen" fähig sei. Wie grä-

---

1) „Ich muste mich statt eines leichten Auszugs [aus den Litteraturbriefen]
zur schwerern Rhapsodie entschliessen" (Msc. einer Vorrede zum III. Teil der
Fragm.) Ebenso noch in den Briefen zweener Brüder Jesu s. 69. In einem der
Rigenser Excerptenhefte ist die definition des wortes aus einer französischen rhetorik notiert: Centons on rhapsodies, des compilations de divers morceaux.

2) Wenn der „Trauergesang über die Asche Königsbergs" (1764 gedichtet;
Herders Gedichte I, 119) anhebt: „Ich sah! — (der Seher bebt es anzusagen ‖ Noch
ist sein Auge Nacht! —) .... Denn ein Gesicht zur Zeit der Sabbatsstille Sah
ich, den Blick emporgewandt; Sah:" ... so ist seher nicht so viel als vates, poeta,
sondern einfach spectator.

ber und seher, so findet sich noch spät in der Adrastea der Gänger [1]
(V, 338: „Unlustig gebet sichs mit einem Gänger, der keinen Tritt
hält"). In den drei angeführten beispielen ist das Herderische wort
gedeckt durch gebräuchliche composita. Aber auch wo es deren nicht
gab, schafft er sich unbedenklich den ihm genehmen ausdruck. Young
erhält im vierten Kritischen Wäldchen ·den ehrennamen „der unsterb-
liche Nachtwacher;" eine misbildung allerdings, aber doch war es vom
herausgeber nicht wolgetan, die handschrift zu corrigieren, und den
sänger der melancholie als „unsterblichen Nachtwächter" dem geläch-
ter preiszugeben. [2]

„Unbestimmende Namen gebe man den Deisten und Freydenkern," [3] behauptet die Nachricht (s. 26). „Unbestimmende Bezeichnung" sagt Herder in dem „Versuch einer Geschichte der lyrischen
Dichtkunst" (Lb. I, 3, 1, 127). In einem früheren aufsatze habe ich
nachgewiesen, dass participia mit negativer vorsilbe nach englischer
manier, adjectivisch gebraucht bei Herder nicht selten sind. Ebendort
ist schon bemerkt, dass Klopstock ihm in diesem gebrauche vorangegangen ist. So lesen wir im dritten und vierten gesange des Messias:

1) Der Süssler: Auch e. Philos. des Geschichte. S. 134. Behaupter: Msc.
einer Lobschrift auf Winkelmann (um 1776). Forderer: WW. Z. Ph. u. G. XV,
130 (1781).

2) In der zweiten stilperiode (der die im sturm- und drangstil verfassten
schriften angehören) ist die substantivierungslust im steigen. In der übersetzung
des Briefes Jacobi (5, 4) wird das wort der Ernter zweimal (zur widergabe von
τῶν θερισάντων und τῶν ἀμησάντων) angewant, während Luther im zweiten falle
relativische umschreibung wählt. Noch auffälliger in der Herderischen übersetzung
des Briefes Judae, v. 19: οὗτοί εἰσιν οἱ διαμερίζοντες: „Diese sinds: die Rotten-
macher" (Luther: diese sinds, die da Rotten machen); und ebenso v. 16: γογγυ-
σταί, μεμψίμοιροι „Murmler, Immertadeler;" Luther umschreibt: „Diese murmeln
und klagen immerdar." Briefe zweener Brüder Jesu in unserm Kanon. S. 34. 75.

3) Eine dem sinne nach gleiche ausstellung macht Herder an dem Freyden-
ker-Lexikon des Trinius in der oben angeführten Königsbergischen recension. „Man
hat ihm mit Recht vorgeworfen, dass er das Wort: Freydenker, ohne bestimmten
Plan gebraucht habe: er frage sich erst, was dieses Wort bedeute?" (1765 st. 93)

4) Der ausdruck „Kurzsichtige und undenkende Halbgelehrte" in der Recension der Lindauer Nachrichten, Königsb. G. u. P. Zeitt. 1764, st. 9 muste daher
auch unsere aufmerksamkeit rege machen. Wir treffen hier bildlichen ausdruck,
wie: „sich durch ein beredtes Doppelkinn von Unpartheylichkeit und Gründlichkeit
ehrwürdig machen." Zwei schriften von Wegelin werden erwähnt, die Herder in
den jahren 1765 und 66 mehrmals nent. Ein begehrlicherer jäger würde vielleicht
dieses anonyme stück für gute beute erklären. Ich schliesse es aus; denn der satzbau hat nichts Herderisches. Bildlichen ausdruck mit nachahmung der englischen
humoristen anzuwenden haben die meisten schriftsteller des Königsberger kreises,
selbst der trockene Scheffner, sich angestrengt.

13*

„mit unermüdendem Fleisse" (einen ausdruck, den Herder von hier
entnommen haben mag); „unentscheidend zu reden;" „mit unverrathen-
dem Auge" (II. Ausgabe. 1760. s. 96. 107. 109). „Undenkend"
gebraucht Lessing (X, 187: „ein undenkendes Leben") und Abbt, in
den Litteraturbriefen (XIII, 113: „der undenkende Haufe"). Aber ver-
breituug hat dieser wortgebrauch durchaus nicht gefunden, und so bleibt
das an die spitze gestellte beispiel aus der Nachricht als merkzeichen
immerhin beachtenswert.

„Machtsäzze" des Johannes nent die Nachricht s. 30 die
sprüche voll tiefsinnig grossartigen inhalts, mit denen das Johannes-
evangelium anhebt, über deren verdeutschung Faust brütet — und Herder vor Goethes Faust gesonnen hat.[1] Gleicherweise heissen in den
Fragmenten oft volltönende und vielsagende wörter, deren sinn sich nur
durch ein aggregat von teilbegriffen widergeben lässt, „Machtwörter"
(Fragm. 1, 36. II, 3. samml. 85. I, 2. ausg. 201).[2] Eine gleiche
bildung finden wir in einer handschriftlichen stelle (1768): „Das Wort
Geschichte nach seiner weitern Griechischen Bedeutung heisst Besichtigung, Kenntniss, Wissenschaft, und den Machtnamen verdient die
Historie."

Den ausdruck „biblisch reden" definiert die Nachricht s. 8 mit
der formel: „so deutlich reden, als die heiligen Schreiber zu ihrer Zeit."
In Herders Rigischer abschiedspredigt lautet die erklärung — zweck-
entsprechend — umständlicher: „Das ist eine biblische Predigt, die
nach den Lehren der Schrift in unserer Sprache des Lebens so deutlich, so nachdrücklich, so eigenthümlich für uns ist, als der Vortrag der Bibel zu den Zeiten war, in welchen sie geschrieben worden" (Lb. I, 2, 469. vgl. 85).

Genug des einzelnen, und für den verwöhnten geschmack über-
genug. Vielleicht wäre ich selbst sparsamer gewesen; aber meine
absicht war es mit der reichlicheren spende nicht blos die einheit des
verfassers zu erweisen, sondern zugleich die einheit der zeit. Denn
unmöglich würden gerade zwischen den beiden ersten teilen der Fragmente und der Nachricht sich so viele parallelen nachweisen lassen —

_____

1) Erläuterungen zum Neuen Testament aus einer neueröfneten morgenlän-
dischen Quelle. S. 19. (Um den menschen verständlich zu werden) „wählte sie
(die gottheit) — das innigst begriffene, heiligste, geistigste, würksamste, tiefste —
das Bild Gottes in der menschlichen Seele, Gedanke! Wort! Wille! That!
Liebe!" (Vgl. s. 19--21). Goethe bleibt bekantlich bei der vierten übersetzung
des logos stehen.

2) Torso, stück II cap. 8 (msc.): „Will man nicht hinter jede kahle Umschreibung das Lateinische und Griechische Machtwort hinten an setzen: so wird man
nachbleiben, nachahmen müssen."

ich könte sie noch vermehren — wenn nicht die Nachricht neben und unmittelbar nach der ersten überarbeitung der aesthetisch-kritischen hauptschrift entstanden wäre. Dass das manuscript dieser letztern dem verleger wider abverlangt ist, und das werk eine zweite — hauptsächlich die anordnung des stoffes berührende — umarbeitung erfahren hat, mag hier nur zur aufklärung für diejenigen bemerkt werden, denen bekant ist, dass die Fragmente erst zur Michaelismesse ans licht gekommen sind.

Mit berufung auf das, was ich oben (s. 170) über das verhältnis des' formellen und gegenständlichen Herderischer schriften behauptet habe, würde ich mich meiner pflicht für ledig halten, wenn nun noch der nachweis erbracht wäre, dass die Nachricht nichts enthält, was mit den übrigen gleichzeitigen schriften Herders in einem ausschliessenden, unversöhnbaren gegensatze steht. Ich hoffe, mehr beweisen zu können. Nicht erschöpfen will ich den gegenstand — das verbietet mir der rein kritische zweck dieses aufsatzes — sondern bloss einen ergänzenden nachtrag in den hauptzügen liefern.

In der Nachricht machen sich die religiösen, die wissenschaftlichen und die sittlichen maximen geltend, die uns an dem Herder der Königsbergisch-Rigischen zeit bekant sind.

„Ein Geheimnis (der religion) kann erläutert werden, d. i. man kann seinen Nichtwiderspruch mit der Vernunft zeigen, wenn es gleich nicht erklärt werden kann, d. i. wenn man gleich nicht die Übereinstimmung selbst zeigen kann." Dieses räumt die Nachricht ein (s. 29); aber mit zornigem eifer bekämpft sie den versuch, eine „für den gemeinen Mann fein lesbare Erläuterung" zu verfassen. „Eine ‚neue, geistlichere' Erläuterung sollte billig zuerst für die Gelehrten, und für sie zuerst allein sollte sie geschrieben werden."[1] Philosophisch, griechisch, ebräisch muss sie werden, sie muss beweisen und aus der Sprache erläutern." (S. 20.)

Verkehrt und irreleitend ist es, die arcana der philosophie dem gemeinen manne zu verkaufen; so entschied Herder in der abhandlung von der nutzbarmachung der philosophie: verfehlt und irreleitend, über undurchdringliche religiöse geheimnisse vor dem volke zu vernünfteln;

1) Aus der gleichen überzeugung verurteilt Herder die polemik der Litteraturbriefe, die sich mit der orthodoxie des Nordischen Aufsehers befasst. „Überhaupt, diese orthodoxe Untersuchung, gehört sie zu ‚liederlichen' Briefen über die neueste Litteratur? .... und wenn auch die ganze Frage sich darauf einschränkt: ‚ob diese Art, ein Geheimniss beyzubringen, anzurathen sey?' so sage ich lieber: ‚darüber mögen unsre Theologen urtheilen!' dem kranken Officier dörfte nicht eben so viel daran liegen." Fragm. II, 3. samml. 299 fg.

das ist der grundgedanke, aus dem die polemik der Nachricht entspringt. Ist unduldsamkeit, ist geistlicher hochmut die innerste quelle
dieses kritischen verfahrens? Bei einem Herder dürfen wir dies am
letzten argwöhnen. Hören wir ihn selbst, wie er sich in einer Rigenser predigt über das anliegen äussert, in den sinn überirdischer geheimnisse einzudringen. „Zwischen Gott und den Menschen ist, was die
Gedanken und ihre Vermittelung angeht, gar kein Verhältnis, sie haben
gleichsam gar nichts Gemeinschaftliches, um sich zu verstehen." Gott
muss sich also in seinen offenbarungen ganz nach der schwäche des
menschlichen verstandes bequemen; von alle dem aber, was rein göttlichen wesens ist, kann der mensch keine vollkommene vorstellung
gewinnen, weil zum verständnis völlige wesensgleichheit gehört. „Hätte
man dies bedacht, wie hätte man wohl so viele unnütze Grübeleien
darauf verwandt, Geheimnisse und was Menschen schlechthin nicht verstehen können, zu erforschen?" Es ist also vergeblich, über den
ursprung und das ende der welt, über die art der dreieinigkeit
in gott, und seiner wirkung ausser sich, über das wesen der menschlichen seelen und aller geister grübeln zu wollen. Nach diesem massstabe muss man die vornehmsten wahrheiten der christlichen religion
betrachten. „Was soll es mich hindern, ein Christ zu sein, dass ich
keine Dreieinigkeit mit meiner Vernunft begreifen kann? Kann ich ja
doch nicht einmal die Kräfte meiner Seele begreifen .... und was geht
mein Leben und meine Wohlfahrt eine Untersuchung an, die schlechterdings nicht menschlich ist." (WW. z. R. u. Th. 10, 257 fgg.) Wer
dem volke gottes wort auslegt, der soll, „um ein würdiger Lehrer der
Menschheit zu werden, immer die Seiten wählen, die der menschlichen
Seele zunächst vorliegen;" so hat es Herder, wie er in seiner abschiedspredigt von sich bezeugt, in Riga selbst gehalten; und eben darum
hat er sich in seinen kanzelvorträgen vor „dunklen und subtilen Fragen,
vor unbegreiflichen Geheimnissen und geweiheten Grübeleien" gehütet.
(Lb. 1, 2, 464.)

So soll denn der prediger mit verdächtig andächtig gesenktem
blicke an dem mysterium vorüberschleichen? Keineswegs ist das die
meinung des grossen theologen. „Ihnen (den gemeinen leuten) muss
man die Dreieinigkeit gewiss anders erläutern," ruft er in der Nachricht. (S. 27.) Er erklärt sich hier nicht näher über den andern weg;
aber wenn er s. 22 entschieden für den Lutherischen lehrbegriff eintritt,[1] der in seiner festen nüchternheit das unerklärbare als ein solches hinnimt, wenn er ferner die rationalistischen deutungsversuche als

1) Vgl. Aus Herders Nachlass II, 162 fgg. Erinn. III, 53.

„gnostische Schwärmerei" samt und sonders verdamt (s. 29); so lässt er eben nur einen weg der belehrung offen: im zusammenhange aller christlichen glaubenslehren die dreieinigkeit als grund und kern derselben dem bewustsein unabweislich nahe zu bringen. Als unentbehrlichen einigungspunkt aller christlichen lehre will er sie ja auch den juden dargestellt wissen: „mit ihr zugleich müssen sie die ganze Lehre vom Erlöser, von unserer Heilsordnung und von der Oekonomie des N. Testaments aufnehmen."

Ganz in gleichem sinne erklärt sich Herder noch im 37. der Briefe, das Studium der Theologie betreffend (III, 182 I. ausg.): „Über die Lehre von der Trinität, die auch in der Oekonomie der Zeiten und Heilsordnung die drei Artikel bindet, seyn Sie kein neuessuchender Grübler. Reden Sie mit Kindern und Alten die Sprache der Bibel, erklären diese und zeigen den Einfluss und Zusammenhang dieser mit allen Lehren." Auch hier hält er fest an dem unantastbaren worte der schrift, „die so oft vom Daseyn Jesu vor der Welt spricht," und ebenso entschieden wie in der Nachricht verwirft er „die Arianischen und Semi-Arianischen Grübeleien" — „ein unnütz Gespinnst, weil sich jenseit der Welt und Zeit von uns nichts mehr ergrübeln lässt."

Auf diesem orthodoxen standpunkte fest verharrend ist Herder doch nichts weniger als ein feind derjenigen, die in ihrem gottesbegriffe von den lehren der geoffenbarten religion grundsätzlich absehen. Nur eine klasse gibt es unter den „Antichristen" oder „decidierten Nichtchristen," gegen die allezeit sein eifer auflodert, es sind die seichten religionsspötter. „O würdet ihr, die ihr so viel witzige Einfälle gegen Religion und Bibel auf eurer Zunge tragt, würdet ihr wahre Freidenker!" ruft er diesen in der erwähnten Rigischen predigt (10, 251) zu. Die ernsten freidenker, die philosophisch strengen deisten nent er immerdar mit aufrichtiger hochachtung, und nichts ist ihm widerlicher als das zelotische gebaren, das mit absichtlicher vermengung hole gottesleugner mit jenen zusammenstellt, die in ernstem ringen einen anhalt an der reinen vernunftreligion gefunden haben. Ist er es doch, der schon 1765 bei der besprechung einer solchen der kritik wie der aufrichtigkeit baren streitschrift, das kühne wort hinwirft: „Fährt der Verfasser in diesem Ton fort, so wünschen wir, und können es mit orthodoxer Hand hinschreiben: dass unsere Zeiten vor sein (Trinius) Lexicon fruchtbar an Freydenkern seyn mögen." Demgemäss erscheint es ihm als eine eitle prahlerei, wenn der Erläuterer seinen gründen nachrühmt (s. 5), dass er mit ihrer hilfe „die giftigsten Pfeile der Deisten und Naturalisten zurück geprellet habe." Er, der nachgewiesen hat, dass diese gründe vor dem verstande nicht stich halten, gerät

über die glückliche selbsttäuschung seines gegners in entrüstung.
„Elender Widerspruch, und du sollst wider Deisten dienen! Wider
Leute, die die feinsten Unterschiede machen, Weltweisheit bis zu ihren
geheimen Gemächern verfolgen, nichts ohne Erklärung und Beweis
annehmen, am wenigsten eine biblische und homiletische Erläuterung
verlangen, und die gnostische Schwärmerei allemal verabscheut haben.
Für diese ist der Verfasser gar kein Mann!" (S. 29.)

Wie hätte sich auch Herder seinen Shaftesbury, den feinsten aller
deisten, nehmen lassen sollen? Ihn, an den sogar der ausdruck der
angeführten stelle erinnert.[1] Man lese, wie er ihn, wie er Rousseau
und Montesquieu im 28. der theologischen briefe verteidigt, wie er es
hier misbilligt, den namen deist als schimpfwort zu gebrauchen („sind
wir denn keine Deisten?"), die wörterbücher und ketzerregister züch-
tigt, die einen Montesquieu und La Mettrie, einen Shaftesbury und
Chubb, Rousseau und Voltaire in buntem nebeneinander schauführen
ren — durchweg offenbart sich die gleiche milde der gesinnung.
„Lasset sie ihr Werk treiben! treiben sies gut, so ists der christlichen
Religion gewiss nicht schädlich; treiben sies übel, so ist ja auch der
Schade ihr und die Religion zieht sich in ihr eignes, besseres Gebäude.
Sind sie Philosophen rechter Art: so werden sie ein Gebäude unbefeh-
det lassen, das auf Wunder und Geschichte gebaut, nicht ihr Eigenthum ist." (III, 52, I. ausg.) Und denselben edeln geist atmet noch
die letzte grosse erklärung Herders über sein verhältnis zu den frei-
denkern, die er ein jahr vor seinem tode in der Adrastea (IV, 214—
233) niedergelegt hat.[2]

Ebenso wenig als die religiösen sind die wissenschaftlichen principien Herders in der Nachricht zu verkennen. Der gelehrten behandlung der frage weist der „Beschluss" drei wege an: Die kirchliche
erklärung, die an der hand einer getreuen historisch-philologischen
exegese die vorstellungen der heiligen schriftsteller erläutert; die historische, welche den spuren des dreieinigkeitsglaubens in den mytholo-

---

1) Moralisten (übers. von Voss) II, 225: Die ächten Philosophen „besuchen
die Philosophie dann und wann in ihren verborgenen Schlupfwinkeln."

2) Zu keiner zeit ist Herder sich hierin untreu geworden. In den siebziger
jahren soll er -- nach der landläufigen charakteristik — ein orthodoxer eiferer
gewesen sein. So wären denn die folgenden worte ihm zur unzeit entfahren:
„Milde Toleranz des Geistes Gottes in seinen Werkzeugen! (den Aposteln) — Milde
Duldung, du herrschest in unserer Bibel, unter so wenigen, deren Spuren wir
sehen; wirst du nie in unsrer Christenheit herrschen?" Das büchlein, in dem sie
stehen, Briefe zweener Brüder Jesu (s. 38), ist 1775 erschienen. Allerdings schlägt
es einen eifernden ton gegen freigeister (s. 54. 68) an; aber gegen welche? Gegen
die Toland und Bolingbroke, die religionsspötter, die Herder allezeit bekämpft hat.

gien aller bekanten völker nachgeht; die philosophische, „die zum Theil
von der historischen abhängt," und die in den drei personen die drei
verhältnisse seines wesens zu der kreatur finden will. Die letzte stellt
sich auf den boden der natürlichen, wie die erste auf den der offen-
barten religion: die mittlere gehört der exacten wissenschaft zu. Nur
ein historisches und philosophisches genie könte sich daran wagen,
diese drei erklärungsarten zu „vergleichen" (d. h. in sich auszuglei-
chen); bei solcher „vergleichung" aber würde vielleicht der grund vieler irrtümer und der wanderungen vieler lehrsätze ersichtlich werden.

So oft auch Herder in der folge dogmatische fragen behandelt
hat, hält er sich auf den hier vorgeschriebenen wegen. Meist vereinigt er die erste methode mit der zweiten — so in der Aeltesten
Urkunde, in den Erläuterungen zum· N. T. — unter sämtlichen drei
gesichtspunkten betrachtet er in mehreren schriften den unsterblichkeits-
und den auferstehungsglauben, die dogmen also, die nach der weite
ihres über alle völker und zeiten ausgedehnten horizonts der vielseitig-
sten behandlung fähig sind. Was die erste methode betrifft, so fällt
von frühester zeit an die entschiedenheit auf, mit welcher Herder dieser vor der anderen, bis auf seine zeit üblichen, die aus definitionen
(hypothesen) demonstriert, den vorzug erteilt. „Zuerst halte ich, sagt
er in der Nachricht (s. 14), die Lehrart durch Hypothesen gar nicht
für die wahre theologische Methode." Es folgt die begründung des
absprechenden urteils: „Sobald wir einen Erkenntnissgrund (d. i. die
Bibel, die Offenbarung) annehmen: so müssen wir blos aus diesem
Grunde herleiten." Daher sind ihm die meister der hermeneutik, Michaelis und Semmler, zugleich die begründer einer gesunden dogmatik.
„Der Weg, in den zu unserer Zeit die Theologie glücklich einschlägt,
die Dogmatik durch die Hermenevtik zu bestimmen, die letztere auszu-
breiten und zu bevestigen: dies ist ein Pfad, dem [auf dem?] unser
Glaube vernunft- und schriftmässig sich zeigt." (15.) Mit beissendem
spotte verfolgt er noch in der Aeltesten Urkunde die dogmatiker der
Wolfischen schule; zur „Anpreisung der philologischen Methode" wird
der 29. der theologischen briefe geschrieben; aber schon wird in diesem
vor der entgegengesetzten einseitigkeit gewarnt, die „zuletzt vor lauter Exegese keine Dogmatik mehr hat."

Die zweite methode aber, welche die grundzüge der tiefsten seelen-
forderungen und glaubenssätze bei allen völkern aufzusuchen unternimt, wie
eng hängt sie mit der denkart zusammen, aus welcher alle Herderischen bestrebungen ausstralen! Was ihm als ziel vorschwebte, indem er
damit begann, die naturpoesie, die sagen und märchen, die „Vorur-

theile"[1] und sprichwörter aller nationen zu sammeln,[2] dasselbe machte
ihm diesen pfad der forschung reizend. Wir würden den einigenden
mittelpunkt, in dem alle diese einzelarbeiten zusammentreffen, völkerpsychologie nennen; Herder hat, wie nahe er auch dem namen kam
(„Seele des Volks," „Seele der Nationen" wird ihm am ende der
sechziger jahre die geläufigste formel[3]), dennoch mit dem früh angenommenen, engeren ausdrucke sich begnügt: „Geschichte des menschlichen Verstandes."

Schon in Königsberg hat ihm das ideal einer solchen arbeit vor
augen gestanden, und Kant ist es, der seinen blick darauf gerichtet
hat. Wie er selbst dem meister bekent, hat er sich zeitweilig, den
modewissenschaften zu liebe, von dem geraden wege, der dazu führte,
entfernt — seine gesamte aesthetisch-kritische schriftstellerei verurteilt
er im unmute als eine solche abweichung — aber wenn er sich auch

---

1) Was sich Herder unter „Nationalvorurtheilen" vorstellt, möge folgende
stelle aus einem ungedruckten stücke der Zweiten Samml. der Fragmente. II. ausg.,
klar legen. Von einer abhandlung über kriegsgesänge verlangt er: „dass sie unsern
Blick auf die Eigenheit hefte, die eine jede dieser Nationalphantasien, den
Gesängen verschiedner Mythologien, Sprachen und Denkarten erschuf: wie sich
z. E. die Ideen der Ehre, der Unsterblichkeit, der Liebe zum Vaterlande, der
überirrdischen Seligkeiten nach verschiednen Zeiten und Gegenden bestimmt, zu
verschiedenartigen Schönheiten in die Schlachtgesänge einwebten?"

2) Von Ähnlichkeit der mittlern englischen und deutschen Dichtkunst. im
Deutschen Museum jahrgang 1777 s. 425.

3) Krit. Wäld. I, 41: „Alle Empfindungen der Helden und Menschen — leben
in den Gedichten dieses Volks (der Schotten), wie in Abdrücken ihrer Seele ... So
lag es also wohl nicht an der National-Seele, am Temperament .... der Griechen,
wenn sie beides (Weinen und Tapferkeit) verbanden." Von Deutscher Art und
Kunst, s 67. Erste Redaction der Volkslieder (1773; manuscript): „Wenn jede
menschliche Seele in den ersten Jahren gewisser Maasse Seele des Volks ist, nur
sieht und hört, nicht denkt und grübelt ...." Öfters in der abhandlung von Aehnlichkeit der mittlern Englischen und Deutschen Dichtkunst, die ein stuck eben jener
frühesten redaction der Volkslieder ist. — Irrtümlich hat man behauptet, Herder
habe den begriff „Volksseele" zuerst formuliert. Eingeschränkt auf unsere sprache
mag dies unangefochten bleiben. Vor ihm aber hatte schon ein Engländer den ausdruck geprägt: Blackwell in seiner Untersuchung über Homers Leben und Schriften, einem buche, welches Herder i. j. 1765/6 sehr eingehend studiert hat. Lb I,
3. 1. 251. Fragm. I, (2) 265; ein sehr genauer auszug ist in einem der Rigenser
Arbeitshefte erhalten. [Was Cholevius, Gesch. d. deutschen Poesie u. ihren antiken Elementen II, 85 von zu spätem bekantwerden und wirkungslosigkeit dieser
für den standpunkt ihrer zeit höchst achtungswerten monographie angibt, wäre
nicht geschrieben worden, wenn der vf. die oben angeführte stelle aus den Fragmenten vor augen gehabt hätte]. Blackwell schreibt (ich citiere nach der Vossischen Übersetzung, Leipzig 1776, s. 19): „Wir sehen die Seele und den Geist des
Volkes (der Griechen) emporstreben."

auf nebenwegen verloren zu haben scheint, immer orientiert er sich
wider - nach dieser seiner obersten aufgabe. Er erinnert sich derselben
im eingange der dritten samlung seiner Fragmente (s. 7): er umschreibt
die grenzen des gewaltigen werks bei gelegenheit der beurteilung von
Winkelmanns Kunstgeschichte, mit welcher die 2. ausgabe der 2. samlung eröffnet werden sollte; sie schwebt ihm wider vor, wo er Clodius
Versuche aus der Literatur und Moral [1] kritisiert; wie hätte er nicht
an der stelle, wo er im einzelnen falle die historische methode anpreist,
den blick über das grosse feld der forschung schweifen lassen sollen?
Und gewiss, er hat nicht damit gesäumt.   „Man hat in dieser Art viele
Beyträge, aber noch keinen allgemeinen Versuch, der gleichsam die
vornehmsten alten Religionen vergliche, um aus ihnen die Geschichte
des menschlichen Verstandes, oder die Geschichte der Völker zu lernen." (Nachricht s. 32.)

Auch die ethische eigentümlichkeit des schriftstellers Herder ent-
hüilt sich uns in der Nachricht deutlich genug. Der herbe, in schel-
ten und abkanzeln ausartende ton der schrift, wir merken ihm bald die
unbehagliche, gereizte und überreizte stimmung an, die in den Fragmenten nicht selten durchbricht. Der recensent will seinem autor den
stab nicht bloss aus der hand winden; er will ihn mit diesem seinem

1) Capitel 10 der umgearbeiteten Zweiten Sammlung; „Hat der Vf. gar über
die Nationalsitten der Griechischen Dichter etwas versuchen wollen? wie abstechend
die griechische Ethopöie von andern Zeiten und Völkern sey? Auch ein blosser
Versuch hierüber würde unter der Hand eines philosophischen Zeichners eine Spe-
cialkarte in der Geschichte des Menschlichen Verstandes werden." — „O wer ein
Montesquieu über den Geist der Wissenschaften seyn wollte," wünscht er sich an
einer andern stelle, und hier setzt er sich über den einwand, „dass wir zu dieser
Geschichte über den Geist der Wissenschaften und der Kunst nicht so viele Data
haben, als jener zu seinem Geiste der Gesetze" mit dem gedanken hinweg: „Nichts
ist so vorüberfliegend, als der Geist der Gesetze. In Kunst und Wissenschaft liegen
ewige Denkmäler vor, deren eines oft ein Zeuge grosser Zeitalter, und das Licht
über eine lange dunkle Wüste seyn kann." Auch in den Königsberger recensionen
drängt sich das interesse für den gegenstand hervor. Mit glücklichem griffe hat
Haym die anzeige der schrift ,Geschichte des menschlichen Verstandes', ,Breslau
1765, in den Königsberg G. u. P. Zeitungen von 1765, Stück 81 unter die Herderischen Beiträge versetzt. Diese schrift ist es, auf welche Herder in einem,
ursprünglich für den IV. teil der Fragmente verfassten aufsatze (msc.) mit lob
zurückkomt: „Der andre Theil der Winkelmannischen abhandlung Über die Verschiedenheit der Völker in der Denkart und den Einfluss dieser Verschiedenheit in
die Kunst ... würde selbst dem Weisen über die Geschichte der Menschheit und
der Wissenschaft überhaupt schöne Grundsätze leihen. Eine Probe davon sei die
Geschichte des Menschlichen Verstandes, deren Verfasser, ob er gleich
nichts als einen Versuch geliefert, sich nicht sollte abschrecken lassen, weiter hin
in dem Menschlichen Geiste zu lesen."

eigenen stabe auch züchtigen. Was Herder mit dieser gleichnisrede an
Lessing rügt, leidet auf ihn selbst als „Nachrichter" volle anwendung.
Es heisst dem Erläuterer zu arg mitspielen, wenn er ihm auf den kopf
nachweisen will, dass er eine siebeneinigkeit annehme; und überhaupt
brandmalt er zu sehr als einen gefährlichen neuerer einen mann, in
dessen adern sehr wenige tropfen ketzerblut fliessen.

Nach der sitte seiner zeit verwahrt er sich ausdrücklich gegen
den verdacht, mit „Personalabsichten" zu kritisieren (s. 6). Er behauptet, den verfasser nicht zu kennen, doch erklärt er unverholen (5. 11),
dass er ihn für einen theologen von beruf hält. Er hat aber, wie das
St. des Hamannischen briefes beweist, sowol seinen namen, als seine amt-
liche stellung gekant, oder wenigstens zu kennen vermeint. Denn nunmehr, nachdem sich Goldbecks angabe über Herder als den verfasser der
Nachricht vollgiltig erwiesen hat, werden wir nicht anstehen, Stenders namen auf treu und glauben von ihm zu entlehnen. Zu dem,
was Gadebusch über die schriften und schicksale des rührigen, vielseitigen, doch in Lettischer sprache, in physik und geographie vielleicht
mehr als in der gottesgelahrtheit bedeutenden mannes meldet, stimt
der Goldbeckische bericht sehr wol.[1] Dass das schriftchen in dem ausführlichen verzeichnisse des Lievländischen bibliographen fehlt, würde
sich daraus erklären, dass Stender, auf dessen eigenen angaben jener
katalog durchaus beruht, der versuchung nicht habe widerstehen können, ein werkchen zu verleugnen, das von der heimischen kritik übel
aufgenommen worden war. Wir würden über das unbedeutende büchel-
chen kein wort verloren haben, wenn es nicht dem verständnisse der
springenden und etwas gewaltsamen Herderischen kritik mehrmals als
unterlage dienen müste.

Mit diesen ausführungen ist der sachliche ausläufer an seinem
endpunkte angelangt. Sachlich nenne ich den letzten teil, nicht als ob
ich das vorangehende als formell und ungegenständlich herabdrücken
wollte. Im gegenteil: ich bin überzeugt, in dem grösseren teile dieser
abhandlung in und mit dem formellen auch lauter gegenständliches
gegeben zu haben. Und kein geringerer als Goethe ist mir dafür
bürge.

Goethe liebte es in seinen alten tagen, einen vollen und ganzen
menschen schlechthin „eine natur" zu nennen. Hatte er doch schon
als jüngling gegen einen lehrmeister, der ihn damals weit überragte,

---

1) Einen „ersten Versuch wider die Freigeister" entwarf Stender in Kopenhagen 1764. Eine grössere schrift gleicher tendenz, die er geraume zeit im pulte
behalten hatte, gab er i. j. 1772 heraus: „Wahrheit der Religion wider den Unglauben der Freygeister und Naturalisten, in zween Theilen" (Mitau).

seine meinung aufrecht erhalten: „Was ein vorzügliches individuum hervorbringe, sei auch natur." (Dichtung und Wahrheit, Buch X.) Beiderlei aber berechtigt uns, den verächtern einer philologisch genauen durchforschung unserer neueren originalschriftsteller das wort des altmeisters entgegenzurufen: „Natur hat weder Kern noch Schale, Alles ist sie mit einem Male" — und wie es weiter lautet.

In unserem falle aber hat es sich, wie ich hoffe, klärlich erwiesen, dass diese philologische methode ohne jegliche stütze mit sicherem schritte ihre strasse ziehen darf. Nicht immer ebenso die historische. Hätte ich es bei dem versuche des historischen erweises bewenden lassen, so hätten mir vielleicht die meisten Herderkenner — ich rede nur von den ganzen und echten, nicht von denen, die sich anmassen, den Gervinus in der hand über den herrlichen abzusprechen — die meisten, sage ich, hätten mir entgegnet: Wie, Herder, der freisinnige, verfasser eines orthodoxen tractats? Und man hätte mir entgegengehalten, wie wol er sich gefühlt, da er „frei von Mantel und Kragen" aus Riga gieng, wie er im rückblicke auf die amtlose zeit sich „einen theologischen Libertin" genant; man hätte mich an das bekentnis erinnert, das er selbst über sein amtsleben vor der vertrautesten seines herzens abgelegt hat (Lb. III, 1, 145): „In Lievland habe ich so frei, so ungebunden gelebt, gelehrt, gehandelt — als ich vielleicht nie mehr im Stande seyn werde zu leben, zu lehren und zu handeln." Nun, unser schriftchen belehrt uns, wo die grenze war, an der Herders theologische libertinage halt machte. Dem drange des herzens folgend bricht er, unerkant und ohne jegliche nebenabsicht, eine lanze für glauben und wissenschaft, sobald er sie, die ihm für unzertrenlich gelten, gefährdet glaubt. Den abstand, der sich zwischen den theologischen schriften der Rigischen und denen der Bückeburger periode zeigt, wuste man früher nur durch die einflüsse der frischen freundschaft Lavaters und der neu aufgelebten Hamanns zu erklären. Man hat stets Neigung gezeigt, die kluft zu vergrössern, indem man zurückhaltung des bekentnisses für baren widerspruch nahm. Sie lässt sich in der tat ohne einen salto mortale überschreiten, und die theologische erstlingsschrift ist ein pfeiler, der zu ihrer überbrückung die trefflichsten dienste leisten wird.

BERLIN, SEPTEMBER 1874.   B. SUPHAN.

ZWEI BRIEFE FR. A. WOLFS.

Die folgenden briefe des um die altertumswissenschaft so hochverdienten philologen Fr. A. Wolf (1759—1824) sind durch meinen lieben collegen dr. Blasendorff, welcher sie in der bibliothek des hiesigen königl. und Gröningschen gymnasiums gefunden, mir zugestellt worden. Sie sind an den schulrat Falbe gerichtet, der von 1793 bis 1843, erst als lehrer, von 1806 ab als rector an der ratsschule, seit 1812 als director des gymnasiums in Stargard segensreich gewirkt hat. Nachdem Falbe das unter Gedikes leitung blühende Friedrich Werdersche gymnasium in Berlin besucht hatte, L. Tieck und Wackenroder waren seine mitschüler, ging er mit einem glänzenden abgangszeugnisse 1790 nach Halle, um theologie und philologie zu studieren. Besonders zogen ihn die vorträge Wolfs an, der seit 1783 eine weitgreifende wirksamkeit an der universität Halle entfaltete und eine schaar der strebsamsten jungen leute um sich sammelte. Falbe trat von Gedike besonders empföhlen in das philologische seminar ein und erfreute sich des näheren umgangs mit dem meister der philologischen wissenschaft. Zwischen fleissigen schülern Wolfs wie Delbrück, Bernhardi, Krebs, Morgenstern, Bredow und andern entstand ein edler wettstreit, den anforderungen des geliebten lehrers zu genügen.[1]

Die hier mitgeteilten briefe beziehen sich auf die im jahre 1813 erschienene meisterhafte übersetzung der I. satire des Horatius von Fr. A. Wolf, wider abgedruckt in dem II. bande der Kleinen schriften Wolfs, herausgegeben von G. Bernhardy (Halle 1869) s. 992 fgg. Die schöne, auch jetzt noch lesenswerte abhandlung über ein wort Friedrichs des Grossen von deutscher verskunst, die in diesen briefen erwähnt wird, findet sich in demselben bande der kleinen schriften s. 924 fgg. Falbe hatte ein grosses interesse an der übersetzung seines lehrers genommen und ihm darüber geschrieben, auch selbst proben von übertragungen beigefügt. Aus Homer, Tyrtaeus, Theognis, Horatius, Virgilius, Lucanus hat Falbe manches übertragen, er suchte seinem meister es nachzutun. Die briefe haben auch ein allgemeineres interesse, ganz abgesehn davon, dass es kundgebungen eines der bedeutendsten männer unseres volkes sind. Sollte sich der eine oder andere leser dieser zeitschrift veranlasst sehen, die kleinen schriften Wolfs in die hand zu nehmen, um die übersetzung der I. satire und die abhandlung über ein

---

1) Man lese in dem trefflichen buche: Goethes Briefe an Fr. A. Wolf, herausgegeben von M. Bernays. Berlin 1868. s. 57 fgg., die schilderung Wolfs als akademischen lehrers.

wort Friedrichs II. von deutscher verskunst nachzulesen, so würde sich der unterzeichnete freuen. Auch der deutsche stil des grossen philologen verdient die vollste anerkennung.

Freienwalde, 27. Mai 13.

Hierbei, mein Werthester Freund, empfangen Sie, was Ihnen schon längst zugedacht war, wenn anders in dieser furchtbar drohenden Zeit Ihnen dergleichen Sylbenkünste eine Beschäftigung sein können.

Seit etlichen Tagen ging ich hieher, um mich auf kurze Zeit zu baden, werde aber durch abscheuliches Wetter so daran gehindert, dass ich an baldige Rückkehr nach B. denke. Ohnehin lebt man hier (obgleich ich viele Berlinische Gesellschaft und, was mir so oft erfreulich ist, 6 alte Zuhörer und Freunde fand,) allzu entfernt von neuen und zugleich wahren Nachrichten über die Hauptscenen.

Möge der Himmel Ihnen und den Ihrigen in Ihrer noch erwünschteren Entfernung besonders günstig sein!

Nur durchblättern konnte ich seither während so mancher Störung die mir von Ihnen übersandten poetica, und habe sie auch nebst meinen besten Papieren vor meiner Herreise in so gute Sicherheit gebracht, dass sie nicht etwa durch moskowsche Flammen erleiden möchten, was ähnliche bei dem kalten Biester litten. Aber mit freundschaftlicher Offenheit muss ich hinzufügen, dass ich Ihre Virg. Ecloge nicht s o wie sie izto ist den Druckern hätte überlassen mögen. — Auch glaube ich, da Ihnen schon eine längere Uebung förderlich ist, müssten Sie wol wagen können, ein 100 Verse ohne alle Trochäen zu machen. Dann wird erst die erste aller Tugenden, Leichtigkeit oder Natürlichkeit — ut quivis speret idem — ein Verdienst.

Was die Erklärung der ersten Sat. des Horatius betrifft, so kann ich zwar neben ihr auch noch einen Commentar für einen philologischen Hörsal ziemlich verschieden geben; indess meine ich, das Stück wird Ihnen hier zuerst erklärt dünken. — Bis izt reut mich in der Uebersetzung nur Ein paar Worte: Es muss gleich vorn heissen: *Kriegsmann dem schon viel Arbeit*.[1] Ueberdies ist ein solch *beit* mir nie kurz, arguente plurali.

Vale, vale   Wolf.

Berlin, 14. Septbr. 13.

Bei jetziger Musse will ich Ew. Wohlgeboren lieber sogleich wiederschreiben, um die schöne Gelegenheit mich über etwas so Angeneh-

---

1) In der Übersetzung heisst es: V. 5. Kriegsmann, dem viel Arbeit schon die Gebeine gebrochen.

mes mit Ihnen zu unterreden nicht vorbeizulassen; ich danke zugleich
für die schöne Mittheilung, die dem Ziele immer näher tritt. Manche
Härte möchte ich nur, zumal in solcher Gattung, geändert wünschen.
Dergleichen wie *ängstigt ob* wüsste ich kaum irgendwo zu wagen; V. 9
möchte auch, ohne Latein nicht recht verständlich seyn. Doch manches dergleichen werden Sie bald selbst sehen. — Eine Hauptschwie-
rigkeit ist noch im Deutschen Verse, dass wir neben Prosodie den Accent
zu respectiren haben. In *sei's Furcht* — dürfte mir kein Vers-Ictus
auf das niedergehaltene wort fallen, da dies sogar Plautus nicht thut
in der Comödie, worüber ich bei dem Wort Friedrichs II. gesprochen
habe. Doch vor allem will ich Ihnen einige der Gründe meiner Prosodie hinschreiben, da alles von Ihnen bemerkte absichtlich só war,
und sich auf viel Betrachtung und Untersuchung gründete. — In
allein [v. 12] kan mir *al* nie lang seyn, noch werden. Es ist selbst
in einigen andern Composs. blos kurz. — In *derselbige* [v. 13], wel-
ches ist *der | selbige* (wie auch viele schreiben), ὁ αὐτός, ist *der* nie
lang. — In *gleichwol* [v. 27] ist für den, der *wol*, nicht *wohl* schreibt,
die Sylbe durchaus kurz; welches in Prosa zu sprechen, *gleichwōhl* oder
gleichwŏl, ist noch streitig und wird auch so bleiben und bleiben müssen. — V. 29. erlaube ich mir wegen dieser liquiden Vocalen vorsetz-
lich bei *dĭe*, quam, die Kürze, da andere *der*, qui, und alles in der
Welt kurz haben. Auch ginge *Kriegsmann, Seefahrer*, ohne Artikel hier
gar nicht. — In Wörtern wie *Ameislēin* [v. 33] muss ult. lang sein,
in *Kindlein* ist sie ⌣. Des *Ameislĕinĕs Arbeit* wird wol gar Niemand
sagen. — 47. *Wenn* lang wähle ich selten, ausser wie Hom. im
Anfang der Verse ἐπειδή etc. — In *Sclav* [v. 47] war mir gar nicht
bekannt, dass dazu ein *e* gehöre, das auch gute Prosaiker verschmähen. —
Bei v. 49. 59.[1] ist es doch sonderbar, wie man so verschieden hören
kann. In *so wenig* dürfte mir *so* kaum lang werden, und *so* für *wenn*
ist durchaus für jeden lang; hingegen kurz das *so* des Nachsatzes.
Und *was* ist eigentlich ⌣, zumal da halb Deutschland, zumal das süd-
liche, selbst in Prosa, distinguirt *dăs Buch, dās ich lese.* — *Was*
willst Du? Ich erinnere mich, dass Göthe einst dies *was* zu kürzen
unmöglich fand. — In *Zuneigung* [v. 87] und allem Gleichen ist *ung*
im Singul. doppelzeitig, ⌣. — *Bis* [v. 97][2] wüsste ich selten kurz

---

1) [v. 49. — Auch sage, was liegt dran, so man das Leben —. v. 59: Wer
hingegen, so wenig ihm noth thut, suchet, entschöpft nicht Wasser getrübt durch
Schlamm]

2) [dass er nicht besser denn selbst Leibeigne sich kleidete, bis zum Letzten
der Tage besorgt, ihn möchte noch Mangel der Nahrung Tödten]

zu machen, wie ich auch *nach, vor* lieber lang brauche: jenes besonders ist zu sehr selbständiges wort. Es ist völlig wie *hin zum.*

Es freut mich übrigens, dass Sie das Ganze so genau durchgearbeitet haben, wozu ich Ihnen auch die Scholien, n e b e n den älteren
Editoren sehr empfehlen möchte. Denn nicht sowohl auf die Behandlungsart kam mir es da an, sondern auf die Neuheit der Sachen, ohne
die ich keine Zeile der Anmerkk. geschrieben hätte. Auch haben Sie
ja wol Voss scheussliche Dollmetscherei der Sat. 1 verglichen. — Was Sie
von U m s c h m e l z u n g schon gemachter Uebersetzungen sagen, scheint
mir höchst wahr zu seyn, ja ich möchte es kaum t h u l i c h finden: so
schwer scheint mirs. Nur der erste Guss kann das Rechte geben. Der
gute Bote versteht sich — die Wahrheit zu sagen — selbst nicht; und
indem er auf l a t. Position von Consonanten sieht, vergisst er die deutschen Vocalen.

Noch geht es für Berl. recht glücklich, da schon 2 mal der Gal-
lus in cassum furit, und wohl so möchte es weiterhin bleiben. Es ist
auch erfreulich zu séhen, wie nie die Berliner ausser vor 10 Wochen
an Packen und Reise gedachten. Für Sie und Ihr Local lässt sich
noch mehr Gutes hoffen. Mit herzlichen Wünschen

der Ihrige

Wolf.

STARGARD I. POMMERN.   DR. LOTHHOLZ.

BEITRÄGE AUS DEM NIEDERDEUTSCHEN.

Stelle des unbestimten artikels beim adverb im mnd.

Der unbestimte artikel wird im mnd. nicht selten dem adverb
nachgesetzt und zwar bald vor das adjectiv, bald, wie in gewissen fällen des englischen, hinter dasselbe. Die hier folgenden beispiele betreffen die adverbe *alto, deste, even, sere, so, to, ute der mate, vele.*

1) vor dem adjective:

A l t o ene schone stat. Ludolf c. 6. Kosegarten hat seine vorlage
geändert. — *Dat so vele d e s t e ein schwarer ordel vnd verdömenisse
volgen werde.* husp. Matthias. — *Du heffst s e r e eine idele vnde vor-
gevische fröude.* ibid. 7 p. trinit. — *S o ein gemeine standt.* ibid.
brudlacht; *dewile du s o einen gnedigen Godt heffst.* ib. 3 p. tr. —
Constantinopolis is u t e d e r m a t e eine schone stat. Ludolf c. 2. —
*Wol sûet auerst nicht, dat myne wercke, de ick do, v e l e ein ander
dinck synt alse dat wordt vnd de wercke Gades.* husp. 19 p. trinit.

2) hinter dem adjective:

Unde is even hoch ein springe. Ludolf c. 13. — *So hart ein
herte.* ibid. c. 14; *so harde eine stimme.* husp. 10 p. trinit.; *so groth
eine barmherticheit.* ib. 4 p. trinit; *so groth ein apostel.* Bugenh.
summar. zu act. 9. — *Godt hefft tho groth ein wolgevall an em.*
husp. estomihi.

Eine übersehene pronominalform.

Ein blick auf die ahd. formen des persönlichen ungeschlechtigen
pronomens lehrt, dass dasselbe einbusse erlitten haben muss.
Sih z. b. wird ursprünglich nicht acc. sing. und plur. zugleich
gewesen sein. Das verhältnis von *mih* und *dih* zu *unsih* und *iuwih*
fordert für den sing. *sih* eine entsprechende pluralform. Diese muss im
altniederdeutschen *irik* gelautet haben; denn daraus wird das heutige
iärk (erk) hervorgegangen sein. Dieses *iärk* findet sich in dem teile
des südlichen Westfalens, wo kein *git (it)* und *ink* mehr gehört wird,
besonders in der gegend von Meschede. Man unterscheidet dort stellenweise streng zwischen singul. *sik* und plur. *iärk,* so dass letzteres
nur als reflexiver plural und ausserdem im reciproken sinne gebraucht
wird.

Beispiele. a. *De hönder fiært iärk* = die hühner mausern
sich; Siedlinghausen. *Se kond erk dann gans licht an einem seile
runner låten;* Firm. V. St. I, 234. *dai* (sc. *schindmiähren*) *alle de
kummaudigkait an iärk harren, darr me ne den haut oppen hup hangen konn;* Grimme, Galant. s. 25.

b. *De kögge stott iärk. De dire tobbelt iärk* = die mädchen
raufen einander. *De junges talmet iärk* = die jungen schlagen einander. *Se hett iärk wīer* = sie haben sich wider, d. h. sie zanken sich
wider. Diese vier beispiele sind von Siedlinghausen.

Zu altvil.
Vgl. Bd. III, 317 fgg.

Die untersuchung dieses wortes scheint sich nicht auf *al-twil,*
sondern auf *alt-fil* richten zu müssen. Als älteste überlieferte form
hat *altfil* zu gelten, sowol nach dem namen *Altfil,* als nach dem *altvil* des Ssp., denn wer dort *dwerge* schrieb, würde auch *altwile* geschrieben haben, wenn er ein *w* gelesen wissen wollte.

a. *Altfil* könte als ein zur erleichterung der aussprache versetztes
adlfil (vgl. *adel, gesvel* und *panaritium*) dem got. *þrutsfills* synonym
sein und schwellhäutig, mit der elephantiasis (*seó micle ádl*) behaf-
tet, aussätzig bedeuten, so dass „*maselsuchtige altvile*" nur éine kategorie bildete. Die einwendung, welche besonders gegen *fil* gemacht

werden kann, mehr noch die wahrscheinlichkeit, dass *altvil* einen blöd-
sinnigen oder verrückten bezeichne, empfehlen andere auskunft.

b. *Til* oder *till* ist narr. Da nd. *twi* nicht zu *ti* verlautet, so
wird dieses wort nicht auf *twëlan*, sondern auf ein verlornes stv. *tilan*
zurückzuführen sein. *Tilan*, dessen grundbegriff nicht „*aptum esse,*"
sondern der einer bewegung [1] sein muss, hat, wie sich aus den ableitungen schliessen lässt, auch die bedeutung von *tangere* entwickelt.
Das subst *til* (was getroffen wird oder werden soll = ziel) erlaubt,
dem in rede stehenden *til* die bedeutung g e t r o f f e n (*tactus, ictus*)
beizulegen. In ähnlicher weise hat *flappen* (eigentlich schlagen, treffen, wie franz. *frapper*) das berg. und südwestf. *geflappt* zur bezeichnung eines narren geliefert. Für beide ausdrücke wird ergänzt werden
müssen, woher der schuss [2] oder schlag gekommen ist. Diese ergänzung konte für *til* in einem bestimworte gegeben sein, nach dessen
abfall sich eine mildere bedeutung einstellte. Es liegt nahe, hier auf
alf zu raten. *Alftil*, der vom geschosse der elbe (ags. *ylfa gescot*)
getroffene, war bezeichnung des b l ö d s i n n i g e n oder v e r r ü c k t e n.[3]
Eine versetzung von *alftil* in *altfil* machte sich um so leichter, als für
das seiner wahren bedeutung nach nicht mehr a l l g e m e i n verstandene,
noch weniger etymologisch begriffene wort, ein *alt'vil* im sinne eines
zwitter [4] zur erklärung herbeigezogen wurde.

. c. Auch ohne die annahme einer versetzung von *f₁* und *t* lässt
sich zu ähnlichem ergebnisse gelangen. Hinter liquidis tritt nicht selten ein *d* (*t*) auf; man vergleiche *aldrûne* (*alrune*), *holde fatter* (hohle
fässer), *Kârdel* (*Kârel*, Karl), *merdel* (*merula*). Ebenso könte für
alfil ein *aldfil* (*altfil*) eingetreten sein. Stellt man nun zu *fil* das südwestf. *fèlen*, foppen, zum narren machen oder haben und erwägt, dass
f₁ ein *d* (*th*) stattet, z. b. *fimen* (alt *fimba*, haufen) = *dimen*, so kann
fil wol einem *dil* = *til* entsprechen. *Alfil* (*altvil*) wäre sonach g a n z -
n a r r, v e r r ü c k t e r.[5]

Bemerkungen.

1. Die im got. erhaltenen bedeutungen ergeben sich aus dem
begriffe einer bewegung (nach einem ziele oder zwecke), nicht aber
lässt sich aus *tilan* = *aptum esse* ein *palpitare* erklären, wie z. b.
das dem „verrecken" entsprechende südwestf. *tilfôtken*, *palpitare
pedibus* (von sterbendem geflügel) zeigt.

2. Vgl. *kristu en schüət?* = bist du verrückt geworden?

3. Beiläufig südwestf. und berg. ausdrücke für schwäche und
störung des geistes in verschiedenen stufen und schattierungen:

14*

Zeitweilige oder teilweise narrheit: *dęm es en tacken sprungen;* — *dęm löpet en rad im koppe rüm;* — *dai hęt énen te viəl* oder auch *dai hęt ênen te wainig àder ênen te viəl, dä de annern dörén jaget;* — *dai kêrl es wàn.* Der letzte ausdruck bezeichnet unruhige narrheit in höherem grade. *Wàn* (alts. *wan,* nicht *wàn,* was *wân* geben würde) ist alles was bewunderung oder verwunderung erregt, narrheit sowol wie schönes und grosses.

Narrheit überhaupt: *ûling,* m. vgl. Kil. *wl, stolidus;* holl. *uil;* westf. *ulk,* narrenposse; — *geflappt:* — *hegel,* m. (oberberg.) = *geflappte kêrl* (so Holth., zu anfange dieses jh.).

Halbe verrücktheit: *dai löpet med me hòltken.*

Schwachsinn: *unbedęrve* (alts. *umbitherbi);* — *schlecht;* — *unmünner* (unmündig); — *halfsinner* (halbsinnig); — *unklauk* oder *nitt klauk;* — *unwise.*

Völliger blödsinn: *use Hęrgod siner lü êner.*

Tollheit: *dull.*

4. Südwestf. ausdrücke für *zwitter.*

Am meisten verbreitet ist *ûterbock,* menschen- und tierzwitter. *Üter* (euter) wird weniger gebraucht als *niur (niudar),* n. Engeren sinn hat *ûterbock* bei Schambach: „eine ziege, welche nicht trächtig wird, ein ziegenzwitter."

Twîtcbock, twêtcbock, menschen- und tierzwitter. Südwestf. *twîte, twête* ist gasse, heckengang (engl. *lane).* Es konte *vagina, vulva* statten, wie dies in ähnlicher weise *kalwerstråte* tut. Die form *twêtebock* liesse ·sich aber auch auf ein altndd. *twêdibuk,* halbbock (vgl. *twêdi hova,* noch a° 1440 *twedenthove* bei Fahne, v. Hövel Urk.) zurückführen, da *d* in ähnlicher lage nicht selten in *t* übergeht; vgl. unsere *bränterig, gebläute, gclûte, wiəten* (unkräuter).

Kwîne, f., rindviehzwitter. Holthaus bemerkt dazu: „ein rindvieh, das weder männlich noch weiblich, so ist mir von viehkennern gesagt." Vgl. Kil.: „*quene, vacca taura, vacca sterilis;*" Richey: „*quene,* verschnittene oder eine junge kuh, die noch nicht gekalbet hat." *Kwîne* gehört zu unserem *kwinen* = ags. *þvînan (decrescere, minui);* der name wird sich auf verkümmerung der genitalien beziehen.

5. Beim durchlesen des geschriebenen fällt mir noch ein: span. *alfil* (läufer im schachspiel, franz. *le fou)* soll arab.-pers. den elephanten bezeichnen. Könte *altvil* aus einem orientalischen namen des aussatzes entstellt sein?

Kôsuîn, kôkitti, biersuîn.
Cod. Trad. Westf. I.

Man hat in *kôsuîn* ein kuhschwein gesehen und dieses für weibliches schwein genommen. Ein solches compositum wäre sprachlich abgeschmackt; englische ausdrücke wie *bitch - fox* und ähnliche können es nicht rechtfertigen. Es wäre aber auch sachlich unpassend, sich ein weibliches schwein zu bedingen, ohne das alter desselben festzustellen. Der lieferer konte ja ein weibliches saugferkel bringen und es der klostergemeinde überlassen, die amme dafür zu stellen. Dazu komt, dass die abtei kein bedürfnis hatte die lieferung junger faselmutten namentlich zu fordern, da sie deren unter den jungen schweinen ohnedies genug erhielt. Kurz, das wort bedeutet dies gar nicht, sondern buchstäblich kauschwein, ein ferkel, welches nicht mehr saugt, sondern am troge frisst, etwa von der art, wie es im hofesrechte (Cod. Trad. Westf. 201) beschrieben wird: *ein verken dat VI wecken heft gewesen by dem sogge und VI wecken by dem trogge:* Ein weiterer grund für die richtigkeit der vorstehenden erklärung liegt in den entsprechenden ausdrücken eines jüngeren heberegisters: *môsversnighe* (l. l. 85), *môssuîn* (ib.), *moysswin* (155), *muess porcus* (164), welche nichts anders besagen als junge schweine, die schon mus (*môs*) fressen. — *Kôkitti* (Z. d. berg. gv. 6, 62) ist in ähnlicher weise kauzicklein, ein zicklein, welches schon frisst.

Was nun *biersuîn* betrifft, so lässt sich sprachlich an der übersetzung männliches schwein nichts tadeln. Spätere weistümer liefern ein ähnliches *berverken*. Aber in diesen passt der sinn, während er für das alte Freckenh. register aus den oben angegebenen gründen unpassend ist. *Biersuîn* ist buchstäblich gersteschwein, entweder ein schon mit gerste gefüttertes, oder wenigstens eins, welches schon gerste frisst. Es wird somit älter sein, als das kau- oder musschwein. Dass aus *baris, bere* durch verlautung *bier* entstehen konte, dürfte *kieren* neben *keren* lehren, besonders aber machen es die brechungen *iä, ie* (eines aus *a* entstandenen *e*) der westf. volkssprache wahrscheinlich. Ein ähnlicher fall liegt vor in *biergelde*, höriger der ursprünglich gerste zu liefern hatte. Im Herv. RB. 16 steht *ereghelde* verschrieben oder verdruckt für *bereghelde;* das *bere* in dieser form kann nicht *cerevisia* bedeuten. So fällt auch licht auf die ältere form *barigildus,* die zu got. *baris*, nicht aber zu *bior* passt.

Berswel.

Berswel ist eberhals. Latomus Soest. F. in Emmingh. Memor. Susat s. 654 sagt von einem gefangenen eber: *sey deylden myt den*

*Lyppeschen aenc waen; dat hovct, eyn bolle und s w e l verwar schen-
keden sey enc.* Der Benedictiner B. Witte, welcher um 1517 schrieb,
hat dafür (Hist. Westph. etc. p. 710): *Apri caput, collum, sed et
clunem lippensibus sociis impertiti sunt.* Man meine nicht, dass der
später schreibende Latomus in seiner vorlage ein lat. *callum* gelesen
und gedankenlos mit *swel* übersetzt habe. Mnd. *swël* hat wie *schël* ein
h verloren und entspricht mhd. *swëlch;* also pars pro toto (hals).

Cûshat.

Vgl. Bd. 4, 142. 143.

Bedeutete *fehoscat* einst vieh als zahlungsmittel, dann zahlungsmittel überhaupt, geld, so konte ein ags. *cûsceat* kuh als zahlungsmittel ausdrücken. Im mnd. gibt es ein *côschat* mit der bedeutung:
kuh, welche gesteuert oder abgegeben werden muss. Eine
holst. urk. von 1304 (Staph. 1³ 750) belehrt uns, dass der *„exactio
que coschat dicitur"* damals die bauern ausgesetzt waren. *Cûsceat-
dûfe* kann somit eine taube sein, welche eine kuh steuert, welche mit einer kuh zahlt. Das scheint seltsam, aber man höre
weiter! Der wunderliche name rührt aus einer gewiss uralten tiersage,
welche in Westfalen noch lebt.

Was man bei Hagen in der grafschaft Mark von der nestbauen-
den ringeltaube (*ringeldûwe, ruckeldûwe, hualdûwe*) erzählt, ist in
meinen märk. volksüberlieferungen s. 38. 39 mitgeteilt. Später erhielt
ich die sage vollständiger. Die ruckeltaube hat der elster für unterweisung im nestbauen ihre rote kuh ausgeliefert. Ärgerlich darüber,
dass sie dieselbe weggegeben, ohne doch das nötige gelernt zu haben,
„kurkelt" sie seitdem fortwährend ihr *„rû kû rû kû,"* was denn in
ihrer sprache *„rôc kau"* d. i. rote kuh heissen soll.

Auch im Ravensbergischen kent man diese sage. Ein mann, dessen
tochter von einem Krefelder das seideweben nur unvollkommen gelernt
hatte, obgleich das lehrgeld vollständig gezahlt war, sagte: Es ist ihr
gegangen, wie der taube mit der elster. Die taube gab als lehrgeld
ihre melke kuh hin, als sie aber den anfang im nestbauen begriffen
hatte, wolte sie das weitere schon allein ausführen und entliess die
lehrmeisterin. Diese versprach wider zu kommen, hielt aber nicht wort,
wie jedes holztaubennest bezeugen kann.

Ellipsen des grundwortes, wie die bei *cûshat* kommen in mundarten zuweilen vor. Als beispiel eines doppelt elliptischen pflanzen-
namens stehe hier unser *siswenjårsmiägede* (siebenjahrs-mägde) mit
ausgelassenem *arbêds* und *wiəte* (alts. *wiod*). Gemeint ist *ranunculus
repens,* bei uns sonst *kraigen - wiəte* (vgl. *crow - flower, crow - foot*)

genant. Der elliptische name bezeichnet ein unkraut, welches nur durch siebenjährige (runde zahl für vieljährige) mägdearbeit ausgerottet werden kann.

Zu sprüchen des Tunnicius.

(Tunnicius herausg. von Hoffmann von Fallersleben. Berlin 1870.)

Zu s. 9. *„Viribus unitis!"* *sagg de biädeler, dà tallte sine penninge un koff sik 'ne kanne bäir.* Wer ist der bettler? Nicht der philologe H., sondern die philologie in x persönlichkeiten.

No. 23. *Wrîg.* Das wort findet sich ausserdem noch bei Vege (Koene, Helj. s. 404): *„se seen de spise mit wrigen ogen an"* und mchr. I, 159: *„und darnae myt verloepe der tytht weren de borgere und de stad van Vreden heren Otte und synen frunden unwyllich und wrig to in der vede."* Die deutungen keck (Hoffm.), steif (Koene), feindlich, abgeneigt (Ficker) scheinen dem contexte an den betreffenden stellen nicht unangemessen. Koene (l. l.) versucht eine geschichte dieses wortes. *Wrig* soll aus alts. *worig* entstanden sein und später *rêh* (*rech*, steif) geliefert haben. Es ist aber weder glaublich, dass *wrîg* aus *wôrig* = ags. *veárig* (nach engl. *weary,* sonst auch umgelautetes *voerig, verig*) hervorgieng, noch dass es sich in ein heutiges westf. *rêh* verwandeln konte. Eher würde mhd. *riech* (nach Gr. = *rigidus*) passen.

T. bringt unter no. 147 einen ähnlichen spruch: *„als men den kerl bidt, so krummet em de hals."* Hier scheint sich der sinn des von Schueren ohne erklärung angeführten *wrijchhals* zu verraten. *Wrîg* = engl. *wry* bedeutet gedreht, gekrümmt, verdreht (*wrong*). *Wrigen* ist nahverwandt mit *wringen.* Aus dieser grundbedeutung wird sich die verwendung des wortes in den angeführten stellen ohne zwang ergeben.

No. 104. *Kûse.* Einem nl. *kous* kann das wort lautlich nicht entsprechen; die „strümpfe" sind dem „hangen" zu lieb herbeigezogen. Des T. „placet" verrät aber, dass *hangent* aus *haget* verderbt ward. Über *hagen* (für *behagen*) vgl. Gr. WB., wozu die stelle bei Lyra (plattd. br. s. 174); *„den unnern haaget raae backen"* gefügt werden kann. *Kûse,* f. und *kûsen,* m. (Schueren: *cuyle. cuyse.* fustis, clava) sind die dem hd. kolbe und kolben entsprechenden westfälischen ausdrücke. Man verstehe also: Dem narren behagt seine kolbe.

No. 139. *Syn oerde* (A. B.) ist richtig. *Syn* für *syne* kann nicht auffallen. *Oerde* (pl. von *ord*), ränder, wird noch heute in Westfalen und Berg verstanden.

No. 205. *Snop* (schnupfen) steht bei Schueren, gleichwol verdient *snuffen* (A) beachtung. Es wird aus westf. *snubben* (bei Iserl. *snûwen*) verkölscht sein.

No. 378. *Dus* (A) ist so gut westf. form wie *sus;* vgl. mchr. I und aus urk. des archivs Hemer: *aldus, dusslange.* Es soll aber nicht verschwiegen werden, dass in südwestf. urk. *sus* häufiger vorkomt und dass die formel „*süs àder sô*" noch im munde des volkes lebt.

No. 487. „*He swicht stille des dat* (A. B) *syne utkumt*" war nicht zu ändern. *Dat syne* ist = *sin feil.* Ähnliche ausdrucksweisen sind häufig. Beisp.: *des dit sin kerke ist,* Pf. Germ. 9, 272; *des dat land zin were,* Seib. urk. 604 [9]; *der ere vulbort billike hir is tho eischende,* ib. 754; *des id sin ervegod was,* Herf. rb. 31. Heute vertauscht man solche genitive mit dativen; der obige spruch würde lauten: *He swigt stille dem dat sîne utküämt.*

No. 593. *Holde* für *holle* (hohle), wie *kelder* für *keller,* komt mehr vor: Tappe 101ᵃ: *Eth is all verloren wat man inn holde secke schuddet;* ibid. 183ᵇ: *He dregt water in ein holde vatt;* v. Steinen VI. stück s. 1797: *alle holde vette;* Seib. Qu. I, 363: *de van Werle heylden starck yn eynem holden wege.*

No. 758. *Vollen* (A. B) ist das richtige. Schueren: *voellen.* *Oll* wie *üəl* (südwestf. *füəlen*) wahren die kürze des vocals.

No. 799. Man bessere '*verink* in *vor ink* und übersetze: Wenn es zeit ist, soll man einen neuen hund oder netz vor euch sehen. *Syen, seen* und *seyn* sind westf. formen für sehen.

No. 836. Nicht „*velt*" (*veilt,* fehlt), sondern (wie A. B) *valt* oder *vaelt.* Sinn: wer ist so kostbar (sc. angezogen), der nicht auch einmal (sc. in den dreck) fällt. Darin steckt natürlich: keiner ist ohne fehler. *Valt* (fällt): Sirach 13, 25: *wenn de arme valt, so stóten en ock syne fründe nedder.*

No. 841 und 1322. *Versuet sik* (A. B) ist richtig. Es ist praegnanter ausdruck, zu welchem ein „*weg to komen*" ergänzt werden muss: daher bei T.: *discedere tentat.* Man vergl. mchr. II, 4: *haben sick verseen ut der stadt tho kommen.*

No. 864. *Snurren,* nicht „betteln," sondern roulett spielen. So noch heute westf. *snurren* und berg. *snàrren.* Im Altenaer statut (c. 1500) wird dieses hazardspiel unter dem namen *snurre* zu den verbotenen spielen gerechnet. Die spielvorrichtung heisst heute *snurre* oder *snurrmess.* Für *sweren* (no. 121) muss *snurren* gesetzt werden.

No. 966. Nicht „*hot*," sondern *hut* (A. B. *huyt*). Noch heute wird *hödt* (hütet) von *hüdt* (verbirgt) unterschieden.

No. 969. *Gut tyt* bedeutet früh (*de bonne heure*), oder zur rechten zeit (Brem. chron. 103); es darf nicht mit „*ene gude tyt*," ziemlich lange, verwechselt werden.

No. 1142 ist zunächst gegen scheinschwache (kranke) gerichtet. *Âmechten* muss hier heissen: *âmacht* (schwäche) zeigen. Eben so gut und sicher westfälisch ist *mechten* (B). *Mechten* (*mahtian*), eigentlich: macht anwenden, dann sich so anstrengen, dass es hörbar wird, was sich durch keuchen, stöhnen widergeben lässt.. Man vergleiche unsere sprichwörtliche scherzrede: *Mechten is de halwe arbêd.*

No. 1161. ′ „*Getânt.*" Das *â* und die erklärung des wb. *concinnare coria* können irre führen. Es ist *getant* von *tanen*, mit den zähnen bearbeiten, benagen; daher T.: *corrodere;* vgl. Schueren: *tanen, knagen.*

No. 1189. *Overvoeren.* Dass dieses verbum im mnd. „überführen, überfahren" bedeutete, versteht sich; vgl. auch Schueren: *aever voiren aever water.* Passend ist auch der sinn: Wer den teufel (ins schiff) geladen hat, der muss ihn überfahren, Dem entspricht die fassung bei Tappe 164[b]: *We den duvel geschepet hefft, de moeth ene ouerschepenn.* Gleichwol hat T. den spruch anders verstanden, nämlich: Wer den. teufel heranholt (d. i. ins schiff geladen hat), der muss ihn auf der fahrt beköstigen. *Voeren* kann füttern heissen; vgl. *vort* (für *vodert*) 459 und *voer* (für *voder*) 953. *Over voeren* ist hinüber füttern, d. i. füttern, so lange die fahrt dauert. Vermutlich schied sich schon zu T. zeit *voeren* (füttern) von *voeren* (führen, fahren) in der aussprache, wie heute *fôren* von *fôren.*

No. 1192. T. schrieb *tydighet* (*tijedighet* A). Heute lautet das sprichwort: *Bà de hase hecket is, dà tigget he wier hen;* vgl. *dä tigget* (trachtet) *dà hen. Tydigen*, zusammengezogen *tiggen*, ist derivatum von *tyden*, tendere, vergere; vgl. Kil. *tyden: vetus. tendere, vergere* und ibid. *tijghen: vetus. j. tijden. tendere, vergere;* Brem. chron. 95. 102: *tyden to;* lieder (Hölscher) 23, 3: *tyden na.*

No. 1226. *Dat sik ein ryke holt* heisst: dass sich ein er für reich hält.

No. 1304. *Jucken* ist nicht hd. „jucken," sondern Schuerens *jocken = buerden, jocari.* So stimt es zu T's.: *jocus.* Das *u* der form passt zum heutigen westf. *jucks* und *jucksen.*

No. 1335. *Overschappen* (A. B.) ist richtig. Zwar hat sich seit jahrhunderten im westf. nd. ein lautwidriges *schaffen* eingebürgert, vgl. Soest. D. 16. 104. 105; Seib. Qu. II, 271. 278, aber T. kann sehr wol hier das richtige *schappen* gebraucht haben. · *Overschappen* würde bedeuten: mehr schaffen, mehr widergeben, als das empfangene. *Overschat-*

ten dagegen bedeutet nach K. nicht „schatz geben," sondern schatz fordern.

No. 1345. *Ersten.* Wer *ersten* mit *ernster* vertauschte, verstand jenes nicht. T. schrieb *êrsten*, wie sein „citius" lehrt. Man muss nur wissen, dass im mnd. zuweilen superlative statt der comparative verwendet werden; vgl. no. 1359: *des ergesten is mest dan des guden.*

No. 1361. *Wanderen* (B) wird dem *wandelen* vorzuziehen sein. Schueren hat *wanderen; wandelen* dagegen ist ihm = *verbeteren, meliorare, emendare.* Dieser unterschied von *wanderen* und *wandelen* wird in den erzählungen Pf. Germ: 9, 257 fgg. beobachtet. Ludolf reiseh. c. 3: *wanderen.* Bugenh. gibt Luthers *wandeln* (περιπατεῖν) und *wandern* mit *wanderen;* vgl. Tob. 3, 5; Tob. 10, 5; Ps. 23, 4; Col. 1, 10. Der vorliegende spruch lautet im kreise Altena: *De müǝnke trecket, et giǝt noch kain bestännig wẹer.* Andere sagen: *De müǝnke jaget sik.*

Beéten.

In unserer beéssens- und betrinkensseligen zeit ist *beéßen* und *beéten* ein desideratum der wörterbücher. Eine conjectur mag mit diesem wichtigen worte das mnd. wörterbuch bereichern. Bei Niesert (Münst. Urk. 3, 212) heisst es vom verlobungsschmause: *Sexto. Wanner vnd wo dicke brutlachte schey in den ersten degdingen* (verlobung) *wanner dat met ve et vn bedrinj, so en sal de mann nicht mer dan VI scuttelen vn (de) brut in er huß VI scuttelen vnd nicht mer sub unius marce.* Mit zwei conjecturen Kindlingers und einer dritten Nieserts will ich den leser verschonen. Niesert hat doch *met* richtig für *mēt, men't* angesehen. Meine auffassung der stelle ist folgende. Statt *ve et* stand ursprünglich *be et* geschrieben, entweder weil der schreiber den gebrauch, das praefix getrent zu schreiben, befolgt hatte, oder weil er einer verwechslung mit *beet* (biss) vorbeugen wollte. Ein späterer abschreiber, der den ausdruck nicht verstand, glaubte in dem *b* das in manchen handschriften sehr ähnliche *v* zu ˙sehen und schrieb somit das sinlose *ve et.* Ich bessere nun in: *wanner dat me't beét vn bedrinket* = wenn man es *(dat degdingen)* beísst und betrinkt. Dass *bedrinken* „durch trinken feiern" bedeuten kann, lehrt Seib. Urk. 719 s. 477: *brutlacht — wanner men de bedrinket;* dass aber von der *brutlacht,* wozu die verlobung gehörte, auch *beéten* „durch essen feiern" gesagt wurde, lehrt gerade die obige stelle, welche die zahl der schüsseln vorschreibt, auf das deutlichste.

ISERLOHN.   F. WŒSTE.

(Wird fortgesetzt.)

G. HOMEYER.

Der tod Homeyers hat ein langes und arbeitvolles, reichlich ausgelebtes gelehrtenleben beendigt, ein echt deutsches gelehrtenleben. War der verstorbene auch kein stubengelehrter, denn er verstand es, den sinn und die art des volkes schweigend zu belauschen und hatte reiche anlage hierzu, so war die eigentliche werkstatt seines in sich gekehrten und nach aussen sich gerne abschliessend verhaltenden schaffens doch vor allem die stille der studierstube. Und wenn er ausserdem auch vom lehrstuhl herab auf eine empfänglicher geartete minderheit anregend und befruchtend reichlich zu wirken vermochte, so bot dagegen der streit des gerichtssaales oder gar politischer versamlungen, wohin stellung und ansehen ihn zeitweise geführt haben, nicht die luft, in der sein friedlicher und gern in sich selbst sich versenkender geist sich zu entwickeln und seiner wirklichen bedeutung entsprechend sich geltend zu machen vermochte. Ähnlich wie bei Jakob Grimm, wenngleich weniger umfassend, waren auch Homeyers wissenschaftliche bestrebungen auf die geschichtliche entwickelung von recht, sitte und sprache des deutschen volkes, als der drei engst verbundenen und ursprünglichsten äusserungen des volksgeistes gerichtet, und es erfüllt daher auch diese zeitschrift eine schuldige pflicht der pietät, wenn sie des verstorbenen dankbar gedenkt und an dessen lebensgang ihre leser einen augenblick erinnert.

Karl Gustav Homeyer wurde am 13. august 1795 zu Wolgast in Neuvorpommern, und daher als schwedischer untertan geboren. Der fromme und kirchliche sinn, der Homeyers wesen immer durchdrungen, nie aber anders als seiner irenischen natur entsprechend sich geäussert hat, mag das erbteil seiner mutter gewesen sein; seinem vater verdankte er die recht günstige äussere vermögenslage, die es ihm im leben gestattete, vollkommen frei nach aussen und seinen innerlichen anlagen entsprechend sich zu entwickeln und zu arbeiten. Die mutter nämlich war die tochter des archidiaconus seiner vaterstadt, namens Droysen, der vater ein angesehener kaufmann und schiffsrheder in Wolgast, der durch den handel, den er nach dem schwedischen hauptlande betrieb, allen anlass zu haben glauben mochte, ein guter Schwede zu sein. Auch die namen, die er dem sohne beilegte, scheinen darauf zu deuten: denn der junge Gustav IV. war bei des sohnes geburt könig von Schweden, und des königs oheim Karl war regent. Da Schweden, obwol im jahre 1806 nicht mit Preussen verbündet, doch als Englands bundesgenosse im kriege mit Frankreich war, so wurden auch seine besitzungen in Deutschland von der französischen invasion betroffen, wie der verlust dieser besitzungen nicht lange darauf die strafe war für den gesunden hass, mit dem der junge Schwedenkönig, freilich sehr zu seinem schaden, gegen Napoleon nie zurückhielt. Wolgast sah in den ersten tagen des november 1806 einen der überallhin versprengten splitter des bei Jena geschlagenen preussischen heeres — er suchte durch schwedisch Pommern die flucht nach der insel Usedom — capitulieren, und unmittelbar darauf verliess der vater Homeyer mit weib und kind die heimat und entzog sich der französischen invasion durch auswanderung nach Schweden. Am 10. november 1806 fuhr er hinüber nach

Ystad, schlug dann vorübergehend seinen wohnsitz in Stockholm, für längere zeit aber bis zu der erst 1815 erfolgten rückkehr nach dem nun preussisch gewordenen Wolgast in Gothenburg auf. Der junge Karl Gustav, der bis zum weggange von Wolgast dessen stadtschule besucht hatte, wurde vom vater schon im jahre 1810 nach Deutschland zurückgesant; aber der aufenthalt in Schweden scheint auf seine spätere geistesrichtung nicht ohne einfluss geblieben zu sein. Der zug zum nordischen recht, der sich in seinen späteren arbeiten über die heimat nach altdeutschem recht und über die haus- und hofmarken zeigt, die übersetzung auch von Kolderup Rosenvinges dänischer rechtsgeschichte weisen deutlich auf die verhältnisse, unter denen Homeyer zum jüngling heranwuchs.

Nach seiner rückkehr nach Deutschland wurde der nun im sechzehnten lebensjahre stehende junge Homeyer mitglied der familie des geschichtsprofessors Rühs in Greifswald, der ihm nahe verwant war, vermutlich von der mutter her, wenn man aus deren geburtsnamen einerseits und aus einer von Rühs verfassten geschichte Schleswigs und Holsteins andrerseits einen schluss ziehen darf. Rühs hat seiner zeit viele bücher geschrieben und mag wol auch ansehen gehabt haben als geschichtsforscher, denn als man die Berliner universität eröffnete, stellte man auch ihn im october 1810 als deren lehrer an. Der junge Homeyer siedelte, also nach nur kurzem aufenthalt in Greifswald, mit nach Berlin über, das ihm von nun an mit nur ganz kurzen unterbrechungen eine heimat bis zu seinem tode werden solte. Auf dem Friedrich-Wilhelmsgymnasium vollendete er seine schulbildung und im herbst 1813 liess er sich als juristischer student der Berliner universität einschreiben. Die Berliner auditorien waren damals leer, auch Karl Friedrich Eichhorn unter anderen Berliner lehrern im felde, und es muss auffallen, dass nicht auch Homeyer, der damals achtzehn jahre alt und auch kräftig genug war, um seiner militärpflicht zu genügen, dem rufe zur fahne folgte. Ein lateinisch geschriebener lebenslauf, den er im jahre 1819 selbst abfasste, da er sich um die juristische doctorwürde bewarb, gibt als grund an, der ihn von der teilnahme an den befreiungskriegen abgehalten, die pietas erga parentem, non illud quod Succiae tunc regno subditus erat. denn allerdings war Homeyer bis 1815 schwedischer staatsunterrtan.

In der zeit der Berliner studien, welche bis zu ostern 1816 währte, nent Homeyer selbst als seine für seine entwickelung einflussreichsten lehrer Savigny und — nachdem der rittmeister des vierten kurmärkischen landwehrreiterregiments aus Frankreich zurückgekehrt war — Eichhorn, dann gieng er noch auf ein jahr nach Göttingen, wo er Heise als seinen lehrer hervorhebt, und für den sommer 1817 nach Heidelberg. Nachdem er im jahre 1818 seinen einjährigen militärdienst geleistet, bestand er im sommer 1819 sein juristisches doctorexamen. Die promotion selbst muste wegen einer reise nach Italien verschoben werden, zu der ihn die erkrankung seines pflegevaters Rühs veranlasste. In Florenz begrub er diesen und er lag selbst längere zeit krank zu Livorno. Nach Berlin zurückgekehrt, wurde er juristischer doctor am 18. juli 1821, bewirkte unmittelbar darauf seine habilitation als privatdocent und las als solcher zuerst im januar 1822 über wechselrecht. Dem jungen Germanisten, dessen hauptvorlesungen die deutsche staats- und rechtsgeschichte, das deutsche privatrecht und bis zum jahre 1845 auch das preussische landrecht betrafen, eröffnete sich in Berlin ein feld dankbarer tätigkeit, denn Eichhorns weggang von Berlin hatte seit dem jahre 1817 eine sehr empfindliche lücke hervorgerufen, die möglichst wenig fühlbar zu machen Homeyer besser als irgend ein anderer geeignet war. Daher gelang es ihm auch schnell seine stellung zu befestigen: am 3. november 1824 (ein jahr zuvor hatte er eine landsmännin aus

Wolgast heimgeführt) wurde er ausserordentlicher, am 20. juni 1827 ordentlicher professor der rechte. Seine lehrtätigkeit, auf die er grossen fleiss verwendete, immer zur selbstprüfung und berichtigung seiner ansichten durch die ergebnisse der forschungen anderer bis in seine späten tage bereit, war auf die grosse masse, die in seinen vorlesungen immer noch frühzeitiger als anderwärts die arbeit einzustellen pflegte, nicht berechnet: was sie bot, war, um in das breite zu wirken, nicht grob genug. Der fein erwogene und im ausdruck sorgfältig abgemessene inhalt vermochte die menge so wenig zu packen als die feine, stets gleichmass bewahrende stimme diejenigen nicht aufzurütteln vermochte, welche inneres interesse nicht selbst entgegenbrachten. Wo er aber einen empfänglichen boden fand, wirkte er reich anregend, und wenn die geschichtlichen studien des deutschen rechtes in den letzten fünfzig jahren eifrig betrieben worden sind, so hat nach Eichhorn durch seine lehrtätigkeit kein einzelner vielleicht so viel anteil hieran, als Homeyer, der unter den juristen, historikern und sprachforschern, die an jenen studien fördernd teil genommen haben, wol die meisten zu hörern gehabt haben mag. Schüler freilich zu ziehen, war in unserer allerdings der „schule" überhaupt nicht sonderlich geneigten zeit Homeyer am wenigsten geeignet, wenigstens nicht, soweit die erziehung unmittelbare, den schüler zum reagieren veranlassende einwirkung voraussetzt. Selten mag ein akademischer lehrer so wenig zum austausch der ansichten geneigt und dem persönlichen verkehr wissenschaftlichen charakters sich so entziehend gewesen sein, als Homeyer, der, wie sehr er auch empfänglichen geistes und an eigener schöpferischer kraft reich war, doch eine durchaus in sich selbst gekehrte, streitende auseinandersetzung ablehnende natur war. Damit soll eine berechtigte eigenart, kein mangel angedeutet sein. Aber weil Homeyer eben eine so in sich selbst lebende, echte gelehrtennatur war, war er auch nur wenig zum praktischen politiker geschaffen, und es ist nur aus den dumpfen allgemeinen zeitverhältnissen zu erklären, dass die Berliner universität ihn im jahre 1854 als ihren vertreter für das herrenhaus präsentierte, wo man den um den fortschritt der wissenschaft hochverdienten feinsinnigen gelehrten — der trotz der mehrfach von ihm in den acten vergrabenen gelehrten commissionsberichte über politische fragen immer einflusslos blieb — nur mit bedauern unter dem tross derjenigen fraction erblicken konte, deren führer das „die wissenschaft muss umkehren" in die welt hinausgerufen hatte. In jenem selben jahre erfolgte auch, kurz vor der berufung in das herrenhaus, die berufung Homeyers in den damals reactivierten staatsrat, eine ehrenbezeigung, die angebrachter gewesen wäre, freilich aber leer war, da es sich nur um die zugehörigkeit zu einer der totgeborenen schöpfungen des unglücklichen Friedrich Wilhelms des vierten handelte.

Homeyer, der in seinen jüngeren jahren nie praktischer jurist gewesen, wuste doch die bedeutung praktischer beschäftigung als des probiersteins theoretischen wissens sehr zu schätzen, und es war ihm daher von grossem wert, dass er im jahre 1845 als ausserordentliches mitglied in das Berliner obertribunal eintreten konte. Als solches war er fast fünfundzwanzig jahre hindurch tätig, mit dem referat zumeist über lehnssachen, ausserdem aber auch über plenarbeschlüsse des obersten gerichtshofes betraut. Aber seinen eigentlichen beruf erfüllte er doch nur als gelehrter schriftsteller, und am meisten entsprach gerade die arbeitsweise des akademikers (er wurde mitglied der Berliner akademie der wissenschaften am 18. mai 1850) seiner ganzen auf die erschöpfendste detailarbeit gerichteten anlage. Die mehrzahl seiner arbeiten sind in den abhandlungen der Berliner akademie (B. A.) veröffentlicht.

Es folgt hier die reihe von Homeyers nach der zeit der abfassung geordneten arbeiten. Historiae juris pomeranici capita quaedam (doctordissertation) 1821. Kolderup - Rosenvinge, Grundriss der dänischen Rechtsgeschichte, aus dem Dänischen übersetzt und mit Anmerkungen begleitet 1824. Der Sachsenspiegel (erster Theil, erste Ausgabe) 1827. Mehrfache Recensionen in den Jahrbüchern für wissenschaftliche kritik 1827 — 1834. Des Sachsenspiegels erster Theil oder das sächsische Landrecht. Zweite vermehrte Ausgabe 1835. Verzeichniss deutscher Rechtsbücher und ihrer Handschriften (nicht im buchhandel, sondern privatim versendet) 1836. Des Sachsenspiegels zweiter Theil nebst den verwandten Rechtsbüchern. Erster Band, das Sächsische Lehnrecht und der Richtsteig Lehnrechts 1842. Des Sachsenspiegels zweiter Theil nebst den verwandten Rechtsbüchern. Zweiter Band, der auctor vetus de beneficiis, das Görlitzer Rechtsbuch und das System des Lehnrechts 1844. Über die Heimath nach altdeutschem Recht, insbesondere über das Hantgemal (B. A.) 1852. Die Stellung des Sachsenspiegels zum Schwabenspiegel (B. A.) 1853. Die Haus - und Hofmarken (Flugblatt) 1853. Über das germanische Loosen (B A.) 1854. Der Prolog zur Glosse des sächsischen Landrechts (B. A.) 1854. Johannes Klenkok wider den Sachsenspiegel (B. A.) 1855. Die deutschen Rechtsbücher des Mittelalters und ihre Handschriften 1856. Über die unächte Reformation Friedrichs des dritten (B. A.) 1856. Über die informatio ex speculo Saxonico (B. A.) 1857. Der Richtsteig Landrechts nebst Cautela und Premis 1857. Über den Spiegel deutscher Leute (B. A.) 1857. Die Genealogie der Handschriften des Sachsenspiegels (B. A.) 1859. Die Stadtbücher des Mittelalters, insbesondere das Stadtbuch von Quedlinburg (B. A.) 1860. Die Stellung des Sachsenspiegels zur Parentelenordnung (Gratulationsschrift für Savigny) 1860. Des Sachsenspiegels erster Theil oder das sächsische Landrecht. Dritte umgearbeitete Ausgabe 1861. Die Extravaganten des Sachsenspiegels (B. A.) 1861. Das Handzeichen des Häuptlings Haro von Oldersum (B. A. Monatsberichte) 1862. Der Dreissigste (B. A.) 1864. Rechtsgutachten des Kronsyndicats über Schleswig - Holstein; von Homeyer sind die Ausführungen über Lauenburg 1865. Das Friedegut in den Fehden des deutschen Mittelalters (B. A.) 1866. Bemerkungen zur Abfassung des Sachsenspiegels (B. A. Monatsberichte) 1866. Über die Formel: „Der Minne und des Rechts eines Andern mächtig sein" (B. A.) 1866. Ein Nachtrag zu dem germanischen Loosen (Gratulationsschrift für Bethmann - Hollweg) 1868. Beitrag zu den Hausmarken (B. A.) 1868. Die Haus - und Hofmarken, mit 44 Tafeln 1870. Über eine Strasburger Handschrift des Sachsenspiegels und Schwabenspiegels (B. A.) 1871. Fragmente von Handschriften des Sachsenspiegels (B. A.) 1871. Nachtrag zu den Hausmarken (B. A.) 1872. Über eine Sammlung Magdeburger Schöffenurtheile (B. A.) 1873.

Abschied von der wissenschaft hatte Homeyer im Grunde schon in seinem grossen (423 s. und 44 lithographirte tafeln) 1870 erschienenen werke über „die Haus - und Hofmarken" genommen, welches er mit gröster sorgfalt und liebe und mit eigenem aufwand vieler kosten vorbereitet und ausgeführt hat. Das „es will abend werden und der tag hat sich geneiget" klingt in liebenswürdig frommer weise aus der vorrede. Schon seit dem jahre 1868 hatte er mehr und mehr seine lehrtätigkeit beschränkt, die teilnahme an den verhandlungen des höchsten gerichtshofes kurz nach jenem jahre ganz eingestellt. Das fünfzigjährige erinnerungsfest seiner doctorpromotion am 18. juli 1871 brachte ihm reichen zoll dankbarer verehrung der Germanistenwelt aus allen pflanzstätten deutscher wissenschaft ein; er begieng es mit dem wehmütigen gefühl schwindender kraft und nahenden endes.

Nicht lange darauf wurde er von einem schlaganfall betroffen, der dauerndes siechtum zur folge hatte und zu gänzlicher einstellung der lehrtätigkeit die veranlassung gab. Im jahre 1872 wurde für seinen lehrstuhl schon ein nachfolger berufen. Die letzten in den abhandlungen der Berliner akademie erschienenen arbeiten wurden nicht mehr von ihm selbst gelesen. Am 20. october 1874 führte ihn im achtzigsten lebensjahre ein sanfter tod zu ewiger ruhe.

Homeyer wird in der wissenschaft lange fortleben; so lange man von handzeichen und hausmarken und vom Sachsenspiegel sprechen wird, wird sein name mit anerkennung genant werden, und die zahlreichen studien und arbeiten, welche an diese beiden hauptlebensaufgaben sich anschliessen, gehören zu denen, deren ergebnisse nie werden umgestossen werden, vielmehr ein gesicherter besitz der wissenschaft immer bleiben werden. Denn das ist ein hauptvorzug von Homeyers arbeiten, dass sie eingegeben sind von einem selten strengen wissenschaftlichen gewissen, welches ihn nie mehr sagen liess, als nach den quellen mit voller sicherheit gesagt werden konte, welches ihn oft ein nur annäherndes oder negatives ergebnis gewinnen und aufstellen liess, wo viele andre keck möglichkeiten und wahrscheinlichkeiten für gewissheiten ausgegeben hätten, um durch blendendere ergebnisse sich kurzen ruhm zu verschaffen und die wissenschaft zu verwirren. Homeyers annahmen werden durch die zukunft wol positiver erfasst und ergänzt, nie aber in hauptpunkten berichtigt werden können. Homeyers ausgabe des Sachsenspiegels aber, wie sie nach fast vierzigjährigen studien in der dritten bearbeitung vorliegt, ist, was constituierung des textes, benutzung des handschriftlichen materials und knappe und sachgemässe erklärung angeht, mit so viel tact und so viel geschmack angelegt, dass man sie sich wol hin und wider in einzelheiten, aber durchaus nicht in der gesamtanlage noch besser denken kann. Als Homeyer die erste ausgabe entwarf, hatte er nur eine handausgabe im sinne, die höchstens als vorarbeit für eine das handschriftliche material erschöpfende und allseitig erklärende ausgabe dienen sollte. Nach einer solchen gelehrten ausgabe aber möchte jetzt kaum noch ein bedürfnis vorhanden sein: über Homeyers neuester ausgabe hinaus müste sehr bald das abstruse und ungeniessbare anfangen, und für die herausgabe deutscher rechtsquellen, auch wenn sie in einem so anspruchsvollen unternehmen als den Monumenta Germaniae erfolgen sollte, verdient Homeyers arbeit geradezu als mustergiltig angesehen zu werden. Und noch eins tritt als besonders charakteristisch für Homeyer an seinen arbeiten über die Haus- und Hofmarken, daneben aber auch an solchen wie über den Dreissigsten hervor: nämlich die persönliche, wahrhaft herzliche hingabe an die sache, die innere teilnahme und liebe, mit welcher er seinen stoff behandelt, so dass auch in der untersuchung unscheinbarster einzelheiten die innere genugtuung und wahre herzensfreude des verfassers empfunden werden kann. Diese behandlungsart und diese gesinnung des arbeitens ist an manchen abhandlungen Homeyers noch wertvoller, als deren letztes stoffliches ergebnis: in dieser art, von der es scheint als ob mehr noch als der verstand das herz bei der arbeit beteiligt ist, steht Homeyer Jakob Grimm vielleicht am nächsten, während sie dem lebenden geschlecht, bei dem diese woltuende freudigkeit nur selten zu finden ist, ein vorbild sein sollte. Denn diese art ist doch der bessere teil gelehrter arbeit.

HALLE, 14. DECEMBER 1874.   ALFRED BORETIUS.

BERICHT ÜBER DIE VERHANDLUNGEN DER DEUTSCH-ROMANISCHEN
UND DER DAMIT VERBUNDENEN SECTION FÜR NEUERE SPRACHEN AUF
DER XXIX. PHILOLOGEN-VERSAMLUNG ZU INNSBRUCK.

ERSTE SITZUNG (AM 28. SEPT. 1874 NACHM. $^1/_2$1 — 1$^1/_4$ UHR).

Nach dem schlusse der ersten allgemeinen sitzung um $^1/_2$1 uhr nachm. eröffnet der vorsitzende prof. dr. Iguaz V. Zingerle die verhandlungen mit einer
begrüssungsrede, worin er hinweist auf die tirolischen dichter früherer zeiten, und
dann der seit der letzten im mai 1872 in Leipzig abgehaltenen versamlung verstorbenen fachgenossen gedenkt: Moritz Haupt, Theodor Ritter v. Kara-
jan, Hofmann v. Fallersleben, Hans Massmann, Eduard v. Kausler,
Oskar Jänicke, Artur Amelung, Karl Schiller, Hermann Lüning,
Keinrich Kurz, Hermann Kurz und Artur Köhler. Da mit der deutsch-
romanischen section diesmal auch die für sich allein zu wenig mitglieder zahlende
für neuere sprachen verbunden tagt, so erinnert ein mitglied, director dr. Immanuel Schmidt, an den tod des grossen forschers auf dem gebiete der englischen
sprache: Friedrich Koch. Hierauf schlägt der vorsitzende zum vicepräsidenten
vor dr. Karl Weinhold, prof. aus Kiel, zu secretären die professoren dr. Josef
Egger und dr. Adolf Hueber aus Innsbruck, was von der versamlung angenommen wird. Es erfolgt nun die einzeichnung in das sectionsbuch, welche mit den
später hinzugekommenen 42 namen aufweist, und die einzahlung von 20 kreuzern
öst. w. von jedem mitgliede in die sectionskasse. Nachdem der vorsitzende noch
die zeit und tagesordnung der folgenden sitzung bekant gegeben, wird hiemit die
erste sitzung geschlossen.

ZWEITE SITZUNG (AM 28. SEPT. 1874 6 — $^1/_2$8 UHR ABENDS).

Der vorsitzende lässt zunächst die eingelaufenen festgaben an die sections-
mitglieder zur verteilung gelangen. Diese sind: Diefenbach und Wülker, hoch-
und niederdeutsches Wörterbuch, 1. heft in 10 exemplaren; Val. Hintner, Beiträge zur tirolischen Dialektforschung 2. heft in 56 exemplaren; Adolf Hueber.
über Heribert v. Salurn in 36 exemplaren; von demselben die Legende von St.
Kathrein in 40 exemplaren; dr. Julius Jung, zur Geschichte der Gegenreformation
in Tirol in 10 exemplaren.

Hierauf wird vom gymnasialdirector dr. Strehlke aus Marienburg i. Pr.
der erste vortrag gehalten, worin er über „die Goethe-Ausgaben der letzten sieben jahre" bericht erstattet. Mit einer kurzen charakteristik der seit
Goethes tode veranstalteten drucke beginnend, hebt derselbe besonders die dreissigbän-
dige ausgabe von 1850 und 1857 als entschiedenen fortschritt in der äusseren anlage
und im texte bezeichnend hervor, während er andererseits anerkent, dass die verlagshandlung auch bei späteren drucken, besonders dem von 1868 und 1869, das
streben nach besserem texte gezeigt, wenn auch bisher eine befriedigende lösung
der aufgabe noch nicht erreicht habe. Mit dem jahre 1867 war die zeit gekommen, wo die privilegien aufhören sollten und jeder ausgaben der deutschen klassiker veranstalten konte. Hiezu bemerkt redner, welche aufgaben der herausgeber
Goethes zur herstellung eines zuverlässigen textes vor augen haben müsse, indem
er von demselben zweckmässige anordnung des gesamten materials, vollständigkeit durch aufnahme sämtlicher als echt anerkanter dichtungen und aufsätze,
dann einleitung, erläuterung und sach- und personen-register wenigstens für diejenigen schriften verlangt, deren verständnis solches notwendig mache. Nach die-

sem massstabe beurteilt Strehlke die neuen ausgaben; aber weder die bei Karl Prochaska (Leipzig, Wien und Teschen 1873), noch die bei Ph. Reclam (Leipzig), noch die bei G. Grote (Berlin 1870 und 1873) erschienenen bekunden einen wesentlichen fortschritt, da sowol vollständigkeit, als anordnung manches zu wünschen übrig lassen; nur die in letztgenanter ausgabe enthaltene einleitung zu den einzelnen schriften verdiene anerkennung. Während so im ganzen die ergebnisse der Goetheforschung nach den letzten ausgaben keine bedeutende genant werden können, wird doch einzelnes als lobenswert hervorgehoben, so die zwölfbändige ausgabe von Ḥ. Kurz (1868—69), worin wenigstens ein anfang für die textkritik gemacht sei; dagegen von der bei G. Hempel in der National-Bibliothek deutscher Klassiker erscheinenden und nahezu beendigten Goethe-ausgabe mehr als nur hindeutungsweise zu sprechen hindert den redner der umstand, dass er selbst bei der herstellung derselben beteiligt gewesen ist.

Es folgt der zweite vortrag, gehalten von prof. dr. Sachs aus Brandenburg a/H.: „über den heutigen stand der romanischen dialektforschung." Redner betont, wie notwendig bei vielen völkern es sei, ihren dialekt zu fixieren, da mit der fortschreitenden cultur derselbe häufig mehr und mehr verkümmere und zurückgedrängt werde, bis er endlich ganz verschwinde. Besonders die Deutschen haben auf dem gebiete der romanischen sprachen bahn gebrochen und die ersten grössen aufzuweisen; der erste epochemachende mann nach Grimm sei Diez mit seiner grammatik und seinem etymologischen wörterbuche der romanischen sprachen. Selbst die entferntesten romanischen dialekte seien von Deutschen bearbeitet worden; so das portugiesische von Diez, Bellermann, Brandes u. a.; das Gallicische; das Brasilische von Wolf; das Spanische von Humboldt, Ferd. Wolf, von Klein in seiner Geschichte des Dramas; Geibel, Schack, Gries übersetzten daraus; weiter das Katalanische und Valencianische. — Seit längerer zeit werde die altprovençalische litteratur eifrig behandelt; es werden die alten texte kritisch studiert. Nachdem im 13. jahrhundert die sprache der troubadours an wert gesunken sei und später gegenüber dem Nord-Französischen nicht mehr habe aufkommen können, zeigen seit zehn jahren einige dichter das streben nach fortbildung der gewöhnlichen provençalischen dialekte, so dass bei der grossen zahl derer, welche sich dieses neuprovençalischen idioms bedienen, dasselbe vielleicht noch eine zukunft habe. Sachs führt nun die einzelnen dialekte des südens (in Frankreich) vor: das Neuprovençalische (mit den hauptstätten in Aix und Marseille), die monotone, schwerfällige sprache der Dauphiné, den Lyoner dialekt, die sprache von Toulouse (Garonne, Tarn, Lot), den dialekt von Roussillon, den der Auvergne mit den störenden gutturallauten, den der Gascogne, der schon grosse verwantschaft mit dem Spanischen zeige. An die östlichen provençalischen mundarten schliessen sich Savoyen und die südwestliche Schweiz an. — Bedeutend vom süden geschieden ist das eigentlich Französische, welches ebenfalls in eine reihe von dialekten zerfällt. Die bedeutendsten nordfranzösischen dialekte sind: das Burgundische, das Lothringische (mit den 3 unterabteilungen von Metz, Nancy und Luneville), das eigentlich Französische in Ile de France, das Pikardische, das Flandrische, wofür besonders in Lüttich eine seit 1856 bestehende gesellschaft sehr rüstig arbeitet, endlich das Normanische, das wegen des Englischen schon früher sehr eingehend studiert wurde. Es werden die hauptrepräsentanten und arbeiten für diese einzelnen dialekte genant. — Der letzte grosse sprachstamm, das Italienische, ist von der deutschen wissenschaft sehr tüchtig behandelt worden (von Diez, Ruth, Gregorovius u. v. a.). Die kentnis der 14 italienischen dialekte, die jetzt noch geschrieben

werden, ist besonders von Deutschen gefördert worden; es sind anzuführen: die
dialekte von Neapel, Calabrien, Sicilien, Sardinien, Toscana, Rom, Corsica, Genua,
die gallisch-italienischen dialekte (z. b. das Lombardische, das Piemontesische) und
das am meisten entwickelte Venezianische. Nachdem redner noch die walachische
sprache (= dako-romanische, welche erst von Diez für eine romanische erkant
worden sei), die der Ladiner (bearbeitet von Schneller, gesprochen in Fassa, Grö-
den, Buchenstein, Enneberg, Abteithal, Ampezzo, Nousberg und Val di Sol) und
das Kurwälsche (Romaunsche, das, in Graubünden gesprochen, durch die cultur
immer mehr zurückgedrängt werde; bearbeitet von Diez) durchgegangen, schliesst
er mit dem wunsche, die deutsche wissenschaft möge sich besonders diesem zweige
tätig zuwenden.

Den dritten vortrag hält prof. dr. Mahn aus Berlin „über die proven-
çalische sprache und ihr verhältnis zu den übrigen romanischen
sprachen." Derselbe hebt zuerst die wichtigkeit der etymologie im allgemeinen
für die sprachwissenschaft hervor und geht dann auf den wert der provençalischen
sprache, als der ältesten tochter der lateinischen, für die erklärung von wörtern in
andern romanischen sprachen über. Manche behauptungen für die älteren sprachen
würden nicht gemacht worden sein, wenn man die neueren besser gekant hätte.
Mahn führt nun einige beispiele vor, an welchen man ersehe, wie gerade die pro-
vençalische sprache dazu dienen könne, um wörter, die früher ganz falsch erklärt
worden seien, richtig zu deuten; so das französische *malheur* und *bonheur*, das früher falsch abgeleitet worden sei [*mala, bona hora*], während man aus dem provençalischen *bonaür* sehe, dass nur ein nicht dahin gehöriges *h* vorgeschoben sei
[*malum, bonum augurium*]. Man ersehe also, welche wichtigkeit der provençalischen sprache zur aufklärung der übrigen romanischen und besonders der französischen sprache zufalle.

Schliesslich dankt der vorsitzende den herren rednern für ihre gediegenen
vorträge und erbittet sich von ihnen kurze auszüge derselben; dann gibt er nochmals die in der nächsten sitzung abzuhaltenden vorträge bekant, sowie, dass vicepräsident Weinhold in derselben einen antrag stellen werde.

DRITTE SITZUNG [AM 29. SEPT. 1874 VON 8—11 UHR VORM.]

Vicepräsident dr. Karl Weinhold stellt den antrag:

„Die deutsch-romanische section der 29. versamlung deutscher philologen
und schulmänner wolle beschliessen, bei s. k. hoheit dem Grossherzog v. Oldenburg sich dafür dringend zu verwenden, 1) dass der oberlehrer dr. August
Lübben in Oldenburg zum zwecke der erspriesslichen fortsetzung und vollendung seines wissenschaftlich hochwichtigen mittelniederdeutschen wörterbuches
für die dauer dieser arbeit unter fortgenuss seiner vollen gehaltsbezüge von
dem grösten teile seiner lehrstunden entbunden werde; 2) dass s. k. hoheit
dem durch einen gelehrten seines landes ausgeführten, der angestamten sprache
seiner fürstentümer gewidmeten werke eine angemessene jährliche unterstützung
bis zum schlusse des druckes zuwende."[1]

1) Die redaction hat sich bemüht den erfolg dieses antrages zu erkunden, und
in erfahrung gebracht, dass ein bescheid zwar noch nicht ergangen, jedoch vielleicht
binnen kurzem günstig zu erwarten sei. Wir dürfen wol der hoffnung raum geben,
dass Seine Königliche Hoheit der Grossherzog von Oldenburg, der als einer der reichsten deutschen fürsten gilt, die gelegenheit nicht vorbeilassen, sondern vielmehr mit

Nachdem der antragsteller seinen antrag begründet hat, wird dieser einstimmig angenommen und das präsidium mit der ausführung desselben beauftragt. Es folgt der erste vortrag, gehalten von hofrat prof. dr. Bartsch, welcher eine „Probe einer neuen Dante-Übersetzung (Hölle I—V)" bietet. Bartsch liest von seiner neuen Dante-Übersetzung wegen der kürze der zeit nur den 1., 3. und 5. gesang, woran er folgende bemerkungen knüpft. Die ansichten, wie Dante zu übersetzen sei, seien geteilt; manche verlangen, dass auch die form des originals treu beizubehalten sei, während andere die reimfolge der terzine aufgeben; Schlegel habe die mittlere zeile reimlos gelassen; die übersetzungen von Kopisch, Philalethes, Blanck, Eitner u. a. seien reimlos. Das aufgeben der form rechtfertige man mit der schwierigkeit, diese zu beachten bei treuer widergabe der gedanken, welches letztere in der göttlichen komödie ja von der grösten wichtigkeit sei. Könten beide forderungen, treuer inhalt und form, nicht vereinigt werden, dann müste natürlich die äussere form aufgegeben werden. Allein dann werde gerade bei Dante, bei dem die dreireimige terzine geradezu charakteristisch sei und der, nach Bartschens ansicht, die terzine in der italienischen form erfunden habe, da ein früheres vorkommen derselben ihm nicht bekant sei, mit dieser äussern form sehr viel aufgegeben. Daher haben auch andere übersetzer, wie Kannegiesser, Streckfuss u. a. die strenge terzinenform beibehalten. Es sei jedoch von ihnen der äussern form zu liebe manchmal dem inhalte, manchmal selbst der deutschen sprache gewalt angetan worden und so müsten spätere übersetzer, weil eine ganz neue übertragung wol nicht leicht möglich wäre, das gute, das diese bereits vorhandenen übersetzungen böten, fleissig benützen, das weniger gelungene dagegen durch neue, bessere zutaten zu beseitigen suchen. Das ziel eines Dante-übersetzers müste also darin bestehen, mit der strengen form auch die gedanken möglichst treu, in durchaus lesbarer, verständlicher übersetzung wider zu geben; diesem ziele näher zu kommen sei eine des geistes wie des grossen dichters würdige arbeit.

Es spricht hierauf prof. Michaeler aus Bozen „über den Tiroler dialekt mit besonderer berücksichtigung des Eisackthales." Tirol habe keinen einheitlichen dialekt, sondern es werden viele deutsche, viele wälsche dialekte im lande gesprochen; er hätte also, bemerkt redner, schreiben sollen: „über den Tiroler dialekt im Eisackthale," denn von diesem und zwar in der form, wie er auf dem lande gesprochen werde, wolle er reden. Michaeler betrachtet zunächst den vocalismus, indem er, immer auf das Mittelhochdeutsche zurückgreifend, die einzelnen vocale durchgeht. Schriftdeutsches *a* ist im dialekte durchaus verschwunden und in *å* (vor doppelter consonanz: *fållen, hånd*), in *o* (vor einfachen consonanten: *schlof, strosse*) oder in *u* (besonders vor einfachem n: *Buhn*) übergegangen. Dagegen steht *a* für *ä* (besonders in deminutivformen: *hås*, dagegen *hasl*; *gåtter* = grosses gitter, dagegen *gatterl* = kleines gitter; dann im conjunctiv des imperfectums: *nam* für *näme*, *kam* für *käme* usw.). Für *au* steht auch reines *a*, z. b. der *bam*, das *lab*, *a* = auch. Mhd. *e* ist im dialekt häufig in *ö*-übergegangen: *wöllen* für *wellen*. Mhd. *ê* wird *ea*: *keahle, sea*. Mhd. *i* ist geblieben oder zu *ie* geworden: *mier, wier*; mhd. *î* ist *ei*; mhd. *u* bleibt *u*: *kutte* = menge. Dies *u* steht aber auch für *ü*, z. b. in *hupfen*, und für *o*: *sunne*. Mhd. *û* ist *au* wie

freuden ergreifen werde, ein aus seinem lande hervorgehendes, so treffliches und echt vaterländisches werk von so hoher bedeutung für die deutsche wissenschaft mit königlicher freigebigkeit zu fördern, deren es nach lage der dinge so dringend bedarf.

Red.

in der schriftsprache. *O* wird *oa*: *toad, loan; ö* bleibt, oder wird zu *ea*, wie in *hearn, beas*. Mhd. *ä* wird ausgesprochen wie *i*, z. b. *kinig* für *künig* (könig). Mhd. *iu* wird im Eisackthale zu *oi* (*du loigst*) oder *ui*: *fruindschaft*. Mhd. *ei* wird zu *oa*: *roas'n* für *reisen; uo* bleibt: *muot, guot. Eu* wird ausgesprochen wie *ei*: *freide; ie* bleibt hörbar: *liebe*. — In bezug auf die consonanz bemerkt redner unter anderm, dass mhd. *ch* oder *h* auch in der mitte oder am ende ausgesprochen wird, z. b. in *sechen, i sich* (ich sehe). Mit der vorsilbe *be* verschmilzt *h* zu *pf: pfiet gott* (behüte gott). *Gg* für *ck* ist in *glogge, brugge* u. a. Die vorsilbe *ge-* wird zu *k: krennt* aus *gerennt* (gerannt); die nachsilbe *-lig* fällt teilweise ab: *unmigl* (unmöglich); *s* wird wie *sch* ausgesprochen in *fürschi* (für sich = vorwärts), *überschi* = über sich usw.

Es hält nun seinen vortrag director dr. Grion aus Verona „über anordnung und die vom verfasser besorgte originalausgabe des Canzoniere des Petrarca." Es wird die frage aufgestellt, auf welchen authentischen grundlagen die anordnung des Canzoniere des Petrarca beruhe, worauf der redner Petrarcas beschäftigung mit dem Canzoniere chronologisch vorführt; 1373 seien drei authentische handschriften vorhanden gewesen. Nach dem tode des dichters 1374 habe sein universalerbe Franz v. Rosala wahrscheinlich die ganze bibliothek an einzelne freunde Petrarcas verschenkt. In der folge hätten manche mit unrecht behauptet, eine echte handschrift von Petrarca zu besitzen. Der redner schliesst mit der bemerkung, dass bei einer neuen kritischen textausgabe zuerst sorgfältig die (19) handschriften besehen, dann auch die vielen älteren drucke (ausgabe von Speier aus dem jahre 1470) benützt werden müsten.

Zuletzt spricht noch, nachdem die sitzung zu diesem zwecke verlängert worden, dr. Steub aus München in einem, mit vielem humor gewürzten vortrage „über tirolische ethnologie." In der launigen einleitung erklärt redner, wie die bis dahin noch unerklärten seltsamen ortsnamen in den vierziger jahren sein interesse für das bergland Tirol erregt hätten; er habe sie zuerst aus dem Keltischen zu erklären versucht, dann, als es hiemit nicht gegangen, aus dem Etruskischen, während er noch später zwischen den rhätischen (= etruskischen) und romanischen ortsnamen unterschieden habe. Er geht darauf zur tirolischen ethnologie über, welche hier wie kaum in einem andern lande, eine reiche fülle von aufeinander folgenden völkern darbiete. Das erste volk in dieser reihe waren die Rhäter, wovon die Brenner oder Brenni, die Isarki im Eisackthale, die Venosten im Vintschgau noch heute ihre namen erhalten haben. Es wird nun die stammtafel der etruskischen stämme für ortsnamen dargelegt, wie sich aus dem einfachen Ve Velisa (Völs), Velsuna (Velisuna), Velsunura; Veluna und Veluta; Velunura, Velutuna, daraus Velutura und endlich Veluturnisa (Velturns) gebildet habe. Kelten könten keine im lande gewohnt haben, da sie besonders häufig zusammengesetzte ortsnamen gehabt hätten, wie z. b. Mediomatricum, während solche in Rhätien nicht vorkämen. — Es folgt die romanische periode, nachdem Rhätien von den Römern erobert und romanisiert worden. In zahlreichen namen klingt auch noch in Deutschtirol die romanische zeit nach, und die selbst in den nördlichsten einsamen alpenthälern (im „Gleirsch"-thal aus glarea; im Achenthal wider das Falzthurnthal aus val des turn; Gepatsch aus campazzo) noch ertönenden namen geben zeugniss von der durchgreifenden Romanisierung des landes. — Das dritte volk in Tirol waren die Goten, die urkundlich nachweisbar in der gegend von Meran gewohnt hätten, wie ja auch der name Gossensass am Brenner auf sie hinweise. Nach dem falle des Ostgotenreiches in Italien flüchteten sich viele Ostgoten in die thäler des gebirgslandes. — Auf die Goten folgten die Langobarden. Steub führt nun die einzelnen deutschen sprachinseln in Wälschtirol an, die im Nonsberge, in der Valsugana, ferner die sette und tredici communi, welch letztere vor nicht langer zeit noch deutsch gesprochen, und glaubt gegenüber der behauptung Schmellers, der sie den Bajuwaren zuschreiben will, zum schluss kommen zu dürfen, hierin eben die Langobarden zu sehen. Hierauf entwirft er eine kurze übersicht der geschichte des Romanismus in Deutschtirol, woraus sich ergibt, dass noch im 16. jahrhundert um Meran, im 17. im wilden Matscherthal italienisch gesprochen wurde. — Der aufenthalt der Slaven im östlichen Tirol hat sich noch durch einige ortsnamen wie Windisch-Matrai, Feistritz u. a. im gedächtnisse erhalten. — Deutschtirol ist nicht nur von Bajuwaren bewohnt, sondern westlich von Innsbruck stossen an dieselben Schwaben, westlich von diesen, in Vorarlberg sitzen Alemannen; ein unterschied zwischen letztern beiden besteht darin, dass die Schwaben für gewesen *gwen* (*gween*), die Alemannen *gsi* sagen. — Im südlichen Vorarlberg erklingen viele romanische. namen; die Walser seien aus Wallis gekommene burgundische einwanderer. Zum schlusse drückt redner seine freude aus über die vielen einzelnen arbeiten, die auf diesem gebiete in verschiedener weise, besonders auch durch material-samlung erfolgen.

VIERTE SITZUNG (AM 1. OCT. 1874 VON 9 — $^1/_2$11 UHR VORM.).

Nach einer kurzen mitteilung des präsidenten begint prof. Val. Hintner aus Wien seinen vortrag „über tirolische dialektforschung." Hintner macht zunächst einige für dieses arbeitsgebiet besonders wichtige werke wie die von Grimm, Schmeller, Frommann (die wichtigen schriften von Weinhold vermissten wir in dieser aufzählung) namhaft, geht dann auf das speciell tirolische idiotikon von Schöpf (vollendet von Hofer) über, das allerdings manche lücken aufzuweisen habe. Dies sei jedoch leicht erklärlich aus der fülle von dialekten, die so zahlreich in Tirol auftreten. Es gehe aber mit dem zunehmenden verkehre manches altertümliche verloren, und so sei ein rasches sammeln und retten dieser perlen notwendig. Er beleuchtet hierauf einige schwierigkeiten, die einem solchen vorgehen jedoch im wege stünden. Einmal sei die geographische lage des landes zu beachten, da im osten slavische, im süden romanische einflüsse wirksam seien; daher müsse von dem forscher auch immer der fundort des betreffenden wortes angegeben werden. Besonders wichtig sei ferner die etymologie; der forscher müsse auch in dieser beziehung gebildet sein. Eine andere schwierigkeit liege endlich in der veröffentlichung von dialektsamlungen. Nachdem nämlich die von Frommann herausgegebene Zeitschrift für Kunde deutscher Mundarten leider eingegangen sei, fehle es an einem organe, worin man ohne grosse kosten die resultate des sammelns niederlegen könne. Redner schliesst deshalb mit dem vorschlage, den er allerdings lieber vor einer zahlreicher besuchten versamlung gemacht hätte, man möge zusammentreten zur bildung eines für ganz Deutschland bestimten vereins für dialektforschung.

Auf diesen antrag entgegnet vicepräsident Weinhold, der unterdessen für den verhinderten präsidenten den vorsitz übernommen, dass einmal das erscheinen der Frommannschen zeitschrift bereits wider gesichert sei, da schon am ersten hefte der neuen folge gedruckt werde,[1] dass er weiter die bildung eines allgemei-

---

1) Wir verweisen auf die im anhange befindliche anzeige der Verlagshandlung.
D. Red.

nen vereines für ganz Deutschland nicht billigen könne, weil sich dann alles zersplittere und kein warmer eifer erhalten werde, während auf kleinere gebiete beschränkte local-vereine viel mehr leisten würden. Übrigens sei die versamlung ohnehin heute, in der letzten stunde, zu wenig zahlreich, als dass ein solcher antrag fruchtbringend behandelt werden könte. In folge dieser auseinandersetzungen zieht Hintner seinen antrag zurück.

Es folgt nun der letzte vortrag, gehalten von director dr. Immanuel Schmidt aus Falkenberg i. M.: „über die perioden der englischen litteratur im zusammenhange mit der geschichte der sprache." Redner erläutert zuerst, welche forderungen er an eine wahre, auf inneren gründen beruhende einteilung einer litteratur in perioden stelle: man dürfe 1) nicht, wie es in England zu geschehen pflege, einzelne ganz kurze perioden hinstellen, wodurch der zusammenhang des ganzen verloren gehe, 2) dürfe der einteilungsgrund kein äusserer sein, sondern müsse der ganzen organisation, dem ganzen baue entnommen sein. Es sei ferner wünschenswert, den einteilungsgrund von der litteratur selbst herzunehmen, aber auch auf politische verhältnisse dürfe man immerhin rücksicht nehmen, da solche oft einen grossen umschwung in der litteratur hervorrufen, wie auch umgekehrt, ferner ganz besonders auf die geschichte der sprache, welche ja das der ganzen entwickelung der litteratur zu grunde liegende allgemeine material sei. Auf den stoff näher eingehend bemerkt Schmidt, dass die angelsächsische, die anglonormannische und anglolatinische litteratur nur als einleitung zu betrachten seien. Auf das Altangelsächsische folge das sog. Halbsächsische, von 1200— 1250, in welchem sowol in der lautlehre, wie im flexionssysteme, bereits eine vollständige decomposition vorliege. Die weitere zeit von 1250—1350 könte man die periode der fortwährenden decomposition nennen. Um die mitte des 14. jahrhunderts aber, fährt redner fort, tritt eine wichtige veränderung in England ein: es wird 1362 das Englische statt des Französischen als parlamentssprache anerkant, die dialekte treten hervor, gleichzeitig ersteht auch die freiheit des volkes durch bedeutende, dem parlamente gewährte rechte, es beginnt ein lebhafter kampf gegen die übergriffe der römischen curie und mit diesen bewegungen gleichzeitig erfolgt unter dem bewustsein der gehobenen volkskraft eine reconstruction der sprache aus ihren trümmern und so könte man hiemit eine neue periode bezeichnen von 1350— 1400, in welcher eine feste grammatikalische bildung vor sich geht. Die bedingungen zu einer gewissen blüte der litteratur waren nun vorhanden und diese wird auch durch den alle seiten des englischen charakters zusammenfassenden Chaucer (in der zweiten hälfte des 14. jahrhunderts) repräsentiert, der mit recht „vater der englischen litteratur" genant wird. Die nächste periode ist nur ein nachklang von Chaucer, der dialekt von Mercia wird schriftsprache und zugleich ändert sich die aussprache. Die zweite grössere periode wird eingeleitet durch die bewegungen, welche überhaupt die neue zeit herbeiführen: einführung der buchdruckerkunst (1474 wird das erste englische buch in England gedruckt), erneuerung der classischen studien, entdeckungen u. a. Das epochemachende werk ist die englische bibelübersetzung vom jahre 1525; hier zuerst tritt uns vollständig das moderne Englisch entgegen, so dass kein grund vorhanden ist, die mehr äusserliche epoche der regierung Elisabets als abschnitt zu bezeichnen. Man kann umsomehr von dieser bibelübersetzung die zweite hauptperiode datieren, als ziemlich um die gleiche zeit auch die folgenreiche lostrennung von Rom vollzogen wurde. In dieser periode begint der einfluss der italienischen litteratur, dem später der französische folgt; gleichzeitig wird die sprache prosodisch durchgebildet und das frühere schwanken zwischen sächsischem und französischem verssysteme entscheidet sich jetzt zu gunsten des angelsächsischen. Schmidt nent noch schliesslich die bedeutendsten dichter, welche dieser periode angehören.

Dr. Keinz aus München zeigt sodann einige alte handschriften aus der Münchener bibliothek vor, sehr interessante fragmente althochdeutscher handschriften.

In vertretung des abwesenden präsidenten dankt vicepräsident Weinhold nochmals den herrn rednern für die gehaltenen vorträge und erklärt hierauf die sitzungen der deutsch-romanischen section der 29. philologen-versamlung für geschlossen.

INNSBRUCK. DR. ADOLF HUEBER.

A U F R U F!

Das schöne Waltherfest auf der Vogelweide ist verklungen, und ein schlichter denkstein dem sänger gesetzt.

Die erhabene feier ist jedem unvergesslich, der ihr beigewohnt.

Aber der gröste deutsche lyriker des mittelalters verdient ein würdigeres, ein ehernes denkmal.

Das gefertigte Comité hat deshalb den entschluss gefasst, dem unsterblichen sänger ein erzdenkmal in Bozen, der letzten deutschen stadt, nahe an der sprachgrenze zu errichten.

Es wendet sich nun vertrauensvoll an Oesterreich, wo Walther singen und sagen gelernt, dessen wonniglichen hof und dessen edle fürsten er in seinen sprüchen gefeiert, an Oesterreich, wo er zuerst der minne lust und leid erfahren und besungen.

Herren und frauen unseres herlichen kaiserstaates! Ehret das andenken des unsterblichen dichters, der Oesterreichs ehre gefeiert.

Allein Walther ist auch der edelste aller deutschen sänger der früheren zeit. Er hat Deutschlands grösse und lob in vollendeten tönen verkündet, dessen ringen und kämpfen verherlicht und das sinken und zerfallen deutscher macht in erschütternder weise betrauert.

Wir hoffen deshalb, dass das deutsche volk die errichtung eines Waltherdenkmales in Bozen unterstützen und fördern werde.

Das deutsche volk wird dadurch nur einer alten ehrenschuld gegen seinen grösten deutschen lyriker des mittelalters gerecht werden.

BOZEN, IM OKTOBER 1874.

Dr. H. Desaler, advokat. Dr. G. v. Kofler, gutsbesitzer. Ph. Neeb, k.k. forstmeister. Ch. Schneller, landes-schulinspector. A. Wachtler, handelsmann. Fr. Waldmüller, apotheker. Dr. C. Knoflach, notar. A. Michaeler, k.k. gymn.-prof. G. Seelos, landschaftsmaler. J. Schueler, bürgermeister. Dr. A. Zingerle, k.k. universitäts-prof. Dr. J. Zingerle, k.k. universitäts-prof.

Begemann, Wilhelm, Das schwache präteritum der germanischen sprachen. Ein beitrag zur geschichte der deutschen sprache. Berlin, Weidmannsche buchhandlung 1873. XVI, 187 s. 8. 1 thlr. 10 sgr.

Begemann, Wilhelm, Zur bedeutung des schwachen präteritums der germanischen sprachen. Ergänzung zu des verfassers schrift: das schwache präteritum der germanischen sprachen. Berlin, Weidmannsche buchhandlung 1874. LII, 192 s. 8. 1 thlr. 20 sgr.

Wenn ich der aufforderung des herausgebers dieser zeitschrift, einige worte über die beiden vorliegenden schriften Begemanns zu sagen, folge leiste, so geschieht es nicht mit der absicht, mich über den gesamten inhalt dieses doppelbuches kritisch zu verbreiten. Ich bin nicht in der lage den germanistischen leistungen des herrn verfassers gerecht zu werden, dagegen will ich versuchen, ihn aus der linguistischen stellung, die er sich erobert zu haben glaubt, zu vertreiben. Ich will mich bemühen zu zeigen, an welchen schwierigkeiten seine erklärung, und würde sie auch mit engelzungen empfohlen, unabweislich scheitern muss. Ausserdem möchte ich mir einige betrachtungen über den jetzigen zustand der vergleichenden sprachforschung erlauben.

Der herr verfasser geht von der unleugbaren tatsache aus, dass bei der bisher allgemein angenommenen erklärung des schwachen präteritums noch erhebliche schwierigkeiten übrig bleiben. Darüber könte man sich nun mit dem gemeinen schicksal aller wissenschaft trösten. Unser licht leuchtet nicht in alle winkel. Indess muss man zugestehen, dass in diesem falle die anstösse ganz besonders erheblich sind, herrn Begemann scheinen sie sogar so erheblich, dass er die bisherige ansicht völlig verlässt, und eine neue hypothese aufstellt. Und zwar ist seine meinung folgende: das schwache präteritum ist aus dem sog. participium perf. pass. entstanden, z. b. *nasida, -des, -da* aus dem participium *nasiþs* mit der stammform *nasida*. Bei dieser annahme treten natürlich jedem sofort zwei schwierigkeiten entgegen, man fragt sich erstens: Wie komt denn dies participium zu activer bedeutung? und zweitens: Woher stammen die endungen in *nasida, -des, -da, -dedum, -deduþ, -dedun?* Die antwort auf diese beiden fragen holt sich der herr verfasser aus Asien, und zwar hauptsächlich aus dem eranischen sprachzweige. Das participium auf *-ta* hat in dem asiatischen teile der indogermanischen sprachwelt und namentlich im Eranischen häufig active bedeutung, und im Eranischen gibt es ein aus diesem participium gebildetes präteritum. Was nun im Eranischen wirklich ist — so schliesst er — warum sollte das nicht im Deutschen möglich sein? Die kritik dieser Begemannschen ansicht möchte ich einleiten durch eine betrachtung, die ihr urheber uns sehr nahe legt. Er geniesst, wie er sagt, den vorteil, autodidakt zu sein, er kent die sprachwissenschaft nur aus büchern, und ist darum in der lage, unbefangener zu urteilen als jemand, der durch wissenschaftliche und sittliche bande an einen verehrten lehrer und seine meinungen gekettet ist. Darüber mag man nun urteilen, wie man will, sicher ist, dass die lage eines autodidakten doch auch ihre misliche seite hat. Die gelehrten lassen ja (gott sei dank) nicht alles drucken was sie wissen, namentlich die methodischen erfahrungen, die ein tüchtiger mann bei gelungenen und mislungenen bemühungen macht, teilt er selten anders mit als mündlich. Und diese belehrung muss ein autodidakt entbehren. Nehmen wir an, herr Begemann hätte die vorliegende arbeit in einem seminar eingereicht, was würde wol der betreffende docent geurteilt haben? Er hätte sicher den fleiss, die belesenheit usw. warm anerkant, hätte dann aber wahrscheinlich an den alten spruch erinnert: *bene novit qui bene distinguit,* und ad rem

etwa folgendes bemerkt: das participium auf *ta* hat zwar im Sanskrit und Eranischen häufig activen sinn, aber im Deutschen so gut wie nie. Wie soll nun ein
participium von eminent passivischer bedeutung ein actives tempus erzeugen? Und
zweitens: Im Eranischen ist das participialpräteritum entstanden durch zusammensetzung mit dem verbum substantivum. Das neupersische *kardam* heisst ich bin
ein getan habender. (Ob man überall wirkliche zusammensetzung annimt, oder
etwa angleichung, verschlägt nichts. Immer ist das tempus aus dem part. unter
mitwirkung des verb. subst. entstanden.) Die endungen sind so geworden, wie sie
sind, weil das verbum subst. so und nicht anders flectiert wurde. An eine solche
entstehung aber ist im Deutschen gar nicht zu denken. Wäre das deutsche
schwache präteritum wie das eranische gebildet, so müste es heissen: *nasidim
nasidis nasidist*, weil es heisst: *im is ist* usw. Weil sich dies nun so verhält, so
darf man das eranische participialpräteritum gar nicht mit dem deutschen vergle[-]
chen, das zweifelsohne nicht mit dem verb. subst. zusammengesetzt ist. Da aber
diese parallele die einzige p o s i t i v e stütze der Begemannschen ansicht ist, so fällt
sie mit dieser stütze zugleich zu boden. Herr Begemann hat die wahrheit nicht
beachtet: si duo faciunt idem, non est idem. Er hat sich, wie Pott sagen würde,
von der sirene des gleichklangs verlocken lassen.

Hätte nun diese wahrhaftig sehr nahe liegende kritik vor erscheinen des
buches geübt werden können, so hätte sie vielleicht genügt, es im keime zu
ersticken. Dass sie jetzt den verfasser zweier schriften über das schwache präteritum überzeuge, ist viel verlangt. Ich halte also für erwiesen, dass Begemanns
ansicht falsch ist Zugleich halte ich für im höchsten grade wahrscheinlich, dass
die bisherige hypothese richtig ist. Zwar die schwierigkeiten verhehle ich mir
nicht. Niemand οἷοι νῦν βροτοί εἰσιν wird sie völlig heben können, aber sie genü[-]
gen nicht, uns zur verzweiflung zu treiben. Ich erwähne nur die hauptsächlichsten.
Das *þ* und *t* von *kunþa mahta* usw. ist vielleicht, wie früher Pott und jetzt
Braune gemeint hat, dem einfluss des äusserlich so sehr übereinstimmenden part.
praet. zuzuschreiben. Schlechter steht es mit den flexionsendungen. Zugleich aber
bieten gerade diese einen anhaltspunkt für die erklärung. Dass in formen wie
nasidedum -dedum mehr sei, als blosses suffix, ist so unmittelbar einleuchtend,
dass diese evidenz geradezu als ein fester ausgangspunkt angesehen werden kann.
Wenn denn in *dedum* usw. nicht bloss eine endung steckt, was sollte denn anders
darin stecken, als die wurzel *dhâ*, die doch gewiss auch Begemann in dem litau[-]
ischen *sùkdavau* usw. anerkent? Überhaupt was ist häufiger und natürlicher, als
neubildung durch zusammensetzung mit einem hilfsverbum? Dabei kann man zwei[-]
feln ob der erste teil der zusammensetzung eine flexionsform oder eine stammform
sei. Gegen die erste annahme spricht vor allem die erwägung, dass wir im Germanischen in diesem falle den infinitiv mit dem *n*-suffix zu erwarten hätten. So
bleibt denn die zweite. Ich will mich über diese annahme hier nicht verbreiten,
weil dabei auch das lateinische hereingezogen werden müste, und die frage nicht
in der kürze zu absolvieren ist. Nur das will ich bemerken: Man muss, glaube ich,
annehmen, dass schon in der urzeit einige verbalstämme nicht direct, sondern
durch antritt der formen eines hülfsverbums flectiert wurden. Solche formen sind
in die einzelsprachen überliefert, und haben in manchen (namentlich im Deutschen
und Lateinischen) eine zahlreiche nachkommenschaft erzeugt.

Soweit das schwache präteritum. Ich gestatte mir nun noch zwei worte über
die lage der deutschen sprachwissenschaft überhaupt. Nach den grundlegenden
arbeiten von Bopp und Grimm und dem grossen organisationswerk von Schleicher

hat sich die forschung mit eifer darauf gerichtet, zu ermitteln, was in jeder sprache erbgut und was neuerwerb sei. In dieser beziehung sind die verschiedenen sprachen in verschiedener lage. Im Griechischen ist z. b. der alte typus erstaunlich treu bewahrt, so dass man die meisten griechischen formen direct auf indogèrmanische' zurückführen kann. Nicht so im Germanischen. Iu unserer sprache sind die auf formübertragung beruhenden neubildungen sehr zahlreich. Hier gilt es oft nicht, den urtypus im Indogermanischen, sondern den ausgangspunkt der bewegung im Germanischen selbst aufzufinden, und unter diesem gesichtspunkt erscheint jetzt freilich manches anders als früher. Ich begrüsse die in dieser richtung sich bewegenden arbeiten von Scherer, Sievers, Braune, Paul mit grosser freude als wichtige' und wesentliche verbesserungen und hoffe, dass in nicht zu ferner zeit die meinungen sich so geklärt haben werden, dass es möglich sein wird, die neuen anschauungen in einem gesamtbilde zu vereinigen. Auch die lautphysiologischen bestrebungen der neuesten zeit erscheinen mir jetzt, wie ich nicht unterlassen will zu bemerken, in hoffnungsreicherem lichte. Ich würde jetzt gegen Scherers ansicht von der lautverschiebung nicht mehr in der richtung, wie es früher in dieser zeitschrift geschehen ist, polemisieren.

Anders steht es mit den hypothesen, die sich mit der entstehung des indogermanischen formenbaues befassen. Alles was von Westphal, Scherer, Ludwig, Begemann in verschiedener richtung und qualität gegen die Boppschen grundansichten vorgebracht ist, scheint mir im entferntesten nicht geeignet, diese zu verdrängen. Die unvergleichliche einfachheit der Boppschen hypothesen wird, wie ich hoffe, über alle einwände siegreich triumphieren, und es wird möglich sein, ihnen von anderer seite, namentlich von der historischen syntax aus, noch neue stützen zu verleihen. Damit ist nicht ausgeschlossen, dass man nicht im einzelnen z. b. bei der erklärung der medialendungen, vorziehen wird, sich auf das non liquet zurückzuziehen. Aber das Boppsche grundwerk wird darum nicht erschüttert. Ich glaubte mir diese betrachtungen, die den charakter persönlicher confessionen zu tragen scheinen, gestatten zu dürfen, weil ich zu wissen glaube, dass viele meiner fachgenossen mit mir in dieser beziehung übereinstimmen.

JENA.   B. DELBRÜCK.

Über die A-Reihe der gotischen Sprache. Eine grammatische Studie von Dr. Adalbert Bezzenberger, Docent an der Universität Göttingen. Göttingen, Verlag von Robert Peppmüller. 1874. 71 s. 8. 2 mark.

Diese interessante schrift, welche von der kentnis und dem scharfsinn des verfassers ein rühmliches zeugnis ablegt, behandelt einen wichtigen teil der deutschen lautlehre und tritt hier den seit Grimm herschenden ansichten entgegen Den hauptinhalt desselben bildet die untersuchung der aus ursprünglichem *a* entstandenen gotischen *i* und *u*, und es wird der beweis versucht, dass diese laute, denen in den übrigen germanischen dialekten so oft *e* und *o* gegenüberstehen, durch die mittelstufen *e* und *o* aus *a* entstanden, dass folglich ahd. *e* und *o* älter seien als die gotischen *i* und *u*. In der verwandlung von *e* zu *i*, *o* zu *u* sei zwar kein durchgreifendes gesetz zu erkennen, aber doch der einfluss gewisser nachfolgender laute wahrzunehmen, des mit einem consonanten verbundenen, seltner des allein stehenden *n* oder *m*, des *i* und *j*, seltner des *u*, endlich auch der eines *l* mit folgendem consonanten, und alle diese momente seien auf zwei zurückzuführen, nämlich auf nachfolgenden *i*-laut und *u*-laut; letzterer uämlich hafte auch den nasalen *n* und *m*, besonders in position, und auch dem *l* in gleichem falle an. In einer gewissen periode der germanischen ursprache seien also als abschwächung eines ursprünglichen *a* nur *e* und *o* vorhanden gewesen; der übergang derselben zu *i* und *u* habe nach der spaltung in einzelne dialekte stattgefunden und, in verschiedner weise und ausdehnung, lange zeit um sich gegriffen.

Es wird demnach ein hauptsatz der Grimmschen lautlehre bestritten, dass diejenige gestalt des deutschen vocalismus, die uns im Gotischen vorliegt, die der germanischen ursprache sei, dass diese ebenso wenig wie das Gotische ein *ĕ* und *ŏ* gekant, und dass diese laute erst auf dem boden des Ahd., An. usw. sich entwickelt hätten, und zwar durch einwirkung eines nachfolgenden *a*, welche einwirkung aber in manchen fällen durch gewisse zwischenstehende consonantenverbindungen — eben die, welche der verfasser als ursache der verwandlung *e-i*, *o-u* bezeichnet — gehemmt worden sei.

Es ist nicht der verfasser, der diese ansicht zum ersten male ausgesprochen hat; er beruft sich auf Curtius, Müllenhoff, Fick und stellt sich zur aufgabe die beantwortung der frage, ob das Deutsche dieser auffassung schwierigkeiten in den weg lege, und wenn nicht, ob der übergang von *e* zu *i*, von *o* zu *u* im Gotischen selbständig bewirkt oder den deutschen dialekten gemeinsam sei.

Die sprache der gotischen bibel ist nach dem verfasser nicht so alt, dass man unbedingt die lautverhältnisse der übrigen dialekte auf die gotischen zurückführen müste; nur ihrem kerne nach könne die Bibel als Vulfilas werk gelten, denn die vorliegende gestalt derselben sei durch eine fast zweihundertjährige, ununterbrochene beschäftigung der Goten mit dem texte entstanden; sie zeige uns also vielmehr die sprache des sechsten als des vierten jahrhunderts. Hiergegen bemerke ich, dass gerade die urkunden von Ravenna, auf die der verfasser sich beruft, mit ihren mannigfachen abweichungen von der sprache des Codex Argenteus und der Ambrosiani, gewähr dafür leisten, dass in diesen denkmälern die sprache Vulfilas sich ziemlich rein darstelle, dass also der abstand zwischen dem Gotischen und den ältesten ahd. denkmälern kaum auf weniger als vier jahrhunderte anzusetzen ist. Bezzenberger zeigt sodann, dass auf dem boden des späteren Gotischen, das wir nur durch die eigennamen westgotischer concilienacten u. dgl. kennen, die Grimmsche brechung *i-e*, *u-o* nicht mit sicherheit nachzuweisen ist. Formen wie *Fredebodus*, *Ermenfred*, *Godescal*, *Ozdulfus* beruhen nur auf ungenauer widergabe der gotischen laute, denn ihnen stehen *Guda*, *Gibericus* gegenüber, und andere wie *Remesarius*, *Sesuldus*, *Sonna* (*sunja*) stimmen wenigstens zu dem Grimmschen gesetze von dem die brechung bewirkenden *a* durchaus nicht. Weiterhin dient eine beispielsamlung aus dem Altfriesischen, Altnordischen, Altsächsischen usw. zu beweisen, dass in geschichtlicher zeit übergänge wie *a-e-i*, *a-o-u*, *a-o-e* stattgefunden haben. Nach allem dem dürfe schon vom speciell germanistischen standpunkte aus die frage aufgeworfen werden, „ob wirklich das Gotische den ursprünglichen lautbestand gewahrt habe, ob die majorität der germanischen dialekte ihm gegenüber in der tat ohne alle bedeutung sei," und diese frage wird auf grund der sprachvergleichung verneint, indem durch die übereinstimmung der europäischen sprachen mit der mehrzahl der deutschen dialekte bezüglich des *e* die priorität desselben vor dem gotischen *i* (*ai*) auf das schlagendste erwiesen werde.[1] Eine lange

1) *ai* und *aú*, als speciell gotische reflexe des *i* und *u*, werden von Bezzenberger als völlig gleichwertig mit *i* und *u* behandelt.

reihe von beispielen (s. 19—22) zeigt nun gotisches i im stamme des verbums und nomens gegenüber dem e der übrigen deutschen mundarten, sowie dem lateinischen, griechischen, slavischen, lettischen e. wie in *itan*, *ēzan*, *ἕδω*, *edo*, lett. *edmi*, ksl. *jami* = *ēmi*; *stairno*, *sterno*, *ἀστέρ-ος*, *stella*. „Da das Germanische mit den übrigen europäischen sprachen, und am längsten mit den slavo-lettischen, eine lange periode des sprachlichen lebens zugebracht hat, und in diese ein teil seiner entwicklung fällt, so ist es unzweifelhaft, dass diese 38 übereinstimmungen nicht zufällig sind; damit aber fällt die imaginäre priorität des gotischen i“ s. 22. Es dürfe nicht befremden, wenn zuweilen nicht das Gotische allein, ja mitunter alle germanische dialekte, dem e der verwanten sprachen ein i gegenüberstellen, wie in *failu* ahd. *fihu*, *pecus*, *sitan*, *σεδ*, *sedere*, lit. *sédmi*, ksl. *sędą*, da ja, wie oben nachgewiesen, innerhalb der dialekte i aus e entstehe.

Aus den s. 24 aufgezählten fällen, in denen alle germanischen dialekte i zeigen, ergibt sich nun dem verfasser das gesetz, dass die gemein-germanische umwandlung e-i erfolge 1) vor i, j, wie in *ligan*, *sitan*, die in den übrigen dialekten, wenngleich nicht im Gotischen, ein j vor der endung hatten; 2) vor u, wie in *sibun*; 3) vor geminiertem oder von einer muta begleitetem nasal, wie in *kinnus* *γένυς*, *finþan petere*, *fimf πέντε*.

Die frage, ob die wandlung e-i schon in der zeit des gemeinsamen germanischen sprachlebens, oder ob von den einzelnen dialekten gesondert bewirkt sei, entscheidet der verfasser nicht mit bestimmtheit, neigt sich jedoch zu letzterer ansicht.

In manchen fällen vollzog sich der übergang von a zu e erst in der periode des abgesondert germanischen sprachlebens, so dass got. i, germ. e europäischem a (o) gegenübersteht, wie in *brikan*, *brehhan*, *frangere*, oder auch germ. i europäischem a (o), wie in *bidjan*, *ποθεῖν*, *milds*, ksl. *mladŭ*.

Beiläufig bemerkt hier der verfasser über die ablautenden verba der i- und u-reihe, dass das i[1] und iu ihres präsens entstanden sei, indem aus ai, au zunächst ei, eu und dann erst ii = i, iu ward; dem eu entstamme unmittelbar das ags. *eo*, das sich auch im ältesten Ahd. finde.

Nachdem nun der verfasser wie bisher im stamme, so auch in der flexion und in den ableitungssilben ähnliche übergänge a-e-i aufgewiesen, geht er s. 43 zu dem aus a entstandenen o und u über. Während die wandlung a-e als allen europäischen sprachen gemeinsam gelten müsse, lasse sich ein gemeinsames o nicht nachweisen; es sei sogar unzweifelhaft, dass viele o in den deutschen dialekten aus u entstanden seien, wie in den ablautenden zeitworten der u-reihe; aber in der u-reihe sei an der priorität des o festzuhalten; man könne zwar keine gemeinsame, aber doch eine gleiche entstehung desselben aus a innerhalb der europäischen sprachen annehmen; erstere ist schon durch das fehlen des $\breve{o}$ im Lettischen ausgeschlossen Eine reihe von beispielen s. 43 fgg. soll beweisen, dass u für o eintrete: 1) vor nasalen, einfach, geminiert oder von anderen consonanten gefolgt, wie in *fruma*, alts. *formo*, ags. *forma*, *πρόμος*; *pund*, afr. *pond*, *pondus*. 2) vor i, j *haurds* (dat. plur. *haurdim*), ahd. *hurt*, *crates*; *sunja οὐσία*; *vaurts βρόδον*, *ῥόδον*. Auch hier sei gotisch u in stammsilben in den meisten fällen nachweislich, in allen andern wahrscheinlich aus germanischem o entstanden und der übergang erst innerhalb der dialekte erfolgt.

---

1) Auch im Gotischen ist das *ei* von *steigan*, *veitan* usw. nur graphisch von i verschieden

Nach kurzer besprechung einiger *u* in ableitung und flexion vervollständigt der verfasser seine erörterung der *a*-reihe durch eine erwähnung des altem *a* entsprechenden gotischen *a*, bespricht sodann das *a* im präteritum ablautender verba und in ihren derivaten wie *lagjan*, *vagjan*, *satjan*, bezeichnet das *a* mancher ableitungen (*laisareis*) und flexionssilben (*dagam*, *hanans*) als ursprünglich, und wendet sich sodann zu den übrigen lauten der *a*-reihe, zuerst zu *ê*, dem einen gotischen stellvertreter des *â*, das als der jüngere laut bezeichnet und mit dem jonischen *η* = dorischem *ā* verglichen wird. Der anfang der wandlung *â—ê* wird in die zeit verlegt, als Gotisch und Hochdeutsch noch nicht geschieden waren, da auch das Ahd. spuren dieses *ê* zeige.

Dagegen wird die entstehung des *ô*, des anderen stellvertreters für *â*, als viel früher und allen germanischen dialekten gemeinsam bezeichnet, wenn gleich sich nicht erkennen lasse, an welche bedingungen dieselbe geknüpft war; nur das *ô* der flexionsendungen, das der einen schwachen conjugation (*salbôn*) und das der comparativ- und superlativendungen *-ôzan*, *-ôsta* sei erst auf gotischem sprachboden erwachsen.

Langes *â* soll im Gotischen erhalten sein 1) in *sâian*, *vâian*, *lâian*, wobei freilich zweifelhaft sei, ob es nicht durch seine verbindung mit *j* zum diphthongen *ai* verkürzt ward; 2) in *fâhan*, *hâhan*, *þâhta*, *brâhta*; doch sei vielleicht in diesen worten nasaliertes *a* (*ã*) gesprochen worden.   .

Am schlusse seiner arbeit (s. 64) spricht der verfasser die vermutung aus, dass der lebhafte verkehr und „das gefühl inniger zusammengehörigkeit" der germanischen völker die verbreitung der besprochenen lautwandlungen begünstigt habe; dann folgt noch eine „directe polemik" gegen die von Holtzmann aufgestellte lehre vom *a*-umlaut (der Grimmschen brechung) und eine systematische übersicht der gotischen *a*-reihe.

Dies ist in kürze der überblick über den reichen inhalt von Bezzenbergers schrift. Ich muss sagen, dass dieselbe meinen hisherigen glauben einigermassen erschüttert hat, ohne dass ich von der richtigkeit der neuen ansicht ganz überzeugt wäre. Die tatsache, dass das Gotische, immerhin weitaus die älteste uns bekante deutsche mundart, als schwächung des *a* nicht *e* und *o*, sondern ausschliesslich *i* und *u* zeigt, hat Bezzenberger nicht zu erklären versucht; hier müsten doch noch ganz andere gründe wirksam gewesen sein, als jene nasallaute oder das *i* und *j*, das *u* einer nachfolgenden silbe.

In der darstellung hätte ich bisweilen grössere übersichtlichkeit und klarheit gewünscht; auch eine zusammenstellung der beispiele, geordnet nach den den umlaut bewirkenden nachfolgenden lauten, würde dem verständnis sehr förderlich gewesen sein. Schliesslich führe ich noch einige versehen resp. druckfehler an: s. 24 steht *γένος* für *γένυς*, s. 43 *βρότον* für *βρότος*, s. 57 zu *fodjan* sskr. für gr. Das s. 53 aufgeführte *lekareis* is kein gotisches wort. S. 33 ist *jains* wol irrtümlich angeführt, dessen *ai* nicht aus *i* gebrochen ist. S. 45 konte bei *vulla* auch das griechische *οὖλος* aufgezählt werden.

Ich empfehle herrn dr. Bezzenbergers schrift den fachgenossen zur beachtung und beurteilung.

ERFURT, DEN 2. NOV. 1874.   E. BERNHARDT.

Die Murbacher Hymnen nach der Handschrift herausgegeben von
Eduard Sievers. Mit zwei lithographischen Facsimiles. Halle, Verlag der Buchhandlung des Waisenhauses 1874. VI, 106 s. 8. 1 thlr.

Die interlinearversion der 26 (27) lateinischen hymnen, welche neben den
glossensamlungen Jun. B und C in der einst in Murbach befindlichen, später in den
besitz des Franz Junius und von dort in die Oxforder bibliothek übergegangenen
handschrift erhalten sind, war 1830 von J. Grimm in der einladungsschrift zum
antritt seiner Göttinger professur herausgegeben worden, jedoch nicht nach der
handschrift selbst, sondern nur nach einer von Junius gemachten abschrift. Sievers hat jetzt in Oxford die sämtlichen altdeutschen stücke der handschrift neu
verglichen und gibt uns in der vorliegenden, schön ausgestatteten ausgabe den
revidierten lateinischen und deutschen text der hymnen mit litterarischer und grammatischer einleitung, deutschem und lateinischem index und zwei facsimiles aus
der handschrift, während die glossen für das Corpus sämtlicher ahd. glossen von
Steinmeyer zurückgelegt sind.

Die abweichungen des textes von der der Grimmschen ausgabe zu grunde
liegenden Juniusschen abschrift, welche Sievers nur teilweise, vielleicht zu selten
unter dem texte ausdrücklich erwähnt, sind zahlreich und zum teil erheblich. Sie
stellen nicht nur in phonetischer und orthographischer beziehung die eigenart des
originales wider her, wie z. b. 3, 3, 4 *sleffara*. 10, 1, 3. 8, 5, 2 u. a. *ast* für
anst. 16, 4, 1 *sclaf.* 3, 7, 2 *frua* für *fruo.* 24, 10, 1 *fona.* 3 *eonaltre* statt *-i*.
24, 2, 4 *kalichas*, s. einleitung s. 14; sondern sie geben auch in vielen fällen die
(oft schon von Grimm durch conjectur erkante) correctur unrichtiger oder in die
construction nicht passender formen, wie 8, 2, 4 *folge(e)en* statt *folgeten.* 19, 1, 3
watarit statt *watarat.* 20, 6, 1 *hohira* statt *hohire.* 21, 4, 3 *derpaz* statt *derpan.*
21, 7, 3 *analoufte* statt *analoufta.* 21, 1, 2 *kawatim* statt des unconstruierbaren
sing. *kawati in*; über 10, 2, 1 *drittun* s. unten. Mehrmals geben sie den schlüssel
zum richtigeren verständnis des übersetzers, wie 9, 1, 1, wo der lateinische text
nach Sievers heisst: *postmatutinis laudibus* (Junius: post matutinas laudes), 20, 5, 1
wuntarlihc statt des adv. *wuntarliho;* öfters freilich auch die erklärung seines misverständnisses, wie 4, 1, 4 *emaziges* als gen. auf *leohtes* bezogen, während Junius
emaziger las, das Grimm als voc. erklärte. 22, 2, 2 *siganumftliches*, als gen. mit
uuiges verbunden; Junius: *siganumftlicher*, wofür Grimm den dem lateinischen original entsprechenden nom. plur. *siganumftliche* vermutete. I, 8, 3 *tragante* statt
traganti, also wie v. 4 *froonte.* 9, 3 *chlochonte* plur. masc. des participium mechanisch dem lat. participium nachgebildet, obwol es sich auf die klugen, resp. törich-
ten jungfrauen bezieht, deren geschlecht vorher beidemal im adj. deutlich bezeichnet war: 8, 1 *wihô.* 9, 1 *tuliscô.* Dass auch in originalem deutsch bei weiterem
fortgang der rede im plural die masculinform des pron. und adj. als allgemein-
persönliche bezeichnung mit vernachlässigung des sexuellen unterschiedes statt der
femininform eintrat, zeigt z. b. die stelle, wo Otfrid von denselben jungfrauen
spricht, IV, 7, 75, vgl. 66, 67, wofür ich auf meine untersuchungen II. § 61
verweise.

Die umfangreichste abweichung vom Grimmschen texte zeigt die stelle 23, 2, 3.
Bei Grimm stehn nach Junius abschrift als übersetzung von *genua prosternimus*
die worte: *chniu nidar spreitemes* [*vel erdu strechemes*], wobei erstens das *vel* der
sonstigen sitte des übersetzers widerstreitet, der oft (z. b. 1, 3, 2. 4, 1. 2. 1, 4
u. a.) zwei deutsche worte zur auswahl setzt, aber stets ohne besondere bezeichnung oder verbindung, und zweitens *erdu* als dat. von *erda* wegen der selbstän-

digkeit der construction auffallend erscheinen muss. Bei Sievers nun steht das *vel* im lateinischen texte: *vel genua prosternimus* und der deutsche heisst: *erdu chniu nidar spreitemes*, wobei *erdu* als übersetzung von *vel* gilt (*erdo* belegt Graff I, 146. Schade Wörterbuch[2] 144), und einfach wort für wort der übersetzung zum originale stimt. Doch würde man allerdings eine auskunft darüber wünschen, ob denn die von Grimm nach Junius gegebenen worte wirklich nur auf·conjectur beruhn (denn ein einfaches versehn kann sie nicht veranlasst haben), oder ob die handschrift irgend welche veranlassung dazu bot. Sievers gibt seine lesart ohne jede kritische bemerkung.

In nicht wenigen fällen hat Sievers lesarten als richtig beibehalten, die Grimm aus sprachlichen oder sachlichen gründen angegriffen hatte. So 5, 3, 2 *motit* = *admonet*, was Grimm in *manot* ändern wollte, gestützt durch got. *maudjan;* 11, 1, 2 *kinadigeru*, gestützt durch andere glossen, die das adj durch *pius* widergeben; 12, 1, 3 *kiwaldaniu* als part. eines starken verbums **waldan;* 17, 3, 2 *angilo* als acc. plur. (statt -*a*); 17, 3, 3 *cahaltân* als conj. präs.; 19, 3, 3 *adallicho*, da der übersetzer sehr wol *nobile* als adv. fassen konte. 22, 3, 2 *wizzum fermanentem* = *poenis spretis* woite Grimm ins part. prät. *farmanetem* ändern; aber v. 1 *egisin kirichante* = *terrore victo* zeigt uns, dass der übersetzer auch das part. präs. zur widergabe des lat. passiven part. prät. im absoluten ablativ verwante; vgl. Gering, syntact. Gebr. der gotischen Participia, in dieser Ztschr. V, 298. Nur hätte Sievers, wenn er die lesart der handschrift in v. 2 beibehielt, aus v. 1 *kirichante* nicht im glossar s. 82 als nom. pl. aufführen sollen. 21, 7, 2 *in hoc paschale gaudio* = *in desamu hostallicheru mendi* woite Grimm das fem. *desaru* setzen; aber stellen wie 21, 5, 1 *hostia per quam* = *zebar duruh dea*. 8, 4, 3 *iniquitas haec* = *unreht disiu*. 5, 5, 4. 8, 7, 3. 18, 2, 3 u. a. belehren uns leider, dass der übersetzer oft mechanisch wort für wort widergab, ohne auf die congruenz des genus rücksicht zu nehmen. 22, 8, 2 ist *kamachadiu* (Grimm conjiciert *kamachidu*) beibehalten und im glossar als dat. sing. von *kamachadi* aufgeführt; diese auffallende bildung hätte dann aber auch s. 24 oben in der flexionslehre erwähnt werden sollen. Vielleicht kann die form als instrumentalis des st. ntr. *kamachadi* aufgefasst werden, vgl. über Otfrids *mit ebinu* Kelle II, 180;·die bedeutung des sociativen instrumentalis würde an der stelle sehr gut passen. 23, 4, 4 schreibt Sievers nicht wie Grimm ein compositum *herifiant*, sondern beide worte getrent als doppelglossierung des lat. *hostem*. Als masc. ist das wort belegt Otfrid IV, 4, 38 *heri ouh redihaftêr;* für die bedeutungsentwicklung ist freilich der umgekehrte fall im Altfranzösischen eine schwache stütze.

Zweifelhafter ist mir die richtigkeit der von Sievers beibehaltenen lesart in der stelle 19, 3, 3 *sigufaginônt* (Grimm: *sigufaginônti*). Sievers betrachtet das wort als substantiviertes participium und führt es s. 24 neben *fiant, heilant, helfant, sceffant* (= *creator* 24, 1, 2) auf. Aber an der betreffenden stelle steht nicht *triumphator*, sondern das einfache part. *triumphans*, und es ist mir nicht wahrscheinlich, dass der übersetzer von einem sonst (wenigstens nach Graff III, 420) in anderen denkmälern nicht belegten und jedenfalls in originalem Deutsch nicht geläufigen verbum eine solche substantivierung selbst gebildet haben sollte. Ebenso kann ich nicht glauben, dass der übersetzer 4, 4, 3 *weralta* als einen (unconstruierbaren) nom. pl. masc. gebraucht haben sollte, da er sonst das wort häufig und mit richtigem verständnis als starkes fem. braucht; Grimm conjiciert die richtige genetivform *weralti*.

Von den ergänzungen des textes erwähne ich nur das *za* vor *kalaupanne*
26, 8, 3, dessen aufnahme gewiss zu billigen ist, vgl. Grimm Gramm. IV, 112;
von diesem übersetzer können wir nicht mit Jolly, Gesch des Inf. s. 160 den prä-
positionslosen gebrauch der flectierten infinitivform erwarten.

Die einleitung orientiert s. 1—10 eingehend über die beschaffenheit und
geschichte des handschriftlichen textes, wobei davor gewarnt wird, die abfassungszeit mit der zeit der niederschrift gleichzusetzen. Sodann folgt s. 11—22 eine sehr
genaue darstellung des lautstandes und s. 22—26 die zusammenstellung der vorkommenden flexionen. Ich habe ausser dem schon berührten *kamachadiu* nur bei
wenigen formen bedenken. S. 22 unten möchte ich ein fragezeichen setzen zu dem
als gen. sg. angeführten *selu* 16, 6, 3; ich halte es sehr wol für möglich, dass
der übersetzer in den worten *du der pist scirmo dera selu* (= *qui es defensor animae*) den dativ hat brauchen wollen, wie er auch 3, 4, 2 *zan widar pliwe apan-
stigamu* mit änderung der construction den dat. setzt, wo lat. der vom nomen
abhängige gen. steht. Dass *dera* bei ihm auch dat. sg. fem. sein kann, folgere ich
auch aus 10, 1, 1 *kotes kalaubu dera lebemes* (= *qua vivimus*), da er den
instrumentalen und causalen lat. ablativ sonst immer durch einfachen dativ widergibt; vgl. die zahlreichen belege für dativisches *thera* bei Otfrid Kelle II, 356. —
Bedenklich ferner nicht wegen der flexion, sondern wegen der wortbildung ist mir
das subst. **unheilari*, als dessen nom. plur. auf s. 22 sowie im glossar s. 89 die
form *unheilara*, 22, 4, 4 aufgestellt ist. Den lateinischen text hat der übersetzer,
weil er 22, 4, 4 fälschlich las *tortores* (statt *tortoris*) *insani manus*, überhaupt
nicht construieren können. Er übersetzte daher wort für wort, so gut er konte;
das adj. *insani* aber durch ein erst neu und analogielos zu bildendes subst. zu
übersetzen, hatte er keine veranlassung. Ich halte *unheilara* für den gen. sg. fem.
des adj. *unheil*, das als übersetzung von *insanus* belegt ist Graff II, 863; der
ausgang *-ara* statt *-era* ist neben dem nicht seltenen masc. *-amu* (3, 4, 2 u. a.,
s. Sievers s. 24. 25) doch wol unbedenklich. Ob der übersetzer sich seinen genetiv
unheilara henti mit den *sarfem chlauuon* des vorigen verses oder als gen. qualita-
ist mit *uuizzinarra* verbunden gedacht hat, oder ob er sich gar nichts dabei gedacht
hat, kann ich nicht entscheiden. — S. 23 bei den *u*-stämmen ist dat. sg. *suni* verdruckt statt *suniu*. — Endlich bezweifele ich die von Grimm und Sievers (s. 26 unten)
für *arloste* 10, 3, 4 angenommene schwächung der endung des schwachen prät. in
-te statt *-ta;* man entgeht ihr, wenn man annimt, dass der übersetzer den lateinischen relativsatz *quos solvit* durch das participium prät. *dea arloste* widergegeben
hat, und dies ist mir nicht unwahrscheinlich, da für die lat. relativsätze auch
sonst mehr als eine art der übersetzung geübt wurde und unser übersetzer gerade
das part. prät., wie wir unten sehen werden, auch sonst selbständig gebraucht.

Dem texte folgt bei Sievers ein vollständiges glossar, welches unter jedem
deutschen worte das lateinische, dessen übersetzung es ist, sowie sämtliche formen
und belegstellen anführt. Die nomina *sigufaginônt*, *unheilari* und manche der im
vorhergehenden besprochenen formen hätte ich, wenn nicht gestrichen, so doch als
unsicher ausdrücklich auch im index bezeichnet gewünscht, wie dies in anderen
fällen (s. *endin*, *reisan*, *manalicha* u. a.) auch wirklich geschehen ist. Sonst bietet das glossar und der hinzugefügte lateinische index ein willkommenes hülfsmittel, um sich über jede stelle und jede sprachliche form der hymnen leicht und
bequem orientieren zu können; weitere lexicalische erörterungen, zu denen z. b. die
Grimmschen bemerkungen zu *karasen* 20, 4, 3; *unholdâ* 24, 3, 1; *stobarôên* 20, 4, 1
hätten anlass geben können, wären gewiss manchem leser erwünscht gewesen.

Die Sieversche ausgabe hat das in den hymnen vorliegende sprachliche
material handlich und bequem zugerichtet zur verwertung in litterarhistorischer,
lexicalischer und grammatischer beziehung. Es sei mir gestattet, nach der letzteren richtung hin dieser anzeige einige bemerkungen hinzuzufügen über das verhältnis des übersetzers zu seinem original und den grammatischen wert der übersetzung.
Eine sehr grosse syntaktische ausbeute wird man nicht erwarten von einer übersetzung, der oft das richtige verständnis des originales fehlte, wie ausser an manchen der bereits besprochenen stellen: 3, 1. 1 wo *paternę* als voc. sg. masc. gefasst
ist, wie umgekehrt 6, 3, 4 *immense* als gen. sg. fem.; 1, 12, 3, wo *peccatorum*
als gen. pl. von *peccatum* statt von *peccator* aufgefasst ist; wie 19, 9, 2 *mundo*
vom adj. statt vom subst. abgeleitet und 6, 6, 1 das nach Sievers im lat. texte
stehende *auditor* als *adiutor* gelesen wurde; über die unpassende übersetzung 25, 8, 4
ora solvamus = munda keltem vgl. Grimm z. d. st.; dazu endlich das famose *in
slîfanne* 3, 2, 1 für den imp. des gerundiums *inlabere*, und übersetzungen lateinischer composita wie 7, 6, 3 *adorant = zua petônt.* 7, 3, 3 *subsistens = untar
wesanti.* Auch sonst finden sich stellen, deren deutscher text nicht construiert
werden kann, wie 4, 1, 4; 4, 4, 3 wenigstens nach Sievers lesung; oder in denen
bei sklavischer version des lateinischen textes eine undeutsche verbindung heraus-
komt, wie 7, 11, 1 *te sectantur = dih . . folgênt*, oder der deutschen wortstellung
gewalt angetan wird, denn lat. *que* wird oft durch nachgesetztes *ioh* gegeben,
doch bisweilen durch vorgesetztes: 1, 2, 3. 1, 11, 1; ebenso werden in undeut-
scher weise nachgesetzt die conjunctionen *inti* 3, 3, 1; *do = cum* 1, 3, 2; *denne
= dum* 5, 5, 1. *noh = nec* 4, 1, 2.

Interesse nun aber erregen diejenigen dennoch nicht seltenen fälle, in denen
der übersetzer — entweder genötigt durch den mangel an genau entsprechenden
deutschen flexionsformen oder auch ohne solche nötigung die deutsche wortfügung
berücksichtigend — selbständig verfährt.

Was das g e n u s d e r n o m i n a betrifft, so überrascht nach den oben erwähnten gedankenlosen nachbildungen angenehm das auf zwei sächliche substantiva von
verschiedenem genus bezogene neutrum plur. 26, 3, 3 *folliu sint himila inti erda*
trotz des lateinischen *pleni sunt caeli et terrae,* während 7, 8, 4 auch im lat. das
neutrum stand. Der lat. p l u r a l des neutrums der adjectiva wird nachgebildet:
11, 3, 2 *cuncta splendida = alliu sconniu.* 1, 3, 4 *primogenita = eristporaniu;*
meist auch der der abstracta 1, 13, 4 *lobum = laudibus* und selbst 1, 3, 3 *toda
= mortes;* 21, 5, 4 *lona = praemia;* doch steht auch der sing. 3, 8, 1 *tagarod
louft fuarit* für lat. acc. plur. *cursus;* ebenso 22, 1, 1 nach Sievers lesung *lon,*
(Junius: *lona) = munera.* 3 *lop = laudes.* Von den c a s u s ist der eigentliche
d a t i v selbständig gebraucht bei *karisit* 25ᵃ; 1, 1 (lat. *te decet),* sowie bei *widar
pliwan* 3, 4, 2 und wie mir scheint bei der verbindung *scirmo sin* 16, 6, 3 (s. o.),
wo in der lat. construction der gen. stand. Der instrumentale oder ablativische
dativ ersetzt regelmässig ohne präp. den lateinischen ablativ, auch den abl. absolutus, während z. b. Tatian und noch mehr Isidor die verschiedenen verwendungen
des lat. ablativs sorgfältiger sondern. Abweichend vom lat. ablativ mit dem g e n e -
t i v verbunden sind dagegen die adjectiva *wirdig* 1, 13, 2 und *fol* 7, 8, 4 26, 3, 3;
aber 7, 6, 3 auch *fol* mit dat.-instr.; ebenso 8, 10, 4 *arfulte = repleti.* Schwanken zeigt sich ferner bei widergabe temporaler ablative; ein echt deutscher genetiv
steht 17, 1, 1 *mittes takes = meridie,* und neben dem dativ 11, 2, 4 *deseru stuntu
= hac hora* (vgl. 1, 1, 1. 1, 7, 2. 16, 1, 1. 16, 2, 2) findet sich der a c c u s a -
t i v bei angabe der von einer handlung durchmessenen stunde 10, 2, 1 *kaleittêr*

stunta drittun (nach Sievers lesung; Junius las *dritta*) trotz des lat. *ductus ora tertia.*[1] Ähnliche temporale accusative für lat. ablative bat auch Tatian, z. b. 2, 11 *fimf mânôdâ.* 3, 9 *thrî mânôdâ.* Selbständig dagegen gebraucht der übersetzer den dat.-instr. einmal wie lateinischen abl. absolutus, jedoch wie es scheint ohne verständnis des lat. textes 19, 10, 1; ausserdem adverbial: 12, 1, 3 *sehstuntôm* = *sexies;* vgl. *simbulum* 1, 1, 4 u. o. = *semper,* 26, 15, 2 *thiu mezu* = *quemadmodum* in der vom dat. unterschiedenen instrumentalform, die sonst noch erhalten ist bei *mit* (19, 12, 3 *âtumu.* 23, 3, 3 *unachru*) und beim comparativ 20, 6, 1 *waz diu mak hôhira* für lat. ablativus comparativus.

Oft tritt in den Hymnen der fall ein, dass lateinisches relativpronomen mit der zweiten person des verbums zu übersetzen war, was schon Jacob Grimm gelegenheit gab, in der vorrede s. 9 — 14 über die germanischen relativsätze und über die von ihm angenommene attraction allgemeiner zu sprechen. In den hymnen 1 — 21 steht in diesem falle überall *du der,* z. b. 2, 1, 1 *cot du der himiles leoht pist;* acht belege bei Sievers s. 66. Nur im zweiten relativsatze fehlt einmal das *du* 2, 1, 2, das Grimm ergänzen wollte, und 15, 1, 1 ist die handschrift vor *der* überhaupt lückenhaft. Dieses *der* bezeugt uns den gebrauch von relativpartikeln hinter dem persönlichen pronomen in der volkssprache, nach welcher auch in den klosterschulen offenbar die übersetzung des lat. pronomen relativum so geübt wurde, dass als regel galt: *qui* vor der 1. und 2. person des verbums ist mit persönlichem pronomen und *der* (bei andern *dir, dar, de*) zu übersetzen; dies ist um so mehr zu betonen, als sonst das persönliche pronomen aller personen in dieser interlinearversion nur gebraucht ist, wo auch ein lat. pronomen zu übersetzen war, ohne ein solches aber stets fehlt. Ob der schreiber von 1 — 21 das *der,* welches er schrieb, für identisch mit dem flectierten relativpronomen *der* hielt, wie Sievers s. 64 zu erwägen gibt, ist nicht sicher zu entscheiden. Der schreiber der Hymnen 22 — 26 aber, der sich auch durch sein *th* vom ersten unterscheidet, setzt in allen fällen, wo er dazu gelegenheit hatte, nur *ther:* 24, 1, 3 *ther pist fora weralti.* 2, 1, 2 *ther .. kascuofi.* 6, 1 *ther .. capi.* 7, 1. 2. 3. 11, 1. 2. 16. 3. 25, 1, 2; für die 1. plur. aber setzt er 24, 6, 3 *wir dar pihabet uuarun* = *qui tenebamur,* mit deutlicher relativpartikel Dies beweist also, dass neben der ersten weise der übersetzung in denselben kreisen auch einerseits eine wortgetreue (entschieden undeutsche) übertragung und andererseits ein deutlicheres bewustsein von der relativpartikel vorkam.

Als artikel ist *der* fast nur femininis im gen. sg. hinzugefügt, wo die flexionsform des subst. allein oft undeutlich hätte werden können, s. Sievers s. 65 die zahlreichen stellen; daneben nur einmal gen. sg. masc. 15, 4, 4 *des kasiunes* und einmal dat. sg. fem. 9, 1, 2 *deru driunissu* (vielleicht 16, 6, 3 *dera selu* s o.) Die anderen casus bedürfen des artikels nicht.

Aus der verwendung der verbalen flexionen ist hervorzuheben, dass die 1. pers. plur. des präs. ind. (mit einziger ausnahme von *pirum* 1, 6, 1) in diesem denkmal ausschliesslich auf -*mês* ausgeht, während der häufig nach dem lateinischen in dieser person adhortativ gebrauchte conjunctiv stets -*m* zeigt. Es ist das für mich ein grund mehr zu der annahme, dass auch die otfridischen, stets adhortativ

---

1) Dieser accusativ drängt doch wol dazu, auch 11, 1, 3 *stunta dritta* sowie 13, 1, 4 *niunta wila* für accusative der starken formation zu erklären und von der regel über die declination der ordinalzahlen (Grimm IV, 523) schon ahd. ausnahmen zu statuieren.

gebrauchten formen auf -*mês* aus dem indicativ herzuleiten und so zu schreiben sind, wie es Müllenhoff in den Sprachproben [1] s. IV vorschlug.

Die verbindung des infinitivs mit einem accusativ wird der lateinischen construction mit dem inf. praes. act. nachgebildet: 19, 7, 3 *videntes eum vivere* = *kasehante inan lepen.* 20, 4, 4. 24, 5, 3 (bei *kalauben*); für lat. inf. perfecti jedoch aber steht 20, 8, 3. 4 blosses participium präteriti prädicativ auf den acc. des pronomens construiert: 20, 8, 3. 4 *tod farloranan sih einun chuere* = *mors perisse se solam gemat;* ebenso möchte ich in der stelle 19, 10, 3 *arstantan truhtinan sprichit* = *resurrexisse dominum fatetur* nicht, wie Sievers, den inf., sondern das unflectierte part. prät. ansetzen; vgl. Otfrid V, 16, 14 *thie erstantan* (F *erstantinan*) *nan gisâhun.* Ebenso steht auch für lat. inf. pass. in dieser verbindung das blosse particip: 2, 10, 2 *in caleitit unsih ni lazzes* = *induci nos ne siueris*, und derselbe gebrauch scheint vorzuliegen 26, 10, 1 *euuigero tua .. tiurida lonot* (sic), wo auch Grimm *lonot* als part. prät. mit freilich sehr auffälliger fortlassung der vorsilbe *ka-* betrachtet, so dass es hiesse: *mache (uns) mit ewigem heile belohnt*, vgl. den nächsten vers: *kehaltan tua folc thinaz.* Jedenfalls ergänze ich zu diesen participien nicht mit Sievers (Glossar s. 76. 77. 78) den inf. *wesan*, sondern nehme an, dass der übersetzer gewöhnt war, die lateinische construction des acc. cum inf. im perfectum und im passivum durch die ganz angemessene deutsche mit prädicativem participium zu ersetzen, während ihm die verbindung des part. prät. mit dem inf. der hülfsverba *wesan* und *werdan* nicht geläufig war, Grimm Gramm. IV, 170. Die flectierte genetivform des inf. dient zur widergabe des lat. gen. gerundii: 18, 2, 4 *in cannes* = *intrandi;* der dativ mit *za* ist öfters zur widergabe des lat. gerundivums in verschiedenen casus und verbindungen gebraucht; so 1, 2, 4 *za lobone uns .. ist* = *laudanda nobis est.* 2, 8, 2 *za tuanne kasalt ist* = *agenda traditur.* 2, 9, 2 *za ezzanne kip* = *edendum tribue;* 8, 9, 1 *za auchonne .. hehtim* = *addendis prediis*, wo auf die gefügigkeit der construction verzichtet ist; 26, 6, 3 *za arlosanne anfingi mannan* = *ad liberandum suscepisti hominem.* Einmal ist die verbindung mit *wesan* selbständig gesetzt, wo lat. präs. pass. steht: 26, 8, 3 [*za*, s. oben] *kelaupanne pist* = *crederis* (anders 16, 1, 3), doch wol mit gefühlter änderung des sinnes, indem nicht die tatsache, sondern die pflicht des glaubens dem übersetzer wesentlich war; beide gedanken sind vereint z. b. Otfrid III, 24. 25. 26.

Dass das part. präs. 22, 3, 1. 2 zur widergabe des lateinischen passiven part. prät. im absoluten ablativ benutzt ist, ist oben angeführt; vielleicht hat der umstand dazu beigetragen, dass es auch zur übersetzung des part. lateinischer deponentia verwant wurde, z. b. 16, 5, 2 *lagonte* = *insidiantes.* Einmal hängt vom particip im nom. masc. nicht der casus des verbums, sondern ein genetiv ab 6, 4, 1 *weralti kasezzento* = *mundi constitutor.* Die adverbialbildung des part. präs. *choronto* steht einmal 21, 2, 4 für lat. ablativ des gerundivums *gustando*, doch ohne berücksichtigung der verbindung desselben mit dem ablativ *cruore* des vorhergehenden verses. Mit bewustsein verwendet dieselbe Notker öfters gleich dem lat. ablativ des gerundiums; s. meine Untersuchungen zur Synt. Otfr. I § 385.

Das part. prät. mit den hülfsverben *wesan* und *werdan* dient zur umschreibung des lat. passivs. Für ind. präs. desselben braucht der übersetzer sowol *werdan* (jedoch nur in der 3. sg. und plur. belegt) als auch *wesan* (2. und 3. sg. und 3. plur.), ohne dass er einen unterschied der bedeutung zu fühlen scheint. Charakteristisch ist, dass er 5, 2, 1 für *depellitur* beides zur auswahl stellt: *fartripan ist wirdit;* es müssen in seinem kreise beide arten der übertragung geübt worden

16*

sein.[1] Einmal jedoch steht für ein activisches verbum des lateinischen textes blosses particip 25, 6, 1 *spes rediit* = *wân erkepan*, wozu Sievers *ist* ergänzt; ebenso setzt Sievers das particip an 22, 7, 4 *himil erfullit mendi* = *caelum repletur gaudio*, wo ich einfach umsetzung der construction ins activum annehmen möchte: *den himmel erfüllt freude* oder auch: *erfüllt er (sun* v. 3) *mit freude*. Selbständig wenigstens zeigt sich der übersetzer dem lat. passivum gegenüber auch 14, 1, 4, wo er das activum mit reflexivem pronomen braucht: *willit sih tak* = *volvitur*. Der conj. präs. wird einmal im wunschsatze 26, 16, 2 mit *si* umschrieben: *ni si kiskentit* = *non confundar*. Deutlich unterschieden werden die präterita des passivs: für erzählendes perf. ist *warth, wurtun* mit part. prät. gebraucht 1, 11, 4. 24, 8, 1; dagegen bei angabe einer vollendeten handlung *kaoffarôt ist* = *oblata est* 21, 4, 4; für das imperfect *tenebamur* steht 24, 6, 3 *pihabêt warun*. Conjunctive der präterita kommen nicht vor; über den inf. pass. s. oben.

Zur satzverbindung kann erwähnt werden, dass auf ein verbum des bittens einmal nicht wie im lat. abhängiger conj., sondern in loserer anfügung unabhängiger imperativ folgt: 21, 7, 1 *quaesumus*, .. 4 *defendas* = *pittemes*, .. *kascirmi*.

Vielleicht regen diese bemerkungen dazu an, in allen ahd. prosaübersetzungen auch die syntaktische seite schärfer ins auge zu fassen. Die erwägung der übereinstimmungen sowol als auch der abweichungen vom lat. originaltexte wird von dem wissenschaftlichen standpunkte der übersetzer und ihrer technik ein deutlicheres bild geben und zugleich, mit dem sprachgebrauche der ahd. originaldenkmäler vorsichtig combiniert, die syntaktische eigentümlichkeit des Deutschen selbst in helleres licht stellen.

KÖNIGSBERG, IM NOVEMBER 1874.   OSKAR ERDMANN.

---

1) Genau und eigentümlich dagegen unterscheidet der übersetzer des Isidor, wie ich zu Weinholds Glossar in seiner ausgabe bemerke, *werdhan* beim part. prät. von *wesan*. Das präs. von *wesan* mit dem part. prät. braucht er für das perf. pass, und auch für das präs. pass, letzteres jedoch vorzugsweise da, wo von einem dauernden zustande die rede ist; wo dies nicht der fall ist, vermeidet er mit feinem sprachgefühl die umschreibung und wendet die construction activisch So gleich auf der ersten seite II. § 3 *declaratur* = *ist nû sô offenliiho armârit*, von einer für alle zeiten geltenden erklärung; dann aber *illud denuo quaeritur* = *dhazs suohhant anur nu ithniuues*. Ebenso § 5, s. 5, 11. Das präs. von *werdhan* dagegen braucht er ausschliesslich von einem als zukünftig ausgesagten oder gedachten ereignis; das ist auch an den von Weinhold s. 129 angeführten drei stellen der fall, in denen lat. allerdings präs. pass. stand: 19, 28 und 21, 25 *wirdit chiboran, chighcban* werden prophezeiungen angeführt und 23, 27 *werdant chizelidô* steht in einem (lat. conjunctivischen) conditionalsatze. Bei Otfrid ist die scheidung vollständig, wenn auch etwas anders ausgebildet: *wirdit gidân* ist ihm präs. oder fut, *ist gidân* perfectum, vgl. meine Untersuchungen I. § 367 fgg.

Untersuchungen über die Syntax der Sprache Otfrids, von **Oskar Erd-maun.** Gekrönte Preisschrift der Kais Akademie d. Wiss. in Wien. (Paul Hal'sche Stiftung. Erster Theil: Die Formationen des Verbums in einfachen und in zusammengesetzten Sätzen. Halle, Verlag der Buchhandlung des Waisenhauses. 1874. XVIII, 234 s 6 M.

Die kaiserliche akademie hatte mit ausschreibung einer preisfrage über die syntax Otfrids eine sehr zeitgemässe wahl getroffen.   Die lange vernachlässigten, seit einigen jahren aber endlich angebahnten arbeiten auf dem gebiete der verglei-chenden und auch der deutschen syntax konten durch lösung jener aufgabe eine wesentliche förderung erfahren.   Es war offenbar, dass die deutsche syntax auf der von Grimm gelegten grundlage nur durch eine reihe monographischer bearbeitun-gen der einzelnen hauptcapitel und denkmäler ausgebaut werden konte.   Dass nun unter den letztern Otfrid eine hervorragende stellung einnimt, ist unbestreitbar; nur konte der sinn der aufgabe nicht sein, dass die ahd. syntax geradezu auf Otfrid allein oder vorzugsweise begründet werden sollte.   Denn obwol sein werk an umfang alle andern poetischen denkmäler jener zeit übertrifft und auch vor den prosaischen den vorzug besitzt, dass seine sprache nicht das gepräge einer, mehr oder weniger freien, blossen übersetzung trägt, so kann er doch keineswegs in jeder beziehung als classische quelle für den ältesten sprachgebrach gelten, etwa in dem sinne und masse, wie für die griechische syntax die homerischen gedichte.   Denn während diese trotz der durch ihre altertümlichkeit bedingten verhältnismässigen freiheit des sprachgebrauches doch bereits den niederschlag einer längeren übung und überlie-ferung poetischer kunst in sängerschulen darstellen, steht Otfrid als erster anfän-ger deutscher kunstdichtung mit einem neuen formprincip und nur auf seine eigene persönlichkeit gestützt da, und wenn er darum in ästhetischer beziehung alle mög-liche nachsicht beanspruchen darf, kann er aus demselben grunde nicht als voll-giltiger vertreter des sprachgebrauches seiner zeit angesehen werden.   Auch der verfasser der vorliegenden schrift konte nicht umhin, als einzige oder mitwirkende ursache mancher bei Otfrid vorkommenden constructionen und redewendungen die leidige reimnot anzugeben, und dass er Otfrid nicht als absolute grundlage des ahd. sprach-gebrauches betrachtet wissen will, scheint daraus hervorzugehen, dass er an vie-len stellen die übrigen denkmäler zur vergleichung beizieht.   Dass er dies verfah-ren nicht so systematisch durchgeführt hat, wie es zur grundlegung einer allgemei-nen ahd. syntax nötig wäre, kann ihm nicht als fehler angerechnet werden, da er sich zunächst an die ihm vorgeschriebenen schranken der preisfrage zu hal-ten hatte.

Die anlage des vorliegenden ersten teiles der arbeit ist klar und nur die betitelung nicht ganz richtig, indem derselbe mehr enthält als er verspricht.   Die „formationen" (besser wäre wol „functionen") des verbums konten allerdings nur aus dem zusammenhang des satzgefüges erschöpfend dargestellt werden, und dieser brachte die behandlung des pronomen relativum und der conjunctionen mit sich, die doch nicht wol unter jenem titel inbegriffen werden können.

Ich verzichte übrigens auf eine vollständige angabe des ganges und der ergebnisse der untersuchung; indem ich die behandlung als gründlich und sorgfäl-tig bezeichne und auch mit den ansichten des verfassers mich im ganzen einver-standen erkläre, will ich mich im folgenden auf denjenigen abschnitt der schrift beschränken, auf welchen der verfssser selbst das gröste gewicht zu legen scheint, die·lehre von der entstehung des satzgefüges.   Dieser gegenstand bedurfte am mei-sten einer eingehenden untersuchung, der verfasser hat auch hier am meisten neues

zu tage gefördert und dabei meine eigenen arbeiten über einige punkte jenes gebietes so berücksichtigt, dass ich schon darum mich zu nochmaliger besprechung derselben veranlasst finden muste. Mit einer etwas einlässlichen prüfung dieses teiles
ist wol auch dem verfasser und der sache selbst besser gedient als mit einer bloss
allgemein gehaltenen besprechung des ganzen oder mit aufzählung von einzelheiten,
in denen ich von dem verfasser abweiche. Auf die lehre von den modalen functionen des verbums will ich hier nicht eingehen, da ich es in einer eigenen arbeit,
welche besonders den conjunctiv oder optativ des präteritums behandeln soll, nächstens zu tun gedenke. Ich benutze also diesen anlass hauptsächlich nur, um
meine in der „Germania" 13, 91; 17, 257; 18, 245 ausgesprochenen ansichten
über die relativsätze mit denen des verfassers und gelegentlich auch mit den
von Jolly (Curtius, Studien 6, 217) gegenüber mir geäusserten wo möglich auszu-
gleichen.

Erdmann fasst seine ansicht über die entstehung der relativsätze, gegenüber
Kölbing, Jolly und mir, in der vorrede (p. V sq.) in vier sätzen zusammen, welche
mir die allmähliche entwicklung eines förmlichen pron. relat. ziemlich richtig aufzufassen scheinen, besonders gegenüber Kölbing, der immer nur von „auslassung"
spricht, also den vollständigen bestand eines pron. rel. im unterschied vom demonstrativum als uranfänglich vorauszusetzen scheint. Gegenüber mir glaubt Erdmann
(p. VI. VII) die annahme von verschränkung und attraction entbehren zu können
und verwerfen zu müssen, weil auch damit jener unterschied vorausgesetzt wäre.
Insbesondere verwirft er den relativen charakter des *ther* vor substantiven als
undeutsch. Ich gebe ihm darin recht und bemerke nur, dass ich selbst diese erklärung nur versuchsweise vorgebracht und die härte der anwendung derselben auf
alle einzelnen fälle ausdrücklich zugegeben hatte. Mit Jolly stimt Erdmann (p. VII)
überein in der annahme, dass auf einfachste und älteste art die anfügung von relativsätzen o h n e pronomen oder conjunction stattfinden konte; dagegen weicht er
von Jolly ab, sofern er auch die spätere relative verwendung des *ther* auf jene
unverbundene anfügung, resp. auf ursprünglich demonstrative bedeutung des pronomen und zugehörigkeit desselben zum h a u p t s a t z e zurückzuführen sucht, während Jolly mit Windisch es als ursprünglich anaphorisch dem nebensatze angehörig
betrachtet. In diesem punkte neige ich mich im ganzen der letztern ansicht zu,
aber Jollys auffassung des pron. als halb i n d e f i n i t in stellen wie: *then weg sie
faran soltun* (O. 1, 17, 74) finde auch ich unmöglich und eher würde ich hier
noch ein reines demonstrativum gelten lassen: „im Traume zeigten sie (die engel)
ihnen (den weisen) an: d e n Weg sollten sie fahren," nur dass die inversion des
verbums bereits den übergang aus parataktischem in hypotaktisches satzverhältnis
andeutet. Jedenfalls kann man nicht wol mit Erdmann (p. VIII. IX) sagen, das
stark b e t o n t e demonstrativum sei e b e n d a r u m als demonstrativum t o t a l
v e r g e s s e n w o r d e n; das wäre ja doch nur der höchste grad der „abschwächung,"
die Erdmann gegen Jolly bestreitet. Die vergleichung des französischen *celui qui,
ce que* (p. IX) ist insofern nicht ganz zutreffend, als hier z w e i pronomina vorliegen
und *qui* nie zugleich demonstrativ ist, aber allerdings wird *ce que*, und auch der
neutrale nominativ *ce qui*, in nachgestellten (unechten) relativsätzen so gebraucht,
dass *ce* neben *que, qui* gar nicht mehr als demonstr. gefühlt, sondern mit dem folgenden wirklichen relativum durchaus zusammengefasst wird, = deutsch w a s ohne
vorhergehendes d a s. Dasselbe gilt von dem ersten bestandteil des got. *saei* usw.,
von dem altnord. *sâ er* (qui), *theims* (cui) usw. und auch von dem angels. *se the* in
fällen wie die die in der Germania 17, 287 angeführten; vgl. ebd. 283. 18, 246.

Ich erlaube mir hier, einen augenblick von Erdmann, aber nicht von der sache mich abwendend, einzuschalten, was ich auf · Jollys einwendungen gegen meine a. a. o. vorgebrachten ansichten zu erwidern habe.

1) „Auslassung" des pron. rel. hatte ich nicht als erklärung, sondern nur als scheinbar vorliegende tatsache im titel meiner abhandlung aufgestellt und möglichst einzuschränken gesucht, so dass ich von meiner frühern ansicht nicht abgewichen war, und auch nicht von der historischen methode; dagegen gebe ich zu, dass ich mich Germ. 18, 247 darüber, ob das fehlen des rel. ein r e s t des ältesten gebrauches öder eine e r n e u e r u n g desselben sei, etwas widersprechend ausgedrückt hatte.

2) Die annahme „ falscher analogie" oder vielmehr nur von „ übertragung " kann allerdings, wie jedes erklärungsprincip, übertrieben und misbraucht werden, aber sie liegt doch immer noch näher als die vergleichung verwanter sprachen, welche demselben misbrauch unterliegen kann, und wird in der formenlehre heutzutage so vielfach angewant, wie es in der bedeutungslehre längst geschehen ist. Auch „das lebendige sprachgefühl" ist keine so untrügliche quelle wie Jolly meint, da es selber durch den einmal herschend gewordenen sprachgebrauch irre geführt sein kann.

3) Die auslassung von c o n j u n c t i o n e n kann der des pron. rel., wo die relation sich auch auf bestimte c a s u s usw. erstreckt, nicht gleich gesetzt werden; sie beschränkt sich überdies auf dass, wo dann der conjunctiv die abhängigkeit des satzes anzeigt. — Formeln wie „glaub' ich," „scheint mir" sind nicht durch ergänzung von „wie" zu erklären, sondern als parenthetische hauptsätze. — Wenn ich bei e h e und s e i t a u s l a s s u n g von d a s s annahm, anderswo pleonastische z u s e t z u n g desselben nachwies, so ist auch d a s kein widerspruch; das letztere findet sich nach relativen, e h e und s e i t aber, die überhaupt keinen pronominalen, sondern rein adverbialen charakter haben, konten allein keine hypotaxis begründen, und nur auf dem von Erdmann (s. 45 fgg.) versuchten wege lässt sich vielleicht die erscheinung sonst erklären.

4) Die weglassung des pron. rel. beim pron. der 1. und 2. person im Althochdeutschen ist wesentlich verschieden von dem englischen und schwedischen gebrauch, der auch bei· der 3. pers. stattfindet; denn dort folgt auf das pron. pers. ein relativsatz, der sich auf dasselbe im nominativ bezieht, im Englischen und Schwedischen aber bezieht sich der relativsatz auf einen andern, meist im accusativ zu denkenden gegenstand. Die stelle aus dem Wessobr. Gebet: *Cot almahtico, dû himil enti erda gauuorahtôs* (der du — geschaffen hast) kann ins Englische nicht ohne ein pron. rel. übersetzt werden, wol aber könte die obige stelle aus Otfrid englisch lauten: *the way, they should go.*

Im übrigen bin ich mit Jolly und auch mit Erdmann darin einig, dass das pron. rel. nur allmählich aus ursprünglich parataktischem satzbau sich entwickelt habe, und nur über ausgangspunkt und stufenfolge dieser entwicklung kann man noch verschiedener ansicht sein.

Neu[1] ist nun bei Erdmann eben die ansicht, dass die den nebensatz einleitenden conjunctionen ursprünglich dem h a u p t s a t z angehörten (s. 44—47), und

---

[1] Vgl. Friedr. K o c h, „bildung der nebensätze. Beitrag zur deutschen grammatik." In Herrigs archiv für das studium der neueren sprachen. 8. jahrg. 14. band. Braunschweig 1853 s. 267—292 und d e s s e l b e n historische grammatik der englischen sprache. 2. band. Die satzlehre. Cassel und Göttingen 1865. Z.

ebenso die relativen pronomina und adverbia, so dass der relativsatz nicht (nach
Windisch) durchgängig aus anaphorischem verhältnis zu erklären sei, wogegen im
Deutschen die stellung des verbums an das ende in den wirklich abhängigen
relativsätzen und die dem pron. rel. daneben verbliebene demonstrative
bedeutung sprechen (s. 49—50). Erdmann erklärt also (s. 51) als die älteste form
relativer anfügung die blosse nachsetzung ohne besondere bezeichnung, einfach
durch das überwiegen und fortwirken der demonstrativen bestimmung des hauptsatzes, wie noch im Englischen.

Ich kann diese erklärung als eine ergänzung meiner früher ausgesprochenen
ansichten annehmen, aber die anwendung derselben nicht auf alle fälle erstrecken.
Besonders erscheint mir die auffassung des pron. als demonstrativ unstatthaft, und
auch gar nicht nötig, in fällen, wo es, allein stehend, mit dem angeblich fehlenden relativum im casus übereinstimt und wo auch nach heutigem sprachgefühl
noch das pron. als relativum das demonstrative in sich fasst. So in den § 221.
222 angeführten stellen. Auch wo der casus verschieden ist, spricht der gesetzte
keineswegs, wie Erdmann (s. 52. 128) sagt, meistens für zugehörigkeit des pron.
zum hauptsatz, wenigstens wo die form des pron. noch für beide casus gelten
kann, wie in den s. 129 oben angeführten stellen (wo Erdmann sein komma (§ 89),
das er sonst hinter das pron. setzt, freilich bereits vor dasselbe gerückt hat).
Die annahme von attraction scheint er, auch wo beide pron. ausgesetzt sind
(§ 226), zu verschmähen; wenigstens vermeidet er den ausdruck, der ja allerdings
auch nichts anderes besagt als ein überwiegen und übergreifen des hauptsatzes;
in der stelle O. 2, 8, 24 kann übrigens *thes* vom verbum des nebensatzes (*báti*)
abhangen. In stellen, wo das pron. die zweite vershälfte eröffnet und doch seinem casus nach als demonstr. zum hauptsatz gezogen werden soll, so dass die
metrische zusammengehörigkeit mit der grammatischen sich kreuzt (O 4, 37, 33.
3, 20, 14), ist jene auffassung eben so hart als die annahme des relativums mit
attrahiertem casus obliq. statt nominativ; wo es im accusativ stände, wie O. 2, 13. 13.
ist die letztere auffassung gewiss vorzuziehen.

Nicht beistimmen kann ich Erdmann auch in der erklärung der conjunction
thaz an der spitze von substantivsätzen als casus eines „innern objects" des nebensatzes (s. 58. 59). Die relative geltung des *thaz* ist dabei bereits vorausgesetzt,
obwol solche sätze mit *thaz* ohne zweifel ebenso alt sind wie reine relativsätze,
und zu erwarten war, Erdmann würde hier seine ansicht von ursprünglich demon-
strativem charakter des pron. ebenso geltend machen wie dort. Die einzige schwierigkeit, die ihr entgegenstünde, die stellung des verbums am ende, liesse sich
durch stellen, wo diese regel noch nicht durchgedrungen ist, leicht beseitigen; es
wäre eben auch hier nur ein allmählicher übergang von noch scheinbarer parataxis
zu wirklicher hypotaxis anzunehmen, und übertragung von fällen, wo *thaz* sich
noch als demonstratives pronomen, abhängig vom verbum des hauptsatzes, auffassen
lässt, auf solche, wo dies allerdings unmittelbar nicht mehr möglich ist. Dieses
erklärungsprincip ist meines wissens z. b. für die complicierteren fälle des acc. c.
inf. in den alten sprachen heutzutage ziemlich anerkant und die anwendung desselben auf den vorliegenden fall würde schwerlich zu härteren erklärungen nötigen
als die sind, mit denen Erdmann (s. 59. 61) sein „inneres object" einzuführen
sucht. Natürlich dürfte man nicht ausgehen von fällen, wo ein doppeltes *thaz*
steht, wie z b. O. 1, 1, 49. aber gerade hier könte ja das zweite ebenso gut fehlen und dann würde das erste, welches jetzt noch ganz pronominal als object von
dihtu steht, ebenso in conjunctionale function gerückt, wie nach Erdmann das

pron. demonstr. in relative. Das mittelglied wäre die bei Otfried häufige construction mit conjunctiv ohne conjunction (E. § 298) und der letzte schritt dann nur noch die stellung des *thaz* unmittelbar vor den nebensatz, zuerst mit nachgesetztem, dann mit vorgesetztem ko'mma. Fälle, wo dem conjunctionalen *thaz* ein demonstratives mit s u b s t a n t i v vorangeht, z. b. *thaz gibot, thaz* .. (dass, nicht „welches") wären natürlich ebenfalls nicht als ausgangspunkt für obige erklärung zu nehmen, sondern zurückzuführen auf solche, wo das *thaz* als object des haupt- -verbums zu fassen war, wie bei *gibiatan thaz* .. Erdmann findet (s. 62) einen beweis für die (von ihm auffallend stark betonte) zugehörigkeit des *thaz* zum neben- satze darin, dass nebensätze zweiten grades nicht h i n t e r, sondern v o r dem *thaz* eingeschaltet werden. Aber wenn dies auch ausnahmslose regel sein sollte, so kann sie erst später aufgekommen sein und wird aufgewogen durch stellen wie die s. 61 angeführten H. 17. 2, 2, 8, wo das *thaz* auch m e t r i s c h zum hauptsatz gehört und Erdmann selbst die von mir oben vorgeschlagene erklärung andeutet. Noch gezwungener als die auffassung des *thaz* als inneren objectes in substantiv- sätzen scheint mir die von Erdmann versuchte anwendung derselben kategorie auf folge- und . absichtssätze (s. 63. 64). ' Das *thaz* in solchen sätzen ist nur durch mehrfache übertragung von seinem gebrauch in substantivsätzen zu erklären, was ich aber hier nicht weiter ausführen kann.

Über manche einzelne stellen in diesem abschnitt wäre eine ergänzende oder berichtigende bemerkung zu machen, so z. b. über O. 4, 21, 3, [*frâgêta er bi thaz, thaz er es harto insaz*], wo Erdmann (s. 133) *thaz es* geradezu = *thes* setzt, wäh- rend *es* als partitiver genitiv von *thaz* abhängt: was er davon (nämlich von all' dem, was über Christus gesagt worden war) sehr (am meisten) fürchtete, (näm- lich seine ansprüche auf den titel „könig der juden"). Ebenso wird es sich ver- halten mit *waz es*, 4, 30, 22 (§ 231), also so, wie Erdmann selbst zwei andere stellen dort erklärt, und 1, 2, 42 wird *in thiu thaz* zu übersetzen sein: unter der bedingung dass, sofern als (ich sie verstehe). Ich weise aber vor, statt solcher einzelheiten noch ein anderes capitel aufzuschlagen, wo meine abweichung von Erd- mann einen wichtigeren punkt und eine reihe zusammengehöriger stellen betrifft.

S. 150. 151 stellt Erdmann unter die kategorie negativer f o l g e s ä t z e einige fälle, die vielmehr negative b e d i n g u n g s ä t z e sind, gleich den s. 109 angeführten, wo also *ni* einfache negationspartikel, mit inversion zusammen = lat. *nisi*, nicht die negative c o n j u n c t i o n (= lat. *quin*) ist. Die stelle aus dem Ludwigsliede (v. 26) hatte Erdmann selbst schon oben s. 107 angeführt; eine andere ist O. 1, 1, 79; die beiden s. 150 angeführten mit *ni si* gehören zu den s. 151 § 263 zusammen- gestellten, welche aber eben alle, bis auf eine, conditionale, nicht consecutive sätze enthalten. *Ni si* ist' hier gleichsam als e i n . wort, gleichbedeutend dem zufäl- lig gleichlautenden lat. *nisi* (nach negation) zu nehmen; der verbale charakter ist in *si* hier ganz erloschen, während in der stelle 1, 5, 48 das *si* mit *thiononti* zusammen gehört und eben darum *ni* als conjunction, einen negativen consecutiv- satz einleitend, aufzufassen ist. Andere fälle dieser art sind § 270 angeführt und es können dazu allerdings auch die fälle von *ni* nach *al* (ander) gerechnet werden, ausgenommen wider die mit dem formelhaften *ni si* (3, 24, 94. 4, 7, 20. 4, 31, 13), während in den stellen 4. 1, 14. 4, 32, 4. 5, 19, 4 der satz mit *ni* ein eigenes verbum hat und in 4, 30, 33 *si* selbst als solches steht. Im § 264 räumt Erd- mann ein, dass das auf *ni si* folgende *thaz* in der stelle 2, 13, 23 noch pron. rel. sein könne; dasselbe gilt noch sicherer von·1, 2, 52. In der stelle 1, 1, 24 vertritt *ni* nicht einen ganzen satz, sondern es ist hinter demselben nur wider ein *si* zu ergänzen, wie 2, 23, 4. In folge der ungenauen auffassung des *ni si* ist denn auch die einleitung des § 265 etwas schief geraten: Ein dem *ni si thaz* entsprechendes (daraus verkürztes?) *ni thaz* kenne ich nicht, sondern nur ein einschränkendes berichtigendes, und so entspricht auch *nub* seiner geltung nach beiden einem *ni si oba*, am wenigsten dem 3, 25, 10. 5, 23, 93 vorkommenden, sondern vielmehr einem *ni si thaz*. Von der formel *nist nub* gibt Erdmann eine seltsam verschrobene erklärung; *nub* ist einfach = der conjunction *ni = quin*. S. 153 sind die zwei stellen 2, 12, 17 und 4, 13, 23 zwar im ganzen richtig erklärt, aber nicht im einzelnen; beide male hat Otfrid zwei constructionen vermengt, so dass der form nach zwei nebensätze ohne hauptsatz da stehen. In der zweiten stelle sollte der nachsatz lauten: *ih io thiz wil, ih giweize;* er lautet aber als ob der vordersatz wäre: *sine giswichent;* vgl. die stelle 3, 15, 44 (s. 155 unt.). Die erklärung von *suntar* s. 154 (ob.) ist etwas seltsam formuliert, doch sachlich richtig; dagegen sollte auch das *suntar* 1, 5, 63 hieher gezogen und nicht so erklärt werden wie s. 126 geschieht. In der stelle 5, 7, 31 geht *suntar* bereits in positive entgegensetzung über, da das *ginuagi* des hauptsatzes ein abschliessender begriff ist, und in stellen wie 1, 20, 29 muss (nicht blos kann) der conjunctiv aus der abhängigkeit des gedankens erklärt werden, so dass *suntar* auch hier bereits die § 268 angegebene bedeutung hat. Vermischung zweier constructionen ist bei Otfrid überhaupt sehr häufig, aber nicht als charakter seiner zeit, sondern seiner persönlichkeit.

Alle diese bemerkungen mögen beweisen, dass ich die arbeit des herrn Erdmann genau durchgangen habe; mein urteil, dass dieselbe im ganzen eine tüchtige, fruchtbare leistung genannt zu werden verdienet, bleibt bestehen.

ZÜRICH, SEPT. 1874.   LUDWIG TOBLER.

---

1) **Joseph Haupt**, Über bruder Philipps Marienleben. Wien 1871. Aus dem Maihefte des jahrganges 1871 der sitzungsberichte der phil.-hist. classe der kais. akademie der wissenschaften (LXVIII. bd. s. 157) besonders abgedruckt. Wien, Gerolds Sohn in Comm. 64 s Lex.-8. 9 sgr.

2) **Joseph Haupt**, Über das mitteldeutsche buch der väter. Wien 1871. Aus dem Novemberhefte des jahrganges 1871 der sitzungsberichte der phil.-hist. classe der kais. akademie der wissenschaften (LXIX. bd., s. 71) besonders abgedruckt. Ebdas. 78 s. 12 sgr.

3) **Joseph Haupt**, Über das mittelhochdeutsche buch der märterer. Wien 1872. Aus dem Märzhefte des jahrganges 1872 der sitzungsberichte der phil.-hist. classe der kais. akademie der wissenschaften (LXX. bd., s. 101) besonders abgedruckt. Ebdas. 90 s. 14 sgr.

4) **Joseph Haupt**, Über das mitteldeutsche arzneibuch des meister Bartholomäus. Wien 1872. Aus dem Junihefte des jahrganges 1872 der sitzungsberichte der phil.-hist. classe der kais. akademie der wissenschaften (LXXI. bd., s. 451) besonders abgedruckt. Ebdas. 118 s. 20 sgr.

5) **Joseph Haupt**, Beitrage zur literatur der deutschen mystiker. Wien 1874. Aus dem Februarhefte des jahrganges 1874 der sitzungsberichte der phil.-hist. classe der kais. akademie der wissenschaften (LXXVI. bd., s. 51) besonders abgedruckt. Ehdas. 56 s. 8 sgr.

Es scheint mir nicht überflüssig, auf die hier verzeichnete reihe von arbeiten besonders aufmerksam zu machen. Sie sind, wie ich mich überzeugt habe, auch von engeren fachgenossen nicht entsprechend gewürdigt worden. Es sind durchaus untersuchungen, welche mit sorgfalt der litterarischen verbreitung, umgestaltung und verarbeitung je eines werkes in zahlreichen handschriften nachspüren und unsere kentnisse der deütschen poesie und prosa vornehmlich des XIV. jahrhunderts wesentlich fördern. Sämtliche arbeiten beruhen auf der genauesten durchforschung des handschriftenschatzes der kaiserlichen hofbibliothek in Wien. Allerdings steht wol auch niemandem eine solche erschöpfende kentnis dieser fundgrube für ältere deutsche litteratur zu gebote, als dem verfasser, der an der ausarbeitung des bisher sechs bände umfassenden handschriftenkataloges den weitaus bedeutendsten anteil hat.[1]

In der ersten der genanten abhandlungen weist Haupt nach, dass nicht bloss — woran man wol kaum mehr zweifelt — das Marienleben des bruder Philipp nicht im grob-österreichischen dialekt, sondern kaum mitteldeutsch, eher niederrheinisch („ungefähr wie Heinrich von Veldeke" s. 20) abgefasst sei. Die angabe der Pommersfelder handschrift „Seitz," welche man auf die alte steirische Karthause bezogen hat, wird mit recht als irrig bezeichnet. Ob aber der versuch, die verschiedenen schreibungen des ortsnamens als verderbnisse aus ursprünglichem Selem aufzufassen, womit die karthause Selem bei Diest gemeint wäre, gelungen sei, scheint mir zweifelhaft. Von grossem interesse hingegen ist, dass Haupt nachgewiesen hat, schon in der mitte des XIV. jahrhunderts sei eine bearbeitung des Marienlebens (vertreten durch eine Admonter und eine Bamberger handschrift) vorhanden gewesen, in welcher das mittelstück durch eine ausführliche übersetzung der evangelien ersetzt war. In einer handschrift der Wiener hofbibliothek findet sich ferner Philipps werk mit dem evangelium Nicodemi combiniert. In drei Wiener handschriften ist das Marienleben ins Mittelhochdeutsche umgeschrieben, in zwei handschriften, einer Gothaer und einer Wiener, ist die mitteldeutsche recension gekürzt überliefert. Haupts arbeit stellt somit einen, wie ich glaube, sicheren unterbau her für eine neue ausgabe des Marienlebens vom bruder Philipp.

Die zweite untersuchung beschäftigt sich mit dem mitteldeutschen buch der väter. Haupt zeigt zunächst, dass das deutsche werk nicht eine übersetzung der vitae patrum, sondern eine bearbeitung derselben sei, in der weise veranstaltet, dass der verfasser z. b. die auf eine person bezüglichen anekdoten aus der ganzen masse der erzählungen auswählte und zu einem „mære" von dieser person vereinigte. Die grosse Leipziger handschrift des werkes ist unvollständig.[2] Nachdem Haupt nachzuweisen versucht hat, dass ein deutscher Barlaam und Josaphat, in einer handschrift der grafen Solms zu Laubach erhalten und von einem bischof Otte gedichtet, von dem verfasser des Passionals und des buches der väter stammen müsse, erwägt er die stellen, in welchen der dichter von sich redet, kömt zu

---

1) Von 11500 nummern hat, nach dem in meinem exemplare des VI. bandes erhalten gebliebenen vorsetzblatte, Haupt 9750 redigiert.

2) Aus dem 2. buche der vitae patrum stammen die in der „beschreibung der reise in die wüste" vorkommenden erzählungen. Die anordnung, welche dort herscht, ist aber, wie Haupt s. 13 fgg. nachweist, hier völlig umgestossen. Vielleicht doch nicht ganz ohne gründe, wenn auch nur äusserliche. Wenigstens möchte es an einzelnen stellen scheinen, als wenn der wunsch, ein „mære," ähnlich dem vom h. Antonius zu gestalten, massgebend gewesen wäre. Z. b. wenn I und XV de S. Johanne und de Apelle presbytero et Johanne nebeneinandergestellt, oder in der gruppe XIX. XXI. XXII. XXIV. XXVII. XXX scheinbar zusammengehörige legenden aneinandergefügt werden.

dem schlusse, er müsse ein hoher geistlicher herr gewesen sein und ist endlich
geneigt, ihn in dem bischof Otte zu finden, welcher vom 23. december 1323 bis
zum 15. februar 1348 auf dem stuhle von Culm sass. Der letzte abschnitt enthält
eine höchst dankenswerte zusammenstellung der zum teil bisher unbekanten vollständigen handschriften und bruchstücke des buches der väter. Auch werden bruchstücke des passionals nachgewiesen.

Das mittelhochdeutsche buch der Märterer bildet den gegenstand der dritten
abhandlung. Haupt gibt eine übersicht der darin enthaltenen poetischen legenden
in der weise, dass die vier ersten und vier letzten verse jeder erzählung angeführt
werden. Nicht bloss zeigt er ferner, dass eine grosse anzahl bisher einzeln als
selbständige arbeiten citierter legenden nur bestandteile des buches der Märterer
sind, er bietet auch durch die erwähnte übersicht das mittel, für ungedruckte
legenden, sofern sie gleichfalls aus dem umfängliche dichtwerke entnommen sind,
den platz zu bestimmen. Ein zweiter abschnitt behandelt die reime, welche dem
schwäbischen dialekte angehören, ein dritter bespricht die für den dichter charakteristischen stellen seiner arbeit und findet in ihm einen leidenschaftlich römisch
gesinten mann, der schwäbische und Rheingegenden genauer kent, wol also selbst
ein Schwabe gewesen ist. Der vierte abschnitt hebt aus dem buche der Märterer
ein stück, eine Marienklage, aus und sucht durch eine vergleichung mehrerer handschriften, welche dieses stück isoliert enthalten, zu erweisen, dass die Marienklage
des buches der märterer für die quelle der in den verschiedenen handschriften zerstreuten Marienklagen gehalten werden müsse.

Allein das ist nicht richtig. Vielmehr ist die Marienklage im buche der
märterer, 1176 verse umfassend, so gut wie jedes der übrigen von Haupt beigebrachten stücke, nur eine verkürzte bearbeitung des von Mone in seinen Schauspie-
len des Mittelaters I, 210 fgg. aus einer unvollständigen handschrift gedruckten
„Spiegels.‟ Dieser „Spiegel‟ nun ist ein gedicht aus der guten zeit, welches sehr
grosses ansehen genoss. Meine angaben in der eben erscheinenden schrift „Über
die Marienklagen‟ mögen dazu verglichen werden. Mit der herausgabe des gedichtes bin ich beschäftigt.

Die vierte arbeit Haupts ist wol die schwierigste und mühevollste gewesen,
hat aber auch zu ganz bedeutenden resultaten geführt. Von einer untersuchung
der in Wiener handschriften niedergelegten medicinischen litteratur ausgehend, ist
Haupt zu der erkentnis gelangt, dass im deutschen mittelalter eine enge zusam-
menhängende reihe von arbeiten dieser art existierte, welche auf vier hauptwerke
zurückzuführen ist, aus deren überarbeitung, compilation, verkürzung und erweiterung sie entstand. Diese vier werke sind 1) das grosse methodische werk in
vier büchern, das als Diemers arzneibuch bekant ist; 2) ein eigenes werk von
einem meister Bartholomäus; 3) eine übersetzung des Macer Floridus : 4) das buch
des Gotfrid von Franken. Es wird nach den erörterungen Haupts nunmehr nicht
allzu schwer sein, die vorhandenen, nicht untersuchten, handschriftlich erhaltenen
werke zu bestimmen und bei der herausgabe einzelner sichere grundsätze für die
behandlung des textes aufzustellen.

Die jüngste von Haupt veröffentlichte abhandlung führt zu folgenden ergebnissen: 1) Um das jahr 1340 war eine grosse, das ganze kirchenjahr umfassende
samlung von erklärungen der evangelien und episteln veranstaltet worden von
einem laien, wie es scheint, der Südeuropa, besonders aber Italien genau gekant
hat. 2) Diese erklärungen waren wesentlich aus den werken der deutschen mystiker genommen und zu einem kampfe gegen „die pfaffen‟ zusammengestellt und
überarbeitet. 3) Hermann von Fritzlars auswahl ist nur eine magere, zahme chrestomathie. 4) Die handschriften 2845 der Wiener hofbibliothek und 896 der Königsberger bibliothek enthalten echte stücke des alten werkes. — Dadurch, dass
s. 37—55 des heftes die anfänge der predigten abgedruckt werden, ist es auch hier
möglich gemacht, einzelne handschriftlich vorkommende stücke als bestandteile der
grossen samlung zu erkennen.

Wir wünschen Haupts weiteren arbeiten fröhliches gedeihen.

GRAZ, IM OCTOBER 1874.   ANTON SCHÖNBACH.

Halle, Buchdruckerei des Waisenhauses.

ZUR KRITIK BONERS.

Gercke, Die dialektischen Eigenheiten von Ulrich Boner. Osterprogramm der höheren Bürgerschule zu Northeim. 1874. 8. 21 s.

In dem vorliegenden kleinen hefte wird der versuch gemacht, die dialektischen eigenheiten des Bonerius in kürze zusammenzustellen und so ein bild der sprache dieser fabelsamlung zu entwerfen. Eine solche arbeit ist verdienstvoll, wenn wir auch in Weinholds alemannischer grammatik ein hilfsmittel für die kentnis dieses dialektes besitzen. Denn in diesem werke sind die notizen, welche die sprache eines dichters betreffen, zerstreut und lassen sich nur überaus schwer vereinigen. Gegen die schrift Gerckes könten nun freilich bei aller anerkennung der aufgewanten mühe mancherlei einwendungen vorgebracht werden. Gercke wünscht s. 3 fg. „diejenigen punkte aufzuweisen, in welchen die sprache des edelsteines von dem gemeinen mittelhochdeutschen sich unterscheidet und jene landschaftlichen eigenheiten sich wahrnehmen lassen, wobei es sich übrigens von selbst versteht, dass wir uns an die Pfeiffersche textesrecension (Lpz. 1844) halten und andrerseits die frage unerörtert lassen, wie vieles dem dichter selbst und wie vieles dagegen den abschreibern anzurechnen sein möge." Aber es möchte mir scheinen, als ob gerade diese scheidung zwischen dem eigentum des schreibers und dem des dichters mit möglichster genauigkeit vorgenommen werden müsse, soll eine charakteristik der sprache des letzteren richtige züge zeigen. Und da bieten denn die innerhalb der verse vorkommenden formen wenig oder gar keine gewähr, alle dagegen die, welche in den reimen sich finden. Auf dieser grundlage sind denn auch Kobersteins schöne untersuchungen über die sprache Peter Suchenwirts aufgebaut. Hätte Gercke in dieser weise seine arbeit gestaltet, so wären wol manche seiner angaben geändert worden. Es hätte sich, meine ich, zeigen müssen, dass aus dem reimbestande des „Edelsteines" keineswegs immer eine begründung für die aus verschiedenen handschriften von Pfeiffer in den text eingetragenen groben formen alemannischen dialektes geschöpft werden kann.

———

Belehrend für die erkentnis des dialektes werden uns sein 1. reime, die genau sind unter der voraussetzung, dass dialektische formen angenommen werden; 2. reime, welche unter allen umständen ungenau bleiben. Diese machen uns oft schwankungen in der aussprache deutlich. Ich gebe im folgenden ein verzeichnis der ungenauen reime des Bonerius, wie üblich in vocalisch und consonantisch ungenaue eingeteilt und wie ich hoffe, ohne bedeutende lücken. Verweisungen auf Weinholds alemannische grammatik unterlasse ich, da dieses buch wol von jedem gekant wird, der mit dem studium des darin besprochenen dialektes sich abgibt.

I. Vocalisch ungenaue reime.

$\hat{a}n : an$ 102 mal.

$\hat{a}r : ar$ und zwar $kl\hat{a}r : var$ 35_5 $: war$ 56_3; $w\hat{a}r : dar$ 7_{17} $: gar$ 45_{17} 55_{15}, 87_{45}, 89_{25}, 92_{45}, 96_1, $: war$ 18_{23}, 57_{53} $: adelar$ 64_{31}; $v\hat{a}r : gar$ 4_{13}, 7_{11}, 37_{29} $: gewar$ 91_{29}; $j\hat{a}r : gar$ 4_{47}, 47_{73}, 93_3; $h\hat{a}r : gewar$ 25_{25} $: war$ $75_{23.27}$ $: gar$ 86_{33}.

$\hat{a}t : at$ und zwar $h\hat{a}t : stat$ 5_{43}, $9_{21.35}$, 43_{53}, 44_{37}, 49_{57}, 53_{17}, 54_1, 56_{23}, 62_{33}, 71_{41}, 76_{15}, 100_1 $: mat$ 9_{17}, 12_{45}, 77_{39}, 86_{29} $: phat$ 65_{39} $: lat$ 89_{49} $: glat$ 96_9; $gr\hat{a}t : phat$ vorr. 25.

$\hat{a}l : al$ $st\hat{a}l : stal$ 22_{31}; $str\hat{a}l : al$ 31_{27}.

$\hat{a}z : az$ $vr\hat{a}z : baz$ 27_{21}; $l\hat{a}z : saz$ 57_{11}.

$\hat{a}nt : ant$ $h\hat{a}nt : zehant$ 91_{65}, 97_{21} $: ermant$ 32_{15} $: erkant$ 98_{39}.

$\hat{i}n : in$ $m\hat{i}n : hin$ 21_{33}; $d\hat{i}n : ungewin$ 71_{53}; $sch\hat{i}n : sin$ 43_{45}; $ird\hat{i}n : hin$ 77_7; $ges\hat{i}n : hin$ 48_{119}.

$-l\hat{i}ch : -ich$ $-l\hat{i}ch : ich$ 4_9, 48_{73} $: mich$ 74_{83}, 82_{39}, 88_{19}, 92_{63}, 99_{55} $: dich$ 87_{27}, 100_{37} $: sich$ 43_{87}, 46_{19}, 66_{31}, 73_{59}, 89_{51}; $himelr\hat{i}ch : ich$ 74_{93}.

$-\hat{o}ch : -och$ $vl\hat{o}ch : koch$ 15_{27} $: loch$ 21_{45} $: doch$ 73_{17}; $z\hat{o}ch : noch$ 43_7, 47_{101}.

$-\hat{o}t : -ot$ $r\hat{o}t : got$ 68_{31}; $verdien\hat{o}t : got$ 22_6; $verwandel\hat{o}t : spot$ 29_{17}.

$-\hat{o}rt : -ort$ $erh\hat{o}rt : wort$ 63_{13}, 68_{17}.

$-\hat{o}rn : -orn$ $t\hat{o}rn : verlorn$ 52_{81}.

$-\hat{u}s : -us$ $h\hat{u}s : Papirius$ 97_{73}.

$æ : e$ $wær : Jupiter$ 25_{13}, 79_{11}; $gebærde : ërde$ 1_{33}, 43_{85}. Die eilf stellen, an welchen vor r m rt b q ch c auf $ë$ reimt, hat Gercke s. 20 vollzählig angeführt.

$ie : i$ $tier : mir$ 41_{35}, 51_{15}, 68_3; $schier : mir$ 62_{43}.

$\hat{o} : uo$ $duo : zuo$ 19_{21}, 29_{11}, 48_{135}, 84_{65}, 94_{21}, 96_{31}, 98_{27} $: vluo$ 78_{25} $: kuo$ $95_{49.59}$ $: vruo$ 97_{53}.

In einer ziemlich grossen anzahl von fällen reimt $\hat{u} : iu$ und zwar fast ausschliesslich vor r. Sehr häufig ist apokope des stummen und tonlosen e, ebenso synkope derselben.

II. Consonantisch ungenaue reime.

-m : -n und zwar:

-am : -an 39 mal, *-am : ân* 25 mal.

heim : bein 12_{33} *: gemein* 89_9. $_{23}$ *: ein* 97_{65}. $_{69}$.

steln : helm 28_{13}.

-unt : -umt 2_9, 15_{63}, 19_3, 22_{33}, 28_{17}, 42_3, 53_{73}, 63_{45}, 73_{51}, 81_{35}.

nimt : kint 63_9 *: besint* 99_{51} *: sint* nachrede 23.

-s : -z 82 mal.

r fällt aus: *wart : arzât* 47_{19} *: hat* 55_{69}.

b fällt aus: *halbz : alz* 47_{121}.

t fällt ab: *gewant : gestân* 10_{27}; *beschach : bedacht* 87_{43}.

b : g haben : tragen 10_{53}; *erheben : gelegen* 87_7.

b : m leben : benemen 27_{23}; *geben : nemen* 100_{29}.

rb : rd verderben : werden 36_{37}.

ng : nd anegenge : ende vorrede 1.

mochte : vorchte 16_{15}; *richter : heimlicher* 9_{39}; *gemacht : vatterschaft* 19_7.

-g : -t ding : sint 22_{51}, 55_{61}, 92_{19}. $_{55}$.

-p : -t beleip : leit 44_{29}.

-f - ch hof : noch 75_{11}; *bûch : ûf* 59_{51}, 85_{37}.[1]

Pfeiffer schreibt immer *cht* für *ht*. Zwar findet sich *spricht : gesiht* 38_{22}. $_{43}$ und *vaht : macht* 61_{17}, aber gegen 46 stellen, in denen *ht* auf *ht* reimt. Ob ein solches verhältnis die schreibung *cht* rechtfertigen kann?

Aus dem Gebiete der declination können nur reime angeführt werden, welche den übertritt einiger substantiva aus der starken in die schwache declination belegen. Zwar der reim 12_3: *hunden* (gen. plur.) *: stunden* (gen. sing.) vgl. Weinhold §§ 392. 3 würde nicht viel heweisen, da das *-n* in beiden fällen gestrichen werden könte, aber 62_{45} heisst *überwunden : stunden* (dat. sing.)[2] und 25_{61} *dingen* (gen. plur.) *: misselingen,* wodurch denn auch die ausserhalb des reimes vorkommenden fälle 3_{16}, 4_6, 15_{19}, 48_{61}, 99_{14} gerechtfertigt erscheinen.

Ich erwähne hier sogleich, dass die mit *-lin* gebildeten verkleinerungsformen der substantiva auf *în, dîn, sîn, schin, vin* gereimt an folgenden stellen vorkommen: 3_{27}, 5_{25}, 18_{17}, 20_1. $_{27}$, 21_3. $_{21}$, 23_5. $_{33}$, 30_1. $_5$. $_9$. $_{31}$. $_{41}$, 33_3. $_{15}$. $_{25}$, 35_5, 49_{17}. $_{47}$. $_{53}$. $_{73}$, 52_{39}, 92_1. $_{11}$, dagegen die form ohne *n* nur einmal 82_{14} *eselli : bî*.

1) Über diesen reim wird weiter unten besonders gesprochen.
2) Nur die hdss. a b fassen es als dat. plur.

Mehr ist von der conjugation zu sagen. Die erste person
sing. ind. praes. schwacher verba endet auf -en: 27_{23} benemen : ich leben,
64_{13} geben : ich leben, 59_{21} tragen : ich bejagen. Einige male setzt
Pfeiffer diese formen auch im innern der verse. Bei starken zeitwörtern
sind sie im reime nicht belegbar. ich tuon : rephuon 61_{37}.
Die 3. person plur. zeigt stets -en, dafür ist -ent in der 2. um
so häufiger.

Ich übergehe die besonders im praeteritum sehr zahlreichen apokopen[1] und wende mich sogleich zu den contractionen.[2]
Inf. praes. empfân : hân 18_{31} : stân 85_{47}; angevân : gân[3] (gâhen)
51_{21}; gevân : man 92_{51}; lân : slân 47_{77}, vân : slân 100_{79}; hinderslân :
man 3_5.
3. pers. sing. praes. empfât : gât 34_{43} : lât 61_{77}; vât : gât 35_{41},
42_{61}, 82_{47}; slât : lât 41_{55} : verrât 91_{75}. — lît für liget steht im reime
53_{25}, 66_1, 86_{43}, 91_1, git für gibt 100_{93}, schat (= schadet) : mat 16_{45},
lat (= ladet) : hât 89_{49}; rât (= râtet) : gât 72_{89}. kleit (= kleidete)
: miltekeit 16_{25}.
3. pers. plur. praet.[4] gesân (= gesâhen) : gân 47_{107}; wân = wâren
im reim: 7_{19}, 20_{41}, 38_{19}, 73_9, 79_{24}; in 94_{35} ist wân 1. pers. plur.
dagegen im reime kein wen, went für wellent, was Pfeiffer oft in den
text gesetzt hat.

Part. praet. der schwachen verba. Nach dentalem auslaut des
stammes fällt die endsilbe ganz fort. Es findet sich behuot im reime
23 mal; bekleit 4_4, nachrede $_9$; gevrist : ist 70_{57}; geschant 5 mal gegen
2 mal geschendet; gewant 85_{61}; verwunt 34_{23}, 86_{15}; enzunt 16_{29}.

Auf -ôt: got : verdienôt 22_{61}, spot : verwandelôt 29_{17}, also beide
male im reime auf ŏ.

Bemerkenswert sind noch die participia: ernart (= ernert) : wart
47_{75}; gelebt : gelebt 48_3.

Schwach gebildet ist das participium des starken verbums besinnen: besint : kint 49_{23}[5] : wint 62_{35}.[6] — gesîn 49_{81}.

---

1) hât für hâte 9 mal.
2) Die überaus häufigen contractionen von age, ege zu ei führe ich nicht
an, ebensowenig die der verba hân und lân mit ausnahme von hein (habemus)
: klein 15_{11}.
3) Ob 4_{35} gân = gâhen?
4) begun als 3. pers. plur. 43_{10}.
5) Die zählung bei Pfeiffer ist irrig.
6) Bei Weinhold § 376 wird als beispiel des stark gebildeten participiums
eines schwachen verbums erlaben : haben 54_{30} angeführt. Allein wenn erlaben für
erlaffen steht (Lexer I 647), so kann es nicht wol unter diesen unregelmässigkeiten
aufgezählt werden.

Den dialekt bezeichnet wol auch das 9 mal im reime vorkommende *har*.

Das wäre eine übersicht der durch reime belegten dialektischen eigenheiten der fabeln Boners. Man wird darin, hoffe ich, nichts wichtiges vermissen. Es ist nun die frage, ob diese sicheren alemannischen eigentümlichkeiten das recht geben, so viel der gröbsten umgangssprache angehöriges in den text aufzunehmen, als dies Pfeiffer getan hat. Ich glaube sie verneinen zu müssen. Wenn wir als allgemein giltige regel voraussetzen können, dass in altdeutschen texten nur diejenigen dialektischen formen eingesetzt werden dürfen,[1] deren charakter dem des reimbestandes entspricht — noch dazu gerechnet die apokopen und synkopen, zu denen richtiger bau der verse zwingt — dann gibt uns der von Pfeiffer hergestellte text des Bonerius nur ein sehr unvollkommenes bild seines ursprünglichen zustandes, ein durch massenhafte aufnahme blos den alemannischen handschriften zu dankender, grober, dialektischer formen entstelltes bild. Pfeiffer, der sonst so sehr viel darauf hielt, dass eine genaue untersuchung der reime der bearbeitung eines gedichtes vorangehe, wurde durch die sprache der benutzten handschriften irregeführt. Es komt hinzu, dass er, selbst ein Schweizer, hier vielleicht unbefangenen blick sich kaum erhalten konte.

Wer eine specialuntersuchung über Boners dialekt ausarbeiten will, muss demnach vorerst den text neu bearbeiten, da er sonst, wie Gercke, vieles verzeichnen wird, was dem dichter nicht gehört. Ich will nur anführen, dass z. b. die zahllosen *i* in den endungen der substantiva, in den flexionen der verba, welche Pfeiffer bietet, für Boner durchaus nicht bewiesen werden können.

Aber nicht nur in bezug auf die sprache scheint mir der text des Edelsteins einer neuen bearbeitung zu bedürfen, ich glaube, dass auch die handschriften von Pfeiffer nicht streng und consequent genug verwertet wurden. Die folgenden bemerkungen werden meine ansicht

---

1) Wie sehr diese forderung als gerecht anerkant wird, davon liefert die bearbeitung des Wolfdietrich D (Deutsches heldenbuch IV. teil, 2. band) durch Oskar Jänicke ein beispiel. Vergleicht man das dort s. VI—XII der einleitung gegebene verzeichnis der reimeigenheiten mit der von mir eben beigebrachten zusammenstellung, so wird man leicht finden, dass Boners sprache viel reiner ist, als die des verfassers von Wolfdietrich D und doch enthält der von Jänicke hergestellte text weit weniger mundartliches als Pfeiffers Boner.

vielleicht erweisen können. Bevor ich daran gehe, sie zusammen zu
reihen, will ich noch erwähnen, dass ich in der vorteilhaften lage bin,
den grösseren teil des von Pfeiffer sorgfältigst zusammengebrachten
apparates benutzen zu können. In der hiesigen universitätsbibliothek
befindet sich nämlich ein exemplar der Beneckeschen ausgabe des Bonerius, in welches Pfeiffer die lesarten der wichtigen handschrift C (Heidelberger papierhdschr. cod. Palat. 400 vom jahre 1432) und die von a
(Heidelberger papierhdschr. cod. Palat. 314) eingetragen hatte. Dessen
benutzung wurde mir durch den bibliothekar herrn dr. Ignaz Tomaschek
freundlichst gestattet. Ein zweites handexemplar Pfeiffers besitzt mein
verehrter freund Joseph Maria Wagner in Wien und hat es mir gütigst
zur Verfügung gestellt, wofür ich ihm zu grossem danke verpflichtet
bin. Dieses exemplar enthält die varianten von B (papierhdschr. des
XV. jahrhunderts auf der stadtbibliothek zu Strassburg, Joh. Bibl. A. 87)
von D (pergamenthandschr. des XV. jahrh. auf der universitätsbibliothek
zu Basel, ohne bezeichnung), E (papierhandschr. von 1411 auf der
stadtbibliothek zu Strassburg, Joh. Bibl. B. 94), G. (papierhdschr. aus
dem ende des 15. jahrh. auf der stadtbibliothek zu Strassburg, fol.) und
b (papierhandschr. auf der wasserkirchbibliothek zu Zürich C. 117).

Es ist ganz unzweifelhaft, dass einer bearbeitung von Boners
Edelstein die Zürcher pergamenthandschrift des XIV. jahrhunderts,
welche leider in Breitingers drucke allein vorliegt, zu grunde gelegt
werden muss. So hat schon Benecke gemeint (vorrede s. IX) und Pfeiffer hat seine ausgabe auf diese hdschr. (A) gebaut. Der grundsatz,
welcher demnach bei der kritik des textes herschen soll, scheint mir in
folgender fassung am richtigsten ausgedrückt: der handschrift A ist —
dialektische eigenheiten ausgenommen — immer zu folgen. Nur dort,
wo A offenbar fehler und irrtümer enthält, sind die übrigen handschriften zu rate zu ziehen, unter diesen in erster linie C und B. Es dürfen daher an sich gute lesarten von A nicht wegen besser scheinender
in anderen handschriften vernachlässigt werden.

26_{13} lesen AB *daz si möchtin kûm genesen.* Pfeiffer schreibt mit
den übrigen hdschr. *kûm möchtin.* Ich vermag den grund dieser abweichung von A nicht zu erkennen.

26_{37} liest A *wenn der zu huoter ist erkorn,* C hat das auf *huoter* deutende *hueten.* Pfeiffer hat mit den anderen handschr. *schirmer*
in den text gesetzt.

27_{10} *nim hin das* (1. *daz*) *brôt* ACGab, Pfeiffer liest mit BE *diz
— dis brôt,* ebenso 35_{62} dagegen 44_{53}.

Die änderungen Pfeiffers in 27_{23}. $_{27}$ gegen AC sind einleuchtend,
aber warum soll 27_{29} nicht *balde an* im verse stehen?

Die 28. fabel muss wol von AC umgearbeitet worden sein, so dass nun das schaf an die stelle des schweines trat. Aber der anlass? Sollte er nur in dem ἅπαξ εἰρημένον „liwe" der ersten zeile gelegen sein? ist das umgekehrte, dass nämlich jemand auf grund der fabel des anonymus, der *lefa* liest, gebessert habe und das corrigierte exemplar die quelle der übrigen hdschr. sei, undenkbar?

$28_{27.8}$ *der wis man spricht daz man nicht sol*
           gelouben allen geisten wol.

für *spricht* lesen AC *sprach*, was zu der anführung. des satzes ganz passt. Das „*geisten*" kann dem sinne nach nur „den fremden" bedeuten, steht also für *gesten* und zwar wäre diess alemannisch nach Weinhold § 58. Allein solches *ei* für *e* ist in den reimen nicht belegbar. Auch hat C nach Pfeiffers schriftlichen angaben *gesten*. Ebenso 84_{73}.

29_{20} *regne* im text, *regne* A in den varianten. Das wird wol ein irrtum sein; vielleicht wollte Pfeiffer *regene* in den text setzen, was ausser A alle hdschr. haben.

30_{21} *daz schâf daz antwurt unde sprach.* — AC lesen: *daz lemmelin antwurt und(e) sprach. daz* fehlt auch in a b. Pfeiffer hat sehr oft einen das hauptwort wider aufnehmenden artikel mit unterstützung irgend einer hdschr. in den text gesetzt, kaum mit recht. Etwa vorauszusetzende zweisilbigkeit von *lemmelin* macht keine schwierigkeit,[1] auch heisst das ziehkind der geiss in dieser fabel nicht *schâf.*

31_3 lesen AC: *der (do er) was jung stark unde snel,*
                sin stimme stark, sin bellen hel

B hat für den zweiten vers: *vnd ŏch was sin stimme hel,* Gab: *vnd an der stimm was er hel,* E: *vnd was an der ſtimm hel.* Diese verschiedenen fassungen beweisen nur, dass die widerholung von *stark* den schreibern anstössig erschien. Die änderung war so leicht, dass teilweise übereinstimmung darin stattfand. Was AC geben, ist sicher das beste; widerholungen so bescheidener art sind bei Bonerius überaus häufig.

32_{15} kann ganz wol mit ABCD das unflectierte *ander* gegen *andriu* gehalten werden. Auch 57_{45}, 68_{58}.

32_{30} hat A allein *sullen*, die übrigen hdschr. bringen formen mit *-t.* Aber der ausgang *-en* für die 3. pers. plur. praes. ist im reime belegt und kann wol auch hier bleiben.

36_{22} ABDb lesen *dâ im (mit b) sin schade nâhet (nohet B)*, CEa: *da von im (im groſſer s. E) schade nahet,* D *da im sin ſchade gar vast*

---

1) *lemlin* bieten zu 1 Dab, zu 42 setzt b auch für *lemmelin schäfflin.*

nahet. Pfeiffer hat die lesart von C in den text aufgenommen, die aber nur ein versuch scheint, die construction zu erleichtern.

36_{27} *nieman dem andern schaden sol* lesen AC, *den* BDEab, *schedigen* B, *schedgen* D, *schadgen* E. Pfeiffer vernachlässigt AC.

37_{31} möchte ich die stellung des *do* mit AC beibehalten.

37_{51} möchte ich mit A lesen: *wer triugt und liugt im selben schadet* — also wie in vers 37_{47}.

Ob nicht 37_{56} das „*von rechte*" in A gegen „*von gotte*" aller übrigen hdschr. zu halten ist?

38_2 *do* in ABCE gegen *da* in Dab ist zu bewahren.

39_{19} *den wolt der ruost gelîchen sich* AC, *w. er g.* die übrigen hdschr., was Pfeiffer ohne hinreichenden grund vorzieht.

40_{34} ist *nu* gegen ACEab und wol ohne not eingesetzt worden.

41_{89} *wie dich got berâte der swachen spîse der du lebest.* Für das zweite *der* haben ADEab *so.* Selbst wenn man hier *sô* als relativum deutet, ist es nicht nötig, die andere lesart zu wählen. Schon das mhd. wtb. II 2, 461a weist auf 4_7 *der besten vrüchten ist er vol sô ie ûf erden vunden wart.* Passender scheint mir, *sô* conditional zu fassen, dann liegt gar keine schwierigkeit vor.

41_{39} sagt die ameise in AE *mir ist in mînem hûfen baz denne dir in des künges palas.* Die übrigen hdschr. lesen *in mînem hûse.* Mir scheint doch die lesart von AE vorzuziehen, die antithese wird durch sie erst vollkommen. Dass gleich 42_6 die wohnung der ameise ein *hûs* genant und ihr 42_{33} sogar eine tür zugeschrieben wird, kann nicht irre machen.

41_{54} A *anrüert*, die übrigen hdschr. *berüert*, was den vers erleichtert.

43_{20} *sich mit niute enhân* in A ist dem *bî niute* der übrigen hdschr. entschieden vorzuziehen. Aus 46_{46} ersieht man die vorliebe mehrerer hdschr. für *bî niute.*

43_{38} AC haben *wan,* a *wann* für *wâren.* Da diese form vielfach in den reimen belegt ist, so sehe ich keinen grund, sie, soferne einsilbigkeit des wortes nötig ist, vom inneren der verse ferne zu halten. Man vergleiche noch die varianten zu 63_{44}, (70_{16}), 84_{13}.

43_{48} *dô liefen ûf der selben vart* — A: *liefens,* BC: *liefent siu,* Die lesart von A ist aufzunehmen. Unzählige beispiele finden sich bei Boner von solchen vorausnahmen eines substantivums durch ein pronomen.

44_{17} Wenn *geschach* in AEab nur der leichteren aussprache wegen durch *beschach* der anderen hdschr. ersetzt wurde, so ist dies nicht genügend gerechtfertigt.

44$_{38}$. $_9$ *daz si des nachtes sol ir leben*
     spîsen, und ouch vliegen sol

Das erste *sol* in ACEb nicht, dafür *solt*: Ich sehe in der consecutio
temporum hier einen grund für die aufnahme dieser handschriftlich
gesicherten form und keinen grund für deren verwerfung darin, dass
sol im reime des folgenden verses steht. Übrigens könte hier auch *solt*
geschrieben werden. Apokope und abstossung des *-t* sind im reime
häufig.

45$_{31}$ *warumbe söldist du genesen* sagt der mann in A zu dem
wiesel, in allen übrigen hdschr. und so auch im Pfeifferschen texte
heisst es: *warumb solt ich dich lan (lassen DE) genesen*. So ist der
satz freilich bestimter, aber wol auch jünger. Die version in A ist
parallel gebaut dem vers 24.

47$_{16}$ *vil ser* in ACb ist gegen *gar ser* der übrigen hdschr. beizubehalten.

47$_{34}$ scheint mir die stellung *wart bald erkant* in AD noch durch
wart er bekant in E gestützt.

47$_{35}$ AC: *der hirt wand kumen um sin leben.* Aus BD hat Pfeiffer hergestellt: *er wand, er wölt im nemen daz leben.* Die construction
ist damit glatt geworden.

47$_{46}$ *daz wart dem hirten kunt* in A, überall sonst *wart im
schiere kunt.* Platt ist A, aber deswegen für Boner unwahrscheinlich?

47$_{86}$ *der im des halfi daz er genas. des* findet sich in A allein,
aber es ist kein grund vorhanden, es auszuwerfen.

47$_{87}$ *in todes vorchte,* was A hat, scheint besser als das *in grosser vorchte* (*in diser vorchte gros* E) der übrigen hdschr.

47$_{99}$ *der hirt der seit in ûf der stunt* ist mit A zu lesen.

48$_{62}$ *weschen* in AC gegen *buchen* in BE, *bruchen* in ab. DF
und Dr fehlen hier, G und H hat Pfeiffer für diese stelle nicht verglichen. Die lesart von ab beweist uns neuerdings die abhängigkeit
dieser hdschrr. von E, welche Pfeiffer selbst sonst sehr wenig achtet
(s. 188). Nun ist *buchen* freilich ein selteneres wort als *weschen*, aber
es ist auch ein dialektisches und bei dem ausgesprochenen alemannischen
charakter der schreiber von BE ist das eintragen eines dialektwortes
nicht wunderbar. Ganz ähnlich hat E 52$_{69}$ für *warta warta* ein *luoga
luoga* gesetzt. Das verbum *weschen* findet sich übrigens gleich noch 55$_{56}$.

48$_{104}$ A: *bald als man in seit;* die übrigen hdschrr.: *was man im
seit,* D: *allez daz.* Die lesart von A ist sicher die ältere. Ebenso
die widerholung von *daz*, welche AC für vers 110 vorschreiben. Anders
steht es 57$_{97}$.

$48_{112 \cdot 3}$ schreibt Pfeiffer: — *daz erküelet mich, ich may des baz
ze stuole gân.* So haben BD, während Eab *das ich mag* — lesen.
Der grund zur änderung für diese hdschr. war deutlich, er liegt darin,
dass in der von AC gebrachten construction *und may des baz* — das
personalpronomen fortgelassen ist.

49_{58} liest Pfeiffer mit BDab *den jungen vogeln* (D *vogel*) *an der
stat* — E hat für das substantivum *mûst si,* während AC *hebken* schreiben. Da dieses wort gleich in den versen 30. 63. 69 ohne anstand
gebraucht wird, so ist nicht einzusehen, weshalb es hier unstatthaft
sein sollte. Die änderung in BDab ist wahrscheinlich dadurch begründet, dass die jungen erst habichte genant werden sollen, wenn sie sich
ihrer waffen bedienen können.

49_{89} *wer gert daz er nicht sol hân* schreibt Pfeiffer, *des* haben
ACD, was wol besser und älter ist,

50_{41} *daz pherit schalkaft was genuog* ist mit A gegen die schwan-
kenden änderungen der übrigen hdschr. zu lesen. Ähnlich in vers 49
derselben fabel.

52_{9} *inen* A, *im* CEa. Ist diese zweite form hier nicht aus der
ersten entstanden? Dass sie alt ist, beweist Weinhold § 416.

52_{16} und an sehr vielen anderen stellen hat A *und do* als einleitung eines satzes gegen einfaches *do* anderer hdschr. Ich wage nicht
zu behaupten, dass A unrecht habe.

52_{34} *daz wart in schier ze leide.* So alle hdschr. bis auf A,
welches *kam* liest. Gegen diese phrase ist an sich nichts einzuwenden.

53_{26} ist wol verderbt, wie die hdschr. zeigen. Ob A das richtige enthält, weiss ich nicht bestimt zu sagen.

Wenn es im allgemeinen als kritische regel gilt, geglättete verse
den rauheren gegenüber für jünger zu halten, so kann dies auch auf
54_{4} angewant werden. A: *daz wol ir kint möchtin genesen,* C: *und
ir kint gar wol möchtin genesen.* D hat hier eine lücke und alle übrigen hdschr. enthalten diese fabel gar nicht.

54_{44} liest A: *er sol von schulde ligen tot,* BC haben: *er sol billich liden tot.* BC enthält eine bewuste steigerung der vorhergehenden
zeile: *wel wunder üb der lidet not.* Pfeiffer hat aus A *ligen,* aus BC
billich genommen. Die lesart von A ist kräftiger und passender; es
liegt kein grund vor, von ihr abzuweichen.

55_{39} möchte ich bei A bleiben: *dâ er dur niut dis mag engân,*
und ebenso in vers 59 mit AE *der* für *er* lesen.

$57_{93 \cdot 4}$ ist die einschaltung von *in,* das erste mal gegen A und
andere, das zweite mal gegen alle hdschr., überflüssig.

58₃₅ *recht als es mich dunket guot* lesen ACDE; B hat *mich es,* a *als mich ie,* b *als denn mich.* Die lesart von A und zwar mit dem genetiv *es* scheint mir keiner änderung bedürftig.

58₄₃ *Si wære jung edel unde rich* hat A, für *edel* haben die meisten hdschr. *schœn,* E *stark.* Ob nicht die version dieser letztgenanten hdschr. darauf hinweist, dass man den text zu verbessern suchte? Würde es wol E nötig geschienen haben, *stark* zu schreiben, wenn *schœn* sich schon in der vorlage fand? daselbst vers 45 wider ein fall der bevorzugung von *bî.* A liest: *si sprach: dur niut so mag es sin,* B: *das mag mit nûte sin,* C: *das mag by nit gesin,* D: *daz mag by nûte sîn,* E: *es mag by n. s.,* a: *das mag nit sîn,* b: *das möcht nit ensin.* Das ganze wirrsal in den hdschr. scheint mir nur dadurch entstanden, dass man das ältere *dur niut* wegzuschaffen wünschte.

58₇₅ *daz der tôt betruobte mich an ime* schreibt Pfeiffer mit den meisten hdschrr. gegen A *daz der tot beröbte mich an ime.* Diese seltene construction, im mhd. wtb. aus Pass. K. 73, 24 nachgewiesen, war der anlass zur änderung. In C ist dieselbe gar unglücklich ausgefallen. Es heisst dort ohne rücksicht auf den reim; *so mûſt ich aber betrübet ſin.*

58₉₂ haben Aab *nicht wol.* Die negation fehlt in a nur aus versehen. Solches *w o l* öfters, z. b. in den echten versen, die A nach 54 hat und von denen noch die rede sein wird:

> *als disem sperwer ist beschechen,*
> *das ist wol, des muos ich jechen.*

58₉₄ AC: *da von gepinet wirt ir muot.* Pfeiffer liest nach anderen hdschr. unnötiger weise, aber wie er auch sonst pflegt: *gepînget.*

60₃ ist die variante nach Beneckes text angeführt. Es soll heissen, dass CEab *k u m b e r* schreiben.

60₂₈ steht *d o w a r t* in A ganz gut.

60₄₈ *und lît mit sînen vriunden tôt* schreibt Pfeiffer. AD haben: *sînem vriunde.* Der singular wird sowol durch die verse 41—47 gefordert, als durch vers 49: *als hie den henden ist beschehen.* Der plural in den übrigen hdschr. ist durch misverstehen des letztgenanten verses entstanden.

61₆ „*das solt du hân*“ *sprach der künig.* So lesen die hdschrr. gegen AC *daz sölt er han.* Mir scheint, dass die auffallende aber nicht unberechtigte construction zur änderung drängte. Vers 29 derselben fabel ist dadurch interessant, dass hier auch A, welches sonst *d a z m o r t* schreibt, unwillkürlich das pronomen *ez* in *er* ändert.

61$_{44}$ AC: *ein rephuon* für *einez* in den übrigen hdschr., welche die widerholung (v. 42. 47) meiden.

63$_{12}$ AEab: *behan*, C: *behalten*, BD: *behaben*, was Pfeiffer gegen das erste wol kaum richtig in den text gesetzt hat.

63$_{30}$ Pfeiffer schreibt: *flach und hungrig was sîn lîp*. Über das erste adjectivum sind die hdschr. sehr verschiedener meinung. A: *bluch*, B: *slach*, CD: *swach*, E: *gros hung's vol*, a: *slecht*, b: *magrig*. Es ist also sicher ein seltenes wort gewesen, das so mannigfach ersetzt wurde. Ob es *slach* oder *bluch* heissen muss, weiss ich nicht zu sagen. Beide worte sind belegbar, wenn auch nicht aus alemannischen quellen. **51**$_{35}$ schreibt Pfeiffer: *ez* (das ross) *wart mager unde flach; sîn rippe man im scharren sach*. Hier hat Benecke *flach* und erklärt es auch im wörterbuche. Da nun Pfeiffer in seinen arbeitsexemplaren keine varianten zu *flach* anführt, auch in den varianten seiner ausgabe über das wort schweigt, das ihm einen nützlichen beleg hätte abgeben müssen, so vermute ich in diesem *flach* einen druckfehler für *flach*.

63$_{54}$ Die stellung der worte in AC: *als mir beschehen ist* — scheint besser als die in den text aufgenommene.

64$_{43}$ kann wol auch *des* stehen, das in AC gegen *es* in B (sonst liegt für diese fabel keine handschrift vor) sich findet.

67$_{11}$ *nu wart nicht langer gespart* haben AB, vor *gespart* AB noch *do*, D *da*. Pfeiffer liest *lange*. Das gesteigerte adverbium ist sicher; ob auch *do* aufzunehmen ist, scheint bei den in A und C mehrfach vorkommenden fällen des ausfüllens einer fehlenden senkung zweifelhaft.

67$_{31}$ ACD *den esel*, dagegen Pfeiffer mit den übrigen hdschr. *sîn esel*.

70$_9$ warum das in A erhaltene *wol* vor *gehüeten* fortgefallen ist, weiss ich nicht, der vers ist doch dadurch nicht glatter geworden.

72$_8$ Es heisst im zusammenhange:

> — *die kâmen in ein hûs;*
> *dâ wurden si emphangen wol,*
> *als man noch geste enphâhen sol,*
> *von der vrowen, diu dâ enphlag*
> *des hûses.*

So schreibt Pfeiffer mit allen hdschr. gegen A: *der herbrig*. Es liegt im charakter der ganzen fabel, dass das haus, in welchem die beiden biedermänner ihr geld aufbewahren, als ein leicht zugängliches, ein gasthaus, gedacht werden muss. Die änderungen der hdschr. sind durch das *hûs* in vers 4 veranlasst.

72$_{81}$ ist mit A zu schreiben: *wem bevolhen wirt in triuwen guot*.

73_{64}, 75_{16} und an anderen orten sollte mit A *swer* für das *wer*
Pfeiffers in den text gesetzt werden.

$74_{77 \cdot 78}$ Die beiden verse sind in AEab umgestellt worden, wie es
scheint, um dem gewöhnlichen satzbau mehr zu entsprechen. Aber
Pfeiffer hatte wol recht, die stellung der verse, welche die übrigen
hdschr. bieten, in den text aufzunehmen; sie passt zu der erregten
stimmung des sprechenden besser.

76_{12} *wer dar über solte gân* in allen hdschr., nur A hat: *wer
die brugge solt übergan*. Zwar kann die version von A dem wunsche,
deutlicher zu sein, ihren ursprung verdanken, aber noch leichter mochte
der schwerfällige vers in A von den übrigen hdschr. gebessert werden.

76_{30} könte dâs einfache *har drîe!* in A genügen, wenn auch in
den andern vier reden des zöllners immer das verbum *geben* vorkomt.
Vgl. 57_{96}.

81_{13} (Die zählung Pfeiffers ist unrichtig) *ûf die matte* mit C im
text. B *matten*, A *wise*, von dem man nicht abzugehen braucht. Man
vergl. 94_{11}.

$82_{21 \cdot 2}$ Statt der beiden aus den übrigen hdschr. in den text aufgenommenen verse:

> ſagent, vrowe, waz meinet daz,
> daz iuwer ougen sint sô naz?

hat A: ſagent, vrowe, waz weinent ir?
> waz mag ez sin, daz sagent mir!

Ich wüste keinen grund für eine änderuug anzuführen, wenn die in den
hdschr. ausser A enthaltene fassung als die ältere gelten soll. Nimt
man das umgekehrte an, dann kann die widerholung von *sagent* ganz
wol anstoss gegeben haben.

84_{13} *mit starken hornen* A, *scharpfen* BDEab, *schraffen* C, ich
ziehe A vor. Ebenso AE in vers 58 mit *balde* gegen das *schiere*
aller anderen hdschr. V. 90 möchte ich mit ABDE *also* gegen *so* in
Cab schreiben. Der vers wird dadurch nicht schlechter als der vorhergehende.

85_{29} Aab: *sint si jung ald alt?* der grund der änderung des
alemannischen *ald* zu *oder* in den übrigen hdschr. ist einleuchtend.

$85_{37 \cdot 8}$ Ich habe zu 59_{51} fg. keinen versuch gemacht, den in mehreren hdschr. überlieferten reim *buch : ûf* durch den genauen in AC zu
ersetzen und die hier stattgehabte änderung zu verteidigen. Ich muss
aber auch hier die fassung der beiden verse 37. 8 in Eab

> und wenn si vallent uf den buch
> so ziehen wirs mit den zeglen (sweifen a) uſ

in den text zu setzen vorschlagen gegen die änderung in ABCD:

> *dâ von si dicke vallent nider,*
> *sô zien wirs bî dem sweife wider*
> *ûf.*

85$_{43}$ A: *sus fuor er mit den eslen hein,* ist nicht so plan wie die fassung der anderen hdschr., aber älter.

85$_{49}$ *ere* in den hdschr. gegen *liut* AC. Es ist klar, dass die schreiber von AC dieses *ere* lassen zu demütigend für den ritter fan- den und demgemäss änderten. Aber so änderten sie auch vers 11 der- selben fabel das in DEab erhaltene *ere* in *lib,* Bn in *liut.* Also auch dort ist *ere* zu schreiben.

86$_{50}$ (In der zählung des textes sind druckfehler, die varianten jedoch sind frei davon) möchte ich *kan* aus A gegen *mag* der ande- ren halten.

87$_{56}$ *daz muos kumen uf des todes vart* A, *daz kumt uf des todes vart* BDEb, *das mûs* a. Diese letzte variante scheint mir die richtigkeit der fassung in A zu beweisen. C hat die verse 55. 6 nicht.

88$_8$ Die stellung *wâren âküste* ist durch ACab erwiesen.

88$_{68}$ Vielleicht ist doch das *entstân* in A gegen das *verstân* aller anderen hdschr. zu bewahren.

89$_6$ komt man mit A auch ohne *sêr* aus.

Dem aufmerksamen leser der varianten kann kaum entgehen, dass das verhältnis der handschriften des Edelsteins einfach ist. Ich erlaube mir, folgendes schema vorzuschlagen:

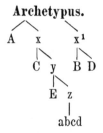

Archetypus.

A   x   x¹

C   y   B D

E   z

abcd

Es ist daraus klar, dass C für jene fabeln, bei denen A uns seine stütze entzieht, also 1 — 26$_7$ und 89$_{54}$ bis ende als die wichtigste quelle gel- ten muss, als eine wichtigere denn B, dessen stellung uns aus den starken differenzen mit A als die einer secundären handschrift ersicht- lich ist. Freilich ist C flüchtig und mangelhaft geschrieben, auslas- sungen finden statt, öfters auch hat der schreiber geändert. Aber in

den letzteren fällen vermögen wir die ursachen meist leicht zu erkennen
und es blickt doch allenthalben die treffliche vorlage durch. Somit
wird die regel, welche unser verhalten gegenüber C bestimt, etwa folgendermassen lauten: Die lesart von C ist in den text zu setzen, wenn
sie in jeder beziehung gut ist und in dem texte, den andere handschriften bieten, keine ursache, eine änderung in C zu vermuten, gefunden werden kann.

Ich verzeichne nun im folgenden einige stellen, an denen ich
gegen Pfeiffer der in C bewahrten lesart den vorzug geben möchte.

Vers 63 der vorrede heisst es mit B: *doch mîn lîden schetze ich
klein.* Ich möchte mit C *achte ich* schreiben.

2_8 a hat für die grüne schale der nuss *bretsche,* B *brech-
schen,* G *prachen,* b *prätschen.* C hat *ſchurſen.* Ich vermag
dieses wort nicht zu belegen. Vielleicht gehört *steingeschürs* Su-
chenw. 18, 25, vgl. mhd. wtb. ll 2, 164 a dazu. Noch Schmeller, bair.
wtb. [2] II, 464. 474.

3_{13} C *üppikeit.* Ich ziehe diese lesart vor. Der verfasser ist
bei seiner deutung geblieben und hat des bildes im augenblick vergessen. Was die andern handschriften geben, bringt wider in das bild
hinein.

3_{24} ist wol ziemlich sicher *schiezens,* die lesart von C, mit welcher diesmal die meisten hdschr. stimmen, in den text zu setzen.

3_{36} *dô er sîn wunden an gesach* schreibt Pfeiffer. Aber die lesarten aller hdschr. bieten eine nähere bestimmung. C hat: *do er sin
bein verseret sach,* Eabcd: *do er sin wunden offen sach;* was im texte
steht, haben BF. Mir scheinen aus der einfachen lesart von C die
angaben der anderen hdschr. am besten zu erklären.

4_{35} in Pfeiffers text findet sich: *daz mag in nicht zuo handen
gân.* So haben nur Bcd. C liest: *das mag in kume zu handen
gegan,* Gb lesen: *das mag in nicht wol zuo gan.* Diess weist wol auf
die lesart von C.

6_{20} Dass dieser vers im archetypus schwerfälliger war als ihn
Pfeiffer gibt, ist wol aus den verschiedenen lesarten der handschriften
klar; welche aber vorzuziehen ist, weiss ich nicht.

7_9 Hier hat C, was in die varianten nicht aufgenommen wurde,
vor *schaf: einfaltige.* Ich möchte das adjectivum in der durch den
vers gebotenen form — Pfeiffer hat sie auch 5_{25} — in den text nehmen.

9_{30} schlage ich vor, mit C *bekumbert* für *trüebet* zu lesen.
Vgl. vorr. 40.

13_{19} lesen CEa das richtige *guoten muot* für BGb *hohen muot.*

14_{14} *du hettest din spotten wol verborn,* liest C wahrscheinlich richtig, ohne dass es in den varianten zu finden wäre.

16_{38} steht im text mit der mehrzahl der hdschr. der hier bedeutungslose satz: *der lange lebet der wird alt.* C hat und zwar in die gedankenentwicklung passend: *wisheit zieret jung und alt.*

21_{35} *waz klagent ir* liest Pfeiffer, *waz würret uch* wol mit recht C.

26_1 *eins mals* liest C für das *ez* der anderen hdschr. Pfeiffer hat sonst immer diese einleitende formel vorgezogen.

Bis zur fünften fabel hat Pfeiffer C nicht sehr berücksichtigt, von da ab macht sich in der beurteilung dieser handschrift eine ihr günstigere stimmung geltend, daher dem nachprüfenden wenig zu tun erübrigt.

91_{12} und $_{17}$ lesen CF *huchen* für *âtmen,* das in den text aufgenommen ist. In der erzählung des Strickers, welche denselben stoff behandelt, wird *hûchen* angewant; auch die stelle Reinmars von Zweter, welche Lexer zu „*hûchen*" anführt und in der auf die bekante fabel angespielt wird, hat dieses wort.

92_{86} fgg. lauten in Pfeiffers text:

> *noch ist der selben tôren vil*
> *die ich nû nicht wil nennen hic.*
> *der narre ein tôre dannen gie,*

davon heissen die beiden letzten in C:

> *der narren der toren der giegen*
> *Do von wirt das vogelin fliegen*

Ich weiss nicht, ob die verse in dieser gestalt in den text aufgenommen werden können. Der grund, das im drucke vorliegende herzustellen, lag für die hdschrr. in dem reimworte *giegen.*

Es lässt sich für die bevorzugung von C in diesen letzten fabeln nichts wichtiges tun, da Pfeiffer fast durchgehends dieser handschrift folgt, obschon gerade hier die differenzen mit den anderen fassungen am stärksten sind.

———

Nach dem beispiele Beneckes hat Pfeiffer eine anzahl in den handschriften verzeichneter verspaare weggelassen. In der vorrede seiner ausgabe s. XII sagt Benecke, dass die schreiber sich häufig erdreistet hätten eigenes machwerk einzuschieben und anzukleben; in den anmerkungen scheidet er denn auch manches als einschiebsel oder anhängsel aus. Bei mehreren stellen ist Pfeiffer noch weiter gegangen als Benecke. Dessen bemerkung ist ohne zweifel richtig, auch sind die ausgeschiedenen verse meist nicht sehr schön. Aber in den fabeln Boners findet

sich überhaupt eine sehr grosse menge von ganz platten, nichtssagenden, unpassenden versen, wie denn das talent des mannes gewiss nur
ein sehr bescheidenes genant werden kann. Ich erwähne nur mit zahl-
angaben einige stellen, die mindestens eben so elend sind, als die meisten der ausgeworfenen verse. So enthalten 11_{14}—$_{20}$, $_{41}$—$_{46}$ ganz mise-
rable einschaltungen in die erzählung. Die moral wird 15_{57} in sehr
unpassender weise der feldmaus in den mund gelegt. Die 22. fabel
überhaupt ist eine klägliche arbeit. 54_{40}.$_1$ passt gar nicht, 63_{46} fällt
der wolf ganz aus der rolle, 61_{56} fgg. sind ganz confus, nur b spürt
den unsinn. 67_{47} enthält nur schlechte widerholungen. In 70 ist der
sinn der fabel ganz übersehen und wird in der moralisation haltlos herumgeredet. 71_{57}.$_8$ sind ein glänzendes beispiel ganz lahmer
verse usw.

Die schlusspartien der fabeln, die moral enthaltend, sind zum
grösten teil gedankenarm und dürftig, sie spinnen sich mitunter nur
an den reimen mühsam fort und man könte getrost daraus dutzende
von versen fortlassen, ohne dass die nachwelt einbusse an geistigem
capital erlitte. Wir haben jedoch bei der herstellung eines textes nicht
darauf zu achten, dass die verse möglichst sinnreich und anmutig klingen, sondern nur darauf, ob sie sicher sind. Wir dürfen den dichter
nicht besser machen wollen als er war. So sehe ich mich zu dem vorschlage genötigt, eine ganze reihe von verspaaren möge, als handschriftlich sicher und ihres geringen gehaltes wegen Boner nicht abzusprechen, in den text wider aufgenommen werden. Ich führe zuerst die
in AC erhaltenen verse an.

Gleich bei der 26. fabel finden sich in beiden handschriften am
schlusse vier verse, welche Pfeiffer unter den varianten in folgender
form aufgeführt hat:

Der wîse sî, der hüete sich
vor bœscn vögten, daz rât ich.
Sich, waz dir schade müge sîn:
daz mîde und volg dem râte mîn.

Benecke bemerkt dazu s. 357: „Sie können zum beweise dienen, dass
selbst die vorzüglichste handschrift dieser fabeln nicht frei von unechten zusätzen ist." Die verse sind freilich nicht sehr geistreich, aber
die angeführten beispiele weisen ähnliche genug auf. Das steife „*daz*
rât ich" findet sich sogar sehr häufig und scheint mir für Boner charakteristisch.

Dagegen hängen die beiden verse, welche am schlusse der
28. fabel in AC sich überschüssig finden, mit der oben besprochenen

darstellung der fabel in diesen handschriften zusammen, stehen und
fallen mit ihr.

Am ende der 36. fabel zeigen sich in AC die beiden verse:

niemanne tuo du kleinen schaden,
dâ von du grôzen müezist tragen.

Die übrigen handschriften glaubten diese verse um so leichter entbehren zu können, als schon 27 fg. den gedanken brachten, sogar mit denselben worten im anfange ausgedrückt. Dazu kam, dass man einen
ungenauen reim mit diesem verspaare los wurde. Diess ist zugleich
der sicherste beweis für die echtheit der verse. Den schreibern von
A und C, welche ganze verspaare mitunter wegen einer nicht schweren
ungenauigkeit umarbeiten (z. b. 87_7), ist das anfertigen einer ungenauigkeit nicht zuzutrauen.[1]

Ich erwähne nur, dass Pfeiffer die von Benecke verworfenen beiden verse nach 37_{56} in den text aufgenommen und zwar trotz ihrer
gehaltlosigkeit. Sie finden sich ausser in AC noch in BD.

Nach 42_{54} stehen in AC die verse:

sus (des C) kam der hôstüffel in not
ich wene er müst geligen tot

Die verse sind ganz gut und Boner hat den gebrauch, am schlusse der
fabel vor der moralisation den ausgang der geschichte in ein paar worten zusammen zu fassen.

Nach 54 hat A allein die beiden verse:

als disem sperwer ist beschechen
das ist wol des muos ich iechen

Benecke hat sie in den text aufgenommen, Pfeiffer sie gestrichen. Ich
glaube doch, dass sie dem Bonerius gehören. „*daz ist wol*" hat er
häufig, z. b. 4_{53} und „*daz muoz ich jehen*" ist ihm so eigen, dass die
schreiber von ab, sonst sehr erfindungsarme talente, bei der umarbeitung des verses 73_{20} die phrase hereinbringen.[2]

---

1) Man kann nicht entgegenhalten, dass die abgeleiteten handschriften DEab
schon in der folgenden fabel nach 6 zwei verse mit ungenauem reime haben:

dô der storch kam über tisch
und guoter spis wolt sin gewis

die wir doch nicht in den text aufnehmen. Abgesehen von dem geringeren werte
der citierten handschriften ist der reim im alemannischen dialekt gar nicht ungenau.

2) So sind nach 69_{49} in Eab zwei verse übergegangen:

wer wænt daz er der beste si
dem wonet ein gouch vil nâhe bi.

die sich auch 82_{45} finden. Sie sind aus Freid. 84, 9 entlehnt.

Nach 62_{40} haben ABC:

nôt lêrt friunt erkennen (erkiesen B) wol,
in nôt man friunden helfen sol.

Benecke sagt von diesen versen s. 362: „Da sie sich in keiner anderen
handschrift (als A) finden und die erzählung zur unzeit unterbrechen,
so scheinen sie ein von dem abschreiber eingeschaltetes sprüchlein zu
sein." Der erste grund hält nicht stich, auch der zweite nicht, denn
wir haben beispiele gesehen, in denen die erzählung noch unschöner
unterbrochen war. Veranlassung zu dem ausfalle der verse in den übrigen handschriften mag die widerholung des wortes *nôt*, das auch
den vers 40 schliesst, gegeben haben.

Für die nach 67_{38} in A vorkommenden verse:

die (ôren) wâren lang und wart wol schîn,
daz ez was der esel sîn

möchte ich mich nicht zu sehr einsetzen. Sie sind zwar bei Bonerius
ganz möglich, allein sie könten auch nur eine glosse zu dem vorhergehenden verse:

er wart im bî den ôrn erkant

bilden sollen. Ebenso steht es mit den nach 72_{80} in A enthaltenen
versen. Beide verspaare sind übrigens von Benecke im texte belassen
worden, Pfeiffer hat sie gestrichen.

Dagegen scheinen mir die nach 74_{98} in AC befindlichen verse

und mûsten hungrig dannen gan,
vil (wol C) recht der tumbe (er in C) hat getan

ein schluss, wie ihn Bonerius seinen fabeln zu geben gewohnt ist, ganz
passend. Einmal habe ich zwei verse gegen AC zu verteidigen. Nach
34_{42} finden sich in BEab:

riuwe die wunden heilen kan
die die sünde hânt (hat B) getân.

Sie scheinen mir für die steife art Boners zu denken kaum entbehrlich. Die vorhergehenden vier verse tun dar, dass ein mensch, der
reue und leid über seine missetaten fühlt, auch alles unterlassen müsse,
womit er schaden verursacht hatte. Die nächsten beiden verse sagen:
wahre reue, wenn sie vom herzen komt, nimt gott gerne an. Da sind
mir die in den genanten handschriften erhaltenen verse, welche behaupten, dass reue wirklich die wunden heilen könne, die von der sünde
geschlagen wurden, ein ganz passender zwischensatz. Ursache zum
ausfall war der gleiche ausgang des verses 42 und des (nunmehrigen)
verses 44: *getân.*

18*

Für die fabeln, welche in A nicht bewahrt sind, müssen wir auf
C zurückgehen. Wir können diess mit einer gewissen sicherheit tun.
Denn während die übrigen handschriften BDab, besonders aber E sich
wunderliche seitensprünge, erweiterungen und zusätze gegen A gestatten, finden wir bei C nur ein einziges mal, am schlusse der 82. fabel,
zwei verse, welche A nicht enthält. Und diese sind als zusatz leicht
erkennbar. So schlage ich vor, aus C in den text aufzunehmen:
vier verse am ende der zweiten fabel. Sie lauten:

> *gedultiklich sol er liden*
> *und durch got die sunde miden.*
> *so mag er uberwinden wol,*
> *ist er gedultig als er sol.*

Die beiden ersten verse hat C mit B gemeinsam. Schon dadurch sind
sie gesichert, aber auch an und für sich können sie ohne widerspruch
bleiben.

Nach vers 30 finden sich in der 3. fabel diese vier verse in
allen handschriften bis auf W[b]:

> *ze mâle wolt ez sicher wesen.*
> *vil kûme ieman mag genesen*
> *vor der strâle, die der munt*
> *ûz schiuzet. ûf der selben stunt —*

Benecke bemerkt dazu s. 351: „Sie sind offenbar einschiebsel eines
abschreibers und die Wolfenbüttler handschrift B verbürgt das heraus-
werfen derselben.“ Pfeiffer hat die verse ausgeschieden, da sie ihm
ebenfalls unecht scheinen. Aber W[b] ist keine bürgschaft. Gegen die
verse scheint mir gar nichts vorgebracht werden zu können, und ausgefallen sind sie in der einzigen schlechten handschrift aus versehen,
weil ihr schluss *ûf der selben stunt* lautet, der schluss des 30. verses „*ûf dirre stunt.*“

Zwischen 5$_4$ und $_5$ haben alle handschriften dieser fabel die vier
verse:
> — *trinken nâch dem willen sîn,*
> *und trunken beide. Der niht hât wîn,*
> *der lernt wazzer trinken wol.*
> *der wolft was leckerheite vol.*

Benecke sagt von diesen zeilen s. 352: „Sie tragen so offenbar das
gepräge eines aberwitzigen einschiebsels an sich, dass ich mich nicht
überwinden konte, sie stehen zu lassen.“ Auch Pfeiffer streicht diese
verse. Ich bin freilich auch nicht im stande tiefe weisheit in ihnen
aufzudecken, aber gar so sehr albern scheinen sie mir doch nicht. Die
beiden ersten verse der fabel lauten:

Ein wolf: von durste darzuo kam
daz er den weg zem wazzer nam

Also „*von durste!*“ sonst wäre der wolf nicht zum bache gekommen. Wer nichts besseres hat, muss eben wasser trinken. Aber der wolf ist „*leckerheite vol*“ und so wünscht er zum dürftigen trunk sich wenigstens einen braten zu schaffen, er fällt das schaf an. Ich finde diesen zusammenhang untadelhaft.

Am ende der 5. fabel haben BC gemeinsam:

Der schuldig dicke schaden tuot
dem rechten dur sinen argen (hohen B) muot

Ich schlage vor, diese verse in den text wider aufzunehmen.

Bei $6_{31.\,32}$ gibt Pfeiffer in den varianten wie in seiner collation an, dass diese beiden verse in C fehlen und dafür vier zeilen flickwerk sich finden. Es ist zu bedauern, dass wir nicht wissen, worin dieses flickwerk besteht. C ist wichtig genug, dass so weitgehende differenzen für uns wertvoll sein müssen. Ähnlich wie hier hat Pfeiffer auch nach 25_{64} nur angegeben, dass C noch vier zeilen habe.

Die zwei verse:

das das schaf: wart frefsen gar
von in wer des nymet war

welche in der collation nach 7_{32} bei C sich finden, in Pfeiffers varianten aber gar nicht aufgenommen sind, verteidige ich nicht.

Dagegen scheinen mir die verse in C, welche die 9. fabel schliessen:

die gittikeit den hunt bezwang,
das er sinen schaden rang
und umb das sicher kom
da er wolt das unsicher han

ganz in der art und weise des Bonerius. Wer die fabeln genau liest, wird in den moralisationen ganz regelmässigen und mit wenigen ausnahmen stets widerkehrenden bau wahrnehmen. Zuerst allgemeine sätze, die aus der fabel abzuleiten sind, dann anwendung auf das menschliche leben und schliesslich wideraufnahme des hauptsatzes der fabel. Das letztere besorgen hier die vernachlässigten verse in C.

Nach 18_{32} haben BCD die verse:

den kæs der vuchs az âne brôt,
der rappe leit von hunger nôt.

Sie gehören in den text und sind nur übersehen worden, vielleicht weil die beiden nächsten verse gleichfalls ein reimwort auf *-ot* haben.

Wenn ich die Pfeiffersche collation richtig deute — wol anders als er selbst es in den varianten getan hat — so finde ich in C zwischen 20_{19} und 20_{20} die beiden verse:

also mit zuchten treip (nach 20_{19})

zu aller zit was bereit (nach 20_{20})

(*manicher hande spise*)

Es fällt auf, dass in dem ersten C eigenen verse ein ungenaues reimwort sich findet, das kaum durch den schreiber hineingelangt sein kann. Mit einer leichten änderung passt der vers ganz vortrefflich, während es doch sonderbar ist, bei der im drucke vorliegenden gestalt des textes, ein reimwort v. 20 vernachlässigt zu finden. Die beschaffenheit der vier reime, die ich für echt halte, macht es andrerseits nicht schwer, einen ausfall zu erklären.

21_{53} hat C ein beispiel von umarbeitung und einschaltung geliefert, einzig in der absicht, eine leichte reimungenauigkeit (*vertragen : schaden*) zu beseitigen. Für ganz gut und brauchbar halte ich die beiden verse, welche C am ende dieser fabel noch enthält:

dienstes nieman vergessen sol.

dienst der tůt getruwem hertzen wol.

Sie schliessen zweckmässig ab.

Nach 90_{30} hat C zwei verse:

in sicherheit wil ich gestan

und zu dir nicht hin abe gan.

Sie werden wol in den text gehören.

Die nach 93_{60} in C erhaltenen verse:

auch laz man die hunde leben,

si kunnent gute hutte geben

sind dadurch gesichert, dass D, zur anderen klasse der handschriften gehörend, sie gleichfalls hat. Mit ihnen wird ganz passend und gebräuchlich die fabel wider herangezogen.

Die verse nach der 97. fabel, welche in C die handschrift hätten schliessen sollen, werde ich später besprechen.

Das von Pfeiffer gedruckte **variantenverzeichnis** weist seinen collationen gegenüber ein paar ungenauigkeiten auf, die ich mit besonderer rücksicht auf die nicht mehr vorhandenen Strassburger handschriften hier berichtige. B hat als überschrift der vorrede: *Prologus.* vorr. 27. 28. *creatûre : sûre* B. 1_9 *unwirdiklichen* B. $_{22}$ *hette* B. $_{33}$ *ire* B. $_{43}$ *wer n.* B. Am schlusse lateinische verse in B. 2_{22} *mit* BE; in B nach 2 noch lateinische verse u. ö. 3_4 *zungen* E. $_{39}$ *werde* b. $_{40}$ *yedoch* E.

$_{41}$ *clagete* B. $_{44}$ *vil k.* E. $_{55}$ *kŭngin* b. $_{70}$ *dan* E. 4_6 *ich er* b. $_{31}$ *si auch denen* C. 5_{10} *lon* B. *las* C. *laz* E. $_{12}$ *wz du ioch mit mir vahest an* E. $_{34}$ *m. ſemlicher* E. $_{45}$ *r. mangem l.* E. 6_2 *des er* E. Nach der 6. und fast allen folgenden[1] fabeln lateinische verse in D. 7_{44} *rechtes* E. 8_4 *gevestnot* E. $_{17}$ *adelkeit* E. 9_{24} *und ŏch m.* E. 10_{28} *ŏch umb* E. 11_{38} *ŭwer l.* DE. $_{44}$ *toubtint* b. $_{35}$ *das mŭst ſi billich haben zorn* E. 13_5 *ŏch n.* E. $_{13}$ *bytterkeit* E. $_{20}$ *gar wol* E. $_{26}$ *slang der sprang* E. 14_{16} *du bist ze bös. vnd ŏch ze swąch* E. *ze b. ze sw. a.* 15_{27} *das ſlos* C. *entſlos* E. $_{29}$ *alleine stan* C. *da st.* E. 17_{25} *d. hŏhste g.* E. $_{30}$ *ſtŭmmeln - blenden* C. *ſtumblet* E. $_{32}$ *roup mort u. b.* C. *u. darzŭ br.* E. 23_{22} *wir ſöllend* E. 26_{39} *vnd ŏch man* Eab. 30_{16} *wie mahtu vr.* b. $_{38}$ fehlt E und dafür: *geben wŭrt und man in lat.* $_{46}$ *armes* D. *eins argen kl.* E. 31_{17} *s. ser b.* E. $_{18}$ *er trurig an* E. 36_9 *schier aber* E. $_{22}$ *groſſer sch.* E. 39_{15} *entlehnet* E, *entlehnoter* b, ebenso 67_{55}. 40_{12} *a. den mul an s.* D. $_{27}$ *kettzen* D. 41_{50} *und ovch m.* b. 42_{12} *kalter w.* E. $_{34}$ *a. die trat* E. 46_{34} *ere* fehlt in C und steht dort an der spitze des folgenden verses. *des hestu er vñ a.* E. $_{36}$ *guot* fehlt b. $_{54}$ *zerklakte* Ea. *zerklafte* b. 49_{37} *bald i.* E. $_{46}$ *der ayer luogt er und nam ir vil eben war* b. $_{50}$ *anders ſchwaŕ* b, es ist wol *swâger* gemeint. Die zwei verse nach 50_{62} in Gab lauten: *ob es dem ſelben miſsegat vff min trŭw des wiss gŭt rat.* $_{64}$ *der da hat wenig vernunst* b. 52_3 *umb daz* E. 53_{21} *ich úch s.* E. $_{23}$ *das da uf* E. $_{26}$ *das gar gelit* in Pfeiffers angabe gehört D. $_{28}$ *bed wip* E. $_{43}$ *ez noch* DE. 55_{24} *balde hin von* E. $_{30}$ *er dort stan* E. $_{58}$ *und dar zuo ane* D. 57_{32} *und nŭt wurd* E. 58_{17} *gar b.* D. $_{23}$ *beschach* CDa. Nach v. 85 dafür in E 11 andere verse. 61_3 *morder vol* b. $_4$ *w. ouch der j.* b. $_{65}$ *an gesehen* b. 65_{50} (die zählung Pfeiffers ist im texte und in den varianten falsch) *so mag er* E. Nach 67_{58} in b: *vnd ouch mit and'n dingen dem mag ouch wol entlingen.* Nach 70_{64} *vnd ouch gŭttet hette vaſt der hette ouch rŭw vnd raſt* b. 80_{16} *m. eben w. i. s.* b. 81_1 *man* BC. 82_1 *und ouch kl.* E. $_2$ *als ouch noch* E. 84_{49} *vil* fehlt b. $_{92}$ *versigen* D. 85_{74} *l. die v.* D. 87_{57} *alt* fehlt b, *arm ald rich* b. Nach 91_{84} vor den lateinischen versen in D: *In gottes namen amen.* 97_4 *nach wisheit* H. Nach 98_{52} (nicht $_{53}$) stehen die merkwürdigen zwei verse in E. 99_{30} *er sich vbet* H. 100_{32} *eme daz* H. $_{34}$ *von t. czu l.* H. $_{56}$ *uff h. m. g. i. r.* H. Nach dem schlussverse der nachrede hat H noch: *des sprechen mir alle amen. der helffe vns got aller meiſte der vater vnd der sone vñ d' heilige geiste.* — Die collationen sind sämtlich im jahre 1840 von Pfeiffer angefertigt.

---

1) Fehlen bei der 22. 24. 29. 33. 55. 71. 83. 84. 93. fabel.

Umarbeitungen und einschaltungen nehmen, wie man aus den
varianten leicht sehen kann, besonders die handschriften E und a h vor,
und zwar einesteils, um dialektausdrücke an stelle der hochdeutschen
zu setzen, anderesteils der verdeutlichung wegen. Ob die beiden verse,
welche E nach 98_{52} zugefügt hat:

> We dem land daz ze herren hat
> ein kint an dem klein wisheit stat

eine historische anspielung enthalten sollen?[1] Alle handschriften sind,
wie ich glaube, mit ausnahme von H alemannischen ursprungs. Mehrere sonst bekante manuscripte (z. b. das zu St. Gallen [no. 643] bei
Mone, Quellen und Forschungen I. 184) sind unbenutzt geblieben, wol
ohne grossen schaden für die gestaltung des textes.

———

Bekantlich hat Bonerius bei einer anzahl von stücken seines werkes die fabeln Avians als quelle benutzt. Da es von interesse wäre,
zu wissen, welche beschaffenheit die von Bonerius verwendete Avian-
handschrift hatte, so habe ich die darauf abzielenden untersuchungen
angestellt. Dieselben sind jedoch insoferne resultatlos geblieben, als
die gründe, eine bestimte handschriftenklasse als vorlage Boners zu
erweisen, nirgend zureichen wollten.

Weil die fabeln Avians im mittelalter in mehreren auch prosaischen bearbeitungen existierten, so war die frage aufzuwerfen, ob
Bonerius vielleicht eine der letzteren gekant hatte. Die folgenden
bemerkungen, welche ich zu einigen fabeln des Edelsteins verzeichne,
haben natürlich durchaus nicht die absicht abschliessendes zu bieten.

Wilhelm Fröhner hat seiner 1862 in Leipzig bei Teubner erschienenen Avianausgabe unter mehreren anhängen auch s. 65 fgg. einen
text der sogenanten Apologi Aviani beigegeben. Es ist diess eine aus
zwei Pariser handschriften des XIV. jahrhunderts gezogene bearbeitung
des Avian in prosa, jedoch mit Avianischen versen noch untermischt.
Es will mir vorkommen, als ob diese prosafassung dem autor des Edelsteins nicht ganz fremd gewesen wäre.

Boners 64. fabel entspricht der 2. Avians. Dort beredet die schildkröte — bei Bonerius eine schnecke[2] — den adler durch versprechungen, sie mit in die luft zu nehmen und ihr fliegen zu lehren. Es
geschieht, aber von der höhe lässt der adler die arme fallen und sie

———

1) Ecclesiastes 10, 16: Væ tibi terra, cuius rex puer est. Z. — Freid. 72. 1.
2) Es ist kaum anzunehmen, dass hier und in der 17. fabel eine schildkröte
von Boner gemeint sei.

stirbt. Bei Avian wird auf die falschen versprechungen der schildkröte besonderes gewicht gelegt:

ast ubi promissis aquilam fallacibus inplet,
experta est similem perfida lingua fidem.

weit weniger in der prosaischen paraphrase, und mit ihr stimt Bonerius, welcher aus der fabel die moral zieht:

wer stæte ruowe welle hân,
der sol ân vliegen sich begân.
wer aber ân vliegen nicht wil sîn,
der volge doch dem râte mîn
und beit unz er gevedre wol.
ungeveder nieman vliegen sol.

Bei Avian stirbt die schildkröte *alitis ungue fero*, in der paraphrase lässt der adler sie fallen *et confracta periit tabescendo;* ebenso bei Bonerius. Freilich stimmen hinwiderum die verse 13. 14 des Avian gut zu 40. 41 des Boner.

Die 65. fabel des Bonerius handelt *„von einem krebze und sînem sune."* Sie gehört zur 3. des Avian. Aber dort ermahnt die mutter den sohn, in der paraphrase und bei Boner der vater. Den beiden ist auch gemeinschaftlich, dass der sohn des vaters spottet, was bei Avian fehlt. Dessen letzte verse stimmen mit Boner 41—46, aber sie finden sich auch in der paraphrase.

Der streit zwischen sonne und wind bildet den gegenstand der 66. fabel. Bei dem paraphrasten und Boner wird der streit gleich anfangs vor Jupiter gebracht und dieser zum richter gewählt. Freilich soll in vers 2 der entsprechenden 4. fabel Avians:

— iurgia cum magno conseruere ioco

für *ioco* lieber *Jove* geschrieben werden.[1] In der beschreibung stimt andererseits der 9. vers Avians:

ille magis duplicem lateri circumdat amictum

besser zu den versen 34. 35:

sîn mantel macht er zwivalt
und strikt in vast umb sînen lîp

als die worte des paraphrasten: — *tanto viator circa se vestes suas attentius colligebat.*

In der 68. fabel *„von einem vrösche und einem vuchse"* stimt die innegehaltene einfachheit eher zu der darstellung des paraphrasten. Auch dessen schlussverse, die bei Avian sich nicht finden:

1) Vgl. Schenkl in der Zeitschrift für die österreichischen gymnasien 1865. s. 401 fg.

Ne sibimet quisquam de rebus inaniter ullis
quod nequit inponat, fabula nostra monet.

scheinen bei Boner 33. 4 verwendet.

Auch bei der 69. fabel „*von dem hunde der truoc ein schellen*"
steht die einfache erzählung des paraphrasten Boner nahe. Das *tintin-*
nabulum wird durch *schellen* übertragen, bei Avian heisst es *crepi-*
tantia.

In der 75. fabel v. 41 fgg. überträgt Boner die beiden verse der
paraphrase:

Se risu quicumque novo sciat esse retentum,
arte magis studeat quam prohibere minis

die bei Avian fehlen, folgendermassen:

Er dunket mich ein wiser man,
der alsô spot zerstœren kan
mit schalle. daz ist bezzer vil,
denn der mit worten dröuwen wil.

Auch bei der 77. fabel „*von zweien heven*" scheint Boner die
paraphrase vor sich gehabt zu haben. Die wortreiche breite Avians ist
gemieden und die schlichte erzählung des paraphrasten: *sed cum testa*
levior velocius a gurgite portaretur — v. 13 fg. widergegeben:

und wan der irdin lîchter was,
des weges gelang im deste baz.

Auch die 88. fabel Boners weist mehr auf die paraphrase der
22. Avians, als auf diese selbst. Bei Avian wird Apollo von Jupiter
auf die erde geschickt *ambiguas hominum praediscere mentes.* Er trifft
mit dem *nîdigen* und dem *gîtigen* zusammen und erstattet über das
bekante erlebnis mit diesen beiden bericht an Jupiter. Der paraphrast
jedoch begint kurz: *Apollo cupidum et invidum comites itineris sui*
habens dixit —. Bei Boner heisst es 4 fg.:

ûf der strâz in schier bekam
ein hérre gewaltig unde rîch.

Ich schliesse nun so: Wenn Boner eine fassung der fabel m i t Jupiter
gekant hätte, so würde er diesen wol genant haben; er hat es ja auch
in anderen fabeln getan. Apollo jedoch, der allein in der vorlage
genant war, stempelte er zu einem anonymen grossen herrn um, weil
der name aus der höfischen epik als der eines lästerlichen heidengottes
bekant war.

Es ist mir klar, dass durch das angeführte nicht streng genug
erwiesen wird, die bei Fröhner gedruckte paraphrase sei von Boner
benutzt worden; aber ich halte es auch für ebenso sicher, dass nicht

der reine text Avians die quelle der bezüglichen fabeln des Edelsteins war. Ich möchte glauben, dass Boner eine auflösung Avians in prosa, welche aber in der verkürzung noch nicht so weit gegangen war als die vorliegende paraphrase, vor sich hatte. Auf eine solche zwischenstufe scheint mir der umstand hinzudeuten, dass bei mehreren fabeln sowol die poetischen ausdrücke Avians als auch prosaische von Boner verwendet werden, von welchen letzteren der paraphrast nur einen teil hat. Besonders stark ist diess bei der 91. fabel der fall, welche die 29. Avians widergibt. Dazu komt, dass Boner an einzelnen stellen angaben hat, die weder Avian noch der paraphrase entnommen sind. So heisst es in der 16. fabel Avians:

— *quercus*
decidit insani turbine victa noti.

und beim paraphrasten: *quercum vento prostratam detulit amnis.* Aber bei Boner 83₁₃ fgg.:

und dô si lang gestuont alsô,
dô kam ein wint, heizt aquilô.
vil krefteklîch er wâte.

Der reim kann die wahl dieses namens nicht veranlasst haben, denn Boner hätte v. 13 ebenso gut das oft von ihm gebrauchte *alsus* in den reim setzen können.

Von der gans sagt Boner 80₄ fg. ausdrücklich:

von der gans hab ich gelesen,
si leit altag ein guldin ei.

in der 33. fabel Avians dagegen heisst es:

ovaque quae nidis aurea saepe daret

und in der paraphrase: *singulis septimanis singula in nido suo ova ponebat aurea.*

Und so noch mehreres. Davon schliesse ich natürlich fälle aus, wie den der 84. fabel, in welcher der wolf die einigkeit der vier ochsen stört, während diess bei Avian und dem paraphrasten der löwe besorgt.

Nicht ohne interesse für die ganze frage sind die lateinischen disticha, welche in der handschrift D den fabeln angefügt sind. Ich verzeichne zunächst diejenigen, welche sich an solche fabeln Boners anschliessen, die aus dem Avian entlehnt sind. Ich widerhole ohne änderungen die angaben Pfeiffers in seiner collation.

63.   *Hec tibi dicta putent hac se sciat arte no ....*
       Femineam fi quis credit adesse fidem.[1]
bei **Avian** 1 15, auch in der paraphrase.

65.   *Que culpare soles ea tu ne feceris ipse*
       Turpe eft doctori cum culpa redarguit ipsum.
weder bei **Avian** noch bei dem paraphrasten.

66.   *Cum furor incurfu est currenti cede furori*
       Difficiles aditus impetus omnis habet.
weder bei **Avian** noch bei dem paraphrasten.

67.   *Metiri fe quemque decet priusque* [2] *iuvari*
       Laudibus alterius nec bona ferre sibi.
Auch bei dem paraphrasten stehen diese verse am schlusse der fabel,
bei **Avian** 5 am anfange.

68.   *Ne fibimet quifquam de rebus inaniter ullis*
       quod nequit inponat nostra fabella monet.[3]
Mit leichter differenz finden diese schon oben erwähnten verse sich bei
dem paraphrasten.   Unter die *Epimythia interpolata* des **Avian** hat
sie Fröhner in seiner ausgabe s. 50 gesetzt.

69.   *Haud facile eft prauis innatum mentibus ut fe*
       muneribus dignas fupplicioue putent.[4]
Avian 7 am anfange, der paraphrast am schlusse.

73.   *Cum tibi uel focium uel fidum queris amicum*
       quocumque potes caveas consorcia rufi.
weder bei **Avian** noch in der paraphrase.

75.   *Ridiculum cuiquam cum fis, absoluere temet* [5]
       Opposita contra [6] *veri cum ratione ftude.*
Sie bilden die beiden ersten verse eines von Fröhner als interpoliert
bezeichneten *epimythium* und fehlen dem paraphrasten.

77.   *Pauperior caueat fefe fociare potenti,*
       Namque fides illi cum pari fit melior.[7]
Beim paraphrasten.   Bei **Avian** gleichfalls, aber von Fröhner als interpoliert bezeichnet s. 50.

---

1) *hæc sibi dicta putet seque hac sciat arte notari (iocari* par.)
   femineam quisquis credidit esse fidem. Av. par.
2) *propriisque* Av. par.
3) *fabula nostra monet* Av. par.
4) *sciant* par.
5) *Ridiculus cuiquam cum sis* Fröhner s. 50.
6) *contra* ist nur ein in den vers gekommenes glossem.
7) *illist (illa* par.) *cum parili melior.* Fröhn. s. 50 und par.

86.   *Nemo ſue carnis nimio*[1] *letetur honore*
        Ne uilis factus post ſua facta[2] *gemat.*

Fröhner s. 52; fehlen beim paraphrasten.

88.   *Qui dum prouentis aliorum gaudet iniquis*[3]
        Lecior infelix in ſua dampna ruit.[4]

Bei Avian 22,$_{19}$ fgg., auch in der paraphrase.

90.   *Non debes dictis cuiuſdam credere blandis*[5]
        Sed ſi ſint fidei proſpice que[6] *monuit.*

Fröhner s. 53, ob in der paraphrase, ist aus Fröhners angaben nicht
klar, aber ich vermute es.

91.   *Qui michi blanditur niſi cor respondeat ori*
        Scorpius efficitur pungens a poſteriori.

weder bei Avian noch bei dem paraphrasten,

Der schreiber der handschrift D trug entweder selbst in seine
abschrift die lateinischen disticha ein oder fand sie in seine vorlage bereits
eingetragen. Unter den angeführten distichen finden vier sich weder
bei Avian noch bei dem paraphrasten. Das auf die 73. fabel folgende
setzt die fassung bei Boner, in welcher vor dem roten gewarnt wird,
voraus. Ebenso das gereimte distichon, welches an die 91. fabel sich
anschliesst und die verse 67—70 derselben überträgt. Das distichon
nach der 65. fabel scheint entstanden, weil die darstellung bei Avian
oder dem paraphrasten — besser gesagt bei der zu vermutenden vorlage — die moral nicht präcis genug gab. In diesen drei distichen ist
der zweite vers ein hexameter. Ein pentameter ist er in dem vierten
auf die 66. fabel folgenden distichon, welches, obschon zwei verschiedene sätze vereinigend, aus der vorlage stammen wird. Diese muss,
nach den übrigen distichen zu schliessen, auf der vorhin für die quelle
Boners angenommenen mittelstufe gestanden haben. Ich werde mich
jedoch hüten, daraus weitere schlüsse zu ziehen. Den nicht aus Avian
entlehnten fabeln Boners sind in der handschrift D folgende lateinische
verse hinzugefügt:

zur 6. fabel: *Sic pereant, qui se prodeſſe fatentur et obſunt.*
              Diſcat in auctorem pena redire ſuum.

1) *nimium* Fröhner s. 52.
2) *fata* a. a..o.
3) *quae — inicis* Av.   *quae d. fortunis* par.
4) *et sua dampna cupit* Av. und par.
5) *Ne properes blandis cuiusquam credere dictis.*   Fröhner a. a. o.
6) *quis* Fröhner a. a. o.

7.
    Sepe fidem falfo mendicat in ..... tefte,
    Sepe dolet pietas, criminis arte capi.

    Ne forti fociet fragilis, vult pagina prefens:
    Nam fragili fidus nefciet effe potens.

10.
    Hic prohibet fermo, letum prebere favorem
    Qui mala fecerunt uel mala facta parant.

11.
    Nichil prodeft prodeffe malis: mens mala malorum
    Immemor accepti non timet effe boni.

12.
    Non fatis eft tutum mellitis credere uerbis:
    Ex hoc melle folet peftis amara fequi.

15.
    Pauperitas fi leta uenit, ditiffima res eft;
    Triftior inmenfas pauperat ufus opes.

16.
    Corporis exigui uires contemnere noli.
    Confilio pollet cui uim natura negauit.

17.
    De fe tutus hoc fubuerfus turbine lingue
    Corruit et fortes ifta procella rapit.

18.
    Fellitum patitur risum, quem mellit inanis
    Gloria: uana parit tedia falfus honor.

19.
    Hunc timeat cafum, qui fe non fulcit amicis,
    Nec dare vult felix, quam mifer optat opem.

20.
    Quod natura negat, nemo feliciter audet:
    Difplicet imprudens unde placere poteft.

21.
    Tu qui fumma potes, ne defpice parua potentem:
    Nam prodeffe poteft, fi quis obeffe nequit.

23.
    Utile confilium qui fpernit, inutile fumit.
    Qui nimis eft tutus retia iure fubit.

25.
    Omne boni precium nimium uilefcit ab ufu,
    Fitque mali guftu dulcius effe bonum.

30.
    Nil melius fano monitu, nil peius iniquo
    Confilium fequitur certa ruina malum.

32.
    Spem decet amplecti: fpes eft uia prima falutis.
    Sepe facit metui non metuenda metus.

34.
    Qui primo nocuit vult posse nocere fecundo.
    Qui dedit infidus mella, uenena parat.

35. *Cum timor in promptu fedit, promiffa ti ...*
    ... rent: nil fidei uerba timentis habent.

36. *Iure potest ledi ledens, ut ledat: et illuc*
    Unde breuis cepit lefio, magna redit.

37. *Quod tibi non uelles, alii feciffe caueto.*
    vulnera nec facias, que nequis ipse pati.

38. *Fufcat et extinguit cordis caligo nitorem*
    Corporis: eft animi folus in ente nitor.

39. *Qui plus poffe putat fua quam natura miniftrat,*
    Poffe fuum fupperans, fe minus effe putat

40. *Audet in audacem timidus, fortique minatur*
    Debilis, audendi cum videt effe locum.

41. *Dulcia pro dulci, pro turpi turpia reddi*
    Verba solent: odium lingua fidemque parit.

44. *Non bonus eft ciuis qui prefert civibus hoftem:*
    Vtiliter feruit nemo duobus heris

45. *Non onorat (?) factum nifi facti fola uoluntas:*
    Non operis fructum, fed uolo mentis opus.

46. *Cum maiore minor conferri definat et fe*
    Confulat et uires temperet ipfe fuas.

48. *Plus uigila femper ne fompno deditus efto:*
    nam diuturna quies uiciis alimenta miniftrat.

49. *Qui contentus eo quod fibi natura miniftrat*
    Non fuerit, uicio fubiacet ille fuo.

50. *Qui non es, non effe velis; qui es, effe memento:*
    Est male qui non eft, qui negat effe quod eft.

52. *Ne cures, fi quis tacito (?) fermone loquatur:*
    Sermo datur cunctis, animi fapientia paucis.

56. *Spernere quod profit et amare quod obfit ineptum est.*
    Quod fugimus prodeft et quod amamus obeft.

57. *Adam, Sampsonem, David, regem Salomonem*
    Femina decepit; quis modo tutus erit?

58. *Que priuata uiro mulier fi cafta manebit,*
    Corporis et anime commoda multa gerit.

59. *Non bene pro toto libertas uenditur auro,*
    Hoc celefte bonum preterit orbis opes.

60. *Nemo fibi fatis eft: eget omnis amicus amico.*
    Si non uis aliis parcere, parce tibi.

61. Dasselbe verspaar, welches schon oben als nach 73 stehend angeführt wurde.

62. *Ius fuperat uires, fors afpera monftrat amicum*
    Ius confert odio gracia, fraude fides.

Die verse beziehen sich immer auf die voranstehende fabel, sie geben in einigen fällen den inhalt der letzten beiden zeilen wider. Da der Anonymus des Nevelet nur die fabelsamlung des Romulus versificiert, so wurden vielleicht durch den schreiber von D die verse in ähnlicher weise hier entlehnt, wie früher bei Avian gezeigt wurde. Nur einmal — bei der 34. fabel — ist der inhalt der erzählung misverstanden und beziehen sich die verse vielmehr auf die fabel von der erfrorenen schlange, welche erwärmt und zum leben wider erweckt, ihren retter tötet.[1] Alle disticha bestehen aus hexameter und pentameter, nur 16. 48. 52 aus je zwei hexametern.

Auch die handschrift B enthielt, wie Pfeiffer zu den ersten fabeln anmerkt, am ende derselben lateinische verse. Dass sie nicht mitgeteilt wurden, ist zu bedauern; sie hätten vielleicht eine untersuchung der in D vorliegenden ermöglicht. Jedesfalls muss die für BD zunächst vorausgesetzte quelle x[1] diese lateinischen verse schon enthalten haben.

Ausser dem Avian wurde, wie Lessing nachwies,[2] von Bonerius noch die fabelsamlung, welche Isaak Nevelet in seiner Mythologia Aesopica als die eines anonymen dichters herausgegeben hat, benutzt. In welcher weise diess geschehen ist, vermag ich, da mir das genante buch Nevelets nicht erreichbar war, keine aufklärung zu bieten.

Interessant ist, in welcher weise sich die benutzten fabeln des Anonymus und Avian unter die hundert stücke des Edelsteins verteilen. Diess klar zu machen, mag die folgende übersicht dienen, bei der — bezeichnet, dass die quelle weder der Anonymus noch Avian ist.

1) Vgl. die 13. fabel.
2) Zur geschichte und litteratur 5. 21. Lachmann-Maltzahnsche ausgabe X. 318 fgg.

Boner	Quelle	Boner	Quelle	Boner	Quelle
1	Anon. 1	35	Anon. 31	69	Avian 7
2	Anon. vorr.	36	Anon. 32	70	—
3	Avian 17	37	Anon. 33	71	—
4	—	38	Anon. 34	72	—
5	Anon. 2	39	Anon. 35	73	Avian 9
6	Anon. 3	40	Anon. 37	74	—
7	Anon. 4	41	Anon. 36	75	Avian 10
8	Anon. 6	42	Avian 34	76	—
9	Anon. 5	43	—	77	Avian 11
10	Anon. 7	44	Anon. 44	78	Avian 13
11	Anon. 8	45	Anon. 40	79	Avian 14
12	Anon. 9	46	Anon. 41	80	Avian 33
13	Anon. 10.	47	Anon. 38	81	Avian 15
14	Anon. 11	48	—	82	—
15	Anon. 12	49	—	83	Avian 17
16	Anon. 13	50	Anon. 42	84	Avian 18
17	Anon. 14	51	Anon. 43	85	—
18	Anon. 15	52	—	86	Avian 19
19	Anon. 16	53	—	87	—
20	Anon. 17	54	Anon. 45	88	Avian 22
21	Anon. 18	55	Anon. 46	89	—
22	Anon. 19	56	Anon. 47	90	Avian 26
23	Anon. 20	57	Anon. 48	91	Avian 29
24	Anon. 21	58	—	92	—
25	Anon. 21. 2	59	Anon. 54	93	—
26	Anon. 22	60	Anon. 55	94	—
27	Anon. 23	61	Anon. 59	95	—
28	Anon. 24	62	Anon. 60	96	—
29	Anon. 25	63	Avian 1	97	—
30	Anon. 26	64	Avian 2	98	—
31	Anon. 27	65	Avian 3	99	—
32	Anon. 28.	66	Avian 4	100	—
33	Anon. 29	67	Avian 5		
34	Anon. 30	68	Avian 6		

Wie man sieht gruppieren sich die aus dem Anonymus des Nevelet und aus Avian entlehnten fabeln in zwei hauptmassen. Nur zwei
fabeln, bei denen Avian zu grunde gelegt ist, finden sich unter den
dem Anonymus entnommenen. Es ist nicht wahrscheinlich, dass Bonerius abwechselnd ein paar fabeln nach dem Anonymus und wider nach

Avian gedichtet hat. Daher erhebt sich die frage, welche der beiden
hauptpartien des Edelsteins von dem verfasser z u e r s t ausgearbeitet
wurde.

Es wird hoffentlich keinem aufmerksamen leser der oben zusammengestellten übersicht ungenauer reime entgangen sein, dass die zweite
hälfte der fabeln — also 51 — 100 — einen ungleich grösseren teil
daran hat, als die erste. In der tat stellt sich in dieser beziehung
das verhältnis der beiden hälften wie das von 1 : 2 $\frac{1}{2}$. Zieht man in
rücksicht, dass die letzten funfzig fabeln um etwa 650 verse mehr
haben, als die ersten funfzig, so erübrigt noch immer ein verhältnis
von 1 : 2 mit einem zu gunsten der zweiten hälfte sprechenden bruch-
teil. Das gebiet der starken anhäufungen ungenauer reime lässt sich
noch beschränken. Die fabeln 63 — 91 enthalten über drei vierteile
derselben, obschon sie nur wie 29 : 21 stehen sollten.[1] Wer sich die
mühe nehmen will, mit dem bleistift die ungenauen reime auch nur
einiger dieser fabeln zu unterstreichen, wird sich leicht überzeugen.

Welcher schluss wird nun aus dieser tatsache gezogen werden
dürfen? Sind grössere anhäufungen ungenauer reime beweis für jugend
oder alter des verfassers, entspringen sie den anfängen in der übung
der reimtechnik oder nimt der alte diese dinge leichter? Es kann
sogleich eingewendet werden, weshalb denn überhaupt ein s o grosser
zeitraum für die entstehung dieser fabeln angenommen werden müsse,
dass jugend und alter des autors noch in denselben fallen. Ich werde
die richtigkeit dieser annahme zu erweisen suchen, vorerst nur die
hauptfrage. — Ich möchte dafür halten, dass das häufige vorkommen von
reimungenauigkeiten ein zeichen des mangels an übung sei und dass
die nach dem Avian gearbeiteten fabeln des Bonerius v o r denjenigen
entstanden sind, welche den Anonymus zu grunde legen.

Dazu bestimt mich noch mehreres.

Die moralisationen, welche an die Avianfabeln geknüpft sind,
haben einen andern charakter als die mit den Anonymusfabeln verbundenen. Sie schliessen sich enge an die erzählung an und leiten aus
derselben einen allgemeinen moralischen satz ab. Die belehrungen aber

1) Ich mache aufmerksam, dass die form *eselli* im reime 82$_{16}$ also zwischen
zwei aus Avian entlehnten fabeln sich findet. Vgl. HZ. XVI. 219 anm. Wenn
dort behauptet wird, die reime in der zweiten hälfte der fabeln seien ungleich
„besser,“ so ist diess schon nach dem zusammenhange natürlich falsch und, wie
mein brouillon mich lehrt, durch einen irrtum beim abschreiben verschuldet. Nur
beiläufig erwähne ich noch hier, dass von den mehr als 60 stellen, an denen Boner
verse Freidanks teils benutzt, teils wörtlich aufgenommen hat, nur 14 auf die
fabeln 63 — 100 fallen.

in der zweiten partie entfernen sich von der fabel und erörtern am weltleben die probehaltigkeit des deducierten satzes. Es scheint mir diess ein zeichen grösserer reife und erfahrung.

Wie aber sind die beiden Avianfabeln unter die Anonymusfabeln gekommen? Ich glaube eine erklärung ist nur dann möglich, wenn man annimt, die Avianfabeln seien zuerst gedichtet. Aus den bereits fertig vorliegenden Avianfabeln hat der dichter während der bearbeitung der Anonymusfabeln zwei aus gewissen gründen, die ich noch besprechen werde, eingeschaltet. Ich vermag es mir nicht anders vorzustellen. Ausser den beiden hauptpartien finden sich jedoch noch 25 weder aus Avian noch dem Anonymus entnommene fabeln. In welchem verhältnisse steht die zeit ihrer abfassung zu der der hauptmassen?

Von den fabeln 92 — 100 behaupte ich gleich jetzt mit aller bestimtheit, dass sie zuletzt gedichtet wurden. Es sind diess eigentlich gar keine fabeln, sondern erzählungen, welche zumeist den charakter der parabel tragen.

92 erzählt von drei lehren, welche die nachtigall einem manne gegeben habe und der probe, welche der mann nicht besteht. 93. Die hirten töten ihre hunde, da die wölfe ihnen für die zukunft frieden schwören. Aber die schafe sind dann den wölfen preisgegeben. Bonerius zieht daraus den schluss, dass man die lehrer des wortes gottes, welche die ketzerwölfe anbellen, beschützen müsse. Bezieht sich wahrscheinlich auf bestimte verhältnisse. 94. Ein magier macht seinen genossen durch zauber zum könig; als dieser aber sich undankbar erzeigt, verschwindet das hergezauberte königreich. Dem betrübten setzt der meister auseinander, alle welt sei schein, treulos und eitel. 95. Zwei processführende bestechen den richter, die grössere gabe bringt den günstigen spruch.[1] Mit einer scharfen lehre über die bestechlichkeit der richter. 96. Ein bürger hat eine schöne katze. Um sie vor den nachstellungen der nachbarn zu schützen, versengt er ihr den balg. In ähnlicher weise soll man die eitelkeit der frauen beugen. 97. Der weise knabe Papirius belügt seine mutter über eine beratung des senates und bewahrt das staatsgeheimnis. Die schwatzhaftigkeit der frauen ist gross, sie können nicht schweigen. Glücklich ist, der ohne sie leben kann. 98. Ein bischof, der seinen neffen, einen knaben, zum erzpriester gemacht hat, will ihm einen birnenkorb nicht zur hut anvertrauen und erfährt darob eine strafrede durch einen weisen. Man soll sorgsam sein in der erteilung geistlicher würden. 99. Ein törichter junge wird nach Paris auf die hohe schule gesant; komt aber so albern

---

1) Die verse 57. 58 gehören noch zur rede des richters.

zurück, als er vorher gewesen. Aus einem toren kann nie ein guter
pfaffe werden. 100. Von einem weisen manne hat ein könig die lehre
gekauft: bedenke das ende, und sie auf seine tür schreiben lassen. Ein
barbier, durch die inschrift erschüttert, entdeckt eine verschwörung.
Des endes soll man stets gedenken.

Schon die angeführten stoffe sind von solcher art, dass sie kaum
zu anderer zeit, als im höheren alter können bearbeitet worden sein.
Noch mehr aber zeigen die moralisationen die grämliche unzufrieden-
heit, welche aus traurigen lebenserfahrungen hervorgeht. Während die
früheren fabeln sätze — ich möchte sagen — activer moral vortragen,
lehrt Bonerius hier die weisheit der resignation. Vertraue niemand,
schätze den wert der welt gering, denn es geht übel zu. Die mit
hohem amte betrauten sind unwürdige und wurden unvorsichtig gewählt,
den der belehrung bedürftigen nimt man die lehrer. Daher nur eine
regel: bedenke das ende, denn:

ein guot end macht allez guot.

Die letzten sätze der hundertsten fabel bilden denn auch einen vortrefflichen schluss, der freilich beabsichtigt ist. Diese neun fabeln sind,
nebenbei bemerkt, von ungenauen reimen am meisten frei. Auch hängen diese fabeln nur durch den ton zusammen, sie sind nummer für
nummer einzeln gedichtet und nicht in gruppen zusammengefügt.

Denn es ist solche gruppenbildung für alle übrigen fabeln des Bonerius charakteristisch. Um die ordnung, in welcher die fabeln gedichtet wurden, genauer festzustellen, sehe ich mich genötigt, diese gruppen einzeln nachzuweisen. Zuvor bemerke ich nur noch, dass in den
beiden hauptpartien das zusammenpassen mehrerer fabeln dem stoffe
nach schon in den beiden lateinischen fabelbüchern begründet ist.

Schon die 1. und 2. fabel, beide aus dem Anonymus entnommen,
sind durch den gedanken: viele wissen die rechte lehre gar nicht zu
schätzen, zusammengehalten. Mit den beiden nächsten fabeln ist es
schwieriger. Die 4. — ihr stoff ist wol von Boner erfunden — enthält
v. 31 fgg. directe beziehung auf die zweite fabel. Ich glaube auch, dass
sie unmittelbar nach der 2. gedichtet wurde. Die 3., deren stoff aus
Avian 17 entnommen ist, wurde wol aus der *rede* wegen 2_{39}. 3, 1 fg.
hereingebracht. 5. 6. 7 gehören zusammen. 5 behandelt den betrug,
welchen der wolf an dem schaf ausübt, 6 einen ähnlichen betrug wie 5,
nur dass er bestraft wird. 7 begint ganz wie 5, neu ist die person
des falschen zeugen. Schon beim Anonymus findet sich diese ordnung.
Weil in der 8. fabel der löwe die verbündeten tiere betrügt, ist diese
fabel vor die nächste gestellt worden, hinter der sie beim Anonymus
sich findet. Die 11. 12. 13. fabel werden schon beim Anonymus durch

den gemeinsamen gedanken des tadels der undankbarkeit aneinander gebunden. Wenn in den nächsten fabeln bis zur 23. eine verknüpfung wahrnehmbar ist, so muss sie der lateinischen quelle zugeschrieben werden. Aus der 21. fabel des Anonymus hat Bonerius zwei gemacht: die 24. und 25. Die zweite gibt die bekante erzählung von den fröschen, die um einen könig baten, die erste gibt die anwendung — von den menschen, die einen könig wolten — sehr unpassend als eigene fabel. Auch die 26. fabel — beim Anon. die 22. — behandelt dasselbe tema und zwar sind es diesmal die tauben, die von der weihe grausam behandelt werden. Die 39. und 40. fabel haben gemeinschaftlich, dass in ihnen der lächerliche übermut des geringen gezüchtigt wird. Deswegen ist auch die 40. fabel aus ihrer ordnung beim Anon. gerückt. 41 erzählt die bekante fabel von der arbeitenden ameise und der faulen fliege. Nun komt plötzlich eine fabel aus Avian, die 34. dort. Sie ist hier hereingebracht, weil sie ganz denselben stoff behandelt, wie die vorhergehende, nur wird statt der fliege die heuschrecke genant.

Schwer scheint es mir, klar zu werden über die gründe der anordnung von Bon. 43 — 49. Drei fabeln darunter haben ihren stoff weder aus dem Anonymus noch aus Avian. Zwischen 43 und 44 könte man zur not noch einen zusammenhang wahrnehmen. 43 spricht von dem frommen gleissner und bezieht sich der 2. überschrift nach auf die Begharden. 44 handelt von der fledermaus, die sich bald den vögeln, bald den *tieren* zuwendet und könte wol gleichfalls auf die Begharden bezogen werden. Vielleicht auch die 45. fabel von dem gefangenen wiesel, in welcher erklärt wird, gute werke ohne den willen dazu geübt, dürfen nicht als verdienst angerechnet werden. Wenn zwischen diesen drei fabeln ein derartiger zusammenhang bestand, dann war er jedesfalls Boners zeitgenossen klarer als uns. Zwischen den nächsten vier fabeln herscht gar kein zusammenhang. Zwei davon sind dem Anonymus entnommen, zwei gehören keiner der beiden hauptquellen an. Es ist natürlich, dass auch fabeln übrig bleiben musten, wenn die mehrzahl nach gewissen gesichtspunkten gruppiert wurde.

50. 51 werden vielleicht nur durch das ross zusammengehalten, liegen übrigens beim Anonymus 42. 43 schon so. Und der grund weshalb die beiden zusammengehörigen stücke 52. 53 hier eingeschaltet wurden, findet sich wol eben auch nur in dem umstande, dass der esel ihnen mit 51 gemeinschaftlich ist. 52. 53 gehören zusammen, das zeigen schon die überschriften „*von unschuldigem spotte*,“ „*von schuldigem spotte.*“ 54 — 57 stehen in der ordnung wie der Anonymus sie bietet, zwischen 54 und 55 besteht eine kleine verwantschaft, die aber nur

äusserlich ist. 58 „*von vrouwen triuwe*" ist hier als gegenstück zu 57 „die matrone von Ephesus" eingeschoben. 59. 60 stehen so beim Anonymus. Zu 59, der fabel vom fetten hofhund und dem magern wolf, der jedoch die *vriheit* der *eigenschaft* vorzieht, ist zu bemerken, dass Avian 37 dasselbe mit vielen worten vom löwen und hund erzählt. Damals liess Boner die fabel fallen und nahm sie hier herein in der ihm passenden fassung des Anonymus (= Aesop), auf welche schon der paraphrast des Avian ausdrücklich verwiesen hatte. 61. 62 so auch beim Anonymus geben seitenstücke: „*von offenunge des mordes*," „*von offenunge des rechtes*."

Mit 63 beginnen die Avianfabeln. Ich gehe hier auf die gruppen, welche schon in der quelle sich zeigen, nicht ein. 63—69 sind in der Ordnung Avians geblieben. Die 69. fabel spricht von dem bösen hunde, der eine schelle trug und deshalb ist hier die 70. fabel nicht aus Avian angeschoben, von der katze, welcher die mäuse eine schelle anhängen wollten. Die fabel war trotz ihrer einfachheit Boner nicht klar, er hatte sie vielleicht nur einmal erzählen gehört, denn, wie schon oben erwähnt, war ihm die schelle so wichtig, dass er ihretwegen die hauptlehre der fabel: „leicht ist zu raten, aber schwer den rat auszuführen" ganz übersah und über den hausfeind moralisierte. Boner hat die 8. fabel des Avian fortgelassen und fühlte sich wol verpflichtet, eine neue an die stelle zu setzen. Diese gewissenhaftigkeit hörte aber bald auf. 72 und 74 sind um die aus Avian entnommene 73. fabel gestellt, weil alle drei die unzuverlässigkeit, treulosigkeit und den trug von genossen besprechen. 75 ist wider Avian und 76 steht des „spottes" wegen dahinter und weil auch hier körperliche mängel den gegenstand des spottes abgeben. 77. 78 (= Avian 11. 13) sind des inhalts wegen aneinandergerückt. Die 82. fabel ist zur 81. aus Avian hinzuerzählt worden. Auch die 83. und 84. sind durch den inhalt einigermassen verknüpft. In dem *klôsterlugner* v. 83 der 84. fabel und der gegen ihn geführten polemik liegt der grund für die einfügung der 85. fabel. Unmittelbar verknüpft mit der 86. fabel, ja aus deren letztem verse entstanden ist die 87., eine parabel. Vielleicht ist diese überhaupt spät anzusetzen. *Gitekeit* ist das thema für 88. 89. Auch 90. 91 werden durch gemeinsame moral (vgl. 90, 25) zusammengehalten.

Ich glaube, dass die nicht aus den beiden hauptquellen stammenden fabeln in verschiedener weise zu dem hauptstocke gefügt wurden. Die zu den Avianfabeln gehörigen — etwa mit ausnahme von 87 — sogleich, das scheint mir die beziehung der eingeschalteten zu den frü-

beren zu beweisen, welche weit genauer ist, als bei den zu den
Anonymusfabeln angeschobenen, deren zufügung erst später geschah.

Somit wäre anzunehmen, dass Boner seine fabeln in folgender
ordnung gedichtet habe. Zuerst 63—91, wie schon erwähnt mit ausnahme von 87, 3 und 42. Dann 1—62, die eingeschalteten jedoch
später. Darauf die vorrede, welche v. 41 nur „mange bischaft" kent
und in ihrem tone von der nachrede sich wesentlich unterscheidet. Die
vorrede nent das „büchlin" den Edelstein. Der titel ist aus der 1 fabel
genommen, auf welche v. 69. 70 der vorrede sich direct beziehen.
Hierauf — vielleicht nach sehr langer pause — wurden (die 87. und)
die stücke 92—100 gedichtet, endlich die nachrede, welche das ganze
werk voraussetzt.

Sehr charakteristisch für Bonerius scheinen mir die gründe zu
sein, aus denen er einzelnen fabeln seiner vorlagen die bearbeitung ver-
sagt hat. Die beispiele aus dem Avian: Nicht übertragen wurden von
Boner die fabeln: 8. 12. 20. 21. 23. 24. 25. 27. 28. 30. 31. 32. 35—
42 und zwar: 8. 12. 23 ihres entschieden heidnischen charakters willen,
der bei einer bearbeitung nicht getilgt werden konte; die übrigen, weil
sie erzählungen ohne moral sind, oder wenigstens ohne eine solche,
welche Boner seinem publikum deutlich zu machen vermocht hätte.

Von den schriftstellern, welche Boner gekant, zum teil auch
benutzt hat, ohne sie jedoch zu nennen, nächstens.

Nachtrag.

Erst spät ist es mir möglich geworden, die beiden ausgaben des
Phaedrus, Zweybrücken 1784 und Bautzen 1838 einzusehen, in welche
die fabeln des Anonymus Neveleti aufgenommen wurden. Die erst-
genante ausgabe (B) enthält nur einen wenig verbesserten abdruck des
Neveletschen textes, also mittelbar der Heidelberger handschrift, die
zweite, von Christian Dressler veranstaltet, stützt sich auf den codex
Haenelius des XIV. und den codex Duacensis des XIII. jahrhunderts.
Die handschrift 303 der Wiener k. k. hofbibliothek, aus dem XIV. jahrhundert stammend (Vind.), enthält fol. 12^b — 22^b unter dem namen des
Hildebertus Turonensis gleichfalls die fabeln des Anonymus. Andere
handschriften nent Oesterley, Romulus einleitung s. XXIV.

Bonerius hat seine fabeln, deren stoff dem Anonymus entlehnt
war, nach einer handschrift gearbeitet, welche der Heidelberger sehr
nahe stand. II$_2$ des Anonymus heisst es: *fluentum limite non uno
quaerit uterque siti*, B *uterque viam*. Darnach Boner 5$_2$ *daz er den
weg zem wazzer nam*. v. 11 derselben fabel sagt der·wolf: *fecit idem
pater ante tuus sex actis*, in B ist verschrieben: *sed mens a.*, bei Boner
v. 23: *vor siben jâren daz beschach*. — X hat nur B die beiden verse
5. 6: *Ver redit, imber abit, aestas cum sole tepescit. Sic importunus fit
magis atque magis*, welche im eingange von Boners 13. fabel benutzt

zu sein scheinen. — XIII$_7$ lautet bei B: *In pullos aquilae consurgit copia fumi.* Die andern handschriften lesen falsch: *conjurat*, nur in H findet sich von spätcrer hand *consurgit* eingetragen. Boner 16$_{33}$ *der rouch dur den boum úf drang.* — XX$_4$ *Vellite pro vestris semina sparsa malis* in den handschriften, *pro nostris* in B, wozu man halte, dass Boner 23$_8$ fgg. die schwalbe stets in der ersten person pluralis spricht. — XXV$_4$ *Ducenti trepidant et prope stare timent* in allen handschriften ausser B, welches *Vicini trepidant* liest. Boner 29$_5$ fg. *des scherhoufen nam menlich war : man und vrouwen kâmen dar.* — XXX$_1$ B: *Rustica mensa diu nutritum foverat anguem,* die übrigen handschriften: *noverat a.* Boner 34$_1$ fgg.: *Wen list von einem slangen daz, daz er in einem húse was gar heimlich und gewonet wol.* — XLI$_{10}$ hat Dressler *pro dape tendit ovem* in den text aufgenommen, B und der Duacensis lesen *oves.* Boner 47$_{36}$ *diu schaft wolt er im gerne geben.* — XLV$_5$ die handschriften: *sed amico flectere cantu Me potes,* B: *amoeno.* Boner 54$_{15}$ *macht dú singen alsó wol.* — LIV$_1$ *Lupus inquit: Amoena pelle nites, in te copia facta patet* in den handschriften; B liest: *amice p.* — *copia pulchra.* Boner 59$_9$ fgg.: *sag an, trût geselle min, waz meinet diner hiute schin? du bist só stolz und bist só glat.* — LIX$_{11}$ *Prosilit ab ulmo,* dagegen a *dumo* B und Boner 61$_{34}$ fg. *dô kam gevlogen ein rephuon úz den hürsten dar.* -

Dagegen scheint Bonerius in der oben besprochenen anordnung der fabeln 43—49 sich eher an eine handschrift von der classe des codex Haenelius gehalten zu haben. Das geht aus folgender tabelle hervor:

Boner	Bip. Vind.	Du.	Haen.	Boner	Bip. Vind.	Du.	Haen.
40	37	36	36	46	41	40	40
41	36	37	37	47	38	38	41
42		Avian		48	—	—	—
43	—	—	—	49	—	—	—
44	44	44	44	50	42	42	42
45	40	41	39	51	43	43	43

Die disticha, welche am schlusse der fabeln Boners in der Basler handschrift sich finden, sind, wie ich oben vermutete, bis auf die zu 16. 48. 52 gehörigen, dem Anonymus entnommen, doch bietet die Basler handschrift erhebliche, zur besserung des textes beitragende varianten.

Ich verzeichne zum ende noch die wichtigsten abweichungen und bestätigungen aus der Wiener handschrift, auf den oben gegebenen text bezogen. Der Vindobonensis schliesst mit der 59. fabel.

7$_1$ *ineptia testis,* 8$_1$ *ne fortem societ,* 10$_2$ *qui mala fecerunt,* 15$_1$ *pauperies-ditissima.* Die richtigkeit dieser lesart wird durch die übertragung bei Boner 15$_{57}$ fg. bewiesen: *daz richste leben, daz man hât, ist, der in armuot vrœlich stât.* Vgl. Freid. 43, 20. 17$_1$ *de se stultus subversus turbine lingue,* 18$_2$ *gloria vera,* 19$_1$ *qui non fulcit amicis.* Boner 19$_{36}$: *vriunt gewinnen, daz ist guot.* 20$_2$ *placere putat,* 25$_1$ *vilescit in usu,* 35$_1$ *in portu,* 36$_1$ *ledi nitens,* 37$_1$ *carebis,* $_2$ *potes ipse pati,* 38$_2$ *in orbe nitor,* 45$_1$ *nil honerat factum,* 50$_1$ *fatetor.*

GRAZ, OSTERN 1875.   ANTON SCHÖNBACH.

DIE MERSEBURGER GLOSSEN.

Die hiesige stiftsbibliothek besitzt von stücken, die der ältesten deutschen litteratur angehören, nur in cod. nr. 51 die sog. zaubersprücho und das taufgelöbnis, welche zu treuester darstellung unlängst in photographischer abbildung zugleich mit dem Hildebrandsliede durch Sievers veröffentlicht wurden, und in cod. 42 die zuerst von H. Leyser in Haupts Ztschr. III. 280 f., dann von M. Heyne in Kleinere altniederdeutsche Denkmäler s. 92 fgg. nach erneuter vergleichung mitgeteilten glossen. Einige derselben hat W. Scherer in der Ztschr. für das österreich. gymnasialwesen jahrg. 1867 s. 662 gelegentlich einer recension des letztgenanten buches besprochen. Weitere litteratur darüber ist mir nicht bekant.

Ich habe dieselben, da mir schon bei der ersten vergleichung zweifel an der richtigkeit der bisherigen lesung einzelner glossen entstanden, oft genug bald allein, bald mit meinem sohne betrachtet, und bin daher gern auf den antrag des herrn prof. dr. Zacher, der zugleich freundlichst rat erteilte, eingegangen, diese ganz genaue collation zu veröffentlichen, um alle unsicherheit und jeden zweifel zu heben, so weit diess überhaupt möglich ist.

Die handschrift in klein folio, pergament, 123 ungleich hohe, an rändern und ecken vielfach beschädigte blätter, trägt auf dem sehr verschabten lederumschlage den titel Isidorus de vita clericorum zweimal in grösserer und kleinerer schrift des 14. jahrhunderts, wie auch Heyne schon angibt. Diese aufschrift ist aber nur von dem hauptinhalte der 140 capp. entlehnt, welche die handschrift enthält — von dem anfange, welcher ein inhaltsverzeichnis der capp. gibt, fehlt etwas; eben so der schluss —, denn viele sind auch auszüge aus briefen des Hieronymus und aus büchern des Augustinus, Prosper, Gregorius; dazwischen concilienbeschlüsse und decretalen, alles aber bezüglich auf das leben und die pflichten der kleriker. Cap. CXII hat die überschrift: Augustini de uita et moribus clericorum, und schliessen sich diesem die folgenden, von cap. CXV an hin und wider glossierten capp. als die besondere ausführung an.

Finden sich nun auch auf den früheren blättern allerlei federübungen, so ist doch keine spur von einem deutschen worte zu entdecken. Die glossen, um welche es sich hier handelt, stehen auf bl. 103ᶜ bis 106, 109 und 110. Irgend einer der alten leser hat, ohne dass aus dem inhalte ein besonderer grund gerade hier zu glossieren erkennbar ist, angefangen, zwei andere haben dann nachgetragen, denn von drei ziemlich gleichzeitigen händen rühren die glossen her, und ich glaube zusammenstellen zu dürfen

    1) nr. 1—4. 7. 16.
    2) 8—15. 36—42.
    3) 5. 6. 17—35.

Einige (3. 4. 7) sind mit späterer tinte überzogen, andere haben durch (von wem?) angewante reagentien sehr gelitten. Diese liessen sich durch liq. ammon. caust. wider lösen, aber verdorben ist der text nun einmal, und ich habe nur mit der lupe bei hellstem lichte so viel als möglich lesbar gemacht. Um der vollsten genauigkeit willen habe ich die glossen unten gerade so abdrucken lassen, wie sie im texte stehen, auch zur bessern beurteilung jedesmal den ganzen lateinischen satz gegeben. Die bezeichnung der columne — jede seite hat 2 columnen von je 25 zeilen — ergibt zugleich, ob die glosse am äusseren oder inneren rande oder zwischen 2 columnen steht. Die stellung am innern rande komt z. b. bei nr. 34 und 35 in betracht. Zu bemerken ist noch, dass das pergament vielfach schadhaft, dünn, faltig und durchlöchert ist, was den schreiber hinderte. Dass die oberen äusseren ecken fehlen, hat nur nr. 1 geschadet, an welcher stelle auch das pergament an deutlicher schrift gehindert hat.

103ª. **CXV. Quod canonica institutio evangelica & apostolica auctoritate fulta c&eris superemineat institucionibus.**

103ᶜ   2   —   —   —   monachiſ
        qui ſecundum regularem
        institutionē ſagtiorem*
        ^v
  5   dicunt uitam penituſ
        inhibitum ē. ꝗtamen** in
   enuuardianun[1]
        cauendiſ uitiiſ & amplec

*) so geschrieben = *sanctiorem.*
**) *veruntamen.*
    1) Der erste teil der glosse, schon ursprünglich undeutlich, da der schreiber wegen des dünnen, faltigen pergaments keinen festen zug hatte, hat durch ein reagens gar gelitten. Unzweifelhaft ist nur *ardianun*, davor wahrscheinlich *uu*, ob aber davor *en* oder *ar*, wage ich nicht zu entscheiden; *en* ist jedoch wahrscheinlicher; vor diesem aber hat nichts mehr gestanden, wenn auch Leyser .. *enu uardianun*, Heyne ... *nenuuardianun* angibt. Die ecke fehlte wol schon vor Leyser, der auch nichts weiter entdecken konte. Von Heynes lesung ausgehend meint Scherer, da die lesart nicht sicher, dürfe vielleicht *innen uuarndenun* (mhd. *innen wordenen*) vermutet werden, das sich auf *cavendis* bezöge. Aber gerade wegen dieser notwendigen beziehung ist diese conjectur wol nicht annehmbar, da *innen*

tendiſ uirtutibuſ eorū
monachorum diſtare ⸱ uramſt²
10 deb& uita. Monachi
namque qui euangelicū
p̄ceptum ſequenteſ diſtrac   forſaldun³
tiſ atque renuntiatiſ   enđ for⁴
patrimoniiſ ſua X̄p̄o   ſekenun
15 dedere | merito de fa
cultatibuſ eccleſię ſubſi
dium accipiunt tem
porale. at quia toto
mentiſ deſiderio cae
20 leſtia app&unt. ſic in*⸱
ac peregrinationiſ uia
botun⁵
ſumptibuſ dominiciſ
aſ.....⁶   thetſe tithenthingun⁷
ſuſtententur. quati
nuſ ad ea quae contemp
25 ſerunt minime redi

*) Nach *in* fehlt etwas; der schreiber scheint eine zeile übersprungen zu haben; etwa: *sic insequitur, ut in terra ac peregrinationis via* etc.

wordenen nicht *cavendis* übersetzen würde. Die bedeutung von *cavere* gibt nur *wardôn*, und ich vermute *in cavendis* = *en wardiandun*, indem wir ungenauigkeit des schreibers, woran es auch sonst nicht fehlt, anzunehmen haben, so dass der glossator das part. fut. pass. *cavendis* durch das part. praes. act. wider gab, das dann passive bedeutung hätte. Auf *arwartian* Graff I. 957 möchte ich die glosse nicht zurückführen.

2) *distare* — *vram stân.*

3) Leyser: *distructis*, nicht richtig; *distractis* = *forsaldun* v. *farsellian* Gf. VI. 175.

4) *atque renuntiatis* — *enđ forsekenun*; Heyne: *ende.*

5) *sumptibus* — *bôtun*, von Leyser übergangen, bei Heyne *notun.* Allerdings ist das *b* hier nicht so deutlich wie bei nr. 9, aber bei genauer untersuchung unverkenbar; *bôtun* von *bôta* = *buoza.* Weil die mönche sich alles irdischen gutes entäussert haben, sollen sie während ihres irdischen lebens auf kosten des herrn unterhalten werden (*sumptibus dominicis sustententur* — *de facultatibus ecclesiae subsidium accipiunt*); der herr ist es, welcher die *buoza*, die widererstattung, leistet.

6) *sustententur* — *aſ* ..... (?), fehlt Leyser, bei Heyne ......; das erste *a* ist sicher, *ſ* wahrscheinlich, alles andere unleserlich, durch reagentien ganz verdorben.

7) *quatinus* — *thet se, ad ea* — *ti then thingun* (Scherer); Leyser, **Heyne:** *thet se tith enthingun.*

103ᵈ

     re qualibet neceſſita
     tiſ cauſa conpellantur
     & quia nihil ſibi propri
     um reliquerunt. mani
                 manigerur [8]
   5 feſtum eſt illoſ copioſio
          /·   /· botun [9]
     ribuſ ecclefie ſumptibuſ
     quam canonicoſ
     qui ſuiſ & ecclefie licite
      nie that [10]   bithurſ.. [11]
     utuntur rebuſ indigere.

103ᵈ.   CXVI. **Quod sint res ecclesie.**

        ·   25 — — — locupletem
104ᵃ.   fecerunt ecclefiam ut hiſ
     & militeſ xp̄i alerentur. ec
     clefie exornarentur. pau
     pereſ recrearentur. &
                 hiburilicuru [12]
   5 captiui ꝑ temporum o
     portunitate redimerentur.

104ᵇ.   11 ergo reſ ecclefię paupe
     ribus & militibuſ xp̄i
      uuiſlicæ [13]
     ſtipendiarie debent in

8) *copiosioribus — manigerun;* von dem *n* am ende ist nur noch der erste strich sichtbar; Leyser: *manigeru,* Heyne: *manigu,* aber *manigeru* ist ganz ausser zweifel.

9) *sumptibus — bótun* vgl. nr. 5. Hier ist das *b* gar nicht zu verkennen, obgleich auch Leyser schon *not*... hat, was zu verwundern, da *un* ganz deutlich ist, wenn auch Heyne sagt „die letzten zwei buchstaben unsicher."

10) *utuntur — nietath;* das erste ſ von *ſuiſ* senkt sich zwischen *nic* und *tath* herunter, daher die trennung.

11) *indigere — bithurfan;* die endung in folge eines angewanten reagens nicht mehr zu erkennen; *bithurf..* hat auch Leyser, Heyne nur *bithur...*

12) *prꝗ temporum opportunitate — hiburilicuru* für *giburilicuru,* Heyne 2, 105ᵇ.

13) *stipendiarie — wislicæ* für *wistlike.* Heyne 2, 188ᵇ zu *wisliko =* *sapiter* gibt keinen sinn. Mittellat. *stipendium = quidquid vitae sustentandae est necessarium,* daher *stipendiarius = 1) qui alicuius stipendiis meret 2) oeconomus, procurator penus.* Also: *res ecclesiae pauperibus et militibus stipendiarie debent intelligi =* das kirchenvermögen soll den armen und klerikern *unterhalt* gewähren. Vgl. unten cap. CXX. fol 105ᵈ „*ecclesiastica stipendia." wistlik* adj. oder *wistlike (wisslike)* adv. vermag ich allerdings nicht nachzuweisen, aber grammatisch richtig

tellegi. Unde totiſ uiribuſ
15 ṗlatiſ ſatagendum eſt
ut ſcōrum patrū dictiſ &
exempliſ obſequenteſ
de rebuſ ſibi cōmiſſiſ ut
praemiſſum eſt. & ſub
20 ditoſ gubernent. &
uul'ſtien[14]
pauperes foueant.
untellica[15]
104ᶜ. 3 — ineffabiliter re
munerari mereantur.

5 CXVII. **Quod diligenter munienda sint claustra canonicorum.**

Praepositorum officii ꝑ
ut ſubditorum menteſ
10 ſc̄arum ſcripturarū lec
tionibuſ aſſidue muniant.
ne lupuſ inuiſibiliſ aditū
/. /. ſoſo gð[16]
inueniat. quo ouile dn̄i in
gredi. & aliquā ouium
15 ſubripere ualeàt & quā
onſtåndanlica[17]
quā ab hiſ hoc inſtan
tiſſime ſpiritaliter fieri
oporteat.

104ᵈ. — — Sint
etiam interiuſ dormi
toria. refectoria. cella
ria. & c&erae habitatio
5 neſ uſibuſ fratrum in
una ſoci&ate uiuentiū

ist die bildung von ahd. *wist* stf. *substantia, stipendia* Graff I. 1061. Ags. *vist* f.
alts. *wist* stm. speise gen. *wisses* Hêlj. 2842, noch mhd. *wist* stf. lebensunterhalt
(in gedd. des 12. jahrh.); vgl. got. *anda-vizn* n., *vaila-vizns* f.

14) *foveant — vulistien;* die glosse widerholt sich dreimal, hier zu *fovere,*
19 zu *suppetere,* 21 zu *adminiculari;* Heyne gibt ungenau 104ᶜ an.

15) *ineffabiliter — untellica.*

16) Fehlt bei Leyser; mir ist die glosse unverständlich.

17) *instantissime — onstandanlica (anastantanlîh* Graff VI. 609).

neceſſarię. qui uero haec
iletene[18]
que p̄miſſa ſunt, iuxta
iuul.... [19]
quod poſſibilitaſ ſubp&it
10 agere rennuerit.

CXVIII. Qui in congregandis canonicis modus actionis sit.

allerameſt[20]
22 Cauendum ſummo
pere praepoſitiſ
æccleſiarum eſt, ut in etc.

105ᵃ.

7 Nec ipſos gubernare nec
c&eriſ eccleſię neceſſitati
buſ ut oport& ualeant ad
iuulliſtian[21] 10 miniculari. Sunt nāq; ñ
nulli uanā gloriā ab homi
nib; captanteſ qui numero
ſam cleri congregationē
uolunt habere cui nec
15 animae nec corporiſ cu
uulluſt[22] rant ſolatia exhibere

18) *praemissa* — *ilétene*; Leyser *iletene* (?). Das *i* vor *létene* begegnet uns auch bei nr. 19. 21. 24. 27. 29, also bei glossen desselben schreibers. Die eigentümliche form namentlich bei nr. 19 und 21, wo es ein kleiner senkrechter über der linie stehender strich ist, könte glauben machen, es sei nicht ein *i*, zumal da alle diese wörter auch ohne vorsilbe volle bedeutung geben; wahrscheinilch aber ist es eine verkürzung des praef. *gi-*. Ob solche kürzung auch sonst in hss. vorkomt, lasse ich dahingestelt sein. Analoge bildungen, welche dieser thüringischen zur erklärung dienen können, zeigt namentlich die entwickelung des englischen. Vgl. Fr. Koch, historische grammatik der englischen sprache. Weimar 1863. th. 1. § 176. s. 132 und Grimm gramm. 3, 734. — *ilétene* also für *gilétene* part. praet. v. *gilátan*; vgl. ahd. *giláʒan* Graff II. 303. — Es hat zuerst *p* (*permissa*) gestanden; der unten durchgehende strich ist aber radiert, und jetzt steht p̄ (*praemissa*), was auch allein nur sinn gibt; der glossator scheint aber *permissa* gelesen zu haben, und ihm folgt Heyne, Leyser hat *premissa*.

19) *suppetit* — *ivullêstit* statt *givullêstit*, denn wenn auch die zweite hälfte des wortes durch ein reagens verdorben ist, so ist mir doch nach dem *l* noch ein *e* sichtbar geworden, und am ende lässt sich *it* noch erraten. Heyne gibt nur *iuul*, Leyser wenigstens *iuul....* — vgl. ahd. *kivoll(e)istit werde* Graff II. 253.

20) *summopere* — *allerâ mest*; Leyser nicht richtig *alleromest*.

21) *adminiculari* — *ivullistian* statt *givullistian*; vgl. nr. 19.

22) *solatia* — *vullust* vgl. ahd. *folleist* Graff II. 253. — Heyne hat *vullist* gelesen mit der anmerkung „*uullist* deutlich"; aber schon Leyser hat das richtige *vullust*; der zweite strich des u ist unter der lupe nicht zu verkennen.

105^b.
kieliirithi[23]
2 Gule & ebrietati & ..
rif fuif uoluptatibuf de
diti quicquid fibi libitū
eft licitum faciunt

CXVIIII. De his qui in congregatione sibi commissa solummodo ex familia ecclesiae clericos aggregant.

105^c.
4 Ut fi quaŋdo eif ali
   unimetef[24]
5 quid incōmodū fecerint
   aut ftipendia oportuna
      clâge[25]
   subtraxerint. nihil quę
   rimonię contra se obicere dûuan[26]
   praefumant, timentef
10 fcilic& ne aut feueriffi
      iuuegde uuer[27]
   mif uerberibuf affician   than
   tur, aut humanae ferui
      fon[28]   idomde[29]
   tuti denuo crudeliter addi   uuerđen
   cantur. Hoc autem non
15 ideo dicitur ut ex famili
   a ecclefię ꝑbabilif uite

---

23) *gulae* — *kieliirithi* statt *kielgirithi*, wie nr. 39. *iernihêd* für *gernihêd*. Leyser und Heyne *kielurithi*, welches nur einigen sinn gibt, wenn man *u* als *v* nimt; denn *kiel* muss entsprechen dem ahd. *kela, chela* = *guttur, gula, faux* Graff IV. 384, bei *vrithi* hätte man zu denken an alts. *friđôn*, ahd. *gafridôn*, ags. *friđian* oder *freodian* = *consulere, sustentare, fovere; kiel-vrithi* wäre demnach befriedigung der kehle. Mehr aber mutet an ahd. *kelagirida (giridi)* = *ingluvies* Graff IV. 229, und diesem steht die schrift nicht entgegen, indem das vermeintliche *u*, wenn, wie nirgends das *i*, die beiden striche auch nicht überpunktiert sind, viel sicherer als *ii* zu lesen ist, da ich nicht eine spur von verbindung entdecke. Zu erwägen ist noch, dass der lautwert der einzelnen buchstaben sich nicht sicher bestimmen lässt.

24) *aliquid incommodum* — *unimetes* für *ungimetes;* das wort beweist, dass die bei nr. 18 ausgesprochene annahme, *i* stehe dort wie in den analogen fällen für *gi* richtig ist. Auch Heyne setzt es 2, 179^b unter *un-gemet*, vgl. ahd. *ungamez, ungimez* Graff II. 899. Leyser hat nicht richtig *unimeces*.

25) 26) gehören zusammen: *querimoniam obiicere* — *clage duan*.

27) *verberibus afficiantur* — *iwêgde* (= *giwêgde*) *werthan;* vgl. *giwêgid* = cruciatus Helj. 5641. 2327. Ahd. *giweigit* Tat. 44, 1. Graff I. 703.

28) *denuo* — *sôn* = *sân*.

29) *crudeliter addicantur* — *idômde* (= *gidômde*) *werđen*, vgl. ahd. *gituomte werdet ir* Tat. 39, 1. Graff V, 338.

        in congregatione non sint
                        tithurſleđti[30]
        admitendi, praeſertim
                              ſelfedia[31]
        cum apud dm̄ non ſit p
    20 ſonarum acceptio. ſed
        potiuſ ut ɹ̄ppt quam in
                    . . ſtat[32]
        tulimuſ occaſionem. nul
                        ut biſlotenun[33]
        luſ p̄latorum ſecluſiſ
        nobilibuſ uileſtantum
    25 in ſua congregatione ad
105[d]. mittat perſonaſ.

2   CXX. **Qui clerici in congregatione canonica constituti**
          ecclesiastica accipere debent stipendia.

    8   Quia ſcōrum patrū
        ſupra notatę ſenten
    10 tię docent. clericoſ
        non diuitiarum ſec
        tatoreſ eſſe. nec reſ eccle   unforthia[34]
        ſiarum inofficioſe ac   nadliica
        cipere debere non ab re pu   nuteliat[35]
    15 tauimuſ nonnulla capi   tedun

---

30) *praesertim* — *ti thurslehti* (Scherer); vgl. ahd. *zi thuruhslahti* Graff VI. 777.

31) *personarum* — *selfêdia* = *selſhêdia* (*self* — *hêd*); Leyser setzt ohne grund *selredia* oder *selfedia; f* ist unzweifelhaft.

32) *occasionem* — *. . stat;* vor *stat* stehen zwei oder drei unlesbare buchstaben; ob *môtstat?* vgl. ags. *ge-môt-stede* = *locus conveniendi.* Heyne hat *scat*, allein dann müste er auch mit Leyser, bei dem diese glosse fehlt, oben *unimeces* lesen, da das *t* beidemal ganz gleichen zug hat.

33) *seclusis* — *ût bislotenun;* Leyser und Heyne haben *bislatenun*, allein das *o* ist ganz sicher.

34) *inofficiose* — *unforthianadlica* (Scherer); Leyser: *unforthia nadlac*, Heyne: *unforthia nadluca.* — *unforthia* geht nahe, *nadlii(i)ca* ganz dicht an den inneren rand des blattes. Die schwierigkeit hebt sich leicht, wenn man trennung des wortes annimt. Zweifelhaft könte man sein, ob *nadluca* oder *nadliica*, jenes dann *unforthianad lucan,* vgl. ahd. *lochôn*, *luchen* = *provocare, flagitare* (Graff II. 144), also: als etwas unverdientes verlangen; allein teils ist doch nicht *flagitare*, sondern *accipere* das entsprechende verb, teils ist von einem *u* am ende keine spur, teils endlich weist die schrift mehr auf *nadlica* als auf *nadliica*, da der erste strich sehr zurücktritt. Scherers erklärung trift also vollständig zu; hinsichtlich der bildung des wortes verweist er auf Grimm Gr. II. 6!)3 fgg.

35) *non ab re putavimus* — *nuteli attedun* (für *nutelih ahtôdun*); Leyser *mateliad tedun;* Heyne: *ni . . . . . tedun* mit der anmerkung: „vielleicht *ni idel*

tula libri *pfperi* ad me
dium exempli causa de
ducere. in quibuſ ita legit',
qui ecclefie feruiunt &ea
    theᵣrua [36]
106ᵃ.   quibuſ opuſ non habent
aut libenter accipiunt
    æfchiað [37]
aut exigunt. nimiſ
carnaliter fapiunt.

5   Item ibi. Satiſ quippe
indignum eſt, ſi fideliſ
    uuerklic [38]   iᵣrnihed [39]
& operofa deuotio
clericorum. propt˙ ſti
pendium feculare. p̄

10   mia fempiterna contē
nat.

---

*) Prosperi; gemeint ist wol das werk „*de vita contemplativa*," nach Fabri-
cius bibl. lat. med. aevi s. v. Julianos Pomerios u. Prosper Aquitanicus (IV. 581.
VI. 45 ed. Hamburg 1735—46) untergeschoben.

ahtedun? doch ist ausser dem oben mitgeteilten (*ni .. tedun*) nichts mehr sicher
zu lesen." Dieses ist aber nicht der fall, vielmehr sind alle schriftzüge deutlich.
Nur darüber kann man bei oberflächlichem lesen zweifeln, ob der erste teil *nirteli*
oder *nuteli* zu lesen˙ sei. Ich habe mich für das letzte entschieden, denn der querstrich des *t* zeigt sich unter der lupe als fest und sicher über diesem liegend ohne
verbindung mit dem vorhergehenden, der freilich etwas weiter als sonst bei dem *u*
von dem ersten absteht. Auch zieht der schreiber dieser beiden glossen den rechts-
seitigen haken des *r* (wie in *unforthianad*) herunter, und davon ist keine spur.
nirteliat tedun liesse˙ sich ja erklären aus *ni irteliat* (= *irtalôd*) *tedun* = *haud
narratum fecimus*; diess träfe aber doch nicht den sinn von *non ab re putavimus*,
und da nun der glossator wol (vgl. nr. 30) *h* vor *t* auslässt, *ahtedun* statt *attedun*
also unbedenklich ist, auch die schrift viel mehr für *nuteli* als für das nicht zu
deutende *nirteli* spricht, so bleibt wol nur das oben angenommene *nuteli(h) ahtedun* übrig, obgleich ich die dagegen (*nuteli* für *nuẓilih* und *attedun* für *ahtedun*)
sprechenden sprachlichen bedenken nicht verkenne. Aus mangel an raum muste der
glossator nach *at* trennen. *nuẓlih* für *nuẓilih* = *utile* in den Junius- und Rei-
chenauer gl. des 8. und 9. jahrh. Graff II. 1124.

36) *opus — theᵣrua*, vgl. ahd. *darba*; Leyser nicht richtig: *tharua*.

37) *exigunt — æschiað*; Leyser nicht richtig: *ærehiað. êscon* im Helj., ahd.
eiscônt.

38) *operosa — werklic.*

39) *devotio — iᵣrnihêd* (für *gernihêd*), vgl. ahd. *gernissa — devotio* Graff
IV. 236. Heyne nicht richtig *iermhêd* mit berüfung auf das ms.; das *i* ist deutlich vom *n* abgesetzt; auch Leyser hat *iᵣrnihed.*

20 — — ſtudeant
neceſſe ē. clerici in acci
piendiſ eccleſiaſticiſ ſũp
                mithan[40]
tib; ſuum uitare peri
cuium.

107*.   CXXII. De mensura cibi et potus.

109*.   3 Dent quippe eiſ pulmen
tũ iuxta qđ uireſ ſup
5 p&unt, et loca eiſ congru
a adtribuant, in quibuſ
nutrimenta fiant. ut
neceſſaria pulmenta   ſ..n..
habeant, exceptiſ hiſ   hærdrad[41]
10 quae de eccleſie uilliſ
uel oblationib; fideli
um accipiunt.

109ᵇ. CXXIII. **Quod a praelatis gemina pastio sit subditis perpendenda.***

110ᵈ.   5 Quatenuſ eaſ paſtori
omnium x̅p̅o uidelic&
ſummo pontifici ſecum   uſ..[42]
anthemudegȩ[fvrhtuuerthan gſculũ diuran
intremendi examiniſ
die inleſaſ p̄ſentanteſ

*) Heyne bringt die glosse dieses cap. irtümlich auch unter CXXII.

40) *vitare — mithan.*

41) *necessaria pulmenta — hærdrad.* Zu welchem worte die glosse gehöre, lässt sich nicht unbedingt angeben; es steht noch ein wort darüber, von dem sich aber nur noch *ſ..n..* erkennen lässt. Heyne 2, 123ᵇ erklärt: *herd-rad* = vorrat für den herd.

42) *intremendi examinis die* etc. — *an themu dege furhtwerthan gsculun* (für *gesculun*) *diuran* .... Zunächst ist zu bemerken, dass Leyser und nach ihm Heyne lesen: *servandis damnantur,* obgleich aufs deutlichste geschrieben steht *feriendis damnentur — remunerentur,* und *feriendis* allein ̏sinn gibt. Leyser: „*an themu dege t? furht uuerthan ...,* die glosse ist unlesbar." Heyne: „*an themu dege t? furht uuerthan ...,* die glosse ist sehr unleserlich. Ms. *degȩ."* Allein mit Ausnahme des letzten übergeschriebenen wortes kann ich dieser behauptung nicht zustimmen. — Das ſchreibzeichen nach *degȩ* ist kein *t,* sondern der

non cū repbiſ & diui
na ultione feriendiſ
dänentur, ſed potiuſ
cum electiſ paſtorib;
perp&ua felicitate
a dño remunerentur.

MERSEBURG, JANUAR 1875.   H. E. BEZZENBERGER.

SAGEN VON JOCHGRIMM.

Das im Eckenliede nr. 19. 95. 136. 138. 159. 160. 232 genante
Jochgrimm ist der 7434' hohe berg, der sich am linken Etschufer
erhebt, und mit seiner weissen spitze weithin das Etsch- und Eisack-
thal beherscht.   Vom Etschthale aus besteigt man diese wegen ihrer
aussicht berühmte höhe (s. Amthors Tiroler Führer s. 285) von Auer
oder Neumarkt ·aus, vom Eisackthale aber gelangt man am bequemsten
durch das wegen seiner schönheiten vielbesuchte, von einer Hessencolo-
nie bewohnte Eggenthal zu dem leichtzugänglichen Joche.   Längst
war es mein wunsch diese hochwarte zu besteigen, aber erst im august
1872 gieng er in erfüllung.   Als ich an einem schönen augustmorgen
von der höhe in die herberge auf der Alm zurückkehrte, fand ich den
„alten Rass,“ der ehemals ein verwegener wildschütze war, nun aber,
wenn auch noch stark und kräftig, 85 jahre auf dem rücken hat, die
ihm die ausübung seines frühern lieblingshandwerkes unmöglich machen.
Mit liebe und feuer erzählt er aber noch von seinen streifereien auf
den höhen und spitzen, von bestandenen jagdabenteuern und gefahren.
Als den sagenkundigsten mann der gegend fragte ich ihn, ob er keine
geschichten vom Jochgrimm wisse.   Er erwiderte auf diese neugierige
frage, dass er einst viele gewust habe, dass sein grossvater und vater

---

linken hälfte einer kritischen klammer ähnlich. Ich ·vermute, dass der glossator
damit hat andeuten wollen, die durch d (von intremendi) getrenten degę und fvrhtuuerthan gehörten zusammen, zumal da die erst in der folgenden zeile steht. gſculū
ist ganz deutlich; bei diuran kann man allerdings zweifeln, ob d oder cl oder el;
d ist aber am wahrscheinlichsten und iuran wider zweifellos. Über ra (von diuran) steht uſ, auf welches noch zwei ganz unlesbare buchstaben (für mehrere fehlt
der raum) folgen. — diuran (diurian) = glorificare. Also: intremendi (Heyne
trent in tremendi, warum?) examinis die = an themu dege furhtwerthan. Mit den
folgenden worten (gesculun diuran ...) übersetzt der glossator nicht bestimte worte
des lateinischen textes, sondern vollendet einen freien satz: sollen preisen sc. electi.

20*

viel dergleichen erzählt hätten, er habe aber die meisten vergessen.
Nach dieser einleitung begann er, dass das Jochgrimm der älteste berg
weit und breit sei. Als in alten zeiten das ganze thal noch eine was-
serfläche war und selbst die mittelgebirge voll sümpfe waren, zogen
die leute mit saumrossen über das Jochgrimm nach Italien. Zur erinnerung daran liege noch ein tischähnlicher stein am Joche, auf dem
eine inschrift mit römischen buchstaben sei. Ganz nahe dabei sei ein
grosser eiserner ring gewesen, an den man, wenn man rast hielt, die
saumtiere angebunden habe. Noch werde das loch gezeigt, in das er
eingegossen war. Wegen des häufigen durchzuges und verkehrs sei
dort eine grosse stadt gebaut worden, und man habe dort widerholt
altes geräte gefunden. So habe der vater des alten Michl Sepp ein
grosses mit grünem rost überzogenes messer und einen grossen schlüssel von gar sonderbarer gestalt getroffen, und beide stücke seien bis
1847 aufbewahrt worden, seien aber endlich an einen durchreisenden
fremden verkauft worden. In der nähe habe man auch gold und queck-
silber gegraben und verbrecher aus Wälschland, besonders aus dem
Venetianischen und der Lombardei, seien zum bergbaue verwendet worden. Eine öffnung im berge heisse noch das „Goldloch“ und eine quelle
das „Goldbrünnel.“ Zum letzteren seien oft Venediger, ganz arm
gekleidet, gekommen, hätten goldsand geholt und seien so reich geworden, dass sie sich die schönsten paläste bauen konten, die man in Venedig noch sehen kann. Ein wälscher herr aus Mailand, der auch goldes
wegen gekommen sei, habe gesagt, man werfe hier steine den kühen
nach, die wertvoller seien, als die schönste kuh. Als die strasse nach
Italien übers Jochgrimm gieng, seien oft fürsten und könige mit vielen hundert rittern hier auf ihren zügen nach Venedig und Rom vor-
beigekommen. Als später die strasse im Etschthale gebaut worden,
habe der verkehr aufgehört und die stadt sei verschollen. Es gehe
aber die prophezeiung, dass nochmals eine grosse stadt am Jochgrimm
gebaut werde, auch das bergwerk wider in flor komme. Nach dem
verfalle der stadt hätten drei hexen sich dort angesiedelt, die wegen
ihrer künste gar mächtig, und weit und breit gefürchtet waren. (S. meine
Tiroler Sagen no. 347.) Näheres darüber wisse man nicht. Mein
gewährsmann setzte zum schlusse bei, dass noch zu den zeiten seines
vaters oft Wälsche gekommen seien, um gold zu suchen, und sich am
Jochgrimm oft lange zeit aufgehalten haben. Der kern dieser mitteilungen ist, dass dieser berg ehemals sehr besucht war und ein viel-
befahrener saumweg darüber führte. Ist dies nur sage oder liegt eine
wahrheit zu grunde? — Wenn man bedenkt, dass die bewohner des
nur drei stunden entfernten Fleimsthales ihren weg nach Venedig nicht

durch das Etschthal, sondern auf saumwegen übers gebirge — über Agordo nach Belluno —, nehmen, so ist es nicht unwahrscheinlich, dass man, wenn man von Norden nach Venedig wollte, nicht nach Bozen und die Etsch entlang fuhr, sondern aus dem Eisackthale direkt über das gebirge am Jochgrimm vorüber gegen Italien zog. Von dem felde bei Brixina, wo herzog Adelger mit den Römern gekämpft (Massmann, Kaiserchronik 7071 fgg.), führte die strasse nach dem sagenreichen Säben, dem hauptcastell der Römer am Isarcus, von dort nach Waidbruck, dem römischen Sublavione am linken Eisackufer (Stafflers Tirol II, 1003), mit dem uralten schlosse Trostburg, das an der stelle eines römischen kastelles steht. Hier übersetzte man den Eisack und hier ist die burg Gramaleifs der Vilkinasage (cap. 35 und 39) zu suchen. Hier teilten sich die alten strassen. Die eine ging über das Rittner gebirge gegen Teriolis (Tirol), die andere stieg an Sublavione (Trostburg) vorüber nach Kastellrutt, das schon im 10. jahrhundert diesen namen von einem gebrochenen kastelle führt, und gieng nach Vels, das schon im 10. jahrhundert eine pfarre besass. (Staffler II, 1036.) Bei Kastellrutt und Vels wurden strecken von strassenpflaster unter der erde aufgefunden (Staffler II, 1003). Dass hier eine alte strasse gieng, beweisen schon die uralten burgen Kastellrutt, Hauenstein, Salegg, die in geringer entfernung von einander stehen. Von hier führte der pfad über Tiers ins Eggenthal und von dort an dem romanischen, mit alten fresken geschmückten St. Helenakirchlein vorüber nach Jochgrimm und von dort übers Fleimsthal nach Agordo und Belluno. Noch wird im volksmunde dieser saumpfad aus dem Eisackthale nach Venedig als der älteste bezeichnet. Daraus ergibt sich, dass Jochgrimm [1] im mittelalter viel bekanter sein muste, als heutzutage, und in dem Eckenliede wol genant werden konte.

INNSBRUCK.   IGNAZ ZINGERLE.

---

1) Eine lehrreiche schrift hat der bekante naturforscher Vinzenz Gredler über unsern berg veröffentlicht: „Excursion auf Joch Grimm. Innsbruck, Wagner 1867." In Meinhards urbarbuche fand ich unter der rubrik: Der alte gelt im Wibtal bl. 30ᵇ aufgeführt: *Ein wise bi weier von Jochgrimmer an dem herbiste zwei pfunt.* Es kam somit in der nähe von Sterzing am ende des 13. jahrhunderts Jochgrimmer als personenname vor.

ZUR ERKLÄRUNG VON LESSINGS „NATHAN.“

Seit längerer zeit auf Lessings orientalische studien aufmerksam, will ich hier zunächst dasjenige veröffentlichen, was mir zur erklärung des Nathan tauglich erscheint, und zwar nach der reihenfolge der scenen im fertigen stück, dann im entwurf nach v. Maltzahns ausgabe.

I.

Das fertige stück.

1. Act. I, scene 3. (M. II, p. 201.)

Derwisch. Es taugt nun freylich nichts,
Wenn Fürsten Geyer unter Aesern sind.
Doch sind sie Aeser unter Geyern, taugts
Noch zehnmal weniger.

Im entwurf heisst es (ib. p. 603 sq.): „Die Maxime, welche die Araber dem Aristoteles beylegen: Es sey besser, dass ein Fürst ein Geyer sey unter Aesern, als ein Aas unter Geyern.“ Man sehe d'Herbelot, Bibliothèque orientale, Mastricht, 1776, p. 119: *Le Baharistan rapporte cette maxime politique d'Aristote: Qu'un prince doit plutôt ressembler au Kerkes (espèce de vautour) qui est au milieu de sa proie, qu'à une proie entourée de Kerkes; c'est-à-dire, selon le même Auteur, „qu'il est aussi utile à un Prince de savoir tout ce qui passe autour de lui, qu'il lui est dommageable que ses voisins sachent ses propres affaires.“* Über Lessings benutzung des d'Herbelot sehe man nach ed. v. Maltzahn (M.) III, p. 268. V, p. 411. IX, p. 69. 75 XI, 1, p. 238. XII, p. 21.

2. ib. p. 204.

(Derwisch) So lieblich klang des Voglers Pfeife, bis
Der Gimpel in dem Netze war.

Düntzer in seinen „Erläuterungen“ s. 72 anm. 1) erinnert an den sprichwörtlichen vers: *Fistula dulce canit, volucrem dum decipit auceps.* Der spruch ist aber auch orientalisch; in v. Hammers „Geschichte der schönen Redekünste Persiens“ heisst es s. 170 (aus dem berühmten mystiker Mewlana Dschelaleddin Rumi):

Der Jäger flötet nur im süssen Ton,
Damit er schlau die Vögel überliste.

ib. scene 4. (M. s. 206.)

Daja. Er wandelt unter Palmen wieder auf
Und ab; und bricht von Zeit zu Zeit sich Datteln.

Nathan. Sie essend? — und als Tempelherr?

Diese verse führe ich nur wegen des sonderbaren misverständnisses Düntzers an, welcher ib. s. 73 anm. 3) sagt: „Dass ein Tempelherr dazu komme, sich Datteln zu pflücken, muss ihm auffallen." Jeder sieht, dass Lessing den Nathan darüber spotten lässt, dass der vermeintliche engel wie ein gewöhnlicher mensch leibliche bedürfnisse befriedige. Auch Niemeyer in seinem commentar s. 107, dem Düntzer hier folgt, erklärt die stelle falsch, obgleich es allerdings damit seine richtigkeit hat, dass die datteln die hauptnahrung der gemeinen leute im morgenlande ausmachen. Von diesen datteln heisst es dann ib. scene 5 (M. s. 207 fg.):

Klosterbruder. Nehm' sich der Herr in Acht mit dieser Frucht.
Zu viel genossen taugt sie nicht; verstopft
Die Milz; macht melancholisches Geblüt.

Dazu bemerkt Düntzer (ib. s. 76, anm. 1): „Die Behauptung, dass der zu starke Genuss von Datteln die Milz verstopfe und melancholisch mache, ist wohl eine Erfindung des Dichters, der eine solche Lehre dem Klosterbruder zuschreiben konnte." Und Niemeyer sagt s. 109: „Woher Lessing diese Notiz über die diätetische Wirkung der Datteln geschöpft hat, ist mir nicht bekannt." — Vielleicht nahm er sie aus Baumgartens „Allgemeiner Welt-Historie" IV, s. 81: „Ausländer müssen indessen von dieser Frucht (der Dattel) sehr mässig essen, sonst kann sie zuweilen das Geblüt dergestalt erhitzen, dass Geschwüre davon entstehen, die Einwoner aber empfinden niemals einige dergleichen Unbequemlichkeit." — Der 4. band von Baumgartens „Allgemeiner Welt-Historie" ist derjenige, den Lessing vorzugsweise zu seinem entwurf „Alcibiades" benutzte. Dies bedeutet das „W. G." (Welt-Geschichte; ed. Maltz. II, s. 490 sq. 494) und das „Al. W. H." (ib. s. 494), mit welchen beiden abkürzungen Karl Lessing nichts anzufangen wuste. Siehe „Theatralischer Nachlass 1786, II, s. XVI. Über Lessings Studium von Baumgartens Geschichte vgl. man noch M. III, s. 267 fgg. VIII, s. 179. IX, s. 64 und über diesen 4. band besonders noch ib. s. 70, denn das dortige citat ist aus W. G. IV, p. 322. — In Marignys Geschichte der Araber, die Lessing bekantlich zum teil übersetzt hat, wird (II, s. 573 fg. der deutschen übersetzung) folgende geschichte von dem Chalifen Mamun erzählt: Als er sich einige minuten dieses vergnügen gemacht, so hätte er appetit zum essen bekommen; hauptsäch-

lich aber wäre er auf datteln von Azad, einem orte, der wegen dieser
frucht sehr berühmt gewesen, verfallen. Und da sich die gelegenheit
dazu von selbst angeboten, so wäre man allzugeschäftig gewesen, seine
begierde zu stillen. Denn einer der officiere bemerkte von ferne viele
mit waaren beladene cameele, und lief mit der grösten geschwindigkeit
auf den kaufmann zu, der wirklich etliche körbe von den besten datteln bei sich hatte. Man kaufte ihm sogleich seinen ganzen vorrat
ab, und der calif verteilte dieselben unter sein gefolge. — Allein
gleich wie er auf diese frucht gar zu stark erpicht war: Also konte
er sich jetzt auch gar nicht satt daran essen. Zum unglück war
damals eine starke hitze. Da man aber kein anderes getränke als das
wasser des flusses, das sehr kalt war, bekommen konte, so trank es
der calif mit der grösten begierde hinein. — Wenige augenblicke
hernach muste der prinz dieses vergnügen sehr teuer bezahlen. Die
datteln, die an sich sehr hart zu verdauen sind, machten ihm ein hef-
tiges drücken im magen. Also fiel er in ein fieber, und die krankheit
nahm so stark überhand, dass man an seinem leben verzweifelte.

Act II, scene 3. (M. s. 234.)

Sittah. Ist's möglich? dass ein Mann
         Dir so verborgen blieb, von dem es heisst,
         Er habe Salomons und Davids Gräber
         Erforscht, und wisse deren Siegel durch
         Ein mächtiges geheimes Wort zu lösen?
         Aus ihnen bring' er dann von Zeit zu Zeit
         Die unermesslichen Reichthümer an
         Den Tag, die keinen niedern Quell verriethen.

Niemeyer sagt über diese stelle (s. 132): „Die Phantasie des Volkes hat von jeher die abergläubische Vorstellung von versteckten Schätzen
gehegt. Besonders war natürlich das Volk geneigt, in den Gräbern
reicher Könige an verborgene Schätze zu glauben. Wie viel die Nachwelt gerade von dem Reichthum Salomons fabelte, ist bekant. — Es war
im Alterthum nicht ungewöhnlich, die Königsgräber zu versiegeln, um
sicher zu sein, dass Niemand in dieselben eindringen könne." Düntzer
sagt s. 97 fg.: „Bei dieser willkürlich angenommenen Sage liegt bloss
die Vorstellung von der Gewalt von Salomons Siegelring zu Grunde,
deren auch Wieland in seinem aus Tausend und einer Nacht geschöpften Wintermärchen gedenkt." Gegen Düntzer und zur Ergänzung Niemeyers muss wider Baumgartens Welthistorie bd. IV, s. 106 angeführt
werden, der aus Josephus' Jüdischen Alterthümern folgende stelle

citiert, die ich aus der übersetzung von Ott, Zürich 1736, s. 181 entnehme: „Sein (Davids) Sohn Salomon liess ihn zu Jerusalem prächtig
zur Erden bestatten, und über die gewöhnlichen Bräuche, die man bey
der Könige Begräbniss in Acht zu nehmen pflegte, grosse Schätze zu
ihm ins Grab legen. Wie gross dieselbe gewesen, ist aus folgender
Geschichte leichtlich zu vermuthen. Nach tausend und drey hundert
Jahren, als der Hohepriester Hircanus von Antiocho, des Demetrii
Sohn, der mit dem Zunamen der Fromme genannt wird, bekrieget
ward, und ihn gerne mit Geld, das er doch sonst nirgend auftreiben
konte, begütiget hätte, öffnete er Davids Grab auf einer Seiten, nahm
drey tausend Talente heraus, und gab ein Theil davon dem Antiochus,
wodurch er die Stadt von der Belagerung befreyete, wie wir anderstwo
angezeiget haben. Nach vielen Jahren hernach liess der König Hero-
des das Grab Davids auf der andern Seiten aufbrechen, und nahm viel
Geld heraus. Doch konte Keiner den Königlichen Sarg antreffen, dann
derselbige war so künstlich unter der Erden verborgen, dass niemand
darzu kommen konte. Davon seye für dissmal genug gesagt." Man
vgl. noch Lohensteins Arminius 1731, I, s. 40.

Schluss dieses actes (M. s. 253.)

Der wahre Bettler ist
Doch einzig und allein der wahre König.

Die berühmte sentenz ist, wie sich von vorn herein annehmen
liess, morgenländisch. Wahrscheinlich hat sie Lessing in Olearius übersetzung des Saadi gefunden. In der übersetzung des Rosengartens von
Graf heisst es s. 233 (aus dem Lustgarten):

Unglücklich ist, wer auf dem Throne sitzt,
Ein König, wer als Bettler nichts besitzt;
Der Bettler, dem ein freier Geist beschieden,
Ist besser als der Fürst, der nicht zufrieden.

Aus Saadis Gaselen bringt Hammer in seiner „Geschichte der
schönen Redekünste Persiens" den spruch bei (s. 212):

Kennern ist ein Fürst der schmachtende Derwisch,
Preiset ihn als Schah, wenn auch kein Land er hat.

H. Kurz führt zu Grimmelshausens Simplicianischen Schriften
(III, s. 488) aus dem lustspieldichter Richard Breme (gestorben 1652)
die verse an:

Ein Bettler? Ist er nicht der einz'ge freie Mann
Im Staate? Freier noch als alle freie Sassen,

Die kein Gesetz erkennen, keinen Richter
Und keine Kirche, die nur alte Sitte
Für sich erkennen und doch nicht Rebellen sind?

> Act III, scene 2. (M. s. 258 fg.)

    Tempelherr. Was? was? Obs wahr,
Dass noch daselbst der Ort zu sehn, wo Moses
Vor Gott gestanden, als ...

        Recha. Nun das wohl nicht
Denn wo er stand, stand er vor Gott.

Vgl. B. Bekker, bezauberte Welt, übersetzt von Schwager, ed. Semler, Leipzig 1781 I, s. 423: „Was war aber das Angesicht des Herrn, vor welchem Abraham stand? Antwort, derjenige steht vor dem Angesichte des Herrn, der auf derjenigen Stelle steht, wo Gott mit ihm spricht, dis mag auf eine Art geschehen, auf welche es nur will, so wie Moses oft vor das Angesicht des Herrn kam, mit ihm zu sprechen, 2. Mos. 34, 34. Wer im Geiste ist, d. d. wer heiligen Betrachtungen nachhängt, so wie dort Johannes am Tage des Herrn, Offenb. 1, 10. er mag nun stehen oder gehen, der steht und wandelt vor dem Angesichte Gottes. 1. Mos. 17, 1.“ — Über Lessings studium dieses buches vgl. ed. Maltzahn I, s. 460. Danzel, Lessing, I, s. 317.

> ih., scene 7. (M. s. 273.)

Nathan. Und nur von Seiten ihrer Gründe nicht. —
    Denn gründen alle sich nicht auf Geschichte?
    Geschrieben oder überliefert? — Und
    Geschichte muss doch wohl allein auf Treu
    Und Glauben angenommen werden? — Nicht? —
    Nun wessen Treu und Glauben zieht man denn
    Am wenigsten in Zweifel? Doch der Seinen?
    Doch deren Blut wir sind? doch deren, die
    Von Kindheit an uns Proben ihrer Liebe
    Gegeben? die uns nie getäuscht, als wo
    Getäuscht zu werden uns heilsamer war? —
    Wie kann ich meinen Vätern weniger,
    Als du den deinen glauben? Oder umgekehrt. —
    Kann ich von dir verlangen, dass du deine
    Vorfahren Lügen strafst, um meinen nicht
    Zu widersprechen? Oder umgekehrt.
    Das nehmliche gilt von den Christen. Nicht?

Diese beweisführung ist freilich nicht im orientalischen geschmack, aber, worauf man bis jetzt noch nicht geachtet hat, im geschmack der „Fragmente eines Ungenannten." Im 4. Wolfenbüttler beitrag, im 1. fragment: „Von Verschreyung der Vernunft auf den Kanzeln" sagt Reimarus (s. 266): „Es fehlt ihnen zum Theile an keinen Hilfsmitteln der Einsicht. Sie wollen es auch mit allem Fleisse untersuchen; und man müsste lieblos handeln, wenn man glaubte, dass sie wider besser Wissen und Gewissen redeten, wenn sie nach solcher Untersuchung bekennen, von der Wahrheit ihrer Religion völlig überzeugt zu seyn. Nein, sie mögen grösstentheils ehrliche Leute seyn, und von Grunde ihres Herzens glauben. Aber ein Jeder findet denn doch, beym Beschlusse seiner Prüfung, die Religion und Secte, worinn er erzogen worden, die beste und einzig wahre zu seyn. Wie geht das zu, dass ein Mufti, ein Ober-Rabbiner, ein Bellarminus, ein Grotius, ein Gerhard, ein Vitringa, mit so vieler Wissenschaft, und aufrichtiger Bestrebung, von so entgegen stehenden Systemen alle gleich überführt seyn können? Es hat allerwärts einerley Grund. Einem jeden ist seine Religion und Secte, in der Kindheit, bloss als ein Vorurtheil, durch unverstandene Gedächtniss-Formeln und eingejagte Furcht für Verdammniss, eingeprägt worden: und man hat ihn glauben gemacht, er sey durch eine besondere göttliche Gnade von solchen Eltern in einer seligmachenden wahren Religion geboren und erzogen. Das macht einen jeden geneigt zu seiner Secte; und wenn er dann bey reiferen Jahren zur Untersuchung der Wahrheit kommt, so wird die Gelehrsamkeit und Vernunft selbst zu Werkzeugen gebraucht, dasjenige zu erweisen und zu rechtfertigen, was sie schon zum voraus wünschten wahr zu finden." Vgl. noch ib. s. 293, 321 fg. 331 fgg. 364. 303. Auch zu dem spruche des richters am schlusse von Nathans parabel möchte ich auf ein wort Lessings aus dem jahre 1751 hinweisen (ed. Maltz. III, s. 154): „Es ist ein Glück, dass noch hier und da ein Gottesgelehrter auf das practische des Christenthums gedenkt, zu einer Zeit, da sich die allermeisten in unfruchtbaren Streitigkeiten verlieren; bald einen einfältigen Herrnhuter verdammen; bald einem noch einfältigern Religionsspötter durch ihre sogenannte Wiederlegungen, neuen Stoff zum Spotten geben; bald über unmögliche Vereinigungen sich zanken, ehe sie den Grund dazu durch die Reinigung der Herzen von Bitterkeit, Zanksucht, Verläumdung, Unterdrückung, und durch die Ausbreitung derjenigen Liebe, welche allein das wesentliche Kennzeichen eines Christen ausmacht, gelegt haben. Eine einzige Religion zusammen flicken, ehe man bedacht ist, die Menschen zur einmüthigen Ausübung ihrer Pflichten zu bringen, ist ein leerer Einfall. Macht man zwey böse Hunde gut, wenn man sie in eine Hütte sperret? Nicht die

Uebereinstimmung in den Meinungen, sondern die Uebereinstimmung
in tugendhaften Handlungen ist es, welche die Welt ruhig und glücklich macht."

Act IV, scene 2. (M. s. 295.)

Patriarch. Wer sagt denn das? — Ey freylich
    Muss niemand die Vernunft, die Gott ihm gab,
    Zu brauchen unterlassen, — wo sie hin
    Gehört. — Gehört sie aber überall
    Denn hin? — O nein!

Kurz nach den oben angeführten Worten aus den Wolfenbüttler
Beiträgen fährt Reimarus fort (ib. s. 267 fg.): „Aber, das ist auch in
der That der Vorsatz der Herren Prediger nicht, dass sie die Erwach-
senen nunmehr von der Canzel zu einer vernünftigen Religion, und zur
vernünftigen Einsicht der Wahrheit des Christenthums, unterrichten
wollten. Sondern man schreckt vielmehr diejenigen, welche nun Lust
bekommen mögten nachzudenken und auf den Grund ihres bisherigen
blinden Glaubens zu forschen, von dem Gebrauche ihrer edelsten Natur-
Gabe, der Vernunft, ab. Die Vernunft wird ihnen als eine schwache,
blinde, verdorbene und verführerische Leiterinn abgemahlt; damit die
Zuhörer, welche noch nicht einmal recht wissen, was Vernunft oder
vernünftig heisse, jetzt bange werden, ihre Vernunft zur Erkenntniss
göttlicher Dinge anzuwenden, weil sie dadurch leicht zu gefährlichen
Irrthümern gebracht werden mögten."

ib. scene 3. (M. s. 300.)

(Saladin.) Die Spenden bey dem Grabe,
    Wenn die nur fortgehn! Wenn die Christenpilger
    Mit leeren Händen nur nicht abziehn dürfen!

Diese stelle ist von den auslegern gerade im entgegengesetzten
sinne misverstanden worden. So sagt Nodnagel s. 320: „Spenden bei
dem Grabe, Abgaben, welche Christenpilger dafür zahlen mussten, dass
man sie ungehindert das heilige Grab besuchen und dort beten liess."
Niemeyer sagt (s. 182): „Jeder Christenpilger musste dem Sultan für
die Erlaubniss zum Besuch des heiligen Grabes einen Byzantiner erstatten." Woher dies Niemeyer hat, weiss ich nicht. Düntzer schreibt
ihm getreulich nach (s. 173 fg.): „Er selbst glaubt zu seinem Zwecke
genug zu haben, wenn nur die christlichen Pilger nicht ausbleiben, und
immer jeder seinen Byzantiner für die Erlaubniss zahlt, das heilige
Grab zu besuchen." Doch muss Düntzer das unschickliche dieser erklärung, durch die ein ganz falscher zug in den charakter Saladins komt,

selbst gefühlt haben, denn er „würde es wol gern sehn, wenn Saladin
bei den worten: „„„Wenn die Christenpilger nur nicht“““ unterbrochen
würde.“ Das erinnert mich daran, dass Cicero einmal, weil er nicht
recht wuste, ob es besser wäre *tertio* oder *tertium* zu sagen, vorschlug
tert. zu schreiben. Dem ganzen zusammenhange und dem charakter
Saladins nach kann hier nur von einer spende die rede sein, welche
Saladin den Christenpilgern am heiligen grabe reichen lässt,
als zehrpfennig für die heimreise, und der sinn des mit „wenn nur“
abgebrochenen satzes kann kein andrer sein, als: wenn nur meine armut,
die mich hindern würde den christenpilgern unter die arme zu greifen, nicht veranlassung wird, dass im abendlande aufs neue über „ver-
folgung der kirche“ geschrien wird. Einen beleg für meine behauptung kann ich leider aus einem orientalischen schriftsteller. bis jetzt
noch nicht beibringen, aber der zusammenhang gibt diese erklärung
so evident an die hand, dass sie im sinne Lessings richtig bleibt, selbst
wenn Niemeyer in einer quelle Lessings die notiz gefunden haben
sollte, die ihn zu seiner unglücklichen erklärung verleitet hat.

ib. scene 5. (M. s. 309.)

(Sittah.)   Wie hast du doch vergessen können dich
              Nach seinen Aeltern zu erkundigen?

Saladin.   Und ins besondre wohl nach seiner Mutter?
              Ob seine Mutter hier zu Lande nie
              Gewesen sey? — Nicht wahr?

                    Sittah. Das machst du gut!

Saladin.   O, möglicher wär' nichts!

Lessing hatte die absicht, von der freilich im entwurf des stückes
sich noch keine andeutung findet, den sultan diese frage wirklich an
den tempelherren richten zu lassen, was dann natürlich in der vorhergehenden scene geschehen muste. In einem briefe an seinen bruder
Karl vom 19. märz 1779 sagt Lessing: „Hierbey kömmt das letztere
Manuscript zurück, so wie es in die Buchdruckerey kann gegeben werden. Unserm Moses werde ich für seinen gegebenen guten Wink mit
nächster Post selbst danken.“ Dazu bemerkt D. Friedländer (M. XII,
s. 632): „Es war in einer, ich weiss nicht mehr welcher, Scene eine
Stelle, wo Saladin den Tempelherrn fragte, ob seine Mutter nicht ehemals im Morgenlande gewesen sey, (vermuthlich, weil er sich dadurch
die Aehnlichkeit des Tempelherrn mit seinem Bruder erklären wollte),
und der letztere antwortete: meine Mutter nicht, wohl aber mein Vater.
Dieses wollte Moses weggestrichen wissen, weil es an ein bekanntes

Geschichtchen erinnere, und Lessings nicht würdig sey. L. strich die
Stelle auch wirklich weg." Das geschichtchen wird in Paulis „Schimpf
und Ernst" 1597, Bl. 3 von dem kaiser Augustus und einem witzbolde
und in Zinkgrefs Apophthegmen Strassburg 1628 I, s. 370, und zwar
hier in folgender fassung erzählt: „Papst Bonifacius der Achte begeg-
nete auff eine Zeit einem Beyer (welcher aber, von Ptolemaeo Lucensi
auss dem dieses genommen, nicht genennet wird) der sahe jhm, dem
Papst, also gleich, dass er jhm nicht gleicher sehen konnte. Als jhn
Bonifacius etwas hönisch anforderte, und fragte: Ob seine Mutter nicht
vielleicht einmahl zu Rom gewesen were? antwortete der Beyer, welcher den bossen wol merckte: Meine Mutter niemahls, aber wol mein
Vater." Wernike hat daraus eine „Überschrift" gemacht (Wernikens
poetische Versuche 1763 s. 248):

Aehnlichkeit zweyer Personen.

Als Sylvius ein Bott des Papsts zu Brüssel war,
Und ihm gesaget ward, es finde sich alldar
Ein Mann, den seine Freund oft für ihn selbst genommen,
So liess er ihn so gleich nach seinem Pallast kommen.
Er sah ihn, und befand wahrhaftig den Bericht:
Die Adler-gleiche Nas; ein langes Angesicht;
Und dass an beyder Stirn ein gleicher Spruch zu lesen.
Sollt eure Mutter wol zu Rom gewesen seyn?
Mein Herr, antwortete der Tropf einfältig, nein;
Mein Vater aber ist vor diesem da gewesen.

Pauli sowol als Zinkgref hat Lessing zum Behuf seiner lexikalischen
studien gründlich durchgelesen und ausgezogen und Wernicke hatte er
bei gelegenheit der herausgabe des Logau so wie der abhandlung über
das epigramm studiert. Vgl. M. V, s. 117. VIII, s. 419. XI, 2,
s. 258 fgg. Düntzers bedenken (s. 153 Anm. 2) ist unbegründet. Die
ersten bogen des fünften aufzugs waren schon den 16. märz zum
absenden fertig, so dass auch chronologisch nichts hindert Friedländers
anmerkung auf act IV scene 4 zu beziehen.

ib. scene 7. (M. s. 318.)

(Klosterbruder.) Es hat mich oft
Geärgert, hat mir Thränen gnug gekostet,
Wenn Christen gar so sehr vergessen konnten,
Dass unser Herr ja selbst ein Jude war.

Zu Niemeyers citaten (s. 196) ist noch hinzuzufügen: Unsere bibliothek besitzt ein buch vom jahre 1523: M. Luther, dass Jesus Christus

ein gebohrner Jude sei. In dem fragment „Von dem Zwecke Jesu und seiner Jünger" sagt Reimarus von Jesus (s. 19 fg.): „Er trieb nichts als lauter sittliche Pflichten, wahre Liebe Gottes und des Nächsten: darin setzet er den ganzen Inhalt des Gesetzes und der Propheten: und darauf heisset er die Hofnung zu seinem Himmelreich und zur Seligkeit bauen. Uebrigens war er ein gebohrner Jude und wollte es auch bleiben: er bezeuget er sey nicht kommen das Gesetz abzuschaffen sondern zu erfüllen: er weiset nur, dass das hauptsächlichste im Gesetze nicht auf die äusserlichen Dinge ankäme." Und K. Lessing sagt in der biographie seines bruders bei gelegenheit des lustspiels „Die Juden" (II, s. 348 fg. und anm.): „Christus war selbst ein Jude, und die Juden lassen sichs nicht ausreden, dass er als Jude gekreuzigt und gestorben sey. Anm. Selbst unser jüdisch fromme Moses Mendelssohn gehörte darunter. Ein aufgeklärter, und wenn ich mich recht erinnere, ein Französischer Vernunfttheologe zu Berlin [jedenfalls der Herr von Premontval, vgl. Guhrauers Register zu Lessings Leben] wollte sich von freien Stücken seiner armen Seele erbarmen und ihm zur christlichen Seligkeit, ich weiss nicht mehr, ob nach Kantischen oder nach Götzeschen Grundsätzen und Manieren, helfen; aber der in diesem Kapitel etwas verstockte Moses fühlte seinem vernunftvollen Proselytenmacher auf den Zahn und fragte ihn unter andern um die Stellen im neuen Testamente, worin Christus dem Judenthum öffentlich und·feierlich entsagt, welcher nach seiner Einsicht nur in der jüdischen Religion aufklären, sie aber keinesweges aufheben wollen. Der Bekehrer hatte sich auf alle Einwendungen eines jüdischen Gelehrten gefasst gemacht, nur auf diese nicht. Moses, mit einem schalkhaften Lächeln, welches er mit vieler Demuth gegen eine menschenfreundliche Hochwürden verstecken konnte, folgerte aus dem Stillschweigen, dass der Herr Prediger eigentlich ein heimlicher Vernunftjude sey. Diese letzte äusserung erinnert wider an Lessings worte in derselben scene (M. s. 319):

> Klosterbruder. Nathan! Nathan!
> Ihr seyd ein Christ! — Bey Gott, Ihr seyd ein Christ!
> Ein bessrer Christ war nie!

> Nathan. Wohl uns! Denn was
> Mich Euch zum Christen macht, das macht Euch mir
> Zum Juden!

Act V, scene 6.

> (Recha.) Mein Vater liebt
> Die kalte Buchgelehrsamkeit, die sich
> Mit todten Zeichen ins Gehirn nur drückt,
> Zu wenig.

Zu Niemeyers Citat (P. 212) kann man noch Lessings Worte aus
den „Axiomata" (M. X, s. 142) fügen: „Alles, was in der Welt
geschieht, liesse Spuren in der Welt zurück, ob sie der Mensch gleich
nicht immer nachweisen kann: und nur deine Lehren, göttlicher Men-
schenfreund, die du nicht aufzuschreiben, die du zu predigen befahlest,
wenn sie auch n u r wären geprediget worden, sollten nichts, gar nichts
gewirket haben, woraus sich ihr Ursprung erkennen liesse? Deine
Worte sollten erst, in todte Buchstaben verwandelt, Worte des Lebens
geworden sein? Sind die Bücher der einzige Weg, die Menschen zu
erleuchten, und zu bessern? Ist mündliche Ueberlieferung nichts?

II.

Zum Entwurf.

Der text des entwurfs ist uns noch immer nicht kritisch gesich-
tet überliefert. Allerdings hat Danzel im Ganzen richtiger gelesen als
v. Maltzahn, der ihn später als Danzel und ohne von dessen ausgabe
(Danzel und Guhrauer, Lessings Leben, II, 2, anhang s. 15 fgg.) notiz
zu nehmen nach dem originale wider herausgab (II, s. 600 fgg.). Ab
und zu hat jedoch v. Maltzahn das richtige gesehn und Danzel sich
geirrt. So hat Düntzer gewiss unrecht, wenn er s. 163 v. Maltzahns
lesart (s. 612): „Kreuzgang des Klosters, d. h. Auferstehung" „Unsinn"
nennt. Die lesart ist richtig, und nur das komma muss weg. Die
lesart soll bedeuten: Kreuzgang des Klosters der heiligen Auferstehung,
denn dies ist der name des klosters, welches ja in der nähe des heiligen grabes und der „Kirche der Auferstehung" (s. 604) liegt. Es
wäre angezeigt, einmal nach Danzel und v. Maltzahn mit zuziehung
des original-manuscriptes eine neue ausgabe dieses so interessanten ent-
wurfes zu veranstalten.

Act II, scene 2. (M. s. 607.)

(Saladin.) Warum kenne ich ihn (Nathan) nicht?
(Al-Hafi.) Er hat dich sagen hören: „glücklich wer uns nicht
kennt, glücklich wen wir nicht kennen."

D'Herbelot, Bibliothèque orientale s. 298 erzählt von Alexander dem
Grossen: *Il disoit: „Heureux celui qui ne nous connoît point et
que nous ne connoissons point; car si nous connoissons quelqu'un,
cela ne lui sert qu'à prolonger la journée de son travail, et lui
diminuer son sommeil.* Vergl. Rückert, Brahmanische Erzählungen
s. 125. Saadi's Rosengarten, übers. von Graf, s. 256 (aus Sururi's
commentar): „In der Gesellschaft des Herrschers bist du zwei Gefah-

ren ausgesetzt: gehorchst du ihm, so gefährdest du deinen Glauben, gehorchst du ihm nicht, so gefährdest du dein Leben; das Sicherste ist also, dass er dich nicht kenne und dass du ihn nicht kennest.“

Act V, scene 4. (M. s. 615.)

„Ihr (Sittahs) Bruder führt ihr Curden zu, den er zum Fürsten
von Antiochien macht, von deren Geschlechte er abstammet.“

Lessing denkt sich des tempelherrn mutter als eine verwante des
deutschen kaisergeschlechts der Hohenstaufen, wie diess schon der name
„Stauffen“ ergibt. Nun finde ich bei Mosheim, Versuch einer Ketzer-
geschichte I, s. 344 folgende notiz: „Friederich der Andere hinterliess
einen natürlichen Sohn seines Namens, der bey den Geschichtschreibern
Friederich von Antiochia heisset, weil ihn sein Vater, als König von
Jerusalem, zum Fürsten von Antiochia. ernennet hatte.“

In betreff meiner früheren ausführung in dieser zeitschrift (1874,
s. 434) und der von prof. Zacher (ib. s. 435 fg.) aus Val. Schmidt beigebrachten andeutung von dem orientalischen ursprung der 93. novelle
des Boccaccio habe ich hinzuzufügen, dass der 2. teil dieser novelle,
der den merkwürdigen zug enthält, dass Nathan seinem nebenbuhler
sein eignes leben anbietet, zurückzuführen scheint auf Saadis Baumgar-
ten (Buch II Cap. XIV nach der deutschen übersetzung Hamburg 1696
s. 53): „Hatem erweiset dem Gesandten des Königs von Jeman, welcher
sein Haupt bringen solte, gutes, gewinnet dadurch des Gesandten Hertz,
und errettet sein Leben.“

ERFURT.   DR. BOXBERGER.

———————

Man darf wol voraussetzen, dass dem bibliothekar Lessing, als
er 1778 den Nathan schrieb, ein werk bekant gewesen ist, welches
zwanzig jahre früher in zwei octavbänden erschienen war unter dem
titel: Histoire de Saladin Sulthan d’Egypte et de Syrie etc. par M. Marin. A la Haye 1758. Auf das Titelblatt dieses werkes hat der verfasser den wahlspruch aus Cicero de oratore gesetzt: *quis nescit primam esse historiae legem, ne quid falsi dicere audeat; deinde ne quid
veri non audeat?* und es lässt sich nicht verkennen, dass er auch redlich bemüht gewesen ist, diesem wahlspruche nach bestem vermögen
nachzukommen. Die kreuzfahrer erscheinen ihm, auf grund seiner quel-
lenstudien, im allgemeinen in einem gar üheln lichte, Saladin dagegen
in einem um so glänzenderen. Daher zollt er den tugenden Saladins
die vollste anerkennung, und stellt auch namentlich seine freiere, edlere
und menschenfreundlichere denk- und handlungsweise der engherzigen

beschränktheit und dem oft recht unlöblichen verfahren der kreuzfahrer lobend gegenüber. Da dies werk gegenwärtig in Deutschland wol nicht häufig wird anzutreffen sein, darf es um so weniger überflüssig erscheinen, einige stellen aus demselben hier mitzuteilen.

Lessing legt die handlung seines stückes nach Jerusalem. Demnach fällt sie zwischen den 3. oktober 1187, an welchem tage Saladin in die durch capitulation ihm übergebene stadt einzog, und den 3. märz 1193, an welchem Saladin, im 57. jahre seines alters, starb. Folglich müsten die anspielungen auf einen waffenstillstand, welche in dem drama mehrfach begegnen, sich eigentlich beziehen auf den dreijährigen waffenstillstand, den Richard Löwenherz am 1. september 1192 mit Saladin geschlossen hatte, und in welchem unter anderem für die christen freie religionsübung und unbehinderter zugang zum heiligen grabe ausbedungen worden war. Zugleich verengte sich damit der zeitraum für die handlung des dramas auf die wenigen monate zwischen dem 1. september 1192 und dem 5. märz 1193.

Die unmittelbaren folgen jenes waffenstillstandes schildert Marin (2. 301 fgg.) folgendermassen :

Des que la paix eut été publiée, les Francs et les Sarsins se réunirent et semblèrent ne faire qu'un peuple. On célébra cet événement par des tournois et par des festins. Les officiers chrétiens, et surtout la noblesse françoise s'empressèrent d'aller visiter à Ramla le sulthan qui les recevoit avec sa bonté ordinaire, les admettoit à sa familiarité et à sa table, et ne les renvoïoit qu'avec des présens. Ils admiroient dans un prince, qu'ils appelloient barbare, des vertus inconnues dans ce tems à l'Europe. De-là, ils se rendirent en foule à Jérusalem, pour y accomplir leur vœu. Saladin faisoit distribuer des provisions même aux simples soldats. Cette générosité et le desir de voir les lieux où le Sauveur étoit mort, attirèrent bientôt tous les croisés. Richard qui étoit encore malade, se trouva tout-à-coup presque abandonné: il craignit pour ce grand nombre de chrétiens qui se livroient eux-mêmes au pouvoir des infidelles: il crut devoir mettre un frein à leur zèle, et leur défendit d'aller a Jérusalem sans sa permission. Cet ordre fut peu respecté. Richard s'adressa au sulthan, et le pria de ne recevoir sur ses terres, que ceux qui auroient un billet signé de sa main. Saladin lui répondit que les croisés n'étoient venus dans la Palestine que pour faire leurs prières dans le temple de la résurrection (le saint Sépulchre), qu'on se rendroit cruel et coupable en leur refusant cette consolation, et qu'il ne vouloit pas gêner leur dévotion pour le saint pélerinage de Jérusalem recommandé par dieu même et par son prophète Mahomet.

Will man die oben angezogene äusserung, welche Lessing (auf-
zug 4, auftritt 3 von Maltzahns ausg. 2, 200) dem Saladin in den
Mund legt:

Die Spenden bey dem Grabe,
Wenn die nur fortgehn! Wenn die Christenpilger
Mit leeren Händen nur nicht abziehn dürfen!

aus einer bestimten quelle ableiten, so darf man wol meinen in der
eben mitgeteilten schilderung Marins diese quelle gefunden zu haben.

Wilken, in seiner Geschichte der Kreuzzüge th. 4 s. 576 fgg.,
berichtet über dieselben vorgänge genauer: Richard war auf die Franzosen erzürnt, und suchte deshalb diesen, wie überhaupt allen, welche
es nicht mit ihm hielten, „die pilgerung nach Jerusalem zu erschwe-
ren oder unmöglich zu machen, indem er von dem sultan begehrte,
dass kein pilger ohne eine von dem könige von England selbst oder
dem könige Heinrich ausgestellte beglaubigung in Jerusalem eingelassen werden möchte. Doch Saladin wies dieses ansinnen zurück, nahm
die Franzosen, deren täglich von Ptolemais und anderen syrischen städten zahlreiche schaaren nach Jerusalem zogen, in seinem lager bei
Natrun freundlich auf, bewirthete die geringen pilger sowol,
als die oft unter armseliger pilgerkleidung verborgenen
französischen barone mit königlicher freigebigkeit, unterhielt
sich mit ihnen vertraulich, und ermahnte sie seinem schutze zu ver-
trauen und durch die hindernisse, welche der könig von England der
vollbringung ihrer andacht in den weg lege, sich nicht stören zu lassen. Richard aber liess er melden, dass er es für ungebührlich halte,
leute, welche, um auf dem grabe ihres heilandes zu beten, aus fernen
landen gekommen wären, an der vollbringung ihres gelübdes zu hindern.“ — „Erst, als die Franzosen gröstenteils das heilige land verlassen hatten, gebot Richard kund zu tun, dass die pilgerung nach
Jerusalem den christen gestattet sei, und, da Saladin auf das sonst
übliche pilgergeld verzichtet habe, so möchten die wallfahrer
zu dem baue der mauern von Joppe steuern.“ Die pilger, welche die
erlaubnis des königs von England benutzten, teilten sich in drei schaaren, und wurden von Saladin, der inzwischen seine truppen entlassen
und sich nach Jerusalem begeben hatte, in gleich freundlicher weise
aufgenommen. Sie durften nicht nur ihre andacht in Jerusalem ungestört verrichten, sondern wurden auch gastfreundlich bewirtet
und mit sicherer begleitung bis an die grenze zurückgeführt. — Schon
bei den verhandlungen, welche dem endgiltigen abschlusse des waffenstillstandes vorangegangen waren, am 14. juli 1192, hatte Saladin

21*

erklärt, dass er den christen zu Jerusalem nichts als den besuch der
ihnen heiligen örter einräumen werde, zugleich aber auch auf die frage
von Richards botschafter nachgegeben, dass von den christlichen
pilgern keine abgabe erhoben werde (Wilken 4, 535).

  Wenn Lessing (4, 2 = v. Maltzahn s. 298) den patriarchen sagen
lässt:

      Saladin,
   Vermöge der Capitulation,
   Die er beschworen, muss uns, muss uns schützen;
   Bey allen Rechten, allen Lehren schützen,
   Die wir zu unsrer allerheiligsten
   Religion nur immer rechnen dürfen!
   Gottlob! wir haben das Original.
   Wir haben seine Hand, sein Siegel.

so kann diese berufung, streng genommen, nicht auf die kapitulation
bei der übergabe Jerusalems sich beziehen, sondern ebenfalls nur abgeleitet werden aus demselben waffenstillstandsvertrage zwischen Richard
und Saladin vom 1. september 1192. Zwar ist es unhistorisch, wenn
Lessing den patriarchen in Jerusalem residieren lässt, denn bei der
übergabe Jerusalems, am 3. october 1187, hatte der patriarch Heraclius mit allen abendländischen christen die stadt räumen müssen,
bevor Saladin in dieselbe einzog, und erst 1192, nach abschluss des
waffenstillstandes mit Richard, hatte Saladin, auf bitten des führers
der dritten pilgerschaar, des bischofes von Salesbury, gewährt, dass an
der kirche des heiligen grabes, sowie in Bethlehem und Nazareth, neben
den syrischen priestern, die seit eroberung des heiligen landes durch
Saladin ausschliesslich den gottesdienst an diesen heiligen stätten versehen hatten, fortan auch zwei katholische priester und zwei diaconen
aus den gaben der pilger unterhalten werden dürften (Wilken 4, 580).
An solchen historischen und chronologischen einzelheiten brauchte jedoch
Lessing um so weniger festzuhalten, da es ja gar nicht seine absicht
war ein historisches drama zu liefern. Für seinen zweck genügten
und passten ihm die örtlichkeit, die zeitverhältnisse und die charactere
der historischen personen im grossen und ganzen. Deshalb ist durchaus nicht daran zu mäkeln, wenn im verfolge des dramas einige einzelheiten beiläufig vorkommen, welche mit dem chronologischen und historischen detail des wirklichen geschichtlichen verlaufes nicht genau übereinstimmen.

  Wenn aber Lessing (5, 4 = v. Maltz. s. 335) den patriarchen
einen schurken nennen, wenn er den tempelherren sagen lässt:

> Denn kannt' ich nicht den Patriarchen schon
> Als einen Schurken?

wenn er mehr als einmal die schurkerei des patriarchen betonen lässt, wenn er ihn (4, 2 = v. M. s. 294 fgg.) als einen beschränkten, unduldsamen pfaffen hinstellt, der den juden verbrennen will, weil dieser so menschlich und christlich gewesen ist, ein verwaistes christenkind wie sein eigenes zu erziehen, wenn er ihn (1, 4 = v. M. s. 210 fgg.) als gewissenlosen, heimtückischen gleissner brandmarkt, der den tempelherrn zum treubruch, zur spionage, und gar zum meuchelmorde verleiten will: so entspricht dies durchaus dem geschichtlichen bilde, welches Marin von dem ebengenanten patriarchen Heraclius entwirft, der bei der eroberung im jahre 1187 aus Jerusalem weichen muste. Unter berufung auf den fortsetzer des Wilhelm von Tyrus, auf den bericht in der vorrede der Gesta Dei per Francos, und auf „les autres historiens," schildert Marin (1, 309) zum jahre 1185 mit höchster entrüstung diesen patriarchen Heraclius folgendermassen:

> „La Palestine .... vit enfin l'infame Heraclius — quel nom donner à cet homme, dont la mémoire á été rendue exécrable par les cris de tout l'orient? — deshonorer la chaire patriarchale, par la conduite la plus débordée.
>
> C'étoit un Auvergnac de mauvaises moeurs et de bonne mine, pauvre et sans ressources dans sa patrie, lequel vint comme tant d'autres chercher une meilleure fortune en Syrie. Il plut par sa figure à la reine mère pour le scandale de la chrétienté. Elle le combla de bienfaits et lui procura peu après l'archevêché de Césarée. Le patriarche de Jérusalem étant mort dans ces circonstances, deux prélats prétendoient à cette dignité, Heraclius et Guillaume archevêque de Tyr, celui-ci recommendable par des services rendus à l'état, par un mérite distingué, par une érudition rare, et des vertus plus rares encore dans ce siècle pervers. Mais la reine n'eut pas honte de solliciter le patriarchat pour son amant, ni le clergé de le choisir, ni le roi de confirmer cette élection.[1] Guillaume crut sa conscience intéressée à faire déposer ce concurrent indigne, et porta ses plaintes au saint siège ... Héraclius conserva par un crime, ce que le crime lui avoit acquis. Il fit empoisonner son rival, et se rendit à Rome, où il lui fut facile de se justifier.
>
> Il revint en triomphe dans la Syrie, mais en passant par Nabolos, Napoulous, ou Neapolos, autrefois Sichem, il vit une certaine

[1] Nous remarquons ici que c'étoient les chanoines du saint sepulchre, qui nommoient les patriarches. Ils désignoient deux personnes au roi, qui choisissoit celui qui devoit être patriarche.

Pasque de Riveri malheureusement célèbre par sa beauté et ses débauches.
Elle fut séduite par un homme qui sacrifioit tout à ses passions. Son
mari, simple marchand du lieu, étoit un obstacle à ce commerce hon-
teux. Cet obstacle fut bientôt ôté par une mort naturelle ou violente.
Héraclius mérita qu'on le soupçonnât d'avoir avancé les jours de ce
malheureux par le poison. Quoi qu'il en soit, il fit venir sa maîtresse
à Jérusalem, et ne rougit pas de lui donner un palais, des gardes et
des grands officiers. La reine n'avoit ni des habits si magnifiques, ni
un cortège aussi brillant. Cette femme n'étoit connue que sous le nom
de madame la patriarchesse. Elle avoit en cette qualité une place
distinguée dans l'église. C'étoit bien là l'abomination de la deso-
lation assise dans le lieu saint. Un jour que le roi avoit assem-
blé les prélats et les barons du royaume, pour délibérer sur un objet
important, on vit entrer dans le conseil un homme tout essoufflé, qui
s'écria en s'adressant à Héraclius: „Je viens vous apprendre une
grande nouvelle, madame la patriarchesse, votre femme, est accouchée."

Un exemple aussi pernicieux étoit suivi, mais non avec le même
éclat, par la plupart des evêques et des ecclésiastiques, parmi lesquels
on trouvoit encore quelques saints personnages gémissans sur la cor-
ruption commune. Lorsque les principaux d'un royaume ont de telles
moeurs, quelles doivent être celles du peuple? Tout ce qui habitoit la
Syrie, étoit un melange de Juifs, d'Arabes, de Turcs, de Grecs schis-
matiques, d'Arméniens, de Jacobites, de Maronites, de Nestoriens,
d'autres hérétiques, de Latins nés en Orient (appellés Poulains, Pul-
lani) ou nouvellement arrivés, de croisés Allemands, Italiens, Anglois,
François. Toutes ces nations se communiquoient leurs vices, sans se
transmettre leurs vertus. On lit avec horreur dans les historiens les
crimes dont elles souilloient la Terre Sainte. — Ces hommes, qui
avoient si peu de religion dans le coeur, en avoient toujours
le nom dans la bouche."

Diese angaben Marins werden durch Wilken (3, 2, 259 fgg.)
dahin ergänzt und berichtigt, dass Heraclius im october 1179 patriarch
geworden, und 1185 nach dem abendlande gereist sei, um bei den
abendländischen fürsten hilfe für das heilige land zu suchen; dass auch
erzbischof Wilhelm von Tyrus nach aller wahrscheinlichkeit 1185 sich
nach dem abendlande begeben habe, vielleicht um gegen Heraclius zu
klagen, dass er aber 1187 widerum im heiligen lande tätig, und bald
darnach nochmals im abendlande als gesanter der kirche des heiligen
landes wirksam gewesen sei, womit die angabe des Bernardus Thesau-
rarius und des Hugo Plagon von der vergiftung des Wilhelm von Tyrus
durch Heraclius hinfällig werde. Aber auch Wilken, so gemessen,

vorsichtig und mild er urteilt und sich ausspricht, bestätigt, dass Heraclius grosses ärgernis gegeben, und sich nicht einmal bemüht habe den schein eines anständigen lebens zu bewahren.

Im jahre 1187 hatten sich von allen seiten und orten her zum kampfe wider Saladin die kreuzfahrer bei Sephoria versammelt, nach Wilkens ausdrucke (3, 2, 274) „eins der stattlichsten heere, welche jemals im gelobten lande wider die heiden gestritten hatten." Marin berichtet darüber (2, 4 fgg.): Auch an den patriarchen Heraclius war die aufforderung ergangen „*d'y venir avec la croix qu'on croyoit être celle qui servit au mystère de la redemption, et dont la présence inspiroit aux soldats ce courage d'enthousiasme auquel les premiers croisés, ainsi que les premiers mahométans, durent tous leurs succés. Le prélat sacrilège, qui dans son abrutissement ne méritoit pas d'avoir aucune vertu, joignoit à ses débauches la pusillanimité attachée aux vices bas et honteux dont il se souilloit. Il céda par poltronnerie l'honneur de porter l'étendard de la religion à deux de ses fils qu'il avoit eus de ses liaisons incestueuses avec Riveri, appellée la patriarchesse, et dont l'un etoit evêque de Lidda, l'autre de Ptolémaïs. Pour lui, il ne vouloit ni s'exposer aux dangers d'une bataille, ni suspendre ses plaisirs devenus nécessaires par l'habitude, mais il songeoit à se ménager les moyens de se réfugier en Europe avec ses trésors et sa maîtresse, si l'entreprise étoit malheureuse.*" Auch Wilken sagt (3, 2, 275): „Der unwürdige patriarch Heraklius aber kam nicht selbst, aus furcht vor dem märtyrertode, sondern sandte an seiner statt die bischöfe von Ptolemais und Lidda als träger des heiligen kreuzes." — Klug war es freilich, sehr klug, von Heraclius, dass er ausblieb. Denn in der wenige wochen darnach erfolgenden grossen entscheidungsschlacht bei Hittin (5. juli 1187) ward das ganze christliche heer durch Saladin vernichtet. Auch der träger des heiligen kreuzes, bischof Gaufried von Lidda, ward gefangen, das heilige kreuz selbst aber ward verloren und niemals wider gefunden (Wilken 3, 2, 287 fgg.).

In Jerusalem befanden sich im jahre 1187 zwei königinnen. Die eine war Maria, eine tochter des Johannes Komnenus, eines Neffen des kaisers Manuel I., welche mit dem könige von Jerusalem Amalrich I. vermählt gewesen war, und nach dessen tode einen fürsten, Balian II., herren von Ibelim, (1186) geheiratet hatte. Die andere war Sibylle, welche nach dem tode ihres bruders, des königes von Jerusalem Balduin IV., durch den patriarchen Heraclius 1186 gekrönt worden war und zugleich ihren zweiten gemahl, Veit (Gui) von Lusignan, zum

könige von Jerusalem erhoben hatte. Der könig Veit war in der schlacht
bei Hittin, Balian von Ibelim war bald darnach bei der eroberung der
stadt Berytus in Saladins gefangenschaft geraten; beide aber hatten
nach kurzer frist ihre freiheit wider erlangt, könig Veit als preis für
die durch ihn vermittelte unterwerfung von Ascalon, Balian für die
übergabe seiner burg Ibelim. Weil aber Saladin grade jetzt mit allem
eifer nach dem besitz von Jerusalem strebte, konte er ihnen nicht
gestatten sich dorthin zu begeben, und durch ihre anwesenheit daselbst
die widerstandskraft der stadt zu erhöhen. Deshalb ward ausbedungen,
dass könig Veit noch bis zum märz des nächsten jahres zu Nazareth
unter bewachung der Muselmänner bleiben, seiner gemahlin, der königin Sibylla, jedoch verstattet sein solle ihn daselbst zu sehen (Wilken 3, 2, 297). Den fürsten Balian anlangend lautet die erzählung
bei Wilken (3, 2, 300 fg.): er erhielt die erlaubnis aus seiner veste
Ibelin „seine gattin und kinder unter sicherm geleite nach Jerusalem
zu führen, jedoch mit der bedingung, nicht länger dort zu verweilen
als eine nacht, und überhaupt nicht ferner die waffen zu führen wider
die Muselmänner. Als aber Balian nach Jerusalem kam, drangen die
bürger in ihn mit der bitte, dass er die regierung der verlassenen stadt
übernehmen möchte, [denn die gesamte ritterschaft von Jerusalem war
bei Hittin vernichtet worden, und nicht mehr als zwei übriggebliebene
ritter befanden sich jetzt in der stadt]; und als er sich entschuldigte
mit seinem eide, stellte der patriarch Heraklius ihm vor, dass, wenn
er die heilige stadt ihrem schicksale überliesse, deren rettung in dieser
verzweiflungsvollen lage ihm allein möglich wäre, er unvertilgbare
schande auf sich und sein ganzes geschlecht laden, und eine grössere
sünde begehen würde, als wenn er einen eid bräche, den er einem
ungläubigen geleistet hätte. Auch löste der patriarch die verbindlich-
keit dieses eides durch seine geistliche macht, worauf Balian sich von
den bürgern huldigen liess. Als Saladin schon vor Askalon gelagert
war, gab Balian ihm nachricht davon, dass er sich genötigt gesehen,
den ihm geschworenen eid zu brechen, und bat um sicheres geleit für
seine gattin und kinder nach Tripolis. Der sultan achtete die triftig-
keit der gründe, welche Balian vermocht hatten, seinen eid zu brechen
und gewährte sein gesuch, indem er einen türkischen ritter sante, die
familie Balians nach Tripolis zu geleiten." — Etwas abweichend und
mit stärkerem farbenauftrage erzählt Marin (2, 50 fg.): „Baléan avoit
obtenu la permission d'aller à Jérusalem, pour en faire sortir sa femme
et ses enfans, et pour régler quelques affaires domestiques, mais avec
promesse de n'y demeurer qu'un seul jour, et de ne rien entreprendre
contre les interéts du Sulthan. Arrivé à Jérusalem, il se fit prier d'y

rester, d'en prendre le commandement, et consentit qu'on le déliât de
son serment que le patriarche déclara nul au nom du clergé,
comme si la religion permettoit dans aucun cas de violer les
loix les plus sacrées de l'honneur. Ce baron parjure osa deman-
der peu de tems après à Saladin une sauve-garde pour sa femme
et pour ses enfans, qu'il envoyoit à Tripoli, grace dont il étoit
si peu digne, et qui lui fut cependant accordée. Le sulthan
engagea même la reine Sybille d'aller joindre son mari à
Napoulous, afin qu'elle ne fût pas témoin des horreurs insé-
parables d'un siège."

Auf dieses grossmütige und ritterliche verhalten gegenüber den
beiden königinnen lassen sich die worte beziehen, welche Lessing (2, 1
= v. Maltz. s. 221) der mit ihrem bruder Saladin schach spielenden
Sittah in den mund legt:

> Wie höflich man mit Königinnen
> Verfahren müsse: hat mein Bruder mich
> Zu wohl gelehrt.

Nach der eroberung Jerusalems (3. oct. 1187) hatten der patriarch
Heraclius und die königin Sibylle sich nach Antiochien begeben (Wilken 3, 2, 318). Im jahre 1190 befand sich Heraclius mit dem könige
Veit unter den belagerern von Ptolemais (Wilken 4, 303). Aber in
demselben jahre 1190, in welchem auch die königin Sibylle starb (Wilken 4, 545), war er erkrankt (Wilken 4, 309), und aus dem jahre 1192
wird berichtet (Wilken 4, 545), dass bei der belagerung von Joppe
„der neu erwählte patriarch von Jerusalem" in Saladins hand gefallen
und durch Richard Löwenherz bei abschluss des waffenstillstandes nicht
ausgelöst worden sei (Wilken 4, 573). Demnach würde zwar in dem
oben für die handlung des dramas ermittelten zeitabschnitte (1. sept.
1192 — 5. märz 1193) der patriarch Heraclius wol nicht mehr am leben
gewesen sein, doch würde die vermutung, dass grade der unwürdige
Heraclius der gestalt des Lessingschen patriarchen als grundlage gedient
habe, dadurch um so weniger beeinträchtigt werden, weil in Marins
erzählung diese chronologischen einzelheiten durchaus nicht hervortreten, sondern im gegenteile die letzten schicksale und der tod des Heraclius und die anfänge seines nachfolgers fast völlig mit stillschweigen
übergangen werden.

An die erzählung von Saladins tode knüpft Marin eine ausführliche charakteristik desselben, aus welcher hier einige hauptstellen folgen mögen: 2, 328 „*Si ce sulthan emporta l'estime et les regrets*
de tous les peuples, peu de princes méritèrent ces senti-

ments par tant de vertus. Les chrétiens eux - mêmes n'ont pû s'em-
pêcher de lui rendre justice: ce sont eux qui m'ont fourni une partie des
traits répandus dans cette histoire." — S. 334: „*Sa clémence, sa*
justice, sa modération, sa liberalité, bien plus que ses con-
quêtes, ont rendu sa mémoire précieuse à tous les musulmans,
et à tous ceux qui sçavent estimer la vertu. Peu de princes
ont tant aimé à donner. Maître de l'Egypte, de la Syrie, de l'Arabie
heureuse et de la Mésopotamie qui lui payoit tribut, il ne laissa dans
ses coffres que quarante-sept dragmes d'argent et un seul écu d'or. On
fut obligé d'emprunter tout ce qui servit à ses funerailles." — S. 335:
„*Ses profusions excessives le faisoient manquer souvent du*
nécessaire. Aussi son trésorier avoit coutume de garder à
son insçu quelque argent pour les besoins pressans; mais
Saladin rendoit cette précaution inutile, en faisant vendre ses meubles,
lorsqu'il n'avoit plus rien à donner. — Sa justice étoit égale à sa
magnificence." — S. 337: „*Telle étoit sa clemence, qu'il ne punit*
jamais aucune offense personelle. ... Son âme, qui ne fut jamais
troublée par aucune passion violente, ne connut point la colère
ou la vengeance, qui en est une suite. La religion seule, et l'inhu-
manité des chrétiens le rendirent quelquefois cruel contre eux - mêmes." —
S. 338: „*La douceur, l'humanité, la bienfaisance, la reli-*
gion, la justice, la liberalité formoient son caractère par-
ticulier. On nous apprend que sa figure imprimoit encore plus d'a-
mour que de respect; que son regard n'avoit point cette fierté qui
annonce quelquefois les maîtres du monde; que ses discours étoient sim-
ples, polis, naturellement éloquens; mais que son imagination ne s'éleva
jamais à la poësie, et rarement à ces figures hardies, à ces métapho-
res si familières aux orientaux. Il cultiva un genre d'étude bien fri-
vole et très-estimé par les dévots musulmans, celui de connoître toutes
les traditions mahométanes, les explications de l'Alkoran, les senti-
mens divers des interprètes, les opinions différentes des écoles, et se
plaisoit à disputer sur ces matières avec les prêtres et les
cadhis." — Auch Wilken bestätigt (4, 591) diese neigung Saladins zu
religiösen gesprächen, indem er sagt: „Saladin war kein gelehrter fürst,
aber er war nicht ohne bildung, und liebte den umgang mit
gelehrten, vorzüglich solchen, welche seine meinung über zweifelhafte und dunkle lehren seines glaubens berichtigen
konten."

In Boccaccios dritter novelle war mit der parabel von den drei
ringen auch der name des sultans Saladin gegeben. Indem Lessing bei
dramatisierung der novelle diesen namen beibehielt, erweiterte und ver-

edelte er den rahmen der parabel aus einem anekdotischen zu einem
welthistorischen. Demnach musten aber auch die personen des dramas in ihren charakteren und handlungen mit den personen, den ereig-
nissen und dem charakter der Saladinischen zeit in übereinstimmung,
oder wenigstens nicht im widerspruche stehen, unbeschadet der befug-
nis des dramatischen dichters ihnen seine eigenen ideen zu leihen. Dass
Lessing zu diesem behufe ausgedehnte historische quellenforschungen
angestellt habe, ist wenig wahrscheinlich, zumal er das schauspiel schon
vor vielen jahren entworfen hatte, und es nun rasch ausführte. Er
konte deren aber auch entraten, wenn er Marins werk benutzte, oder
schon früher zum entwurfe benutzt hatte; denn dieses bot ihm ziemlich
alle historische auskunft, deren er für seinen zweck bedurfte, und
muste ihm überdies schon deshalb zusagen, weil Marin frei von dogmatischer befangenheit nach objectiver unparteiischer auffassung und
darstellung strebt. Es bot dieses werk ihm namentlich eine charakteristik Saladins, welche für wirksame dramatische verwertung vortrefflich
geeignet war, und dazu nur noch einer geringen nachhelfenden poetischen idealisierung bedurfte. Und ferner bot es ihm — und grade dies
war für seine absicht überaus brauchbar und schätzbar — die charakteristik eines hochgestellten geistlichen herren, des damaligen geistlichen oberhauptes der katholischen christenheit im gelobten lande, eines
theologen, dessen starre christliche orthodoxie mit seinem höchst
unchristlichen leben und handeln im schneidendsten widerspruche stand:
einer historischen persönlichkeit also, aus welcher sich, ohne ihrem
geschichtlichen charakter den geringsten abbruch zu tun, eine figur
gestalten liess, wie sie zur erzielung lebenswahrer veranschaulichung
und dramatischen contrastes gar nicht wirksamer hätte erfunden werden können. Aus allem was dieser patriarch in Lessings drama tut
und spricht, oder tun und sprechen lässt, hört man gleichsam die
oben angeführten worte Marins herausklingen: *ces hommes qui avoient
si peu de religion dans le coeur en avoient toujours le nom dans la
bouche.*

Freilich hat man, und wol zum guten teile in folge dieser beiden
historischen gestalten, gegen Lessing den schweren vorwurf erhoben,
dass das christentum in seinem drama zu kurz gekommen sei; dabei
aber hat man ganz übersehen, dass unter allen historisch bekanten
christlichen fürsten und geistlichen würdenträgern, die dem Saladin
damals gegenüberstanden, auch nicht ein einziger war, der auch nur
entfernt an milde und menschlichkeit ihm vergleichbar gewesen wäre,
und dadurch die möglichkeit geboten hätte, ihn zur verherlichung des
christentums in das drama einzuführen. Übrigens hat jenen seichten

vorwurf schon Loebell treffend zurückgewiesen in seinen ausgezeichneten vorlesungen „Die Entwickelung der deutschen Poesie von Klopstocks erstem Auftreten bis zu Goethes Tode. Bd. 3. Lessing." Braunschweig 1865 s. 132 fgg. 262 fgg. Und mit recht auch hat Loebell
in dieser beziehung verwiesen auf die beiden von Lessing frei erfun-
denen christlichen gestalten, den klosterbruder und den tempelherren,
und deren bedeutung in das gehörige licht gestellt; wie er überhaupt
auf dem knappen raume weniger seiten die gehaltvollste anleitung dargeboten hat zu einer würdigen auffassung und einem eindringenden verständnisse dieses herlichen dramas. Schwerer freilich als den grossen
denker und dichter vorschnell zu tadeln, aber dafür auch höchst lehrreich und fruchtbar ist es, zu erforschen und aufzuzeigen, welche quellen Lessing und wie er sie benutzt hat, wie und warum er ihre
angaben geändert, und grade so, wie er getan, mit tiefster einsicht
und vollendeter meisterschaft umgebildet hat.

   Die vorstehenden seiten hatte ich geschrieben ohne Lessings eigene,
dem entwurfe des Nathan beigefügte notizen (in v. Maltzahns ausgabe
2, 616 fg.) nachzuschlagen, die ich seit so geraumer zeit nicht wider
gelesen hatte, dass ihr inhalt mir nicht mehr gegenwärtig war.   Indem
ich sie nun nachträglich wider einsehe, finde ich in ihnen eine bestätigung des eben entwickelten, gleichsam eine probe zu einem rechen-
exempel.   Es sind im ganzen zehn kurze bemerkungen, die Lessing selber, als er das drama entwarf, sich aufgezeichnet hatte, und sieben
davon verweisen auf seitenzahlen des Marinschen buches.   Nach diesem
eigenen zeugnisse Lessings war der vorstehende nachweis, dass Marins
werk ihm hauptquelle für das geschichtliche im Nathan gewesen ist,
eigentlich überflüssig, und hätte folglich in den papierkorb wandern
sollen.   Gerettet vor diesem verdienten schicksale hat ihn nur die erwägung, dass Marins werk jetzt wol nur noch wenigen zur hand, mithin
eine solche auszügliche übersichtliche zusammenstellung doch für manchen genehm und erwünscht sein mag. — Lessings achte bemerkung,
über die bedeutung des namens Daja, bezieht sich auf „Vita et res
gestae Sultani Saladini auctore Bohadino f. Sjeddadi, nec non excerpta
ex historia universali Abulfedae, itemque specimen ex historia majore
Saladini, grandiore cothurno conscripta ab Amadoddino Ispahanensi.
Ex mss. arabicis academiae Lugduno-Batavae edidit ac latine vertit
Albertus Schultens. Lugduni Batavorum 1732. fol." Dort heisst es
in der übersetzung der Excerpta ex Abulfeda s. 4: „Submissum mox
aliud agmen ductu Mesjdoddini Abubecri, qui vulgo filius Dajae dici-

tur, sive Nutricis." — Die neunte anmerkung, über Saladins winzigen nachlass an baarem gelde, verweist auf „Delitiae orient. p. 180." Darunter ist gemeint: „Delitiae orientales, Das ist die Ergötzlich - und Merkwürdigkeiten des Morgenlandes, Nach dessen vornehmsten Landschafften, Insonderheit Syriens, Und des gelobten Landes usw. Mit accuraten Land - Charten und Kupfferstichen gezieret, Und in Zwey Theile abgefasset von D. O. D. M. B. Nürnberg, In Verlegung Joh. Hofmanns und Engelb. Strecks Wittiben. 1712. fol." (Bd. 1. Syrien und bd. 2. Palästina bilden zusammen einen starken folioband mit zahlreichen kupferstichen und karten). [1] — Viel weiter scheinen sich Lessings geschichtliche studien zum behufe der abfassung des Nathan wol überhaupt nicht erstreckt zu haben, wenngleich er diese oder jene einzelheit aus den werken von Schultens, Herbelot u. a. gelegentlich geschöpft haben mag.

In der zehnten und letzten bemerkung endlich spricht Lessing über seine behandlung des historischen und des chronologischen details, und namentlich in bezug auf den patriarchen Heraclius, sich folgendermassen aus:

„In dem Historischen was in dem Stücke zu Grunde liegt, habe ich mich über alle Chronologie hinweg gesetzt; ich habe sogar mit den einzelnen Namen nach meinem Gefallen geschaltet. Meine Anspielungen auf wirkliche Begebenheiten sollen blos den Gang meines Stücks motiviren.

So hat der Patriarch Heraklius gewiss nicht in Jerusalem bleiben dürffen, nachdem Saladin es eingenommen. Gleichwohl nahm ich ohne Bedenken ihn daselbst noch an, und betaure nur, dass er in meinem Stücke noch bey weitem so schlecht nicht erscheint, als in der Geschichte."

HALLE, DECEMBER 1874.   J. ZACHER.

---

1) Der verfasser des zu Rotterdam 1677 erschienenen holländischen originales dieses werkes war dr. Oliver (oder Olfert) Dapper, arzt zu Amsterdam, † 1690. Sein übersetzer war wol derselbe Joh. Christoph Beer, der auf dem titel eines anderen Dapperschen werkes (Asia, oder Ausführl. Beschreibung des Reiches des Grossen Mogols. Nürnberg 1681, bei J. Hofmann) als übersetzer sich genannt hat. — Ich verdanke diese nachweisung der güte des herrn bibliothekares dr. Val. Rose in Berlin. — (Vgl. Fr. Ad. Ebert, allgem. bibliogr. lexikon. Lpz. 1821. no. 5759, der als druckort des originales Amsterdam angibt, und eine bei demselben verleger Jac. von Meurs zu Amsterdam 1681 erschienene deutsche übersetzung aufführt, ohne der Nürnberger ausgabe von 1712 zu gedenken).

Nachtrag.

Zu Nathan III, 2.

Tempelherr. Was? was? Obs wahr,
Dass noch daselbst der Ort zu sehn. wo Moses
Vor Gott gestanden, als ....
                    Recha. Nun das wohl nicht.
Denn wo er stand, stand er vor Gott. Und davon
Ist mir zur Gnüge schon bekannt. — Obs wahr,
Möcht' ich nur gern von Euch erfahren, dass —
Dass es bei weitem nicht so mühsam sei,
Auf diesen Berg hinauf zu steigen, als
Herab? — Denn seht; so viel ich Berge noch
Gestiegen bin, wars just das Gegentheil. —

Die worte des Tempelherren sind entweder ungefähr nach Schillers
worten in der Jungfrau von Orleans zu ergänzen:

Als ... Gott vor Mosen auf des Horebs Höhen
Im feur'gen Busch sich flammend niederliess
Und ihm befahl vor Pharao zu stehen.

Vgl. Breuning von Buchenbach, Orientalische Reyß, Straßburg 1612.
cap. XXXVII „Beschreibung des Bergs Sinai, Horeb und S. Catharinä
Kloster" etc. s. 189: „Hinder dem grossen Chor (im Katharinenkloster)
ist ein Capelle, so man S. Vatta nennet, vor deren thür musten wir
die schuhe ablegen, und barfuß hinein gehen: Dann allhie der bren-
nende busch, so Moysi erstlich erschienen, und darauß Gott der Herr
mit jhme geredet, ehe und zu vor er die Kinder Israel auß Egypten
geführet. Exodi cap. 3 gestanden." (sic.) Oder nach ebenda s. 192:
„Zu aller oberst dieses Heyligen Bergs, auff der spitzen, ist ein Felsen darinnen eine klufft, allda Moyses den Decalogum, oder die Zehen
Gebott von Gott empfangen, Exodi cap. 20. Inwendig der klufft ist
Moysis rucken unnd Haupt eingetruckt imprimirt oder formirt, gleich
ob der harte Felsen, als ein Wachs oder andere weiche materi, dem
Leibe gewichen. Die Caloieri [griechische Mönche] sagen: da Moyses
(wie Exodi cap. 33 geschrieben) sich für dem Herren entsetzt, habe er
sich aufs forcht hinein gezwungen, und seyen die vestigia miraculosa
also geblieben." — Die worte der Recha aber erklären sich aus ebenda
s. 193: „Des andern tags stiegen wir von diesem heyligen berge, zwar
nit den vorigen weg, sondern nach dem Kloster der 40. Brüder oder

Märtyrer gegen nidergang hinab, und sein dieses orts keine staffelen [auf welchen sie hinaufgestiegen waren], derhalben es auch desto mühseliger und beschwerlicher hinab zukommen."

Über das eben citierte werk sagt Lessing in seinen Collectaneen (ed. v. Maltzahn XI, 1, s. 334, s. v. Breuning): „Das Werk muss rar sein, wie ich denn auch des Verfassers beim Jöcher [Gelehrten-Lexikon] gar nicht gedacht finde. Es enthält manche gute Nachrichten, wovon ich einige hin und wieder excerpirt habe." Die excerpierten Nachrichten stehen ebenda s. 520 und 545 s. vv. „Siegelerden" und „Wallfahrten."

ERFURT, APRIL 1875.   DR. BOXBERGER.

ZUSÄTZE UND ERGÄNZUNGEN ZU DEN ORTSNAMEN DES KREISES WEISSENBURG IM ELSASS.

Vgl. oben s. 153 fgg.

1) Zu den zusammensetzungen mit bach gehört noch Wengelsbach, das mit *Wendelin* oder *Wenilo* zusammenhängt.

2) Pechelbronn hat seinen namen von den schon von Hertzog erwähnten erdpech- oder erdölquellen.

3) Kröttweiler ist wol zum wohnsitze des *Chrodio* oder *Chrodius* (Trad. Wizz. 52 aus dem anfange des 8. jahrhunderts, wo auch ein *Chrodoldes willare* genant wird), abzuleiten von got. *hrôth*, ahd. *hruod*, fränk. *chrôd*, ruhm.

4) Neeweiler ist aus den dort gefundenen altertümern zu schliessen römischen ursprungs und aus *Neovillare* entstanden.

5) Für Retschweiler wäre nach der analogie des ausgegangenen oberhessischen ortes Retschenhausen, der 1248 *Rethsuindehusen* genant wird, „zum wohnsitze der *Rethsuinda*" vorzuziehen, wenn auch Förstemann (Ortsnamen s. 152) ein *Ruadhereswilare* annimt.

BISCHWEILER I. E. IM APRIL 1875.

DR. LUDWIG BOSSLER.

ZUM RUNENALPHABET.

Runeskriftens oprindelse og udvikling i Norden af **Ludv. F. A. Wimmer.** Med 3 tavler og afbildninger i teksten. København 1874. 274 s. Sonderabdruck aus Ärböger for nordisk oldkyndighed og historie 1874.

Der verfasser hat mehrfach in früheren jahrgängen der Ärböger sowie in seiner schrift Über die flexion des nomens im älteren Dänisch (1868) die ansicht vorgetragen, dass zwischen dem jüngeren und älteren eisenalter des nordens eine continuität der entwickelung hinsichtlich der sprache sowol als der schrift zu beobachten sei. In dieser ansicht immer mehr bestärkt hat er sich entschlossen, die sache nunmehr im zusammenhang zu behandeln. Die rein sprachlichen untersuchungen spart er für eine andere gelegenheit auf, wo er ihnen mehr raum, als eine zeitschrift gestattet, widmen kann; die entwickelung der schrift zwischen jenen beiden epochen ist gegenstand der vorliegenden abhandlung.

Der verfasser rechnet das ältere eisenalter von 250 n. Chr., oder lieber von anfang der christlichen zeitrechnung, bis 650, das jüngere von 800 bis 1000, und nimt zwischen beiden ein mittleres an, dessen wenige denkmäler die punkte geben, an die sich die fäden des zusammenhanges zwischen dem älteren und jüngeren knüpfen lassen. Lässt man die zeugnisse dieser übergangsperiode ausser betracht, so könte sich die bequeme theorie zu empfehlen scheinen, welche die starken verschiedenheiten zwischen dem jüngeren und älteren eisenalter durch die einwanderung eines neuen volksstammes erklärt und im norden noch immer ihre anhänger hat; kann dagegen eine entwickelung aufgezeigt werden, die jene verschiedenheiten schrittweise vermittelt, so verliert die einwanderungstheorie den letzten schein von berechtigung. Die grenzmarken der übergangsperiode bilden einerseits der stein von Istaby (um 650), andrerseits der von Helnæs (um 800), mit den ihm ohngefähr gleichzeitigen von Kallerup, Snoldelev und Flemløse. In diesen annähernden zeitbestimmungen, die er Ärb. 1868, s. 308 fgg. begründet hat, erfreut sich der verfasser der übereinstimmung Bugges (ebd. 1871, s. 215). Ehe er jedoch auf die entwickelung, welche beide eisenalter verknüpfen soll, eingeht, wirft er sich die frage nach dem ursprunge der runenschrift auf.

Er begint mit einer übersicht der hierüber bis jetzt aufgestellten ansichten, die das rechte nicht treffen konten, ehe in neuerer zeit eine hinreichende anzahl denkmäler mit dem längeren alphabet des älteren eisenalters im norden und süden ans licht gekommen waren. Man kann nun nicht mit sicherheit die runen auf eines der südeuropäischen alphabete, die aus dem phönicischen entsprungen sind, zurückführen, bevor die frage abgewiesen ist, ob sie nicht etwa aus einem gemeinsamen stamme mit denselben hervorgegangen sind und sich dann unabhängig von ihnen entwickelt haben; und die beantwortung dieser frage hängt wider ab von einer klaren ansicht über die entwickelung und das gegenseitige verhältnis der südeuropäischen alphabete selbst, zu welcher der jetzige stand der wissenschaft — zumal seit entdeckung der ältesten semitischen lautzeichen auf der denksäule des Mesa — wol befähigt, die aber der verfasser bei den meisten runenforschern vermisst. Er gibt uns daher auf 36 seiten eine höchst dankenswerte übersicht der sichern ergebnisse, welche die forschung auf diesem gebiete geliefert hat, und erst nachdem er voraussetzen darf, dass der ursprung aller griechischen alphabete aus dem altsemitischen des Moabiterköniges und der aller italischen aus dem griechischen der vase von Caere, dass ferner der hauptsächlich in der bezeichnung des f hervorspringende unterschied des lateinischen und falikischen von den übrigen alphabeten Italiens ins bewustsein des lesers übergegangen sei, erst dann wendet er sich zur frage nach dem ursprunge der runen.

Er eröffnet die untersuchung mit einer nicht ganz vollständigen aufzählung der ausserhalb des skandinavischen nordens und Engellands gefundenen denkmäler, die Ztschr. f. d. A. XVIII, 252 von Müllenhoff ergänzt worden ist.[1] Im gegensatze zu Stephens, der in seinem grossen sammelwerke (The old - northern runic monuments II (1868), p. 565 — 603. 880 — 84), alle diese denkmäler in seiner weise altnordisch liest und für vom mutterboden verirrte nordische *wanderers*

---

1) Der verfasser entscheidet sich bei dem goldringe zu Bukarest für die lesung *gutaniowi hailag*, vermisst aber eine sichere und natürliche erklärung von *gutaniowi*. Das nächste, auf das man hier verfallen müste, ist, wie mich dünkt, der in der ahd. form *Gozniu Cozniu* belegte frauenname; dass er bei Wulfila *Gutaniwi* lauten würde und dass man dann in *hailag* ein unflectiertes adjectiv im femininum zu sehen hätte, dürfte ein ernstliches bedenken nicht wecken. Wir wissen aus dem bruchstücke eines gotischen menologiums, dass das volk gedenktage seiner zahlreichen märtyrer beging: aus ihrer zahl scheinen wir hier eine heilige Gutaniwi kennen zu lernen. Einer kirche, die ihre reliquien barg, gehörte der ring, und ein priester derselben zeichnete das kleinod mit dem namen der heiligen. Ob dasselbe auch so als schwurring dienen konte, lasse ich dahin gestellt: es brauchte nur in vorchristlicher zeit einer gewesen zu sein. Der gebrauch der runen jedoch kann in einer so national gearteten kirche wie der gotischen weniger erstaunen als bei den christlichen Angelsachsen. — Eine vermutung über den sinn der Nordendorfer spangeninschrift halte ich zurück, bis ich sie einmal selbst gesehen habe: es ist zu verschiedenes auf ihr gelesen worden.

erklärt, diese meinung auch, wie ich weiss, gegenüber dem letzten
funde, der Freilaubersheimer spange, aufrecht erhält, komt unser verfasser zu dem für jedes unbefangene wissenschaftliche denken unabweis-
baren ergebnisse: „Die hier besprochenen, an so verschiedenen ausser-
nordischen orten gefundenen runendenkmäler liefern mit ihren zeichen
und ihrer sprache den vollgiltigen und unwiderleglichen beweis, dass
die ganze gotische völkerfamilie einst ein gemeinsames runenalphabet
besessen hat, das in allem wesentlichen mit dem der ältesten nordischen denkmäler übereinstimte;" ein ergebnis, das durch eine erörterung der bekanten stellen des Tacitus und Venantius Fortunatus sowie
der gotischen runennamen zu Wien bestätigt wird. Der deutsche leser
stutzt hier bei dem historisch so wenig berechtigten ausdruck „die
gotische völkerfamilie" und fragt sich vergeblich, warum der neutrale,
von den Römern für die sämtlichen völker unseres sprachstammes
gebrauchte und in diesem sinne uns überkommene name Germanen verschmäht werde, zumal man sich doch wider genötigt sieht den unterschied zwischen Goten und Germanen im engeren sinne zu betonen.

Wie die gemeingotische runenreihe beschaffen war, ergibt sich
hierauf durch eine vergleichung der futbarke und futhorke, die uns
auf dem bracteaten von Vadstena und der spange von Charnay (um 500),
sodann, mit den vom angelsächsischen vocalismus erforderten zutaten,
auf dem in der Themse gefundenen messer (um 700), in dem ags.
runenlied und in dem Wiener Cod. Salisb. 140 aufbewahrt sind; die
übrigen handschriftlichen futhorke konten bei seite gelassen werden. Wir erhalten aus diesen denkmälern, von jenen angelsächsischen
zutaten natürlich abgesehen, eine übereinstimmende, nur auf dem
Themsemesser am schluss gestörte reihenfolge von 24 nur wenig variie-
renden zeichen, zu welchen die handschriftlichen quellen zugleich die
bedeutung liefern. Da nun die vier semitischen gutturalen und die zwei
halbvocale jod und waw in diesem gemeinsamen altgermanischen futhark
auf dieselbe weise verwant werden wie in den südeuropäischen alphabeten, nämlich zur bezeichnung von *a e i o u h*; da der zischlaut durch
dasselbe zeichen ausgedrückt wird, obwol das semitische alphabet drei
oder vier zur auswahl bot; da eine menge runen in form und bedeutung zu den südeuropäischen zeichen stimmen, indess sie von den
semitischen abweichen; da überhaupt, wo eine verwantschaft zwischen der runenschrift und andern schriften stattfindet, sie mit
den südeuropäischen · schriften stattfindet, und wo die runenschrift
von diesen abweicht, sie in nichts der semitischen gleicht: so kann
von einer unmittelbaren, von griechischen und italischen vorbildern
unabhängigen entwickelung der runen aus der altsemitischen schrift

keine rede sein. Die vorstellung von einer entstehung der runen aus
einer eigentümlich germanischen bilderschrift, die sich den griechischen
und lateinischen zeichen erst nachträglich angleichte, scheint dem verfasser auf zu wilden phantasmen zu beruhen, als dass er sich dabei
aufhalten möchte. Dagegen erweist er nunmehr im einzelnen die entstehung des von ihm als ursprünglich erkanten futharks von 24 zeichen
aus dem jüngern lateinischen alphabet der ersten kaiserzeit. In den
meisten punkten muss natürlich dieser beweis mit demjenigen zusammentreffen, den Kirchhoff im vorwort zur zweiten auflage seiner abhandlung Über das gotische runenalphabet (Berlin 1854) bezüglich der
15 runen geführt hat, die sich nach ausscheidung des ŷr aus dem
futhark der jüngern nordischen denkmäler ergeben und in welchen er
den dem norden und süden gemeinsamen urbestand erblickte. Setzt
man die zeichen des längeren futharks an die stelle der abweichenden
im kürzeren, wie es Kirchhoff, wollte er zum ziele kommen, mehrfach,
wenn auch von seinem standpunkt aus nicht ohne willkür, zu tun genötigt war, so ist in der auffassung der 14 zeichen ᚠᚢᚦᚨᚱᚲᚺᚾᛁᛊᛏᛒᛗᛚ
= FVDARCHNISTBML zwischen ihm und Wimmer kein oder
kaum ein unterschied. Die untersuchung wird durch das bereits von
Kirchhoff erkante, von der rücksicht auf den lauf der holzfaser bedingte
gesetz geleitet, dass die runenschrift nur senkrechte und schräge, aber
keine wagrechten noch krummen striche duldet, und durch das andre
offenbar nur ästhetische, dass die schrägen striche weder nach oben
noch nach unten sich über die bahn hinaus erstrecken dürfen, deren
breite durch die höhe des senkrechten striches bestimt wird. Leicht
sind von den zeichen des längeren futharks, die dem kürzeren fehlen,
auch ᛗ und ᛜ auf die entsprechenden lateinischen zeichen E und O
zurückgeführt; doch hier hört die entlehnung auf, bei der sowol form
als bedeutung der zeichen sich gleich bleibt. Wird doch die gleiche
bedeutung schon bei ᚦ vermisst, das th bedeutet und aus D entspringt.

Einen teil der übrigen runen macht uns der verfasser durch eine
sinnige hypothese verständlich, die mich vollkommen überzeugt: ᚷ = g,
◇ ◇ = ng, ᛃ = j sind drei verschiedene verbindungen von je zwei ᚲ,
ᚺ = d eine verbindung von zwei ᚦ, und auch die verschiedenen gestalten
des p, ᛒ ᚹ ᛈ, erklären sich als vereinfachungen eines freilich nicht
nachweisbaren ᛒᛈ, das aus der verbindung zweier ᛒ entsteht. Nur
werden auf diesem wege zweifel an der vom verfasser angenommenen
gleichaltrigkeit aller 24 zeichen, an der entstehung des ganzen futharks
auf einen wurf geweckt. Für j und ng fand der erfinder freilich kein
vorbild im lateinischen, aber was hätte ihn denn gehindert, G und P
aufzunehmen? Der verfasser meint, G habe sich der umbildung zur

rune nicht gefügt, ich sehe nicht die mindeste schwierigkeit: C verhält sich zu < wie G zu <. Und warum nahm man D nicht für den gleichen laut in anspruch, den es im Lateinischen bezeichnet, und schuf durch seine verdoppelung das mangelnde *th*? Ich finde auf diese fragen nur die eine antwort: dem ersten erfinder einer germanischen buchstabenschrift hat für *b* und *p*, *d* und *t*, *g* und *k* je ein lautzeichen genügt, und er wählte B, T und C. Bei strenger consequenz hätte er freilich nicht B, sondern P nehmen müssen, aber seine leistung bleibt bewundernswürdig genug, auch wenn er in diesem einen unwesentlichen punkte nicht ganz systematisch zu werke ging. Die aus verdoppelung einfacher zeichen entstandenen runen wird man sich jedoch gern auf einmal entstanden denken, oder vielmehr die entbehrlicheren für *j* und *ng* erst nach dem vorgang des ihnen lautverwanten ᚷ für *g*. Sie alle sind also ein spätererer nachtrag zu der erstgeschaffenen zeichenreihe. War nun P zur bezeichnung von *b* und *p* unbenutzt geblieben, so liegt es doch allzu nahe, in ihm das vorbild des *w*-zeichens ᛈ zu erkennen; nur wird freilich der erste erfinder, wie die lateinische schrift, sich für *w* noch mit dem vocalzeichen A begnügt haben, da er ja auch kein zeichen für *j* nötig fand, und der erfinder der doppelzeichen wird ᛈ für *w* schon vorgefunden haben, da er, der G unbenutzt liess und die lateinische schrift wol gar nicht kante, leicht auch für *w* ein doppelzeichen aus ᛒ gefunden hätte: er brauchte nur zwei ᛒ mit dem rücken an einander zu lehnen.

Zwei zeichen der 24, ᛄ und ᛦ, und die von der spange von Charnay zu ᛇ gelieferte nebenform ᚼ liegen nun noch unerklärt vor uns. ᚼ wäre nach dem verfasser eine vereinfachung von ᛇ = *j*; sie würde aber nicht nur eine aufrichtung des zeichens, so dass die von links nach rechts ansteigenden striche senkrecht kämen, sondern auch eine zuspitzung der winkel voraussetzen, liegt also doch weit genug ab. Hält man dazu, dass ᚼ oder ᚻ angelsächsisch für ᛇ = *s* gilt und daher von Kirchhoff auf S zurückgeführt worden ist, während es sich vielmehr durch aufrichtung ohne jeden zwang aus Z erklärt, so wird mir sehr wahrscheinlich, dass dieses zeichen von anfang her in der bedeutung des gotischen *z* bestand, sich dann bald als nebenform mit ᛇ mischte und ihm teilweise obsiegte, nur stellenweise aber in die bedeutung des allerdings ähnlichen ältesten *j*-zeichens ᛇ übergeführt wurde. ᛦ, das im angelsächsischen futhork unter dem namen *colxecg* = *collsecg*, riedgras, für *x* gilt, in den jüngern nordischen inschriften für *m*, in den ältern aber (auch in der des goldnen hornes seit Bugges neuester erklärung derselben Tidskr. f. Phil. og Paedog. VI, 317 fg.; vgl. des verfassers abhandlung *De aldste nordiske runeind-*

skrifter Årb. f. nord. oldk. 1867, 1—60) für das aus *s* (got. *z*) gewordene flexivische *r*, wird vom verfasser, wiewol nur mit aller vorsicht des ausdruckes, auf Z zurückgeführt. Die ähnlichkeit ist in der tat sehr gering, und ich möchte lieber an ein mit senkrechtem querstrich bereichertes lateinisches X als grundform denken, woraus sich auch die nebenformen ·⅄ und ⅄ (Charnay) ungezwungen ergeben würden; die entbehrlichkeit eines zeichens für diesen doppellaut hätte dann zu anderweitiger benutzung geführt. Damit würde der im angelsächsischen sinlose name *eolhx ilcs ilix elux*, den die futhorke neben *eolxecg* des runenliedes gewähren, leicht verständlich: er wäre aus der zeit her, wo der nom. sing. masc. sein *s* noch führte und man' den elch *ilhs* oder *elhs* [1] nante, mit dem zeichen unverstanden fortgepflanzt und nur in der poetischen erklärung durch ein den laut lebendig darbietendes compositum ersetzt worden, während er sich im nord. *elgr* für die veränderte bedeutung ohne umstände hergab. Das letzte rätsel gibt uns endlich ⅄ auf. Es ist nicht richtig, wenn der verfasser s. 102 meint, dieses zeichen komme, wie die für *j* und *p*, nur in den alten futharken vor und lasse sich in inschriften als wirklich gebrauchter buchstabe nicht nachweisen: denn es findet sich auf den spangen von Charnay und Freilaubersheim, auf dem Braunschweiger reliquienschrein (Stephens s. 378) und, wie wir vom verfasser selbst s. 181 erfahren, auf mehreren bracteaten (nr. 7. 8. 10. 17. 22 bei Stephens) sowie auf dem steine von Krogstad (Stephens s. 184), hier freilich als nebenform für *t*. Nicht nur vom paläographischen, sondern auch vom exegetischen gesichtspunkte ist also die bedeutung der rune wissenswert. Für den verfasser nun steht es fest, dass sie von haus aus nichts andres bedeutet habe als was ihr ags. name *eôh* (d. i. *eôw*, engl. *yew*, Eibe) erschliesst, nämlich den diphthongen *eô*, got. *iu*, für den er, ich weiss nicht warum, [2] die urform *eu* aufstellt. Dem steht vor allem entgegen, dass hochdeutsch der name nicht passt, da hier jener baum nur *iwa*

---

1) Oder dürfte man daraus, dass in dem *hlewagastir* und *holtingar* des goldenen hornes die stammvocale im nominative zu tage liegen, den schluss ziehen, dass, als die runenschrift entstand, bei den Südgermanen nicht *ilhs*, sondern *ilhas* gesprochen worden sei? Das scheint mir durch den plural *alces* bei Cäsar, der den singular *alx* (ablautende nebenform zu *ilx*), nicht *alcus* voraussetzt, sowie durch den Cimbern *Boiorix*, die Sigambern *Λευδόριξ* und *Βαιτόριξ* bei Strabo und die Friesen *Malorix* und *Cruptorix* bei Tacitus, denen in dieser zeit nirgend ein name auf *-ricus* oder *-ριχος* zur seite steht, gänzlich ausgeschlossen. Ohne vorhergehenden vocal konte zwar *r* nicht, wol aber *s* gesprochen werden.

2) Ebenso unverständlich ist mir, wie der verfasser s. 182 fg. zu der behauptung gelangt, altnord. *ulfr* setze ein älteres *wolfar* voraus und die schreibung *wulafr* auf dem stein von Istaby bezeichne augenscheinlich eine jüngere sprachstufe als *wolafr* auf dem von Stentoft.

heisst und eine nebenform *iuwa* unerhört ist. Aber möge⁻ die *iu*-form
des wortes immerhin einst gemeingiltig gewesen sein, so dunkt es mich
doch im höchsten grad unwahrscheinlich, dass man gerade für diesen
diphthong ein zeichen geschaffen habe, ohne das gleiche gleichzeitig für
ai und *au* zu tun. Etwa weil der laut im lateinischen nicht vorkomt
und dieses also kein vorbild seiner bezeichnung gab? Auch *ai* schrieb
die kaiserzeit nicht mehr, und doch verfiel man nicht auf eine rune
dafür. In der tat findet sich unter den vielbesprochenen gotischen
buchstabnamen jener Salzburger handschrift keiner der dem ags. *eóh*
entspricht, beweises genug, dass die Goten keine rune für *iu* besassen.
Man hat *eóh* = got. *eiws* in *eyz*, dem namen des *e*, zu erkennen
geglaubt, aber wie dürfte man Wulfilas bezeichnung des *i* durch *ei* für
die entstehungszeit der runen in anspruch nehmen? *Eyz* kann nur *ehwus*
(nach Wulfilas weise *aihwus*) = alts. *ehu* bedeuten, das in der abge-
stumpften form *eh* im ags. futhork sich für *e* erhalten hat, obgleich das
pferd nach richtiger analogie in dieser mundart sonst *eoh* heisst. Fragen
wir aber die gestalt unsrer rune, so weist ⅄ so unverkenbar wie möglich
auf lat. Z zurück und gibt sich damit als nebenform des vorhin besprochenen ᚼ zu erkennen, das für ᛋ = *j* eingetreten ist. Für Z bot ja
die sprache diejenige verwendung, die wir aus dem gotischen kennen;
und dass das gotische vor Wulfila eine rune für *z* gehabt hat, ergibt
sich unwiderleglich daraus, dass sich unter den gotischen buchstabnamen einer für *z* befindet, nämlich *ezec*. Es ist mir noch kein versuch bekant, dieses unwort auf seine richtige gestalt zurückzuführen;
so möge hier einer gewagt sein. Wenn man dem schreiber, der ja
sichtlich nicht verstand was er schrieb, zutrauen darf, ein *c* für *t* verlesen zu haben, was seines gleichen so zahllose male widerfahren ist,
so haben wir in *ezet* das wort *erz*, ahd. *aruz aruzi erezi aerezi*, für
das Grimm Wb. 3, 1075 ein gotisches *aizati aizuti*, warum nicht auch
aizat aizut, als ableitung von *ais*, ahd. *ér* möglich, wenn auch nicht
wahrscheinlich gefunden hat. Damit wäre name und bedeutung der rune
⅄, da ja *z* von der sprache in keinem anlaut dargeboten ward, für die
zeit ihrer aufnahme und für das gotische wol ins reine gebracht; wie
aber dann, wenn gotisches *z* zu *r* wurde? Sieht man von dem grossen reductionsprocess ab, durch welchen nach unserm verfasser das
kürzere nordische futhark aus dem längeren altgermanischen entstanden ist, so scheinen sonst einmal aufgenommene zeichen, auch wenn
sie in ihrer ursprünglichen bedeutung nicht· mehr verwendbar waren,
nicht leicht aufgegeben worden zu sein. ᛉ konte, sogar mit beibehaltung seines alten namens, nunmehr für das neuentstandene *r*, so lange
man dessen unterschied vom organischen *r* fühlte, verwant werden; es

konte auch wie das ihm eng verbrüderte und ursprünglich gleichbedeu-
tende ᚺ in die bedeutung s übergehn, worauf der ihm beigelegte name
sigel in dem futhork bei Hickes Thesaur. 1, p. 136 deutet. War es
auch im sinne der runenmeister des brakteaten von Vadstena, der spange
von Charnay und des Themsemessers ein s, so war es notwendig, da
ihm ᛋ zur seite steht, ein zu besonderem gebrauche bestimtes, wol auf
den in- und auslaut beschränktes s und führte entweder einen dem-
gemässen, für uns verschollenen namen, oder, was mir wahrscheinlicher
ist, es führte, wie *eh* und *eolx* bei den Angelsachsen, den nunmehr
sprachlich veralteten namen *aizut* oder *êzut* oder *âzut* ruhig fort. Dass
aber beim gebrauche jener unterschied sorgfältig festgehalten worden
sei, darf man wol kaum erwarten.

Stelle ich hienach das futhark ohne die runen, die mir als jüngere zutaten erscheinen, aber nach dem vorbilde des bracteaten von
Vadstena in drei mit *f, h* und *t* beginnenden abteilungen auf, so
erhalte ich

$$f \quad u \quad th \quad a \quad r \quad k$$
$$h \quad n \quad i \quad z \quad x \quad s$$
$$t \quad b \quad e \quad m \quad l \quad o$$

drei sechserreihen, wie es dort drei achterreihen sind. Ergäben sich
ungleiche reihen, so würde mich das widerlegen, wie die ungleichheit
der drei *áttar* des kürzeren nordischen futharks gegen seine ursprüng-
lichkeit zeugt: denn von der ersten schöpfung dürfen wir sicherlich
symmetrie der zahl erwarten. Die aufnahme des *w* zeichens störte diese
symmetrie, aber der erfinder der fünf doppelzeichen brachte dieselben
so unter, dass sie wider hergestellt wurde. Beachtung verdient, dass
unter den namen der hinzugetretenen runen die zeitbegriffe *jêr* und
dags, die abstracta *wêns* (oder *winja,* vielleicht auch *wunja*) und *giba*
erscheinen, während die ältesten zeichen nur nach mythischen wesen,
nach dem menschen selbst, nach natur- und gebrauchsgegenständen
genant waren.

Wie man zu den namen und der anordnung der runen geführt
wurde, ist dem verfasser ein rätsel, an dessen lösung er verzweifelt.
Es ist schon bemerkt worden (Ztschr. f. d. A. 18, 251), dass der mann,
der den gebrauch der lateinischen schriftzeichen bei seinem volke zuerst
einfürte und sie für dessen gebrauch umbildete, nicht notwendig auf
schulmässige weise nach abcedarien, sondern vielleicht aus zusammenhängenden texten lateinisch lesen gelernt habe, in welchem fall er
denn die ordnung der lateinischen buchstaben überhaupt nicht kante
und eine ordnung seiner runen selbst erfinden muste. Aber wie dem
gewesen sei, die erfindung der namen, glaube ich, empfal oder gebot
sich von selbst unter einem volke, das allen gedächtnisstoff in poeti-

scher form aufzubewahren gewohnt war. Wer mit der neuen kunst
umgehn wollte, muste vor allem die zeichen selbst haben, die er auf
einem brakteaten, auf einer spange, auf einem messer mit sich herum
tragen oder an einer lade, einem stuhle, einer wandfläche seines hauses besitzen konte; die bedeutung aber eines jeden besass er in einer
aufzählung der namen in alliterierenden versen, die er ins gedächtnis
aufnahm. Hatte er dann ein *a* zu schreiben, so sagte ihm sein gedächtnis, dass *ans* die vierte rune sei und er schnitt das vierte seiner zeichen
nach; hatte er *a* zu lesen, so erkante er das zeichen, das ihm vorlag,
im vierten seines futharks wider, sagte seine *versus memoriales* her
und fand die bedeutung im vierten der runennamen. Die leute, die
sich beim lesen und schreiben auf wert und gestalt keines lautzeichens
überhaupt zu besinnen brauchten, waren wol nicht allzu häufig.

Es folgt in unserem werke eine erörterung über die richtung der
schrift und die zur abgrenzung der worte dienenden zeichen. Das ergebnis der ersteren spricht widerum für den ursprung der runen aus der
lateinischen schrift. Denn die ältesten runeninschriften gehn wie die
lateinische schrift, die sich dadurch von der etruskischen, umbrischen
und oskischen unterscheidet, durchweg von links nach rechts; erst
später tritt auch die richtung von rechts nach links auf und bei längeren inschriften wird das βουστροφηδόν üblich.

Hat der verfasser sich hinsichtlich des ursprunges der runen in
wesentlicher übereinstimmung mit der meinung bewegt, die seit Kirch-
hoffs abhandlung wenigstens in Deutschland die herschende war, so
bricht er in der untersuchung über die entwickelung der runenschrift
im norden für eine neue ansicht bahn. Kirchhoff glaubte den gemeinsamen stamm, aus dem das futhark von 24 und das von 16 zeichen
sich entwickelt hätten, herauszufinden, indem er den nordischen runen
óss und *ár* ihre ursprüngliche bedeutung *a* und *j* zurückgab und *jr*
als bezeichnung eines erst spät entstandenen umlautes ausschied; und
so oder ähnlich muste man sich wol die sache denken, so lange man
alle denkmäler der 24erreihe, auch die nördlich der Eider gefundenen,
für unnordisch hielt. Aber auch Bugge, der dieser meinung den untergang bereitet hat, indem er im Y des goldenen hornes, das man früher für *m* genommen hatte, das aus *s* entstandene flexivische *r* erkennen lehrte, hat darum mit der theorie des gemeinsamen stammes nicht
gebrochen, sondern lässt sich von den archäologen überzeugen, „dass
der beginn des jüngern eisenalters (das die 16erreihe brachte) in verbindung mit dem eindringen eines neuen nordischen elementes stehe"
(Tidskr. f. Phil. og Paed. 7, 356). Diess neue nordische element wäre
eben der träger des futharks von 16 runen gewesen, das nun, im jün-

geren eisenalter, an der stelle der 24erreihe im norden allgemein auftritt; das natürlich in den händen dieses rätselhaften volksstammes
längst gewesen war und von dem sich in sehr früher zeit das um 9 zeichen vermehrte südgermanische abgezweigt haben müste. Dem gegenüber führt unser verfasser nunmehr den beweis, dass der norden nicht
plötzlich, sondern ganz schrittweise von dem längern zum kürzern
futhark übergegangen ist, indem er eine menge mittelglieder, die einen
zusammenhang zwischen beiden herstellen, aus den denkmälern ans
licht zieht. Der beweis wird geliefert hinsichtlich der veränderten
bedeutung, der veränderten gestalt, der im kürzeren futhark gänzlich
fehlenden runen und der veränderten reihenfolge. Er hat im dritten
punkte seinen schwächsten teil: die *p.*-rune komt auf nordischen denkmälern überhaupt nicht vor; ⟱ bleibt in den wenigen fällen seines
erscheinens teils rätselhaft, teils scheint es nur eine aus ↑ entwickelte
nebenform, wol eine örtliche eigentümlichkeit, wie sie in der gestalt
der zeichen auch sonst begegnet (s. s. 178); aus dem einen worte
ᛁᚾᛏᛁᛏᚷᚠᛇ oder ᛁᚾᚺᛏᚷᚠᛇ des steines von Reidstad zu schliessen,
dass ᚷ sowol ⟱ als ◇ überlebt habe, scheint gewagt, da ja ⟱ und ᛁᚾ,
◇ und ᛏᚷ schon im längeren futhark neben einander gelten konten;
ᚻ ist nur durch die zweifelhafte lesart eben dieser inschrift belegt;
ᛗ komt wider gar nicht vor. Für ⟡ scheint ein beleg zum vorschein
gekommen, den der verfasser noch nachträglich (s. 268) beibringen
konte: steht es hier wirklich neben einem ↑, das *d* ausdrückt, so wäre
ein sicheres mittelglied gewonnen, aber die benutzte photographie ist
dem verfasser zu undeutlich, um sich auf sie zu verlassen. Einzig ᚹ
finden wir völlig genügend auf den steinen von Sölvesborg und Räfsal
belegt: auf dem ersteren steht es neben ↑ = *nd* und ᚾ = *o*, auf dem
anderen neben ᛏ = *a*. Es liesse sich hiernach immerhin denken, dass
die runenschrift in den norden gekommen wäre, nachdem das futhark
die *w* rune, aber ehe es die durch verdoppelung entstandenen zeichen
für *p d g j ng* aufgenommen hatte, denn auch ⟊, das *j*-zeichen des
bracteaten von Vadstena, komt auf keiner inschrift vor, und dass die
a-zeichen ᚻ und ✳ aus ihm hervorgegangen seien, ist eben nur vermutung des verfassers. Das um jene fünf doppelzeichen erweiterte
futhark wäre dann ebenfalls in den norden eingedrungen, ohne jedoch
das kürzere und ältere verdrängen zu können, und es hätte uns nur
zufällig ältere denkmäler als dieses hinterlassen. Aber dies bleibt eben
eine blosse möglichkeit, so lange nicht denkmäler ohne die doppelzeichen
zum vorschein kommen, deren sprachliche beschaffenheit für sie ein
gleiches alter mit den schleswigschen und blekingischen des langen
futharks in anspruch nimt.

Ich sehe mich natürlich auch vor der frage, wie das, was vorhin bezüglich der zeichen ᚼᛌ und ✳ (ᚷᛉᛅ) vermutet wurde, sich mit der entwicklung der runenschrift im norden reimen lasse. Man hätte sich den folgenden gang zu denken. Von den beiden spielarten der entbehrlichen z-rune gieng die eine ᚼ zeitig in die bedeutung j über, die sie auf der spange von Charnay hat, und konte daher, als man im norden *ár* für *jár* zu sagen begonnen, auf dem steine von istaby für *a* verwant werden; sie wich dann in dieser bedeutung vor ✳ und setzte sich selbst an die stelle von ᛍ. Die ebenfalls entbehrliche x-rune ✳, die auf dem bracteaten von Vadstena in der vereinfachung ᛉ, auf der spange von Charnay in der gestalt ᚷ erscheint, ging ebenfalls in die bedeutung j über und konte daher auf den übrigen blekingischen steinen (ausser dem von Istaby) und sonst für *a* verwant werden, in welcher bedeutung sie sich in der vereinfachung ᛇ erhält; in der vereinfachten gestalt ᛉ, später ᛉ dagegen wurde sie, was eigentlich das recht der z-rune gewesen wäre, für das aus *s* entstandene flexivische *r* gebraucht. Neben so halsbrechenden verdrängungen altberechtigter zeichen durch andere vacant gewordene, wie die zweifellose von ᛍ durch ᚼ, von ᚺ durch ✳ und von ᛗ durch ᛉ, scheinen mir die bedeutungsübergänge, die ich hier fordere, nicht allzu bedenklich, sofern man durch ihre annahme eine wahrscheinliche entwickelung der runenformen erlangt.

Aus der erörterung über die reihenfolge der runen hebe ich noch hervor, was der verfasser über die spätern schicksale von ᛉ lehrt. Die dritte *átt* war, nachdem so viele zeichen aufgegeben worden, zu klein neben den beiden andern: man nahm daher ᛉ aus der zweiten und setzte es, ohne dass es zunächst seine bedeutung änderte, an den schluss der dritten. Dass auch der name *elgr* blieb, geht daraus hervor, dass auf den steinen von Søndervissing und Hobro und mehrern schwedischen das zeichen ᛉ für *e* oder *œ* gilt, während es gleichzeitig (im 10. jahrhundert) noch in vollem gebrauche für *r* ist: man konte es auch für den anlaut seines namens nehmen, der ja im jüngeren futhark fehlte. Wenn schon früher das Sangaller abecdarium Nortmannicum der letzten rune den namen *yr* gibt, so muss das fehlerhafter angelsächsischer einfluss sein. Als man den unterschied der beiden *r* nicht mehr fühlte und durch punktierung der *i*-rune ein zeichen für *e* wider gewonnen hatte, war ᛉ überschüssig geworden und fiel aus; als man aber nach dem vorbild der Angelsachsen ein zeichen für *y* begehrte, ward es wider eingeführt und mit dem namen der ags. *y*-rune ᚣ *yr* bezeichnet, dem man nordisch die bedeutung eibe geben konte. Dies geschah erst auf jener letzten entwickelungsstufe, da man auch die

alte *ans*-rune zum *o* stempelte und ihr den ags. namen *ôs*, aber im
nordischen sinne flussmündung borgte. Der name *ýr* hat also, obwol
es grammatisch denkbar wäre, nichts mit *eôh*, dem ags. namen für ⅄
zu tun. Was ist nun aber ags. *yr?* Der verfasser nimt es wol in
übereinstimmung mit Müllenhoff Zur Runeni. 60 für eine umgelautete
form von *earh sagitta;* aber diese form ist nicht belegt worden und
ich wüste nicht, wie sie grammatisch zu rechtfertigen wäre. Ich bitte
den verfasser zu prüfen, was ich hierüber in dieser Zeitschr. 1, 221 fg.
gesagt habe.

Den schluss des werkes bildet eine beilage, in welcher die ältesten dänischen runensteine des jüngern eisenalters, die für die untersuchung so wichtige daten geliefert haben, abgebildet und ausführlich
besprochen werden. Im laufe der abhandlung selbst war schon der
anlass zu mehrern solchen abbildungen und besprechungen benutzt worden. Unter den nachträgen nimt der verfasser auch notiz von meiner
deutung der Freilaubersheimer spangeninschrift, die bezüglich des zweiten teiles derselben nicht mehr als ein versuch sein will. Was meiner
meinung nach die deutung des hier erscheinenden ⅄ als *s* rechtfertigen
kann, ist im vorstehenden enthalten.

Ich war veranlasst, einige abweichende auffassungen vorzutragen
oder doch deren möglichkeit anzudeuten, aber ich scheide von diesem
werke mit dem bekentnis, dass ich ihm die reichste belehrung verdanke. Es ist überaus wünschenswert, dass bald eine deutsche ausgabe
von ihm veranstaltet werde. Durch reichen inhalt, vollkommene beherschung des stoffes, sichere methode und lichtvolle darstellung ausgezeichnet eignet es sich in hohem masse, zur einführung in die runenkunde, zur grundlage künftiger studien auf diesem gebiete zu dienen.

DARMSTADT, IM FEBRUAR 1875.   M. RIEGER.

BEITRÄGE AUS DEM NIEDERDEUTSCHEN.

Mnd. twîden.

Twîden, einen befriedigen, einem gewähren, wird im Teuth. durch
gonnen, verhoeren glossiert. Ähnliche synonyma liefert ein rechtsbuch
der Fehme (Tross samlung s. 45): *und en wil men eme syner bede dan
also nicht twyden, gunnen noch tolaten.* Das wort findet sich häufig
sowol in schwacher als in starker form, aber doch nicht überall. Für

Seibertz scheint es ein weisser sperling gewesen zu sein, da er es (zu Schrae nr. 176. 177) durch „in zwei teilen" deutet. Die betreffende stelle lautet: *dar zolde sey de raed twiden. Vnde waner sey twygge getwydet wurden.* Diese *sey* sind der stifter einer altardotation und dessen erben. Zweimal (*twyge*) soll vom rate einem geistlichen aus dieser familie der altar *verlent* werden, nachher soll der rat macht haben, *den altar to vorlenene war sey meinen dat et nutte unde wol bestadet zi.* Man sieht, *twiden* ist in dieser stelle schwachförmig und regiert einen personalaccusativ.

Andere beispiele für die schwache form. a) Mit personaccusativ und genetiv der sache. Sündenf. 2630: *des schulle gy seker wesen twydet.* b) Mit persondativ und genetiv der sache. Brem. G. Qu. 127: *des twydede eme die rad;* ib. 129: *do twydeden sic eme syner bede;* ebenso ib. 134; ib. 56: *twydede sunte Willehade alle syner ynnighen bede.* c) Mit persondativ und accusativ der sache. Wigg. 1, 52: *dese bede wert en nicht getwydet.* d) Mit blossem personaccusative. Brem. G. Qu. 135: *wo arm en man was, bat hie ene to gaste, also vort* (add. *hiet*) *hie ene maach und twydede ene;* Sündenf. 2750: *uppe dat wy beide sin getwidet.* e) Mit blossem persondative. Sündenf. 3341: *Jeremia ik en wil dir nicht twiden.* f) Mit blossem accusative der sache. F. Dortm. Urk. 1 s. 311: *so hebbe wy deselue bede getwydet vnd verhoert* (erhört).

Beispiele für die starke form, von der indess nur das ptc. *tweden* gesichert ist. a) Sündenf. 3778: *des schulle gy seker werden tweden;* Voriorn Son 445: *des van ju getweden bin.* — d) Sündenf. 1344: *doch scaltu van my getweden sin;* ib. 3644: *alsus is David nu getweden;* ib. 3813: *dat wy van dy sint getweden;* Zeno 1303: *du scalt sin getweden.* e) Siehe oben, wo *twiden* auch starkes verb sein könte. f) Sündenf. 3627: *up dat sin bet getweden si;* ib. 3883: *dine bede schullen getweden sin.* g) Mit blossem genetive der sache: Sündenf. 3155. 3456: *Got heft diner klegeliken wort nicht getweden edder gehort.* Die gleichbedeutigen formen *tweden* und *getweden* stehen je nach bedürfnis des verses.

In vielen anderen stellen lässt sich weder ausmachen, ob *twiden* schwach- oder starkformig sei, noch ob ein personaccusativ oder persondativ vorliege, z. b. Vorlorn Son 992: *wilt mi der bede getwiden.*

Ajar.

Man vergleiche zu diesem worte noch das gleichbedeutige mnd. *ekarre.* Es steht bei Kantz. 129; *de vorspehers vinden de dore ekarre apen.* Wie *ajar* = *on char* (auf Wendung), so steht *ekarre* für *en karre, an karre.* In ähnlicher weise ward aus *an weg* allmählich *enweg, eweg.* Hätte sich der ausdruck in Südwestfalen oder Berg erhalten, so würde er heute wol *enkær, ekeer* lauten.

Alts. hrê.

In *hréan sebon* Hel. 2448 soll *hrê* „wild, böse" bedeuten, aber offenbar ist das dazu angeführte ags. *hreóh, hreów* vocalisch unpassend. Was hindert, das wort an westphälisches und hessisches *rê*, mhd. *ræhe*, steif, zu weisen? Diese können das anlautende *h* verloren haben, so gut als mittelwestf. *rê* (vgl. *rêroff* Mchr. 1, 192), neuwestf. *rêwestrôh* und *ûtrêwen* (verglichen mit got. *hraiv*, cadaver), womit sie zusammenhangen werden; s. Vilm. Idiot. s. v. *rê*. Ohnedies gibt st eifer, star rer sinn eine gute parallele zu *harda hugiscefti.*

Alts. slêu oder slac?

Westfälisches *slêmaüdig*, zaghaft, erinnert sofort an des Cod. Cott. *sleu an is mode* Hel. 4962. Denselben figürlichen sinn hat unser einfaches *slê*, stumpf, nur dass sich derselbe oft zu betreten mildert. *Slêu* im Heliand zeichnet, wie mir scheint, den Petrus in der betreffenden lage besser, als *slac* (Cod. Monac.) für *slap*, schlaff. *Slêu* kann der mensch plötzlich werden, wenn ihm unerwartetes entgegentritt; zum *slac*-werden gehört mehr zeit, als für Petrus seit dem ohrabhauen verflossen war. *Slêu* bildet überdies einen besseren sinnreim zu *an forohton*, als *slac.*

Alts. sîgan.

Sîge, niedrig, lebt bis heute nicht allein in ortsnamen, z. b. *Siggelôh* als gegensatz zu *Hôhlôh*, sondern auch im täglichen gebrauche der volkssprache fort. Unwahrscheinlich ist es daher, dass *sîgan* sich dieses wesentlichen merkmals entäussert habe, so dass es für das gegenteil (hinaufsteigen) gerecht gewesen sei. Nötigen denn die beiden betreffenden stellen des Heliand zu einer solchen auffassung? Keineswegs. In der ersten (3710) hat einer der abschreiber, durch welche uns der text des Cod. Monac. überliefert wurde, aus *segg*, mann, ein *sêg* gemacht, als ob das fehlen eines leicht aus dem vorhergehenden zu ergänzenden verbs diese änderung rechtfertigte. Vermutlich vertritt auch das *s* dieses schreibers ein *st*. In der zweiten stelle (4813) ist nicht mehr von der bewaffneten hande des Judas, sondern von andern juden die rede, welche der schaar folgend erst aus der stadt ins tal hinunterstiegen.

ISERLOHN.   F. WŒSTE.

LITTERATUR.

Die Sprachwissenschaft. **W. D.** Whitneys Vorlesungen über die Principien der vergleichenden Sprachforschung für das deutsche Publikum bearbeitet und erweitert von Dr. Julius Jolly, Docenten an der Universität zu Würzburg. München, Theodor Ackermann, 1874. XXX und 713 ss. in 8. n. 3$\frac{1}{3}$ thir.

Das vorliegende werk soll „eine den deutschen verhältnissen und immer fühlbarer gewordenen bedürfnissen entsprechende gemeinfassliche, aber die wissenschaftliche haltung wahrende darstellung der hauptlehren der sprachwissenschaft" sein. Es behandelt in fünfzehn vorlesungen ausfuhrlich — hin und wider leider etwas zu subjectiv — material, ziele, resultate und geschichte der sprachwissenschaft; dass es auch manches bespricht, was die moderne sprachwissenschaft ad acta gelegt hat, wie die frage nach dem ursprunge der sprache u. drgl., muss man mit den interessen des leserkreises entschuldigen, für welchen es bestimt ist. Die theoretischen darlegungen des verfassers sind im grossen und ganzen besonnen, klar und richtig. Jollys bearbeitung ist gewant gemacht und es sind nur wenige stellen, an denen ich seiner übersetzung nicht beistimmen kann. Hierher gehört z. b. seine übersetzung der folgenden worte Whitneys (s. 58): „*The word of opposite meaning, fearless, is not less readily recognizable as a compound, and our first impulse is to see in its final element our common word less, to interpret fearless as meaning „minus fear," „deprived of fear," and so „exempt from fear." A little study of the history of such words, however, as it is to be read in other dialects, schows us that this is a mistake, and that our less has nothing whatever to do with the compound. The Anglo-Saxon form of the ending, leas, is palpably the adjectiv leas, which is the same with our word loose, and fearless is primarily „loose from fear," „free from fear." The original subordinate member of the compound has here gone completely through the process of conversion into a suffix, being so divorced from the words which are really akin with it, that its derivation is greatly obscured, and a false etymology is suggested to the mind, which reflects upon it.*" Jolly gibt diess also wider (s. 87): „Ungefähr das gegenteil von **grauenvoll** bedeutet das wort **gefahrlos**, das wir ebenso, wie seinen ungefähren und seinen directen widerpart, nemlich **grauenvoll** und **gefahrvoll** unschwer als ein compositum erkennen. Der endbestandteil ist unser adjectiv **los**, und wir fühlen uns im ersten augenblick versucht, **gefahrlos** als „los oder ledig von gefahren" auszulegen. Es gehört jedoch wenig nachdenken dazu, um einzusehen, dass diese auslegung neben das ziel schiessen würde; denn wenn wir von einem gefahrlosen wege sprechen, wollen wir damit nicht hervorheben, dass irgend welche bestimte gefahren, die früher bei der begehung desselben drohten, beseitigt und er nun derselben los und ledig geworden sei, sondern einfach, dass der weg dem passanten gar keine gefahren irgend welcher art in den weg lege, dass er „ungefährlich" sei. Auch hier tritt also wider die erscheinung entgegen, dass ein ursprünglich selbständiges adjectiv zur geltung einer endung herabgesunken ist; denn nur daraus erklärt es sich eben, dass die damit gebildeten composita nicht ohne weiteres wider in ihre bestandteile zerlegt werden können." — Diese übersetzung ist, wie jeder sieht, ziemlich unglücklich. Welcher Deutsche wird sich übrigens auch nur versucht fühlen, den ausdruck „gefahrlos" als „los und ledig von gefahren" zu erklären, zumal wenn er sich wörter wie freudlos, friedlos, herzlos, lieblos, schuldlos usw. vergegenwärtigt? Der grosse umfang und die etwas breite sprache des werks macht es mir unmöglich, in der kürze zusammenhängeud auf seinen inhalt einzugehen. Nur einige einzelheiten mögen eine kurze besprechung finden. — S. 152 will Jolly Whitneys bemerkung, für die lautverschiebung sei noch keine befriedigende erklärung gefunden, durch einen hinweis auf Curtius erklärung derselben berichtigen. Ich finde dieselbe durchaus nicht probabel. „Curtius nimt an, dass die germanische sprachfamilie von den doppellauten *gh*, *dh*, *bh* den zweiten minder bezeichnenden laut, ˙nemlich das *h* (aus bequemlichkeit) aufgab, sodann um verwechselungen der so entstandenen mit den alten *g*, *d*, *b* vorzubeugen, sie in *k*, *t*, *p*, endlich diese aus gleichem grunde in *kh*, *th*, *ph* verwandelte; auf einem ähnlichen grunde beruhe auch die zweite, sogenante deutsche lautverschiebung." Gerade die zweite lautverschiebung widerspricht Curtius erklärung der ersten, denn als sie eintrat, existierten doppellaute, wie *gh*, *dh*, *bh* nicht. [1] Weshalb wurde durch die erste *g*, *d*, *b* gerade zu *k*, *t*, *p* und nicht zu *h*, *þ*, *f*? Curtius erklärt diess gar nicht. — Dass s. 282 wider die frage erörtert wird, ob die bezeichnung indogermanisch für den aus dem indischen, persischen, griechischen, lateinischen, keltischen, germanischen und slavo-lettischen bestehenden sprachstamm passend sei, ist ziemlich überflüssig, denn dieser name ist der allein passende. ˉEr umfasst das weite gebiet der mit dem sskr. verwanten sprachen, die von Indien aus durch Asien und Europa sich ausdehnen und deren westlichster ausläufer in der tat die germanische sprache ist. Wer dafür das keltische erklärt und deshalb den namen indo-keltisch begünstigt, übersieht Island, das noch ein paar breitengrade über die grenzen des keltischen hinausliegt; er übersieht ferner Nordamerika, wo ein grosser teil der bevölkerung einen germanischen dialect spricht. Der name „indoeuropäisch" passt nicht, denn in Europa finden sich sprachen, die nicht-indogermanischer herkunft sind. — S. 204 polemisiert herr Jolly wider gegen Benfeys annahme der europäischen herkunft der Indogermanen, obgleich er gewiss, wie die meisten anderen opponenten, von den Benfey zu dieser annahme bestimmenden gründen nur das wenige weiss, was seine vorrede zu Ficks Wörterbuch und seine Geschichte der Sprachwissenschaft enthält. Ich kenne Benfeys argumentation zufällig genauer; lässt sich ihre schwäche in einigen punkten auch nicht verkennen, so sind seine gründe im allgemeinen doch zu schwerwiegend, um durch die gelegentlichen bemerkungen Jollys beseitigt werden zu können. Wenn er sich auf Paulis schrift über „die benennung des löwen bei den Indogermanen" beruft, so muss ich ihm erwidern, dass dieselbe für die frage nach der heimat der Indogermanen völlig wertlos ist: Pauli hat weder bewiesen, dass die indogermanische grundsprache einen namen für dieses tier besass, noch, dass die einzelnen völker denselben nicht von einander entlehnten. Das lit. *liútas*, von welchem er ausgeht, ist keine sichere stütze für seine untersuchung: *liútas* steht meines erachtens für *liu̯tas* und entstand aus dem griech. λεοντο —, welcher

---

1) Dass *þ* kein doppellaut sei, wird jetzt wol kaum noch bezweifelt. Ein paar übersehene gründe, welche für die spirantische natur des got. *þ* sprechen, sind: *þ* erscheint geminiert (doppelconsonanten können nicht geminiert werden) Ferner entsteht aus den in compositis zusammentreffenden *t-h* oder *d-h* nicht *þ*. Endlich lässt sich auch noch die schreibung *sokeiþis* II Kor. 13, 3 cod. B für *sokeiþ þis* dagegen anführen, denn analoges findet sich — soweit ich sehen kann — nur bei dauerlauten: *aipistaúlemeinaim* II. Thess. 3, 17 cod. B, *triggvaimannam* II. Tim. 2, 2 cod. B.

stamm in zahlreichen griechischen wörtern nachzuweisen ist. *Liulas* ist von den litauischen gelehrten gebildet und durch sie in die volkssprache eingeführt. Doch es ist hier nicht der ort, um auf diese frage weiter einzugehen.

Entschiedenen tadel verdient die incorrectheit vieler der angeführten sprachlichen tatsachen. So heisst es bei der besprechung der personalendungen (s. 115):. „In der ältesten form, die uns bekant ist, lauteten sie — nämlich die endungen des plur. — *masi, tasi, anti.* .... Mit dem verbalstamm *lagu* zu *lagumasi, lagatasi, laganti* verbunden, bedeuten sie ‚liegen wir'" usw. Diese formen haben nie existiert. Die wurzel von „liegen" ist *lagh;* sie ist nur auf europäischem sprachboden nachweisbar. Die form *lag* lässt sich nur für einige spätere sprachperioden annehmen (z. b. das germanische), in denen die personalendungen der I. und II. pl. jedenfalls nicht mehr *masi* und *tasi* — diese schwebt überhaupt ganz in der luft — lauteten. Ausserdem ist das *a* der wurzel schon in gemeinsam europäischer zeit zu *e* geworden. Die formen *lagumasi* usw. sind also sehr starke anachronismen. — Auf s. 119 steht wörtlich: „Die jetzt allein übliche form *zwei* drückte noch vor wenigen jahrhunderten nur das sächliche geschlecht aus, während man für das männliche *zwo*, für das weibliche *zween* oder *zweene* sagte." — S. 127 werden u. a. leuchten und dünken unter den verben aufgeführt, die jetzt „regelmässig" conjugiert werden, während sie früher „nach *singen, kommen, binden, geben* usw. giengen." — S. 132 heisst es: „Ein viel einfacheres mittel, um diese causative bedeutung — nämlich der verba — auszudrücken, besass unsere ältere sprache, indem sie nicht die umschreibung mit einem anderen verbum zu hilfe nahm, sondern einfach an den verba selbst durch anhängung mit *j* an den stamm derselben die causative bedeutung zum ausdruck brachte. So heisst noch im gotischen „sitzen" *sitan*, „sitzen machen" oder „setzen" *satjan*, „essen" *itan*, „essen machen" oder „zu essen geben" *atjan* (erschlossene form), wobei allerdings auch im stamme eine verschiedenheit, nemlich im einfachen verbum *i*, im causativen *a*, vorliegt. Diese verschiedene färbung des vocals in den einfachen und causativen verba war es allein, welche den unterschied zwischen ihnen auch noch dann aufrecht erhielt, als in folge einer sehr gewöhnlichen lautveränderung das element *j* aus den letzteren spurlos verschwunden und damit das eigentlich charakteristische element dieser grammatischen form für immer verloren war. Schon vor mehr als tausend jahren hatte unsere muttersprache diese einbusse erfahren und konte schon damals den unterschied zwischen sitzen und sitzen machen nur durch den verschiedenen wurzelvocal ausdrücken, indem nun aus *sitan* sitzen, aus *satjan* setzen geworden war." Diese darstellung enthält mehr als einen fehler. Die verschiedene färbung des vocals war es nicht allein, welche den unterschied zwischen den einfachen und den causativen verben bildete, denn diese conjugieren schwach, jene stark. Ferner ist das *j* nicht spurlos verschwunden: es bewirkte umlaut des wurzelvocals und bei kurzsilbigen consonantisch endigenden wurzelsilben gemination des finalen consonanten. Ferner ist die behauptung, unsere muttersprache habe das *j* der causativen verba schon vor mehr als tausend jahren eingebüsst, übertrieben, vgl. u. a. Kelle, Otfr. II, 45. Ferner ist sitzen nicht aus *sitan* — ihm würde setzen entsprechen —, sondern aus *sitjan* entstanden, Endlich ist das beispiel sitzen — setzen nicht glücklich gewählt; passender wäre etwa *wegen* — *wegen* (*wagjan*). — S. 85 werden als gotische reflexe von solch und welch *sveleiks* und *hveleiks* angegeben. Mir ist ein got. *sveleiks* bisher nicht begegnet. — S. 90 werden wir belehrt, dass die jetzige endung bar in essbar, brauchbar von haus aus ein adj. mit der bedeutung „fähig, verwendbar" sei, obgleich sich dasselbe in der uns zugäng-

lichen periode unserer sprachgeschichte nicht mehr nachweisen lasse; eine hinweisung auf an. *bærr* „berechtigt zu etwas" wäre hier wol am platze gewesen. — Wenn
es s. 100 heisst: „liebevoll ist, soviel wir wissen, ein ebenso altes compositum als
lieblich," so ist auch das unrichtig; *liuba-leiks* findet sich schon im got., nicht
aber ein *liuba-fulls*.

Doch ich breche mit der ermüdenden aufzählung dieser fehler ab, um herrn
Jolly zum schluss daran zu erinnern, dass, wer so scharfe kritik in stilistischen
dingen übt, wie das von ihm in der Ztschr. für Völkerpsychologie und Sprachwissenschaft kürzlich geschehen ist, doch wendungen und formen vermeiden sollte,
wie: „nicht so fast — als" (s. III und s. 551) statt „nicht so wol — als," „ver-
stiegene Sprachphilosophie" (s. IV), „sich über etwas mitteilen" (s. XII), „bräuch-
ten" (s. 367), „sich erwahren" (s. 445) u. dgl. Gebräuchlich sind sie nicht, und
schön sind sie auch nicht.

GÖTTINGEN, IM DECEMBER 1874.   ADALBERT BEZZENBERGER.

Lexicon Frisicum. A — Feer. Composuit **Justus Halbertsma**. Post
   auctoris mortem edidit et indices adjecit Tiallingius Halbertsma,
   Justi filius. (Harlemi 1873.)

Das Friesische nimt unter den deutschen dialekten eine ganz besondere stellung ein; es entfernt sich in seiner bildung so sehr vom Niederdeutschen, dessen
gebiet es überall begrenzt, dass man es, und durchaus nicht mit unrecht, für keinen dialekt des Niederdeutschen ansieht, sondern ihm einen selbständigen platz
neben demselben einräumt. Aber so sehr es auch verschieden ist vom Niederdeutschen, es teilt mit diesem das gleiche schicksal des allmäligen unterganges. Das
Niederdeutsche, im 14. und 15. jahrhundert die herschende sprache in der ganzen
weitausgedehnten norddeutschen tiefebene, ist seit dem 16. jahrhundert von ihrer
schwester, der hochdeutschen sprache, nach und nach aus ihrer herschaft auf der
kanzel, in der schule, dem diplomatischen verkehr und vor gericht verdrängt worden, und seit dem anfange dieses jahrhunderts ist selbst ihre herschaft in der
familie nicht bloss bedroht, sondern vollständig erschüttert. Man mag dies aus
mehr als einem grunde beklagen, die tatsache lässt sich nicht leugnen. Während
noch vor 50 jahren die sprache des hauses und der familie bei den gebornen Niederdeutschen durchgängig das niederdeutsche war, ist jetzt in städten und städt-
chen das Hochdeutsche empor gekommen, freilich oft in einer gestalt, die ein
widerwärtiger mischmasch von beiden ist, aber unverkenbar nur die brücke bildet,
welche die list des Hochdeutschen schlägt, um in die innerste burg des Niederdeutschen einzudringen und es zur unterwerfung zu nötigen. Nur auf dem platten
lande hält es sich noch, aber selbst da ist, so zu sagen, der wurm darin, der es
anfrisst und seinem untergange zuführt; und gegen diesen physiologischen process,
der sich in der sprachlichen sphäre vollzieht, helfen schliesslich keine mittel.

Ähnlich steht es mit dem Friesischen. Einst sprach der ganze, wenn auch
schmale küstensaum der Nordsee friesisch; jetzt hört man friesisch nur noch auf
den schleswigschen inseln und in den drei kirchspielen des Sagterlandes in Oldenburg, nachdem das dorf auf der insel Wangeroge, wo allein auf der deutschen
inselreihe der Nordsee sich das Friesische behauptet hatte, vor ein paar jahren von
den fluten weggerissen ist und der gröste teil' der einwohner sich auf dem festlande niedergelassen hat. Ostfriesland, Jeverland, Butjadingerland, Wursten u. a.,

früher rein friesische landstriche, haben schon früh den friesischen dialekt mit dem niederdeutschen vertauscht, den sie jetzt langsam gegen das Hochdeutsche vertauschen. Selbstverständlich haben sich einzelne wörter und ausdrücke aus dem Friesischen in das Niederdeutsche hinein gerettet, aber das ist auch alles; man kann das Friesische in Deutschland, mit ausnahme der eben genanten kleinen flächen, als ausgestorben betrachten. In grösserem masse hat es sich in Nordholland gehalten, in der provinz Friesland, aber es hält doch auch hier nur kümmerlich stand gegen das immer mehr vordringende Holländische oder Niederdeutsche.

Es ist deshalb unter allen umständen dankenswert, wenn dieser wortschatz der untergehenden dialekte gesammelt und der nachwelt überliefert wird; denn mit jedem jahre wird die aufgabe schwieriger, und schliesslich wird sie unlösbar sein. Zu den männern, die sich den dank der wissenschaftlichen welt auf diesem wege verdienen, gehört auch der verstorbene Halbertsma, der es sich zur aufgabe gesetzt hatte, die reste des friesischen dialektes zu sammeln, und dessen arbeitsfeld besonders die holländische provinz Friesland war. Es ist sehr zu beklagen, dass der tod ihn gehindert hat seine arbeit zu vollenden; sie umfasst nur die buchstaben A, B, D, E und einen teil von F. Nicht minder ist aber zu beklagen, dass er nach dem bericht seines sohnes im vorwort den plan zu weit angelegt hatte und deshalb, und auch wegen sonstiger litterarischer arbeiten, die herausgabe verschob. Hätte er sich engere grenzen gezogen und sich darauf beschränkt, ein idiotikon zu liefern, das den noch bestehenden rest des Friesischen gegeben hätte, ohne in weitläuftige etymologische oder andere untersuchungen sich zu verlieren, so würde er sich, glaube ich, grösseren dank bei allen verdient haben. Denn das werk leidet, so wie es ist, an bedeutenden schwächen, aus denen der herausgeber in der vorrede kein hehl macht und auch kein hehl machen konte. Zuerst war wol der gebrauch der lateinischen sprache ein misgriff. Dass es kein classisches latein ist, das wir hier finden, wollen wir dem verfasser gar nicht zum vorwurfe machen; moderne wörter und begriffe lassen sich eben nicht in classischem latein darstellen. Aber gerade dies hätte Halbertsma bewegen sollen, die lateinische sprache nicht anzuwenden; die besorgnis, dass auswärtigen lesern der gebrauch des werkes erschwert wäre, wenn es holländisch abgefasst wäre, ist doch wol nicht recht begründet. Denn es lässt sich doch voraussetzen, dass jeder auswärtige gelehrte, der das friesische idiom Nordhollands zu einem teile seines studiums macht, so viele kentnis der holländischen sprache haben werde, um ein holländisch geschriebenes lexicon zu verstehen. Dieser gebrauch der lateinischen sprache hat Halbertsma oft zur weitläuftigkeit und breite genötigt; so umschreibt er z. b. das bekante gebäck „bolbeisjes" auf diese art: „*bolle-buiskes, paniculi rotundi spongiosi ex farre optimo, lacte et uvis Corinthiacis, cocti in scrobunculis hemisphaericis butyro linitis sartaginis aeneae.*" Und am ende bleibt der leser trotz der weitläuftigen umschreibung halb im unklaren, während der entsprechende holländische oder auch niederdeutsche ausdruck mit einem schlage die richtige vorstellung gebracht hätte.

Eine andere schwäche liegt in der ordnung der wörter: sie ist nach stämmen und nicht nach dem alphabete gemacht; oder richtiger, es ist der versuch gemacht sie nach stämmen zu ordnen. Dass eine solche ordnung wissenschaftlicher ist als eine alphabetische, ist ausser aller frage; aber für den lernenden, und solche benutzen ja hauptsächlich die lexica, ist die andere ordnung viel bequemer. Und zudem ist eine völlige herschaft über den bau einer sprache die unerlässliche bedingung, wenn die anordnung nach wurzeln wissenschaftlichen wert haben soll; wer aber besitzt diese völlige herschaft? Es laufen dem lexicographen manche wörter über den weg, deren herkunft er nicht weiss, die, so zu sagen, ohne geburtsschein herumlaufen; wohin mit diesen? Diese müssen doch alphabetisch eingereiht werden, wenn man sie nicht imaginären wurzeln unterordnen will.

Halbertsma hat aber nicht alle consequenzen einer anordnung nach stämmen gezogen; alle wörter z. b., die mit den präpositionen *af* und *bi* zusammengesetzt sind, finden sich in alphabetischer reihe aufgeführt, die doch ganz unzweifelhaft hier nicht stehen müsten. Oder er bringt unter einen artikel dinge, die sachlich, aber nicht etymologisch zusammen gehören. So steht z. b. unter *ein* (d. i. ente) *„war, numerus quidam anatum,' pro varia specie varius"* (s. 874) und nochmal wider s. 881; dann die entenarten; dann *„dool, laculus septus arbustis, in quo anates ferae refugium quaerunt"; hoedde; hulk; koaiker; kobbe; rydwâl; sitwâl;* dann schliesslich *eineaei* (entenei). — Der herausgeber hat nun durch beifügung von indices die auffindung der wörter erleichtert; wenn das werk ganz vollendet worden wäre, würde diese unbequemlichkeit der anordnung recht fühlbar geworden sein, die jetzt schon einigermassen empfindlich ist. — Aber auch bei anordnung der bedeutung der einzelnen wörter verfährt Halbertsma nicht immer systematisch genug. Ich wähle als beispiel das wort *dop*. Erst steht ein artikel: *dop, putamen, aisdoppen, putamina ovorum* etc. Dann folgt das deminutiv: *dopke, operculum rotundum claudens tubum cylindricum;* dann wider als besonderer artikel: *dop, tegumen; ais-dop, testa ovi* etc. Dann wider besonders: *dop in genere notat protuberantiam* etc. Dann folgen als zusammensetzungen: *dópke-spul vel finger-huod-spul; doedel-dop; hunigh-doppe.* Dann wider ein artikel: *dop, vasculum rotundum coniforme, in quod fundunt extractum Theae.* Dann wider ein besonderer artikel: *dop, tuber globosum ligneum in opere ligneo vermiculato* etc. Dann die zusammensetzungen: *dopkes-heide, erica tetralix* etc. Es ist einleuchtend, dass bei einem solchen verfahren widerholungen unvermeidlich sind und eine ungewöhnliche breite um sich greift. Überhaupt ist diese breite ein charakteristisches zeichen des ganzen buches. Wozu z. b. bei *okker-deis*, neulich, jüngst, ein englisches beispiel? *Hurrah for England! I shouted these words a dozen times the other day in the presence of many;* und zugleich ein französisches aus P. L. Courier? *pour moi, je portais partout mon petit exemplaire de l'Iliade, mais l'autre jour je le confiais à un soldat, qui me conduisait un cheval à main; le soldat fut tué et depouillé.* Genügte es nicht, einfach auf den gebrauch von *the other day* und *l'autre jour* zu verweisen? Oder ein anderes beispiel: der artikel *degen* lautet so: *Degen, ensis lamina angusta, gracilis, cuspidata. Nl. v. déghen, daeghen gladius brevis et largus. Isl. thegn, m. vir fortis, miles. Nl. v. déghen, deghen-man, vir fortis, praestans, athleta. Nota prima notione thegn designare colonus, rusticus; Scandinavi enim ut Romani optimos milites crescere ex juventute rustica censebant. Isl. thegn, rusticus vir, vir fortis, Egils. „Ex agricolis et viri fortissimi et milites strenuissimi gignuntur." M. Porcius Cato, de re rustica, Prologus. Prov. Di degen it measte riucht, jus cedit vi.* In diesem kleinen artikel spiegelt sich auch die neigung des verfassers wider, allerlei excursionen, die einem lexicon fremd sind, zu machen, so wie auch die schwäche seiner etymologischen beweisführung, von der das ganze buch noch viele andere beweise liefert. — Nicht mit unrecht sagt daher der herausgeber, dass es überall an ordnung und festigkeit gebreche; *confusa et permista omnia.*

Es ist in der tat herzlich zu bedauern, dass die sonst so wertvolle fülle des materials, die in dem buche steckt und es vor so vielen auszeichnet, nicht besser

23*

verarbeitet ist; das bessere ist, wie so oft, so auch hier der feind des guten geworden. Der tätige und unermüdliche verfasser, der bis in sein höchstes alter hinein sammelte und sammelte, war, wie es scheint, eine jener naturen, die sich nie selbst genug tun können, sondern immer tiefer und breiter gehen, und die den gegensatz bilden zu jenem, wie Schiller sie nent, kurzdärmigen geschlecht, „was sie gestern gelernt, das wollen sie heute schon lehren." Aber es ist bei der kürze des menschlichen lebens einmal nicht möglich, alles zu umspannen, was man möchte; man muss sich zu beschränken wissen und auch vieles den späteren überlassen; wir wollen wünschen, dass diejenigen, welche die durch den tod des verfassers unterbrochene arbeit wider aufnehmen, den wahrscheinlich reichen nachlass desselben auf eine weise benutzen mögen, die der wissenschaft zum segen und zur ehre gereiche.

OLDENBURG, IM OCTOBER 1874.   A. LÜBBEN.

Johann Heinrich Voss. Von Wilhelm Herbst. Zweiter Band. Erste Abtheilung. Leipzig, Druck und Verlag von B. G. Teubner. 1874. VI und 364 seiten. 8. u. 2⅔ thlr.

Das in dieser zeitschrift IV, s. 120 fgg. angezeigte werk wird mit dem vorliegenden bande zwar noch nicht abgeschlossen, aber wesentlich gefördert. Wir erhalten nemlich ein abgerundetes bild von dem walten des zum manne gereiften dichters als rector zu Eutin 1782—1802. Die zahlreichen leser, welche an der kunstvollen darstellung im ersten bande ihre freude gehabt und gespant auf die fortsetzung gewartet haben, werden es mit uns dem verfasser und dem verleger dank wissen, dass die herausgabe dieses abschnitts nicht bis zur vollendung der ganzen arbeit verschoben worden ist. Sie werden ihre erwartungen auch durch die ausführung völlig befriedigt finden, denn dieselbe virtuosität in der composition, durch welche der spröde stoff im ersten bande zu lebensvollen bildern gemodelt ist, hat den inhalt der zwanzig rectoratsjahre in übersichtliche gruppen zu ordnen verstanden und das verhältnis zu Stolberg so geschickt als roten faden durch die ganze darstellung geführt, dass die zunehmende entfremdung der alten bundesbrüder bis zu feindseligem bruche wie eine erschütternde tragödie angeschaut wird. Auf diese tragische entwicklung ist die stellung, welche die vormals in gleich nebelhafter freiheitsschwärmerei und deutschtümelei befangenen genossen zur französischen revolution einnehmen, von bedeutsamem einfluss gewesen. Sehr zweckmässig zerlegt darum der verfasser seinen stoff in zwei abschnitte. Der erste, bis 1789 reichend, orientiert in derselben anschaulichen weise, wie der erste band es erfolgreich mit den schauplätzen von Voss jugend getan hat, in der neuen umgebung, in die Stolbergs verwendung den jugendfreund versetzt hat, und führt dann durch das haus, die schule und die studierstube des rectors von Eutin. Leise klingen schon da die töne an, welche allmählich immer schärfer sich vordrängend die schrille dissonanz zwischen ihm und Stolberg erzeugen sollen. Auf poetisch-aesthetischem gebiet begint der zwiespalt durch die kritik von Stolbergs tragödien und Iliasübersetzung; auf religiösem zeigt er sich in dem urteil über Lavater. Stolbergs übersiedlung nach Neuenburg schiebt den bruch hinaus.

Der zweite abschnitt schildert gleich in seinem eingangscapitel „Zeitstürme" Voss als begeisterten freund der französischen revolution und weist den sich immer

feindseliger ausbildenden politischen gegensatz zu Stolberg nach, zu welchem sich
nach dessen widerverheiratung und rückkehr nach Eutin in fühlbarer weise der
sociale gesellt. Reich an inhalt, aber klar und übersichtlich stellt das folgende
capitel Voss in seinem verkehr mit alten und neuen freunden, mit den in Eutin
längere oder kürzere zeit weilenden gästen — darunter treten die fürstin Gallitzin
und die gebrüder Droste zuerst auf — und auf seinen reisen dar, wobei das verhältnis zu dem Halberstädter kreis, zu den dichterheroen Weimars und dem grossen homeriker Halles eingehende berücksichtigung findet. Das letzte capitel schliesst
mit der geschichte von Stolbergs übertritt die Eutiner periode ab. Wie einfluss-
reich die weiblichen einwirkungen gewesen sind, die Stolberg in die römische
kirche geführt haben, zeigen die anschaulichen schilderungen der gräfin Sophie
Stolberg, der fürstin Gallitzin und der marquise von Montagu — eine traurige
illustration zu Jacobis wort: „Salomo, von weibern geschleppt und niedergezogen
auf die knie vor einem bilde, schwang andächtig das rauchfass.“

Eine fülle von quellen, belegen und nachträgen, auch zum ersten hande,
machen den schluss.

Wir glauben dem verfasser für manche genussreiche stunde, die uns sein
buch verschafft, nicht besser danken zu können, als dadurch, dass wir ihm noch
hier und da ein federchen vom kleide bürsten, wenn wir mit einigen bemerkungen
auch nur das verzeichnis der druckfehler vermehren; über kurz oder lang können
sie einer neuen auflage zu gute kommen.   ·

S. 38 wird ein alter freund Tobias Mumsen genant. Gemeint ist dr. Jacob
Mumssen, der in seinem Hamburger freundeskreis nach der bekanten figur im Tri-
stram Schandy den beinamen „Onkel Toby“ führte. S. 47 ist aus „dumpfen toten-
grüften“ ein totengerüste geworden. S. 54 z. 3 ist „das ich einst“ zu lesen st.
das ich nicht. S. 55 z. 3 v. u. steht emporheben statt „emporkommen.“ S. 147
z. 9 v. u. hiesse die neigung zum proselytismus wol deutlicher „neigung zur pro-
selytenmacherei.“

Von der s. 258 und 261 erwähnten königsode Hahns, die nie gedruckt ist,
kann ich jetzt aus einem briefe Hahns wenigstens den schluss mitteilen. Er lautet:

> Ha! goldner Bube! Wisse, nicht Knabentanz
> War einst in Mondgefilden ein Jünglingskreis,
>   Nicht Spiel ihr fallend Knie, nicht fürstlichs
>   Gottesgeläster ihr Schwur zum Herrn auf:
>
> „Nur Gottes Knechte wir! und aus Hermanns Volk!
> „Sieh, sieh der Erde Satane! Himmelan
>   „Die Kronen schüttelnd! Horch die Throne
>   „Schallend vom Stampfen auf Freiheitssöhne!
>
> „So wahr als Gott lebt! Rächer wir, Rächer wir
> „Dem Herrn, dem Volk in Thränen! Ein Bund wir dess!
>   „Bund bis zum Tod des Schwerts! so wahr Gott
>   „Lebt! und uns rüstete fest mit Mannherz.“
>
> Und darum, Purpurgötze, so hoch mein Schaun,
> So hoch mein Gang entgegen dir! Steh, vernimms:
>   Des Knieens, des Schwurs, des Rächerbundes
>   Einer auch ich, und mein Name: Teuthard.

S. 259 z. 1 ist aus Stolbergs „Harz" ein Horaz geworden. Die vier letzten strophen, deren veränderte gestalt man in den gedichten s. 10 vergleichen kann, lauten in der ursprünglichen fassung, wie sie im bundesbuch erhalten ist:

> Deinen dichtrischen Hain liebt die Begeisterung.
> Felsen hallen umher, wenn der melodische
>   Barde Thaten der Väter
>   Und die himmlische Freiheit sang.

> Ist nicht Hermann dein Sohn? Sturm war sein Arm, sein Schwert
> Gab uns Freiheit und Sieg, Graun, wie die Todtengruft
>   Sendet, schreckte den Römer,
>   Wenn ihm Hermann entgegenzog,

> Hermann, welchen der Arm kalter Vergessenheit
> Hüllte danklos in Nacht, bis ihn dein grösserer
>   Sohn mit mächtiger Leyer
>   Sang im Liede der Ewigkeit.

> Klopstock! ewigen Ruhm werden Aeonen ihm
> Tönen. Klopstock ist dein! jauchze Cheruscia!
>   Gross in Schlachten der Freiheit!
>   Gross in ewiger Lieder Ton!

Im zweiten absatz auf derselben seite muss es heissen: „Ich sagte ihm mein Frauenlob. Er billigte sänftigt;" vgl. Gött. M.-A. 1775 s. 136 str. 3 und 5.

Da die im zweiten briefe Stolbergs erwähnte Vossische Elegie nicht in die Gesammelten Werke aufgenommen ist, wäre eine verweisung auf M.-A. 1778 s. 73 wol am platze gewesen.

S. 263 z. 3 ist mir das (?) unverständlich. Die citierte stelle schliesst den vierten gesang des Messias.

S. 269 fehlt bei der „Ode an die Dichter" die verweisung auf M.-A. 1777 s. 93. Die überarbeitung derselben in den werken unter dem titel „Zuruf" enthält die fraglichen zeilen nicht mehr.

S. 272 z. 4 v. u. ist natürlich ein brief von Stolberg an Voss gemeint.

S. 275 z. 2 v. u. wird meine datierung eines Goethebriefes berichtigt. Zur rechtfertigung meiner abweichenden angabe bemerke ich nur, dass derselbe erst am 11. october 1776 in Hamburg angekommen ist.

S. 278 und sonst wird der dichter Boie „Christian" genant. Allerdings heisst er bei Voss, der ihn in der regel beim zunamen nent, einmal (Briefe 1. 333) „Bruder Christian." Sein rufname war aber Heinrich, wie aus zahlreichen unterschriften unter seinen briefen an Bürger hervorgeht.

S. 288. Das schwankende resultat widerholter zählungen der verse in der Odyssee hat mich veranlasst, noch einmal nachzuzählen. Dabei hat sich folgendes ergeben. Nach der jetzt gebräuchlichen zählung enthält die Odyssee 12110 verse. Von diesen fehlen bei Voss XIII. 347 und 348, XV. 63, XVIII. 59 und aus XXIV. 122 und 123 ist ein vers gemacht. Dafür hat Voss II. 108 (= XIX. 153 und XXIV. 142) eingeschoben, so dass seine übersetzung, wie Herbst beim ersten zählen richtig gefunden hatte, 12106 verse enthält, gerade so viel wie die Berglersche (Amsterdam bei Wetstein 1707) und die Clarkesche ausgabe. Sie stimmt aber mit diesen nicht vers für vers; vielmehr stellt sich die rechnung so. Voss hat drei verse mehr als Bergler und Clarke: II. 108, XI. 92 und XV. 294, von denen die beiden letzten durch Barnesius aus Eustath und Strabo eingefügt sind; dafür fehlen XIII. 347 fg. und XV. 63, die Clarke zwar beanstandet, aber im text gelassen hat. In beziehung auf XVIII. 59 und XXIV. 122 fg. stimt Voss mit Bergler und Clarke überein. Am schlusse des in den briefen unvollständig abgedruckten schreibens an Miller vom 24. april 1779 sagt Voss: „Ich habe (Einen Vers ausgenommen) eben so viel Verse als Homer." Mit diesem E i n e n verse kann also wol nur II. 108 gemeint sein, der, so viel ich sehe, an dieser stelle in keiner handschrift der Odyssee sich findet.

In der statistik der versus spondiaci mit dem trochäus im fünften fusse ist VI. 30 in 125, XI. 28 in 26, XIX. 243 in 249, XXI. 24 in 26 zu verwandeln. Hinzuzufügen sind I. 7 (?). 127. II. 60. III. 160. 460 (?). IV. 14. 23. 172. 217. 404. 478. 568. V. 66. 342. 406. VI. 258. VII. 154. VIII. 95. 337. 342. 534. IX. 58. 205 (?). 428. XI. 519. 613. XII. 342. 438. XIII. 170 (?). XV. 260 (?). XVII. 37. 50. 59. 437. 586. XVIII. 129. 375. XIX. 44. 54. 64. 364. 449. XX. 68. 380. XXI. 407. XXII. 32. 57. 68 147. 192. 403. XXIII. 152. XXIV. 116, so dass die vom verfasser angegebene zahl sich nicht unbeträchtlich erhöht. Es ist übrigens zur erklärung dieser differenz zu bemerken, dass die auf eigennamen ausgehenden hexameter vom verfasser absichtlich unberücksichtigt gelassen zu sein scheinen, und dass die fünf mit (?) bezeichneten verse zur not so scandiert werden können, dass der Trochäus an eine frühere stelle rückt.

S. 289 ist XIII. 24 falsch st. 284 citiert.

S. 290 z. 15 steht Otterndorf st. Eutin.

S. 296 z. 2 v. u. findet sich ein metrischer fehler in prima, den der gräfliche dichter bei der parodierung des Vergil (Aen. IV. 18) in angeborner sorglosigkeit selbst gemacht haben kann, das *punxit* aber muss *iunxit* heissen.

Unter den urteilen über den gesamthomer von 1793 (s. 207 und 315) habe ich eine ziemlich umfangreiche streitschrift vermisst, die nicht ohne witz, wenn · auch zu breit für die gewählte form, die schwächen der jüngeren übersetzung geisselt. Ihr vollständiger titel lautet: „Der Scholiast zum teutschen Homer, oder Journal für die Kritik und Erklärung des Vossischen Homers. (Invenies etiam disjecti membra poetae). Des ersten und letzten Bandes erstes und letztes Stück. Pol ego et oleum et operam perdidi. Plaut. (Tertia Ancyra.) Im sechsten Jahre der Vossischen Sprachumwälzung (1798)." Das buch ist in Leipzig erschienen und sein verfasser ist nach der recension in der Neuen allg. deutschen Bibl. LVI. I s. 277 fgg. ein Leipziger philolog und virtuose, der sich unter dem vorbericht einer gleichzeitig gegen Friedrich Schlegels Athenäumsfragmente gerichteten schrift[1] „Gottlob Dieterich Schlägel, Rector der Stadtschule und gegenwärtig vikariirender Bürger-

---

[1] „Ankündigung und Probe einer Ausgabe der römischen und griechischen Classiker in Fragmenten. Enthaltend die Fragmente von Cicero's erster catilinarischer Rede, mit philologischen Epigrammen und Idyllen begleitet. Nebst einer Vorrede, bestehend in Fragmenten von Friedrich Schlegel. Rom 1798." Auf diese schrift bezieht sich natürlich Schlegels äusserung in seinem brief vom 20. oct. 1798 an Caroline (Waitz 1. 222) und nicht auf den Hyperboräischen Esel, der jünger sein muss als die im mai 1799 vollendete Lucinde und in der tat vom sept. 1799 (nicht 1798) datiert ist. Sinnlos ist die auf einer flüchtigen betrachtung des titels beruhende angabe Kaysers, dass Fr. Schlegel verfasser der schrift sei.

meister zu Birnamswalde" nent. Den wahren namen des verfassers zu erkunden
ist mir nicht gelungen. Den grössern teil des buches nehmen Centones Vossio-
Homerici ein, von denen ein paar proben nicht unwillkommen sein werden, da das
ganze wenig bekant geworden zu sein scheint.

Pröbchen in varia forma.

Wie du selbst geredet das Wort, so magst du es hören.

Il. XX. 250.

Nicht wird dir verwerflich das Wort sein, welches ich rede.

Il. II. 361.

An die Muse.

Tochter Zeus — lass strafen mich ihn, der zuerst dich beleidigt,

Il. II. 548. III. 351.

— durch hochfahrende Worte bedräun, die er selber gezeuget!

Il. XV. 198.

An die Vossischen Verse.

Auf so büsset mir jetzo des Vaters schändlichen Frevel!

Il. XI. 142.

Aufschrift auf den Voss. H.
oder Grabschrift Homers.

Seht das ragende Grab des längst gestorbenen Mannes,

Il. VII. 89.

Zweimal todt, weil sonst nur Einmal sterben die Menschen!

Od. XII. 22.

Die Uebersetzer Homers.

Doch wer war der trefflichste dort? das verkünde mir, Muse.

Il. II. 761.

Niemand ist sein Name: [doch] soll ich die Wahrheit verkünden,

Od. IX. 366. Il. VI. 150. 382.

Schlechter nach ihm die meisten, und nur sehr wenige besser.

Od. II. 278.

Die Unsterblichkeit der Vossischen Uebersetzung.

Denn nicht sterblich ist jene, vielmehr ein unsterbliches Unheil.

Od. XII. 118.

In einem fragment aus dem lande der träume (Od. XXIV. 12), bei dem ich
die Homerischen Citate weglasse, heisst es:

Jetzo führt' einen teuschenden Traum ein verderblicher Dämon
Ueber des Sängers Haupt; es verliess ihn Föbos Apollon.
Jene trat ihm zum Haupt, die dunkele Nachterscheinung,
Und erfullt' ihm solches mit vielen und thörichten Worten
Allerlei Hauch aussendend und machte verwirrt die Gedanken.

Und ein Gedräng der Worte, wie stöbernde Winterflocken,
Aber schwarz wie der Fliegen unzählbar fliegende Schaaren;
Viele, dass kaum sie trüg' auch ein hundertrudriges Lastschiff;
Andre von anderer Sprache gemischt und mancherlei Stammes;

Weniges nur zu guter und viel zu schädlicher Mischung;
(Alle zwar nicht werd' ich verkündigen oder auch nennen:)
Stürzten jetzt nach einander daher mit Donnergepolter.
— ◡ ◡ — ◡ ◡ — ◡ ◡ — ◡ ◡ — ◡ ◡ ⌣ —

„Donnergepolter — umher — aufrasselte — Feuerorkans Wuth —
„Lauther — Donnergewölk — rechtshin — hertobende Windsbraut —
„Eisernes dumpfes Geprassel, des Aethers Wüste durchdringend —
„Durch fischwimmelnde Pfade — verstürmt — ein Meerschiff — im Salzmeer —
„Ringsum — den Mond durchstürmte der Süd — die Gefilde durchtummelnd —
„Nachtgraun — ringsumher — auf gottgebaueten Thürmen —
„Graunbetäubt — bezeptert — unnahbar — borstenumstarrt — rings —
„Kriegesgraun — gedrängt — hertummelte — wagenbeflügelnd —
„Ringsumprallt — enttaumelnd — entrafft in der Laue des Kampfes —
„Solchen Schlund des Gewürgs mit Kriegsarbeit zu umwandeln —
„Her von Zeus —
          Du merk' es im Geiste dir, dass dem Gedächtniss
„Nichts entfällt, wenn jetzo vom lieblichen Schlaf du erwachest."

Also sagt' ihm der Traum und wandte sich. Jenen verliess er,
Dem nachsinnend im Geist, was nie zur Vollendung bestimmt war.

Und so werden mit immer neuen devisen Vossische verse als speere gegen den übersetzer geschleudert — es ist ein zweiter Xeniensturm, der sich diesmal nur gegen
Ein haupt richtet.

· Ein paar druckfehler in den gedichtüberschriften des registers verbessert der
kundige leser leicht. Statt sie aufzuführen wollen wir lieber diese bemerkungen
mit einer bitte an die verlagshandlung schliessen, welche Herbsts buch aufs schönste
ausgestattet hat. Sie würde sicherlich den wunsch vieler leser erfüllen, wenn sie
sich dazu entschlösse, den hoffentlich bald nachfolgenden halbband mit einem bilde
Ernestinens nach dem original in der Gleimschen samlung zu schmücken und damit
dem titelkupfer des ersten bandes das würdigste seitenstück zu geben.

HAMBURG, IM JANUAR 1875.   REDLICH.

Briefe von und an Bürger. Ein Beitrag zur Literaturgeschichte seiner Zeit. Aus dem Nachlasse Bürger's und anderen, meist handschriftlichen Quellen herausgegeben von **Adolf Strodtmann.** Berlin,
   Verlag von Gebrüder Paetel. 1874. Vier bände gr. 8. XX, 387; VIII, 376;
   VIII, 316; VI, 344 s. n. 8 thlr.

   Die veröffentlichung einiger aus dem nachlass des dr. Althof stammenden
briefe an Bürger in Westermanns Monatsheften vom juni 1872 durch Lionel v. Donop
hat gewiss bei manchen lesern den wunsch rege gemacht, es möchten die zahl-
reicheren, aus derselben erbschaft in den besitz der frau hofkapellmeister Kiel übergegangenen papiere zugänglich gemacht werden. Eine aussicht auf erfüllung desselben eröffnete sich bald: durch verschiedene blätter lief die nachricht, dass herr
Richard Wehn in Melle diese papiere käuflich erworben und Adolf Strodtmann zur
herausgabe übergeben habe. Was an briefen von und an Bürger sich darunter
vorgefunden hat, liegt jetzt in dem grossen ·vierbändigen werke vor, das wir
Strodtmanns sammeleifer verdanken. Es war gewiss eine glückliche idee des her-

ausgebers, sich nicht auf den Kielschen nachlass zu beschränken, sondern im ganzen deutschen reich bei den nachkommen Bürgers und seiner correspondenten wie
bei den bekanten autographensamlern auf andere stücke des Bürgerschen briefwech-
sels zu fahnden und die reiche jagdbeute mit den schon früher, aber zum teil an
ganz versteckten orten gedruckten briefen zu einer samlung zu vereinigen.

Wenn unter dem an Althof gelangten teil der correspondenz vornehmlich die
briefe von und an Goethe, von denen erst zwei durch v. Donop bekant gemacht
waren, die aufmerksamkeit auf sich ziehen, so ragt unter den anderweitig herbei-
geschafften urkunden der inhaltsreiche und fast vollständig erhaltene briefwechsel
mit Boie hervor. Dieser war allerdings schon von Weinhold in seinem leben Boies
so gründlich ausgenützt, dass überraschende neue aufschlüsse nicht mehr erwartet
werden dürfen; aber für viele stellen, wo Weinhold in seinen noten nur die daten
der briefe citiert hat, wird man gern den text selbst vergleichen. Durch ihre zahl
zeichnen sich demnächst die briefe Goeckingks und Biesters aus, durch ihren inhalt
sind die interessantesten die neun briefe Sprickmanns. Der litterarische wert der
letztgenanten verdoppelt sich dadurch, dass es Strodtmann verstanden hat, aus
dem schwer zugänglichen Sprickmannschen nachlass dreizehn briefe Bürgers zu
erlangen. Aus diesen schreiben geht unwidersprechlich hervor, dass Bürger an
Sprickmann wenigstens éinen vertrauten der sorgen gehabt hat, in die ihn seine
leidenschaft für Molly gestürzt hatte. Selbst einem freunde wie Boie sein herz ganz
auszuschütten trug er begreiflicherweise scheu, während die den seinigen so vielfach ähnlichen verirrungen Sprickmanns, über die Weinhold vor zwei jahren in
Müllers Zeitschrift für deutsche Kulturgeschichte 1, S. 261—290 aus andern quellen berichtet hat, den austausch umfassender geständnisse zu veranlassen geeignet waren.

Im ganzen enthält die Strodtmannsche samlung gegen 900 briefe: die Bürgerschen sind an etwa 80 verschiedene adressaten gerichtet, briefe an ihn sind von
etwa 90 correspondenten mitgeteilt, ein paar dutzend vermischter briefe, von Bürger oder seiner familie handelnd, sind nach der chronologischen ordnung, die mit
recht in dem buch befolgt ist, an den betreffenden stellen eingereiht. Dass mit
diesen auch eine ebenso unbedeutende als breitspurige kritik des Göttinger Musenalmanachs für 1777 aufnahme gefunden hat, würde schon dadurch gerechtfertigt
erscheinen, dass Bürger und Goeckingk in ihren briefen widerholt auf dies elabo-
rat zurückkommen; ihre mitteilung ist aber auch darum dankenswert, weil eine
von Grisebach (Bürgers Werke s. XXXIX a. **) veröffentlichte notiz aus Kiels nach-
lassverzeichnis „diese abscheuliche kritik" Schiller zuschreibt — ein komisches
misverständnis, das ohne den eröffneten einblick in datum und inhalt des schrift-
stücks zu den abenteuerlichsten conjecturen hätte verleiten können. Die actenstücke über einen poetischen wettstreit, von denen kürzlich die Vahlensche buchhandlung, offenbar ohne kentnis von der ältern ausgabe von 1793 zu haben, einen
nicht ganz vollständigen widerabdruck versant hat, sind mehrfach ergänzt im vierten bande vorgelegt, wo natürlich auch Bürgers ausführlicher bericht an frau Hahn
über seine ehe mit dem Schwabenmädchen aus der ehestandsgeschichte widerholt
ist, vervollständigt durch die ausfüllung der früher nur mit den anfangsbuchstaben
bezeichneten namen und durch die aus der universitätsregistratur zu Göttingen
entlehnten gerichtsacten über Bürgers scheidung. Der herausgeber scheint zu erwarten, seine samlung werde unter den gebildeten ein zahlreiches publicum finden —
wenigstens lässt die verdeutschung der lateinischen briefe von und an Klotz darauf
schliessen — und hat sich dadurch veranlasst gesehen, einige partien dieses berichts

zu unterdrücken. Wer die meinung des ref. teilt, dass ausserhalb des kreises der fachgenossen schwerlich viele leser die geduld besitzen werden, eine so grosse anzahl von briefen zu lesen, deren volles verständnis eine ziemliche vertrautheit mit der litteratur des vorigen jahrhunderts voraussetzt, wird diese rücksichtnahme bedauern, die von böswilliger seite als parteilichkeit für den briefschreiber gedeutet werden könte. Gerade einige der weggelassenen stellen sind wichtige belege für die in dieser zeitschr. V, s. 325 aufgestellte behauptung, dass Bürger einen nicht leichten anteil der schuld an dem tiefen fall der unseligen frau trägt. Im übrigen unterschreiben wir selbstverständlich die völlig berechtigte abfertigung des Ebelingschen buches, dessen verfasser durch eine mehr grobe als treffende abwehr den mit furchtbarer klarheit redenden acten gegenüber seine verunglückte rettung für keinen besonnenen beurteiler aufrecht zu halten vermag. Es ist wahrlich nicht nötig durch weitere urkunden nachzuweisen, wie es mit der „offenbarung eines vollendeten musters edler weiblichkeit" in dem spätern leben der vagantin beschaffen gewesen. Mag immerhin die veröffentlichung der Ehestandsgeschichte durch K. Reinhard wirklich ein act niedriger rache des zurückgewiesenen liebhabers gewesen sein: die abweisung desselben möchten wir nicht einmal als eine tugendhafte wallung Elisens ansehen, die auch in ihrem bühnenleben nur den schein der ehrbarkeit anzunehmen verstanden hat.

Im einzelnen hervorzuheben, welchen gewinn eine biographie Bürgers aus diesem briefwechsel ziehen könte, ist hier um so weniger der ort, als der herausgeber selbst das ihm zu gebote stehende reiche material in dieser richtung zu verwerten im begriff ist. Wir beschränken uns darauf, einige ergänzende oder berichtigende bemerkungen mitzuteilen, die sich uns beim lesen aufgedrängt haben und vielleicht geeignet sind, das verständnis eines oder des andern briefes zu fördern. Viel ist es nicht, denn der herausgeber hat schon mit grosser umsicht in den noten und dem ausführlichen register den sinn vieler dunklen stellen erschlossen. Erwünscht wären zahlreichere verweisungen von einem briefe der samlung auf den andern gewesen, denn oft werden von den briefstellern fragen gestellt, von denen man gern gleich erführe, ob sie beantwortet sind oder nicht, und von denen man nur erst nach längerem suchen findet, ob die sache durch das antwortschreiben erledigt worden. Ebenso vermisst man an einigen stellen eine ausdrückliche hinweisung darauf, dass etwas für das verständnis notwendiges nicht mehr zu ermitteln gewesen, z. b. welche schrift I s. 9 mit der Raspe dedicierten gemeint ist, oder wo der brief von Lenz über Lavater an und wider Boie gedruckt ist, II s. 165, oder was es mit der anfrage im Hannöverschen Magazin auf sich habe, II s. 180.

Zunächst haben wir drei schon gedruckte Bürgersche briefe nachzuweisen, welche Strodtmanns nachspürungen sich entzogen haben. Der älteste, vom 12. aug. 1773, an K. F. Cramer gerichtet, wird ungern vermisst, da er die veranlassung zu dem schon wiederholt gedruckten briefwechsel des Gelliehausener condors mit den eulen und rohrdommeln Göttingens gegeben hat. Cramer selbst hat ihn im vierten stück seines Menschlichen Lebens s. 403—406 aufbewahrt. Der zweite ist der einzige bis jetzt veröffentlichte von Bürger an Herder vom 24. januar 1778, abgedruckt bei Düntzer, Von und an Herder 3, s. 288 fg., ein begleitschreiben zu den in nr. 394 und 416 unserer samlung von Boie für Herder geforderten Old ballads voll warmer bewunderung für Herders „wahren glauben in der dichtkunst." Den dritten, an frau prof. Baldinger, vom 16. juni 1781, über einen nicht genanten beiträger zum Musenalmanach bringt Beckers Taschenbuch zum geselligen Vergnügen, herausgegeben von Fr. Kind, für 1825 s. 389 fgg. Ausserdem enthält die einleitung zu K. E. K. Schmidts Leben und auserlesenen Werken 1, s. 42 ein paar zeilen eines Bürgerschen briefes. Ob Schmidts nachlass zusammengehalten ist, weiss ich nicht zu sagen. Auch die I s. IV vermutete vernichtung der von der amtsprocuratorin Müllner übernommenen familienbriefe scheint mir noch nicht erwiesen zu sein. Nach Müllners tode 1829 besass wenigstens seine witwe deren noch mehrere, wie Schütz, Müllners Leben, Charakter und Geist s. XII fg. angibt. Der von Strodtmann angeführte grund ist nicht stichhaltig, da Müllner gar nicht seinen briefwechsel mit dem oheim herausgegeben, sondern nur einen brief Bürgers im Morgenblatt mitgeteilt hat.

Unsere anderen kleinen nachträge mögen nach den seitenzahlen geordnet folgen.

Zum ersten teil.

S. 5. „Die Schildbürger des Herellus" sind in Schildbürger Herels zu verwandeln. Johann Friedrich Herel aus Nürnberg, Klotzens freund, hatte 1767 Satirae tres herausgegeben. In der zweiten, de statu reipublicae Moropolitanae litterario, wird seine vaterstadt als respublica Moropolitana geschildert. Bürger spielt auf s. 72 fgg. an.

S. 11 a. Verfasser der „Laura" ist bekantlich J. N. Götz (Verm. Gedd. 3, 31), Ramlers Anonymus, der auch s. 56 a. 4 an Boies stelle einzufügen ist.

S. 20 a. 2. Hinzuzufügen ist, dass Klotz a. a. o. s. 239 Bürger als verfasser des trinkliedes, welches im Almanach für 1771 unter der chiffre U. gestanden hatte, genant und ihm für die vollendung seines Homer einen zweiten könig von Dänemark gewünscht hat.

S. 22 a. ist dem citat hinzuzufügen: Unterhaltungen, Neunten Bandes drittes Stück s. 231.

S. 33 a. wäre correcter auf Gött. M.-A. 1771 s. 108 und den einzeldruck von Alexis und Elise, Berlin 1771 zu verweisen.

S. 44 vermisst man eine verweisung auf Weinholds Boie s. 64 fgg. für Vaughan.

S. 46. Das gedicht von Denis waren die „Mutterlehren an einen reisenden Handwerksburschen," abgedruckt Gött. M.-A. 1773 s. 17.

S. 48. Mit dem poetischen Neujahrswunsch von Voss ist sicherlich nicht seine Ode „Der Winter" gemeint. Vielleicht ist es die „Devise an einen Poeten," Wandsb. Bothe 1775 nr. 75, die man Voss eher zuschreiben wird, als den Neujahrswunsch im Gött M.-A. 1775 s. 118. X.

S. 49. Von dem justizrat v. Hymmen ist das lied „An Karolinen," Gött. M.-A. 1773 s. 214 Hn. (vgl. seine Briefe kritischen Inhalts mit untermischten Gedichten, Berlin [1773] s. 256) Wahrscheinlich gehören ihm auch die beiden stücke unter der chiffre Hmm im Gött. M.-A. 1776 s. 148 und 1777 s. 137. Dusch lieferte für den Almanach von 1773 das lied des Barden Ryno, s. 186. Klopstocks beiträge blieben aus; darum liess Boie eine reihe von epigrammen aus der Hamburgischen Neuen Zeitung repetieren.

S. 59 a. 2. „Verdienten" ist gewiss kein schreibfehler. So liest noch die ausgabe von 1778 s. 65.

S. 73. Der brief nr. 46 ist vom 4. october 1772 zu datieren. Die in Voss Briefen 1 s. 93 fg. beschriebene abschiedsgesellschaft Ewalds fand nach dem bundesprotokoll am 3. october statt.

S. 74 a. 1. Über Boies namen Werdomar ist die ode von Voss an Boie (Bundesbuch 1 s. 71) zu vergleichen, deren schluss mit der betreffenden strophe in die ode „Die Bundeseiche" (Gedd. 1 s. 11) aufgenommen ist.

S. 75 a. 1.   S. ist Denis; vgl. Ossians und Sineds Lieder IV s. 148.

S. 76.   Das schreiben über ein Dessert rührt, wie die Devisen auf teutsche Gelehrte, Dichter und Künstler, von Ludw. Aug. Unzer her. Ewald scheint das nicht gewust zu haben. Sein Mag. Schmidt ist Gerstenbergs freund, Jacob Friedrich Schmidt (1730—1796).

S. 85.   Nach dem bundesprotokoll hat Voss am 6. febr. 1773 eine übersetzung von Pindars erster Pythia und von Horaz II. 3 und I. 3 vorgelesen. Die letzten beiden sind im Bundesbuch 1 s. 174 und 124 erhalten. Die am 6. märz vorgelesene übersetzung von Horaz I. 1, die s. 90 von Cramer gelobt wird, steht nicht im Bundesbuch.

S. 90.   Die „neue Ode von meinem alten Steinadler" ist nach Voss Briefen 1. 127 ein langes gedicht Joh. Andr. Cramers auf Bernstorf. Das vierte stück von K. F. Cramers Menschlichem Leben enthält s. 17 fgg. drei längere gedichte seines vaters auf Bernstorf, von denen das mittlere auch in Voss M.-A. 1791 s. 3 steht.

S. 98.   Der 71. brief ist unrichtig datiert. Er erwähnt das lob Helenens, das erst in den mai 1773 fällt. Eine vergleichung mit dem 92. briefe s. 129 zeigt, dass er ende juni 1773 geschrieben ist.

Zu s. 100. 105 und 110 ist zu bemerken, dass das bundesprotokoll vom 24. april 1773 berichtet: „Bürger liess durch Boie eine Romanze, der Raubgraf, und Minnesold vorlesen." Gegenliebe, das erst im Gött. M.-A. 1775 s. 22 unter X gedruckt und in der ausgabe von 1778 frühjahr 1774 datiert ist, scheint einer nochmaligen überarbeitung unterworfen zu sein.

S. 103 a. 2.   Die Faunenhöhle ist von Karl Ferdinand Schmid. vgl. mein programm über die poet. beiträge zum W.-B. s. 38. Mit Schönborns Pindarischer Ode ist schwerlich das lied einer bergnymphe, sondern eine übersetzung aus dem Pindar gemeint. Die neunte Pythia von ihm war schon 1770 in der fortsetzung von Gerstenbergs Über Merkwürdigkeiten der Literatur gedruckt; die hälfte der ersten Pythia erschien am 5. mai im Wandsbecker Bothen.

S. 105 a. 2.   Der recensent im Teutschen Merkur ist nach Wielands Ausgew. Br. 3 s. 130 fgg. wahrscheinlich der Giessener C. H. Schmid.

S. 106.   Von den Millerschen minneliedern stehen nur das erste und die drei letzten in seinen gedichten, das zweite und dritte ist im Bundesbuch 1 s. 239 und 165 erhalten.

S. 114 a.   Die Klopstocksche ode ist sicherlich nicht die Warnung, sondern die Ode an den Erlöser, die am schluss des Messias abgedruckt ist. Die grafen Stolberg, welche damals noch bei Klopstock zum besuch waren, werden sie dem bunde geschickt haben. Sie ward nach dem bundesprotokoll am 24. april 1773 mit einem briefe von Christian Stolberg vorgelesen. Auf die Weissagung an die grafen Stolberg, Gött. M.-A. 1774 s. 231, passt Bürgers bemerkung im folgenden briefe weniger gut; sie wird auch erst etwas später von den zurückkehrenden grafen nach Göttingen gebracht sein.

S. 133 a. 2.   Die anspielung ist gesucht. Der übrigens gar nicht ungebräuchliche ausdruck findet sich auch s. 167 im 125. briefe.

S. 135.   Zu nr. 98 waren die kritischen bemerkungen des Merkurs, mai 1773 s. 163 fg., über die minnelieder zu citieren.

S. 143.   Die note zu der Nachtfeier ist mit einigen Boieschen correcturen in das register des Almanachs für 1774 aufgenommen.

S. 147 und 155. Mit dem elegischen doppeladler ist K. F. Cramers dialogische elegie beim abschiede der Stolberge gemeint. Nach einem einzeldruck widerholt sie der Wandsb. Bothe 1774 nr. 158; vgl. meine beiträge s. 40.

S. 150. Die note zur Lenore hat Boie nicht abdrucken lassen.

S. 170. Cramers naseweise recension steht mit der chiffre BD in nr. 157 des Wandsbecker Bothen von 1773, Erxlebens antwort im 170. stück der Hamb. Neuen Zeitung. Cramer verteidigte sich in nr. 177 des Bothen und wurde im 202. st. der Neuen Zeitung noch entschiedener als das erste mal zur ruhe verwiesen. Unter der chiffre BD hat der Wandsb. Bothe in nr. 164 noch eine recension der Samlung vermischter kleiner Schriften von A. F. v. Reinhard.

S. 168. Mit der elegie von Voss ist die am 14. october dem bunde vorgelesene elegie an die beiden grafen Stolberg gemeint. Die bekante an zwei schwestern (die entschlafene Margarethe) lag im Musenalmanach schon gedruckt vor

S. 174. Falk wird Goethes Wetzlarer Genoss von der rittertafel, Ernst Friedrich Hector Falcke, sein. Im register ist das fragezeichen bei diesem immerhin gerechtfertigt, während der zweite durch den an der betreffenden stelle angeführten museumsaufsatz hinreichend bekant ist.

S. 175. Die recension des Musenalmanachs im Wandsb. Bothen läuft durch die nummern 174 und 175.

S. 180 a. 2. Auf Stella hat Weinhold, Boie s. 187 die äusserung Goethes gedeutet; richtiger bezieht wol Goedeke sie auf Erwin und Elmire.

S. 183. Der im register mit ? bezeichnete Gebauer ist der bekante verleger von Baumgartens Allgemeiner Welthistorie, zu der Sprengel die Geschichte von Grossbritannien und Irland geliefert hat. Sprengel, geb. 24. aug 1746 zu Rostock, wurde 1779 prof. der geschichte in Halle und starb am 7. januar 1803.

S. 185. Cramer meint seines vaters gedicht auf den tod der reichsgräfin von Stolberg (gest. 20. decbr. 1773), welches im Gött. M.-A. 1775 s. 69 abgedruckt ist.

S. 189. Der Hain Glasor, der im register mit einem fragezeichen versehen ist, erklärt sich aus Klopstocks Wingolf, zweites lied str. 2.

S. 197 a. 2. Gleims liedchen ist nicht ungedruckt; man findet es Werke 2 s. 19

S. 201. Der rätselhafte Rheichard ist der vielschreibende consistorialrat professor Adolph Friedrich v. Reinhard in Bützow, ein fleissiger mitarbeiter an den Ziegraschen Freywilligen Beyträgen zu den Hamburgischen Nachrichten aus dem Reiche der Gelehrsamkeit. Die betreffende stelle steht in diesen Beyträgen II s. 382 am schluss eines berühmt gewordenen briefes, in welchem einzelne professoren Göttingens und die ganze universität so grob angegriffen waren, dass die hannoverische regierung dem schreiber einen verweis von seinem grossherzog verschaffte und den redacteur zur abbitte nötigte. Das schriftstück mit den weitern acten hat Klose in der Zeitschrift f. luth. Theol. 1871 s. 457 fgg. veröffentlicht. Im register ist also s. v. Reichardt diese stelle zu streichen und mit I. 381 Reinhard zuzuteilen. Die beiden folgenden citate I. 254 und 371 beziehen sich auch nicht auf den musicus, sondern auf den Gothaer bibliothekar Heinr. Aug. Ottokar Reichardt.

S. 205 und 206 ist H. und V. irrtümlich Herder und Voss ergänzt. H. ist Hahn, von dem trotz Boies widerspruch die grabschrift herrühren wird. Abgedruckt findet man sie bei Herbst, Joh. Heinr. Voss I. 295.

S. 206. Jacobis recension des Musenalmanachs steht im Teutschen Merkur, april 1774 s. 39 fgg.

S. 214. Anzumerken wäre wol gewesen. dass mit dem deutschen Garrick Eckhof gemeint ist.

S. 215. Den heiligen Vater Goldmaul erklärt das register irrig für Joh. Andreas Cramer; es ist natürlich der heilige Chrysostomus in eigner person zu verstehen.

S. 219. Über Boies fast fertiges buch, eine auswahl englischer gedichte, die doch nie gedruckt ist, vgl. Weinhold s. 73.

S. 229 a. Höltys gedicht fehlt durchaus nicht im Musenalmanach für 1776, sondern steht s. 56, wie alle seine stücke, unter der chiffre p.

S. 232. Boies Süsses Nein stand zuerst in Voss M.-A. 1776 s. 80, B.. Wie es war und ist ebenda 1780 s. 111, P.

S. 237. Die beiden Bürgerschen gedichte haben in Voss M.-A. 1776 s. 123 und 189 die chiffre R. erhalten.

S. 239. Fritz Stolbergs gedicht ist der im juni 1775 zu Zürich vollendete und einzeln gedruckte Freiheitsgesang aus dem zwanzigsten jahrhundert.

S. 243. Cramers Betty, die aus verschiedenen seiner lieder und aus Voss briefen 1. s. 281 bekannt ist, war eine frau von Alvensleben, wie es scheint in Leipzig wohnhaft. Im frühjahr 1776 wurde ihre scheidung ernstlich betrieben; ihr mann hatte sich mit 1500 talern abkaufen lassen, trat dann von dem contract zurück und sollte als böslicher verlasser seiner frau verklagt werden. Die sache scheint eingeschlafen zu sein. Der frau weitere schicksale sind mir nicht bekant; Cramer verheiratete sich 1780 mit Marie Cäcilie Eitzen. Meine kunde von dieser seltsamen Wertheriade stamt aus zwei ungedruckten briefen von Voss an Miller und Cramer an frau v. Winthem, verglichen mit dem Gerstenbergschen brief bei Lappenberg, briefe von und an Klopstock s 272 fgg., der freilich erst nach dem original durchcorrigiert werden muste, ehe er zu verstehen war.

S. 261. Die brochure wider Klopstocks plan ist betitelt: Zufällige Gedanken eines buchhändlers [Phil. Erasmus Reich] über Herrn Klopstocks Anzeige einer gelehrten Republik. [Leipzig] 1773.

S. 291. Verfasser des schreibens über die Abderiten im Deutschen Museum 1776. 1 s. 147 fgg. ist nach Weinhold, Boie s. 267 Schlosser. In die samlung seiner kleinen schriften ist es nicht mit aufgenommen.

S. 292 a. Ahorn ist hier und an den andern im register aufgeführten stellen scherzname für Voss selber, der die schwergereimte ode in den werken auch „An mich selbst" überschrieben hat. Auch das Frühlingslied, das in demselben Almanach s. 68 unter Ahorns namen steht, ist von Voss allein gedichtet. Bei den beiden Ahornstücken im Almanach von 1776 und 1778 erwähnt Voss die mitarbeit Millers, schreibt aber sich die erfindung und das meiste der ausführung zu, wie er denn auch alle in die samlung seiner werke aufgenommen hat.

S. 330 a. 2. Das stück erschien erst in Voss M.-A. 1778 s. 141 unter der chiffre —r.

S. 334 a. Der aufsatz ist, wie zahlreiche andere stücke unter der chiffre Ue. in den drei ersten jahrgängen des Museums, von Sturz.

S. 340. Herders aufsatz Von der Ähnlichkeit der mittleren englischen und deutschen Dichtkunst', nebst Verschiedenem, das daraus folget, erschien im Museum 1777. 2. 421 fgg.

S. 343. Der Papagey ist der buchhändler Weygand. Wagners farce Prometheus, Deucalion und seine recensenten hat ihm den namen verschafft.

S. 347. Frizens Reise nach Dessau ist von J. G. Schummel und der Hund aus der Pfennigschenke zu Altona ist sein recensent Wittenberg, der redacteur des Reichspostreuters.

Die Beiträge in das Archiv des deutschen Parnasses, 3 stücke, Bern 1776 und 1777, sind nach Alm. d. d. M. 1778 s. 4 eine fortsetzung von Bodmers Archiv der schweizerischen Kritik, das schon mit dem ersten Bändchen 1768 wider aufgehört hatte.

S. 360 fg. Zu den chiffern des Vossischen Almanachs für 1777 liesse sich ausser dem schon berichtigten Ahorn hinzufügen, dass das lied eines Deutschen in fremden Kriegsdiensten (F. S.) von Fritz Stolberg, das Tarocko und die Schlittenfahrt (Lr.) von A. J. Laur von Müuchhofen, die sechs stücke unter Q, wie das eine unter Z. T., von Götz und die sieben epigramme unter R. von Kazner sind.

S. 365 und 374. Die recension von Leisewitz Julius von Tarent steht im T. Merkur 1776 oktbr. s. 91.

S. 370. Der junge mensch in Frankfurt a/M., der sich im Gött. M.-A. 1777 s. 14 B—i unterzeichnet, wird Christian Karl Ernst Buri sein. Wenn Bürger s. 371 richtig vermutet, wären ihm noch drei stücke unter E. O. beizulegen. Von den zahlreichen andern chiffren, die Bürgers brief leider nicht auflöst, ist A — g = Afsprung, E und J. F. = Engelschall, Graf zu ** = Fritz Stolberg, v. H. = von Halem, Hgn = P. G. Hagenbruch, Hmm = v. Hymmen, K* = Klamer Schmidt, Mss = Meissner, R—d = H. A. O. Reichard, Rt = J. A. M R**, der 1779 zu Braunschweig ein bändchen gedichte herausgegeben hat, Juliane S. = Phil. Gatterer, v. St. = Stamford und Ws = v. Döring.

S. 373. Die Hempel ist die tochter der Karschin, Caroline Luise, damals mit C. L. Hempel verheiratet, spätere frau von Klenk.

S. 379. Im Almanach für 1778 erscheinen Stamford und Spiegel unter den chiffern v. St. und Frh. v. Spl. Henriette Ernestine Christiane vom Hagen tritt erst im Almanach für 1779 auf.

Zum zweiten teil.

S. 31. Wielands Geron der Adeliche ist im januar und februar des T. Merkurs von 1777 veröffentlicht.

S. 36 fgg. Bei Barth wäre wol anzumerken gewesen, dass damit Karl Friedrich Bahrdt gemeint ist. Über seine mit dem Heidesheimer philanthropin verbundene buchhandlung vgl. Geschichte seines Lebens, seiner Meinungen und Schicksale III s 77 fgg. Jedenfalls hätte er im register mit seiner richtigen namensform aufgeführt werden müssen.

S. 40. Der ausdruck „Boies chiffre Y" ist bedenklich, denn Boie hat sich zwar im Gött. M.-A. von 1771 und 1772 dieses zeichens bedient, aber nie im Vossischen. In diesem gehört das Y zunächst Hölty, daher ist das fragliche gedicht Bürgers auch in die Hallische Höltyausgabe gerathen.

S. 58 a. „Vermuthlich" ist zu streichen, vgl. Sturz Schriften 1 s. 1 fgg.

S. 92. Görg Bider ist Wilhelm Christhelf Siegmund Mylius, geb. zu Berlin 2. mai 1754. Die gleich nachher erwähnten Beiträge zur Geschichte der deutschen Sprache und Nationalliteratur sind in Bern 1777 erschienen, vgl. Alm. d. d. M. 1778 s. 5. Ob sie von Bodmer herrühren, kann ich nicht bestimmen.

S 95. Schummels Hocuspocus ist nicht in den Almanach aufgenommen.

S. 112. Im brief 358 ist von zwei jungen dichtern die rede, welche das register zusammenzuwerfen scheint. Der erste ist der junge Schücking aus Münster, von dem Marie Adams Sterbelied (Voss M.-A. 1778 s. 56 Sch.) gedichtet ist, und dem mit grosser wahrscheinlichkeit die vier stücke im Gött. M.-A. 1781 unter

Schg. zuzuschreiben sind. Die Hexenballade aber, die Strodtmanns register ihm beilegt (vgl. II s. 4 und 12) ist vom verfasser des Golderich und Tasso, also von Christian Friedrich (Lävinus) Sander aus Itzehoe.

S. 114. Millers übersetzung von Come live with me steht bei Ursinus s. 250 fgg.

S. 133. Ue. ist, wie schon oben bemerkt, H. P. Sturz.

S. 134. Die beiden Musenalmanachstücke von Ursinus sind die zwei balladen Der Todtengräber, Voss M.-A. 1776 s. 208. U—s, und Horst, Gött. M.-A. 1776 s. 183 Us.

S. 140. „Dein Schlafgesindel." Anspielung auf Claudius im Gött. M.-A. 1775 s. 150.

S. 146. Nr. 6 und 8 sind von Bucholz, vgl. s. 106. Nr. 9, das Weinhold diesem auch zuschreibt, ist von Meissner, vgl. dessen Skizzen 2 s. 346.

S. 159. Das epigramm D. Stauzius an seine collegen unter X ist von Brückner (Gedichte s. 245), das an einen guten freund von P. W. Hensler in Vossischer überarbeitung, daher auch von Voss in seine werke aufgenommen. In die chiffre X teilen sich im Almanach für 1778 Boie, Brückner, Hensler und Voss. Das Lied eines Unglücklichen F. S. ist von Fritz Stolberg, vgl. Voss Briefe 2 s. 168, aber nicht in dessen werke übergegangen. Die beiden lieder unter E. O. hat nach einem briefe Millers an Voss ein ihm ganz unbekanter ohne namen an Schubart geschickt; der verfasser wird also wol in Schwaben zu suchen sein.

S. 208. Die Lenzischen zeilen stehen Voss M.-A. 1778 s. 123.

S. 219. Der Göttinger Moller hiess Levin Adolf und hat 1786 ein bändchen gedichte herausgegeben. Nach ausweis desselben gehören ihm ausser dem Freudenlied im Göttinger M.-A. 1778 s. 152, 1779 s. 139, 1780 s. 53 mit den chiffern M—r und —r und 1785 s. 83 unter seinem namen.

S. 238. Im Gött. M.-A. 1779 sind also Warnung s. 38 und Blödigkeit s. 145 dem lieutenant Johann Bernhard Rothmann, geb. 1752, gest. 6. juni 1811 beizulegen.

S. 282. Der brief nr. 485 ist allerdings von Grisebach, aber nicht in seiner Bürgerausgabe, sondern in den Blättern für literarische Unterhaltung, jahrgang 1866, nr. 23 s. 367 zuerst publiciert.

S. 285. Von Gramberg brachte der Gött. M.-A. für 1779 drei stücke s. 1. 70. 79 unter der chiffre G., wie der für 1778. Das letzte ist das epigramm.

S. 292. „Fipp und Fapp und Firlefanz" mit anspielung auf Claudius nachahmer, W. B. 1771 nr. 200.

S. 296 a. Qu. ist Marcard.

S. 316. Der roman Hartmann, eine Würtembergische klostergeschichte erschien anonym Lpz. 1778. Sein verfasser ist David Christoph Seybold. — Mit dem kleinen dialog im Museum ist das fragment eines gesprächs (1778. 1. s. 212) = Sturz, Schriften 2 s. 397 gemeint, gegen welches sich Ramler in der vorrede s. V verteidigt. Die abfertigung der volkspoesie steht s. XXI fgg.

S. 325. Wittenbergs recension steht im Beytrag zum Reichs-Postreuter st. 89 vom 16. novbr. 1778. Zu vergleichen ist damit die stelle Freyw. Beytr. VI s. 17—22.

S. 326. Zu Cramers impertinenz gegen Wieland vgl. dessen Klopstock, in fragmenten aus briefen von Tellow an Elise. Fortsetzung. Hamburg 1778 s. 268. 454. 467.

S. 348. Nach Denis, dessen bearbeitung Wien 1768 erschienen ist, übersetzte Edmund Freiherr von Harold den ganzen Ossian in 3 händen, Düsseldorf 1775. Der Reuter ohne Kopf ist der licentiat Wittenberg (vgl. Wagners Prometheus). Von diesem ist der Fingal Hamburg 1764 übersetzt.

S. 366. Im Schwickertschen verlage erschien seit 1776 nicht mehr der Almanach der deutschen Musen, den vielmehr Weygand herausgab, sondern sein concurrent, der Leipziger Musenalmanach (1776—1787), die armseligste unter den vier bekanteren samlungen dieser art.

S. 368 Die recension des Museums steht im anhang IV zu band 25—36 der Allg. d. Bibl. s. 2285 fgg. Sie ist Oz unterzeichnet, also von Eberhard.

Zum dritten teil.

S. 2. Schinks tractätlein ist die brochure Über Brockmanns Hamlet, Berlin 1778.

S. 7 a. 3. Vgl. Herbst, Joh. Heinr. Voss 1 s. 234 fgg. und Voss ankündigung von 1001 Nacht in der beilage zu st. 36 der Gothaer Gelehrten Zeitung.

S. 8. Goeckingks Epistel steht Alm. d. d. M. 1777 s. 169.

S. 10 a. Dorothea Wehrs gehören wahrscheinlich auch im Gött. M.-A. für 1778 s. 5 und 149 mit der chiffre D. W. und das lied Doris an Lotten, von einem Frauenzimmer.

S. 73. Der Göttinger M.-A. für 1783 enthält unter Stamfords chiffre v. St. drei gedichte s. 9. 69 und 96, welche Marcard bei der samlung von Stamfords nachgelassenen gedichten, Hannover 1808 übersehen hat. Es fehlen in derselben die Beiträge zu Voss M.-A. für 1783 und 1784 ebenfalls.

S. 74. Der Hallische herausgeber von Höltys gedichten, A. F. Geisler der jüngere, wird im register fälschlich als buchhändler bezeichnet. Er war ein vielschreibender litterat, dessen opera bei Meusel auf 2½ seiten aufgezählt werden. Der verleger war Joh. Chr. Hendel.

S. 89. Die verse im anfang von Br. 638 parodieren die letzte strophe des dritten liedes von Klopstocks Wingolf.

S. 91. Die originale zu Bürgers Epigrammen im Gött. M.-A. 1783 s. 183. 196. 199 und 220 findet man im Almanach des Muses 1781 s. 52. 11. 36 und 54. Im jahrgang 1782 s. 89 steht das original des anonymen stücks s. 21.

S. 113. Der schreiber des briefes nr. 658 ist ohne zweifel der Hannöversche stabssecretär Johann Peter Velthusen, ein jüngerer bruder des theologen Johann Caspar und herausgeber des Hannöverschen Magazins.

S. 118. Georg Heinrich Hinüber war nicht, wie das register behauptet, ein theologischer schriftsteller, sondern jurist, der nur einmal mit dem anonym erschienenen Kurzen Begriff des Lebens Jesu Christi in die theologie pfuschte. — Die epigramme aus dem Gött. M-A. 1784 unter der chiffre Xy. sind, wie die ebenso bezeichneten im M.-A. für 1782, von J. G. Zimmermann (vgl. dessen gedichte, Darmstadt 1819, s. 112 und 205). Ob Bürger der Stamfordschen sendung eine andere chiffre gegeben, oder sie gar nicht aufgenommen hat, vermag ich nicht nachzuweisen. Unbekant sind die verfasser der unter X und Y eingerückten epigramme.

S. 129. Der schluss von Br. 672 bezieht sich auf den tod von Gleims lieblingsbruder Mathias Leberecht Caspar, oberamtmann zu Berge bei Nauen, im decbr. 1783.

S. 147. E. v. B. ist Emilie von Berlepsch, Grbnr wahrscheinlich Johann Jacob Grabner aus Gotha, der jugendfreund von Manso, Schatz und Friedrich Jacobs; N... ist Manso (vgl. seine übersetzung des König Oedipus s. 164); Rt ist Langbein, wenigstens steht das epigramm s. 111 in seinen gedichten; sonst könte man auch an seinen freund G. C. Richter denken und ein versehen bei der signierung gemeinsam eingeschickter beiträge annehmen. S — z ist Georg Schatz (vgl. seine Bluhmen auf den Altar der Grazien, Lpz. 1787, s 172). Vielleicht hat Gramberg selbst an diesen gedacht; dass er, der Oldenburger, das gedicht dem 1779 gestorbenen Sturz zugeschrieben habe, ist ebenso wenig zu glauben, als dass er dessen namen nicht habe richtig buchstabieren können.

S. 186. „Graf Holmeer" ist ein druckfehler, der hätte verbessert werden müssen. Franz Levin freiherr von Holmer, minister des fürstbischofs von Lübeck Friedrich August, war mit Stolberg seit dessen eintritt in Oldenburgische dienste 1776 innig befreundet und blieb es bis an seinen tod im mai 1806.

S. 187. Stolbergs schwester ist Julia, geb. 1759, verheiratet 1787 mit Henning von Witzleben, einem bruder von Fritz Stolbergs erster frau.

S. 188. Mit M — s Psychologie ist offenbar des Göttinger professors Christoph Meiners Grundriss der Seelenlehre, Lemgo 1786, gemeint.

S. 190. Joh. von Müllers Darstellung des Fürstenbundes war Lpz. 1787 anonym herausgekommen.

S. 198. Münchhausen erscheint in den Musenalmanachen erst von 1798 an.

S. 201 a. 1 verzichtet darauf, die beziehungen des briefes 729 ganz klar zu legen. Eine vergleichung mit Br. 736 scheint mir den zusammenhang vollständig aufzudecken. Ein kgl. rescript hat den misbrauch gerügt, der im Almanach für 1789 an vielen stellen mit der parodierung biblischer ausdrücke getrieben war. Dieser tadel muste besonders die epigramme treffen, welche Meyer teils mit seinem namen, teils als Dietrich Menschenschreck beigesteuert hatte, (vgl. s. 92 Schminklappe und s. 158 Evangelium und den brief 879). Kästner, wahrscheinlich als decan der philosophischen facultät, insinuiert dies rescript dem herausgeber des Almanachs mit dem „schönen!! Billet," und wird für den in demselben entwickelten religionseifer sehr fein dadurch bestraft, dass Bürger unter Lichtenbergs anleitung ihn als den hauptsünder hinstellt, der auf den Almanach den bannstrahl gezogen habe, da besagtes rescript eigentlich durch die angriffe auf Zimmermann veranlasst sei. Ein solcher steckt freilich in dem Meyerschen recept s. 187, den bittersten aber hatte Kästner s. 167 geliefert:

> Vom Herren aus dem grossen Orden
> Hiess es unlängst, als sei er toll geworden;
> Des bessern ward man bald berichtet,
> Unlängst geworden, war erdichtet.

Unbarmherziger konte ein hypochondrischer mann, der seit seinen jünglingsjahren an nervöser reizbarkeit litt, und von dem damals wirklich erzählt ward, er habe den verstand verloren, nicht verspottet werden.

S. 230. Spitzbarts Israelchen, im register mit ? bezeichnet, ist eine figur aus Schummels bekantem pädagogischen roman.

S. 281. Das gedicht an Mad. B. geb. M. kann nicht an Caroline Böhmer, geb. Michaelis gerichtet sein. Es ist vom 29. julius 1789 datiert, und Caroline hatte schon im juni Göttingen verlassen (s. Waitz 1 s. 53). Noch weniger ist Luise Boie geb. Mejer die adressatin, wie Tittmann in seiner ausgabe von Bürgers gedichten angibt, denn diese war schon am 14. juli 1786 gestorben. Die verse sind vielmehr ein geschenk für Friederike Brun, geb. Münter, die im sommer 1789 durch Göttingen gereist war, vgl. Br. 788 s. 310.

S. 291 a. Aus Böttigers nekrolog im Neuen teutschen Merkur 1809. 7. s. 201 fgg. wäre doch zu ermitteln gewesen, dass Carl Gotthold Lenz, geb. 6. juli 1763, gest. 27. märz 1809, als professor am gymnasium zu Gotha, ein nicht unverdienter philolog gewesen ist. Von ihm brachte auch der M.-A. für 1794 einen beitrag.

S. 293 a. 1. Ein gedicht fehlt, vermutlich weil Gleims citat s. 252 nicht passt. Es wird s. 232, Zum Spatz der sich auf dem Saale gefangen hatte, gemeint sein.

S. 294. Der irrtum lag nahe, in dem M.-A. für 1790 gedichte von Kleist zu suchen, da die herausgeber der Almanache für übersante beiträge durch zusendung des Almanachs zu quittieren pflegten. Kleist gegenüber scheint das geschenk nur ein lockvogel gewesen zu sein. Die beiden F. v. K. unterzeichneten gedichte sind jedenfalls von Friedrich von Köpken, vgl. dessen Hymnus auf Gott nebst anderen vermischten Gedichten. Abdrücke für Freunde Magdeburg 1792 s. 135 und 138.

Zum vierten teil.

S. 55. Meyers bruder ist Friedrich Albrecht Anton. geb. 29. juni 1768, gest. 29. novbr. 1795. Seine zahlreichen schriften verzeichnet Meusel, Lex. IX. 113 fgg. Mit dem höllischen (Hällischen?) Meyer vielschmierenden namens ist der professor in Halle, Georg Friedrich Meyer (1718—1777), gemeint. Wenn Str. richtig gelesen hat, spielt das „höllisch" wol auf dessen 1760 erschienene Philosophische Gedanken von den Wirkungen des Teufels auf dem Erdboden an.

S. 56. Die Gött. Musenalmanache für 1786 und 1787 enthalten sechs zum teil etwas anzügliche beiträge unter der bezeichnung Garrelmann, die also von prof. Grellmann herrühren.

S. 140. Der rätselhafte brief ist falsch datiert. Im Hamburger Correspondenten von 1791 und anfang 1792 findet sich nichts über einen postdiebstahl in Bremen. Da Bürger nach dem 12. febr. 1792 den adressaten schwerlich als lieben freund angeredet hat (vgl. s. 190), so wird das schreiben in ein früheres jahr zu setzen sein.

S. 205 a. 1. Kl. Schmidt gehören im Gött. M.-A. für 1793 noch zwei stücke mit der chiffre A—z und eins, das Franz Masslieben unterzeichnet ist. Letztern namen führt er auch in den Almanachen für 1798—1804. Sein junger freund ist vielleicht R. in H.

S. 205. Br. 862. Der briefschreiber ist Christian Erhard Langhansen. geb. 10. octbr. 1750, gest. 6. novbr. 1816. Seine gedichte hat nach seinem tode Ulrich freiherr von Schlippenbach, Mitau 1818 herausgegeben. Darin stehen s. 26 und 28 beide gedichte. Die musik, die Langhansen von sich ablehnt, ist von Georg Carl Claudius nach Hoffmann v. Fallersleben, Unsere volksthümlichen Lieder s. 86, dessen angaben im übrigen hiernach zu berichtigen sind.

S. 230. Brief 881 zeigt verschiedene abweichungen von dem abdruck in Bürger und Müllner, Jüterbog 1833; z. b. fehlt s. 232 ein ganzer satz. Da für den spätern druck die originale verglichen sein sollen, hätte er lieber als das Morgenblatt zu grunde gelegt werden sollen; der text im Morgenblatt, der von Müllner selbst publiciert ist, könte von demselben absichtlich verändert sein.

S. 235 a. Rommels antwort war schon gedruckt mit einigen abweichungen, die Reinhardsche correcturen sein werden, in der Bürgerausgabe von 1817, II s. 389. S. 270. Althofs anekdote hat Nicolai fast wörtlich — nur ist aus den einigen minuten eine viertelstunde geworden — in seinem anhang zu Schillers Musenalmanach s. 165 fgg. benutzt. Eine berichtigung gibt Köpke, Ludwig Tieck 2 s. 187·

S. 275. Diezes übersetzung des Velasquez ist in Klotz deutscher Bibliothek III s. 61 fgg. sehr anerkennend recensiert.

Aus dem register, zu dem in den vorhergehenden notizen mancherlei ergänzendes gegeben ist, hebe ich nun noch heraus, dass die bemerkung s. v. Herr auf einem irrtum beruht. Der emphatische gebrauch des wortes erscheint nur in Biesters briefen; in der correspondenz der Göttinger freunde komt er sonst nicht vor. Er scheint von einem witze Bürgers hergenommen zu sein, der sich auch in dem oben erwähnten briefe an Cramer (Menschliches Leben, viertes stück s. 403) findet.

Es wird nachgerade zeit abzubrechen. Mit druckfehlern wollen wir den leser verschonen. Ihre zahl ist, wie sich bei der auf die äussere ausstattung verwanten sorgfalt erwarten lässt, sehr gering.

HAMBURG, AUGUST 1874.   REDLICH.

Kleinere Schriften von **Wilh. Wackernagel**: I. Bd.: Abhandlungen zur deutschen Alterthumskunde und Kunstgeschichte. 1872. II. Bd.: Abhandlungen zur deutschen Litteraturgeschichte. 1873. III. Bd.: Abhandlungen zur Sprachkunde. 1874. Verlag von S. Hirzel. X, 434; VIII, 504; VIII, 450 s. 8. à n. 2²/₃ thlr.

Poetik, Rhetorik und Stylistik. Akademische Vorlesungen von **Wilh. Wackernagel.** Herausgegeben von **L. Sieber.** Halle, Verlag der Buchhandlung des Waisenhauses, 1873. XII, 452 s. 8. n. 3 thlr.

Da im nachlass von Wackernagel keine näheren andeutungen über eine sammelausgabe seiner kleineren schriften sich vorfand, obwol der gedanke, eine solche zu veranstalten, ihm nicht fremd gewesen war, so muste der herausgeber, prof. M. Heyne in gemeinschaft mit dr. L. Sieber in Basel, eine auswahl und anordnung nach eigenem gutdünken treffen. Bei der auswahl ist wol nichts übergangen worden, was für einen weiteren leserkreis, den man bei diesem unternehmen im auge hatte, geeignet scheinen konte; sonst nämlich hätte wol noch manches andere, was auch fachmänner gern beisammen fänden, aufgenommen werden dürfen. (S. das verzeichnis von Ws. schriften als anhang des 3. bandes.) Auch die anordnung in drei händen nach den hauptfächern der germanischen philologie, auf welche Wackernagels schriftstellerische tätigkeit sich erstreckte, und die gruppierung der einzelnen abhandlungen innerhalb der drei bände ist durchaus angemessen. Für den inhalt der abhandlungen konte freilich nichts weiter getan werden, als dass die nachträge aus den handexemplaren des verfassers aufgenommen wurden. Eben darum und weil die abhandlungen grösseren teils schon früher gedruckt erschienen waren, manche vor zwanzig und mehr jahren, wäre es unstatthaft, eine förmliche kritik derselben vorzunehmen; es wäre leicht, einzelnes anzufechten, zu ergänzen und zu berichtigen, während doch der wert der arbeiten im ganzen so anerkant werden müste, wie er es längst ist. Die aufmerksamkeit der fachgenossen wird sich daher hauptsächlich auf diejenigen abhandlungen richten, welche hier zum ersten male gedruckt erscheinen und auch, wie gerade die beiden bedeutendsten unter diesen, erst aus neuerer zeit (aus den sechziger jahren) stammen. Dies gilt nicht von der „geschichte des deutschen dramas bis zum anfang des 17. jahrhunderts" (band II, 69—145) welche, im jahre 1845 aus zwei vorträgen entstanden, ihrem hauptinhalte nach in des verfassers „Geschichte der deutschen litteratur" (welche ja auch nur bis zu jener zeit reicht), übergegangen und nur hier etwas breiter dargestellt ist, mit inhaltsangabe einzelner stücke und mit einflechtung einzelner züge und angaben in den text, welche dort durch kurze citate in die anmerkungen verwiesen wurden. Gegen die einleitenden gedanken über das wesen der dramatischen poesie als einer verbindung epischer und lyrischer elemente, eine theorie, welche W. schon in einem Basler programm 1838 vorgetragen hat, wäre einiges einzuwenden, was aber hier nicht ausgeführt werden kann. Trotz der unbestreitbaren tatsache, dass das drama geschichtlich allenthalben erst auf grundlage epischer und lyrischer poesie sich erhoben hat und dass es epische und lyrische elemente enthält, kann die specifische eigentümlichkeit der dramatischen poesie schwerlich richtig durch einen satz wie band II, s. 69: „das drama ist epische poesie, aufgegangen in lyrische" oder durch ähnliche fassungen bezeichnet werden; es müste wenigstens sogleich die art und weise dieses „aufgehens" näher angegeben werden. Auch der eben dort aufgestellte satz, dass das drama die höchste stufe der poesie überhaupt darstelle, bedarf eine nähere erklärung, wenn er nicht zu unhaltbaren consequenzen führen soll; jedenfalls folgt er nicht aus jenen historischen voraussetzungen des dramas und auch nicht aus der falschen psychologischen theorie, dass „im epos von den grundkräften des menschlichen geistes nur die einbildungskraft, in der lyrik nur das gemüt wirke," nur im drama beide zusammen. — Ohne diese einseitigkeit und mit den nötigen erklärungen hat W. seine theorie in der poetik (s. 174) ausgesprochen, wo er richtig das dialogische, mimische und scenische element als wesentlich hervorhebt, nur dass die dort versuchte parallele des dramas mit der malerei (während dem epos die architektur, der lyrik die plastik entsprechen soll — was über umgekehrt werden könte) den sachverhalt wider mehr entstellt als aufklärt. Aber die erörterung dieser fragen der allgemeinen ästhetik gehört in der tat nicht in die deutsche philologie, sondern nur der hauptinhalt der abhandlung, die geschichte des deutschen dramas, und hier ist W. natürlich ganz in seinem elemente. Etwas mehr hervorzuheben wäre wol nur das ineinandergreifen und zusammenwirken der geistlichen und weltlichen elemente gegen ende der ersten periode der deutschen „spiele." Von seite der geistlichen spiele waren es die komischen bestandteile derselben, die stark genug ins weltliche gebiet hinüber spielten; aber der vorwaltende pol und der grundtrieb aller folgenden entwicklung war doch ohne zweifel die komik der rein weltlichen fasnachtspiele. Die geistlichen spiele zeigten allerdings jene mischung epischer und lyrischer elemente, welche nach W. das drama erzeugen soll, aber das specifisch dramatische element, das mimische, war viel mehr in den fasnachtsspielen (wo es denn freilich oft auch eine nur allzu „drastische" gestalt annahm!) oder schon in den ihnen voran gegangenen und neben ihnen fortdauernden altvolkstümlichen auf- und umzügen mit masken u. dgl. enthalten. Wenn es richtig ist, dass die wurzeln des deutschen theaters der neuzeit hauptsächlich auf diesem gebiet, also dem des komischen lagen (das ja auch bei Hans Sachs überwiegt), so fällt diese tatsache um so mehr ins gewicht, weil die spätere entwicklung mehr nach der entgegengesetzten seite ausgeschlagen hat, so dass ein gewisser mangel an hervorragenden

nationalen lustspielen bis auf die neueste zeit empfunden wird, ein übelstand, der
freilich aus verschiedenen ursachen zu erklären ist.

Nicht minder oder wol noch mehr als mit der dramatischen poesie hat sich
W. mit der epischen beschäftigt, über deren allgemeinen charakter er schon im
jahre 1837 eine abhandlung schrieb. Eine frucht fortgesetzter studien auf diesem
gebiet ist die ausführliche arbeit „Von der tiersage und den dichtungen aus der
tiersage" (bd. II, 234—326), geschrieben 1867, zu welcher der kürzere aufsatz
„Heinrich der Gleissner" (ebd. 222—233) nur eine vorstudie und ergänzung in
kleinerem rahmen bildet. In der streitfrage, ob die tiersage als eine den Germanen eigentümliche art rein epischer poesie anzuerkennen oder ob sie nicht erst
eine spätere ausbildung der aus dem orient und der classischen litteratur entlehnten tierfabel sei (in welchem falle das didaktische und satirische element das rein
epische überwöge), nimt W. eine vermittelnde stellung ein, indem er zwar in der
hauptsache die ansicht von J. Grimm festhält und fortbildet, aber der entgegen-
stehenden diejenigen concessionen macht, welche die spätere entwicklung der tierdichtung durch unabweisliche tatsachen verlangt, gerade wenn man im übrigen
Grimms ansicht festhalten will. Auch Wilken, der mit Gervinus, Müllenhoff und
Scherer auf der andern seite steht, erkent gelegentlich (bei besprechung von
de Gubernatis „Mythologie der tiere" in den Gött. anzeigen, Mai 1874) an, dass
Wackernagel Grimms ansicht weislich modificiert habe, und auf diesem standpunkt
wird man sich wol versöhnen können.

Nach Wackernagel (a. a. o. 234 fgg.) besteht zwischen tiersage und tierfabel
ein principieller unterschied, der sich auch chronologisch und geographisch ausprägt.
Die fabel ist zwar früher belegt, kann aber nicht die älteste form von tierdichtung
gewesen, ihre didaktik muss aus epik erwachsen und abgeleitet sein. Die gründe,
die W. für diese ansicht anführt (s. 237 fgg.), sind nicht alle von gleichem wert.
Für dieselbe spricht nicht gerade die in einer fabel vorkommende einleitungsfor-
mel „zu der zeit, als die tiere noch sprachen," etwas mehr schon die bevorzugung
einzelner tiere als hauptgegenstände der sage und die annahme eines königs, noch
mehr die (ursprüngliche) einschränkung der tiersage auf die wilden tiere und die
begabung derselben mit menschlichen namen. Wenn W. als litterarische zeugnisse eines „rückfalls" der fabel in reine epik das Pañcatantra und Hitopadeça
anführt, so enthält das wort „rückfall" jedenfalls eine petitio principii und es ist
auch sachlich der epische rahmen, in den dort eine reihe von fabeln eingefügt
oder eingeschachtelt sind, nicht dem plane eines wirklichen epos gleichzustellen.
Dass die griechische batrachomyomachie von aller didaktischen tendenz frei sei,
wird jedermann zugeben, auch dass sie parodie des grossen epos nicht gerade zur
schau trage; aber dass sie dieses voraussetzt, also jedenfalls keine ursprüngliche tierepik beweist, ist ebenso klar, und W. schwächt seine eigene beweisführung ab, wenn er in dieser dichtung nur eine epische ausführung der äsopischen fabel von maus und frosch findet (s. 238). Man wird zugeben, dass für
die älteste zeit neben der götter- und heldensage die tiersage ein sehr natürlicher
gegenstand epischer poesie war und dass neben ihr noch keine ausgebildete
tierfabel bestehen konte (s. 243); aber darum muss doch nicht bei allen völkern,
auch bei den semitischen, die fabel erst aus der sage hervorgegangen sein, und
auch bei den Indogermanen war die existenz einzelner fabeln in ganz kurzer
sprichwörtlicher form, fast nur als bildliche redensart, auch ohne vorherigen durch-
gang durch grössere epische formen möglich. Dass die epik sehr leicht didaktische
anwendung finden und dann wol auch selber didaktische gestalt annehmen

konte, ist unbestritten; indem aber W. (s. 245) auch den umgekehrten hergang, also epische ausbildung von fabeln, als möglich zugibt, räumt er fast mehr ein als seine theorie erwarten lässt und erträgt; freilich gewint er dadurch ein erklärungsprincip für alle möglichen geschichtlichen zufälle.

Hauptbeweise für den germanischen ursprung des tierepos sind die deutschen namen der haupthelden (s. 258), der wolf als ursprünglicher hauptheld (s. 248. cf. 282) und das ursprüngliche königtum des bären (s. 249). Die parallele der tiersage mit der heldensage (zu der jene ein komisch-ironisches gegenstück bildet, indem sie den triumph der list über die blosse stärke zeigt) spricht sich auch darin aus, dass beide ihre erste ausbildung bei demselben volksstamm gefunden haben, den Franken, in deren charakter die zu solcher doppelleistung nötigen eigenschaften verbunden waren (s. 253 — 254). Damit trifft aber die weitere tatsache zusammen, dass auch die antike tierfabel besonders in Gallien fortlebte, so dass dort diejenige wechselwirkung beider formen der tierdichtung eintreten konte, auf deren nachweis die eigentümlichkeit von Wackernagels stellung in der ganzen frage beruht. „Offenbar genoss die tierfabel nur deshalb solches ansehen gerade in Gallien und gerade während dieser jahrhunderte (vom 4. bis 9.), weil die von den Franken mitgebrachte tiersage ihr ansehen erneute und erhöhte. Notwendiger weise fand nun auch umgekehrt eine empfehlung der barbarischen tiersage durch die classische tierfabel statt" (s. 255). Und zwar verteilt W bei dieser wechselwirkung die rollen so, dass die fabel der vorwaltende pol war, der eine überwiegende anziehung und umbildung auf die sage ausübte. „Es konte nicht ausbleiben, dass die tierfabel, der ein höheres alter und ansehen zur seite stand, ganz eigentlich auch einwirkte auf stoff und form der tiersage, dass dieser und jener zug aus ihr in die tiersage übergieng, dass sie die eigenheiten derselben schwächte, ja dass die Franken selbst von ihr lernten, bilder aus dem tierleben gelegentlich in bloss didaktischem sinne zu verwenden" (a. a. o.). Hiemit ist so ziemlich der inbegriff der concessionen bezeichnet, die W. der entgegengesetzten grundansicht zu machen bereit ist; den verlauf der vermittlung im einzelnen stellt er weiterhin dar. Wir verweisen hiefür besonders auf s. 271. 282. 299. 302. 304 — 5. 307 — 8 und heben daneben nur noch einige besondere gesichtspunkte hervor. Wenn die verfasser der ersten gedichte aus dem kreis der tiersage geistliche waren, so beweist dies nicht, dass die stoffe erst aus den lateinischen fabeln entlehnt waren, sondern es erklärt sich einfach daraus, dass die litteratur überhaupt damals fast ausschliesslich in den händen der geistlichkeit lag, der wir ja auch die ältesten behandlungen von gegenständen aus der heldensage verdanken (s. 264). Man könte eher umgekehrt fragen: wie wäre es den geistlichen möglich gewesen, die tiergeschichten so tief und auf so lange zeit in das volk zu bringen, wenn ihnen nicht mehr als ein bloss receptives interesse dafür entgegen gekommen wäre? Übrigens ist auch die metrische form einiger lateinischer tiergedichte volksmässig deutsch (s. 265) und die composition der grösseren lateinischen tierdichtungen mit ihren widersprüchen und ihrem lockeren zusammenhang erklärt sich nur aus der volkssage, welche hier wie bei der heldensage jeweilen nur einzelne stücke des ganzen cyklus erzählt hatte (s. 269). Die didaktische richtung, welche die tierepik schon früh annahm, erklärt sich nicht bloss aus dem einfluss der äsopischen fabel, sondern auch aus dem von damals so verbreiteten schriften wie die Disciplina clericalis des Petrus Alfonsi (s. 271) und die Physiologi (s. 272); übrigens wurde die tierepik nie rein didaktisch, sondern satirisch, und dieser zug entsprach dem ironischen sinn, den die tiersage von grund auf besessen hatte (s. 273).

Eine auffallend starke neigung des germanischen sinnes zur mitempfindung und betrachtung des tierlebens ergibt sich auch aus andern poetischen producten als die in frage stehenden sagen und fabeln. Es· gehören hieher jene mehr lyrischen, aber durchaus volkstümlichen und naiven dichtungen, die Uhland in seinen abhandlungen zu den deutschen volksliedern unter dem (nicht eben passenden) titel „Fabellieder" mit der ihm eigenen verbindung poetischen sinnes und wissenschaftlicher gründlichkeit behandelt hat. (Schriften bd. III, 52 fgg.) Der deutsche ursprung und charakter dieser lieder ist unsers wissens noch nie in zweifel gezogen worden und auch Wackernagel macht (s. 240) dieselben geltend, so wie (s. 326) die tiermärchen, die gewiss ebenso wenig aus der antiken litteratur entlehnt sind. An die lieder schliessen sich · noch die zahlreichen sinnvollen, teils ernsten, teils scherzhaften heziehungen auf die tierwelt in volkstümlichen sprachspielen und rätseln (vgl. Simrocks kinder- und rätselbuch und die vielen landschaftlichen samlungen dieser art); an die märchen die kleineren epischen stücke aus der tiersage, die in den rahmen des epos (zunächst des Reinhart von Heinrich dem Gleissner) nicht aufgenommen und doch auch keineswegs blosse fabeln sind. Wie stellt sich nun schliesslich die rechnung?

Angenommen (nicht zugegeben), die sogenante tiersage, d. h. die in grösseren werken aus verschiedenen zeiten und gegenden vorliegende episch-satirische tierdichtung sei bei den Deutschen (mit einschluss der Niederländer und der romanisierten Franken) erst und einzig auf anstoss der in gelehrten kreisen verbreiteten antiken tierfabel entsprungen, so müste, um alle übrige germanische tierdichtung, besonders die vorhin genanten erzeugnisse derselben, zu erklären, noch immer ein angeborner trieb zu poetischer behandlung des tierlebens angenommen werden, und zwar ein trieb von solcher lebendigkeit und vielseitigkeit, dass er auch das tierepos aus eigener kraft und fülle zu erzeugen vermocht hätte. Es ist aber einfacher, die historische möglichkeit oder wahrscheinlichkeit des gegenteils, eben jener voraussetzung, noch einmal im ganzen zu erwägen.

Unmittelbar historisch ist der ursprung des tierepos aus fabel natürlich nirgends nachzuweisen; aber ist er auch nur denkbar? Gesetzt, eine menge von einzelnen motiven zu tiergeschichten seien aus dem epischen bestandteil der antiken fabeln importiert worden: was gewint man damit? Gerade das eigentümliche, wunderbare eines zusammenhängenden cyclus von tiergeschichten mit epischem, ja fast dramatischem fortschritt ist ja aus jenem ursprung nimmermehr zu erklären; weder reicht der epische bestandteil der fabeln zur erklärung des epischen ganzen der tiersage aus, noch die armselige didaktische tendenz der fabel zur erklärung des grossartigen humors, der jenes ganze durchweht. Es fehlt also gerade die hauptsache, „das geistige band," und zugegeben, das der einheimische epische stoff durch die importierten fabeln wesentlich vermehrt worden sei, ist die ausgestaltung und zusammenfassung desselben in die vorliegende form, verbunden mit der durchgehenden charakteristik der einzelnen figuren, eine schöpferische tat, die nur der eigentümlichkeit des germanischen geistes zuerkant werden kann. Wie will man auch in formeller beziehung aus der kurzen fassung der fabeln die behaglich breite darstellung unserer epik ableiten, und wo zeigt die vergleichende litteraturgeschichte überhaupt einen ähnlichen fortgang von didaktik zu epik? Der umgekehrte ist einzig natürlich und durch Wackernagel auch wirklich nachgewiesen. Notwendig ist er freilich nicht, da die finnischen und slavischen völker bei der naiven und märchenartigen tierepik stehn geblieben sind. Die tiermärchen und fabeln der Neger und Hottentotten, die jedenfalls nicht alle erst durch Araber oder

Europäer importiert sind (vgl. Bleek, Reincke Fuchs in Afrika s. XVII.), haben zwar meistens eine didaktische beimischung, aber nicht nach art der äsopischen fabel, sondern mehr der sogenanten explicativen mythen, welche auch bei andern völkern vorkommen.

Man kann schliesslich gegen die ansicht, die tierepik sei ein selbständiges (wenn auch durch berührung mit der classischen litteratur in seiner entwicklung befördertes) product des germanischen volksgeistes, die tatsache geltend machen, dass sie den Scandinaviern fehle, und zwar ohne zweifel darum, weil diese in weniger frühe und nahe berührung mit der antiken cultur gekommen seien. Aber sie fehlt ja auch gröstenteils (vgl. Mätzner, Altengl. Sprachproben s. 131) den Engländern, auf welche jene erklärung keine anwendung findet. Abgesehen nun davon, dass etwas, was vom germanischen geist im allgemeinen gesagt wird, nicht an allen einzelnen germanischen völkern im gleichen masse sich zu bewähren braucht, können in Scandinavien und England besondere ursachen die entfaltung der tierepik verhindert haben, in beiden ländern eine naturbeschaffenheit, die von der Deutschlands und der Niederlande verschieden war, in Scandinavien dann insbesondere die längere fortdauer der götter- und heldensage, welche die phantasie und epische poesie vollauf beschäftigte, in England vielleicht die normännische eroberung, welche in sprache und poesie ein fremdartiges element einführte. Wenn die wurzeln der tierepik in der antiken fabel lägen, so könten sie in England wenigstens ebenso gut wie in Frankreich ausgeschlagen haben. — Die neu entdeckte catalonische tierdichtung scheint nur ein fabelcyclus nach orientalischer art zu sein, wird also für die hauptfrage schwerlich einen ausschlag geben.

Nachdem wir diesen gegenstand verhältnismässig wol zu ausführlich behandelt haben, müssen wir uns bei den übrigen abhandlungen Wackernagels, die wir überhaupt noch hervorheben wollten, um so kürzer fassen.[1]

In der abhandlung „Die farben- und blumensprache des mittelalters" (bd. I, 143—240) zeigt W. einerseits seine umfassende belesenheit in allen quellen für culturgeschichte des mittelalters, andrerseits sein eben so grosses geschick, eine masse von einzelheiten zu combinieren, an einem faden aufzureihen und zu einem lebensvollen lehrreichen ganzen zu gestalten, wie neben ihm nur Uhland in seinen abhandlungen zu den volksliedern und in seinen sagenforschungen es verstanden hat. Wackernagels leistung ist hier um so bedeutender, da der gegenstand seiner natur nach teils spröde, teils schlüpfrig war und nur eindringender scharfsinn in dem chaos dieser symbolik wege zu finden vermochte. Die arbeit ist im einzelnen allenthalben belehrend, das gesamtergebnis steht aber zu der aufgewanten mühe in nicht ganz entsprechendem verhältnis, da die zusammenfassenden rückblicke (s. 238 —240) zeigen, in welchem masse die schon objectiv vielseitige bedeutung der farben, in der natur und cultur, durch mehr oder weniger willkürliche subjective anwendung und ausdeutung noch vermehrt werden konte, so dass widersprüche entstanden, dergleichen das mittelalter freilich auf allen gebieten offenbart. — Von einzelheiten wäre hier etwa anzufechten die s. 158 aufgestellte beziehung des ausdrucks *mannes, wibes bilde*, auf die kunst des göttlichen schöpfers, dem allerdings ein

---

1) Die *EILA ITTEPOENTA* habe ich schon nach ihrem ersten erscheinen besprochen im „Neuen schweiz. museum" 1. band (1861) s. 74—85; „Die umdeutschung fremder wörter" in derselben zeitschrift 3. band (1863) s. 104—109; darauf folgt dort (s. 109—111) eine kurze anzeige der Wackernagelschen schrift „Die lebensalter," welche in die vorliegende samlung nicht aufgenommen worden ist.

künstlerisches bilden menschlicher geschöpfe vielfach zugeschrieben wird. Aber die ursprüngliche und allgemeine bedeutung des wortes *bilde* = gestalt überhaupt und der spätere noch jetzt volkstümliche gebrauch desselben in verbindung mit *mann* und *weib*, wobei jede vorstellung von idealität (vgl. „bildschön") wegfällt, lassen jene erklärung wenigstens als unnötig erscheinen. Zweifelhaft ist auch die s. 196 angenommene möglichkeit, *brûn* von schilden = „glänzend" und insofern auch = „weiss" zu nehmen. Die bedeutung „glänzend" komt zwar dem worte in der alten sprache unzweifelhaft zu, und auch „weiss" wird ursprünglich dasselbe bedeuten, aber es gibt verschiedene arten von glanz und darum wäre noch immer nicht „braun" ohne weiteres = „weiss" zu setzen. Das mit *brûn* verwante, zunächst aber von *brinnan* stammende *brünne* bezeichnet den glanz im feuer bearbeiteten metalls, ohne nähere bestimmung der farbe.

Der kleinere aufsatz „Über spiegel im mittelalter" (bd. I, 128—142) veranlasst auch nur eine kleine bemerkung. Wilken hat (Germania 18, 382) gesagt, dass Wackernagels ansicht (s. 132, 133), spiegel bedeute in verbindungen wie „Sachsenspiegel" u. dgl. so viel als „vorbild," nicht überall nötig sei, da spiegelung in ethischem sinne leicht von selbst, d. h. durch selbsterkentnis die wirkung eines „vorbildes" annehme. Jedenfalls kann in der von W. angeführten stelle *spiegelschouwe*, von Maria gegenüber gott gebraucht, nicht vorbildlichkeit, sondern höchstens ebenbildlichkeit bedeuten. *Der werlte vröude ein spiegelglas*, Arm. Heinr. 61, ist wol nur = inbegriff, ebenso: *miner wunnen spiegel* MF. 168, 12. Das spiegelbild wird überhaupt als etwas geistigeres, feineres, idealeres gedacht gegenüber dem wirklichen gegenstand, ungefähr wie das gemalte porträt einer person gegenüber der natur (oder einer blossen photographie).

Der dritte band enthält nur bereits gedrucktes; doch sind der abhandlung „über den ursprung und die entwicklung der sprache" anmerkungen beigegeben, die im ersten drucke fehlten, und auch die andern arbeiten sind durch nachträge bereichert, so dass z. b. diejenige über die appellativnamen wol um zwanzig seiten vermehrt ist. Die *ΕΠΕΑ ΠΤΕΡΟΕΝΤΑ* gehören eigentlich mehr zur mythologie als zur sprachkunde. Ungern vermissen wir die „Voces animantium;" sehr erwünscht sind dagegen die „Sprachdenkmäler der Burgunden." Die rede „Über die pedanterei" und der vortrag „Über den ursprung der sprache" erinnern an die behandlung derselben gegenstände durch J. Grimm, mit welchem W. in den hauptansichten übereinstimt; doch gilt dies nicht von der frage der orthographie, gegen welche W. (s. 422) mit unrecht sich ziemlich gleichgiltig verhält, da eine besserung der übelstände schwerlich der natürlichen heilkraft der sprache selbst und der zeit überlassen bleiben darf, und masshaltende reformversuche, wie die in Österreich und Preussen von männern der wissenschaft angebahnten, mit der pedanterie einzelner schulmeister nicht zusammengeworfen zu werden verdienen. Das *th* im anlaut ist übrigens nicht mehr eine blosse frage der orthographie, da die gebildete aussprache nach *t*, auch wenn kein *h* geschrieben wird, und auch nach *p* und *k*, vielfach ein *h* hören lässt, welches freilich um so weniger geschrieben zu werden braucht, je mehr die aussprache überhaupt den anlautenden tenues diesen lautwert erteilt. Das von W. (s. 420) aus blossem „pedantischen unvermögen" erklärte durchcomponieren der strophen eines liedes widerspricht allerdings dem ursprünglichen wesen des letztern, aber es entspricht der tieferen und vielseitigen ausbildung der modernen musik, und die composition hat sich ja in andern punkten längst von der sprachlichen gestalt der texte emancipiert.

In den allgemeinen betrachtungen über den ursprung und die ältesten ent-
wicklungsstufen der sprache ist W. so wenig als Grimm in seinem eigentlichen
elemente und auf dem boden eigener forschungen; bei der späteren sprachentwick-
lung wird manches angeführt, was mit der „umdeutschung fremder wörter"
zusammenfällt. Im einzelnen wäre hier anzufechten die etymologie von got.
niuklahs (s. 5), für dessen zweiten teil, wenn er nicht durch dissimilierenden
übergang von *n* und *l* aus wurzel *kna(h)*, erzeugen, zu erklären ist (vgl. L. Meyer
bei Kuhn VI, 1 — 10), eher die bedeutung „hervorbrechen" (aus dem ci) als
„schreien" anzunehmen sein wird, zu welcher letztern der erste teil weniger passen würde (vgl. Grimm bei Haupt V, 235 — 40). Die annahme (s. 9), dass der
mensch gleich von anfang an gesprochen habe, etwa so wie die bibel es andeute,
ist sehr unwahrscheinlich, und es wäre überhaupt an der zeit, die bibel nicht mehr
als „älteste geschichtsurkunde" (s. 10) anzurufen, nachdem das weit höhere alter
ägyptischer und indischer quellen längst anerkant ist; übrigens kann der ursprung
der sprache auf keinen fall eine „geschichtliche" tatsache heissen. — Urverwant-
schaft zwischen den semitischen und indogermanischen sprachen (s. 12) hat nach
Raumer auch Delitzsch nachzuweisen versucht, aber von den meisten sprachforschern wird sie immer noch bestritten oder auf die allerersten anfänge eingeschränkt. — Für den reichtum der ältesten sprache an synonymen sollten (s. 13)
nicht die rein künstlichen metaphern der Skalden angeführt werden und (s. 17)
für die ursprüngliche identität von namen und sache nicht die worte ding und
sache selbst, nebst ahd. *rahha* und *chôsa*, da ding, sache, *causa* ursprünglich nur
gegenstände rechtlicher verhandlung und nie zugleich „name" bedeuten; auch gehört
lat. *rês* nicht zu ῥέω (Ϝϱέω, wurzel Ϝϱο in lat. verbum; vgl. Curtius Grundz.[3] 321).
Aber in sprachvergleichender etymologie hat Wackernagel noch mehr als Grimm
neben glücklichen zusammenstellungen auch fehlgriffe getan, während er in der
„Umdeutschung fremder wörter" ein meisterstück von methodischer forschung und
darstellung geliefert hat. Immerhin lag seine hauptstärke nicht auf dem rein
sprachlichen gebiete, sondern auf der gränze, wo das sprachliche sich mit dem
sachlichen, mit der litteratur-, cultur- und kunstgeschichte berührt.

Dieses urteil wird noch ergänzt durch das, welches wir über die „Poetik,
rhetorik und stylistik" fällen müssen. Diese wissenschaften gehen über den umkreis
der germanischen philologie hinaus, und was Wackernagel auf diesem gebiete geleistet hat, soll auch nur noch anhangsweise besprochen werden, aber es dient immerhin dazu, das bild seiner geistigen eigentümlichkeit zu vollenden. Wir wollen dem
herausgeber wol glauben, dass die vorlesungen, die Wackernagel vom jahre 1836
bis 1856, im ganzen 13 mal, über jene gegenstände hielt, in den kreisen, für die
sie bestimt waren, gerne gehört wurden und fruchtbar waren; auch zweifeln wir
nicht, dass Wackernagel dieselben fortwährend sorgfältig verbessert habe, aber
dass er selbst sie zum druck bestimt habe oder hätte, ist weniger wahrscheinlich.
Wackernagel genügte mit denselben ohne zweifel den anforderungen seiner akademischen stellung, vielleicht auch einer persönlichen neigung, aber dass sie eine
forderung der wissenschaft sein sollten, glaubte er wahrscheinlich selbst nicht;
jedenfalls können wir dies nicht finden. Wackernagel muste sich selbst sagen,
dass er hier ein gebiet berührte, das über seinen eigentlichen beruf hinausgieng,
das der ästhetik, eines teiles der philosophie, und für diese wissenschaft hatte er,
abermals J. Grimm ähnlich, offenbar keine anlage. Was an diesen vorlesungen
wirklich in die philosophie einschlägt, die allgemeine grundlegung und die syste-
matik, ist von einer antiquierten scholastik eingegeben und durchzogen; sobald

aber Wackernagel aus dem formalismus heraus auf das geschichtliche und sachliche komt, ist er in seinem element; unbedingte anerkennung verdient die methode, die ästhetische theorie durch fortwährende litteraturgeschichtliche nachweise zu bewähren und zu beleben und von selbst versteht sich, dass Wackernagel eine menge feiner bemerkungen über einzelnes ausgestreut hat. Dass er die rhetorik zur theorie der prosa gemacht, alles formelle aber in die stylistik verwiesen hat, wollen wir nicht anfechten, da diese beiden termini nie recht fixiert waren; dagegen finden wir die verteilung der einzelnen formen der poesie und prosa unter die drei hauptgattungen des stils (s. 321 fgg.) künstlich compliciert ohne entsprechende fruchtbarkeit. Der versuch, die didaktische poesie unter die epische und lyrische zu verteilen, ist gerechtfertigt; um so seltsamer nehmen sich daneben die benennungen „epische epik“ und „lyrische lyrik“ aus. Seltsam ist auch die auffassung der tropen und figuren im allgemeinen als „sinnlichkeit für das gesicht,“ gegenüber der lautmalerei für das gehör, da doch „gesicht“ nur ein inneres sehen der einbildung bezeichnen soll, dann aber der gegensatz zum gehör als äusserem sinn wegfällt (s. 379 fgg.). In der stylistik behandet Wackernagel einige gegenstände, welche eher in den bereich der grammatik gehören (s. 359 — 362). Die parallele zwischen wortton und satzbau (s. 363 — 368) ist anregend und weiterer ausführung wert.

So könten wir noch fortfahren, einzelne mehr und weniger gelungene partien des werkes aufzuzählen und gegen einander abzuwägen: das endurteil könte kein anderes als das bereits ausgesprochene sein. So wenig die deutsche philologie im ganzen durch diese vorlesungen berührt wird, so wenig hängt der gesamtwert von Wackernagels leistungen von dem urteil über diesen verhältnismässig geringen teil seines nachlasses ab, und wir haben zu erwarten, dass die bevorstehende ausgabe altdeutscher predigten und gebete den hoch verdienten mann noch einmal im hellsten lichte seiner eigentümlichkeit zeigen werde.

ZÜRICH, FEBR. 1875.   LUDWIG TOBLER.

ZU ERDMANNS RECENSION DER AUSGABE DER MURBACHER HYMNEN.

Vgl. oben s. 236 fgg.

Zu der in dieser zeitschrift VI, 236 fgg. abgedruckten recension Erdmanns über meine ausgabe der Murbacher hymnen erlaube ich mir im interesse der sache ein paar bemerkungen hier nachzutragen.

S. 238 wendet sich Erdmann mit ausführlicher motivierung gegen meine deutung von *unheilara* 22, 4, 4 als nom. pl. zu einem subst. **unheilari;* ich verweise auf s. 106 meiner ausgabe, wo bereits unter den nachträgen diese deutung zurückgenommen und die von Erdmann empfohlene auffassung angegeben ist.

Rücksichtlich der s. 236 fg. besprochenen stelle 23, 2, 3 habe ich nur zu sagen, dass hier wie überall meine ausgabe einfach den text der handschrift widergibt; ein zweifel über die lesung kann fast nie eintreten, da mit ausnahme der ausdrücklich bezeichneten stellen buchstabe für buchstabe deutlich lesbar ist. Wie das beigegebene facsimile zeigt, ist die handschrift so geschrieben, dass je zwei verszeilen eine zeile füllen; so erklärt sich vielleicht dass in Junius abschrift, die dem texte Grimms zu grunde liegt, das in der handschrift eine neue zeile beginnende ł in den übergeschriebenen deutschen text geraten ist

S. 237 bespricht Erdmann die worte *egisin kirichante* als übersetzung von *terrore victo* 22, 3, 1 und fasst *kirichante* passivisch. Welcher casus sollte das sein? zudem hat Erdmann übersehn, dass, wie unter dem texte angegeben, *victo* mittels rasur aus *rictores* corrigiert ist; *kirichante* ist nun offenbar weiter nichts als übersetzung dieses *rictores*, und der fehler ist unberichtigt stehen geblieben, als *rictores* in das richtige *victo* geändert wurde. Da sich dabei eine vernünftige construction der worte als unmöglich erweist, so muste wol das wort seiner grammatischen form nach im glossar als nom. pl. angeführt werden.

Endlich muss ich zu s. 237 über 23, 4, 4 noch bemerken, dass ich die verweisung auf altfranz. *oz* aus *hostis* nicht beigefügt habe, weil ich geglaubt hätte dass *heri* jemals im deutschen *feind* bedeutet habe, sondern weil zu vermuten stand, dass dem deutschen übersetzer beide bedeutungen von *hostis*, die ursprüngliche lateinische und die spätere romanische, bekant waren.

JENA, 12. APRIL 1875.   E. SIEVERS.

---

30. Versammlung deutscher Philologen und Schulmänner in Rostock.

Den Herren Collegen und Fachgenossen geben die gehorsamst Unterzeichneten sich die Ehre anzuzeigen, dass die

30. Versammlung Deutscher Philologen und Schulmänner in Rostock vom 28. September bis 1. October

stattfinden wird, und sprechen die dringende Bitte aus, die weiteren Mittheilungen uns vorbehaltend, beabsichtigte Vorträge für die allgemeinen und Sections-Verhandlungen, sowie Thesen, besonders für die pädagogische Section, uns thunlichst bis Ende Mai einsenden zu wollen.

Zugleich erbitten wir die möglichst genaue Angabe der Zeitdauer der gemeldeten Vorträge, indem wir uns zu bemerken erlauben, dass wir, um nicht nachfolgende Redner zu schädigen, den Vorträgen nur die im Voraus geforderte Zeit glauben gewähren zu dürfen.

Rostock, am 10. März 1875.

F. V. Fritzsche.   K. E. H. Krause.

ÜBER ZWEI TIROLISCHE HANDSCHRIFTEN.

II.

SANT OSWALT.

Das museum zu Innsbruck besitzt eine papierhandschrift, 169 blätter in 12⁰ (frühere sig. IIIa 76, jetzige **XXIX b** 16.) aus dem 15. jahrhundert. Die schrift ist besonders im weitern verlaufe sehr unschön und nachlässig. Sie enthält ausser einigen kleinen gebeten und ähnlichem ein gedicht vom Leiden und der bittern Marter unsers Herrn Jesu Christi (bl. 1 — 6ᵇ), dessen anfang fehlt, denn bl. 1ᵃ beginnt:

> in daz ich dich und dyn kint
> lob für alle irdiffe ding.
> Dominus unfer her hat dich uß erkorn,
> Maria, von deinem reynem libe wart er geporn
> mir und allen fundern zu droft,
> wan er uns tüer hat erloft
> mit fyn heiligen worden
> vß der pittern helle grund,
> alfo läffe mich Maria von laid und
> bewar mich vor nott
> durch dynes lieben kindes tott.

Bl. 7ᵃ. Der do loben und eren wil die hochgeloten werden mutter gottes und magt Marian, der sprech dikke nach gefchriben hystorien, dye begrifft das lob unfer frauwen gar ynnikliche vnd wol.

> Wer gern horet gottes wort,
> daz ift ein zaichen, daz er hie und dort
> in folich frode wirt entpfangen,
> noch der uns billich fol verlangen,
> das ist in dem hohen riche.

Bl. 20ᵃ Schluss: mit aller criftenheit zu dir
> und Jhefum dem kinde din,
> daz wir do müßen ymmer fin,
> und wir dir leffit dis büchlin,

den bewar mutter̊ vor wernder pin,
fey tochter dins kindes.
ich bit dich dz du erbindeft
diner füßen gnaden hant
und bis mit gnaden deiñ bekant,
der dis büchlin getichtet hat,
das finer fele werde rat,
und wer es fchribet, dem verlich
zu lone daz frone hymelrich,
und wer es hat, dem werde rat
in des hymelriches ftat,
vnd welche ez hörent und benement,
fy müßen follig werden Amen.

Hie hat ain end das lop unfer frauwen. got geb uns daz ewige
leben.

Bl. 22ᵃ. Hie hebet sich an ein geticht von leiden und pittern
marter Ihu Xfti unfers hern und leffet gern ynne.

Ich fas alleine an einem tage
und gedacht an die groffe chlage,
an die quale und an daz leit,
an fware pitercheit,
die maria hertz entpfieng,
da got an dem crutz hieng.
ich nam fur mich ir hertzen pin.
der wart mir volliklichin fchin
an einem puchleine.
da vant ich in lateine,
waz die raine maget sprach
und waz fi tet, do fi fach
got gebunden und gevangen
und vor ir rainen augen hangen
Bl. 22ᵇ   vil bleich wunt und bloz,
do von feinem leibe floz
fein vil minikleiches plůt.
da chom ze hant in meinen můt,
daz die wart, die ich da vant,
in täufche wolte tün erchant
allen rainen hertzen,
daz fi der meide fmertzen

erchenne mochten deſter paz.
ich ſag euch rechte, als ez was. ·

Dies gedicht endet bl. 59ᵇ und an dessen schluss:

leſent oder horent leſen,
daz ſi ſalich müzen weſen.

schliesst sich unmittelbar: „Hie hebt ſich die hyſtory an von ſand Oſwalt, wie er erwarbe chünigs Aronis tochter üwer mer. Alleluia,“ die bl. 169 endet.

Dieser teil der handschrift ist nach ausdehnung und wichtigkeit der bedeutendste, und wir glauben nur vielfachen wünschen rechnung zu tragen, wenn wir darüber einen ausführlichen bericht erstatten.[1] Ohne anrede und einleitung begint unsere handschrift alsogleich mit der erzählung:

Bl. 59ª   Es was ain kunig rich,
nynert vaut man ſin glich
von herſchafft vnd gewalt.
ſein nam was Oſwalt genant.
5   der hat an ſinem hoff
beid furſten, hertzogen vnd groſſen,
ritter vnd knecht, ·
die do im warn gerecht,
auff ſeinem hoff erzogen,
10   die do manhait wol pflagen
vnd im zu dienſt worn berait,
ſo. ſi fürſtliche gnade begert.
Oswald der gutte
er het in ſim mute
15   gotes dienſt vnd ſin gabe,
dez er mit innikait pflage.
er diente immer ſunder ſpott
got der hailigen trinitat
und wes er von im begert,
20   des wart er fellichlich gewert.

---

1) Einen kurzen gab ich Anzeiger f. K. D. V. (1856) 271 und 301. [Die vergleichungen und verweisungen beziehen sich auf: Sant Oswaldes leben. Herausg. von Ludw. Ettmüller. Zürich 1835. Ettmüller gibt den text der Schaffhausener handschrift. Die wichtigeren lesarten der Münchener hat Bartsch mitgeteilt in Germania 5, 142 fgg. Red.]
· 7· 8) Vergl. E. 17. 89. 107.

(Bl. 60ᵇ) ains morgens fruw

fant Ofwalt lag an finer ruw

und gedocht in finem finne,

wie daz er weip neme

25 ains richen kaifers kint.

die im wol zimpt.

der kaifer an allen wan

der was ein haidnifch man,

der hett fein tochter fo innen,

30 daz kainer mit fynen finnen

komen mocht zu ir.

daz was kunig Ofwalt laide mer.

Der rvfft ze hoff fin gefinde,

nu merket, waz er begunde

35 mit finen dinern zu reden,

und begunde fie zu bietten,

Bl. 61ᵃ ob kainer under in war,

der da weft umb die mer,

wie man zu des kaifers tochter fult cbomen,

40 des folt er ymer haben fromen.

do sprach ein alter griffer man:

„ich wil des gedenchnus han,

ich wil dir raten, ob ich chan,

recht als ein ygleich getruwer man.

45 du haft zogen auf dem hoffe dein,

dez lob got der genaden fein,

einen edeln raben.

Den solt du ze ainem poten haben.

Von v. 43 an stimt unser text mit E 343 fg., obwol auch hier
abweichende lesarten genug vorkommen, so z. b.

49 (E 349) ez lebt auff erden chain ward man,

der ez dir paz gewerfen chan,

er ift dir nützer über daz wilde mer,

danne ob du fanteft ain groß her,

Bl. 61ᵇ er hat von unferm hern daz gepot,

daz gelaubt mir Ofwalt an allen fpot,

daz dein rab ift redunt worden,

daz gelaubt mir, fürft hoch geporen.

Ich gebe nun probeweise die von E abweichenden lesarten: 359
gezogen. 360 wol *fehlt*. 363 mocht. 364 ich hörte danne fein pracht.

366 *auch hier fehlt* ez. 367 fant *fehlt*. 369 fei nicht worden der rab dein. 370 redent nit, fo flach ab daz haupt mein, 373 ne *fehlt auch hier*. 377 dez traurt der fürft hochgeporen. 378 er want er hiet den raben verloren. 379 nu ratet alle an dem r.

380 wie ich d. r. ab der zinnen pringe.
er mocht herab nicht chomen wol,
man pring den dem lefer ein chopf weines vol.
381 pegund hart kl.
382 nicht hiet feinen
384 mir ift wol umb den raben chunt
er fitzt hoch auff einem ftain
und pflegt unfer gemain
und trachtet in feinem mut,
wie er gedien iuwern gnaden gut.
Do fprach kunig Ofwalt:
„daz ift von gotz gewalt,
der vogel mag wol ein engel fein."
„nain" fprach der piligrein.
„mir ist umb den vogel wol kunt,"
fprach der pilgreim Warmunt,
„daz ez mag chain engel fein.
daz hab auf die trew mein,
ez ift newr ain wilder vogel.
wir mochten mit im werden petrogen

Nun hat unsere handschrift eine bedeutende lücke, denn bl. 63ᵃ begint (E. 679)

nu fprach ain ander merweib:
„rab, kurtzweil uns eins, ez ift an der zeit."
da die pete vol gefchach,
höret, wie do der rab fprach.
E. 685 er fprach hin zu den merweiben,
„chain churtzweil chan ich nit getreiben,
ich diene dem milten kunig Ofwalt,
hie ift auf meines herrn hoff alfo geftalt,
daz nicht churtzweil chain frömder man,
690 er mufze geffen und getrunken han.
fraw, haiz mir ezzen und ze trinken geben,
fo mag ich churtzweil wol pflegen;
peyde chäs und prot,
des ift mir aus der maffen not.

595 heis mir pringen wein und prot,
 fraw, durch die ere dein,
Bl. 63ᵇ und darzu femel und wein,
 darzu einen pratten gut,
 da von werden frömde leut wolgemut."
 die fraw fampt fich nit mere;
E. 700 palde hiez fie tragen here
 femel und gutten wein
 und waz daz pefte mag gefein,
E. 705 der allerpeften fpeis genug,
 fam man ez der frawen für trug.

707 getranch. 708 erst | gedanch. 709 allen *fehlt*. 710 mochte
der frawen entrinnen. 711 vil *fehlt*. 712 ûf] durch. 713 und *fehlt*.
an der ft. 714 wunders *fehlt*. 715 groffes. 717 volfuren. 718 alle
die. 719 erfchrikten. 720 und] nu. Nun folgt· .

 fi wolten erfaren die mere,
 waz wunders in daz mer chomen ware.
 als die frawen hin umb sahen,
 do begund der rab gahen,
 er faumpt fich nicht mer,
 im wart ab dem tifch ger,
E. 721 fein gevidere er erfwanc,
 auz dem mer ftunt fein gedanch.
E. 725 nu half im der himlifche trechtein,
 daz er ab dem mer zufammenschlug daz gevidere
(Bl. 64ᵇ) in aller der geparde,
 als er nie in chain waffer chomen ware.

729 do *fehlt*. 730 hohen *fehlt*. 733 unde liez dâ] da traib.
734 hin *fehlt*. 735 het do die traw erhort. 736 fprach nu fei wir a.
petort. 738 sei wir allefampt petrochen. 739 al umbe] umher. 740
o we wie hort fi erfchr. 742 do *fehlt*. 743 daz *fehlt*. het. 744 erdacht.
V. 745—799 *fehlen*. 800 er felber zu im fp. 802 vor] von. 803 die
ftolze. 804 mag ich der halt immer pringen inne. 805 wan *fehlt*.
wolt ich in der acht zu ir. 809 liep] leid. 811 *fehlt*. 812 mug ich
fur den chunig ich verzaget. 813 fo·vaft er ift ein zornig m. 814
er gewinn mir leicht m. 815 hintz er ezze vnd trinche. 816 muß
im unmut vertinken. 817 zwar *fehlt*. ez wart chain chriften nie fo.
818 wan | er sei ungemut. 819 gar] dar. 820 eben] gut. 821 do
man auf den tisch die lefte richte trug. 822 sich dar hub. 824 ez
fehlt. 825 da fprach der rab, der. 826 euch haiden daz ezzen.

827 fich *fehlt.* . 828 gen *fehlt.* 829 den. 830 junge chünigin fein.
833 do] domit. 836 die *fehlt.* vafte in] an einander. 838 ne *fehlt.*
839 zehant] alfo. in *fehlt.* 840 ne *fehlt.* chan uns iemant. *Nun folgen die verse:*

der uns pefchied der mere;
wes der chlug vogel were,
da fprach ein haidenifcher hofescalch,
der was von art ein auzvelpalch.
er fprach: „ir haiden alle gesampt,
dez raben vart ift mir wol pechant,

Bl. 66ᵇ   mich trigen danne die finne mein:
er ift gefant zu der chunigin.“
der rab fprach mit einem fchelle:
„Der tiefel auz der hellen
chlaffet dir zu aller ftunt
auz deinem valfchen mute.
daz dir dein maul verwazen (?) were!
daz deucht mich ein lieber mere,
daz du chain rat mochteft gegeben,
die weil du haft daz valfche lehen.“
er fprach: „ir haiden alle fampt,
mein vart tun ich euch wol bechant:
ich pin geflogen pald
her von einem finsteren wald.
ich han vil eren vernomen
und pin auf genad her chomen

Bl. 67ᵃ   durch die große ere fein.“
da fprach alfo fchone
der reich chunig Arone:
„piftu durch mein haus er her chomen,
trewn daz han ich gern vernomen.
wez du an mich gerft,
dez foltu alles fein gewert.“
der her hiez palde pringen
dem raben ze ezzen und trinchen.
der chamrer sampt sich.nicht mere
und trug ze ezzen vnd trinken her.
do man ezzen und trinken pracht,
der rab fich einer frag pedacht,
an der selben stunt
der rab den chunig fragen begund.

er fragt in also fchone:

Bl. 67ᵇ „sag mir reicher chunig Aron,
wer izzet dein praten vnd trincht dein wein,
dem tuft du nicht an dem leben fein.“
der chunig fprach unverporgen:
„rab du tarft nicht forgen:
wer trincht mein win und izzet mein prat,
der chumpt in chainer slahte not.
hie auf dem hoffe mein
soltu an alle sorgen ·fein.
dein leib vnd dein gut
ift pei mir wol pehut.“
do er die red wol vernam,
zehant er fich frewn pegan,
aller not pegund er vergezzen,
und pegund frolich trinken und ezzen.

Bl. 68ª als der rab tranch und gas,
alles laides er gar vergas,
er gedacht in seinem gedecht,
wie er dem chunige die potfchaft in precht.

E. 841 er fprach alfo fchone.

842 o du *fehlt*. 843 du duncheft mich so gar ein veft man.
844 daz ich dir mein pottfchaft nit gefagen chan. 845 und ir wellet]
du wolteft. — danne dein fr. 846 peide mein leib und mein. 847 wolt
ich dir. 848 waz dir man gepoten. 849 fprach ein ftimme. 853 dennoch chan. 856 fol haben. 858 rab leb nwr an s. 859 so *fehlt*.
860 Machometen. 861 Machonet. 862 des] den. 864 mit Machomet
wurd hart petrogen. 865 der chan mir. 868 tu durch. 869 hinne.
870 die. 873 so verzeiche — den fride. 874 wie. 875 feit den fride
han. 876 nu *fehlt*. 878 der *fehlt*. her zu dir. 880 pei mir dir.
882 im gebeft. 883 hoch geporen. 884 gen dem foltu dich ir gern
verwegen. 885 im zu dienen fröleich. 886 wol zwelf. 887 kunig die
dienen. 888 igleich | guldein. 892 die dienen | piderman. 894 die
dienen|seim. 895 und ere. 896 gerne] here. 897 wurt dein. 898 ift
auch h. 899 auz aller fch. 900 erwerfen gotes und feiner mutter
hulde. 2 vor nider. 3 er fer erfchrach. 4 zornicleichen er da fprach.
5 ich wil ez allen m. helden. 6 und wil in es auch nicht verdagen.
7 frid und huld han. 8 zwar *fehlt*. daz muß mich rewen. 9 zwar
fehlt. 10 und get mir an mein ere. 12 der wil ich ze frewnt nicht
erchennen. 13 alfo] do | haid | ftat. 14 er unfern got gefcholten hat.
15 in herren fetzet. al *fehlt*. 16 daz der nicht chom v. 17 frid

prach. 20 lienen und türe verfparet wart. 22 ftiez. 24 der rab mocht nindert aus. 26 balde] vast. 27 der rabe *fehlt.* 28 mocht in der rab nicht entrinnen. 31 an den felben ftunden. 33 der künic in vienc *fehlt.* dem rab half da niemant. der haidenifch chunig do nicht lie. 34 ftange hie. 35 und *fehlt.* hiet. 37 die | die mere. 38 durch iren. 39 ein feidin mantel fi umb gevieng. 40 wie pald fi fur den vatter gieng. 41 fie fprach *fehlt.* vatter dein finne haben dich betrogen. 42 wunnicleichen. 43 frid gegeben. 44 du woltefi im nicht fchaden an dem leben. 45. 46. 47 *fehlen.* 48 han. 49 und *fehlt.* verlewset er fein leben in dem vride fein. 50 vil *fehlt.* 51 du must auch fein immer fchande h. 52 fo man ez sol s. 54 und *fehlt* du wirft nimmer eines pidermans. 55 wie wol ftet. 56 ein piderman (*sic!*). 57 ouch *fehlt.* 58 wa man ez fagt auf dem l. 59 und hab ez auf alle mein ere. 60 und gelaichefi dich zu g. d. nimmermere. 62 haid. 63 lieben. 65 ich laz in nicht. 68 im groz. 69 ouch *fehlt.* palde. 70 walde. 71 fprach nain lieber. 72 mug. 73 laz uns den raben von hinnen. 74 alfo *fehlt.* 75 wir noch h. 76 dez mag. 77 zwar *fehlt.* her. 78 triwe] würd. er. 79 nit wil. 81 wenn. 82 alfo *und* junge *fehlt.* 85 zwar *fehlt.* ich wil m. 88 hastu große fcbande. 89 du fugefi nicht wol zu. 90 ift du edle dir der leip. 91 zwar *fehlt.* der] die. jehen. 92 ich han der fprüng noch nit von dir gefehen. 93 darumb durft du nit. 94 wes. ler. 95 do] als. daz *fehlt.* 96 lieben *fehlt.* 97 er fprach und *fehlt.* wer allez gefugel flogen. 98 und nach dir gezogen. 99 mocht sein. 1000 ich geb dir ez l. 1 zwar] wan. nû] newr. gesehen. 2 als. 5 und ne wilt du] mocht. 6 mac] muß. noch wol *fehlt.* 7 bis nur a. 8 in hin wo. aller libest. 9 daz *fehlt.* 10 enphie. 12 vatter daz dir behut dein werdez leben. (*sic.*) 13 selbes. 14 erlost den r. fo zehant. 16 ir felbes ch. 17 dô ne *fehlt.* si sampt fich. 18 vil palde] peid. fie] im. 20 waz des pesten. V. 21 *und* 22 *fehlt.* 23 het raben mit gutem. 24 mit ezzen *fehlt.* unde] mit. trinken und mit g. sp. 25 do *fehlt.* trancb. 27 vil *fehlt.* 28 laz (*sic!*) briefel. 32 waz] wan. 34 nieman] nicht. 39 michel *fehlt.* 40 her *fehlt.* 41 vil *fehlt.* edle. 42 wol *fehlt.* 43 wez. 44 merch ez werde. 45 und] nu. balt *fehlt.* hinne. 46 vil *fehlt.* 47 wan *fehlt.* pegreift dein vater fein haidnifcher. 48 mußt ich icht mein leben han v. 49 haben die wilden haiden | getan fo vil ze leide. 50 mein leben. — (und libes beide *fehlt*). 51 fchoenez wîp] daz ich gen. 52 *fehlt.* 53 mein vatter tut dir nicht mer. 54 daz gelaub mir lieb rab her. 55 dînem *fehlt beidemal.* 56 nim nur an dich vefien mute. 57 urlaub mag du nicht haben. 58 also *fehlt.* 59 mufi lenger pei mir bestan. 60 trewn. 61 hüntz | beraitte. 63 dich *fehlt.* 64 dich

haim. lieben *fehlt*. 65 hielt | rab. 66 hüntz. 68 ouch *fehlt*. 70 wider
fehlt. 74 daz foltu haim zu lande furen. 75 li fp. nu merk mein.
76 recht als ich dir fage. 77 nu *fehlt*. 78 hin *und* lieben *fehlt*. 79 so
solt du im nicht v. 81 und fage *fehlt*. 82 daz mir liber niemaut fei.
83 wan mir ift. 84 ich wil, ob got wil, werden fin weip. 86 ouch
fehlt. 87 daz | allez *fehlt*. 88 an Jefum Chr. 89 merc. 90 wenn.
91 wil er nach mir über mer v. 92 gar wol. 93 und *fehlt*. 94 die
fehlt. 95 und alfo] als. ritter und knecht erleich. 96 und das fi
alle fein m. 97 in palde furen. 98 im über des wildes m. 99 und
weren fi des lebens nicht bider. **1100** fo ne komt] ez cham. nicht]
lemtig 1 mâze bûwen] na͜spant (!) 2 und haiz im die wart nicht wefen
ein. 3 peflagen mit edlem geftain. 4 daz daz fei lauter und. 5 wa.
6 ouch *fehlt*. 7 im gaben die edel ftain. 8 und vollicleich vierdehalb
rast. 9 und] nu. auf den. 10 fwaz] daz. fol] welle. 11 im und
fein helden gut, 12 daz fi von allem laid fein wol pehut. 14 hirsen.
16 dich fein arbait wer verloren. 17 *fehlt*. 18 nû kom] chum. 19 fo
fehlt. 22 rehte *fehlt*. 23 unde *fehlt*. denne] sein. 24 main hülf fol
im unverzigen sein. 25 einen] dein. 29 als *fehlt*. 31 er het nimer
reft. 32 er ailt von der veft. 33 flog. 34 mer lang hüntz an
den zehenten tag. 35 zehenten, zu der. 36 do *fehlt*. 38 ain. 39 wol
fehlt. 40 waz sein. 42 des] und. er *fehlt*. 43 erlost. 44 im] dem
raben. 45 grozer *fehlt*. waz. 46 vingerle. 47 do] alz. erfur die
mer. 48 vingerle. wer. 49 er umb swanch. 50 vil *fehlt*. große.
51 daz mer an ende. 52 hin zu ainer fteinwende. 53 do er auff die ftain-
want was ch. 54 do was im frôd vil b. 55 ne *und* mê *fehlt*. 56 des|
und. er nû *fehlt*. 57 ftainwant. 58 ainfidel. 59 er was gefeßen.
60 vollicleich wol zwai und dreißig. 61 ainfidel. 62 do begund er in.
63 rab pis mir. 64 han. 65 dir ze laide. 66 der] die. 68 für war
ich. 70 ich waen *fehlt*. fant] chunig. Engelant. 71 hat mich der h.
trechtein. 72 gepeten, daz ich fol piten für den herren dein. 73 der
rabe wart. 74 er fprach: feit du erchenneft mein herren wol. 75 fo
kan ich dir nicht verdagen. 78 als pegund der rab jehen. 79 werfen.
80 beidiu *fehlt*. 81 und flog hin in daz land fchon. 82 zu dem rai-
chen chunig Aron. 83 und erwarf die chunigin gut. 84 dem fursten
nach allem feinem mut. 85 nu] und. die jung ch. 88 ez mocht | ein
groß h. 89 darumbe fô hân ich *fehlt*. alle myn lait. 90 ainfidel han
ich dir gechlait. 91 ich nit. 92 ne *fehlt*. 93 fo chum ich nimmer in.
94 einfidelaer *fehlt*. 95 ainfidel. 96 lieber *fehlt*. rab nim. einen
fehlt. 97 und gib dem lebentigen Ch. 99 des *fehlt*. himel u. **1200**
wan. ez] daz fingerlein. 1 nu] und | ainfidel werde. 2 ain crutzftal
auff die. 3 die lieben m. 7 nu wart er fchon g. 8 allez daz fein

hertz pegert. 9 dô] nu. 10 in dem m. 12 grunt] sant. 13 ainſidel
gut. 14 dar] drat. 15 auf die ch. 17 nu] und. 28 miner] der.
29 daz breng deinem herren ſant Oswalt. 1230 — 1264 *fehlen.* 65 tucht
66 und *fehlt.* raben er lieplich auff zucht. 67 vil *fehlt.* 68 mir *fehlt.*
69 vil *fehlt.* 70 ze im] nu. 72 hin *fehlt.* ſein peſte ch. 74 nu *fehlt.*
75 eya her lieber r. 78 mir *fehlt.* 79 ſwach. 80 her euch iſt zu
gach. 81 hât] gahet. 82 ſô gar] nahen. 83 ich chain red nicht mag.
84 darumbe ne] nu. iu *fehlt.* 85 ir ſolt eſſen und trinken g. 86 ich
reden deſter paz gephlegen. 87 grôzen *fehlt.* 88 die lang nacht hintz
an den m. 89 und ſwenn] wan. naht hat ein e. g. 90 ir herwider
zu mir ch. 91 erschricht. 92 vil *fehlt.* 93 ſemel. ouch *fehlt.* 94 daz
fehlt. dem lieben r. 95 vil *fehlt.* groß ſeen in des p. 97 lach die
nacht piz an. 98 wider *fehlt.* V. 99 *und* 1300 *fehlen.* **1301** und
waz p. haſtu mir pr. 2 wes der ch. ſei gedacht. 3 dô *fehlt.* 4 ſîn]
daz. 5 vil *fehlt.* 5 und auch d. 7 li *fehlt.* 8 die ch. junge auz
Arons lant. 10 dir *und* grôze *fehlt.* 11 dir entpeut die. 14 wil. gerne
fehlt. 16 und *fehlt.* Chriſtum wil fi gel. han. 17 daz iſt. 19 wel-
leſtu. 21 und *fehlt.* 22 mustu er h. 23 als manich ritter erleich.
24 riche] frei. 25 ouch *fehlt.* 26 wilden *fehlt.* 27 und ne *fehlt.* ires
lebens n. pider. 28 zwâr *fehlt.* ir cham chainer lemtig nit wider.
29. und *fehlt.* die] der. bûwen] maspaum. 30 ouch ne *fehlt.* vart]
wort. 31 peſlagen mit edlen geſtain. 32 daz ſol ſein lutter u. r.
33 wen | varst. 34 und auch d. 35 daz dir daz edle geſtain geb glast.
36 dâ .mügest geſehen] vollicleich. 37 ſolt auff den kiel tr. 38 daz
wil ich dir in trewn ſagen ‖ waz du bedarft zu acht jaren ‖ daran
bedarft du nicht ſparen. 40 des] sein. 41 dir ſagen mer ‖ des haſtu
groſſe er. 42 überguldeten hirzen multu haben ‖ mit manigem ſtulzen
knaben. 43 dir. 44 vareſtu an mich, dein arbait war. 45 nu *fehlt.*
46 dir *fehlt.* 47 vil werder] edler. 49 vol] alle. 50 den brief] daz
inſigel. 53 in. 54 himeliſch chunigin. 55 und *fehlt.* Johanes der
werde man. 56 der *fehlt.* 57 dô *fehlt.* S. O. ſich ſelber vant. 59 ſich
und chuniginne. 60 mitten drinne. 63 *fehlt.* 64 prief hat geſchriben
die edle ch. 65 — 68 Sand Oſwalt die groſſe gnad an ſach, zu ſeinen
dienſtläuten er do ſprach. 69 daz ir ſetzt darzu eur ſinne, 70 des
habt ir alle mein minne 71 haißet machen zwen und ſibenzig chiel
veſt. 27 die müſſen. 73 peraitet. 74 vil *fehlt.* große ſeen in.
76 huntz hin gen ſand Jorgen. 77 ze ſamen. 78 ſwaz] daz. vart]
wer. 81 im *fehlt.* 84 vert het er fieiz. 86 einen] im. 87 er ſein im
het gedacht. 88 im ſei her pracht. 89 weile wert nicht. 90 die |
komen. 91 in] ſei. 92 nu] gern. im ·*fehlt.* 93 ir maiſter ſeit mir.
94 zwar *fehlt.* eur chumpft. 95 ich han nicht umſuſt | euch. 97 umb

waz ich. — nu *fehlt*. **1400** fo *fehlt*. 1 fibenzig tufent crutz. 2 diu]
nu. — mir fei durch. 5 die maifter worchten. 6 in. 7—10 die crutz
waren fchier perait [' des daucht fich der chunig gemait. 12 den golt-
fmit allen ir l. 13 hetten. 14 fchiden fi von. 15 aber] noch. 16 lang
nacht hinz. 17 erdocht. 18 daz er] und. — zefammen pracht. 19 er
lie nicht lenger b. 20 liez. 21 er] und. 24 nu hoert *fehlt*. — gecho-
men. 25 ritter | knechte. 26 die chomen im gar rechte. 27 ch. die
chomen. 28 igleicher u. sein guldein. 29 herzog. 32 prachten im in
manigen piderman. 34 die *fehlt*. 35 waz fi alle d. 36 ez *fehlt*.
37 pei geftan. 39 balt *fehlt*. 40 gar *fehlt*. 41 mit golde und *fehlt*.
42 der *fehlt*. 43 nu chomen fi auf. 45 und do fi] do fi nu. 47 nu
fehlt. gie. 48 few gar wirdicleich enphie. 49 fich befamnet chrefti-
leich. 50 alle feine r. 51 hinz er zu im. 53 alle gesampt. 54 ires
55 freut. 58 ch. in fr. 59 fant *fehlt*. 60 fi do fr. 62 welten.
63 uns ze famen habt pr. 64 waz euch fei gedacht. 65. 66 was mugt
ir mit uns wizzen lan. 67 mîn *fehlt beidemal*. 68 daz wil ich euch
fagen rechte. 72 und wil. 74 die wel wir ü. 75 den haiden. 76 so
wil ich sein perait. 77 daz ich] und muz. 78 fprach] ret. — chunig.
79 ne *fehlt*. hilf. 80 als. 81 wer mir pei wel geftan. 82 der fol ez
mich w. 83 edele *fehlt*. 84 wer. 85 oder noch ze ritter werden.
86 den dunkt der vert nicht ze vil. 87 des fel muz grofs genad haben.
88 und wird er auff der vert erflagen. 89 er chumpt in daz ewige
leben. 90 iu] im. 92 ift] fint. 93 wirt rain als auz der tauf gewar.
94 ich üch für war. 95 darumbe fô *fehlt*. ir folt mir. 96 al *fehlt*.
1500 al *fehlt*. mein] daz. 1. 2 *fehlen*. 3 ir habt von mir purg,
lant, leut und gut. 4 ir herzogen hochgemut. 5 edelen *fehlt*. 9 nu
fit alfamt] ir folt fein. 10 und werdet alle mit mir perait. 11 fo]
und. 12 meines vaters fchat (?). 13 hab euch der ie chain. 15 dô
fehlt. 16 nu wurden die peften. 18 gern. 19 ouch *fehlt*. 20 wildes
fehlt. 21 vroelich] gern. 22 nu pegund er nicht fürpaz. 22 vil *fehlt*.
23 al *fehlt*. 24 purge her. 26 hiez fei fchuten auf ain anger dar.
28 nu *fehlt*. 29 wer | verte wil. 31 wir werden. 32 wilden *fehlt*.
33 so werden wir Chr. 1535 — 1546 *fehlen*. 47 gezogen. 48 *fehlt*.
49 hirsen achzehen j. 50 zwar *fehlt*. 51 fchones gezirdes gut. 52 des
wurde daz frömde volk hochgemut. 53 hirsen. 54 aber] und

    fand Ofwalt der herren unmüßig was,
    daz er. des raben hie heim vergaz.
    von den herren, die da waren chomen,
    wurden die cruz alle auf genomen.
    mit der felben vart
    ain michel gedrank zu den cruzen wart.

igleicher wolt fich sein hart fchamen,
fol er der cruz nicht aines haben.
fi machtens auf ir roche alle fampt,
ob si chomen in fromde lant
und von den haiden wurden beftanden,
daz fi pei dem cruz sich erchanden.

56 daz teusch puch. 57 daz er fich pegund rüften. 58 fich hub ein
fraisleicher. 59 und alle sein man. 60 fie *fehlt*. erlaich. 61 gegen]
zu. 64 grôzen *fehlt*. 65 do] dar. 67 die ruder fegelpawm auff zugen.
68 fi von dannen fl. 70 fchifften. 73 ganzèz *fehlt*. 74 alfo fagt uns
daz p. 75 alfo die zèit ein ende het g. 76 nu *fehlt*. do waren.
77 froleich. 78 hin auf daz l. 79 da *fehlt*. 80 purk was her u. l.
81 leuchte von golde fam fi br. 83 und zwelf turen gut. 84 mit den.
85 merblein. 87. 88 *fehlen*. 89 zwelf wachter auf turen lagen.
90 ouch gar *fehlt*. 91 erfach. 92 nu] gern. 93 vil *fehlt*. 95 dem
abunt fpat. 97 er fprach: ratet mir alle mein. **1600** zwar *fehlt*. in
die ftat. 1 *und* 2 *fehlen*. 3 degene] herren. 5 nu het er ain alten d.
6 der] er. — herre *fehlt*. 7 nu *fehlt*. 8 so behaltet ir.

9 dem wilden mere
    also fprach er zu dem here
10 baren zwen hoch perge,
    dazwifchen haben wir gut herberge.

11 darzwifchen ift ein gut anger pr. 12 vür wâr *fehlt*. 13 fol.
14 dâ] so. und leben. 16 daz *fehlt*. allenthalben *fehlt*. 17 zwifchen. —
ouch *fehlt*. 18 dâ *fehlt*. ficher unfer großes her. 19 einen. 20 fie]
und. 21 hefften. — ftat. 22 vil *fehlt*. manig. ab dem k. 24 ab
dem ch. auff daz l. 25 zwifchen den pergen | preit. 26 manig helt
ab dem chiel trat || manig helt fi do ze velde lat. 27 daz wizzet *fehlt*.
29 zwifchen der p. 30 wart geriht] man machet | erleich gezelt.
31 zwifchen. 32 doch mit forgen. 34 ez *fehlt*. 35 fant *fehlt*.
37 weil wert nicht. 38 chamerer chom gegângen. 41 unverbegen.
43 ich wil mich nicht wenden. 44 in zu der chunigin s. 45. 46 *feh-*
len. 47 daz er mir an der chunigin frei. 48 wez. 49 chamerer hart.
51 er] und. — jehen. 52 zwar *fehlt*. auff dem mer nie. 53 an in
nie] nie dar an. 55 vil *fehlt*. 56 hiet in felber gefurt gar t. 57 chamerer. 58 und want er muft leben haben v. 59 chniet fur in auff.
60 er] und. daz *fehlt*. 61 erfchrack fer. 62 er] und. ô *fehlt*.
64 also *fehlt*. künic] fürst. 65—68 ich bin komen under die wilden
haiden || nu waz ich nie in fo großem laide. 70 grôzem *fehlt*. 71 nu
wizzet *fehlt*. 73 groß ere. 74 her *fehlt*. 76 als ist mein arbait.

78 nu *fehlt*. 79 *fehlt*. 82 von den haiden in fromden landen. 83 —
88 *fehlen*. 89 vil *fehlt*. wurde uns b. 92 daz si nu sulten vorwifet
fin. 95 die hern clagetten die wort groß. 96 in von den a. 97 do
fant. 98 nu *fehlt*. allen *fehlt*. 99 ir werden fürften und heren.
1702 nu *fehlt*. uch. *Nun folgt:* wert uch der haiden des ift uw not |
ich hon uw gefurt in den dott || des erfchracken die dienftman fere ; fie
fprochen: „woffen hut und ymmer me" (E. 1683 — 1686). 3 fant
Oswalt fprach: fiet ftet. 4 uwer ftrietgewant. 5. 6

> ir ftolzen recken werden,
> nu vallet alle cruzwies auff die erden,

7 ouch *fehlt*. 8 und ir alle *fehlt*. 9 kunigin. 10 uns frolich helff von
bin. 11 alle ir] ires. 12 alle *fehlt*. harnes. 13 zohen. 18 kr. den
was laide. 19 ouch *fehlt*. 20 diu *fehlt*. 21 und santen in ain engel
werden. 22 von himmel auf die erden. 26 nu] gern. 29 des *fehlt*.
30 und] wan. doch] so. befeffen. 31 und ift ouch] er ift. 32 in
haidenifchen landen. 33 benomen. 34 und ne] er. niender] nit.
35 ne *und* eben *fehlen*. korzer. 36 ir leben] iren lip. 37 nit. 38 von
in. 39 die red gefchach. 41 tagen. 42 und merk | dir fage. 44 im
nutzer dan ein her. 45 — 48

> ich flog im fchon in daz lant Aron
> und warb mim hern fchon
> nach wirden und nach eren,
> des sich sin seld solt meren.

50 und wolt mich der haid han er. 52 niemer] nie. 53 mir die kunigin gût. 54 daz mir min leben wart behût. 55 dô vil] an mir.
56 do] daz. her heim] enheim. 57 nu wie gar ift min her ein. 60 hon.
62 dar *und* ganz *fehlen*. 63 hirfchen an min. 65 hirschen. 66 zu
der friben. 67 nimpt er fchaden und. 68 waerlich *fehlt*. ich nit
fchuldig an. 69 sîn *fehlt*. 70 tragen] haben. 71 rede was. 72 aber]
do. 73 lieber *und* nu *fehlen*. 74 und hilf dem. 75 kumft du im nit
zu hulf in korzer zit. 76 fie alle iren lip. 77 werden auch alle zu
dot geflagen. 78 mogen sie die hulf nit gehaben. 79 do fprach der
rab || engel merk, was ich dir fag. 81 engel daz fag ich dir vor war.
82 daz ich kainer flacht spiße. 83 engel, daz wil ich dich wißen || zu
minem libe nie gewan. 84 nit. 85 lant] hus. 86 die pfrond. 87 keller. 88 nu *fehlt*. 89 die] sie. min gar v. 90 gaben weder trinken
noch essen. *Nun folgen:*

> sie brachen mir ab brot und win,
> sie vorchten nimmer den herren min.
> als wart min gar vorgeffen.
> ich mûft mit dem fwein effen.

92 des] sin. 93 mûst auch e. 94 mit den hunden. 95 willichem
hunt ich daz sin nam. 96 mich gar zorniklich. 97 man geit mir
weder. 98 lied ich. 99 mir worden *fehlt*. **1800** ich mag kain flûg
haben mer.

  1 und wurden fie alle zu dod erflagen
  2 do fprach der engel zu dem raben
  3 rab nu folg miner ler
  4 und erfwing din gefieder fer
  5 als hoch dri fpies môgen sin,
  6 und dû daz durch den willen min
  7 machst du den flug nit gehaben
  8 als ret der engel zu dem raben
  9 fo laz dich wieder zu der erden
  10 und hast gelaift dein trew .dem werden
  11 fo mûs dir got und die welt holt fin,
  12 daz glaub mir auff die treu min.

13 über gieng. 14 er ze fliegen an gevieng ‖ daz er daz gefieder aus
enander lies. 15 er] und. gen] von. 16 des zwang in. 18 *fehlt*.
19 erden lan. 20—1868:

  do fprach der engel wol getan:
  du falt dim hern dienen wol,
  fo wirt dir geben
  gût und ain fellig leben."
  do fprach der rab:
  „ich wil mich von hin traben,
  ich wil im dienen williklich,
  ich bin von im worden rich."

70 ftund fin. 71 do *fehlt*. 72 die] fein. 73 do] nu. — grôzen *fehlt*.
74 hin ze finem lieben] für den ftolzen. 76 der *fehlt*. degen. 77
engegen. 79—82 der rab wart schon enpfangen
    von fant Ofchwalts mannen.
83 des niht] nit. 84 fieng. 85 und] er. vil *fehlt*. 87 du nu bist.
88 fo wirt uns. 89 wart hohes mûts. 90 iu] dir. 93 und gnad ift
in Engellant. 94 *fehlt*. 95 ich ne kan dir, herre, ouch niht] doch
kan ich dir nit. 96 ich mûs dir alfo vil kl. 97 koch und keller.
98 grôze *fehlt*. **1900** fpîfe] pfrund. 1 fie daten mir weder w. 2 fie
wonten, fie gefehen dich nie me. V. 1903—1910 *fehlen*. 11 nu *fehlt*.
12 wan du komft in Engellant. 13 und in daz mer irdrenken *fehlt*.
14 und an'ain galgen hahen. 15 ez] do. — fürft wol getan. 18 mag.
20 die wil und wir haben. 21 fchüffel. — mêre *fehlt*. 22 zwar] rab.
23 wilt. 24 wol *fehlt*. geraft. 26 fo wolt ich] ich wil. 27 der edel
rab h. *Dann folgt wie* M:

es ift heinet der vierde tag,
vor war ich dir daz fagen mag,
dennoch was ich in Eugellant.
her, des hab dir min trew zu pfant.

29 niht *fehlt.* 30 oder mich triegent alle min fin. 32 gerastet.
33 edelen *fehlt.* 34 dem. 36 sult ich dar umbe. 37 edelen *fehlt.*
38 fliffig. triwen *fehlt.* 39 und wie *fehlt.* 40 und min dienstlutte
alle. — famt *fehlt.* 41 ich fi] sin. — iren. 42 und *fehlt.* 43 sie
gewin. 44 das *fehlt.* hochgemut. 46 sulle. 47 dan. 49 rab was
litten v. 50 allez *fehlt.* 52 enputtet. 53 urlap von den hern n.
55 fô *fehlt.* 56 hin *fehlt.* 57 floch. 58 ûf *fehlt.* 60 hin gên] heim zu.
62 wir. 63 do *fehlt.* 66 her ûz neigete fich *fehlt.* 67 flog. 68 zogt.
70 bat] hies. 72 fragen do b. 74 künden unde] bald. 75 wo last du
din heren. 76 *fehlt.* 77 den sehe ich fo recht gern. — waerlîch *fehlt.*
78 *fehlt.* 79 daz er ift gewefen so lang. 80 des ift min frôde nachat
zergangen. 81 fpr. fraw ich tun uch. 82 ift hie zu land. 84 die
fehlt. mit im *fehlt.* des wilden m. 85 zwifchen. 86 si gar ein.
88 und leben doch mit sorgen. 89 nu hat mich min her zu. — her
fehlt. 90 rat und *fehlt.* 91 er uch sulle gewinnen aus. 92 ouch fo
fehlt. enputt üch. 93 ouch *fehlt.* enpietten. 95 er recht gern.
96 *fehlt.* 98 vür wâr] und dinem hern. **2000** allez] und alle die welt.
1 und het sich do mit fur. 2 fo kund er ir nicht gefch. 3 ich dinem
hern r. 4 alfo *und* junge *fehlt.* 6 rot gallein. 7 und *fehlt.* zuo] in.
hylt. 8 und *fehlt.* — lebens sin. 9 und *fehlt.* waz er me möge h.
10 zwifchen. 11 niwan *fehlt.* künen. 12 her *fehlt.* 13 sol] mus.
14 dar umbe] und. 15 her *fehlt.* 16 da ûf *fehlt.* 17 und ob in
iemau] wer in dan. — frage. 19 und *fehlt.* fie den sp. fi fint golt-
fmit. 20 durch fromde lant mit fit. 22 min. — ouch von allen *fehlt.*
sin. 23 untz würd ich auch. 24 dar zuo *fehlt.* 25 also *fehlt.* 26 wie
daz ich mit . . 27 rab was pederwe. 28 wie pald flog er hin weder.
31 nu *fehlt.* 34 wâfen *fehlt.* 35 daz sint erft fcharpfe mer. 36 nu
han ich weder hamer. 37 ouch *und* ein grôzen *fehlt.* 38 niht *fehlt.*
39 alfô *fehlt.* 40 worn mit im g. 41 haben. 42 liebiu] gutti.
43 retten fi. 44 der konst willen wir nit eupern. 45 nu merk fürft l.
46 fint zwilf küni m.

wir sint alsampt goltfmiet gewefen,
des mögen wir üch nit enwefen.   •

47 und lint worden gûtes rich. 48 edeler *fehlt.* 49 daz wir fiut r.
50 daz edeler *fehlt.* 51 üch der fert w. gedacht. 52 nu haben wir
den werkzûg. — her *fehlt.* 55 müesten] weren. 56 diu habe] daz

gût. — genomen. 57 mocht es dan a. nit gewesen. 58 wol *fehlt.*
59. 60 *umgestellt.*

wir wellen üch mit trewen bi stan,
die wil wir mögen daz leben han.

61 die red erhort do. 62 des] nu. — ûz der mâzen] von hertzen.
63 lihen unde *fehlt.* 64 al *fehlt.* daz] min. 68 rot gallein. 69 wan
fehlt. 70 er *fehlt.* 72 do] daz. 76 im *fehlt.* ' gezelt. 76 tiutsche
fehlt. 77 hemern. 78 dreben fie ain groß gedemer. 80 ducht in
wunderlich. 82 hin *fehlt.* des. · 83 er do die. 84 *fehlt.* 86 nu *fehlt.*
87 dirs. 88 frömde. 89 zwar *fehlt.* 90 her *fehlt.* 91 mit] von.
92 fint dir dine lant gewonnen an. 94 nu ne *fehlt.* 95 zwar *fehlt.*
es dorft. 97 aus ainem frömden l. 98 und] die. 99 zwar *fehlt.*
werder criften kint. **2100** nu *fehlt.* 2 alle. 4 fchönen. 5 alle *fehlt.*
6 fie *fehlt.* 9 vil *fehlt.* manig. 10 und het in daz lant gewonnen an.
11 alle *fehlt.* 12 dem pett. 16 honden. 17 vorwopten. fêre] grimme.
18 *fehlt.* 19 wirt. 20 *fehlt.* 21 baid fwert und fchilt. 22 der heiden begir was unmild. 23 alfo *fehlt.* 25 fich *fehlt.* 26 und lieff do
sie irn vater vant. 27 den] irn. 28 hoeret wie so] gar zöchtiklich.
29 vil *fehlt.* hertzenlieber. 30 porgen der zucht din. 31 und *fehlt.* wil-
dest du es glauben mir. 32 fo wilt ich die warhait sagen dir.
33 möchten *fehlt.* 35 zwar *fehlt.* alfamt] alles. 36 farn durch die
lantn. 38 vater *fehlt.* sint fie gevarn here. 39 gach. 40 und
erzaige in kain fmach. 41 alle *fehlt.* 44 zwar *fehlt.* wirt] wer.
45. 46 *fehlen.* 47 dorffen wol v. 49 so bedarfst du. 50 selber wol
ain guldin. 51 fchône *fehlt.* 52 vater | so *fehlen.* 53 immer *fehlt.*
54 wo man es sol s. 56 fînem] dem. 59 die herren] sie. 60 der
künic] ir aigen her. 61 hilt. 63 des harnes. 64 die was groß.
65 als das gefchach. 67 solt nit lan. 70 fie gar w. 71 vil *fehlt.*
72 vil *fehlt.* 74 sie sulten legen gut kleider an. 75 zwar *fehlt.*
78 und ilte aus der vest. 80 sinen zogen im vast nach. 83 fant *fehlt.*
84 ging zu dem h. 85 goltsmietten liez er ftan. 86 er] und zu dem.
87 do sie der haide an s. 88 der heide] er. 89 nu *fehlt.* mir wil-
komen. 90 zwar *fehlt.* 91. 92 *vertauscht.* 92 guldin. 93 alle *fehlt.*
94 nû sult ir mir] ir suit mir. 95. 96 *vertauscht.* 95 ze boten *fehlt.*
96 nu *fehlt.* 97 vol *fehlt.* 98 zochtlich. 99 zwar *fehlt.* **2201** ich
kans lenger. 4 unserm *fehlt.* 5 uns was geseit mer. 6 dochter
gehaißen wer. 7 wan du haetest ir *fehlt.* zu geben ainem. 9 rede]
mer. hân *fehlt.* 10 auf dein drost sein wir komen. 11 wir] und.
12 er ernstlich. 13 darfst du unfer nicht zu dienen. 14 h. befchaid
uns der rechten mer. 15 du *fehlt.* 16 uns din gnedigen. 17 und

laz. — dâ mit *fehlt*. 18 der milte *fehlt*. got der mag. 21 her *fehlt*.
22 *fehlt*. 23 und] so. — helfe] hult. 24 dar zuo *fehlt*. 25—27 ſant
Oswalt erbort die rede do. 28 do ward er von hertzen fro. 30 demût-
tiklichen er. 31 er] und. 32 und *fehlt*. grôzen *fehlt*. gutti. 33 und
hilf mir daz ich etc. auff erden. 34 unz daz die lôge von mir.
35 die. 36 her got des suit. 37 haiden enleis nit bleiben. 38 er
heis. brieve *fehlt*. 39 und *fehlt*. waz. ganz. 40 heis. — in ir herberge *fehlt*. 41 ouch *fehlt*. 42 waz. 43 ouch *fehlt*. 44 gûtti kost
wol berait. 45 dannoch] do. — burge. 46 ganzez *fehlt*. 47 niene]
nit. sahen. 48 komer

> noch kaines wibes geberd
> des worden ſi alſo ſwer.

49 nû] do. ſant *fehlt*. 51 dar *fehlt*. alsampt. 52 wylt wir wern do
haim in E. 54 und *fehlt*. alle wern min aigen. 56 ir nicht g.
57 und] ich. vorzaichen als min. 58 wider *fehlt*. 59 darumbe *fehlt*.
daz ich nit wurde innen balt. 60. 61 *fehlt*. 63 nu] daz. anme *fehlt*.
64 daz er was] was er. allen *fehlt*. 65 do] und. 66 *fehlt*. 67 die
.junge k. 68 suit. 69 slauff. erschreickt. 70 auff pleickt. 71 seinen.
72 nu *und* do *fehlen*. 74 liebe mer. 77 so *fehlt*. 78 vier *fehlt*.
79 minem hirze] im. 80 unden *fehlt*. 82 und] nun. 83 mir sie innen
hol. 84 wan mirs] als sie. sinem] dem. 86 deckin] duch. er] ich.
87 daz es dem hirs auf der erden. 89 an der] dem. hin *fehlt*. 90 also
fehlt. 91 eren r. 92 heirs her dan. 93 mit ir hunden *fehlt*. 94 lat
euch nit weſen laid. 95 vil *fehlt*. der portener. 98 werkten. die
fehlt. 99 weirkten. **2300** die kunst was in w. 1. 2 weirkten. 2 und
nacht. 3 ſelben *fehlt*. 4 grôzen *fehlt*. 5 und] do. — ſchône *fehlt*.
7 dô *fehlt*. 8 dô an *fehlt*. 9 seiden. 12 an den] dem. hin fehlt.
14 ber *fehlt*. 15 nu ersach in des. 16 in wunderlich mer. 17 also]
vil. 19 er ruft vil ſchon. 20 nu *fehlt*. 21 du solt hiute] hût solt du.
22 diu *fehlt*. 23 zwar *fehlt*. 24 han. 26 vor war sagen. 28 du hast
sein ere in deinem land. 31 vil *fehlt*. 32. 33 zwar *fehlt*. 34 geticht]
deicht. 36 innen. 37 den weinden. 39 pitt wer ain. 40 daz der
mir d. h. helff. 41 und *fehlt*. 46 irem slaff erschr. 49—82

> und wer do vorseit daz gejagd sein,
> der hett vorlorn daz lebens sein.
> der reich kunig Aron
> zoch mit seim guldin horn,
> mit allem ſeim hofgesind
> dem hirs noch gar swind

83 er huop sich] der heirs leiff. 84 dert *fehlt.* gên einem] zu dem.
85 — 96 *fehlen.* 97 heirs. 99 den perg. **2401** do er nu under daz
her w. 2 und daz die hern hatten vornomen.

3 jeglichen besunder
nam do groß wunder
wie der heirs zu in komen wer.

3 ne *fehlt.* 5 daz wißt den w. h. 6 dô ûz der mâzen] unmaßen.
8 was] tet. 9 entwer] ver. 11. 12 *fehlen.* 13 si *fehlt.* 14 und wellen von der kunigin sagen. 15 ſtund an ainer zinne. 16 alten *fehlt.*
17 und vier. 18 dâ mit] mit den. 19 die sie zunächst pi ir sach.
20 der selben] ir. 21 vil *fehlt.* geſpille. 22 durch den willen min.
23 und *fehlt.* 24 hebe mir ûf] du umb. 25 ſte. 26 also sie die j.
k. bat. 28 ob *fehlt.* 29 nu *fehlt.* iu] dir. 31 gestan. 32 eht *fehlt.*
34 in ainer ſchönen k. 35 ſwenne] so. k. hat ein e. g. 36 denne
fehlt. 39 umb det ſi den m. 40 auff ir guldin kron. 41. 42 *fehlt.*
44 d. mutter het sein nit genomen war. 46 ob *und* selbe *fehlt.*
48 selbes. 50 giengen mit der jungen kunigin fri. 53 hat sie vor
hein b. 54 nu *fehlt.* 58 recht *fehlt.* 60 ir *fehlt.* 62 legten umb sich]
sie datten umb. 63 und breisschue. 64 taten] gaben. manchen.
65 magede. 66 ſich *fehlt.* 67 geperen. 69 ſwert. die] ir. hend.
70 *fehlt.* 72 hin] her. was in gach. 73 tor und tür] vast daz dor.
74 und *und* gestôzen *fehlt.* 75 mochten aus komen. 76 des wart in
fröd vil b. 77 oben auf die z. 78 und namen war, ob sie es m. spr.
80 erwider. 81 her *fehlt.* 82 juncvrowen *fehlt.* 83 do *fehlt.* 84 auff.
85 zu der porten an die muer. 85 begund sie hart tr. 87 habe ich
gehoeret] hort ich je. *dann nach* 2488

wie sie brachte mit ir gütte
waſſer zu der glütte,
89 Maria dein gnad laß uns ſchein
und hilf uns armen magetîn.

90 und hilf uns *fehlt.* 91 und ſelle in deinem namen g. 92 *fehlt.*
93 daz bet] die ret. *Das 2te* dô *fehlt.* 94 ſich *fehlt.* 95 gedat.
96 ob *fehlt.* wint auff weit. 97 die stolzen junkfrauwen her. 98 di
ne *und* lenger *fehlt.* 99 vil *fehlt.* **2501** und *fehlt.* 2 sît *fehlt.* *Nun*
folgt an der selben stat
daz tor sich wider zu det.

3 ouch *fehlt.* 4 wart bas beslozzen dan vor. 5 wan *fehlt.* ſi hatten
kain rast. 6 und] sie. 7 über daz weit velt. 8 hin zu. — gezelt.

26*

10 auf die goltfmitten. 12 nu *fehlt*. 13 er fprach *fehlt*. 15 dert *und* her *fehlt*. 17 dan alle min s. 18 so ist mir *fehlt*. sî| ist. 19 vil *fehlt*. 20 nu ne *fehlt*. lenger *fehlt*. 21 du folt ir engeigen gen || du folt vast gahen. 22 und folt fie williklich e. 23 daz wort gefprach 24 Oswalt. nie gefach. 26 fchone] balde. 27 im aus allen erkant. 28 bezaichnot. 30 die junge k. felber w. 31 do *fehlt*. 32 vil *fehlt*. lieplichen. 34 was. 35 faut *fehlt*. 38 die drî ilten im v. u. *Nach* 2538 *folgt:*

> do fprach der fürst lobifam:
> „wol auf alle min dienftman
> und lat uns heben von hinnen,
> ich hon recht die junge kunigin."
> die felben dienftherren
> frauweten fich der mere,
> daz in so wol was gelungen
> und die kunigin hatten gewonnen.
> der milt kunig Ofchwalt
> begund eilen balt,
> do er alle fein diener vant.
> hin gain dem mer was in gach.
> die fienen zochen im vaft nach.

39 er hatt nit mer zu bliben. 40 und begund vaft zu illen. 41 vafte *fehlt*. hin an] auf. 42 mit den helden unde *fehlt*. der jungen k. 43 er hop fich von dan. 44 goltsmiet. 45 zwifchen die perg drat. 46 alle *fehlt*. 48 und det den hilden alien kunt. 49 er] und. 50 er vroelich] die kunigin. 52 fie wurden alle. 54 michel] ein frölich. 57 do si] daz fie. 58 nu mocht in nit liebers. 59 zwifchen. dem] daz. 60 dâ *fehlt*. ließen si manig gezelt. 62 fich von dan. 63 alien *fehlt*. 64 fie] und. hin bald *fehlt*. 65 al *fehlt*. 66 fich *fehlt*. 67 dar] do. fchieffman. 69 anker] ruder. 70 der ftatt. 71 nu *fehlt*. mer komen. 72 fit *fehlt*. 73 vil *fehlt*. 74 sie frölich fungen. — von herzen *fehlt*. *Nun folgt:*

> nu laßen wir uns got enphollen sin,
> der mag unser aller trost sin.
> nu sullen wir nicht verdagen.

76 wir sullen v. 77 vruo *fehlt*. 78 zuo der burc riten] komen. 79 wan *fehlt*. 80 bis wilkom kunig A. 84 hettest. 85 vil *fehlt*. 86 nu ne *fehlt*. klains. 87 alfô *fehlt*. 89 noch *fehlt*. 90 und] die. kunden mir. hirz *fehlt*. 91 dô vol *fehlt*. 93 vil *fehlt*. nu *fehlt*.

94 wan *fehlt*. 96 nu *fehlt*. 97 junge *fehlt*. 98 diu *fehlt*. von hin-
nen] hein. 99 die fchöne junkfrauwe. **2600** ach wie sult ich des
glauben. 1 ist mit in auff dem wilden se. 2 der haid woffen lut
fchrai. 4 daz ich sîn] ez. — k. mir zu fchaden. 5 fant *fehlt*. 6 tochter heim in sin lant. 7 doch niḫt] nimmer. 8 allem sim gefinne.
9 zwar *fehlt*. 12 wen im was von hertzen z. 14 erz] ez. 15. 16 *fehlt*.
17 wan es fchalt erfchrecklich. 18 dem] daz. 19. 20 *vertauscht*. —
20 alfô] es. — er *fehlt*. 21 fîne] die. 22 die] sie. waz mag im
gewern. 24 rietten die hern alle zu. 25 under den heiden *fehlt*. der.
28 vom herzen z. 29 zu in namen sie ir dienstman. 30 hin] von.
32 ime] dem hern. 33 fich wol der. 34 wie *fehlt*. forgen] notten.
37 dô was] das weisft. 38 was umb iren h. alfô *fehlt*. 41 sa *fehlt*.
42 ain ungefuge. 45 nu fragten sie der. 46. 47 *fehlen*. 48 junge
fehlt. 50 den *und* da *fehlt*. 52 vil bald] vast zu. 53 in. — roup
fehlt. 54 alfô *fehlt*. 56 man alsampt. 57 hin *fehlt*. 58 vaste] fere.
59 am morgen].fru. 60 do fant Oswalt in großen sorgen for. 61 so
na. 62 aber *fehlt*. des] sie. 63—66

> daz die haidnifche man
> worden die criften fichtig an.
> het er do nit gehebt den raben,
> so weren die criften zu tod erflagen.

68 den kiel] dem masbaum. 69 nâch in] zu. 70 nu horet. 71 vil
fehlt. 72 eht *fehlt*. 73. 74 *fehlt*. 75. 76 *vertauscht*. 75 waerlich
fehlt. nâch uns her] uns na. 77 ez wil dan gott felber u. 78 daz
leben lan. 79 erfchrack. 80 hinte und *fehlt*. 81 und | nach uns *feh-
len*. 82 ez uns an. 83 gefchehen also *fehlt*. 84 unde *fehlt*. er hat
mangen wilden h. 85 her *fehlt*. 86 die kristen] wir. 87 wan *fehlt*.
fîn grimmer] der haidnisch. 88 alle daz] unfer. 90 wilden *fehlt*.
91 grôze *fehlt*. 94 felber ne kan] so mag. — nit. 95 wol *fehlt*.
96 frau, des hab ich enk nit erlost. 97 fterbe] hie ftirbt hie. 98 ez
mus ain rechter ftreit tag werden. 99 oder *fehlt*. dan vorwirkt sein l.
2701 er och ee. 2 wirt] hat. 3—5 daz hat kain criften, ob g̑ot wil,
nie getan. 6 bî] zu. 7 nu bitet] und pitten. 8 uns mit eren helf v.
hein. 11. 12 *fehlen*. 13 himelische kunigin. 15 kain. 16 mêre
niuhtes] nicht. 17 wes er durch dich begert. 19. 20 *umgestellt*.
19 wes. 20 und baete er] er beit. unde] oder umb. 21 beit. 22 zwâr,
daz gibich im] ich geb ez im. 24 hin *fehlt*. dem. 26 den. 27 dô
fehlt. daz gepet volenbrocht. 28 dô griwelichen *fehlt*. 30 des meres
vierdhalbhundert. 32 den haiden ain nebel und ain w. 33 nicht.
35 o. waz (1. war] jeglicher komen folt. 38 wan *fehlt*. felbe] nit fel-

ber. 40 aber *fehlt*. fert. 42 dâ was ouch] und was ain. 44 gesa-
gen] fprechen. 45 an den selben fristen. 46 dô *fehlt*. 47 zwifchen
daz mer auff ain s. 48 alfô *fehlt*. daz] dies. 50 fcheiff. — dâ *fehlt*.
51 fie] nu. — fich dâ] sie. 52 ouch *fehlt*. râtes] ro. 54 ez fit *fehlt*.
58 alle *und* zin *fehlt*. 59 die weit. 60 müssen. 61 im *fehlt*. 62 nû
fehlt. 63 nu ir w. cristan. 64 alle *fehlt*. an enk v. 65 lat enk nit
wesen laide. 66 und bewart enk gein den haiden. 69 enk, des
bezweinget enk n. 70 auf den dot. 72 grôze *fehlt*.

in dem ewigen leben.
des wil ich iu mein triuw geben.

73 zwar *fehlt*. 74 sint. 76 nû habt felbe ein] nempt enk selben.
77. 78 *fehlen*. 80 müssen von uns komen zu laide. 81 wan *fehlt*.
82 muoz uns] begund in. 83 uns *fehlt*.

84 sie fullen des haben unser truw,
ir heirfart wirt sie ruwen.

86 mêre *fehlt*. 87. 88

sant Ofchwalt nit enleis,
den ftormvan er in sein hant ving.

89 her *fehlt*. 90 balt hin] vast. *Nach* 92 *folgt:*

sant Ofchwalt die haiden an sach,
die wort er fürstlich fprach:
ir haiden, ir suit enk bewarn,
enk mag niemant ernern.

94 nû] do. grôziu *fehlt*. 95 doch lenger *fehlt*. 96 zugt. — der *fehlt*.
97 liechtvar. 98 und truegen auff. **2800** die *und* da *fehlen*. lieffen.
1 zu samen komen. 2 ain herten ftreit vornomen. 5. 6

mit ftarken swertslegen
begunden si sich auff ainander heben.

8 alles, daz ir herz b. 10 ftormfan in der h. 12 vocht er reitterlichen.
13 *fehlt*. 14 er] und. 15—18

er furt den ftreit weislich,
des frauten sich die seinen al glich
die cristen woren unverzaget
und machten den haiden erbeit.

20 und machten (!) mit der h. fch. 22 fie] und. den heiden *fehlt*.
grôze] tiefe. 24 des vil *und* dâ *fehlen*. 25 hatten kaine rast. 26 he-

ben in. — vast. 27 daz ſtächeln. 28 toten] haiden. 29 die criſten
sich wol gerochen. 30 vaste ´fehlt. 31 dâ fehlt. 32 hinder sich fehlt.
vordringen. ´ 36 daz nieman kainer ruwe pfl. 40 wol und da fehlt.
41 im all erſl. 42 ez fehlt. 43 zwâr ez] do. 44 man liet ir weinig g.
45 alſampt die] eren. 47 niwan] nur. Aron. 48 vor den. 49 och
umb. 50 der kunigin v. 51 k. nu undergiengen. 52 des] daz. dâ
fehlt. 55 ſi] in. 56 dô fehlt. er begund. 57 her. 58 zwâr fehlt.
ewer kunft han. 60 zuo im fehlt. 61 rede vol. 63 zu ſwer han.
ⵑ 65 wan fehlt. 66 wie | geschicht. 67 ſant fehlt. 69 mein. 70 muſt
sein. 71 worden an dir tugenhaft. 72 nun hat mein got wol die
kraft. 73. 74 fehlen. 76 lebendig sichst vor dir sten. 77 rede vol g.
78 nu fehlt. 79 ach] ain. ſant fehlt. 81 ich an allen sp. 82 und
fehlt. du erpitten daz dein got. 83 aus der n. 84 und daz sie auff
ſten. 87 mag aber daz nit geſchehen. 88 an got wil ich nit jehen.
89 red geſchach. 90 ûf sach unde fehlt. ´92 man. 93. 94

den du enpſieng an dem hailigen frittag,
do erlost du frauw und man

95 deinem. 98 toten] haiden. alle wider fehlt. 99 diz] die. do vol
fehlt. **2900** ie ein tôter] ainer. 1 aller der geper. 2 nu, ob, ſanfte
fehlen. 5 hie fehlt. tan. 6 du an in glauben h. 7 ouch fehlt.
8 criſten glauben. 9 und fehlt. 10 beſezeſtu. ewige] from (l. frôn).
12 iemer] nur. 13 wan und der fehlt. 14 er mocht mir nit´ weſen v.
17 elliu dinc] und waz. 19 edeler fehlt. 20 und fehlt. 21 alle fehlt.
houbete] libe. 22 niwan] nu. 23 nû ê fehlt. mir al abſlagen.ʳ· 24 wilt.
ſchamen. 25 gelouben wolte] glaubt. dein. 27 ret er aus gr.
28 sichstu mein leut ſint. 30 ich erst mit. 31 worden. 32 diẹ ſprä-
chen fehlt. lat. 33 zwar fehlt. 34 nimmer mêre] nicht stan. 35 diſer.
36 als. 38 des fehlt. die heiden alle jeben. 39 nû fehlt. habt es
auf all. 40 Machmetten. 41 er ne mac nieman] so mag kainer.
42 kristum fehlt. 44 uns hülf wol. 45 red vol. 46 der fehlt. 47 ô]
ain. ſant fehlt. 48 vil fehlt. 49 zwâr und nû fehlt. 50 wolt fehlt.
criſten glauben. 51 gar ein und ist ouch darzuo fehlen. 52 alſô fehlt.
53 niene] kain. 54 ob fehlt. enphilch dir a. d. st. 55 viel ich in daz
w. m. 56 ſo mir mocht nit helfen als m. here. 57 duchtenlich.
60 nu fehlt. 61 nur: und pitt dein got inne. 63 lat springen.
64 denne fehlt. 65 daz] ez. 66 dein. — niumer mere] nicht.
67 reine fehlt. 68 gieng hein auf die ſteinwant. 69 do] und. — ſein.
70 an ſîn] in die. vie. 71 zog. — ſchaiden. 72 der heilt es nit lenger vormaiden. 73 ort er lies hangen nider. 74 alſô fehlt. 76 gern
mocht ir h. 77 ô und vürſte fehlt. 78 man. 79 die du enphieng in

dem Jordan. 80 paid durch frauwen und man. 82 entspringende
fehlt. 83. 84 daz die haidinifchen hern

in deinem namen criften werden.

85 dô *fehlt* 86 daz | begert. — 89 hant. 90 kraft. 91 ze tal *fehlt.*
94 durch port. 95 stück erdan. 96 daz sâhen haiden und criftenman.
97 noch *fehlt.* 98 mochten. 99 dô wol erfchein und] die. — sô
fehlt. **3000** ftain want. 1 wol *fehlt.* lang (*sic*), 2 *fehlt.* 3 niun]
ainer. klofftern. 4 dô vil] gar. 6 z. mein got hat tan. 7 zu der.,
8 criften glauben. 10 du *fehlt.* weder. 11 wan *fehlt.* iezunt. 12 abe
fehlt. vil fêre] hart. 14 do vast *fehlt.* 15 fant *fehlt.* 20 in niumer
mêre êrèn] mich pas bekeren. 21 zwar *und* dir *fehlt.* der] die. jeben.
22 wan *fehlt.* unferm gote] Machmetten. 23 mich lân] glauben.
Jêfus *fehlt.* 24 zwâr *fehlt.* 26 nû *fehlt.* 27 sîn alles wol *fehlt.*
28 der dauff gert. 30 zoch dem haiden ab s. 32 haist du der rich k.
33 werden] sein. 34 al diu] alle. 35 dâ *fehlt.* 38 *fehlt.* 39 d. er
kainer raft nie gepflag. 40 *fehlt.* 41 an dem trietten tag, do fich tag
und nacht wollt fchaiden. 42 da noch. 45 vor samt. 46 alle *fehlt.*
47 ir drî] und. des waffers drei ftunt in d. m. 49 dô *fehlt.* worden.
50 ze *fehlt.* 51 und] sie.˙ felben *fehlt.* 53 werder *fehlt.* 54 und
fehlt. 55 der milte künic *fehlt.* 56 g. der hat. — wol *fehlt.* 57 tuns
euch allen kunt. 58 fterbent. 59 alle *fehlt.* 60 sô] o. 61 alsampt
fehlt. hoeren] kunnen. 62 nu ist uns] uns ist. — mit dem dode fo
we. 63 wir wânden] nu woiten wir. 64 nû *fehlt.* 65 liden den]
ligen. 67 alle *fehlt.* 70 iezuo] ietzunt. 71 wan] und. daz ganz jar.
72 dir] euch. 74 daz uns an .der sel mocht schaden. 76 unser] die.
77 felben *fehlt.* 78 dô *fehlt.* 80 her got. — nû *fehlt.* 81 gedauften.
82 hie *fehlt.* 83 daz *fehlt.* 84 dem andern tôde] ainander. 85 dô]
aber. 86 hete *fehlt.* 88 dô] im. 89 getouften *fehlt.* — gefwegen.
90 alle von dem] vor. 91 dô] daz. irs. 92 u. och gar fennflich.
94 reht *fehlt.* als ez got felber w. 96 helle not. 98 fêien] selben.
99 selben *fehlt.* **3100** iegleiche von seinem. 1 fürten sie dô. w.
2 si *fehlt.* 3 dô *fehlt.* 5 dar zuo *fehlt.* 6 zogen do frolich. 7 ir och
nie. 9 sein alsampt. 10 vuor] kom. gên] haim in. 11 die mer.
12 wie *fehlt.* 14 *fehlt.* 15 mit großer gab. 16 nâch] durch. 17 mil-
ten] richen. fant *fehlt.* 18 die grôze *fehlt.* und durch g. 19. 20

nu hat er ain fchön hochzeit,
als uns das tütsch puch seit.

21 unz an den VII. tag. 22 daz jeder] weder. 23 ez *fehlt.* 24 den]
baid. 25 ergangen. 26 alle *fehlt.* 28 dô *fehlt.* 29. 30 und heis im

prengen arm lutt.   31 der] den.   33 ouch *fehlt*.   35 do wolt er nit
ruchen.   38 wilden *fehlt*.   39 do arm lutt sein p.   40 dô *fehlt*.
41 armer liute zehen] nieder ir.   42 als manig tußent kamen dar.
43 dô ouch *fehlt*.   46 ze der] an die. — ſchar *fehlt*.   47 gâbe *fehlt*.
48 zuo der] an die. — ſchar *fehlt*.   50 er] und.   51 nit mer z.
52 er] und.   53 zuo der] an die.   54 unz an] zu der.   56 unz im IX
ſtunt wart geben.   *Hier folgt:*

er det glich ainem armen man
und ſcheid mit armen lutten von dan.

58 dennoch *fehlt*.   59 nû *fehlt*.   60 die armen liute] arm lutt. ſch. do
von.   61 dannoch] dar nach. lau.   62 er] und. hin] bald.   64 den
fehlt. wolt er versuchen mere.   65 ober] ob,   66 im *fehlt*. ver-
ſprochen] verheizen. trân] dan.   67 vil ſchiere] als.   70 parmlichen.
72 ô dû] ain.   73 hiute *fehlt*.   74 daz] so.   76 lieber *fehlt*. gerne
fehlt.   77 do ſprach der kamerer her.   78 hêrre *fehlt*.   79 hiute *fehlt*.
80 genuoc] daran.   81 er ist als ain g.   83 ez] des. — w. ain genomen.   84 daz er an die christi ſchar iſt.   86 nû] do. — ich Christ
kindellin.   87 in] an.   88 wolten] mochten. her] in.   89 sant *fehlt*.
91 ſtücke vleiſch] käs.   92 der] aller.   93 d. zu so g.   95 den kamerer ser.   96 zu dem bilgerîn nune *fehlt*. kompst du nimmer mer.
97 unser her hat kain rast.   98 balt hin *fehlt*.   **3201** sich ſchier v.
4 bald hein weder gan.   5 den fürsten heir.   6 den *fehlt*. wolt er
aber verſuchen mer.   8 daz er im hat verhaissen auf des mers dan.
10 er was] und.   11 allen *fehlt*.   12 werde *fehlt*.   13 balde *fehlt*.
14 waz man ze tische solte haben.   16 gotte kost waz man gert.
17 pott.   21 kameer.   22 ducht.   23 daz] do.   24 die hoffchelk ez
ſere m.   25 die | die *fehlt*. ſchentfeſſel.   26 dien *fehlt*.   27 von] vor.
28 ainer ſteis in.   29 ie *fehlt*.   30 begunde des nemen] nam ez.
31 er] und. daz.   32 pider man.   34 zwâr *und* alsô *fehlen*.   35 dô
fehlt.   36 bi der hant gevie] umb vieng.   37 reht *fehlt*. — pider.
39 da solt du s.   40 so hais ich dir zu e. u. zu tr.   41 edele *fehlt*.
43 edelen *fehlt*.   44 dar] her. ain.   45 dô *und* brâten *fehlt*.   46 er]
und.   49 dô *fehlt*.   50 durch got gip ich dir gern.   51 dô *fehlt*. selber.   52 er in auff den ofen drug.   53 dô *fehlt*.   54 wie pald.   55 im
vür] her.   58 blicte ofte] sach gar oft.   59 vil edeler fürste *fehlt*.
60 daz] so.   61 ez zimpt. — dem. ſtân] han.   63 dar in | lebendig.
64 geholfen hât] helf.   65] sant *fehlt*.   66 im den kopf] in im.   67 dô
fehlt.   68 wie pald er wider z.   69 tiſchtuch] zwel.   70 daz] die. dar
zuo *fehlt*.   71 ez] die. alſô *fehlt*.   72 ez *fehlt*.   73 guotem *fehlt*.   74 ez
fehlt.   75 aber *fehlt*.   76 daz tiſchtuoch] die zwel.   77 ich sie.   78 do

sol man sie zu ainem altar duch haben.　　79 daz tuoch] die zwei.
80 ez] sie.　dar *fehlt.*　81 trag sie gein.　82 dir sîn got felber.　83 daz]
dô.　84 knehtc alsô] diener.　85 fcbintfeffel und kamerer.　86 was]
wart. — alsô *fehlt.*　87 me.　88 und lieffen zu den fchaiden.　89 pef-
fern.　90 zuhten] raaften.　96 slug die fchintfeffel an die o.　98 rück
vil ‖ der edel fürst hochgeporn.　99 ungevüegen *fehlt.*　3300 daz er
im vor den füßen lag.　1 sîn *fehlt.*　　2 und zoch sie gar hein fur.
3 luoget] wart,　4 wie triben sie so ain u.　5 waz wilt ir umb wie er
m. b.　6 nunc *fehlt.*　ez get aus eweren feckel nit.　7 gehiez.　8 vuor]
fweht.　wildes *fehlt.*　9 und] do ich. — grôzem *fehlt.*　10 dar *fehlt.*
11 herten] pittern.　12 aus der groffen.　14 dem gab ich do min truw
z.　15 wes man durch seinen willen an mich g.　16 ieglich.　17 bite]
pet.　18 in] got.　suit ez im unversaget s.　19 ze hant *fehlt.*　mit] an.
20 hoffchalken verratten wart.　　21 daz sie dem pilgerin nit dorfften
dûn.　23 edel *fehlt.*　24 hêrre *fehlt.*　ewern zorn den lat sein.　25 zwâr
und ez *fehlen.*　　26 schecht (*sic*) ir mich,　es möcht euch riuwen.
27 vürfte *fehlt.*　28 nider] wider.　29 aber] schon.　30 nu] do. sich
·*fehlt.*　31 hin *fehlt.*　32 er] und. — nie *fehlt.*　33 edeler *fehlt.*
35 alle.　36 du mir setzen in mîn h.　37. 38 *fehlen.*　39 und *fehlt.*
40 daz | die *fehlt.*　41 als ein.　42 sô *fehlt.*　wart.　43 sant *fehlt.*
44 seiner.　45 sâ] al.　47 edel *fehlt.*　48 nû] so.　ouch] auff.　49 war
zuo] waz.　suit.　weit.　50 dan.　51 ab der] die.　vil übel] hert.
53 er sprach mit eren.　54 pilgerin ich gip dir sie gern.　55 zwar
fehlt.　56 und *und* nû *fehlen.*　57 der milte degen.　zuo — leben *fehlt.*
58 zwâr] fraw.　59 unfers lieben h.　60 pitt.　61 recht *fehlt.*　62 waz
ist gottes wil.　63 an sein hant vieng.　64 kam] gieng.　65 vil *fehlt.*
66 las fi dir.　ûf dîn triwe *fehlt.*　67 wol erkant] ftett.　68 nû *fehlt.*
gewant] gewett.　72 williklich.　73 fremde.　74 do bin ich.　75 zwâr
fehlt.　richtum.　76 wil ouch *fehlt.*　77 verfmæhode] fmech.　ouch
fehlt.　78 daz *fehlt.*　79 do mit nam er urlap mit sinnen ‖ von der
edellen kunigin:　80 urlap nam er von dem pilgerin ‖ und ouch von
den helden sein.　81 sein. — vaste *fehlt.*　84 den *und* dô vaste *fehlen.*
85 fant *fehlt.*　87 hin *fehlt.*　88 vaste] pald.　89 fant *fehlt.*　90 ge. —
durch got] her.　91 grôze *fehlt.*　92 gebot.　93 nicht *fehlt.*　gerne.
97 er] und. — macht. — haben *fehlt.*　98 daz solt du mir kunden
und sagen.　99 edele *fehlt.*　3400 möcht.　2 Jâ ich *fehlt.*　3 von her-
zen] recht.　4 die gnâde] den gewalt.　5 rede vol.　6 nû *fehlt.*　wie
dô der. — 7 zwâr *fehlt.*　8 hie *fehlt.*　felber der lebendig g.　9 *fehlt.*
11 mir] nitt.　edeler *fehlt.*　12 wilden *fehlt.*　13 allez fchône] alsampt.
14 dine *und* diniu *fehlt.*　16 deheiner fünde] kain stund.　17 und *fehlt.*
lenger] me.　19 ouch *fehlt.*　vier] chriften.　21 merk] wirk.　der fund

solt w. 22 dînem] dem. 23 wan. dein manheit wirt zwingen. 25 ſol´
ouch tuon] du auch. 26 tuotz] du daz. 27 iu] dir. 28 daz ewige
himelrich zu lon. 31 niemant me mocht. 34 der *fehlt.* got war w.
36 die wolt auch gottes dienerin sein. 38 aller] der. liebin *fehlt.* sich
gar v. 39 ſwenne] wan. 40 ir ietwederz] ieglichez. 42 diu *fehlt.*
43 wile] zit. 44 ir lehen wert do nicht lange. 45 lebens] libes. grôze
fehlt. 46 bitter] hert. 49 lenger *fehlt.* 50 ſie] und. heißen in. 51 ſie
erkanten sich in iren ſchulden. 52 und worben nach gotes hulden.
53 vrônlichame werde *fehlt.* 54 tragen] legen. 56 ſêlen] ſelben.
57 — 60

> und enpfingen an der ſtunt
> die ſellen von dem munt
> und furten die wirdikliche
> für got in daz ewige riche
> er und die kunigin
> des sult ir sicher sein.

Ich habe die von Ettmüllers ausgabe abweichenden lesearten vollständig gegeben, mit ausnahme der von ihm eingeschalteten *en* und
ne, die unserer handschrift durchwegs fehlen. Es geht daraus hervor,
dass unsere handschrift (J) in den meisten fällen mit M stimt. Man
vergleiche z. b. 720. 840. 1927. 2092. 2117. 2121. 2145. 46. 2187.
2191. 2248. 49. 2266. 2283. 2293. 94. 2402 — 4. 2419. 2450. 2463.
2478. 2485. 2488 — 2493. 2538. 39. 2619. 20. 2663 — 66. 2675. 76.
2687. 2703 — 5. 2719. 20. 2730. 2745. 2787. 88. 2792. 93. 2805. 6.
2815 — 18. 2829. 2851. 2873 — 76. 2921. 2968. 2979. 80. 2983. 84.
2996. 3038 — 3040. 3119. 20. 3129. 30. 3142. 3156. 57. 3170. 3278.
3337. 38. 3363. 64. 3368. 69. 3379. 80. Man wäre bei der über-
wiegenden übereinstimmung versucht zu glauben, dass J eine abschrift
von M sei. Allein bei genauer prüfung stellt sich eine solche annahme
als unstatthaft dar. Denn es fehlen in M 1620. 1931. 32. 2561. 2584.
2076. 2159 — 62. 3032, die J bietet. Einige mal steht auch sonst J
zu S, z. b. 2306. 2412. 2528. 2830. 31. 2848. 2863. 64. 2877. 78.
3032. 3042. 3151. 3182. 3283. 3457 — 60. In seltenen fällen stimt
keine handschrift zu der andern, z. b. 2602. 2624. 3020. 3302. Ein
paar mal bietet J das beste 2495. 96. 2502. 3. Mit recht fehlen
auch in J 2441. 42. S unterscheidet sich von J nicht zu seinem vor-
teile durch die häufige einschiebung der flickwörter: zwar, vil, nu, do,
sant, ouch, alle u. a. in charakteristischer weise. Was unsern schreiber
betrifft, so hatte er eine handschrift vor sich, die *i* in *ei* nicht aufgelöst hatte, denn er gebraucht noch oft die einfache länge, obwol er
häufig *ei* dafür verwendet. Für *iu* gebraucht er *ew, eu,* doch 3324

und 3325 schreibt er noch tri*u*we, ri*u*wen. Für iuch verwendet er
euch, üch und enk (2696. 2776. 2765. 2766. 2769). Mit vorliebe
steht *ci* für *i:* zeinen (zinnen) 2432. hein (hin) 2706. 2714 neider
(nider) 2710. heirs (hirz) 2287. 2292. 2313. beinden (binden) 2280.
fteirbet 2701. bezweinget 2769 usw. Ebenso gebraucht er *i* für *e:*
hilt 2007. 2161. hilden 2654. Auch *o* für *u* ist ihm geläufig: won-
den 1694. korzer 1735. 1775. konst 2044. bonden 2116. ftorm
2810. Auf eine niederdeutsche vorlage könten deuten: gewerfen (gewer-
ben) 50 (J), erwerfen (E. 900) und der reim reden : bietten (bitten)
J 35. 36. Für die zeit dieser handschrift könte vielleicht der umstand
eine bedeutung haben, dass der schreiber beidemal das wort „marner"
meidet. 2567 setzt er dafür fchiffman, 2656 einfach man. In der
ersten hälfte des 15. jahrhunderts war dies wort noch geläufig, z. b.
Oswald v. Wolkenstein XXVIII, 1, 5 und 3, 11 und Vintler 2427:

> das es die marner pringt von finn,
> die des fcheffes fullen phlegen.

In der prosaauflösung des Gregorius auf dem stein gebrauchten die
Schnalser (1442) und die Brixner handschrift dieses wort, im ersten
drucke (1471) ist es durch „fchiffman" ersetzt. Man könte somit
annehmen, dass dies wort erst um die mitte des 15. jahrhunderts unge-
bräuchlich wurde und dass unsere handschrift dem ausgange desselben
angehöre.

INNSBRUCK.   IGNAZ ZINGERLE.

DIE ORTSNAMEN IM UNTER-ELSASS.

Als fortsetzung und vervollständigung der im VI. bande dieser
zeitschrift s. 153 erschienenen erklärung der ortsnamen des kreises
Weissenburg folgen hier die ortsnamen der übrigen kreise des Unter-
Elsass. Im allgemeinen konten bei der anordnung dieselben principien
wie dort befolgt werden, und es sind nur am schlusse noch diejenigen
namen zusammengestellt worden, die sich als zusammensetzungen lateinischer wörter erwiesen haben, sowie die kleine zahl derer, die auch
von der deutschen regierung in ihrer französischen form beibehalten
wurden.

Mit recht sagt E. Förstemann (Die deutschen Ortsnamen s. 278), dass keine namenklasse so sehr den anspruch hat, als repräsentant des' südwestens zu gelten, als die auf -weiler, dessen zusammenhang mit dem lateinischen *villa* wenigstens in sehr vielen fällen nicht abzuleugnen ist. Auch das hier ins auge gefasste territorium bietet der zusammensetzungen mit -weiler nicht wenig, und selbst das einfache Weiler findet sich mehrmals, wenn auch bisweilen verstümmelt und schwer zu erkennen, wie in dem ortsnamen Weyer, das in der fränkischen periode den namen *Bonifacii villare* führte, 1279 *Wilre* und später *Wihr* genant wird, u. a.

Ein grosser teil der hierher gehörigen zusammensetzungen zeigt uns in dem ersten teile einen personennamen, und was wäre auch natürlicher als ein haus, einen aufenthaltsort nach seinem ersten erbauer oder bewohner zu benennen, namentlich wenn derselbe durch seinen rang und seine persönlichen eigenschaften sich vor seinen nachbarn auszeichnet. Wenige beispiele mögen genügen.

Das bekante Bischweiler, *Episcopi villa*, *Bischoviswiler* 1236, ist nach einem meierhofe benant, den die bischöfe von Strassburg dort besassen. Blienschweiler, *Blienswilere* 708, *villa Pleanungo* 823 erinnert an Blion oder Blionung, Bollweiler, *Baltowiler* 727 an Baldo, Buchsweiler an Buohho, Bucho, nhd. Buch, Eckartsweiler an Ekkehart, Engweiler, *Ingonivilare* 742, an Ingo, Geisweiler an Giso, Gertweiler an Gernberta, Goxweiler, *Gottenes vilare* 920, an Goduin, Kossweiler an Chuzzo, Mackweiler, *Macunevillare* 711, an Magan oder Magonus, Monsweiler, *Munevilare* 713, *Monolswiller* 1126, an Muno oder Monolf, Morschweiler, *Moraswilari* 711, an Mora, Offweiler an Uffo oder Offo, Orschweiler, *Audaldovillare*, an Audovald, Ottersweiler, *Ottenwylre* 826, *Othervilare* 1126, an Authari oder Other, Ottweiler, *Odonovilare* 847 an Odo, Thannweiler, *Dannwiller* 994, an Dano oder Danno, Uhlweiler, *Iluunwilare* 784, an Ilo, Uhrweiler, *Urunivilla* 742, *Urumwillare* 801, an Uro (719), Uttweiler an Utto, Zellweiler an Zilo oder Cello.

Dagegen sind es nur sehr wenige zusammensetzungen mit -weiler, die durch ihren ersten teil die lage des betreffenden ortes charakterisieren. Vielleicht gehört hierher Büsweiler, *Buxwilari* 784, wenn wir dabei an das lateinische *buxus*, ahd. *buhsboum* (s. Förstemann, die deutschen Ortsnamen s. 142) denken dürfen. Jedenfalls aber sind hierher zu rechnen Assweiler, *Asco vilare* 718 und Eschweiler von ahd. *asc*, esche; Eyweiler nach der analogie von Eykirchen, *Ahakiricha* (Förstemann, altdeutsches Namenbuch II, 27), Hengweiler,

Kirweiler, *Chirchowilare* 742, Lochweiler (wohnsitz im walde),
Rohrweiler, Zinsweiler, *Cincioneswilare, Zinzinwilare* (8. jahrh.)
von der lage an der Zinsel.

Zweifelhaft ist, ob Pfalzweier hierher gezogen werden kann, und
nicht hier besser eine zusammensetzung mit althochd. *wiwari, wihari,*
lat. *vivarium* angenommen wird.

Ebenso zahlreich sind die zusammensetzungen mit got. *haims,* ahd.
heim, und auch hier lassen sich zweierlei bestimmungsarten unterscheiden, doch finden wir auch hier in den meisten fällen zusammensetzungen mit personennamen; zu ihnen gehören: Achenheim, *Hachin-
heim* 737, *Hahinheim* 884, zum wohnsitze des Achino oder Agino;
Artolsheim, *Artolvesheim*, zum wohnsitze des Hartulf oder Ar-
tolf; Avolsheim, *Avelsheim* 1051, zum wohnsitze des Avila; Bal-
denheim, *Baldanheim* 817 und 824, *Baudeneheim* 1182 (Chronicon Novietense), zum wohnsitze des Baldo; Bernolsheim, *Bernes-
heim* 921, *Bernsheim* 18. jahrh., zum wohnhnsit des Bërn; Berst-
heim, *Beroldashaim* 798, *Berolvesheim* 1031, zum wohnsitz des
Berold; Bischheim und Bischofsheim sind beide *Biscofesheim;*
Blansheim, *Blandesheim* 1050, zum wohnsitze des Bland; Bolsen-
heim, schon 994 und 1004, zum wohnsitze des Bulso (?); Boofzheim,
Boffesheim 14. jahrh., zum wohnsitze des Boffo; Dahlenheim,
Dalaheim 884, *Taleheim* 1135, zum wohnsitze des Tallo (Dal); Dan-
golsheim, *Danckratzheim* 758, zum wohnsitze des Dancrat; Die-
bolsheim, *Dubileshaim* 803, *Dubolsheim* 1405, zum wohnsitze des
Dubilo; Dinsheim und Dingsheim, *Dunginisheim* 10. jahrh., *Tun-
gesheim* 1214, zum wohnsitze des Dungino (?); Donnenheim, *Du-
nenheim* 1196, *Duninheim* 1236, zum wohnsitze des Duno; Dor-
lisheim, *Dorloshaim* 736; *Torolvesheim* 1120, zum wohnsitze des
Dorolf; Drusenheim, *Drusenheim* 758, *Druosenheim, Drosenheim*
1154, hat nichts gemein mit dem römischen Drusus (V. Gran-
didier, hist. d'Als. I, 121 und Schöpflin, Als. ill. I, 226), sondern
gehört zum althochdeutschen *Druso* (vergl. Drusa und Drusing bei
Förstemann, altd. Namenb. I, 353); Düttlenheim, *Dutelenheim* 1103,
ist zum wohnsitze des Dutilo; Dunzenheim, zum wohnsitze des
Tunzi (Dundo); Ebersheim, *villa Ebrotheim* 725, *Eboresheim,* zum
wohnsitze des Eberolf; Eckbolsheim heisst 884 *Eggiboldesheim;*
Eckwersheim ist der wohnsitz des Egiwar, Elsenheim der des
Ilso oder Elso; Enzheim, *Ansulfishaim* 748, ist eigentlich *Ansui-
nesheim,* also der wohnsitz des Answin, Ergersheim, *Argeres-
heim* 1050, ist *Argisesheim,* der wohnsitz des Aragis oder Aregis,
Esenheim, *Ettichenheim,* der wohnsitz des herzogs Ettich, Ernols-

heim ist einmal (kreis Zabern) *Herolzheim* 1126 der wohnsitz des
Erolt und das andere mal (kreis Molsheim) *Arnoldesheim* 1286
der wohnsitz des Arnoald, oder Arnold; Friedolsheim, *Fridolfes-*
haim 771, *Fredishaim* 777 ist zum wohnsitze des Fridolf, Friesen-
heim, *Frisenheim* 803 zu dem des Friso; Frankenheim (Klein-
und Hoch-), schon im 9. jahrh., ist eine fränkische niederlassung, wenn
nicht eine zusammensetzung mit dem personennamen Franco, neu-
hochd. Frank, vorzuziehen ist; Fulkrigesheim (Pfulgrinsheim), ist
Wolfrichesheim, der wohnsitz des Wolfrich oder Wulfrich, Geis-
polsheim, *Geizbodesheim* 877, der des Gisalbold.   Ebenso erinnert
Gerstheim an Gerbodo, Gaudertheim an Gauter, Gingsheim,
Ginnanhaim 771, an Ginand, Gottesheim, *Godamaresheim* 8. jahrh.,
an Godomar, Heidolsheim, *Haidulfushaim* 801, an Haidulf. Her-
bitzheim ist 870 *Heribodesheim*, Herlisheim 823 *Herlichesheim*
(Herlaic), Hessenheim der wohnsitz des Hazzo oder Hazo. Hilsen-
heim ist wol aus Hildebodesheim entstanden. Hindisheim, *Hun-*
dinesheim 777, *Hundensheim* 810, ist zum Wohnsitze des Hun-
din, Hipsheim, *Hyppinesheim*, zu dem des Hyppin, Hoch-Atzen-
heim, *Adzinheim* 786 ist. zum wohnsitze des Azo, Holzheim, *Ho-*
holfesheim 840, zu dem des Hoholf, Hürtigheim, *Hirtunghaim*
778, *Hirtencheim* 1147, zum wohnsitze des Hurting oder Herting,
Hüttenheim, *Hudenheim* 770, später auch *Hiddenheim* und *Hin-*
dinheim, im 10. jahrhundert *Hutinheim*, zum wohnsitze des Hudo,
Imbsheim, *Imenesheim*, zu dem des Imino, Ingenheim, *Ingin-*
heim 739, zu dem des Ingo, Ittelnheim und Ittenheim sind
Utilinhaim 742 und 828 wohnsitze des Udilo oder Utilo (Odilo),
Kauffenheim, *Cohchinheim* 884, *Kauchenheim* 18. jahrhundert zum
wohnsitze des Gogo oder Coco, Knörsheim, *Chnoresheim* 1120,
vielleicht zum wohnsitze des Chnodomar, Kogenheim, *Gaganheim*
788, *Cagenheim* 823, *Kaginheim* 829, zum wohnsitze des Cagano,
Kolbsheim, *Colobocishaim* 736, *Kolbozheim*, *Kolbesheim*, zum wohnsitze des Coloboz, Küttolsheim, *Cuttelnesheim* 738, *Kuzelnesheim*
1158, zum wohnsitze des Godila oder Godilo, Lampertheim,
Lampartheim 828 (bei dem Förstemann an die Longobarden denkt),
ist wol zum wohnsitze des Landobercht, Lambart, Lampert, Lan-
dersheim, *Lantheresheim* 1120, zum wohnsitze des Lanthar oder
Lantheri, Leutenheim, *Luotenheim* 1128, *Luttenheim* 1178, *Leu-*
tenheim 1428, zum wohnsitze des Liudo, Lutto, Leudo, Limers-
heim, *Lumeresheim* 817, *Linemaresheim* und *Lumarsheim* 845 und
847, ist wol die wohnung des Launomar, Lipsheim, *Liutpoles-*
haim 823, *Lupotheshen* 845 *Luppsheim* 1476, die des Liutbald oder

Liutpold, Littenheim, *Hlidamo marca, Lithaime marca* (fränkische zeit), die des Liudan, Männolsheim. *Meinoldesheim* 1051,
die des Mainold, Markolsheim, *Marckelsheim* 803, *Marcolves-
heim* 1061, ist zum wohnsitze des Marcolf, Matzenheim, *Matthin-
haim* 734, *Mattunheim* 896, zu dem des Matto, Meistrazheim,
Meistresheim 880, zum wohnsitze des Meister, ahd. *maistar*, Mels-
heim, *Mellesheim* 1074, ist wol aus *Meltridesheim, Meldrisheim*
(*Maldra*) entstanden, Mietesheim, *Muttensheim* 1229, gehört zu
Moatin oder Muotine, Minwersheim, *Munifredovilla* 711, *Muni-
fridesheim* 743 ist der wohnsitz des Munifrid oder Munifred. Zu Molsheim, *Mollesheim* 10. jahrhundert, *Mollisheim* war es mir unmöglich,
den personennamen aufzufinden, Mommenheim, *Mummenheim* 921,
scheint zum althochdeutschen stamme *muoma* gehörig, Mundols-
heim, *Munoltzheim* 1382, ist zum wohnsitze des Munualt, Oben-
heim zu dem des Ubo, Odratzheim, *Odradesheim* 748, zu dem des
Odalrat, Offenheim zu dem des Uffo, Ohnenheim, *Onenhaim* 673,
Hononheim 896, zu dem wohnsitze des Ono, Olwisheim, *Onolves-
heim* 1120, zu dem des Aunulf oder Onolf. Plobsheim, *Blabods-
aime* 778, *Platpoteshaim* 823, *Blabodesheim* 1016, ist der wohnsitz des Blabod, Prinzheim, *Bruningavilare* 719, *Bruningesheim,
Brunsheim* 18. jahrh., der wohnsitz des Bruning oder nachkommen
des Bruno, Quatzenheim, *Quazzinheim* 1253 der des Wazo oder
Guazo, Richtolsheim, *Ruochesheim* 1040, *Ruockersheim* 1163,
der des Ruoho (Crocus), Rottelsheim ist *Ratolfesheim,* der wohnsitz des Radulf oder Ratolf, Rumersheim der des Hrotmar oder
Rutmar, Runzenheim, *Ruadmundeshaim* 884, der wohnsitz des
Hrodmund oder Ruadmund (Trad. Wiz. 798). Säsolsheim, *Sahscl-
heim* 1051, erinnert an Sahso, Schäffersheim, *Shaferisheim* 777,
vielleicht an ahd. *scafari,* nhd. Schäfer, Schäffolsheim (Ober-, Mit-
tel- und Nieder-), *Scaftolfeshaim* 788, zum wohnsitze des Scaftolf
oder Scaftolt, Scherlenheim erinnert an Scherilo, Schirrheim an
Sciri, Schweinheim, *Suenheim* 724, an Sueno, Schwindratzheim,
Suinderadovilla 737, *Swindratisheim* 758 und 884, ist der wohnsitz des Suinderad, Schwobsheim, *Suabesheim* 829, der des Suab,
nhd. Schwab (an das volk der Schwaben ist wol hier ebensowenig zu
denken wie bei Schwabweiler im kreise Weissenburg), Sermers-
heim, *Sarmeresheim* 770, *villa Sarmenza* 817, *Saramereskeim* 968,
erinnert an Saraman, Sesenheim, *Sesinheim* 775, vielleicht an das
femininum Sessa, Silzheim ist 1120 *Sidelinesdorf,* Stotzheim ist
783 *Stozzeswilare,* 824 *Stotesheim,* Stützheim ist im 12. jahrhundert *Stitteresheim,* Truchtersheim ist der wohnsitz des Druhtmar,

Uttenheim der des Udo oder Utto, Vendenheim der des Winid oder Windo. In Wahlenheim, *Uualohom* 774, haben wir es wol mit einem personennamen Walah oder Walh zu tun und nicht mit dem volke der Walchen (Förstemann, deutsche Ortsnamen s. 171),[1] Waldolwisheim, *marca Baldolfesheim* 9. jahrh., ist die wohnung des Baldulf oder Baldolf, Waltenheim die des Walto oder Waldin, Wasselnheim, *Wazzeleneheim* 754, der wohnsitz des Wazili oder Wazilin, Weyersheim, *Wihereshaim* 775, der des Wigheri oder Wiher, Wickersheim, *Wigfridashaim* 788, der des Vigofred oder Wigfrid, Willgottheim ist 1179 *Willegoltheim* (Willold), Wingersheim, 1148 *Winegresheim* (Winiger), Winzenheim, *Wincenheim* 1148, ist zum wohnsitze des Vinco, nhd. Wenk, Witternheim ist vielleicht *Witheresheim* und dasselbe wie Wittersheim, *Wittreshusi* 742, zum wohnsitze des Withar oder Witer, Wöllenheim gehört zu Wololf oder einem anderen personennamen desselben stammes, Wolfisheim, *Volfrigeshaim* 768, *Wolvesheim* 959, zu Wolfrih oder Vulferich, Winversheim ist 782 *Winfrideshaim*. Wolschheim ist vielleicht aus Wommelsheim, *Womeldisheim* entstanden und der wohnsitz des Wambold. Wolxheim, *Folcoaldesheim* 739, ist der wohnsitz des Folcoald oder Fulcuald. Endlich gehört Zittersheim vielleicht zu *Zitiwart* oder *Citrat*.

Von den wenigen andere zusammensetzungsart zeigenden namen seien hier zuerst aufgeführt (Mittel-) Bergheim, Ober- und Nieder-Ehnheim an der Ehn, Nordheim und Suffelnheim auch von ihrer lage. Ferner soll nach J. Grimm der name Handschuhheim, *Hantschobasheim* 788, *Hanschoasheim* 804, aus der bauart der häuser des dorfes in fünf reihen nach den fingern der hand entsprungen sein. Kirchheim, *Chilcheim* 674, *Troningi* 723, *actum Thronie seu Kilikheim* 817 (urkunde Ludwigs des Frommen zu gunsten des klosters Ebersheimmünster), *Tronia* 12. jahrh., *tunc Tronia nunc Kircheim* 14. jahrh., wird von vielen für die heimat des Nibelungenhelden Hagen gehalten. Nach der mittelalterlichen etymologie ist *Tronja* aus einer zusammenziehung von *Troja nova* entstanden mit rücksicht auf die bis ins 7. jahrhundert zurückreichende chronistenfabel vom trojanischen ursprunge der Franken. Das nur eine viertelmeile von Kirchheim entfernte Marlenheim, ein alter römischer wohnsitz, dann königspalast der Franken, *Marilegium* 6. jahrh., *Mariligensis domus, Marlegia, Marley* ist nach Schilter (Königshofen Chronik Strassb. 1698 s. 609) Marckleich, *marca placens*. Endlich gehört hierher noch Saa-

---

1) Andere vermuten hier reste gallo-romanischer bewohner (*walah*, fremdling).

senheim, wenn Weigands erklärung (Oberhessische Ortsnamen) *ad rupes*
von einem althochdeutschen *daz* (*dër*) *sahs*, lat. *saxum*, gelten darf
und nicht an eine Sachsenkolonie gedacht werden soll (vergl. auch Vilmar, Zeitschr. d. Vereins f. hess. Gesch. I, 263).

Beide arten von zusammensetzung zeigt Breuschwickersheim,
wohnsitz des Wigfrid an der Breusch. Zweifelhaft erscheint mir das
mehrmals vorkommende Griesheim, ob von ahd. *griuz*, lat. *glarea*
abzuleiten oder zu dem stamme *Kriach*, *Graecus* gehörig.

Von den übrigen zusammensetzungen folgen hier zuerst die mit
ahd. *aha* und *awa*, *owa*, *ouwa*, got. *ahva*, lat. *aqua*, fliessendes wasser,[1] und zwar 1) Andlau. *Eleon* 800, *Andeloha* 999, *Antilaha*
11. jahrb., *Andelach* 1126, zu der Andlau (*fluvius Andelaha* 900),
2) Breitenau, zur breiten au; 3) Eschau, *Hascovia* 8. jahrh., *Eschowe*
1261, zu der mit eschen bewachsenen au; 4) Hagenau, *Hagenowe*,
zur au im walde, von dem jagdschlosse benant, welches Friedrich der
Einäugige von Schwaben am anfange des 12. jahrhunderts auf einer
Moderinsel erbaute; 5) Rheinau, *Rinowa* (Chron. Noviet.), *Rinaugia*,
Rynowe, *Rhinave*, zur au am Rheine. (Der ort hat bis zum ende
des 16. jahrhunderts am Rheine gelegen, damals wurde er aber wegen
der überschwemmungen weiter landeinwärts neu aufgebaut); 6) Rothau.
Rodadheim 810, vermutlich zur ausgerodeten vom walde befreiten
au; 7) Schönau, *Schoenowe* 1357, zur au von schönem aussehen;
8) Überrach mit ahd. *ubar*, *obara*, lat. *superior*, zur oberen au;
9) Wanzenau, *Vendelini augia*, *Wendelinsau*, zur au des Wendelin; 10) Wimmenau, *villa Wiminova* 1205, zur au des Widimund;
11) Haslach (Ober- und Nieder-), *Hasela* 7. jahrh.,, *Avellana*,
Avellanum 12. jahrh., wäre zu der mit haselgebüsch bewachsenen au,
wenn nicht einfacher zu dem haselgesträuch, ahd. *hasalahi* (vergl. Förstemann, deutsche Ortsnamen s. 29).

Nur ein compositum findet sich mit Acker: Zehnacker, *Dec-
ciugaris* 739.

Zusammensetzungen mit *dër pah*, *bach*, nhd. Bach sind: 1) Bliens-
bach, zum bache des Blion oder Bleonung; 2) Breitenbach, *zi dëmo
preitin pahha*, zu dem breiten bache; 3) Burbach, wol statt *Eburin-
bach*, zum bach, an welchem sich die eber aufhalten; 4) Dambach
(zweimal), *Tambacum* 1125, *Tanbach* 1135, *Tambascum* 1190, *Tam-
boch* 1192, zum bach, an dem die tanne (ahd. *tanna*) wächst; 5) Diefenbach, zum tiefen bache; 6) Erlenbach, zum bach, an dem die

---

1) Indes ist die bedeutung fluss immer mehr in den hintergrund getreten,
die eines bewässerten wiesengrundes oder insel immer mehr hervorgetreten.

erle wächst; 7) Griesbach, zum bache der kies, ahd. *griuz*, führt; 8) Hambach, *Haganbach* 713, zum bache, der durch den wald fliesst oder aus dem walde komt; 9) Mühlbach, zum bache, der die mühle treibt; 10) Petersbach, zum bache des Peter; 11) Rothbach, zum bache von roter farbe, wenn nicht zum bache bei der rodung; 12) Solbach, vielleicht zum schmutzigen bache (vergl. Förstemann, altdeutsches Namenbuch II, 1399 unter Sulag); 13) Sulzbach (Nieder- und Ober-), zum Sulzbache (*Sult* ist eine im verhältnis des ablauts stehende nebenform zu *Salt*); 14) Tieffenbach, zum tiefen bache; 15) Trienbach (*Trubenbach* 1303), zum trüben bache; 16) Waldersbach, zum bache des Walder, wenn nicht statt *Waldisbach*, zum · bach im walde; 17) Wildersbach, wol aus *Wildirasbach* entstanden, zum bache der Wildira.

Es wird praktisch sein, die composita von Berg (ahd. *dër perac, bërc*, mhd. *bërc*) und Burg (ahd. *diu puruc, burc*, mhd. *burc*, befestigte stadt), die etymologisch zusammengehören und oft mit einander wechseln, hier zusammenzustellen. Es sind folgende: 1) Bassenberg, zum berge des Baso oder Basso; 2) Eschburg, *Asciburgium, Eschberg* 18. jahrh., zu dem mit eschen bewachsenen berge; 3) Hausbergen (Ober-, Mittel- und Nieder-), *villa Hugesperga* 763, *Hugesbergen* 10. jahrh., *Hugsberg* 1360, zum berge des Hugo oder Hug; 4) Heiligenberg (773 *Arlegisberg*, wol dem stamme *Erl*, Förstemann, altd. Namenb. I, 386 fg., zugehörig) von einer dort im jahre 1295 errichteten kapelle benant mit anlehnung an den alten namen; 5) Hinsburg, früher *Hinsberg*, wol zum grossen (stamm *Huno*) berge; 6) Kirberg statt Kirchberg, zum berg, auf dem eine kirche erbaut ist; 7) Lichtenberg, zum hellen, leuchtenden, also weithin sichtbaren berge; 8) Reutenberg, *villa Ritanburc* 1120, zur burg des Ridand oder Ritant; 9) Schönburg, zur burg von schönem aussehen; 10) Steinburg, *Steinwirke* 1120, *Steingewire* 1145, *Steingewirke* 1306, *Steinberg* 1525, zum felsenberge; 11) Volksberg, wol statt *Volchinisberg*, zum berge des Volchin; 12) Wangenburg, zur burg an den feldern (ahd. *wanga*); 13) Weinburg, zur burg des Wino. Endlich wird 14) Strassburg, bei Ptolemäus Ἀργεντόρατον, bei Ammian. Marcellin. XV, 11 *Argentoratus*, zuerst im 6. jahrhundert *Strataburgum* und *Strateburgum*, im 7. jahrhundert *Stratisburgum*, im 8. jahrhundert *Strasburgum*, 982 *Strazburc* als knotenpunkt der von Frankreich nach Deutschland und der den Rhein entlang führenden hauptstrassen genant. Ältere erklärer (seit dem 13. jahrhundert) wollten den namen von einer kreuzstrasse ableiten, die der hunnenkönig Attila durch die mauern der stadt habe brechen lassen: indes finden wir die zerstörung Strassburgs durch Attila nirgends bestätigt. S. W. Hertz, deutsche sage im Elsass s. 92 und 238 fgg.

Mit der Bruch (ahd. und mhd. *daz bruoch*), moorboden, sumpf, sind zusammengesetzt: 1) Grendelbruch, *Grundelbac* 10. jahrh., *Grindebroch* 1192 wol ursprünglich ein compositum von bach, zum bach, in welchem sich viele grundeln aufhalten, und 2) Weitbruch, *Viccobrochus* 743, dessen erste hälfte wol zum stamme *Vic*, der schon moor bedeutet (Förstemann, altd. Namenbuch II, 1583), gehört.

Mit Bronn, got. *brunna*, ahd. *prunno*, mhd. *prunne* sind zusammengesetzt: 1) Ballbronn, *Balbrun* 1193, *villa Baldeburne* 1285, zum brunnen des Baldo; 2) Niederbronn, *Burne* 1331, zum tiefer (im tale) gelegenen brunnen; und 3) Oberbronn, *Oberborn* 1541, zum oberen brunnen.

Zahlreicher sind die zusammensetzungen mit Dorf, ahd. und mhd. *daz dorf:* 1) Altdorf, schon 787, zum alten dorfe im gegensatze zu einem neuerbauten; 2) (Alt-)Eckendorf, *Ekkendorf* 1120, zum dorfe des Agino oder Ekino; 3) Bärendorf, zum dorfe des Bero, nhd. bär; 4) Batzendorf, *Bazendorf* 1201, zum dorfe des Bazzo, 5) Bossendorf, 1074 und 1284, zum dorfe des Boso oder Bosso; 6) Dauendorf, *Tochendorf* 777, *Douchindorf* 1238, *Dauchendorf* 1417, vielleicht zu *Tugus* gehörig; 7) Diedendorf, zum dorfe des Thiudo oder Diedo; 8) Ettendorf, *Etendorf* 1328, zum dorfe des Atto oder Ato, nhd. Ette; 9) Hüttendorf, *Hitindorf* 12. jahrh., zum dorfe des Hitto oder Hitt; 10) Offendorf, *Offonthorof* 9. jahrh., zum dorfe des Uffo oder Offo; 11) Rimsdorf, *vilare rimane* 718, *Rimovilare* 807, zum dorfe des Rimo oder Rim, nhd. Rehm oder Riem; 12) Ringeldorf, *Rinkilendorf* 800, zum dorfe des Rinkilo oder Ringilo; 13) Ringendorf, *Ringinheim* 855, *Rinckindorf* 884, zum dorfe des Rincho; 14) Schalkendorf, *Scalkentorph* 753, *Scalchenheim* 788, *Scalchinbiunda*[1] (Trad. Wiz. 133) 774, zum dorfe des Scalco, nhd. schalk; 15) Schillersdorf, *Schiltersdorf* 1207, zum dorfe des Schilter; 16) Zöbersdorf, *Zeberstdorff* 17. jahrh., vielleicht zum dorfe des Ebur, Eber; 17) Zutzendorf, zum dorfe des Zozo oder Zuzo.

Mit Eck zusammengesetzt ist Schirmeck, zur schirmenden ecke des berges.

Zusammensetzungen mit Feld, ahd. *daz fëld*, mhd. *vëlt*, sind: 1) Benfeld, *Beneveldin* 763, *Benefelt* 1400, zu den feldern des Beno

---

1) Das althochdeutsche *piunte, biunda*, mittellat. *biunda*, später auch *peunt*, bedeutet ein meist eingefriedigtes grundstück.

oder Benno; 2) Hochfelden, *Hochfelden* 823, zu den hoch gelegenen feldern; 3) Forstfeld, zum feld im forste; 4) Kerzfeld, vielleicht zusammengezogen aus *Kerhartsfeld*, zum felde des Gerhard; 5) Reichsfeld, zum felde des Rico, nhd. reich; 6) Rossfeld, *Rosevelt* 1358; 7) Stephansfeld, gegründet von Graf Stephan von Werd.

Mit Furt haben wir nur Illfurt, schon 837, zur furt an der Ill; mit ahd. *halda*, nhd. Halde nur Nothalten, *Nothalden* 1303, vielleicht zum nördlichen abhang (vgl. Förstemann, deutsche Ortsnamen s. 133), und dann ein name von neuerem ursprung.

Mit Haus, ahd. und mhd. *daz hûs*, gewöhnlich im dativ plural ahd. *hûsun*, mhd. *hûsen*, hausen, sind zusammengesetzt: 1) Bosselshausen, *Buozolteshusa* 840, zu den häusern des Buozolt, nhd. Bosselt; 2) Furchhausen, *Furckhusen* 1487; 3) Gotteshausen, *Godenhusa* 1120, *Gothenhausen* 18. jahrh., zu den häusern des Godo; 4) Issenhausen, zu den häusern des Iso oder Isso; 5) Kaltenhausen, zu den häusern des Cadolt; 6) Kurzenhausen und 7) Lützelhausen, nach der geringen ausdehnung benant; 8) Lixhausen, *Liutolteshusa* 855, zu den häusern des Liudoald oder Liutolt, nhd. Leuthold; 9) Mittelhausen, *Mittelhusen* 1120, zu den zwischen zwei anderen wohnungen gelegenen häusern; 10) Mühlhausen, *Munilhuson* 884, zu den häusern bei der mühle; 11) Mutzenhausen, *Muzenhusa*, zu den häusern des Mozo oder Muozo; 12) Neuhäusel, zum neuen häuschen; 13) Nordhausen, *Northusen* 770, *Northus* 817, ist wie 14) Osthausen, *Ossinhuns* 736, 15) Sundhausen, *Sunthusis* 723 und 16) Westhausen, *Westhus* 976, *Westhusen* 11. jahrh., nach der himmelsgegend benant; 17) Schweighausen, *Suuetchusa* 896, *Suechusen* 968, *Sveichusan*, zu den häusern beim viehhof (ahd. *sweiga*, dialektisch noch jetzt *schwaig*); 18) Wilshausen, *Willingshausen*, zu den häusern des Willing; 19) Winteyshausen, *Wintershusen* 1187, zu den häusern des Wintar, nhd. Winter, wenn nicht zu den häusern auf der winterseite (vergl. Förstemann, deutsche Ortsnamen s. 134).

Mit Hof sind zusammengesetzt: 1) Bitschhofen, wol aus *Bucineshofen* entstanden und dann zu den höfen des Bucco; 2) Eichhofen, *Eichhohe* 1097, also ursprünglich zum eichwalde; 3) Gumbrechtshofen, *Gumpershoven* 1232, zu den höfen des Gumprecht oder Gundobert; 4) Gundershofen, *Gonzolinhuns* 736, zu den höfen des Guncelin oder Gonzolin; 5) Menchhofen, wol verderbt aus Mönchhofen; 6) Osthofen, *Osthove* 778, *Hosthoven* 884, zu den höfen östlich von dem alten palaste zu Kirchheim; 7) Pfaffenhofen, *Pfaffenhouen* 991, *Phaffenhoven* 1017, zu den im besitze der geistlichen (ahd.

phafo, pfaffe) befindlichen höfen; 8) Reichshofen, *Richeneshoven* 995, zu den höfen des Richini (zu Rico); 9) Schirrhofen, vielleicht zu den glänzenden (ahd. *skir*, got. *skcir*) höfen; 10) Uttenhofen, zu den höfen des Udo oder Utto; 11) Westhofen, *Wcsthove* 739, als Gegensatz zu dem obengenanten Osthofen.

Zusammensetzungen mit Holz sind: 1) Bischholz, *Biscovesholz* 1178, zu dem dem bischof von Strassburg gehörigen walde; 2) Kestenholz, *Kestenholts* 11. jahrh., *Casteneyaco* 1147, *Castiney* 1177, *Chestenoy* 1282, franz. *Chatenois*, zum kastanienwalde (*kestina*); 3) Müttersholz, *lucus Augusti,*[1] *Muoteresholz* 817, *Muteresholz* 1031, zum walde des Mothar oder Muothar, nhd. Moder oder Muther; 4) St. Petersholz, *Sant Petersholtz* 1269, zu dem im walde gelegenen, im 7. jahrhundert gegründeten kloster des heiligen Petrus.

Mit Kirche, ahd. *chirihha*, zusammengesetzt sind: 1) Harskirchen 1291, wol *Hariulfeskirchen*, zu der von Hariulf gestifteten kirche; 2) Illkirch, *Illachirecha* 10. jahrh., *Illenchirchen* 987, *Illenkirchen* 1050, zur kirche an der Ill; 3) Mollkirch, *Mahlkirch* 1220, zur kirche an der Magel; 4) Neukirch, zur neuen kirche; 5) Wolfskirchen, zu der von Vulf, nhd. Wolf gestifteten kirche.

Mit Land zusammengesetzt ist: Hirschland, zu den ländereien des Hiruz, nhd. hirsch; mit Mühle, ahd. *muli:* Frohmühl, *Frohnmühl* 18. jahrh., zu der dem grundherrn gehörigen (ahd. *fron, dominicus*) mühle.

Mit Münster (*daz münster, monasterium*, stifts- oder klosterkirche) sind zusammengesetzt: 1) Ebersmünster, gegründet 667, *Novientum* 817, *Ebersheimmünster* 1269, *Aprimonasterium* 1483, zur klosterkirche bei Ebersheim; 2) Maursmünster, früher *Leobardi cella, Mauri monasterium* seit 724, französisch *Marmoutier,* zu der dem heiligen Maurus geweihten stiftskirche; 3) Reinhardsmünster, nach dem grafen Reinhard von Hanau genant, der die kirche 1616 erbauen liess.

Eine zusammensetzung mit Rott, ahd. *rôde*, ist Ottrott, *Ottenrode,* zur rodung des Otto; mit Sand, *arena:* Daubensand.

Zusammensetzungen mit Stadt, *stat*, sind: 1) Berstett, *Bardestet* 760, *Bardestat* 884, *Berstcten* 1120, zur stadt des Bardo, nhd. Barde oder Barth; 2) Irmstett, zur stadt des Ermo oder Irm; 3) Killstett, *Gwillestet* 723, *Chilistat* 884, zur stadt an der Kila; 4) Krastatt, *Chratestate* 793, *Crafstette* 1247, zur stadt des Craft

---

[1] An die römerstadt erinnert noch der „Kaisergarten" genante wald.

oder Chraft, nhd. Kraft; 5) Reichstett, *Reinstett* 18. jahrh., wol aus *Raginstett* entstanden; 6) Schlettstatt, *Schletstat in Elsatio, Sclatistati villa* 778, *Scaldistat, Slezistat, Sletistata* 880, auch *Selestadium* und dann vielleicht von mhd. *sal, traditio* (vergl. *selehof, selilant*).

Mit Stein, ahd. und mhd. *der stein,* fels und felsenburg, sind zusammengesetzt: 1) Dachstein, *Dabechenstein* 1017, vielleicht zum steine des Tabuke (Förstemann, aitd. Namenb. I, 324), während andere an den könig Dagobert denken wollen; 2) Erstein, *Erinstein* 9. jahrh., *Erenstein* 953, *Eristein* 976, *Erstein* 1153, zum ehrenstein (von ahd. *era* mit erweitertem stamm *erin*); 3) Heiligenstein, *Hellgensteine* 1181, wol zum steine der *Heilika, Helica, Helce*; 4) Lupstein, *Lupfinstagi* 739, *Lupenstein* 995 (über den stamm *lup* vergl. Förstemann, aitd. Namenb. II, 1026 fg.); 5) Lützelstein, *Parva petra* 1238, *Lutzelstein* 14. jahrh., von der geringen ausdehnung des felsens benant; 6) Windstein, zu dem dem wind ausgesetzten steine; 7) Bimstein ist aus Beheimstein entstanden.

Das neuhochdeutsche Thal, ahd. und mhd. *daz tal* findet sich in: 1) Diefenthal, *Thiefental* 1303, zum tiefen tale; 2) Klingenthai, *vallée des lames*, nach einer im jahre 1730 dort gegründeten waffenfabrik genant; 3) Marienthal, ein seit 1257 bestehender wallfahrtsort, *Ecclesia beatae Mariae*; 4) Salenthal, *Salahendal* 1291, zum weidentale; 5) Ottersthal, *Otteri vallis*, zum tale des Audehar, Autharis (6. jahrh.), Autari, Othar, Other. Lateinisches *unda*, althochd, *unda,* finden wir in dem früher auf einer rheininsel gelegenen Dalhunden.

Mit Wald zusammengesetzt sind: 1) Birkenwald und 2) Hochwald; mit Woge ahd. *wâc* nur Röschwoog, *Rosusaco* 734, mit ahd. *warid, insula,* Saarwerden zur Saarinsel. Fälschlich steht Ostwald statt Oswald, wallfahrtsquelle des heiligen Oswald. Nachzuholen ist das mit der differenzierung Berg und Hangen (früher *Hangende*) erscheinende Bieten, im 14. jahrh. *Bütenheim,* das wol zum stamme *Budo* gehört.

Die einfachen ortsnamen sind: 1) Barr, *Barr* 708, *Barru* 788, *Beara* 798, *Barra* 820 und 884, vielleicht zu einem flussnamen Bahr gehörig (s. Förstemann, s. 206); 2) Berg, *mons qui dicitur Berg* 716, *Bergus* 718, *Berge* 819, auch *Bereregas* und *Berseregus* im 8. und 9. jahrhundert (Trad. Wiz.); 3) Bissert, vielleicht von *Bizziric* abzuleiten; 4) Börsch, *Birsa* 1109, *Bersa* 1187, soll nach *Berswinda,* der mutter der heiligen Ottilie genant sein; 5) Brumath oder Brumpt, *Brocomagus, Bruocmagad palatio publico* 770, *Pruomat* 973, ein ursprünglich keltischer name, ebenso wie 6) Dürstel, *Turestoldus*, *Turestolda* 718, *Turestodelus* 737, *Duristualda*, *Duristuledon* 830 (kelt. *dur = aqua*) und 7) Ell, *Helvetus*, *Helellum*, *Alaja*, *Elegia* 10. jahrh.; 8) Bütten, *Marca Bettune* 713, zu *Butino* (Förstemann, altd. Namenb. I, 376) gehörig; 9) Epfig, *Hepheka* 763, *Ephicum* 1125, *Epfiche* 1162, *Epfeche* 1163, *Aphec* 1182, *Apiaca* 1213, ein vom lateinischen *episcopus* abgeleitetes adjectiv: zum bischofssitze gehörig (die Strassburger bischöfe hatten hier ein schloss); 10) Gereuth, *Curtis Geruta* 1158 ist *Geraydt* oder *Gerutte vulgari lingua*, *Latina autem Novella* (*Novalia*), zur neurodung; 11) Gimbrett, *Ginsbreton* 1120, *Gynebreten* 1253, hat in der ersten hälfte wol *Gimmines*, in der zweiten *bracht*, nebenform von ahd. *bracha* (s. Förstemann, Ortsnamen s. 80 und 81); 12) Göft (Hohen- und Klein-), *Gehfida* 775, *Githfida* 778, *Gefeda* 1120, *Göffede* 1239 und 1357, *der von Göffede hus* in Strassburg 1384; 13) Gries, *Grioz* 921, *Gries* 1227, auf dem Gries, lat. *glarea*, von der beschaffenheit des bodens ebenso wie 14) Sand, *Sant* 1298, ahd. *sant*, lat. *arena;* 15) Grube, *Groba* 1105, (franz. *Fouchy*), deutet auf bergbau; 16) Hägen, *Hegenheim* 18. jahrh. statt *Hagenheim*, zum wohnsitz im walde; 17) Hördt, *Herden* 1297, zu den herden oder feuerstätten; 18) Modern (Nieder- und Ober-), *Matravilla* 8. und 9. jahrh., zum wohnsitz an der Moder, *Matra;* 19) Mutzig, *Muzecca* 10. jahrh., *Muziaca* 13. jahrh., ein zum stamme *Muz* gehöriges adjectiv; 20) Rangen, *Randae* 1120, *Rangenheim* 18. jahrh., zum wohnsitze des Rando; 2i) Rohr, *Roraha marca* 1128, *Rorahe* 14. jahrh., zum rohrbache; 22) Russ, vielleicht mit *riuti*, Rott verwandt; 23) Steige, *Steige* 1303, am bergabhange; 24) Still, *Stilla* 773, zu der Stilla oder dem Stillebach; 25) Struth, *Strude* 18. jahrh., zum buschwald oder dickicht, ahd. und mhd. *diu struot;* 26) Sulz-Bad, *Sulze* 708, *Sulzha* 770, *Sulza* 10. jahrh., zur salzquelle; 27) Thal, *Dal* 18. jahrh., im tale;[1] 28) Wangen, *Wangon* 828, *Wanga* 845 und 884 (von Schweighäuser mit den Vangionen in zusammenhang gebracht), gehört zu ahd. *wang*, *campus;* 29) Wisch, *Wichahe* 14. jahrh., von der Wisch, *Wichia* 8. jahrh., einem nebenflusse der Breusch, benant; 30) Zabern komt vom lateinischen *Tabernae*, 3. jahrh. (bretterbuden, baracken), *Tres Tabernae* 4. jahrh., *Ziaberna*, *Zabarna* (Nithard), *Zavernia* 1228 und *Zabernia*, daher franz. *Saverne;* 31) Laach, entweder von ahd. *lacha*, nhd. lache, oder von ahd. *laha*, grenzmarke in einem banne; 32) Lohr, wol mit ahd. *lâri*, leer verwant.

---

1) Merkwürdigerweise liegt das oben genante „Berg" in der tiefe und „Thal" auf einer anhöhe; vergl. die volkstümliche erklärung dieser na..en in Stöbers Alsatia 1854/55 s. 193.

Hieran schliessen sich die aus dem dativ eines personennamens hervorgegangenen ortsnamen mit der abstammung oder verwantschaft ausdrückenden ableitungssilbe -ing, -ung, ahd. -inc, -unc: 1) Dehlingen, zum wohnsitze der nachkommen des Dailo oder Delo; 2) Dimeringen, *Dymringen*, zum wohnsitze der nachkommen des Thiudemar oder Dietmar; 3) Drulingen, zum wohnsitze der nachkommen des Dructulf; 4) Dürningen, *Deorangus* 724, *Teuringas* 742, *Duringen* 1595, zum wohnsitze der nachkommen des Dioro; 5) Görlingen, wol zum wohnsitze der nachkommen des Georo; 6) Hinsingen, zum wohnsitze des Hunzing oder nachkommen des Hunzo; 7) Ohlungen, *Alungas*, *Marca Alunga* 816, zum wohnsitze der nachkommen des Allo oder Alo; 8) Rexingen, *Rotgisinga*, zum wohnsitze der nachkommen des Hrotgis oder Rotgis; 9) Völlerdingen, *Vilderadingas*, zum wohnsitze der nachkommen der Wildigrat; 10) Weislingen, zum wohnsitze der nachkommen des Wisilo; 11) Zollingen, zum wohnsitze des Zulling oder nachkommen des Zollo.

Einfache Heiligennamen sind St. Blaise, St. Johann, Lorenzen, St. Martin, St. Moritz, St. Nabor, St. Peter und bedeuten dieselben immer eine dem betreffenden heiligen geweihte kirche oder kapelle.

Französische namen finden sich im Steinthal (kreis Molsheim), im kreise Schlettstadt und an der lothringischen gränze: *Bourg-Bruche* an der Breusch oder Brüsch (franz. *Bruche*, früher *Brusca*); *Colroy-la Roche*, königlicher hügel im Steinthale (*Ban de la Roche*); *Fort Louis*, 1688 erbaut und Ludwig XIV. zu ehren genant; *Fouday*; *Grande Fontaine*; *Plaine*; *Ranrupt*; *Saales*; *Saulxures*; *Saar-Union*, wegen der im jahre 1793 erfolgten vereinigung der alten auf dem rechten ufer der Saar gelegenen stadt *Bouquenom* (Buckenheim, von Bukko, Buggo, kosenamen aus Burchart) mit Neu-Saarwerden am linken Saarufer.

Lateinische zusammensetzungen sind: Domfessel, *Domus vassalorum*, *Dumvassel*; Keskastel, *Caesaris Castellum* und Singrist, *Signum Christi* (1120).

Fassen wir die resultate unserer forschungen zusammen, so finden wir in den ortsnamen des Unter-Elsass, von denen nur einige wenige hier vorderhand unerklärt bleiben musten, von dem Keltischen nur geringe spuren und diese schon in römischer zeit umgeändert und latinisiert. Ebenso wenig zahlreich sind die ortsnamen mit wirklich lateinischem ursprung, und wenn die orte auch zum teil früher und in den ersten jahrhunderten nach Christi geburt lateinische namen geführt

haben, so dürfen wir die überwiegende mehrzahl doch rein deutsch
nennen.

BISHCWEILER IM ELSASS.   DR. LUDWIG BOSSLER.

DAS ALTER DES SCHWABENSPIEGELS.

Julius Ficker, über die entstehungszeit des Schwabenspiegels, sitzungsberichte
der phil.-hist. klasse der kais. akademie der wissensch. 77, 795 fgg. (Wien
1874).

Bd. 1, 273 fg. dieser zeitschrift habe ich über einen höchst wertvollen Schwabenspiegel-fund Rockingers berichtet.   Es handelte sich um
eine alte, noch im 17. jahrhundert zu Regensburg befindliche, jetzt
verlorene handschrift des rechtsbuches, aus welcher im jahre 1609 der
eigentümer eines jüngeren Schwabenspiegel-codex mit gröster sorgfalt
eine reihe von notizen und varianten abgeschrieben und in sein jetzt
im besitze Föringers befindliches exemplar eingetragen hatte.   Eine dieser notizen ist nach form und inhalt unanfechtbar, und da sie auch
für philologen von besonderem interesse sein dürfte, so gebe ich sie
hier wörtlich wider:

> *Disz buch höret einem herren an,*
> *der unrecht ze rechte kan*
> *bringen, ob ers gerne tut.*
> *Gott gebe im ehre und gut*
> *hie untz uf sin ende,*
> *und dort on alle missewende*
> *teile mit im froliche*
> *sin ewig himelriche.*
> *Amen.*

> *Herre, were iht bessers gewesen,*
> *danne daz ir hie hant gelesen,*
> *daz hette ich gewünschet uf minen cid*
> *iu ze einer selikeit.*
> *Swer mir nu gelikes bitte,*
> *dem müsse gott wesen mitte*
> *hie und dort mit wunne.*
> *Swer mir anders gunne,*
> *dem müsse oech also geschehen.*

Anders kan ich nicht verjehen:
gott uns müsse wesen bi
durch siner heiligen namen dri.

   Aber nu der herre müge genesen,
den wir hievor haben gelesen,
den disz buch anhœret.
Es ist ein man, der gerne stœret
daz unrecht zallen ziten.
Nicht lang ich will biten,
ich wil iu hie sa ze hant
den ere gernden tun erkant,
e daz ich sin vergesse.
Herr Rudiger der Manesse
von Zürich, ein ritter, ist er genant.
Umb ine ist es so gewant,
daz er uf die rehtekeit
zallen ziten sunder leit
setzet gar den sinen muet.
Da von im ere und guet
gott soll geben zallen zit
an aller slahte widerstrit.

Diese verse bildeten den schluss der alten handschrift. Sie ergeben, dass dieselbe ursprünglich eigentum des berühmten Rüdiger von Manesse, dem die manessische liedersamlung ihren namen verdankt, gewesen ist. Für die entstehungszeit des Schwabenspiegels folgte daraus freilich nichts neues, denn Rüdiger, der urkundlich zuerst 1252 erwähnt wird, starb 1304, während wir wissen, dass noch im vorigen jahrhundert eine von 1282 datierte handschrift des rechtsbuches vorhanden gewesen ist.

Um so grössere beachtung verdiente eine zweite notiz der manessischen handschrift, folgendes inhalts: „*Diss pergamene recht puech hab ich Heinrich der Preckendorffer, zue dem Prekhendorff und Krebliz doheim, mit mir auss Schweyttz gebracht. Schankht und vererdt mir ein ritter und burger auss Zürikh, als ich der zeyt bey graff Rudolff von Habspurg mit vier helm edler knecht gewesen, und er damals sambt andern rittern und knechten auss Zürich meinem hern dem graffen zu hilff geschikht ward, der dan disser zeit wider di hern von Regensperg, den bischoff von Bassel und zwayen grafen von Toggenburg krieg gefürth hat. Und bin anno 1264 zu graff Rudolff von Habspurg komen, und anno 1268 uff zuschreiben meines prueder Geor-*

*gen dem Prekhendorffer abgezogen, laut meines schrifftlichen redlichen
und gnedigen abschidt, wie auch in meinem raysbucch verzaichnet.*"

Über die wichtigen resultate, zu denen auf grund dieser notiz die
eingehenden historischen untersuchungen Rockingers geführt, habe ich
früher berichtet. Danach schien die abfassung des Schwabenspiegels
vor 1268 festgestellt, und es stand nun nichts mehr entgegen, den
1272 verstorbenen prediger Bertold von Regensburg mit Laband für den
verfasser zu erklären. Man hatte aber aus freude über den inhalt zu
wenig gewicht auf die form jener zweiten notiz gelegt. Nach sprache
wie rechtschreibung kann dieselbe dem 13. jahrhundert nicht angehören. G. v. Wyss hat zuerst (Anzeiger f. schweiz. geschichte, 1870
nr. 3) auf diesen punkt und namentlich darauf aufmerksam gemacht,
dass der ausdruck „Schweiz" im 13. jahrhundert nur den kanton Schwyz
bedeutet, in der ersten hälfte des 14. jahrhunderts zwar auch auf Uri
und Unterwalden, auf Zürich dagegen, das der schreiber jener notiz im
auge hatte, erst in der zweiten hälfte desselben ausgedehnt wird. Unsere
notiz ist frühestens gegen ende des 14. jahrhunderts entstanden; eine
entstellung durch den abschreiber von 1609 kann bei der peinlichen
genauigkeit, die dieser sonst beobachtet, nicht angenommen werden.
Nach Fickers wolbegründeter vermutung dürfte der hergang der gewesen sein, dass der manessische Schwabenspiegel in späterer zeit von
einem Preckendorfer erworben wurde, welcher dieser wertvollen acquisition eine höhere bedeutung für seine familie zu geben suchte, indem
er, unter benutzung einer alten familientradition, die handschrift für
ein geschenk des berühmten Rüdiger an einen ahnherrn seines geschlechts,
den vielgereisten kriegsmann Heinrich von Preckendorf, ausgab.

Ficker hat aber das verdienst, diesem negativen ergebnisse wissenschaftlicher kritik ein positives resultat eigener forschung an die
seite gestellt zu haben, wie es in gleicher präcision bei derartigen
untersuchungen noch nicht vorgekommen sein dürfte. Die verwantschaft des Schwabenspiegels mit den predigten Bertolds ist kein zwin-
gender grund für die annahme, dass dieser auch den ersteren verfasst
habe; wird erwiesen, dass das rechtsbuch erst nach 1272 entstanden
sein kann, so wird man, da die autorschaft unzweifelhaft einem geistlichen zugeschrieben werden muss, der wie Bertold zu Augsburg lebte,
an einen schüler des letzteren zu denken haben. Auch die engen text-
beziehungen zwischen dem Schwabenspiegel und dem 1276 begonnenen
Augsburger stadtrechte geben für die zeitbestimmung keinen ausschlag,
da sich nicht nachweisen lässt, ob das eine werk unmittelbar aus dem
andern geschöpft, oder ob nicht vielmehr, wie Ficker vermutet, beiden
eine gemeinsame dritte quelle vorgelegen habe.

So sind wir auf die mittel der inneren quellenkritik beschränkt, und da bieten sich namentlich in den·staatsrechtlichen bestimmungen des rechtsbuches, soweit der verfasser sich von seiner vorlage, dem Deutschenspiegel, unabhängig zu erhalten gewust hat, eine reihe von anknüpfungspunkten. Schon früher, bis Rockingers fund ein anderes resultat zu ergeben schien, hat man wegen der bestimmungen des Schwabenspiegels über die königswahl angenommen, dass der verfasser die erklärung des Augsburger reichstags vom 15. mai 1275, durch welche die siebente kurstimme dem herzoge von Baiern „ratione ducatus" zugestanden und die des Böhmen kassiert wurde, bereits gekant habe. Ficker macht nun wahrscheinlich, dass die ursprünglichen lesarten des Schwabenspiegels, wie sie für die einschlägigen stellen teils in den ältesten drucken (deren vorlage verloren gegangen ist), teils in der Schnalser handschrift überliefert sind, eine verschiedene stellung zu der streitfrage zwischen Böhmen und Baiern einnehmen: landr. 130 (ausg. von Lassberg) nent den Böhmen allein, lehnr. 8 den Baiern und den Böhmen, lehnr. 41 endlich hat ausschliesslich den Baiern im auge. Es ist daher wahrscheinlich, dass der verfasser gerade während des reichstages gearbeitet hat und dass, nachdem er die beiden ersten stellen (die sich noch an den Deutschenspiegel anlehnen), bereits vollendet hatte, der ausspruch vom 15. mai ihn bewogen hat, nunmehr dem herzoge von Baiern kurstimme und schenkenamt zuzuschreiben. Allerdings berührte der ausspruch des reichstags das schenkenamt nicht, es war auch nicht die absicht, dasselbe dem Böhmen zu entziehen, im volke aber sah man erzamt und kurstimme bereits als untrennbar verbunden an, und so hielt es auch der spiegler für selbstverständlich, dass nunmehr der Baier und nicht der Böhme schenk des reiches sei. Seiner auctorität folgte der dichter des Lohengrin (vgl. bd. 1, 274), und so schien es dem könige, als er 1289 den Böhmen in seiner kurwürde widerherstellte, notwendig, auch die rückgabe des schenkenamtes auszusprechen. — Ficker weist noch auf eine reihe anderer bestimmungen des Schwabenspiegels hin, welche auf eine abfassung in den ersten regierungsjahren Rudolfs I. schliessen lassen und namentlich mit den zuständen zur zeit des Augsburger reichstages im mai 1275 harmonieren. Das meiste gewicht ist dabei auf die ausführung über landr. 137 zu legen, wo der verfasser einen conflict zwischen dem könige und den bischöfen des reiches erwähnt: der könig habe den anspruch erhoben, in allen bischofsstädten nach belieben hof halten zu dürfen (natürlich auf kosten der bischöfe und ihrer untertanen), die bischöfe hätten sich einige zeit dagegen gesperrt, seien neuerdings aber bewogen worden nachzugeben: *die hant ir criec nu gelaezen.*

Ficker führt den schlagenden beweis, dass damit ein conflict zwischen Rudolf I. und den bischöfen gemeint ist, welcher im januar 1274 seinen anfang nahm und erst im november desselben jahres auf dem reichstage zu Nürnberg dahin ausgeglichen wurde, dass der könig die privilegien Friedrichs II. für die pfaffenfürsten bestätigte, dafür aber von den bischöfen die anerkennung erlangte, dass er gleich den früheren königen jederzeit seinen hofhalt in ihren städten aufschlagen dürfe.

Es spricht demnach alles dafür, dass der Schwabenspiegel im laufe des jahres 1275, also genau vor 600 jahren, entstanden ist, und dass der zu Augsburg lebende verfasser bei seinen staatsrechtlichen erörterungen vornehmlich durch den daselbst im mai jenes jahres abgehaltenen reichstag die nötige anregung empfangen hat.

WÜRZBURG, IM JANUAR 1875.   RICHARD SCHRÖDER.

ERZÄHLUNGEN AUS DEM SPIEGHEL DER LEIEN.

(15. jh.)

Ein beitrag zur erzählenden prosa des mittelalters.

Unter dem titel „Der Spieghel der Leyen, ein niederdeutsches moralisches Lehrgedicht aus dem Jahre 1444" gab B. Hölscher im programme des gymnasiums zu Recklinghausen vom jahre 1861 einen kurzen bericht über das genante werk und teilte einige proben aus demselben mit, beides nach einer pergamenthandschrift der bischöflichen seminarbibliothek in Münster. Seitdem ist niemand, soviel ich weiss, auf das „niederdeutsche lehrgedicht aus dem jahre 1444" zurückgekommen, obgleich die ansichten Hölschers in wesentlichen punkten der berichtigung bedurften.

Hölscher bemerkte a. a. o. s. 26 „zur veranschaulichung und belebung der vorgetragenen lehren sind manche exempel, sagen und legenden, geschichtliche, aus dem leben genommene oder erdichtete beispiele eingeflochten." Er teilte keines dieser beispiele mit, nur s. 20 deutete er nebenbei auf eines derselben hin. Gerade die exempel lenkten aber meine aufmerksamkeit auf das werk, sie schienen mir wichtiger als die ganze reimerei; hoffte ich doch in ihnen willkommene beiträge zur novellenkunde des mittelalters zu finden. Durch gütige vermittlung des herrn kreisgerichtsrates Karl Ziegler in Ahaus erhielt ich die handschrift auf längere zeit zur freien benutzung. Ihm und den vorständen der genanten bibliothek sage ich hier nochmals ergebensten dank für ihre grosse freundlichkeit und liberalität. Allein durch sie bin ich in der lage genauer über den Spieghel der leien zu berichten als dies Hölscher getan.

Die hs. G⁴. 57 pghs. XV. jh. kl. 8⁰ 232 bll. (nicht 230, wie Hölscher angibt) ist nach der subscription auf bl. 232ᵇ geschrieben im jahre 1444 von Gherard Buck van Buederick in dem fraterhause zum Springbrunnen in Münster. Sie war noch gegen ende des 16. jahrh. in der bibliothek dieses hauses; auf der rückseite des vorsetzblattes steht nämlich von alter hand: „Dit bock hort tho Munster int fraterhus. Anno 1573."

Hölscher findet es s. 4 höchst wahrscheinlich, dass Gerhard Buck van Buederick nicht bloss der schreiber der handschrift, sondern auch der verfasser des Spieghels sei. Er sagt dann s. 5 fg.: „Der verfasser unseres werkes, wie wohl nicht zu bezweifeln, ist Gerhard Buck van Buederick. Am schlusse des buches heisst es nämlich: *Hyr eindet dat spieghel der leyen.* | *Ghescreuen yn der frater hues Ten sprync-*| *borne. bynnen monster Int iaer vnses he-*|*ren M. CCCC. XLIIII. vermiddes gherardum buck* | *van buederick enen snoeden vnnutten bro-* | *der* | *des vorscreuen huses."* u. s. w. „Hätte er das buch bloss abgeschrieben, so würde er sich wohl nicht in solcher weise ausgedrückt haben. (Der schreiber des exemplars zu Harlem bezeichnet sich ohne seinen namen anzugeben ausdrücklich als denjenigen, *„die dit boek nuwes ghescreven heeft,"* vgl. de Vries, Der leken spieghel door Jan Boendale III. 341.) Ausserdem aber kommen in dem buche selbst nicht unzweideutige anzeichen vor, dass der schreiber zugleich auch der verfasser sein muss. Es stehen nämlich am rande mehrere korrekturen und anderweitige bemerkungen, die man nur dem verfasser beilegen kann. So begint ein abschnitt des 2. buches: *Hyr vor is iv in rymen vntbunden drie manere van doetliken sunden.* Da sind die gesperrt gedruckten worte unterstrichen und darneben geschrieben: *Sic incipias: Dre maneer sint.* In demselben abschnitte ist das wort *veghen* verändert in *reynigen,* welches an der stelle offenbar besser passt. Dergleichen korrekturen kommen mehrere vor." So Hölscher. Leider kann man ihm auch nicht in einem punkte recht geben: alle seine annahmen sind irrig. Aus den worten der subscription *„ghescreven ... vermiddes gherardum buck"* folgt nichts weiter als dass Gherard Buck der schreiber der handschrift ist. Der irrtum, in den Hölscher hier verfiel, ist nicht gerade selten, sehr oft hat man den in der subscription sich nennenden schreiber einer handschrift für den verfasser des abgeschriebenen werkes gehalten, so z. b. bei „*der siclen trôiste,*" dem bekanten prosawerke aus dem ende des 14. jahrhunderts. In Adrians catalogus codd. mss. bibl. academ. Gissensis wird no. 850 an erster stelle aufgeführt: *Der Sehlen Trost Friderici Sommeri Lohrani.* In dieser hs. schliesst nämlich der Seelentrost „*et sic est finis huius operis in a. LX. per me Fridericum Sommer de Lore.*" Vgl. a. a. o. s. 398. Bei Grässe dagegen Trésor VI. 340 wird Joh. Moirs Sultz, welcher 1445 in Köln lebte, als verfasser des werkes genant. Worauf gründete sich diese annahme? Grässe folgte ohne es anzugeben Harzheim in der bibliotheca Coloniensis, wo sowol unter Moirs als unter Sultze ein Johannes Moirs Sultze als verfasser des Seelentrostes und anderer werke aufgeführt wird. Harzheim liess sich irre führen durch die subscription einer hs. des Seelentrostes, die früher im besitze der Jesuiten, jetzt auf der bibliothek der katholischen gymnasien in Köln aufbewahrt wird. Die subscription f. 151[b] lautet: *Finitum et completum per me Johannem | dictum Moirffultze Colonie natum. | Sub anno domini Millesimo quadrin|gentesimo quadragesimo quinto | Sabbato post dominicam in quadrage|sima In qua cantatur Inuocauit* ..... Diese hs. des Seelentrostes ist Pfeiffer,[1] Geffcken, Latendorf unbekant geblieben, obgleich de Vries schon im jahre 1847 über sie berichtet hatte, Der leken spieghel door Jan Boendale III. 321 fg. Ganz unbeachtet geblieben ist eine andere hs. des Seelentrostes, die sich auf derselben bibliothek befindet: auch sie schliesst mit einer subscription, die wie die andere anlass zu misverständnissen geben konte: *Finitus est presens liber per | me philippum rynheim | Sub anno domini Millesimo | Quadringentesimo quin|quagesimo octauo vice-|sima octaua die mensis | Januarii.|*, ebenso die Berliner hs. (Mss. germ. fol. 78) vom j. 1429, deren schreiber sich Georrius nent.

1) Nebenbei mache ich auf einen irrtum aufmerksam, der von Pfeiffer zuerst begangen, von andern seitdem zum überdrusse widerholt wird. Pfeiffer sagte, Frommanns deutsche mundarten I. 174, er kenne vom Seelentroste drei hss., die erste befinde sich in Köln im besitze des dr. E. v. Groote und aus ihr habe Carové im Taschenbuch für freunde altd. zeit und kunst 1816 s. 343—48 die sage von Amicus und Amellus abdrucken lassen. Im Taschenbuche steht nichts was Pfeiffer zu der ansicht führen konte, Carové habe eine hs. von Grootes benutzt. Es heisst dort bloss: „eingesandt von Carové." Carové besass aber seit dem jahre 1814 selbst eine hs. des Seelentrostes, sie kam später in den besitz von Tuchers und zuletzt ins germanische museum. Vgl. Chroniken deutscher städte VIII. 216 fg., wo die hs., die an erster stelle die chronik des Jac. Twinger von Königshofen enthält, genauer beschrieben. In die hs. haben sich als frühere besitzer eingeschrieben Richardus pastor tuitiensis 1595 und J. W. Carové 1814. E. von Groote besass nie eine hs. des Seelentrostes.

Mit demselben rechte könte man glauben, der name des verfassers des Seelentrostes sei Johannes Everzen, vgl. die subscription der Oldenburger hs. bei Merzdorf, Bibliothekarische unterhaltungen I. 4.

Hölscher wurde in seinem irrtum, dass Gerhard Buck nicht bloss schreiber der hs., sondern auch verfasser des Spieghels sei, noch bestärkt durch Hoffmanns von Fallersleben voreilige zustimmung, vgl. Horae Belgicae I.² 101. Er glaubte überdies die schönste bestätigung der richtigkeit seiner deutung des *„ghescreven vermiddes gherardum buck"* zu finden in correcturen und andern bemerkungen der hs., die man nur dem verfasser beilegen könne. Halten wir uns an den von ihm angeführten beispielen; sie zeigen uns „unzweideutig," wie oberflächlich Hölscher die hs. eingesehen hat: sie gehören nämlich einer spätern zeit an als die hs. selbst. Sie befinden sich im prosaischen teile, der wegen der vielen eingestreuten kleinen erzählungen im fraterhause besonders gerne gelesen und vorgelesen werden mochte. Man nahm ihn als selbständiges ganzes und muste daher beim vorlesen jede beziehung auf den vorhergehenden poetischen teil aufheben. Störend war gleich der anfang: *Hyr vor is iv in rymen vntbunden drie manere van doetliken sunden,* ihn muste man verändern. So erklärt sich die randbemerkung: *Sic incipias: Dre maneer sint,* so sollte man lesen statt des gesperrt gedruckten, das in der hs. unterstrichen ist. Dass diese deutung die richtige ist, dass man in späterer zeit den prosaischen teil als ein für sich bestehendes werk las, das beweist eine überschrift, die von noch späterer aber alter hand dem prosaischen teile vorgesetzt ist: *Hyr begynnet eyn bouk datmen nomet der leyen spegell. vnd tracteirt van den dren doden de xp̄s | verweckede vpp erden.* Diese überschrift sollte, wie ein beigesetztes zeichen andeutet, an die stelle der alten von Gerhard Buck rot geschriebenen treten. Jene lautete: *Hyr beghint dit ander boeck van den | spieghel der leyen voert in slichten woerden | sonder ryme. Vnd bedudet een deel dat | voergheschreuen is to ryme van drien | doden de cristus verweckede, vnd wat de | ghestelike sin daer van bedudet. vnd voert dat | daer tŏ behoert mit anderen guden exemplen und lerincgen. |*

Dieselbe hand, die *Sic incipias* u. s. w. schrieb, hat auch im cap. XIX des prosaischen teiles mehrfache änderungen vorgenommen: dem leser waren einzelne ausdrücke dieses uns durchaus widerwärtigen und ekelhaften exempels anstössig, so änderte er *„syne nese veghen"* in *„sine nese reynigen."* Die hs. fährt dann fort: *vnd de nese was em sere verrottet vnd so lelick van etter vnd van blode. dat tet em to der nesen wt hiencg, also dat he seghede to den bisscope.* Das gesperrt gedruckte durchstrich er, machte aber zu früherm *„make my* *myne nesen schone"* den zusatz „*de my myt blode vnd vnreynicheit seer beslagen ys.*" Derselbe hat dann auch noch in „*dat blot wt der nesen sughen* das gesperrte durchstrichen.

Das sind die correcturen und anderweitigen bemerkungen, auf die Hölscher sich ausdrücklich bezieht, die aber offenbar einer spätern zeit angehören als die hs., andere, die unzweifelhaft von Gerhard selbst herrühren, hat er ganz unbeachtet gelassen. Vielleicht hätten sie ihn auf die richtige fährte geführt; sie zeigen nämlich alle den Gerhard nur als abschreiber einer vorlage. Er machte keine selbständigen correcturen, sondern trug nur nach, am rande oder über der zeile, was er beim abschreiben übersehen hatte, manchmal muste er auch unrichtig abgeschriebenes verbessern. Von der einen und von der andern art führe ich einige beispiele an.

s. 25   *dat manch menet dat sunde*[1] *gheen sunde sy*
s. 81   *weer achte wi vns de rechte scholt dar af*
s. 92   *dat vierde dat ghi versumen manighe guede daet*
s. 104 *ten sy dat ghi de werlt mit wille laten*
s. 108 *daer de stede noch is swarter dan de brant*
s. 119 *hyr vmme wil ghi wolghen den luden ynt ghemeen*
s. 168 *wat neme ic di dat ic di nicht mach gheuen*
s. 424 *nu hebbe ghi den grunt van partye ghehoert*
s. 456 *dit is dat ihesus syrach vns doet bekent*
s. 464 *so bidde ick dat ghi willen lesen hyr na*

s. 43   *mer dinen ghegaden*[2] *den do voert*
        als dem echte to behoert
s. 174 *doch so laet my naken iuwe gheboert*
s. 49   *hyr bi gheliket de schrift de nidighen to*
s. 305 *hyr to voren so wilt noch een punt to grunde auerdincken.*
s. 187 *de wil wil dar in wesen al buten scholden*

Ein unrichtiges wort muste er verbessern:

s. 62   *solde dy de sunde beulecken so,* wo er *io,*
s. 379 *somighen menschen baten somighen hinderen,* wo er *deeren* (: *regeren*) am rande als das richtige bezeichnete.

Endlich hat Gerhard an sehr vielen stellen wörter, die ihm in seiner mundart nicht bekant genug schienen, durch andere gewöhnlichere glossiert. Sehr beachtenswert ist es, dass diese wörter fast ohne ausnahme im versschlusse stehen und durch den reim geschützt waren, im innern des verses und ebenso in der prosa hat er wahrschein-

---

1) Das gesperrte ist vom schreiber später nachgetragen.
2) Das gesperrte ist durchstrichen.

lich wie alle andern schreiber für das seltenere, unbekantere wort gleich das geläufigere gesetzt. Im prosateile findet sich nur s. 267, 268, 269 zu *rundelike* die glosse *myldelyke* (*dan dat he rundelike altoes syne almissen gheue* s. 268, *dat wi rundelike vnse almissen gheuen sullen* s. 269, *de altoes rundelike de werke der barmherticheit dede* s. 267).

Die glossen teile ich vollständig mit: s. 14 *mat* (*: pat*). *traech.* — s. 15 *deert* (*: gheconsenteert*). *schadet*, ebenso s. 72 (*: begheert*), s. 144 (*: gheleert*), s. 226 (*: keert*), s. 102 *deeren* (*: leeren*). *schaden*, ebenso s. 222 (*: verleren*), s. 442 (*: leren*). — s. 73 *doghen* (*: moghen*). *liden*, ebenso s. 97 (*: vermoghen*), s. 174 (*: moghen*). — s. 75 *clause. punt.* — s. 93 *vnbehoerlick. vnrecht.* — s. 113 *wit* (*: steet*). *ee.* — s. 122 *ghile* (*: wile*). *aftreckers.* — s. 132 *gheconfirmiert* (*: prophetiert*). *gheuestet.* — s. 143 *loechnen. louen.* — s. 143 *vresen* (*: wesen*). *anxte*, ebenso s. 181 (*: wesen*), s. 219 (*: wesen*), s. 387 (*: wesen*), s. 406 (*: wesen*). — s. 205 *back* (*: versack*). *rug.* — s. 225 *ropen. leren.* — s. 267, 268, 269 *rundelike. myldelike.* — s. 444 *rede* (*: stede*). *dat kolde.* — s. 445 *varen* (*: waren*). *anxt.* — s. 446 *deeren* (*: kieren*). *liden.*

S. 418 *wante de nakede teghen den nakeden vrancgen sal*, stehen über *vrancgen* die drei punkte, die sonst immer auf eine nebenstehende glosse deuten, ohne beigeschriebene glosse. Dasselbe wort findet sich auch s. 442: *syne vrunde mit em wrancgen vnd kiuen*, an dieser stelle ohne die punkte. So bieten also auch die correcturen und die anderweitigen bemerkungen Gerhards nicht den geringsten anhaltspunkt für die ansicht Hölschers.

Der spieghel der leyen ist uns ausser in der Münsterschen hs. (M.), noch in mittelniederländischer sprache in einer Harlemer hs. (H.) erhalten, vgl. über sie de Vries, Der leken spieghel door Jan Boendale III. s. 340 fgg. Vergleichen wir die prosaische vorrede des spieghels aus M. bei Hölscher a. o. o. 7 fgg. mit der aus H. bei de Vries a. a. o. 341 fgg. mitgeteilten, so zeigt sich bald, dass der text von H. ein besserer ist als der von M. M. hat z. b. (s. 7. bei Hölscher): *und ghi sullen weten, dat dit boeck in dren boeken ghedeelt is, und ytlick boeck.*, was gar keinen sinn gibt, in M. fehlt nach „*ytlick boeck*" „*wirt in dren ghedeelt*" vgl. die stelle aus H. bei de Vries s. 342. Hölscher bemerkt ruhig: „*weert in drien ghedeelt* setzt die holländische ausgabe hinzu." Auf derselben seite bei Hölscher steht *dat derde deel is*, wie das vorhergehende zeigt, muss es heissen: *dat derde derde deel is*. H. liest richtig: *dat derde derndel is*. Gleich ungenau ist M. bei der inhaltsangabe des zweiten buches, wo sie *dat eerste deel, d. ander d., dat derde d.* hat, statt *d. e. derde deel, d. a. derde d., dat derde d.*

d., beim dritten buche lässt sie auch noch *deel* aus. Nach M. ist ferner der inhalt des zweiten teiles des zweiten buches: *wo men uns van
sunden hoeden und untbinden sal*, der des dritten teiles desselben
buches *wo de ghene die de werlt bouwen sick best van sunden hoeden
solen*. Es wäre also, ganz abgesehen von der seltsamen verbindung *van sunden hoeden und untbinden* der inhalt des zweiten und
des dritten teiles ziemlich derselbe. Anders in H. Sie gibt als inhalt
des zweiten teiles an: *hoe men ons van sonden binnen sel*, nämlich
der priester in der beichte, der von den sünden lospricht. *binnen* war
dem schreiber von M. eine unbekante wortform, er suchte das halb
verstandene durch *hoeden und untbinden* auszudrücken. Bei der inhaltsangabe des dritten teiles des dritten buches *waer ynne dat wi nicht
rechte gheplaghet werden* wurde der schreiber von M. irre geleitet durch
met rechte seiner vorlage, er glaubte *niet rechte* vor sich zu haben.
H. liest richtig *mit recht*. Es ist die rede von den prüfungen, die gott
den menschen schickt, vgl. M. s. 441:

> *got de alle herte kent,*
> *vaken so sendt he vns torment,*
> *unde wil dat uns dat nutte si.* u. s. w.

Man könte nun vermuten wollen, M. sei aus H. abgeschrieben; dass
dies aber unmöglich ist, beweist unzweifelhaft folgende stelle derselben
vorrede bei de Vries s. 343: *als die heilighe kersten meysters in der
ouder ewen ende oec als die heydene meesters gheleert hebben in philo-
sophien.* de Vries nimt freilich keinen anstoss an „den christlichen
lehrern im alten testamente.“ Der schreiber von H. war, wie es oft
geschieht, von dem worte eines ersten satzteiles zu dem gleichlautenden des andern abgeirrt und hatte das zwischenliegende ausgelassen.
M. bietet richtig: *als de hilligen kerstene mesters ghemaket hebben vnd
yodesche mesters in der olden ee.* Wir werden also auf eine dritte hs.
gewiesen, aus der H. und vielleicht auch M. geflossen. Diese dritte
hs. ist uns überdies urkundlich bezeugt, wir kennen sogar das jahr,
in dem sie geschrieben. Vgl. die subscription der H. bei de Vries
s. 341: *Hier eyndet die Spiegel der leken, ende wert gemaect ende
geeynt doc men screef in den jaren onsen heren MCCCC ende XV.*
de Vries fügt hinzu: *Het blijkt evenwel, dat het HS. geen autograaf
van den auteur, maar een later afschrift bevat, daar in een kort gebed
achter de aangehaalde slotworden gesproken wordt van hem „die dit
boeck nuwes ghescreven heeft.“ Die afschrijver heeft zich op vele plaat-
sen vrij slordig van zijne taak gekweten.* Hoffmann von Fallersleben
meint Horae Belgicae I.[2] 101 „Die jahrszahl 1415 ist nur aus fal-

scher lesung der ursprünglichen jahrszahl M. CCCC. xliiij entstanden, (nämlich 1 für i, also xiiiij.)." Diese unüberlegte vermutung ist aber durchaus abzuweisen, da sie Hoffmann ja doch nur in der falschen voraussetzung machte, dass Gerhard Buck der verfasser des Spiegels sei. Wir werden daher dem niederländischen wider den vorrang zusprechen müssen, der Spieghel der leien wird ferner nicht mehr als niederdeutsches, sondern als mittelniederländisches werk aufzuführen sein. Vielleicht lässt sich die urkundlich bezeugte originalhs. vom jahre 1415, von der die Harlemer nur eine spätere abschrift ist, noch auffinden.

Aus der Münsterschen hs. gebe ich im folgenden sieben erzählungen des Spieghels als einen beitrag zur erzählenden prosa des mittelalters (vgl. Pfeiffer in der Germania IX. 257), ausser ihnen enthält der Spieghel noch fünf, die weniger der mitteilung wert sind. Alle sieben sind aus dem zweiten buche, I. aus dem 13. cap. s. 238—43, II. aus dem 15. cap. s. 247—49, III. aus dem 17. cap. s. 251—253, IV. aus dem 21. cap. s. 263—66, V. aus dem 29. cap. s. 301—304, VI. aus dem 32. cap. s. 310—12, VII. aus dem 48. cap. s. 364—67. Die nicht mitgeteilten fünf stehen im 18. cap. s. 253—57, im 19. cap. s. 260—61, im 20. cap. s. 261—62, im 24. cap. s. 275—81, im 48. cap. s. 363—64.

Als quelle der ersten erzählung wird der liber apum (des Thomas von Chantimpré) genant, zugleich aber bemerkt, dass sie sich auch noch an einer andern stelle finde. Es ist im grunde dieselbe geschichte, die K. Simrock in seinen Deutschen märchen[1] (Stuttg. 1864) s. 81 unter dem titel „wie viel ein Vaterunser werth ist" dem Seelentroste nacherzählt hat, er benutzte die Kölner von Joh. Moirssultze 1445 geschriebene hs. Da man sie nicht ungern in der alten sprache vernehmen wird, so teile ich sie aus der von Arnswaldtschen hs. vom jahre 1406 mit. Die hs. ist die älteste bis jetzt bekante datierte, sie befindet sich noch im besitze der familie in Hannover. Frau legationsrat A. von Arnswaldt, geb. freifrau von Haxthausen, gestattete mir mit gröster liberalität die benutzung dieser bisher unbeachtet gebliebenen hs. des Seelentrostes.[2]

---

1) Das erste märchen bei Simrock „Zur Ordnung der Natur" ist nach mündlicher mitteilung erzählt, es ist durchaus volkstümlich; es lässt sich, was unbemerkt geblieben, schon im 16. jahrhundert nachweisen, vgl. Jacob Freys Gartengesellschafft (Franckfurt 1574, s. 26 fgg.): „Ein Mann vnd ein Frauw wurden eins, sie solt Mann mit der arbeit, so wolt er Fraw mit haushalten seyn, damit jedes die Geschefft beyde ein ander mal köndte aussrichten."

2) A. v. Arnswaldt hatte zwar in der einleitung zu seiner ausgabe der „vier Schriften von Johannes Rusbroeck in niederdeutscher Sprache, Hannover 1848"

„wôe gûet dat pater noster is.

Dat was ên biscop die wolde tôe Rômen trecken tôe den pauze.
Dôe nam he ênen armen man in sîn hûis end gelâefden dat he om
al dage wolde geven sîn provende alsôe bescheidelike dat he om alle
dage solde spreken ên pater noster vôir den biscop, dat on got bewâerden vôir al ovele. Dôe bevôel die biscop sinen drôsten dat he den
armen[1] man alle dage solde geven sîn provende. Die biscop tôech
hen tôe Rômen, dese man sprac al dage sunderling ên pater noster
vôir den biscop dat on got bewâerden, dat om niet quâdes tôe en
quêem. Dat gescach êens dages dat die drôeste den armen man sîn
provende ontôech, dôe liet die arme man ôc dat pater noster ongespraken. In den selven dage quam die biscop in sôe grôte waters nôit,
dat he völ nâ verdrunken was end om quam ôc grôit scade tôe. Dôe
mercten he den dach.

Dâr nâ dôe he tôe hûis quam, dôe vrâgeden he den armen man
of he em hed gehalden sîn pater noster, sôe he om gelâeft had. Jâ,
sprac he, ic hebt gehalden al dage, zonder ênen dach dôe liet ic dat
ongespraken, dat was des drôsten scolt, die en gaf mi mîn provende
niet. Dôe gaf die biscop den drôste grôte scolt end sprac alsôe: her
drôste, gi hebt mi grôten schaden gedâen, den suldi mi uprichten.
He sprac: hêre tornet û niet aver mi, ic wil ü dat pater noster wâl·
vergelden. Segget, wat wildi dâir vôir hebben? Dôe sprac die biscop:
vâer hen tôe Rômen tôe den pauze end vrâge, wôe gûet ên pater noster
sî. Dôe môste de drôste riden tô Rôme tôe deme pauze end vrâgen,
wôe gûet ên pater noster sî.[2]

De pauwes sprac: ên pater noster wêre sôe gûet als ên penninc.
Die drôste quam tôe den biscop end sprac: ic heb gewest tô Rômen

s. XXXVII von seiner hs. des Seelentrostes gesprochen, aber niemand beachtete diese
notiz bisher. Wenn von Arnswaldt bemerkt, die hs. habe die jahrszahl 1436 und
1437, so trifft das nur die zweite hs., die in demselben bande mit der Seelentrost-
handschrift vom jahre 1406 vereinigt ist. Dank dem überaus freundlichen entgegenkommen seiner hochverehrten familie kann ich demnächst über die ganze hand-
schriftensamlung A. von Arnswaldts ausführlichen bericht erstatten.

1) armen armen *hs.*

2) „Dôe môste — sî" fehlt in der hs., ergänzt unter benutzung der Oldenburger hs. vom jahre 1407. Sie hat: „dô môste gene voget riden tô Rôme tô deme
pâwese und vrâgen, wô gûd ein pater noster wêre." Der schreiber der von Arnswaldtschen hs. irrte von dem schlusse des einen satzes zu dem des andern ab, und
liess das zwischenstehende aus. — Eine sorgfältige abschrift der Oldenburger hs.
verdanke ich der liberalität des herrn oberbibliothecars dr. Merzdorf, der mir auf
die nachricht, dass ich eine kritische ausgabe des Seelentrostes vorbereite, sofort
seine eigene abschrift der ganzen Oldenburger hs. zur beliebigen benutzung zusante.

tôe den pauze end heb grôit kost ende arbeit gedâen van niet: die
pauwes seide ên pater noster wêre zô gûet als ên penninc, ic wolde û
gern hondert penninge hebben gegeven vôir dat arbeit. Dôe sprac die
biscop: seide die pauwes niet wat penninc dat wesen solde wer silveren
of gulden of kôeperen. Dôe sprac die drôste: hêre des en seide he mi
niet. Dôe sprac die biscop: gâ weder hin tôe Rômen tôe den pauze
end vrâge em, wat penninges dat wesen zôele.[1] Die pauwes sprac:
id sold wesen ên gulden penninc. Dôe quam die drôste weder end
seide dat sinen hêren, dat id solde wesen ên gulden penninc. Dôe
sprac die biscop: seide die pauwes niet, wôe brêet ende wôe dick die
penninc wesen solde? Dôe sprac die drôste: des en seide die pauwes
niet. Zôe gâ noch êens weder om, sprac die biscop end vrâge des.
He tôech hin end vrâgeden, wôe grôit die penninc sold wesen. Dôe
seide die pauwes, dat die penninc sôe brêet solde sîn als al ertrîke end
alsô dick als van den hemel an die erde. Dôe quam die drôste tôe den
biscop end sprac: lieve hêre, dôet mi gnâde! Uwe pater noster mach
û nîmant vergelden; dat is zôe dûirbâr, dat en vergulde al die werlt
niet. Dôe verbarmeden om die biscop end dêde om gnâde."

Bis jetzt kante man die erzählung nur aus dem Seelentroste, dass
der Seelentrost die „andere stede" sei, glaube ich nicht, die fassung
der beiden erzählungen ist zu verschieden. Diese „andere stede" hat
der verfasser des Spieghels benutzt, denn seine erzählung stimt sehr
wenig mit der des Thomas überein, wenn sie ihr auch näher komt als
der des Seelentrostes.[2] Die erzählung bei Thomas I, 12, die noch niemand beachtet hat, verdient mitgeteilt zu werden.

„Refertur de nobilissimo quodam comite Campanie, qui in remo-
tis orbis partibus recessurus virum quendam pauperem et languidum
atque devotum, quem diu elemosinis paverat, suppliciter exoravit, ut
pro se cotidie rogaret dominum, ut eum sanum et sine periculo eun-
tem duceret, reduceret redeuntem. Cui pauper, sine diligenti, inquit,
sustentacione corporis orare non possum, cum sim exinanitus cerebro,
corde debilis et viribus penitus destitutus. Mox comes duobus dispensatoribus, quos in custodiam sue domus relinquebat, precepit dicens:
languidum istum cibis et omnibus necessariis corporis diligentissime
procurate. Quod illi promiserunt se facturos. Et sic comes profectus

1) Auch hier könte man an eine ähnliche auslassung denken wie vorher,
hier stimmt aber die Oldenburger hs. mit der von Arnswaldtschen, die von Moirssultze geschriebene hs. dagegen füllt aus, sie liest: „dâe môist der kellener weder
zô Rôme zien ind vrâigen den pâis wat pennincs dat id sîn sôelde."

2) Die erzählung, fast genau wie sie im Seelentroste enthalten, ist noch
volkstümlich in Westfalen: sie wird dort von bischof Ulrich von Augsburg erzählt.

est. Et primum quidem per dies quindecim dispensatores illius pauperis recordati ei necessaria ministraverunt, deinde minus ac minus, ad ultimum pene eius obliti sunt. Quid plura: neglectus pauper orare cessavit. Comes autem in via non modice tribulatus post moram multam ad patriam est reversus. Nec mora, pauperis recordatus querit, an vivus sit an defunctus. Quem adhuc vivum intelligens visitavit dicens: Mortuum, inquit, te putabam carissime, secundum solitum oracionum tuarum suffragia non expertus. Exceptis enim quindecim diebus aut non multo plus postquam iter arripui usque in diem qua ad propria sum reversus, nunquam michi tribulaciones et angustie defuerunt. Mox pauper ohortis lacrimis dixit: quoniam tua beneficia cessaverunt a me, adiutorium dei mei cessavit a te. Et comes posteriorum oblitus, qualia, inquit, in te beneficia mea defuerunt? Cui pauper, recedens, ait, hinc duobus domus tue dispensatoribus precepisti, ut me debilem in omnibus necessariis procurarent, quod parum plus quam diebus quindecim quidem impleverunt. Ego autem viribus destitutus pro te orare non potui. Stupefactus ergo comes dictos dispensatores precepit advocari et eis coram omnibus dixit: o cunctis servientibus nequiores, qui contra preceptum meum nequissime bonis meis pepercistis et pauperem hunc, quem patronum salutis et pacis mee frequenter expertus fueram non pavistis. Et nunc frustratus oracionum eius suffragiis pericula et tribulaciones inveni quales nunquam antea in vita mea sustinui, quas quidem, ut certus sum, evitassem, si pauperis suffragium habuissem. Vos ergo reos periculorum meorum bonis omnibus privo et exules a terra mea constituo. Depulsi ergo a terra Campanie exules per triennium exstiterunt, inde per interventum nobilium in conspectum principis sunt admissi. Quibus ille dixit: nullam prorsus aliam gratiam vobis exhibeo, nisi quam vobis dominus papa veritate narrata dare censuerit. Quod mox illi cum insperato gaudio iter rapientes cum litteris secretum comitis continentibus, quia eos non exheredare sed pro culpis vexare volebat, ad summum pontificem pervenerunt. Cui narrata adventus sui causa, litteras pape in hanc sentenciam retulerunt comiti, quod quilibet nummum aureum solveret comiti et sic adepti graciam facultatibus redderentur. Tunc comes inquit, latitudinem nummi et spissitudinem ab ore pontificis volo scire et sic vos ad graciam, quam mandavit, admittam. Denuo ergo satellites domino pape responsionem comitis ostenderunt. Mox papa conscius quid responderet, rescripsit comiti, nummum aureum debere habere [latitudinem] secundum latitudinem terre et spissitudinem eius extendi usque ad altitudinem celi, eo quod oratio iusti qua comitem frustraverunt celos penetret et virtus eius corroboret universa. Ad hoc mandatum comes satellitibus ait:

videte miserrimi quod michi dominus papa rescribit. Hunc nummum
aureum exsolvere quis sufficiet. ·Videte quanta vos pena dignos existi-
met qui vos debitores tante solucionis addixit, quam nec totus mundus
solvere prevaleret! Hinc ergo tercio redeatis ad papam et litteras
absolucionis vestre quam in me peccastis enormiter apportate et sic
penis sufficienter exactis liberi ad propria redeatis. Sic inclitus comes
iile et in servis quod deliquere punivit et aliis post futuris dignam
oracionis fiduciam dereliquit."

Zu V. ist zu vergleichen Pfeiffer Germ. IX, 260, zu VI. Massmann in seiner ausgabe der Kaiserchronik III, 1017 fgg. VII. ist
ausführlicher im Seelentroste enthalten; es ist sehr lehrreich beide fassungen zu vergleichen. Die erzählung aus dem Seelentroste gebe ich
widerum nach der von Arnswaldtschen handschrift.

„Dat was ên jode, die solde gâen tôe Rômen, êens nachtes en
kond he nergent herberge gekrîgen, dôe ginc he in ênen tempel, die
was wôest end was getimmert in êns afgades êre. Dar legede he sich
slâpen, dôe begonde om zêre te grûwelen. Allêen dat he ên jode was
sôe slôech he vôer om ên teiken des heilgen crûis. Dôe dat quam tôe
der midder nacht, dôe quam die tempel al vol duvelen end Lucifer zat
sich midden in den tempel up ênen hôgen stôel, dâir quâmen de
viande end zegeden wat ze begâen hadden. Dôe quam ên duvel end
viel up sîn knien end sprac: hêre ic heb gewest in ênen lande, dâir
stakeden ic die lûde tôe zamen, dat ze kîveden end quâmen tô strîde,
dâir bliven vôl lûde dôit end ôerre worden vôl gewont. Dôe sprac
Lucifer: wôe lange wêerstu dâir aver? He sprac: dertich dage. Dôe
sprac Lucifer: soldestu dâir zôe lange aver wesen! end liet on wâl
slâen mit geiselen. Dôe quam ên ander end sprac: hêre ic was up
den mêre, dâir mâecten ic ênen grôten storm, dâir verdrunken vôl
lûde end verdorven vôl scepe. Dôe sprac Lucifer: wôe lang wêerstu
dâir aver? He sprac: twintich dage. Dôe sprac Lucifer: kondstu
binnen der tit niet mêer vôirt bringen! Den liet he ôc sêre slâen.
Dâr nâ quam ên ander end sprac: hêre ic was in êenre grôter stat,
dâir stakeden ic ênen grôten kîf up êenre brûitlacht, dâir blêven vôl
lûde dôit end die brûdegam blêef dôit. Dôe sprac Lucifer: wôe lang
wêerstu dâir aver? He sprac, ênen dach. Dôe sprac Lucifer; kondstu
niet mêre gedôen! Den liet he ever geiselen. Dôe quam ên end sprac:
hêre meister ic heb gewest in ênen walde bi ênen êenzedel xl jâir end
heb on gelâget dat ic en gern hed tôe val gebracht end he bewâerden
sich ommer, aver nû heb ic on dâir tôe gebracht, dat he ên sunde
heft begâen mit êenre vrouwen. Dôe Lucifer dat hôirden, dôe stont
he up van den stôel end veng on om sînen hals end kusten om vôir

sinen mont end zat em ên krôen up sîn hôeft end hiet en bi sich sitten gâen end sprac: zû du bist en vrôem heit, du hevest mêre nuttes
verworven dan die anderen altômâel. Dâir quam ên ander ende sprac:
hêre meister, hier bi wôent ên bischop, die heit Andreas, den heb ic
lange nâ gegâen ende hed on gern becâret mit ênre nonnen end hebt
zô vêer gebracht, dat he mit ôir spôelden end slôech ze mit der hant
up ôeren nacke. Dôe sprac Lucifer: eia vrôem geselle, volbrenge dat,
dâir mach ons wal wat af werden. Bringestu den man tô valle, zô
wil ic di krôenen baven al mîn vorsten.[1]

Die jode lach end hôirde al dese reden. Tôe lesten sprac Lucifer:
wie is die dâir leget, bringet on her, lâet zien wat mannes he is.
Dôe die duvelen tôe em quâmen end vonden, dat he sich gezeget had,
dôe vlûwen ze altômâel enwech. Dôe stont die jode up end geng tôe
den bischop Andream end seide om al dese reden. Dôe drêef he al
die vrouwen ûten have end wolde gêen vrouwen mit sich lâten wonen
end die jode liet zich dôepen.

I.

van nutticheit des ghebedes.

Men lest hîr van gheschreven in ênen bôke, dat hêt et liber
apum, ôec sô vint men in êner anderen stede wâl sô clâer. Et was
êen landes hêre, de ênen armen ghêestliken man bi sic wonen badde,
und den landes hêren quam et in den sin, dat he over mêer êne
lancge bedevâert dôen wolde. Des ghencg he tô dussen ghêestliken
armen manne und bad en, dat he gode trûwelike vor em bidden wolde
de wile, dat he ût wêre, dat en got beschermen wolde vor ungheval.
Und dusse ghêestlike man antworde und seghede: hêre ghi weten wâl,
dat ic bin êen arm man unde dâr tô sô bin ic kranc in den lîchame;
mêr willet alsô verwâren, dat mi daghelikes ût iuwen hove mine nôtroft
werde ghebracht van eten und van drinken, sô wilie ic ghêrne alle
daghe trûwelike vor iu bidden. Und dusse hêre seghede, he woldet
dôen, und he bevôel dat ênen sinen hôghesten knechte, den he in sinen
hove hadde, dat he iummer alle daghe dussen armen manne ghêve
al sine notroft, wente he weder tô hûes quême. Und dusse knecht
seghede, he woldet ghêrne dôen.

Dô dusse hêre up de reise was, dusse knecht brochte dessen
armen manne alle daghe volkomelike al dat he behovede, viftien daghe
lancg, und dusse arme man bad alle daghe trûwelike vor dussen hêren,

1) Vgl. Lessing, Entwurf des Faust. Vorspiel. Werke ed. v. Maltzahn 2, 512.
Red.

alsô dat dusse hêre krêech grôten vôerspôet in siner reise. Und alsô lancge ghencget eme tô willen dusse viftien daghe lancg, dô de arme man vor em bad. Nâ dessen viftien daghen, sô vergat dusse knecht dussen armen man und en brochte em nicht, alsô dat dusse ghêestlike man krank wôert in dem hôvede, alsô dat he vor den hêren nicht bidden en mochte. Und rechtevôert sô ghencg den hêren, dâr he wanderde, alle dincg enteghen, wante he verlôes lûde und gûet, und he wôert siec und unghevallich und krêech sô vele wederstôtes, dat he alle den wech dôer kummer und armôde lêet, alsô dat he nouwe mitten live weder tô hûes quam.

Und rechtevôert dô he tô hûes quam, sô ghencg he tô dussen armen manne und seghede: wô en hevestu nicht trûweliker vor mi ghebeden, dat ic aldus vele armôde und wederstôtes in desser reise gheleden hebbe? De arme man antworde und sprac: hêre int êrste dô ghi ûtwanderde, dô wôert mi mîne nôtroft ghebracht van eten und van drinken viftien daghe lancg; und de viftien daghe bad ic trûwelike vor iu, und dâr nâ sô wôert mi sô luttic ghebracht und som tít vergheten mit allen, alsô dat mi dat hôvet sô îdel wôert, dat ic nicht vor iu bidden en mochte. Und rechtevôert dô de hêre dat verstont, dô wôert he dinkende, dat em de êerste viftien daghe lancg, de wile dat de arme man vor em ghebeden hadde, alle dincg tô willen ghencg, und wô dattet eme nâ den viftien daghen in alle der reisen nue gûet gheschien was. Dô ghencg dusse hêre [1] tô dessen knechte, den he dussen armen man bevolen hadde und beschalt en sêre und verbôet em sîn lant und ghebôet rechtevôert, dat he den pauwes sôchte und sîne bicht teghen em dêde, und he unvertoghen em dat weder seghede, wat penitencie em de pauwes sette vor dusse grôte misdâet.

Dusse knecht de tôech tô Rôme an den pauwes und bîchte sîne misdâet und bad den pauwes, dat he eme rechte penitencie setten wolde, up dat he dâr bî sînes hêren hulde mochte weder krîghen, und ôec dat he et sînen hêren wederseggen mochte, wat de rechte penitencie dâr vor wêre. Und dô de pâwes dat hôerde, dô sette he den knechte penitencie, dat he slichtes ênen pennincg umme godes willen gheven solde, und seghede, dat he dâer mede weder tô sînen hêren tôghe.

Dusse knecht wôert sêer blide, dat em de pâwes dâr vor ghesat hadde nicht mêer dan ênen pennincg tô gheven, und dachte, he wolde ghêerne dûsent pennincge gheven, und tôech mit grôter vroude weder tô sînen hêren und seghede em, dat em de pâwes ghesat badde nicht

1) here *fehlt in der hs.*

mêer vor rechte penitencie dan ênen pennincg umme godes willen tô
gheven. Und dô de hêre dat verstunt, dô vrâghede he den knechte
vôert, wat pennincgs dat dit wesen solde, of wô gûet dat dusse pennincg wesen solde. De knecht antworde und seghede, dat he dâr nicht
umme ghedacht en hadde und ôec des nicht en wiste. Dô sprac de
hêre tô dussen knechte: alsô lief als di dîn lîf is, sô pîn di weder
rechtevôert tô den pauwes tô komen und seghe, dat ic et beghere tô
weten, wô grôet ofte wô gûet dat dusse pennincg wesen sal.

De knecht tôech weder an den pâwes und vrâghede den pâwes,
als em sîn hêre hevolen hadde, wô grôet und wô gûet dat desse pennincg wesen solde. Dô antworde de pâwes unde seghede dussen knechte:
de pennincg, dâr du nâ vrâghest, sal he rechtvêerdelike vervullen dat
ghebet ênes gûden menschen, de gode dient, sô sal de pennincg alsô
brêet ...[1] rechte runt wesen, dat he alle de werlt bedecken moghe
van den ôesten tô den westen, van den zûden tô den norden, alsô wît
als alle de werlt is. Wante ênes gûden menschen ghebet dat mach
men ghenêten und de bet hebben alsô wît, als de werit is und de
hemel bedecket. Hîr umme sô sal de pennincg aldus brêet wesen, sal
he de rechte wêerde vervullen. Vôert sô sal he alsô dicke wesen van
den aller fînsten golde, dat de pennincg upgâen mach van der êerden
in den hôghesten thrône des hemels, dâr got in siner glôrie sit. Wante
rede wâr bi, wante ênes gûden menschen ghebet stîghet up van der
êerden in den oversten thrône des hemels, dâr got sulven is in siner
glôrien. Nû gâ hêen weder tô dinen hêren und seghe em weder, dat
ic di gheantwort hebbe.

De knecht wôert sêer bedrôvet, dô he dit hôerde, und ghencg
weder umme tô sinen hêren und seghede sinen hêren, wat eme de
pâwes gheantwort hadde und wô grôet unde wô gûet dat dusse pennincg wesen solde, und bat ghenâde an sinen hêren, wante he gbêne
macht hadde den pennincg tô betalen vor alsulke misdâet, als he mit
rechte misdâen hadde.

II.

van ênen richter.

Men lest in ênen bôke, dat hêt et vitas patrum, wô dat êen
hillich vader in der wôestenîe sat in êner clûse, und bi desser clûse
sô plach vake de richter van den lande tô riden und tô jaghen. Und
desse richter was êen juncg man vol van der werlt, nochtan sô hadde
he dessen vader lief und plach altôes, als he dâer vôerbî rêet, dessen

---

1) *nach* breet *scheint eine lücke anzunehmen.*

hillighen vader an tô spreken, und bat en und seghede: lieve vader, bidde vor mi. Desse vader seghede, he wolde dat ghêerne dôen. Und he bat vake vor den richter, dat em got rechte bekantnisse gheven wolde. Des sô blêef [1] desse richter allike wâl quâet.

Und dô desse vader dat vernam, echter up êne ander tît, dô desse richter dâer vorbi riden solde, dô vullede desse hillighe vader ênen sac mit zande unde sette den bi sic. Unde dô desse richter dâer quam, dô bat he echter dessen hillighen vader, dat he vor em bidden wolde. Dô sprac desse hillighe vader tô dessen richter unde seghede: kum help mi dessen sac up mîne scholderen bôren. De richter sprac: sêer ghêerne. Und de richter tasten den sac an und begunde tô hôren. Und dô de richter upbôerde, dô druckede desse vader den sac neder. Und dit gheschach êenwerf, anderwerf und derdewerf: alsô wat desse richter up hôerde, dat druckede desse vader weder neder. Noch sprac desse vader tô den richter, wô en bôerstu dessen sac nicht up? De richter sprac: wô solde ic dessen swâren sac sunder iuwe hulpe und teghen iuwen willen upbôren? wante als ic upbôre, sô drucke ghi neder. Hulpe ghi mi hôren, wi wolden en wâl up krîghen.

Und dô de vader dat hôerde, dô sprac he: wâerlike, du seghest wâer! Unde aldus sô is et in ghelîken vôghe: du biddest mi vake, dat ic vor di bidden sal, und dat hebbe ic ghedâen. Wante vake heb ic gode vor di ghebeden und wat ic upbidde, dâr arbeidestu al en teghen. Wante du blîvest al in dînen olden leven und in diner olden îdelheit und en dôest mi ghêne hulpe. Help mi tô bidden und dô wat gûdes, sô sal unse ghebet upghebôert werden und ghehôert werden van gode. Und dô de richter dat hôerde, dô wôert he van enbinnen berôert und liet sîn quâet leven af und bat ghenâde van unsen lieven hêren gode und starf êen billich mensche.

III.

van ênen môerder.

Men lest wâl clâerlike in enen bôke, mêr dat is apocriphum: up de tît dô Jhêsus mit Marien und Jôseph in Egipten viôe, umme den anxt van Herôdes, dô quêmen se in êne wôestenîe, dâr bôese môerders wôenden. Und dô desse môerders sâghen, dat Jôseph mit Marien al dâer quam leiden, dô spruncgen se up und wolden Jôseph und Marîen berô-vet hebben ofte ghemôerdet, als se plêghen tô dône. Und alsô, als men lest, sô was dâer de schêker mede, de an den crûce hiencg bi der rechter hant unses hêren und was gheheiten Dismas. Und dô desse schêker Marîam und Jhêsum ansach, dô sprac he tôhant tô sînen ghe-

1) bleef allike wal d. r. a. w. hs.

sellen: sêet desse môder is sô wunderlike sôete und minlik unde dat
kint noch völ minliker. Dat dat moghelik wêre, dat got selven van
êner môder mochte gheboren werden, mi solde dunken, dat eme desse
ghelîken solde. Hîr umme êer ic dat lede, dat men desser môder ofte
dessen kinde quâet dêde, dâer wolde ic êer selven vor sterven. Alsô
lief als elken sîn lîf is, wat iuwer ist, de slâ sîn hant hîr af. Und
aldus sô lieten se Mariam mit Jhêsum wanderen unghehindert.

Und dit mênen somighe, dat de sake êen dêel was, dat got den
schêker alsulke bekantnisse gaf an den crûce, alsô dat he got bekande
an den crûce und sprac: hêre wil miner ghedenken als du komest in
dîn rike. Und verwarf dâr mede, dat he de êerste solde wesen, de
mit gode in dat paradis komen solde.

IV.
van konincg Kârles tôde.

Men lest in der legenden van konincg Kâerle: up de tit, dô he
sterven solde, dô quam de vîant wanderen vor êne clûse, dâr êen hillich êensedel inne was. Und dô de êensedel den vîant sach, dô seghede
he tô den viande: wâer wilstu vîant hêen? De viant antworde und
seghede: ic wil hên tô konincg Kâerie, tô siner ûtvâert, wante he sal
nû sterven, unde ic mêne, dat wi sine siel hebben sullen. De êensedel sprac: pine di hêen tô komen und ic bevele di van godes weghen,
alsô vrô als du dat ordel vernomen hevest, wâer sîn siele bliven sal,
dattu dan rechtevôert hîr weder tô mi komes und mi dat seggest, wô
dâr ghevaren sî of nicht. De vîant sprac, he solde dat dôen; al dêde
he dat al undanx, wante desse êensedel was sô billich van leven, dat
des de vîant nicht lâten en mochte, wat eme de êensedel bevôel.

De vîant tôech hêen und was sô lancge bî konincg Kâerie, wente
he ghestorven was und gheordelt was van gode. Und tô hant dâr nâ
sô tôech de vîant weder umme tô dessen êensedel, als em bevolen was.
Vnd dô desse êensedel den vîant sach, dô vrâghede he den vîant, wô
sine reise gheweset hadde. De vîant antworde, dat sîne reise vûel und
quâet gheweset hadde.

De êensedel sprac: wô komet dat bi, segge mi, wâer is konincg
Kâerls siele ghebleven? De vîant sprac: se is mit gode. De êensedel
sprac: ic bevele di, dattu mi de rechte wâerheit seggest, wat dâer
ghescheen is vor den ordel godes up desse tit. De vîant sprac: ic
salt dôen, al dô ic et nôde. Wir wâren vor dat ordel godes bi konincg
Kâerls siele, und dô hadden wi al sine sunde und bôese werke verga-
dert und legheden de tôsamen in êne wêechschale. Dô quam sîn encgel
und leghede sîne gûde werken in de ander wêechschale. Und dô men

dit wôech, dô wêren sine bôese werken, dat unse dêel was, völ mêer und altô völ swârer, dan sine gûde werken, alsô dat unse schale neder ghencg unde de ander, dar sine gûde werken inne wêren, de ghencg up in de lucht. Und dô wi dat sêghen, dô mêende wi plat, wi solden rechtevôert de siele bebben, und mêenden unsen willen dârmede tô dône. Unde altôhant êer wi et wisten, sô quam ghinder êen man al sonder hôvet. Dat was de selve Dionysius, de sîn hôvet drôech in sinen twên handen, den sîn hôvet afgheslaghen was tô Paris bûten de mûre,[1] dâer nû sîn clôester stêet. Und desse Dionysius warp alsô völ kalkes und stênes in de ander schale, dâr sine gûde werken inne wêren, dat rechtevôert, dô de kalk und stêen de schale rôerden, dat wôech sô swâer, dat de schale tô hantes nederghincg und alle konincg Kâerls bôse werke, de wi verghadert hadden in unser schalen, de ghincgen up in de lucht. Und dô wi dat sâghen, dô vernâmen wi wal, dattet vûelike wolde und wi wôerden altômâel confûes und stôven enwech itlic sînes weghes, sô dat wi nouwe wisten, wô dat wi hene quêmen. Und desse confûsie heft uns sunte Dionysius ghedâen mit sînen clôestere und timmerincge, dat wi al undankes liden môten.

Und dô de êensedel dit hôerde, dô wâert he sêer blide und lavede gode und wôert dô denkende, wô dat konincg Kâerle êen clôester hadde ghestichtet und timmeren lâten hûten Paris in de êre godes und sunte Dionysius, und wô dat de kalk und stêen was, dat konincg Kâerle sô sêer gheholpen hadde in sîner nôtruft. Und dô schrêef de êensedel dit mirâkel und openbâerdet uns allen tô êner lêre, wante dit vurschreven clôester noch hûden daghes stêet bûten Paris, dat konincg Kâerl in de êer godes und sunte Dionysius timmeren liet.

V.

van der vroude des êwighen levens.

Men lest van ênen reckeliken priester, de sunderlincge in sînen ghebede van gode beghêerde, dat em got êen wênich wolde vertôenen van der minsten blîtschap, de in den êwighen leven wêre, alsô dat got sîne ghebede hôerde.

Und up êne tit des morghens als desse priester misse dôen wolde, sô liet he dat êerste teiken tô der missen lûden und nam sîn tîdebôek in sîne hant und ghincg ût êen luttic in den busch allêne, umme sîne tide tô lesen, und als sîne tide ghelesen wêren, dat he dan mochte wederkomen und misse dôen. Und als de priester aldus ghincg unde las sine ghetîde, sô quam ghinder êen cleine voghelkin und begunde tô

---

1) de mure *fehlt in der hs.*

sincgen unde sancg alsô sôete. Dô de priester dat hôerde, dô quam
he al hêel van em selven und van grôter blitschap nicht en wiste,
wat he dôen wolde.

Alsô als men lest, sô was desse priester bi desser vroude und
hôerde dat sincgen van dessen voghelkin bet dan twêhundert jâer. Und
dô vlôech dat voghelkin hêen, alsô dat des de priester nicht lancger
en hôerde. Und dô de priester dat vernam, dô was em wunderlike
lêde, dat em dat voghelkin alsô vrô untfloghen was, und he mêende,
he en bedde dat nicht êen halve ûre ghehôert, und dachte, he wolde
weder umme gâen und sic tô der missen bereiden.

Und als desse priester weder quam tô der kerken, sô vant he,
dat de kerke altômâel vertimmert was und dat dâer nerghen êen hûes
en stont, als dâer plach tô stâne. Und he sach, dat dâer priestere in
der kerken ghincgen, de sic bereiden misse tô dône. Unde he en
kande nerghen ênen priester noch ander menschen, und ôec sô en
kande en niemant. Tô den lesten dô vrâghede desse hillighe priester
den anderen und seghede: wô mach dit wesen, dat ghi hîr komen und
willen misse dôen, und ic hôre ummer tô desser kerken und mêne
misse tô dôen? Und ic enwêet nummer nicht, wô dit is: ic en hebbe
ummer ghêne halve ûre van hene ghewest, wante ic en vinde ghêen
dincg noch kleine noch grôet alsô als ic et hüde liet, dô ic ût ghincg,
und ic en kenne nerghen ênen menschen, juncg noch alt.

Und dô dit de ander priester hôerde, dô verwunderde he sic sêre
und en wiste nicht, wat he seggen wolde. Mêr he wôert ten leisten
dinken, wô dat dâr êen olt missebôek was, dâr achter in gheschreven
stont, wô dat bi olden tiden êen hillich priester des morghens van
desser kerken ûtghincg, umme sine ghetîde tô lesen, und de priester
en quam nicht weder, unde wô dat ghêen mensche kunde vernemen,
wâer desse gûde priester ghebleven wêre. Und ôec was de name des
priesters in dat bôek gheschreven, und wat gheslechte dat he tô hôerde.
Und se lêsen dat datum, wô lancge dattet gheleden wêre, sô vunden
se, dattet mêer was dan twêhundert jâer. Und dô dit de hillighe priester las, dô wôert he ghewâer und wôert dinkende, dat de hemelsche
vroude badde ghewesen dat voghelken, dat he sô lange ghehôert hadde
und em sô kort dûchte wesen, und dankede gote sêre und seghede dô
alle den ghenen, de bi em quêmen dat grôte mirâkel. Und he bereiden
sic und dêde de misse, als he ghedacht hadde vor twên hundert jâren
und bat gode sô innichlike in der misse mit schreiender stemme, dat
em god van sulker vroude nicht lancger wolde bliven lâten. Und unse
hêre got de verhôerde sine ghebede, alsô dat he nicht lancger en levede
nâ der misse, mêr he starf und quam tô der êwighen vrouden.

VI.

van sunte Egidius und konincg Kârlo.

Men lest in der legenden van sunte Egidius, dat he up êne tit quam dâr konincg Kârlo was, und konincg Kârlo untfiencg dessen hillighen abbet mit grôter wêerdicheit, und sunderlincge sô bat he sunte Egidium, dat he umme- godes willen trûwelike vor em bidden wolde. Und des nâesten sundaghes, als sunte Egidius misse dêde, sô bad he gode sêer vlîtlike in der misse vor konincg Kârlo, als dat got deme konincge sine sunde vergheven wolde. Unde als he alsô in sinen ghebede was, sô quam de hillighe encgel unde leghede êen brieveken vor sunte Egidius up dat altâer, dâr êne swâre sunde in gheschreven was, de konincg Kârlo ghedâen hadde, und liet dat sunte Egidius weten, dat konincg Kârlo umme siner bede willen de sunde vergheven wêre, alsô vêer als he de sunde bîchte mit ênen vrîen upsette nicht bet de sunde tô dône und penitencie untfancge, wante konincg Kârlo desse vorschreven sunde den abbet noch nie ghênen priester, den he sô lief of hêmelik hadde, bîchten of weten lâten dorste.

Als sunte Egidius ûter missen quam, dô nam he dessen brief unde ghincg tô den konincg und seghede: ic hebbe gode vor di ghebeden und di sint dine sunde vergheven, mêr du hevest êne sunde under di, de du noch nicht ghebîchtet en hevest. De môetstu êrst bîchten und de sunde nicht bet dôen, unde salst dine penitencie untfancgen, sô is se di vergheven. Und mit den sô liet he den konincg den brief sêen, dâr de sunde in gheschreven stont, de he nicht ghebîchtet en hadde of en dorste. Und mit den sô de konincg dat sach, sô viel he ôetmôdelike sunte Egidius tô vôte und kussede sîne vôte und bekande dô sîne scholt und dêde sîne bicht und nam penitencie und hôede sic mêer vor de sunde tô dône.

VII.

van ênen jode.

Sunte Gregôrius[1] beschrîft, wô dat êen jode up êne tit quam ghegâen over êen velt, dâr êen olt vervallen heidens tempel stont, alsô dat de nacht dûester wart und de nôet des weders dwancg dessen joden dâr tô, dat he des nachtes in den tempel rasten môste. Und als he dâr in krôep, sô begunde em sêre tô grûwelen und wâert sêre vervêert. Tô lesten wârt he denken: ic hebbe ummer kerstenlûde ghesêen, als se anxt hebben, dat se dan êen crûce vor em slâen; ic wil ôec alsô dôen, lichte of et mi icht helpen sal. Alsô dat desse jode

1) Gregorii dialogor. lib. III. 7.

ghincg liggen unde seghende em mit den teiken des hillighen crûces und leghede sine arme crûcewîs vor sine borst und began tô slâpen.

Nicht lancge dârnâ sô vergaderden dâr êen grôet schâer der dûvelen und makeden dâer êen gherichte, alsô dat de overste dûvel tô richte sat und vrâghede itliken dûvel, wat he vôert ghewunnen hadde in der wêken und wat bôesheit dat he bedreven hadde. Alsô dat desse jode ten lesten untwakede und hôerde dit wunder an, wô itlic sine bôesheit vertellede. Ten lesten sô quam ghinder êen dûvel und seghede: hir ligget êen jode in dessen tempel und slâpet. Wô sul wi dârmede vâren? De overste vîant sprac: en hebbe ghi den nicht ghedôdet, dâr sulle ghi alle pine umme liden. Gâet rechtevôert und breket em den hals und brencget mi de siele. Und rechtevôert sô stôven se hen, ofte dat bien wêren, und wolden dessen armen menschen ghedôdet hebben.

Und dô desse jode dit hôerde, dô en wiste he anders ghênen râet in alle der werlt, dan dat he alsô blêef liggen in dat crûce mit den armen und bênen, als he tô voren lach. Und als de viande vunden in em crûce liggen, sô ghincgen se en umme und weder umme und hadden em ghêrne quâet ghedâen, mêr se en mochten em in ghêner wîs schaden. Und tô lesten dô se dat sêghen, dat se siner ghêne macht en hadden, dô quêmen se weder tô ôeren oversten. Und de overste vîant vrâghede den andere, wâer de siele wêre. Und se antworden mit klaghender stemme und segheden: wê, wê! dâr lecht êen idel vat, dâr ghêne doghet in en is, mêr dat was sô vaste beseghelt umme und umme, dat wi tô ghênen gate in komen en mochten, wante dat lach sô vaste beslotcn, dat wi em nerghen nâken ofte schaden en mochten. Wi môten al undanx beiden, wante he em selven untslûet und wi em dan sîn lôen ghêven, als ghi uns gheboden hebben.

Und dô de overste vîant dat hôerde, dô wôert he sêre vererret und gaf alle den anderen grôte penitencie und pine tô den pînen, de se hadden, und ghebôet em alsô vrô als desse jode em untslôte van den crûce, dat se em dan rechtevôert den hals tô brêken. Und dô de jode dit hôerde, dô dêde he wîslik und stont up und hielt sine arme an êen crûce vor sine borst und lovede gode, he wolde kersten werden und em dôpen lâten, als he alre êrste kunde. Und ghincg alsô rechtevôert dâr he ênen priester vant und seghede em wat em gheschêen was und wat he ghehôert hadde und liet sic rechtevôert dôpen und levede und starf êen gûet kersten mensch.

BONN.   AL. REIFFERSCHEID.

EIN MITTELDEUTSCHER LIEBESBRIEF.

Nw vare do hen, meyn liebes briffeleyn,
Zcu d[er aller l]ibesten frundynne meyn,
Der faltu meynen dinst sagen,
Das sey an ftetir libe nicht vorczage,
5 [Vnd sage] ir mynen gruß dar czu
Vnd ir meyne grosse liebe kunt thu,
Dy ich trage yn mynes herczin sch[ryn]
... feste gewörczet dar yn.
Sy ist mir lieb vor alle wyb,
10 Sey ist mynes herczen leyd vortryb.
Got gruße dich, fraw hobisch vnd czarth,
Got gruße dich, fraw yn hoer arth,
Got gruße dich, fraw, myn bluendes ryeß,
Prawe, ich habe alle meynen fieß
15 Befundern an dich alleyne geleyt,
In dynē dinste will ich alleczeith wesen bereith,
Du kanst myn hemelich liden ftillen,
Ich wil leben noch alle dynē willen,
Vndern jöden crysten vnde heyden
20 Kan dich myr nymant vorleyden.
Ach du liebes freweleyn,
Solde ich alleczeith by dir seyn,
So müste alle meyne sorge vorswinden.
Waß ich süche das laß mich vynden.
25 Du bist eyne frawe wunniclich,
Dyr mag nymand wesen gelich.
Du bist wedir czu groß noch czu kleyne,
Du bist hobisch küsch vnd reyne,
Got hot an dir keyns vorgessen,
30 Du bist czu rechter maß gemessen,
Du bist wedir czu korcz nach czu lang,
Deyne fterne breyt, deyn herleyn lang,
Dyne ougen licht sonnen clar,
Deyn mundelin roth rosenvar,

V. 2. Die eingeklammerten buchstaben sind von mir ergänzt, ebenso in v. 5
und 7; die hndschr. hat hier durch den rost eines alten nagels gelitten; ebendaher
rührt die lücke in v. 8.
V. 32. *blang* statt *lang* in der hndschr. — V. 50. Über *müchte* steht in der
hndschr. *küde.*

35 Deyn kelichen blang, deyn neckeleyn wis,
  Deyn lib ist wol geschicket nach allem fliß.
  Dar czu sind ouch dyne hende
  Gefchicket kleyne vnd behende,
  Deyn gang der ist hofelich,
40 Dyne cledir fteyn dich lobelich.
  Czucht schemde ere wonet dyr bey,
  Du bist alles wandels frey.
  Des wil ich mich vmmer frowen
  Vnd wil mich stethe an dynē dinste laßen fchawen.
45 Got gebe dyr alzo manch tusent gute iar,
  Alzo vil du hast der har
  Vff deme houpte deyn,
  Alzo manch tusent engel mūße deyn phlegende seyn.
  Got gruße dich, du lichter morgenstern,
50 Deyner fruntschafft müchte ich met nichte entpern.
  Got gruße dich, meyn sußer czŭckerfmag,
  Got behute dich nacht vnd tag,
  Da mete habe vil guter nacht,
  Mer wen ich habe geschreben vnd betracht.
55 Got gebe dyr vil mer guter stunde
  Wen do troppen seyn yn des meres grunde.
  Du salt dich cleyden swarcz brun vnd roth,
  Das dich got behute vor aller noth.
  Brun bedütet swygen,
60 Darczu saltu frundynne meyn gedigen,
  Alzo saltu fraw feyn
  Vorswegen an dyner liebe seyn
  Vnd salt nymande nicht do von sagen,
  Ab dich ymand welde fragen.
65 Alzo thu, frundynne meyn,
  Vnd behalt das hemelich yn deme herczen deyn,
  Du macht wol wissen wer ichs byn,
  Meyn allirliebester gulde schöne suberliche bule meyn.
  Ach ich wŭnsche dyr was deyn hercze begert,
70 Wen du bist des gancz vnd gar wol wert.
  Dar czu ich dyr meyn hercze sende,
  Sam ich dirs gebe yn dyne hende.
  Swig, fwig, das ist dy hogiste thogent
  Vnd cziret gar wol dy jogent.

V. 61. Auf *feyn* folgt in der hdschr. noch *seyn.*

75 Ich hette dir czu schriben vil,
Das la ich ſteyn bis uff eyn ander czil.
Ach müchte ich selbes wesen by dyr,
So wer ich alleczeith yn fröden czir.
So des nicht geseyn mag,
80 So sey doch deyn hercze meyn grab,
Das yn deynē lobelichen libe stat,
Es ſtey so es lange czwiſchen dich vnd mich
gestanden hat.

Anno domini M. CCCC. XXXIIII in profesto octaue corporis
christi . . . . Regina.

Die handschrift, welcher das vorstehende entnommen ist, gehört
der hiesigen domherrenbibliothek an und ist im kataloge daselbst als
mscr. no. 12 verzeichnet. Dort befindet sich das gedicht auf einem
der innenseite des hintern deckels aufgeleimten blatt papier und ist in
fortlaufenden zeilen geschrieben mit interpunktionszeichen am ende jedes
verses. Der dialekt darin weist entsprechend dem fundorte das gedicht
in das obersächsische Osterland, wohin auch außer anderm das im
beginne des 15. jahrhunderts schon eingetretene, hier vielfach wahr-
nehmbare schwanken zwischen î und ei (dîn neben dein, min neben
mein, sî neben sei = ea) führt im gegensatz zu dem benachbarten
Düringen, in welchem sich î noch länger gehalten hat. Ebenfalls dem
dialekte gemäss sind wol auch die akkusative zu fassen in v. 40 dyne
cledir ſteyn dich lobelich (in welchem sinne das mhd. wörterb. II[b],
573[b], 8 nur den dativ kent) und in v. 82 so es lange zwischen dich
und mich geſtanden hat. Für unverdorben halte ich ferner die anrede
in v. 68: meyn allirliebeſter gulde ſchöne — — bule; vielleicht ist
gulde ſchöne als éin wort zu nehmen, ähnlich zusammengesetzt wie
das adjektiv goldegarwe im Rolandsliede 147, 14 und 151, 10, vergl.
auch die von Franz Pfeiffer herausgegebenen alten schwänke in Haupts
zeitschr. 8, 92, 87 diu hant ist ſchoene als ein golt; sonst könte gulde
auch für gulden oder gülden stehen, welches als „liebes- und schmei-
chelwort“ ziemlich üblich war nach Vilmar Idiot, s. 140. Übrigens ist
zu den anfangsworten dieses briefes zu vergleichen Lassbergs LS. I, 109:
Vor hin, klaines brieffelin, Vnd sag der lieben frowen min.

ZEITZ, IM MAI 1875.   FEDOR BECH.

V. 79 mag vor des in der hdschr. — V. 82. czwichen in der hdschr.

ZUR ERKLÄRUNG OTFRIDS.

II.

Fortsetzung zu bd. V, 338 fgg.

14. I, 11, 45 *sâlig thiu nan werita, than imo frost derita!*

46 *armâ joh henti, inan helsenti!*

Schilter und Kelle (nach der interpunction seiner ausgabe und
übersetzung s. 33) verbinden beide verse zu einem satze, indem sie das
participium *helsenti* auf Maria beziehn und meinen, dass das verbum
helsen mit zwei objectsaccusativen verbunden sei: ihm um den hals
schlingend ihre arme und hände. Auch Begemann, Bedeutung des
schwachen Prät. s. 59 bemüht sich diese dem ahd. sprachgebrauche
durchaus widerstreitende construction begreiflich zu machen. Graff,
dessen feines sprachgefühl an ihr mit recht anstoss nahm, suchte im
Sprachschatz IV, 928 durch die lesung *armo* (instrumentalis neben *henti*),
zu helfen. Aber diese lesung hat in den handschriften (nach Kelles
angabe) keinen halt, und eine conjectur ist unnötig, wenn man, wie es
bereits Rechenberg s. 97 tat, und wie ich durch meine interpunction
andeutete, jeden der beiden verse als selbständigen ausruf fasst und
sâlig aus dem ersten auch für den zweiten ergänzt, wie ja auch das
sâlig v. 43 für den durch *joh* verbundenen v. 44 und v. 39 das *wola
ward* für v. 40 ebenfalls gilt. Die unflectierte form eines nachgesetz-
ten mit abhängigem casus oder adverbialer bestimmung verbundenen
part. präs. ist viel gewöhnlicher als die flectierte, s. meine Untersuchungen I § 355, wo namentlich I, 6, 6 eine passende parallele bietet.
Also: selig die arme und hände, die ihn umhalsten.

15. I, 19, 7 *ni lâz iz nu untar muari, thia muater tharafuari,*

8 *thaz kind ouh io gilicho bisuorgê hérlicho.*

So schreibt und interpungiert Kelle in seiner ausgabe; nach
II, 280 note aber will er das komma vor *muari* setzen und dieses als
adverbialen acc. eines adjectivischen ia-stammes nicht mit *lâz*, sondern mit *fuari* verbinden. Die bedeutung von *muari* weiss er nicht
anzugeben; vielleicht habe Otfrid erst geschrieben *mari* in der bedeutung: sanft, zart, und dieses dann durch *marui* ersetzen wollen. Abgesehen davon, dass dieses *marui* meines wissens nur in sinnlicher
bedeutung: dünn, schwach, mürbe überliefert ist, und dass der adverbiale gebrauch der unflectierten adjectiva gar nicht so ausgedehnt und

unbeschränkt ist, ist mir die Kellesche vermutung schon deshalb unannehmbar, weil ich nicht glauben kann (was freilich auch Schilter und Graff Sprachschatz II, 306 annahmen), dass Otfrid gesagt habe *ni lâʒ iʒ nu untar* für unser: unterlass 'es nicht. Er braucht in dieser bedeutung nur das einfache *lâʒan*, und wenn er *unterlâʒan* brauchen würde, würde er das *untar* nicht hinter den imp. setzen. Auch glaube ich nicht, dass Otfrid eine zur zweiten vershälfte gehörende adverbiale bestimmung so isoliert in die erste setzen würde.

Ich bleibe bei der lesart *muari* und bei der verbindung desselben mit den vorhergehenden worten. Mit der annahme eines adjectivischen *ia*-stammes war Kelle ganz auf dem richtigen wege; nur gehe ich noch einen schritt weiter und ziehe *untar* mit demselben zu einem worte zusammen. Ein unflectiertes adj. *untarmuari* könte durch zusammensetzung mit einer präposition von dem zwar nicht bei Otfrid, aber im Muspilli 53 belegten *muor* (Schade, Wörterbuch [1] 411) abgeleitet sein wie die ebenfalls nur unflectiert vorkommenden *widarmuati* V, 23, 142 von *muat*, *anawâni* I, 4, 48 von *wân*. Die bedeutung: unter dem wasser oder im sumpfe befindlich scheint mir sehr wol zu einer sprichwörtlichen redensart, die ein unvollendetes beginnen bezeichnet, zu passen, wenn ich auch die sphäre der tätigkeit, welcher sie ursprünglich angehört, nicht angeben kann. Formelhafte verbindungen von prädicativ gebrauchten unflectierten adjectivis und von localen bestimmungen gerade mit den verbis *duan* und *lâʒan* finden sich bei Otfrid öfters, vgl. III, 24, 21 *ni lâʒ thir iʒ sêr*. V, 8, 32. 44 *in muate lâʒ thir iʒ heiʒ*. V, 23, 142 *duit imo widarmuati thia .. guati*. IV, 13, 14 *thaʒ muat in fiara ni dua* = tue deinen mut nicht bei seite. V, 7, 64 *thaʒ lâʒên sie thia ungilouba in fiara* = dass sie den unglauben unterwegs lassen, von ihm abstehn sollen.[1] So fasse ich also *iʒ untarmuari lâʒan* = etwas im sumpfe stecken lassen = ein beginnen in der bedrängnis unvollendet lassen. Der engel sagt also zu Joseph mit bezug auf die schon I, 8, 19 fgg. ausgesprochene aufforderung, die mutter und das kind zu beschützen: lass es (das begonnene unternehmen) n u n (im augenblicke der gefahr) n i c h t i m s t i c h e, sondern führe die mutter fort und sorge ebenso auch für das kind in einer seiner hoheit entsprechenden weise.

---

1) Folgende anderen sprichwörtlichen verbindungen dienen vielleicht noch zur charakteristik der Otfridischen sprache: IV, 16, 28 *sâr zi themo wipphe*. V, 12, 33 *theist giwis io sô dag*. III, 20, 168 *er deta in dag leidan*. II, 4, 16 *thô ni ward imo ther sand*. II, 4, 80 *sulih unthurf ist es mir*. IV, 21, 25 *imo waʒ iʒ heiʒaʒ*. III, 23, 56 *zi thiu iʒ nu sâr giligge*.

16. II, 14, 89   *scal iz krist sîn, frô mîn? ih sprichu bi thén*
                   wânin;

       90   *thaz selba sprichu ih bi thiu, iz ist ·gilih filu thiu.*

       91   *bi thén gidougnén seginin só thunkit mich, theiz*
                       megi sîn:

       92   *er al iz untarwesta, thes mih noh io gilusta.*

Die worte *frô mîn* kann ich nicht mit Schilter und Kelle (Übersetzung s. 40: ihr leute, soll es Christus sein?) als anrede der samaritanischen bürger passend finden, sondern ich ziehe sie mit Scherz und Graff Sprachschatz III, 804 als nominativische Apposition zu *krist*. 89ᵇ ist *bi thén wânin* in V offenbar richtig aus dem nichtssagenden *bi then wân mîn* corrigiert; femininum auf *-i* ist anzusetzen aus I, 15, 23 *ther thâr was in wânî*. II, 7, 49 *iz mag thoh sîn in wâni*, wo die construction es nicht erlaubt, mit Kelle II, 177 accusative eines neutralen **wâni* anzusetzen. Der sinn dieser worte aber komt in Kelles übersetzung („nach meiner meinung sprech' ich das") nicht genügend zur geltung. Man muss auf den parallelismus der drei durch *bi* mit dat.-instr. v. 89. 90. 91 gegebenen bestimmungen achten, welche drei deutlich gesonderte gründe für die meinung der Samariterin, dass der von ihr gesehene mann der messias sei (*ih sprichu* = ich sage ja) angeben. Sie sagt es erstens v. 89 *bi thén wânin*, das heisst, wie ich glaube, wegen der im volke verbreiteten, v. 75 fgg. auch von ihr ausgesprochenen messiashoffnungen; zweitens v. 90, weil der gesehene nach dem allgemeinen eindruck seiner persönlichkeit (*iz* = das, was ich gesehen oder erfahren habe) dem messias gleich ist; *thiu* geht auf den v. 89ᵃ durch *krist* bezeichneten vorstellungsinhalt zurück wie an einer sehr ähnlichen stelle auf das vorhergehende *kuning*: IV, 22, 27 *thû therero liuto kuning bist;* 28 *bist garo ouh thiu gilicho joh harto kuninglicho.* Drittens endlich (diesen punkt genauer ausführend und belegend) haben ihr die geheimen wunderkräfte, die Christus bei enthüllung ihres früheren lebens bewiesen hatte (91 *bi thén gidougnén seginin*) ihren glauben bestärkt. Bemerkenswert, aber Otfrids art nicht widersprechend ist es, dass er an dieser stelle die genaue und ausführliche motivierung des erzählten, welche er sonst so häufig mit seinen worten gibt, hier von der redenden person selbst geben lässt, wie wenig auch die genau disponierte erörterung für deren persönlichkeit und lage passt.

17. IV, 21, 3 *zi érist frâgêta er* (Pilatus) *bi thaz, thaz er es har-*
                           tôs insaz.

Kelle schreibt *harto sinsaz;* das nach seiner annahme mit dem *insaz* verschmolzene *só* (wie II, 14, 88 *sih* für *so ih*) ist aber ganz überflüssig. Doch ist kein grund, das *s* mit dem schreiber von F ganz fortzulassen, wie Graff (und jetzt auch Braune, ahd. Lesebuch s. 127) tut. Ich bleibe dabei, das *s* mit Grimm Gramm. III, 587 zum vorhergehenden worte zu ziehn und dieses als superlativ des adverbiums mit abgefallenem *t* zu betrachten. Der gleiche abfall findet sich bald darauf noch einmal IV, 27, 17 *in thaz crûci man nan nagalta, sô sie thô fastôs.mohtun* = so fest wie sie irgend konten, *quam arctissime*, wo mir weder der positiv *fasto* noch ein diesem angefügtes genetivisches *es* erklärlich wäre. Auch an unserer stelle scheint mir der superlativ allein einen passenden sinn zu geben. Pilatus nämlich fragte zuerst nach dem (nach demjenigen punkte der anklage), was er davon am härtesten empfunden, worüber er sich am meisten entsetzt hatte, nämlich nach dem angeblich angemassten königtume; fortsetzung bildet die weitere frage (*avur*) v. 16, und v. 25 kehrt wider zu dem ersten punkte zurück. Die construction von *frâgên* mit *bî* und dem acc. findet sich z. b. noch IV, 6, 31, vgl. I, 17, 44. IV, 19, 6. Das *thaz* muss hier allerdings, wie Tobler s. 247 gegen mich richtig bemerkt hat, als acc. des pronomens angesehn und *es* von ihm abhängig gedacht werden, da *insizzan* bei Otfrid immer mit acc. der sache, nicht mit gen. construiert ist (I, 27, 44 *iz*, V, 23, 247 *thaz*; dazu deshalb auch II, 6, 14 *es wiht*). An den anderen, Untersuchungen I § 230 angeführten stellen halte ich jedoch meine erklärung des *thaz* aufrecht.

KÖNIGSBERG, APRIL 1875.   OSKAR ERDMANN.

DREI BRIEFE VON GOETHE AN J. G. STEINHÄUSER.

Johann Gottfried Steinhäuser war in Plauen den 20. september 1768 geboren, der älteste sohn des churfürstlich sächsischen rats und steuerprocurators gleichen namens. In den achtziger jahren kam er auf die schule in Pforta, bezog 1787 die bergakademie in Freiberg, 1788 die universität Wittenberg, von wo er 1792 in sein elterliches haus zurückkehrte. Von jugend auf mit leidenschaft und rastlosem fleiss den mathematischen und naturwissenschaften nach allen ihren beziehungen zugetan, sah er sich, vom glück nicht begünstigt, eine reihe von jahren vergeblich nach einer seinen fähigkeiten und kentnissen angemessenen wirksamkeit um, bis er im jahre 1805 als professor der mathematik nach Wittenberg an J. J. Eberts stelle berufen wurde. Dort schrieb er seine theorie des erdmagnetismus. Als

im jahre 1815 die universität nach Halle verlegt wurde und in seinem
geburtslande Sachsen sich kein raum für ihn finden wollte, ging er mit
schwerem herzen nach dem neuen sitz der Wittenberger universität,
wo er sich genötigt sah, die professur der bergwissenschaft zu übernehmen. Doch hinderte ihn dies nicht, nach wie vor seinen eigentlichen lieblingsstudien obzuliegen. Seine schrift über ein neues
masssystem, welche 1815 erschien, fand im kriegsgetümmel keine
beachtung.

Der verkehr mit Goethe, so weit er sich aus den vorhandenen
documenten ersehen lässt, fällt in die zeit, wo er sich ohne eine ihm
zusagende bestimte tätigkeit, aber im stillen immer seinen mathematischen studien obliegend, auf der expedition seines vaters beschäftigte,
woraus sich die von Goethe gewählte adresse des einen seiner briefe
erklären lässt. Fast scheint es, als ob der verkehr in spätern jahren
aufgehört habe. Denn klagen über mangelnde teilnahme und anerkennung und daher rührender mismut über ein ihm verfehlt erscheinendes
leben verdüsterten die letzten lebensjahre des trefflichen, seiner zeit
voraus eilenden mannes. Er starb in Halle im noch nicht vollendeten
57. lebensjahre am 16. novbr. 1825. Seine schriften finden sich im
Neuen Nekrolog der Deutschen, dritter jahrgang, 1825. verzeichnet,
wo ihm auch ein persönlicher freund ein schwülstiges, aber immerhin
verdienstliches andenken gestiftet hat.

Von den nachfolgenden briefen ist der dritte im jahre 1870 in
der Dörptschen zeitung nr. 231 und noch einmal 1873 in nr. 5 desselben blattes gedruckt worden, wo die irrige vermutung ausgesprochen
ist, dass er an professor Wiedemann in Kiel gerichtet sei. Die beiden andern sind aus dem nachlasse des hern staatsrats Kämtz, des
berühmten meteorologen, durch die güte eines freundes in meine samlung gelangt.

Das Steinhäusersche hufeisen scheint noch im jahre 1849 in den
Goetheschen kunstsamlungen vorhanden gewesen zu sein, in dem
gedruckten verzeichnis derselben findet sich im dritten teil s. 295 unter
nr. 79 verzeichnet: „Ein Magnet, aus sechs geraden Stahlstäben bestehend, die durch ein weiches Eisen zu einem Hufeisenmagnet mit einander verbunden sind, nebst Anker.“

LEIPZIG.   S. HIRZEL.

_____

I.

Indem ich für die mir mitgetheilten Nachrichten in Beziehung
auf einen magnetischen Apparat Ew. Hochedlgeb. meinen besten Dank

abstatte, so thue ich zugleich noch eine Anfrage, um deren gefällige
Beantwortung ich hiermit gebeten haben will.

Indem der Magnet sich mit dem entgegengesetzten Pol eines
andern Magneten zu verbinden strebt, so scheint daraus zu folgen:
dass die beyden Pole Eines Magnets dieselbe Neigung haben sich mit
einander zu vereinigen. Die Ordnung in welcher sich die um den
Magnetstein, auf einer Glastafel, gestreuten Feilspähne legen, bringt
ein solches Streben der beyden Pole zu einander zum Anschauen, und
es scheint keinem Zweifel unterworfen, dass, wenn ein magnetisches
Hufeisen in der Mitte elastisch wäre, sich die beyden Pole mit einander vereinigen würden.

Ja ein Hufeisen überhaupt, so wie ein armirter Magnet, kann
als ein, durch das quer vorgelegte Eisen, in sich selbst abgeschlosse-
ner und daher mit allen seinen Kräften wirkender Magnet angesehen
werden.

Es fragt sich desshalb ob man eine Magnetnadel verfertigen
könnte, welche, anstatt sich nach den Weltpolen zu kehren, wenn man
sie aufhinge, in sich selbst zurückkehrte, so dass ihre beyden Enden
sich ergriffen und festhielten.

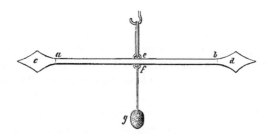

Ich denke mir die Construction etwa so: a. b. wäre eine Stahl-
feder, c. d. zwey Pfeilspitzen von stärkerem Stahl an jene angeschweisst,
e ein messingener Ring an welchem die Nadel aufgehängt würde, f
eine dergleichen, woran das Gewicht g hinge, damit der Ring welcher
entstünde, wenn c und d zusammenschlügen in einer horizontalen Richtung bliebe.

Es versteht sich übrigens dass das Ganze so gearbeitet werden
müsste wie es gezeichnet ist, nämlich dass die Flächen der Nadel ver-
tikal hängen, wie sie sonst bey andern Nadeln horizontal liegen.

Unter welchen Bedingungen ein solches Instrument möglich sey
werden Sie am besten beurtheilen.

Man müsste, um eine solche Magnetnadel aufzubewahren, sie ausgestreckt in einem engen Futteral erhalten und zum Versuche sie alsdann heraus und in die Höhe ziehen.

Ich bitte mir darüber eine gefällige Antwort aus, so wie ich mir auch den Preis zu bestimmen bitte, um welchen Sie glaubten eine solche Nadel liefern zu können. Der ich recht wohl zu leben wünsche, und mich zu geneigtem Andenken empfehle.

WEIMAR AM 29. NOV. 1799.

J. W. V. GOETHE.

II.

Herrn Advokat Steinhäuser

nach

Plauen.

Ew. Hochedlgeb.

gefällige Beantwortung meiner Anfragen erkenne mit gebührendem Danke, und füge zugleich die Bitte hinzu, dass Sie ein elastisches Hufeisen, dessen Ausführung Sie für möglich halten, für meine Rechnung, möchten fertigen lassen. Es versteht sich dass ich diesen Versuch, auch wenn er nicht gelingen sollte, recht gern vergüte.

Die Absicht die ich dabey habe konnte Ew. Hochedlgeb. nicht verborgen bleiben. Für denjenigen, der die Idee der Vertheilung, und des, ihr gewissermasen entgegengesetzten, so wie aus ihr folgenden Zusammenstrebens gefasst hat, wird es dieses Versuchs nicht bedürfen. Doch ist es in den physischen Dingen sehr gut wenn man alles mögliche zum Anschauen bringen kann, theils um dererwillen die zuerst mit solchen Dingen bekannt werden sollen, theils um solcher willen die der Idee widerstreben und alles mit Händen greifen wollen.

Vielleicht findet sich bey Bearbeitung des Hufeisens ein Weg jener gleichfalls gewünschten Magnetnadel näher zu kommen, deren Verfertigung freylich, aus bemerkten Gründen kaum möglich seyn dürfte. Ich bescheide mich wohl, dass ich, bey dem Gedanken dazu, die magnetische Kraft in abstracto, nicht aber von ihren physischen Bedingungen begleitet, im Auge hatte.

Haben Sie wohl versucht, dem Serpentin oder andern Steinen welche lebhaft auf die Magnetnadel wirken, Polarität zu geben und also das Humboldtische Gestein künstlich hervorzubringen? Ich könnte zu diesem Behuf mit einigen hübschen langen Stücken Topfstein (Lapis ollaris) dienen, welcher die Magnetnadel stark bewegt.

Wollten Sie die Gefälligkeit haben mir ein Verzeichniss, nebst Preisen, derjenigen magnetischen Stücke zu übersenden, deren Sie in Ihrem ersten Briefe erwähnen, welche bey Ihnen vorräthig sind, und wovon Sie dem Liebhaber etwas abzulassen geneigt wären.

Der ich recht wohl zu leben wünsche.

WEIMAR, D. 31. JAN. 1800.

J. W. V. GOETHE.

III.

Ew. Hochedelgeboren

haben mir durch die baldige Übersendung eines elastischen Hufeisens ein besonderes Vergnügen gemacht; denn es ist immer eine angenehme Empfindung, eine Idee, die man gefasst hat, einigermassen realisirt zu sehen.

Wenn ein armirter Magnet, oder ein gewöhliches Hufeisen, durch den unten quer vorgelegten Stab, als in sich selbst abgeschlossen anzusehen ist, wenn man diesen Apparat nunmehr als einen physischen Ring betrachten kann, welcher, verhältnissmässig, nur durch starke Kraft zerrissen wird, so sollten die Enden der beiden Schenkel des elastischen Hufeisens weniger tragen, wenn man sie zusammendrückt, als wenn sie offen stehn, denn in jenem Fall wird der physisch verlangte Ring schon mechanisch geschlossen und das Streben der heyden Pole gegeneinander, durch welches der vorgelegte kleine eiserne Stab, als ein Vermittler, so fest mit heyden verbunden wird, ist, durch die Operation des Zusammendrückens, schon bis auf einen gewissen Grad befriedigt.

Solches Resultat geben auch die flüchtigen Versuche, die ich bisher anstellen konnte. Das zusammengedrückte Hufeisen trägt nicht die Hälfte dessen, was es aufgesperrt tragen kann. Der Bezug beyder Pole auf sich selbst ist befriedigt, nur dauert die Wirkung nach aussen, wie bey anderen magnetischen Erscheinungen geschieht, auch noch in diesem Falle fort.

Vielleicht hätten Sie nunmehr die Gefälligkeit, ein grösseres dergleichen Hufeisen fertigen zu lassen?

Wenn man es auch nur so weit brächte, dass die beyden Pole, indem man sie an einander druckt, sich festhielten, welches doch in so fern möglich scheint, als die magnetische Kraft sich beim Contact am stärksten äussert.

Wollten Sie mir indessen sechs Stäbe mit einander verbunden dass sie die Stelle eines grossen Hufeisens vertreten und sich auch einzeln als Stäbe gebrauchen lassen, zusammen vier Pfund schwer, übersenden. Ich würde den Betrag dafür sogleich entrichten, wie ich hier die 2 Thlr. für das elastische Hufeisen beylege.

Ihre Abhandlung über die Fossilien, die einer dauerhaften magnetischen Kraft fähig sind, habe ich zu meiner Belehrung wiederholt gelesen. Ich bitte mir die Erlaubniss aus, auch künftighin über diese Materie mir bey Ihnen Raths zu erholen.

Der ich recht wohl zu leben wünsche und Ew. Hochedelgeboren meiner besondern Hochachtung versichre,

WEIMAR, AM 10. MÄRZ 1800.

J. W. GOETHE.

MIT âl ZUSAMMENGESETZTE WÖRTER.

Das wort *âl* oder *adel* bedeutet sowol nhd. (vgl. Grimms Wb. 1, 177) als nnd. flüssigen kot, stinkenden ‚schlamm. Ältere quellen unserer sprache kennen dieses wort nur in der form *adel*. Gleichwol ist es zweifelhaft, ob *âl* durch zusammenziehung aus *adel* entstanden ist, und nicht vielmehr umgekehrt *adel* durch dehnung aus *âl*. Für die letztere ansicht sprechen die sehr alten mit *âl* zusammengesetzten oder davon abgeleiteten wörter, welche zahlreich in allen deutschen mundarten vorkommen.[1] In einigen derselben wird zwar für *âl* auch die breitere form *adel*, oder *ethel*, oder *atel* hin und wider gefunden, jedoch offenbar nur als entstellungen. In den meisten erscheint *âl-*, abwechselnd mit *all* oder mit *él* und *ell*, *ôl* und *oll-*, und nicht selten tritt eine aspiration vor den anlaut. Mag nun aber *âl* oder *adel* die älteste form sein, sicher ist, dass diese wörter zur bezeichnung der mannichfaltigsten gegenstände des bodens, der tierwelt und des pflanzenreiches dienen, und zwar solcher, welche mit dem schlamm (vgl. ahd. *haliwa, sordes limi vel aquae* bei Haupt Ztschr. V, 575, *hulwa* bei Graff IV, 882, *hulia* und *huli* bei Schmeller II, 174 s. v. die Hül) irgend eine gemeinschaft haben, sei es auch nur durch ihre schlüpfrigkeit (vgl. ahd. *hâli, lubricus*, mhd. *hæle, hâl, hel*) oder durch ihren

---

1) Diese erweiterung durch *de* (ähnlich wie *ge*) findet sich auch im worte *sâl*, das auch *sadel* heisst, z. b. *sadel, torne unde ander gerack to eyner schoner, keyserliker borch*. Münster. Gesch. Q. 1, 163; *in de kokene is gekokct, up den zadel gegeten*. Das. 1, 179. Vgl. das. 110, 135 und 155; *ehr (der gestorbene bischof) wordt uf des fursten hof gesath in den understen sadel hinder der kochen*. Das. 3, 47.   A. L.

widrigen geruch. So sind es unter den fischen ebensowol mit zähem
schleim bedeckte als stinkende, deren name von *âl* gebildet wird, unter
den pflanzen ebensowol übel riechende als auch solche, welche einen
öligen und klebrigen saft haben, unter den vögeln gewisse durch thra-
nigen geruch oder ihren aufenthalt in stehenden gewässern bekante tau-
cher und schwimmvögel, unter den vierfüssern stinktiere.[1]

I. *âlhorne, âlherne, êlhorne, êlderne*. m. Name sehr
verschiedenartiger bäume und stauden, welche das gemeinsam haben,
dass ihre wurzel oder blatt oder rinde stinkt. — 1. *Acer campestre*
und *Acer platanoides L.* der Ahorn (hochd. immer ohne *l*, wie umgekehrt mnd. *âbéle* für nhd. Albele, Belle, *populus*), Masholder, Maseller,
Maserle. *Platanus, alhorn*, voc. Magd. ein *alhornesbom*, voc. W.;
platanus arbor, elhorne, voc. Engelh. Beachtenswert ist mnd. *ahôrne*
(ohne 'l) bei Diefenb. nov. gl. s. v. *platanus*, welchem eine nnd. form
âhören bei Schambach s. 6 entspricht. Als mnd. (sax.) wird auch von
Kilian *ahorn = platanus* aufgeführt und zugleich *aenhorn*, womit der
nhd. name Anbaum bei Nemnich I, 25 zusammenzuhalten ist. Bemerkenswert ist noch wegen der aspiration des anlautes die form *halhor-
nesbom* im 2 voc. W. s. v. *platanus*. Der sehr dauerhafte Ahorn (er
wird über 200 jahre alt) eignet sich vorzüglich zu lebendigen hecken,
und wurde häufig in alten zeiten als dicht in einander geflochtenes nie-
derholz oder gebück zur kriegerischen schutzwehr auf den grenzen und
vor den festungen verwendet, weswegen er holl. auch *booghout* heisst.
In diesem sinne bildet das wort ein neutrum, ahorngebück. *Item
1 punt deme holtvogede sulff verde vor 5 dage dat alhorne by der
muren to hauwende* (1480), Ztschr. des hist. Vereins für Nieders. 1867
s. 179. Von der ehemaligen befestigung durch ein solches gebück,
welches am äusseren rande von zeit zu zeit aufs neue behauen und
geflochten wurde, so dass es *instar muri* (Caes. bell. Gall. II, 17) gelten konte, heissen einige ortschaften heute noch in Oberdeutschland
Ahorn (Förstem. II, 25), in Niederdeutschland Ahlhorn und Adelhorn
(*Atelhorne*, Urk. v. 1354). — 2. *Sambucus nigra L.*, der Holunder,
Flieder. Auch für diesen baum findet sich einmal mnd. *ahorn* (ohne *l*)
bei Dief. gloss. 509 neben dem gewöhnlichen *alhorne, elhoren*. *Alhorne*

---

1) Zu diesem wort gehört auch das verbum *âlen, tubum purgare*, kunstwort
der röhrenmeister, eine verschlamte röhre reinigen. Die erklärung J. Grimms
(Wb. 1, 5) dass diese reinigung geschehe, indem man einen lebendigen aal durch
sie schlüpfen lasse, ist verfehlt. *âlen* heisst: vom schmutze (*âl*) reinigen, ähnlich
wie: raupen, lausen, hülsen, schälen u. a. von raupen, läusen, hülsen, schalen
befreien.   A. L.

in westualen ys holderen efte holunder in Sassen (= Ostfalen). Her-
bar. fol. 3; *In deme heten wedder is ome* (dem choleriker) *guth noch-
tern drinken kolt water mit alhernes blomen*, Hanov. Mscr. I, 84 s. 176ᵇ;
Ok mach me maken ran elhornes blomen en eddel mos. Arsted. fol. 111;
gif em dat sap ran elhornes wortelen, das. fol. 69; *elderne is en bom,
alhorn, holunder*, voc. Strals. bei Koseg. 234; vgl. die nnd. form *elt-
hören* bei Schambach s. 55 und englisch *elder*. Erst spät begegnet die
heute weit verbreitete form *ellhorn* oder *ellorn*. Eine segensprecherin
bekent: *rnd wan die koye heimlich perüret würden, nehme sie ein ellhorn stock vnd sagte*, Old. Acte von 1622; vgl. Grimm, Mythol. 618.
Die gleichbedeutigen namen *álhorne* und *holunder* stehen nicht so weit
auseinander als es scheint. Denn die von Schmeller I, 453 zuerst ausgesprochene und seitdem herschend gewordene ansicht, dass ahd. *holun-
tar* und andere ähnlich auslautende baumnamen mit einem nicht mehr
vorhandenen worte *tër, tëra* (= got. *triu*, ags. *treov*, engl. *tree*) zusammengesetzt seien, ist unbegründet. Es findet sich mhd. *holant* in einfacher participialform ohne das suffix *-ar* (Dief. Gloss. 509 s. v. *sam-
buca*) und auch mit diesem unmittelbar an den stamm geschlossenen
suffix *holar, holer, holre, holr*. Ganz dieselbe bildung zeigt *alant; es*
erscheint in den formen *âl-ant*, (*ôl-ant*) *âl-ander, âlre = foetens*.
Vgl. auch *asch, aschbom, eschelter pawm*, Dief. n. gl. s. v. *fraxinus*.
Dass vor den stamm *âl- ël- ôl-* in vielen ableitungen eine aspiration
vortritt, ist schon oben bemerkt. Weil *holunder* oder *holder* mit *alhorne*
gleichbedeutig ist, so kann es nicht befremden, dass nach Kilian mnl.
holderboom auch den Ahorn (*acer*) bezeichnet hat, nicht bloss den Flieder (*sambucus*). Ebenso wechseln jetzt noch beide namen, mit einander
in der bezeichnung anderer stauden. 3. *Sambucus racemosa L.* Der
Bergelhorn oder Bergholunder, auch Resken (mlat. *riscus*) und Trau-
benflieder genant, *alhorn* bei Dief. gloss. 499 s. v. *riscus*. Er heisst
in den fürstentümern Göttingen und Grubenhagen *ákholt*. So bemerkt
Schambach s. 6 und legt ihm den namen Attich (als nhd.) bei, welcher für diesen strauch anderswo nicht gefunden wird. — 4. *Sambucus ebulus L.* der Attich, Ackerholder, Zwergholunder. *Adeke ein
krut also iung alhorn.* Dief. nov. gloss. 143 s. v. *ebulus*. Chytraeus s. 505 hat: *veltalhorn, veltvleder, attich, ebulus*. Den stamm *al*
bewahrt auch frzs. *alidzo* (*en patois* für *hieble*), ital. *olez* (bei Brescia
für *ebulo*) und ags. *ellenvyrt* (Nemnich II, 1217). Weil das kraut als
harntreibendes mittel berühmt war, hiess es mlat. *meatrix*. Ehemals
wurde mit Attich (ags. *átih, zizania*) auch noch das unter dem namen
Schwarzkümmel bekante unkraut *nigella arvensis L.* bezeichnet, s. Graff
I, 153, Beneke Mhd. Wb. I, 66. Ganz ähnlich diesen kräuternamen

in allen senien gestaltungen ist Lattich, mnd. *lâdeke, lâdik,* welchen uralten und für eine grosse zahl heilender und labender kräuter gebräuchlichen. namen man allerdings dem lat. *lactuca* vergleichen, keinesweges aber davon herleiten darf, weil die einfache form ahd. *lâch* zugleich die wurzel ist von ahd. *lâchen* = *mederi* und den damit zusammenhängenden wörtern. Auch mnd. *âdeke, âdek,* ahd. *âtuh* darf ebensowenig vom gr. *ἀκτῆ* hergeleitet werden, *quam quidam esse ebulum putant,* Plin. XXVI. 73 (vgl. XXVII, 26 *actaea*). Die einfache, jedoch seltenere form des namens lautet mnd. *âk* (in Westfalen. Vgl. auch unter nr. 3 *âkholt*) und mhd. *ack* bei Dief. nov. gloss. 193 s. v. *ebulus.* Am meisten nähert sich diesem stamme das dem deutschen worte nachgebildete mlat. *actix* (neben *attix*) und die nhd. benennung Aktenbeere, Aktenstaud (Dief.) oder Achterstaude bei Nemnich l. cit. Das nnd. masc. *âk* oder *êk* bedeutet ausserdem ebenso wie nnd. *âl* und mnd. *alre* ein stinkendes geschwür, bei Chytraeus *eck.* Nach Kilian ist *eck* oder *ack* überhaupt jede *res foeda et nauseam movens,* nicht bloss *pus, sanies.* In demselben sinne sagen wir: *dat is acke* von allem, das uns anwidert, aus irgend einem grunde zurückstossend auf uns wirkt, insbesondere wegen seines geruchs, und nnd. *êkern* (Brem. Wb. V, 362) ist *fastidiosus;* vgl. Grimm, Wb. I, 199 s. v. *äks.* Wie daher der Attich wegen seines üblen geruches zu den gewächsen zählt, welche mnd. *âlhorn* heissen, so wird er wegen jener wirkung nnd. *âk* genant und mhd. *ack* oder *acke.* Von dem letzteren worte gebildet ist aber augenscheinlich auch mhd. *achor* bei Dief. Gloss. 446 s. v. *platanus,* welches mit dem gleichbedeutigen lat. *acer* fast überein lautet, ahd. *achorn* bei Graff I, 135, mhd. *acharenpawm* bei Dief. nov. gloss. 294 und mnd. *ekkernebom,* das. 232 s. v. *lentiscus.* — 5. *Viburnum opulus L.,* der Wasserahorn oder Wasserholunder, ist als *âlhorne* nicht nachweisbar in mnd. quellen. Er gehört übrigens ebenso wie alle andern bisher aufgeführten bäume und stauden in die reihe derjenigen, welche mnd. *apeler* und *epeler* genat werden, ähnlich genug dem lat. *opulus* und *ebulus.* Unter den vielfachen benennungen des Ahorns, welche von diesem stamme *ap, ep, ab, eb* gebildet sind, ist die merkwürdigste alts. *abhirnibom* und mhd. *abhorn* bei Dief. nov. gloss. 294 und gloss. 440, nhd. Ephorn. Denn darin kann das *h* gleichwie im mnd. *âl-h-orne* oder *âl-h-erne* nur als ein zum stamme getretenes nominalsuffix (vgl. mhd. *ebbich* = *acer* bei Dief. gloss. 8) gedeutet werden, während sich das *h* in mhd. *ah-orn* oder *ah-ern* aus dem stamme *ak* ergeben hat. Jenes nominalsuffix ist indessen für die wortbedeutung nicht als wesentlich anzusehen, da neben mhd. *abhorn* und alts. *abhirni* auch ein unmittelbar vom stamme *ap* gebildetes mnd. *âperne,* nhd.

Epern mit gleicher bedeutung vorkomt. — 6. *Betula alnus L.* die
Erle, *clrenbom vel elhorn* bei Dief. gloss. 25 und *ellerenbom vel alhorn*
im voc. Loccum. s. v. *alnus.* Der hier in derselben bedeutung mit *âlre*
oder *élrc* zusammengestellte name *âlhorne* oder *êlhorn* ist, abgesehen
von dem unwesentlichen nominalsuffix *h*, in der tat ein und dasselbe
wort, nur in einer andern form und verschiedenen geschlechtes. Denn
wie *alnus* bei Dief. nov. gloss. 17 ein *elerne bom* genant wird mit kla-
rem hervortreten der adjectivform (= *êlrenbôm*), so ist auch *âlhorne*
seiner form nach offenbar ein adjectiv und sein geschlecht durch das
hinzugedachte *bôm* oder *strûk* zu erklären. Darum hat in einem besonderen sinne sogar *dat âlhorne* gesagt werden können mit hinzugedach-
tem *geboge* oder *holt*, obgleich es wunderbarer weise nicht bedenklich
gefunden worden ist ebensowol *âlhornesbôm* als *âlhornbôm* zu sprechen.
Für den Ahorn muss aber nicht bloss die adjectivische namensform
âlhorne oder *êlhorn* ehemals in gebrauch gewesen sein, sondern auch
die substantivische form *âlre* oder *êlre* mit weiblichem geschlecht, also
gerade dieselbe form, in welcher der name für die Erle geltung hat.
Anders wenigstens lässt es sich nicht erklären, dass heute noch der
maasboom, wie der Ahorn wegen seines kraus und schön gefleckten
(vgl. *mâse* und Plin. XVI. 26) oder gemaserten holzes holländisch
genant wird, bei uns mnd. *mâs-ellere* oder *mâseller* heisst. Er heisst
ebenfalls nhd. die Maserle. Denn ähnlich wie die mnd. namen *âlhorne*
und *âlre* verhalten sich die mhd. *âhorn* und *êrle* zu einander. Ohne
den adjectivischen auslaut erscheint bei Dief. Gloss. 440 mhd. *achor*,
âhor neben *âhorn*, *âhern*, *ôhorn*, *ôhern*, *âorn*, *âern*, *ârn*, und man
kann gar nicht zweifeln, dass dieses *âchor* oder *âhor* weiblichen
geschlechtes gewesen ist, wie bei einigen alten auch das lat. *acer.*
Denn ganz entsprechend sind die noch jetzt in Oberdeutschland hin
und wider für Ahorn gebräuchlichen feminina Ahre, Ähre, Ohre, Öhre,
Eher, Ehre. Ausser diesen namensformen werden auch die mit dem
suffix-*l* noch erweiterte Arle und Erle für Ahorn gebraucht und Arle
bedeutet ebenso wie Erle zugleich *alnus*, s. Nemnich I, 25, 27 und
Campe Wb. I, 94, 204, 820, 988. III, 555. Es tritt also klar hervor, dass ahd. *êrila* nicht, wie Grimm Wb. III, 894 angenommen hat,
umgestellt ist aus ahd. *êlira*. Vielmehr sind beide namen, mhd. *êrle*
und mnd. *êlre* von zwei verschiedenen stämmen abgeleitet und auf ganz
verschiedene weise. Doch berühren sich in ihrer allgemeinen bedeutung diese stämme *ak* und *al* so nahe, dass die von ihnen abgeleiteten
namen der bäume und stauden einander haben vertreten können, wiewol jeder name für ein bestimtes gewächs in einer bestimten gegend
vorzugsweise gebraucht worden ist. Das gilt besonders auch von dem

mnd. und mhd. namen *holunder*, welcher mit *âlhorne* nachgewiesener massen wechselt, und es begreift sich daher leicht, warum der Ahorn jetzt ebensowol Masholder heisst als Maseller und Maserle.

II. *âlquabbe*, f. die Quappe oder Aalquappe, der Quappaal. Als mnd. (sax.) wird *aelquabbe* von Kilian s. v. *quabbe* aufgeführt. Daneben erscheint auch mnd. *âlquappe*, Diefenb. Gloss. 79 s. v. *borbocha*, und ebenso mnd. *quappe* (voc. Engelh. *quappe piscis est allota*, 1. voc. Wolf. *allota, en quappe*) neben *quabbe*. Das einfache wort, wie es jetzt gebraucht wird, bezeichnet im allgemeinen jede zähe und leicht in zitternde bewegung zu setzende masse z. b. die wampe unter dem halse des rindviebes (*quabbe, baene, palear* Kil.; mhd. *wapp* bei Dief. Gl. 406 s. v. *palear*), den moorboden oder sumpfiges bebeland (mnd. *quobbe*, Schl. Holst. Urk. S. I, 400), eine schlammige pfütze (vgl. altfr. *wapul* bei Richth. s. 1124), den rotz. Von wassergewürmen heisst so die gallertartige, scheibenrunde Seenessel, *medusa L.*, und ganz besonders das breiweiche noch geschwänzte fröschlein (*vermiculus ranae*), welches auch Dickkopf und engl. *bullhead* genant wird. Als name von fischen wird zwar das wort bisweilen mit *âl* zusammengesetzt, kann aber in dieser zusammensetzung beliebig die erste oder die letzte stelle einnehmen, und der zusammengesetzte name bezeichnet keine anderen arten als der einfache, vgl. *âlroppe*. Die vielerlei fische dieses namens haben mit dem Aale nichts gemein, als dass sie von einem zähen schleime bedeckt sind und auf schlammigem grunde sich aufhalten. Dagegen sind sie dem jungen frosche noch ausserdem darin ähnlich, dass sie einen dicken kopf mit verhältnismässig dünnem und kurzem rumpfe haben. Ebenso wie dieser frosch heissen sie wegen ihrer gestalt mitunter Dickkopf und engl. *bullhead*, während sie wegen ihres aufenthaltes in der tiefe nicht selten Grundel oder Gründling heissen. Ihr name Quappe wird auch als masc. gebraucht, dann aber Quapp oder Aalquapp gesprochen, auf Wangeroge mit anderem laut Ailquopp (fries. Arch. 1, 343). Am meisten bekant sind unter diesem namen 1. *gadus lota L.* (*mustela fluviatilis*), 2. *gadus mustela, L.* (*mustela marina*), 3. *cottus gobio, L.* (*gobio capitatus*), 4. *perca cernua, L.*, 5. *blennius viviparus, L.* (*mustela vivipara*), 6. *blennius lumpenus, L.* (*borbocha, borbeta*). Andere Quappen sind bekanter unter anderem namen. Kilian bringt mnd. *quabbe* oder *quappe* noch als benennung des *capito, gobio capitatus* und versteht ohne zweifel darunter vorzugsweise den Aland *Cyprinus jeses L.*, wie es meist geschieht, obgleich durch *capito*, gr. κέφαλος, κεφαλῖνος ebensogut auch der Meeraland, *Mugil cephalus L.* und überhaupt jede art von Quappen bezeichnet werden kann. Die für Quappe gebräuchlichen mlat. benennungen *alota*

30*

oder *allota* oder *alleta* (*álte*) und *alloca* oder *alloqua* (*álke*) sind augenscheinlich ebenso wie *alosa* oder *allosa* (*álse*) latinisierte deutsche
namen. Sie bezeichnen jedoch keinesweges nur Quappen oder *capito-
nes*. Vielmehr werden sie bei Dief. Gloss. 24 auch der Schleie, dem
Karpfen und der Scholle beigelegt, welche zwar vielen schleim führen
und auf schlammigem grunde leben gleichwie die Quappen, aber nicht
zu ihnen gehören. Jene mlat. benennungen kommen also nur darum
den Quappen zu, weil dieselben sogenante schnot- oder rotz- oder
schleimfische sind, und das kann allein auch die ursache sein, warum
sie bisweilen Aalquabben oder Quappaale genant werden (vgl. im mnd.
Wb. *álant*). Bei weitem gewöhnlicher als diese zusammensetzung ist
der einfache name, von welchem Dief. gloss. und nov. gloss. s. v. *allota*
und *capito* manche beachtenswerte formen liefert, insbesondre: mnd.
quaep, *qwab*, *kobe*, *kopp*, *kopput*, mhd. *quap*, *kapp*, *chapp*, ahd.
chape, *chopp*, *kope*, *kobe*, *kube*, *koppe*, *kopp*, *kopt*, mlat. *copto*. Natürlich haben diese formen, an welche sich bei Nemnich Kob, Gob, Gobe,
Göbe, dän. *kob* und *kobling* anschliessen, so wenig mit dem mhd. *kopf*
und dem entsprechenden mnd. *kopp* eine verwantschaft als mit dem
lat. *capito*. Sie lassen sich nur mit dem gr. κωβιός und lat. *gobius*
oder *gobio* zusammenstellen, ohne dass an eine entlehnung dabei gedacht
werden kann. Eine sehr nahe übereinstimmung mit dem griechischen
zeigt sich auch in gewissen andern benennungen der quappen. Vor
allem ist daran zu erinnern, dass dergleichen dickköpfe die namen
κέστρα, κεστρεύς, κεστραῖος führen wegen ihrer ähnlichkeit mit einer
streitkolbe. Namen derselben bedeutung haben wir von alters her
viele, welche jedoch alle mit der zeit auf einen immer engeren kreis
der anwendung eingeschränkt und seltener geworden sind, wie jene
ursprünglichste waffe selbst. Es werden diese namen grösstenteils bei
Dief. l. c. und bei Nemnich hin und wider gefunden. Hervorzuheben
sind: 1. mhd. *kolbe*. Noch heute wird *cottus gobio* die Kolbe genant,
auch Rotzkolbe und Murkolbe. 2. mhd. *tolp*, *dolp* d. i. *clava ferrea*,
malleus ferreus nach Gr. Wb. II, 1221. Einen fisch dieses namens
erwähnt ein alter reim: „Im Jenner .. Zu fangen die Lachsferchen fein,
Rutt, Höcht, Dolpen und Bachfisch gemein,“ wo jedoch schwerlich
cottus gobio verstanden wird, wie Schmeller 1, 369 vermutet. 3. ahd.
cutto und *caudin*, jetzt noch heisst *Perca cernua* in Mitteldeutschland
Kütt und Kaut oder Kaute. Zu diesem namen gehört ohne zweifel mnl.
kodde, welches ebenso wie Kaute (Gr. Wb. V, 363) Keule bedeutet.
Von den Griechen werden dickköpfige fische mit dem fast gleichlautenden namen κόττος bezeichnet, nicht etwa nur *cottus gobio*. Eine nebenform von *kodde* ist mnl. *kodse* oder *kudse*, und davon heisst *cottus*

scorpius L. (*scorpius marinus*) an der nordsee Wallkuze. Derselbe fisch wird an der Ostsee nicht allein Wollkuze oder Wollkuz genant, sondern auch Wollkuse. Denn mnd. *kûse, mnl. kuyse* bedeutet ebenfalls keule.[1] *Blennius raninus L.* heisst in Norwegen sowol *aalekuse* als *aaleqvabbe.* Der holsteinischen redensart *de kerl süt út as en âlquappe* (Schütze III, 322) entspricht am Niederrhein das schimpfwort *du kûz* oder *kûzkopp*, welches einem unreinlichen und widerwärtig gestalteten menschen gilt, und *kûz* ist zugleich dort eine benennung des *cottus gobio*, nicht bloss verschiedener eulenarten. — 4. nhd. und nnd. *döbel*, mlat. *dobula*. Nach Grimm, Wb. II, 1198 gehört das wort Döbel, Dübel, Düppel, Dippel zu einem weit verbreiteten stamm, dessen wurzel verloren ist. Wie man schimpfend eine grobe keule (das. V, 649) oder nnd. *ene wilde kûze* (Brem. Wb. II, 903) sagt, so wird ein tölpel (von mhd. *tolb*, keule) auch Düppel gescholten; vgl. Dief. Gloss. s. v. *stipes.* Die hier zu grunde liegende bedeutung des wortes muss keule gewesen sein, da für *triterium*, mörserkeule oder reibkolbe, schon in einem oberdeutschen Voc. von 1429 *tuppel* gefunden wird, s. Schmeller 1, 387. Alberus gibt also den fischnamen *cordyla* (Dief. Gloss. 151) seiner wortbedeutung nach richtig wider durch Döbel, aber κορδύλη hiess den Griechen die dickköpfige brut des Thunfisches. Den namen Döbel führt in Pommern *cyprinus idus L.*, in Sachsen der Aland *cyprinus jeses*, von welchem Albinus (1580) Meissn. Chronik 834 sagt: „Dibeln oder Elten, Alten ist ein kaulichter und weisser fisch." Gewöhnlich bezieht man den namen jetzt auf den Häseling, *cyprinus dobula L.*, welcher im Brandenburgischen Döbel, Diebel, Tievel heisst. Auch ist an *Lophius piscatorius L.* (*rana marina*) zu denken, eine grosse Quappe, deren hochdeutscher name Seeteufel wol aus Seedöbel entstellt sein möchte. — 5. mnl. *clabot* oder (bei Kilian) *klabbot, klabbotvisch.* Jetzt ist ein *capito* dieses namens nicht mehr bekant, und auch das wort selbst nur noch erhalten in einigen meist entstellenden ableitungen. Man sagt am Niederrhein klabatzen = prügeln,

---

1) *s* und *z* (*ds, ts, dz, tz*) bezeichnen häufig denselben laut. Daher ist *kuse, kuze, kudse* ganz dasselbe wort. Beispiele zu der bedeutung „keule" (*clava, instrumentum defendendi, kuse vel kolue.* Dief. s. v.) sind: *vnde queme dan tó vns wtlopen myt ener kusen vnde greep vns vnde sloch vns myt der kusen al vnse lede entwe.* Leben d. h. Franz. fol. 29[b]; *wert sake, dat de blotstortinge thoe qwem .. myt eynre kuesen.* Wigands Arch. IV, 415; *sindt gekomen her N. unde her N. myt eren knechten myt gewapender hand, myd togenen baren swerdten, myt kusen unde anderen eren weren unde wapen.* Stüve, Beschreibung des Hochst. Osnabr. 1789 s. XXIX: *de synen kinderen gift dat braut, unde lit sulvest naut, den sall me slaun mit der kusen daut* (Inschr. in Osnabr.) Strodtmann Osnabr. Id. 119.   A. L.

dass es klatscht (vgl. tülpen, kolben, keilen und mlat. *clavare*), anderswo klabatschen, klabattern, s. Grimm, Wb. V, 887 s. v. klabastern. Die bedeutung ist also wol *fustis*. — 6. ahd. *slegil*. Die glosse bei Graff VI, 782, welche diesen namen für *capito* gewährt, hat wahrscheinlich dabei eben so wie Kilian bei *klabbotvisch* an eine bestimte quappenart, etwa *cyprinus jeses* oder *cottus gobio*, vorzugsweise gedacht. Zutreffend ist indes der name Schlägel gleich allen vorigen auf Quappen von jeglicher art. Er wird heute noch dem *squalus zygaena* L. gegeben, einem sehr breitköpfigen Hai, welcher auch Meerschlägel und Hammerfisch heisst. — 7. mhd. und mnd. *kûle*. Zwar ist mhd. *kiule* nicht als benennung einer Quappe nachweisbar, aber die bedeutung Keule wird auch für mhd. *kûle* bei Dief. Gloss. 148 s. v. *contus* aus guten vocabularien belegt, und noch jetzt ist in Baiern Pochkul für Pochkeule nicht unerhört, s. Schmeller II, 290. Von Keule gibt es im mittleren Deutschland eine diesem mhd. *kûle* ganz entsprechende nebenform Kaule, welche besonders in zusammensetzungen auch auf oberdeutschem gebiete verbreitet ist; Grimm, Wb. V, 349 fgg. Heutzutage wird kein fisch mehr die Keule oder Kaule genant, doch heisst in Böhmen *Cottus gobio* noch der Kaul. Der davon abgeleitete name Käuling oder Keuling bezeichnet eben dieselbe Quappe und den Aland *cyprinus jeses*, ferner nnd. Küling den Orf oder Erfling, *cyprinus orfus* L. (*capito fluviatilis subruber*), den Döbel, *Cyprinus idus* und den Meergrundel, *gobius niger*. Auf alle diese Quappen darf also der schon mhd. und mnd. vorkommende name *kuling* bezogen werden, und Kilian kent ausserdem mnd. (sax.) *kullinck* noch für *mugil piscis*, worunter der Meeraland *mugil cephalus* zu verstehen ist. Zusammensetzungen mit *kûl* — finden sich in der älteren sprache nur zwei. Zur unterscheidung von anderen Barschen wird *Perca cernua* mnd. *kûlbars* (Kilian und Chytr.) und mhd. *kulperske* (Dief. Gloss. 602 s. v. *turonilla*) genant, jetzt Kaulbarsch. Derselbe fisch heisst auch Kaulhaupt, und dieser name, welchen ebenfalls *cottus gobio* führt, ist sehr alt, da schon alts. *culhowet* für *capito* (*capedo*) und ahd. *culhoubit* für *gobio* nachgewiesen wird von Graff IV, 387 und 759. Das einfache *howet* oder *houbit* erscheint als benennung einer Quappe nicht, wol aber mhd. *houpting* (*capito*) im Voc. opt. Bloss der neueren sprache bekant sind einige andere mit Kaul — Keul — Kul zusammengesetzte fischnamen. Kaulquappe, nnd. Kulquabbe, heisst sowol *Perca cernua* als *cottus gobio*, und eben dieselben fische werden auch Kaulkopf oder Keulkopf genant, richtiger auf dem Eichsfelde Kulkopp. Über Kaul-ruppe, -raupe, -krappe, -kropf als eine benennung mehrerer Quappen s. unter *âlroppe*. Nicht verschieden davon ist Kielkropf oder unentstellt Kielkropp, da die nahe verwanten wörter Keule, Keil, Kiel (z. b. bei Dief. Gloss. 126 *kyle* d. i. *kîle* = *clava*) in einander übergreifen. Sehr irriger weise jedoch haben wir uns gewöhnt bei Kielkropf an einen kropf zu denken. Denn freilich werden unter Kielkröpfen jetzt keine fische (Kroppen, Quappen) mehr verstanden, sondern kleine menschen mit übermässig dicken köpfen und eigentliche wechselbälge, zwerge. Dass in derselben bedeutung auch Kaulkopf gebraucht wird oder Kielkopf, hat Hildebrand gezeigt in Grimms Wb. V, 351 und 681. Die übertragene bedeutung von Kaulquappe (das. 352) scheint an einer dem fisch ähnlichen menschengestalt mehr das lächerliche hervorzuheben als etwas dämonisches. Indes haftet unverkenbar die vorstellung eines dämonischen wesens an den Quappen von alters her. Es geben schon die mannichfaltigen oben aufgeführten namen davon zeugnis, dass ihre gestalt verglichen worden ist mit der waffe des donnergottes. Man darf in dieser beziehung den dickköpfigen fischen gewisse käfer an die seite stellen, die von keulenartigen hörnern ihren namen haben. Während sich der Maikäfer *Scarabaeus melolontha* L. mit dem namen Kolbenkäfer oder Kauzkäfer begnügt, heisst der Walker *Scarabaeus fullo* L. geradezu der Donnerkäfer. Wol bekant ist unter seinem namen Donnerpupe oder Donnerpuppe der grosse *Lucanus cervus* L. (*scarabaeus bicornis*), von welchem Grimm Myth. 167 und 656 handelt. Dass ihm dieser name gegeben worden ist wegen der beiden keulen, die er trägt, beweist sein andrer name Kieleck, ahd. *chuleich*, bei Schmeller II, 289. Nicht minder bestimte spuren weisen darauf hin, dass auch die fische, welche wegen ihrer keulenartigen gestalt von den alten *kûle, slegil, cutto, kolbe* usw. genant worden sind, in den mythus über Donar gehören. Wesentlich in denselben zusammenhang mythologischer vorstellungen gehört aber mit ihnen zugleich der kleine noch unausgebildete frosch. Denn dieser geschwänzte dickkopf, mit welchem jene fische den namen Quappe gemein haben, teilt mit ihnen auch die meisten anderen namen. Er heisst Kaul, dann Kaulquappe oder Kulquabbe (schon mnd. *kulequappe* voc. Locc.), ferner Kaulkopf oder (im Waldeckschen) Kulkopp, und Kauzkopf oder Kauzekopf. Nicht einmal den namen Moorkolbe trägt er für sich allein, welchen er doch als bewohner stehender gewässer und pfützen jedenfalls mit grösserem recht als *cottus gobio* verdient. Zum unterschiede von den voll ausgewachsenen Üzen oder Poggen oder Padden heisst er Schlägelütze, Külpogge oder (pr. Preussen) Kielpogge, Kaulpadde oder Kulpatte, und endlich Kaulfrosch oder Kielfrosch. Aber auch sogar von diesen namen hat er einen wider nicht für sich allein. Denn *Cottus gobio* und *Perca cernua* führen im Voigtlande den offenbar von ihm erborgten und nur verhochdeutschten namen Kaul-

patze. Daher kann es nicht mehr verwundern, dass auch *Gadus lota*
holl. *padde,* der Meerhase, *cyclopterus lumpus L.* auf Helgoland Haff-
padde, der Steinpicker *cottus cataphractus L.* englisch *the pogge* heisst.
Mit einem voll ausgewachsenen frosche haben diese tische so wenig
irgend eine ähnlichkeit als der Meerfrosch oder Seeteufel *Lophius piscatorius,* der schon von den Griechen βάτραχος genant wird, und nach
ihrem vorgange von den Römern *rana,* vgl. Plin. IX, 67. Immer ist
es der kleine Kielfrosch, von welchem in fluss und meer die Quappen
den namen leihen wie von ihrem urbilde. Von ihm kommt auch der
name Donnerkröte, holl. *donderpadde,* welchen die bereits erwähnte
Wallkutze *cottus scorpius* führt. Denn in Holland heissen die geschwänz-
ten froschpüppchen, wie Nemnich II, 98 bemerkt, bei dem gemeinen
manne *donderpaddetjes,* „nach der ungereimten einbildung, als ob die
frösche in der luft erzeugt würden und im gewitter herunterfielen.“
So viel wahres liegt aber doch der einbildung zu grunde, dass diese
tierchen, die nicht in der dürre gedeihen, immer nach einem erquicken-
den gewitter wie mit einem schlage da sind in grosser zahl. Entstehen und vergehen der frösche hatte für die alten etwas gleich geheim-
nisvolles, vgl. Plin. IX, 73. Offenbar waren die Quappen in den augen
unserer vorfahren geschöpfe Donars, entstanden im gewitterkampfe und
bedeutsam nach der waffe des gottes selbst gestaltet. — Auf solche
weise sind nun aber durch ihre namen frosch und fisch einander so
vollkommen gleichgestellt, dass dieselben überlieferungen, welche von
dem einen gelten, auf den andern mit gleichem rechte bezogen werden
können. Redet ein märchen von wechselbälgen unter dem namen Kaul-
oder Kielkopf, so ist es überhaupt nicht möglich zu unterscheiden, ob
diese übertragene bedeutung herstamt von den fischen, welche so
genant werden, oder von dem frosche desselben namens. Der letztere
heisst in Pommern Külkropp, und wenn ein zwerghafter mensch mit
grossem kopfe dort *een Keerl as een Külkropp* gescholten wird, so
denkt man dabei nur an die Quappe des froschteiches oder im sinne
des aberglaubens an einen wechselbalg, Dähnert 260. Dagegen ist in
andern landschaften diese mit dem namen Kielkropf verbundene vorstellung eines dämonischen wesens unzweifelhaft von den Quappen in fluss
und meer ausgegangen. Das zeigt sehr deutlich eine erzählung, welche Schiller Mekl. Thier- und Kräuterbuch III, 39 aus Preussen mit-
teilt. Ein bauer bei Danzig will einen wechselbalg zur taufe bringen,
und als er auf der brücke der Mottlau ist, schreien stimmen aus dem
wasser: „*Kielkropp, Kielkropp, wo geist henn?*“ — „*Eck gah na
S. Marien, onn wöll mi late wiehen*“ antwortet der kleine. Der bauer
aber sagt: „*Böst du vom düvel, so gah ok tom düvel,*“ und wirft ihn

in den strom (dahin, woher der unhold gekommen). Allerdings wird
an irgend einen Dickkopf unter den fischen zumeist gedacht bei allen
namen, die von Keule hergeleitet sind — und es gibt unter ihnen
wahre ungeheuer an grösse wie gestalt —, aber der unscheinbare Dickkopf unter den fröschen hat gleichwol gegen diese namensgenossen in
alter zeit eine hervorragende stellung eingenommen.

Behutsame scheu mit unholden es zu verderben hat ihnen die
freundlichsten namen gegeben, welche sonst nur älteren frauen der
nächsten blutsverwantschaft zukommen, gerade so wie Reinke Vos
erzählt v. 5875: *dat ik de mêrkatten do medder hêt, ja dat dede ik al
umme genêt.* Als *ene maag*, eine liebe angehörige, wird *Blennius viviparus* holländisch *maagaal* genant. Der hochdeutsche name Aalmut-
ter für diese Seequappe scheint mir eine schlechte übersetzung zu sein,
da mnd. *moddere* (neben *medder*) und *modere*, altfr. *modire*, ags. *modrie*,
ahd. *muotera* Muhme bedeutet. Überall ist für die unholden im wasser und wald Muhme, Mümlein, Mummel ein gewöhnlicher schmeichel-
name, vgl. Grimm, Myth. 457. Dies wort lautet auch mnd. *moie,
moime, moeme, mome, mume* und *moine, moene, mone, mune.* Davon
heisst auf Rügen *gadus lota* Aalmöme, Koseg. 181; der Grundel *gobius
minutus L.* in Holland *meune* (vgl. *moyne, cyn visch*, Teuthon.) und
vermutlich ist auch der name Munne für *cyprinus dobula* (nach Frisch-
lin bei Diefenb. Gl. 549 s. v. *squalus*) so wie Mundfisch für *Cyprianus
jeses* hieher zu rechnen. Für *allota*, Quappe, findet sich geradezu
alraun, eine benennung der hexen (bei Ziemann, mhd. Wb.). Man ist
nicht berechtigt diesen namen als entstellt oder verschrieben für *allant*
anzusehen, wie Dief. Gloss. 24 es tut.

III. *âlroppe*, f. die Aalraupe, der Raubaal, Aalquappe, *gadus
lota L.*, *alroppe* bei Diefenb. gl. 24 s. v. *allapida*, bei Chytraeus s. 389
aelrupe (*mustela*). Dieser fisch heisst zugleich in umgekehrter zusammensetzung (wie *âlquappe* und *quappâl*) mnd. *rufôlke, rofêlke, ruffelk*
(Nemnich), *rupoel* (Diefenb. gl. s. v. *allosa*), *royfel* (ders. s. v. *polipus*).
Auch wird er einfach mnd. *roppe* oder *gropp* genant, auch *kopp* und
koppe. Es werden auch noch andere fische mit demselben namen
groppe belegt. 1. *Cyprinus aspius L.* heisst nach Nemn. 1, 1355
Raubalet oder Fressalet und Rappe. Dieser ist dem *cyprinus jeses L.*
(gewöhnlich *alant*) verwant, nur räuberischer. Beide hiessen früher
capito fluviatilis, doch der *aspius* hatte den zunamen *rapax*. 2. *Cottus
gobio L.*, Kaulkopf, heisst auch Kaulruppe und Groppe bei Nemnich
und fällt entschieden unter den mlat. namen *allota*. 3. *Silurus gla-
nis L.*, der Wels, der Schaden, Schaiden (der Quappe sehr ähnlich,

aber der grösste flussfisch in Europa). Vgl. *schad vel die alsam* und
alenscheid bei Diefenb. Gl. 24 s. v. *allosa*. 4. *Perca cernua L.* heisst
bei Nemnich Kaulbaupt, Kaulbarsch. 5. *Muraena conger L.*, Aal-
schlange, bei Diefenb. Gl. 142 s. v. *congrus: helsemen, meerael, seepa-
ling, eseling, heselink, hasela.* Ebenso 188 s. v. *dobula: hasila.* Vgl.
palinck, grofael, anguilla decumana, Kil. 6. Bei Diefenb. Gl. 270 s. v.
gubio heisst auch der Stint oder Stinkfisch *gropp, meergropp,* wenn es
derselbe fisch wirklich ist, auch Kaulbaupt. Man kann nur sagen, dass
diese fische dort *gubio* heissen. 7. *Cottus cataphractus L.* = *groppe,
bullhead, the pogge.* Nemn. 1, 1259. — Auch finden sich bei Diefenb. 99 unter *carabus* die namen *groppe, kaulhaupp, kopput, dolb*
und unter *cambuca,* s. 92 *kolb, krop.* Bemerkenswert ist, dass die
Robbe (*phoka L.*) auch Rubbe und Roppe (Nemn.) heisst und nordisch
auch *steenkob, laterkob.*

IV. *Âlpût (aelpuyt)* (und umgesetzt *pûtâl*) bei Kil. ist *mustela,*
also dasselbe was Aalraupe und Aalquappe; engl. *eelpout.* Da der frosch
holländisch auch *puyt* heisst (Nemn. 2, 1120), so ist es nicht auffallend, dass (wie *âlquabbe*) die bezeichnung *pûtâl* im gewöhnlichen leben
meistens auf den noch unausgebildeten frosch angewant wird.

Obiges wurde vom verstorbenen staatsrat dr. Leverkus anfänglich für das mnd. wörterbuch ausgearbeitet; da indes die artikel für
das lexikon zu gross gerieten, hatte er die absicht sie besonders in
einer zeitschrift zu veröffentlichen. Leider starb er eher, als er seine
arbeit völlig beendet hatte. Sie schien mir aber auch so der veröffentlichung wert zu sein; ich bitte nur das fragmentarische, namentlich
der letzten seiten, mit dem tode des verfassers zu entschuldigen.

OLDENBURG 1873.　　　　　　　　　　　　　A. LÜBBEN.

FRAGMENTE DER PREDIGTEN BERTHOLDS VON REGENSBURG.

Dem unterzeichneten wurden im verflossenen jahre bruchstücke
einer mittelhochdeutschen handschrift übergeben, die sich aus dem ein-
band einer deutschen übersetzung des Josephus vom anfang des 16. jahrhunderts entpuppt hatten. Sie erwiesen sich bei näherer besichtigung
als fragmente einer papierhandschrift der Bertholdschen predigten und
geben teile mehrerer predigten wider: Blatt 278 und 279 und 284 und

285, letztere beiden aber nur noch zur hälfte erhalten, von *von zwein unde vierzic tugenden*, bl. 312. 313 *von dem hêren kriuze*, dann ein blatt, dessen bezifferung nicht mehr zu erkennen ist, von *von fünf{ schedelichen sünden* und zwei halbe blätter von *von vier dingen.* Bl. 278—285 gehörten zu einer lage, ebenso 312. 313 und die beiden halben blätter nebst etwa 10 zwischen ihnen fehlenden blättern.

Freilich keineswegs umfangreiche bruchstücke, aber wäre diese ganze Bertholdhandschrift erhalten, so dürfte sie unbedenklich neben den cod. Pal. no. 24, den Pfeiffer seiner ausgabe vom jahre 1862 zu grunde gelegt hat, gestellt werden. Denn schon die bezifferung der blätter zeigt, dass diese handschrift nicht wol aus cod. Pal. 24 abgeleitet sein kann. Zwar folgt offenbar auch in ihr die predigt *von zwein unde vierzic tugenden* auf *von fünf schedelichen sünden* und *von vier dingen* auf *von dem hêren kriuze*, aber zwischen bl. 285 und 312 fehlen nur 26 blätter, d. h. nach Pfeiffers ausgabe etwa 40 seiten, während Pfeiffer 89 hat, entweder also fehlten in dieser handschrift mehrere predigten, oder sie hatte eine andere ordnung, jedesfalls aber steht sie selbständig da.

Dasselbe zeigt eine probe aus beiden handschriften:

meine frr.	cod. Pal. 24. (Pfeiffer s. 443 fg.)
nu bitet alle unsern herrn und die tugentreichen junkfrawen die uns czu hohen selden geborn wart alz heut ist daz sie mir gebe czu sprechen da von sie gelobt und geert werde oben auff dem himel und dez wir geseligt werden an leibe und sele . .	*nû bitet alle unsern herren und die tugentrichen frouwen mîne frouwen sancte Marien, diu uns ze hôhen saelden geborn wart alse hiute ist, daz sie mir geben ze sprechenne, dâvon sie gelobet und geêret werde oben ûf dem himel unde daz wir gesaeliget werden an lîbe unde an sêle.*

Ich werde jetzt versuchen meine fragmente zu characterisieren. Sie stehen zunächst — das zeigt schon die herausgehobene probe — der mittelhochdeutschen zeit fern; *iu* ist in *eu* übergegangen *cristenleuten* oder in *ew ewer* statt *iuwer, allew diet; uo* in *u gut, rewetag* für *ruowetac, y* steht für *i mynne, nymer,* so auch *ey* statt *ei heyligen, au* für *u auff,* das verallgemeinernde *so* in *swie, swer* ist verloren gegangen. Wir rücken dem ziel näher durch beobachtungen wie *sein* und *seint* statt *sint; auzz, auff, krencklichen,* verdoppelung der consonanten, *tzum himelreich, juncfrawen,* übergang von *î* und *ou* in *ei* und *au, aw,* lautliche wandlungen, die zuerst im 14. jahrhundert auftauchen. Also 14. jahrhundert und der anfang des 16. — letzteres,

weil dafür der druck des Josephus bürgt — sind die beiden äussersten
punkte, zwischen denen die abfassung unserer fragmente liegt; man
wird sich aber für das 15. entscheiden, erwägt man die gesamtheit der
angeführten sprachlichen erscheinungen, die bis zum jahre 1400 nur
vereinzelt auftreten. Es steht die art der schreibung der besprochenen
fragmente der des Otto v. Passau oder des Albrecht v. Eib viel näher
als der des Heinrich Suso oder des Johannes Tauler. Andrerseits fehlt
das schon der mitte des 15. jahrhunderts so eigentümliche einschieben
des *b* und *d* z. b. in *kumbt* und *fyndt* — freilich vorbereitet durch das
ff, *zz*, *ck*, *tz* und *cz* des 14. jahrhunderts — sodass man die abschrift
der fragmente in den anfang des 15. jahrhunderts legen wird. — Dagegen weisen *pflege* statt *pflaege*, *selden*, *hut* statt *hüete*, *idoch* statt
iedoch auf mitteldeutschen ursprung hin.

Nach den bisherigen ausführungen scheint der schluss naheliegend,
dass für meine fragmente die Heidelberger handschrift no. 24
vom jahre 1370 der archetypus sei. Eine vergleichung der eigentümlichkeiten beider handschriften wird diesen schluss als nicht gerechtfertigt erweisen. In einzelnen worten gehen beide oft auseinander:
meine handschrift hat *vollenden* statt Pfeiffers *verenden*, *beheit* statt
bewacret, *löblich* statt *liep*, *von den manigvalten tugenden* statt *von
der manicvalten tugent*, *wie wir sulche tugent gewinnen* statt *wie wir
ouch suln tugent gewinnen*, *so kumpt sie* statt *so kumen sie*, was eine
ganz andere beziehung gibt; unterscheidend ist die durchführung des
pronomens *ir* in meinen fragmenten z. b. *in iren freuden, in allen irn
noten, an irm creuz* und die öftere zusetzung des wortes *heilig* im Heidelberger cod. wie *heilige cristenheit*, wo meine fragmente stets das
einfache *cristenheit* bieten, dieselben haben auch niemals das oftmalige
cht des c. Pal.

Gegenseitige zusätze ferner trennen die beiden handschriften, der
cod. Pal. hat aus der predigt *von zwein unde vierzic tugenden* zugesetzt *ich spriche mêr: innen einem halben jâre oder in einem ganzen
jâre*, wogegen meine fragmente nur haben *ich sprich mer zu einem
halben jar*; die worte *wan ez muoz ie vier ort hân* fehlen in den fragmenten ganz; letztere wider bieten mehrere äusserst charakteristische
zusätze, so wird in der aufzählung der glaubenshelden *herr ezechias*,
zu den angeführten äussern werken *und die andern wochen ein rom-
vart* hinzugefügt.

Lehrreich für das gegenseitige verhältnis sind auch die fehler bei
beiden: in der predigt *von dem hêren kriuze* hat meine handschrift *so
bringt alle die die marter han erliden in der mynne unsers herren,
die haben alle ir creucze braht*, wofür Pfeiffer (541, 27 fgg.) hat: *so*

bringet der diz, so bringet der daz. Alse sie eht die martel erliten hânt, so .... Hier ist nach *so bringt* offenbar nur· ausgelassen, was cod. Pal. hat. *Und den worten daz ir dise sehs tugent ...* ist ein beiden gemeinsamer fehler. In der mehrzahl dagegen ist der fehler auf seiten ·des cod. Pal.; er bietet *heimelîche bedarfι* statt. *ze himelreich bedarfι;* (Pfeiffer 445, 12 fgg.) *man tuot im aber sunderlichen liebe, unde vor allen dingen alse liebe niht alse an disen sehs dingen. Daz man im alle tage ein klôster stiffte ...* für *man tut im aber sunderlichen vor allen dingen an disen sehs dingen alz lieb daz man im alle tage ein closter stiffte,* hierdurch wird das· unverständliche *vor allen dingen so liebe niht* vermieden und zugleich das bei Pfeiffer in der luft schwebende *Daz man im alle tage ...* leidlich an das *alz lieb* angeschlossen. Ein böser fehler des cod. Pal. ist in der predigt *von dem hêren kriuze* (Pfeiffer 540, 38): *daz er (Christus) ir erschein nâch ir urstende,* wofür meine fragmente ganz richtig *nach seiner urstende* haben. Bei Pfeiffer s. 453, 12 heisst er: *wan ez taete anders ·niht tugende geheizen, de so getâniu dinc tuot,* meine fragmente helfen durch ein hinter *geheizen* eingeschobenes *wan* dem sinne auf.

Diese verschiedenheit in einzelnen worten, in zusätzen, in fehlern zeigt die unabhängigkeit beider handschriften von einander, meine fragmente sind nicht so fehlerhaft, dafür aber mehr zu zusätzen geneigt als der cod. Pal., letzteres wird man unbedenklich eine eigentümlichkeit jüngerer handschriften nennen dürfen. Dem ort der abfassung nach sind beide ja sehr verschieden, dort Schwaben, hier Mitteldeutschland, wie ich oben aus dem dialect herleitete. Auch der geist und die gesinnung der schreiber sind nicht zu vergleichen, wie die vom schreiber meiner fragmente vermiedenen fehler, die· ihn als einen verständigen menschen erscheinen lassen, und das vom schreiber des cod. Pal. nach möglichkeit angebrachte epitheton ornans *heilig* beweisen.

Noch ein wort über den archetypus meiner fragmente. Das war sicher eine noch im reinen mittelhochdeutsch oder besser mitteldeutsch abgefasste handschrift. Während der cod. Pal. überall hat *daz stêt in den zehn geboten, in der heiligen schrift,* haben meine fragmente *an den zehn geboten, an der heiligen schrift,* das zeigt auf das 13. jahrhundert hin, im 14. ist, wie der cod. Pal. auch beweisen kann, dies echt mittelhochdeutsche *an* verschwunden. Das ist ein scheinbar unbedeutender zug, der aber, weil er vom abschreiber unabhängig, nicht beabsichtigt ist, desto mehr beweist. Ich schliesse daraus, dass der archetypus meiner fragmente älter als der cod. Pal., dass er noch im 13. jahrhundert verfasst ist. — An einer stelle hat meine handschrift *leiht* statt *lieht,* was man nicht für einen gewöhnlichen schreiberfehler halten wird, ohne dem, was wir oben über das sorgfältige, verständige abschreiben unsers schreibers aufstellten, zu widersprechen; sondern der schreiber, der die schreibweise seines originals in die sprache seiner zeit, d. h. des beginnenden 15. jahrhunderts übertrug, fand ein *i* vor, das er in *ei* umschrieb. Das war aber nicht das mittelhochdeutsche *î*, sondern das mitteldeutsche *i* statt *ie,* das nach Müllenhoffs scharfsinniger untersuchung (vorrede zu den Denkmälern s. 26) schon im anfang des 12. jahrhunderts in Mitteldeutschland begegnet. Also der archetypus war eine handschrift des 13. jahrhunderts, die in Mitteldeutscland entstand.

Damit ist der trotz des geringen umfangs nicht abzuläugnende wert meiner fragmente nachgewiesen, und es würden bei einer zweiten auflage des Pfeifferschen Berthold die fehler des cod. Pal., von denen ich die hervorstechendsten angezogen habe, darnach zu verbessern sein. Freilich die stellung dieser fragmente unter den handschriften des Berthold definitiv zu bestimmen, ist so lange nicht möglich, als der 2. band der Pfeifferschen ausgabe, der die ausser dem cod. Pal. 24. bis jetzt gekauten handschriften enthalten soll, nicht erschienen ist.

OHLAU.   DR. W. GEMOLL.

BEITRÄGE AUS DEM NIEDERDEUTSCHEN.

Krûder.

Das für *herdenkruder,* Seib. Urk. 921, im glossar angesetzte „kräutersamler“ wird nach nd. *krûder* (kräuter) geraten sein. Kräutersamler können aber nicht wol unter den *arbedsluden* eines landwirts zwischen *holthoueren* und *mystwerperen* aufgeführt stehn, überdies kann *herden* als bestimwort nicht s a m l e r ausdrücken. Das sinnlose compositum muss in zwei wörter zerlegt werden. *Herden* sind hirten; *krûder* für *krûdere* sind krauter, gäter, wie denn noch heute *krûen,* d. i. *krûden* (krauten) in Westfalen als synonym von *giden* (gäten) in gebrauch ist.

Voedelant.

In Seib. Urk. 690 steht *vondelant,* was im glossar *winnland,* pachtland gedeutet wird. Weddigen (im Westf. Magaz.) hat *vordelant,* was er richtig durch „weideland“ erklärt. Beide formen sind aus *voedelant* verlesen. *Voedelant* verhält sich zu *voede,* wie weideland zu weide. *Voede,* weideplatz, kam nach Holthaus aufzeichnungen noch zu

anfange dieses jahrhunderts auf dem Hellwege im sinne von gemein-
weide vor. Noch heute erscheint es halbappellativ als name alter
weideplätze, z. b. die Voede bei Werl und bei Lütkenbögge, die Ein-
ecke Foede bei Haus - Fahnen. *Voeden*, alts. *fôdian*, heute *faüen* oder
faien, ist bekantlich nähren und wurde von pflanzen auch für ziehen gebraucht; so *boeme weden* (l. *voeden*) bei Seib. Urk. 719 zusatz 32.

Schemel.

Das statut der sälzer zu Sassendorf, Seib. Urk. 720, enthält unter
no. 47 die stelle: *Hem wey schachholt* (schaftholz) *vort, dey sall tollen
drey roden* (stangen), *dey so lanck sin, dat sey van eyneme sche-
mele up den andern reken.* Erklärung fehlt. Schemel, heute *schiämel*, heissen die über der achse liegenden und vermittelst eines dreh-
barens zapfens damit in verbindung stehenden grundhölzer des wagens.
So noch heute im Paderbornschen. Die *roden* sollen also von der achse
der vorderräder bis an die der hinterräder reichen. Bei Iserlohn haben
misbräuchlich auch die aufstehenden streben (rungen), welche als wider-
halt der wagenleitern in die schemel eingelassen werden, den namen
schiämel erhalten.

(Wird fortgesetzt.)

ISERLOHN.   F. WŒSTE.

BERICHT ÜBER DIE ERSTE JAHRESVERSAMLUNG DES VEREINS FÜR NIEDERDEUTSCHE SPRACHFORSCHUNG ZU HAMBURG AM 19. UND 20. MAI 1875.

Schon zu pfingsten vorigen jahres hatten einige Hamburgische mitglieder
des vereins für Hansische geschichte auf der pfingstversamlung zu Bremen den
antrag gestellt, in beratung zu treten über zweckmässigkeit und gestaltung eines
vereins für niederdeutsche sprachforschung, da man hoffen durfte, dort eine ziemliche anzahl von solchen beisammen zu treffen, denen die niederdeutsche sprache
lieb und wert wäre. Obgleich im allgemeinen die sache viel anklang fand, so verlief sie doch in so fern ohne resultat, als man wegen differenz der meinungen und
aus mangel an einer schon bestehenden organisation keinen sichtbaren fortschritt
machte.

In diesem jahre, wo die sache weiter gediehen war und es bereits zu einer
festen organisation gebracht hatte, wurde die angelegenheit von neuem vor demselben forum verhandelt und der verein scheint jetzt vollkommen lebensfähig zu
sein. Mit dem localcomité für die pfingstversamlung des Hansischen geschichtsvereins war eine freundliche übereinkunft getroffen, dass der versamlung des vereins für niederd. sprachforschung zeit und raum neben den sitzungen des vereins
für hansische geschichte verschafft wurde.

Mittwoch, den 19. mai. Gegen 12 uhr versammelte sich der verein nebst seinen gästen, etwa 60 an der zahl, im zimmer no. 32 des patriotischen hauses. Herr director dr. Classen, als ältestes mitglied des vereins, begrüsste die versamlung in wenigen, herzlichen worten und erteilte darauf dem bisherigen vorsitzenden des vereins, herrn dr. Walther (Hamburg), das wort für seinen vortrag über die stellung des Niederdeutschen in der deutschen philologie. Der redner sprach etwa eine stunde lang über sein thema und heben wir folgendes aus dem vortrag hervor: [1]

Walther suchte die pflege, welche das Niederdeutsche gefunden, nach drei perioden zu schildern, von denen die erste bis Grimm, die zweite von Grimm bis Franz Pfeiffer, die dritte von Pfeiffer bis jetzt reicht. In der ersten periode geschah mancherlei für die ältere sprache durch die herausgabe historischer und rechtsdenkmäler, aber mehr aus antiquarischen gründen als aus philologischen. Mehr beachtung fand das lexicalische, zumal das Niederdeutsche der hochdeutschen litteratursprache ferner stand. Schon Leibnitz regte zu solchen idiotiken an, und so sehen wir im 18. jahrhundert verschiedene derselben entstehen, wie Richeys, Dähnerts, Strodtmanns und besonders das Bremische wörterbuch, welches auch die ältere sprache heranzieht. Als sich im vorigen jahrhundert die begriffe von dem wahren wesen der poesie geklärt hatten, lernte man auch die poesie der vorfahren schätzen, besonders aber die mittelhochdeutsche. Die romantiker befestigten in unserm jahrhundert diese richtung Nicht allein das verständnis der dichtung, sondern auch indirect das der sprache wurde dadurch gefördert. Es war für die erkentnis nicht bloss der hochdeutschen sprache, sondern auch der übrigen germanischen sprachen von grosser wichtigkeit, dass man im Mittelhochdeutschen eine in bezug auf die äussere form, also reim und metrum, streng gesetzmässig ausgebildete poesie kennen lernte. Das zeigte sich bald in der deutschen grammatik, denn Grimm spricht sich in der vorrede zum ersten band dahin aus: ,,Ohne den reim wäre fast keine geschichte unserer sprache auszuführen." J. Grimm verdankt auch das Niederdeutsche die erste wissenschaftliche darstellung seiner laut- und flexionslehre für das Altsächsische und Mittelniederdeutsche. Hierzu benutzte er besonders mittelniederdeutsche gedichte; die vielen mnd. prosadenkmäler berücksichtigte er grundsätzlich nicht. Wenn nun aber das Mittelniederdeutsche an sich schon um vieles ärmer ist an poetischen denkmälern als das hochdeutsche, so war damals auch von diesem wenigen nur weniges bekant. Um so mehr zu bewundern ist, was Grimm leistete. Für das mass der pflege, welches das Niederdeutsche seit Grimms behandlung erfuhr, muss man auf seine verschiedene stellung zum Hoch- und Niederdeutschen eingehen. Die strenge form der mittelhochdeutschen poesie war ein hauptgrund für die bevorzugung des Hochdeutschen, wie Grimms natur überhaupt erst von der poesie zur sprachforschung kam. Nicht die geringste ursache aber ist bei ihm eine ausgesprochene vorliebe für das Hochdeutsche, das ihm mit dem Oberdeutschen dasselbe ist, eine vorliebe, wie sie ganz besonders Mitteldeutschen eigen zu sein pflegt. Ihm ward es überhaupt schwer, die existenz einer besondern, zwischen Ober- und Niederdeutsch in der mitte stehenden sprache, des Mitteldeutschen, zuzugeben. So erklärt sich, wie er zuweilen dem Niederdeutschen nicht ganz gerechtigkeit widerfahren liess. Den neuniederdeutschen dialekten war Grimm

---

1) Dies kurze referat ist kaum im stande, ein volles bild von dem vortrage zu geben, und wir verweisen darum auf das jahrbuch des vereins für niederdeutsche sprachforschung.

später durchaus abgeneigt. In der vorrede zum ersten band der grammatik spricht er noch von feinheiten, welche die niederdeutschen dialekte vor den oberdeutschen voraus hätten. Zwanzig jahre später dagegen hebt er hervor, dass unsere oberdeutsche volkssprache insgemein_die niederdeutsche an kraft und fülle überbiete. Und wider 14 jahre später gesteht er, dass die abgezwickten, verschluckten formen des Ditmarsischen für ihn etwas unangenehmes hätten, ganz uneingedenk, dass manche oberdeutschen dialekte denselben vorwurf leiden müssen, wenn es überhaupt auch nach Grimms anschauung ein vorwurf ist, da er so ziemlich dasselbe am Englischen als einen vorzug preist. Die klagen über misachtung und vernachlässigung des Niederdeutschen, besonders aber Schellers bornierte überschätzung des Niederdeutschen, wie seiner eigenen philologischen fähigkeiten, trugen wol mit dazu bei, diese antipathie auszubilden. So vernachlässigt er zuweilen das Niederdeutsche, wo man seine heranziehung erwartet hätte. Walther führt eine reihe von belegen an, wo Grimm offenbar lieber hochdeutschen und fremden als niederdeutschen ursprung der worte annimt. Selbst der Bocksbeutel, der früher stets und mit recht als ein speciell hamburgischer gefasst worden war, wie Asebok im gleichen sinne von zopf, schlendrian in Bremen galt, muss sich als hochdeutsches wort unter misverständnis des ck durch scrotum capri erklären lassen und soll in dem bekanten Claudiusschen „an unsern eichen hängt bocksbeutel aufgehangen" name einer pflanze sein.[1]

Walther verwahrt sich dagegen, dass er diese beispiele anführe, um den ruhm des meisters, den niemand mehr schätzen könne als er, zu schmälern, denn er glaubte diese stellung, die Grimm allmählich zum Niederdeutschen genommen hatte, darlegen zu müssen, um zu verstehen, wie es geschehen konte, dass seit den zwanziger jahren ein menschenalter lang das studium des Niederdeutschen fast brach gelegen hat. Während das studium des Hochdeutschen durch Lachmann und andere eine vortreffliche methode erhielt, blieb das niederdeutsche studium auf dem alten standpunkte. Statt den von Grimm auch fürs Niederdeutsche gewiesenen weg zu verfolgen, nämlich die gesetze der sprache aus ihr selbst zu eruieren, sucht man die hochdeutschen sprachgesetze auch im Niederdeutschen widerzufinden. Natürlich finden sich dieselben hier nur teilweise wider. Da muste denn das Niederdeutsche schelte leiden, dass es sich nicht in das prokrustesbett des Mittelhochdeutschen zwängen liess. Das Niederdeutsche soll an blödigkeit der vokale leiden, dem Niederdeutschen wird der mangel des umlauts vorgeworfen.[2] Wo im Mittelhochdeutschen alles regel ist, — oder richtiger gesagt, wo man sie im Mittelhochdeutschen zu finden wuste, denn jede sprache ist nach regel und gesetz gebaut — da sah man im Niederdeutschen vor regellosigkeit und ausnahmen die regel nicht. Allein wäre man nur Grimm nicht bloss im urteil gefolgt, sondern hätte man auch seine beobachtungen weiter verfolgt, die er dazu nur an wenigen meist poetischen und zum teil mitteldeutschen quellen gemacht, und mit ausschluss der zahlreichen quellen des 14. und 15. jahrhunderts, welche zeit die blüte des Mittelniederdeutschen sah, man wäre schneller zur klaren erkentnis des Mittelniederdeut-

.1) Man übersehe aber doch nicht Jac. Grimms eigene spätere erklärung aus dem jahre 1857 in Pfeiffers Germania 2, 301.   Z.

2) Walther hat über diesen punkt seine eigenen ansichten, durch deren veröffentlichung er hoffentlich bald diese ganze frage neu anregen und ihrem abschluss näher bringen wird. Ich kann mich freilich nicht von der existenz des umlauts im mittelniederdeutschen überzeugen.   R.

schen gekommen. Grimm z. b. constatierte, dass der umlaut des langen *a* im Mittelniederdeutschen nicht, wie im Mittelhochdeutschen *æ*, sondern *ê* ist. Was berechtigte dann Massmann in seiner ausgabe der Repgowschen chronik, dieses *ê* stets in *ä* umzuschreiben? Eine andere modelung des mittelniederdeutschen nach mittelhochdeutschem lautsystem war die änderung des *gh* in *g* in manchen ausgaben, wenngleich die spirierte aussprache des *gh* nicht in allen niederdeutschen dialekten vorhanden gewesen sein mag. Konte man die regel nicht finden, so hätte man die handschrift drucken lassen sollen, wie sie war, wie man es anfänglich mit den mittelhochdeutschen schriftstellern gemacht hat. So bieten die ausgaben mancher historiker wie Lappenbergs, Homeyers, Grautoffs u. a. durchweg ein reineres bild der sprache als die im zweiten viertel unsers jahrhunderts erschienenen ausgaben mancher philologen, wie z. b. Ettmüllers. Hoffmann von Fallersleben und Höfer trifft dieser vorwurf nicht.

Ein wendepunkt in dieser stellung des Niederdeutschen in der deutschen philologie trat mit den funziger jahren ein. Die untersuchung der mittelhochdeutschen schriftsprache und ihrer litteratur war so gefördert, dass man getrost an die erforschung der älteren dialekte gehen konte. Besonders hervorzuheben sind Weinholds dialektgrammatiken und Franz Pfeiffers nachweis eines mitteldeutschen dialekts.[1] Diese richtung muste dem Niederdeutschen zu gute kommen, wenn auch nicht gleich in dem masse, als dem Mitteldeutschen. Die mitteldeutsche sprache, die eine nicht unbedeutende ältere litteratur hat, hat auf das Neuhochdeutsche einen hervorragenden einfluss gehabt. Im consonantismus mehr oder minder hochdeutsch, haben diese mundarten im ganzen denselben vocalismus, dieselben eigentümlichen ausdrücke und grammatischen eigenheiten, wie die ihnen angrenzenden niederdeutschen mundarten, so dass man sie bezeichnend niederdeutsche dialekte, die einige consonanten hochdeutsch aussprechen, nennen könte. Die mitteldeutsche und niederdeutsche sprachforschung fördern sich gegenseitig und können einander nicht entbehren. Aber auch unmittelbar wurde das studium des Niederdeutschen gefördert, wie zahlreiche ausgaben mittelniederdeutscher sprachquellen, besonders poetischer, beweisen. Freilich die bedeutung des Mittelniederdeutschen liegt nicht so sehr in der poesie, als in der prosa. Diese erscheinung lässt sich am besten durch die ähnlichen verhältnisse im alten Griechenland begreifen. Die poetische sprache der gebildeten ist auch für Niederdeutschland seit dem ende des 12. jahrhunderts die mittelhochdeutsche oder mittelniederdeutsche, vor jenem zeitpunkt die mitteldeutsche. Ausnahmen heben die regel nicht auf, und auch dass die volkspoesie, von der uns nur spuren übrig sind, niederdeutsch war und dass man mit der zeit auch die mittelhochdeutsche und mittelniederländische poesie übersetzte, nachahmte, ja selbständig mittelniederdeutsche poesie pflegte, tut der richtigkeit dieser anschauung keinen eintrag. Um so mehr ist die mittelniederdeutsche prosa zu schätzen; das beweisen chroniken, theologische bücher und urkunden zur genüge. Auch die grammatik machte wesentliche fortschritte, wie die trefflichen einzelforschungen Höfers, Krauses und besonders Nergers historische grammatik des Mecklenburgischen zeigen. Des letztern entdeckung der tonlänge warf auch auf neuhoch-

---

1) Das wesentliche hat bereits Wilhelm Grimm gezeigt und gelehrt, und auch bereits den ausdruck „mitteldeutsche sprache" gebraucht 1846 in seiner ausgabe des Athis und Prophilias (Berlin 1846. 4⁰) s. 8 fg., namentlich s. 10. Er hat das alles aber in seiner anspruchslosen weise getan, und es ist nur gerecht und billig, sein verdienst nicht zu kurz kommen zu lassen.   Z.

deutsche lautverhältnisse licht. Überhaupt hat das Niederdeutsche auf das Neuhochdeutsche einen so bedeutenden einfluss gehabt, dass das studium des Niederdeutschen schon um der neuhochdeutschen schriftsprache willen pflicht ist. Ein
naheliegendes, aber wenig beachtetes beispiel möge das erläutern. Als man zuerst
statt der formen „er reiset, ihr laset" die einsilbigen gebrauchte, da schrieb man
nach Heyse diese wörter mit langem s und apostroph, wenigstens wurden e und t
nicht in ein zeichen zusammengezogen. Grund dazu war unsere niederdeutsche
aussprache, bei der ein stummes e nach art des Französischen und Englischen eine
grosse rolle spielt. Oberdeutschland weiss davon nichts; es spricht: *reist, last*,
während wir *reis't, las't* sprechen. — Ausserdem sind hervorzuheben M. Heynes
arbeiten auf diesem gebiete und das von Schiller begonnene und von Lübben fort-
gesetzte mittelniederdeutsche wörterbuch. Die erkentnis der neuern dialekte, belebt
durch die neue niederdeutsche litteratur, machte ebenfalls bedeutende fortschritte,
sowol in lexicalischer als grammatischer beziehung; es genügen hier die namen
Müllenhof, Wöste, Schambach.

Aber trotzdem die gegenwärtige zeit so bedeutende fortschritte gemacht, so
sind noch viele aufgaben ungelöst. Die umlautsfrage im Mittelniederdeutschen ist
noch nicht entschieden. Über die altsächsischen dialekte ist man noch ziemlich im
unklaren, ebenso über die art der entstehung der mittelniederdeutschen schriftsprache, der sprache der Hansen, die sich nicht mit der volkssprache gedeckt zu
haben scheint. Trotz mancher tüchtigen leistung fehlt noch viel, dass die niederdeutsche philologie sich der der andern germanischen sprachen an die seite stellen
dürfte. Da die erforschung des Niederdeutschen vorzugsweise dialektforschung ist,
und das material der modernen dialekte sich nicht ohne hülfe der laien sammeln,
sich aber nicht ohne vergleichung der ältern und der verwanten mundarten verstehen lässt, so ist hier, wenn irgendwo, ein gemeinsames wirken von fachgelehrten
und dilettanten an seiner stelle. Das rasche absterben der niederdeutschen mundarten liegt vor aller augen und darum möge unser verein alle kräfte bald einigen,
um ein unersetzliches material der wissenschaft zu bewahren.

Nach beendigung des vortrags wurde die discussion über denselben eröffnet,
woran sich herr schulrat Harms (Hamburg) und professor Mantels (Lübeck)
beteiligten, indem sie sich warm und zustimmend für die sache aussprachen. Es
zeichneten sich sofort gegen 20 herren in die ausgelegten mitgliedslisten ein, so
dass der verein auf 73 mitglieder stieg.

Hierauf erstattete dr. Rüdiger, als der bisherige protokollist der Hamburgischen gruppe, auf die sich bisher die ganze tätigkeit des vereins beschränkte,
den jahresbericht, aus dem wir folgendes mitteilen:

Schon Lappenberg hatte 1839 bei der gründung des Hamburgischen
geschichtsvereins daran gedacht, durch die litterarische section die Hamburgische
mundart erforschen zu lassen. In der litterarischen section des vereins für Hamburgische geschichte zeigten sich tätig dafür Krabbe, Petersen, Gries, Hoffmann, von Essen, bis nach 1847 diese tätigkeit aufhörte und die section sich
ganz der verdienstvollen herausgabe des Hamburgischen schriftstellerlexicons wid-
mete, welches jetzt durch die kraft einzelner fast zu ende geführt ist. Das fehlen
der eigentlichen fachleute liess wol den eifer für das Niederdeutsche hier gar zu
bald ermatten. Neuerdings ist freilich in anderer weise unter den laien der sinn
für das Plattdeutsche vielfach wider belebt worden, besonders durch K. Groth und
Reuter, sowie in Hamburg durch das volkstümliche lustspiel in Karl Schultzes
theater, das jetzt überall in Deutschland die schönsten triumphe feiert. Doch dies

ist eher das letzte abendleuchten der niederdeutschen litteratur, als die morgen-
röte eines neuen schönen tages. Daher ist es hohe zeit, dass alles von der niederdeutschen sprache gesammelt wird für die spätern generationen, was noch vorhanden ist, da die niederdeutsche sprache unwiderruflich dem verfall geweiht ist, da
dieselbe täglich mehr verschwindet, ja sogar durch die deutsche marine schon
vom meer verdrängt wird. Nach einem längern excurs über die geschichtliche
bedeutung des Sachsenstammes und des ganzen niederdeutschen volkes wante sich
Rüdiger dem berichte zu. Der drohende untergang des heimischen dialekts und
die liebe zu ihm veranlasste einige jüngere gelehrte, die sich in Hamburg aus verschiedenen gegenden Niederdeutschlands zusammengefunden hatten, mit einander
Heliand und später Beovulf zu lesen. Sie bildeten die germanistische section des
Hamburgischen vereins für kunst und wissenschaft. Im jahre 1874 dachte man
daran, ob man nicht auch auswärtige freunde der sache bewegen könne, mitzuwir-
ken zur bildung eines vereins für niederdeutsche sprachforschung. Die erwähnte
Bremer zusammenkunft verlief zwar ohne directes resultat, doch hatte man viel
ermunterung gefunden, die idee weiter zu verfolgen und fester zu gestalten. Am
25. september 1874 constituierten sich die Hamburgischen mitglieder als verein für
niederdeutsche sprachforschung, dem es bald gelang mehr auswärtige mitglieder
heranzuziehen, die sich bis himmelfahrt auf 51 beliefen. Die Hamburgische gruppe
kam alle freitag von 7—9 uhr im zimmer nr. 10 des patriotischen hauses zur
gemeinsamen lectüre zusammen. In der letzten zeit wurden besonders mittelniederdeutsche denkmäler gelesen, um nichtgermanisten besser in diese studien einführen
zu können. Durch die lectüre älterer rechtsdenkmäler gelang es auch, einige juristen zu regelmässigen besuchern der leseabende zu machen. Ausserdem wurden
verschiedene wissenschaftliche fragen discutiert, besonders die schreibweise der
modernen niederdeutschen dialekte. Der verein hat vor einiger zeit mit der Küht-
mannschen buchhandlung in Bremen verträge abgeschlossen zur herausgabe eines
jahrbuchs, welches den niederdeutschen studien als centrum und organ dienen
soll. Der druck des ersten bandes soll nach pfingsten beginnen. Ebenso sollen von
dem verein niederdeutsche denkmäler ediert werden. Der erste band,
„ein Hamburgisches seebuch aus dem 15. jahrhundert" enthaltend, von
dr. Koppmann und Walther herausgegeben, liegt nahezu fertig gedruckt vor.
Herr marinedirector dr. Breusing in Bremen wird die seekarte dazu anfertigen,
was das erscheinen dieses bandes noch einige wochen verzögern wird.

Donnerstag, den 20. mai, morgens gegen 9 uhr, hatten sich einige dreissig
mitglieder in demselben saale zusammengefunden, um die vorläufigen statuten vom
25. sept. 1874 zu revidieren und den vorstand zu wählen. Herr director dr. Classen leitete die verhandlungen wie am tage zuvor. Der wortlaut der statuten, wie
er aus der beratung hervorgieng, ist folgender:

§ 1. Der verein setzt sich zum ziel die erforschung der niederdeutschen
sprache in litteratur und dialekt.

§ 2. Der verein sucht seinen zweck zu erreichen:

    1) durch herausgabe einer zeitschrift;

    2) durch veröffentlichung von niederdeutschen sprachdenkmälern.

§ 3. Der sitz des vereins ist vorläufig in Hamburg.

§ 4. Den vorstand des vereins bilden sieben von der generalversamlung zu
erwählende mitglieder, von denen zwei ihren wohnort am sitze des vereines haben
müssen.

§ 5. Jährlich zu pfingsten findet die generalversamlung statt.

§ 6. Die litterarischen veröffentlichungen des vereins besorgt im auftrage des vorstandes ein redactionsausschuss, in welchem wenigstens ein mitglied des vorstandes sich befinden muss.

§ 7. Der jährliche minimalbeitrag der mitglieder ist fünf reichsmark, wofür die zeitschrift geliefert wird.

Zu vorstandsmitgliedern wurden erwählt: dr. A. Lübben (Oldenburg), präses; dr. Elard Hugo Meyer (Bremen), secretär; senator Culemann (Hannover); bürgermeister A. Francke (Stralsund); dr. C. Nerger (Rostock) und dr. W. Mielck, kassierer (Hamburg, Dammthorstr. 27). Anmeldungen zum eintritt nimt jedes vorstandsmitglied entgegen.

In den redactionsausschuss für die publicationen des vereins sind gewählt dr. Lübben, dr. Nerger und dr. C. Walther (redacteur, Hamburg, Grindelberg 22).

Da wegen der ausfahrt der beiden vereine nach Lüneburg die zeit beschränkt war, so konte dr. Theobald (Hamburg) sein referat über das näher festzustellende verhältnis zwischen den niederdeutschen sprachlauten und den bestehenden schriftzeichen nur in der kürze vortragen. Er begnügte sich daher damit, dem verein zu empfehlen, dass er es in seine aufgaben mit aufnehmen möchte, einer lautbezeichnung für die modernen dialekte bahn zu brechen, die mehr auf die physiologische entstehung der laute rücksicht nähme, wie der philologe Rumpelt und der mediciner Brücke schon für diese idee gewirkt hätten.

Die nachwirkungen der pfingstversamlung scheinen noch nicht zu ende zu sein. Die heimkehr der verschiedenen mitglieder in ihre heimat hat dem jungen verein von allen seiten neue mitglieder zugeführt, deren zahl bis heute gerade 90 erreicht hat. Möchten auch diese zeilen dazu beitragen, der niederdeutschen sprachforschung viele neue freunde und besonders arbeitskräfte zu gewinnen.

HAMBURG, den 16. JUNI 1875.   DR. O. RÜDIGER.

LITTERATUR.

Kleine altsächsische und altniederfränkische Grammatik von **Moritz Heyne.** Paderborn bei Schöningh. 1873. 120 f. n. ½ thlr.

Die grammatik schliesst sich, wie die vorrede sagt, nach anlage und ausführung der von demselben verfasser zum Ulfilas beigegebenen gotischen im allgemeinen eng an und ist in erster linie für das verständnis des Heliand berechnet. Doch sind auch die anderen sprachreste, die Heyne als „kleinere altniederdeutsche denkmäler" herausgegeben hat, zur besprechung herangezogen. Die anschliessung ist in der tat besonders in der formenlehre mutatis mutandis eine wörtliche, wodurch der gebrauch, da wir ja beim studium des Altdeutschen stets auf das Gotische zurückgreifen müssen, sehr erleichtert wird. Nur wäre angenehm, wenn auch die paragraphen in beiden grammatiken übereinstimten. Jetzt füllt die gotische lautlehre §§ 1—12, die vorliegende §§ 1—15, die gotische formenlehre §§ 13—53, diese §§ 16—51; also durch geringe änderungen hätte sich eine gleichheit der paragraphen und ihres inhaltes herstellen lassen. Mit ungemeinem fleisse hat der gelehrte herr verfasser aus den beiden texten des Heliand und den andern denkmälern die sprachlichen erscheinungen gesammelt und nach laut und form dargelegt. So weit möglich sind die dialekte streng geschieden, in der lautlehre in der weise, dass er zuerst die vocale im allgemeinen, sodann die altsächsischen und altniederfränkischen gesondert behandelt und ebenso mit den consonanten verfährt. Der herr verfasser hat auf kleinem raume eine grosse menge einzelheiten angeführt und daraus schlüsse gezogen, die in den meisten fällen unanfechtbar sein dürften, doch lässt bei der nahen verwantschaft beider dialecte sich die scheidung in vieler beziehung nicht durchführen, und ebenso schwer ist es überall nachzuweisen, was eigentum des dialectes ist, was den abschreibern zur last fällt. Deshalb wäre es wünschenswert gewesen, wenn der herr verfasser den ersten teil umfangreicher behandelt und möglichst alle vorkommenden lautlichen erscheinungen wenigstens der beiden hauptdenkmäler angeführt und beurteilt hätte. Dann würden wir ganz sichere schlüsse auf das verhältnis beider texte und ihrer schreiber zu einander ziehen können, während bei der jetzigen anlage der lautlehre einige erscheinungen weitläufiger, andere ebenso wichtige kürzer behandelt sind. In der formenlehre sind die unterschiede zwischen beiden dialecten geringe und nehmen deshalb nur die psalmen ihrer bedeutenderen abweichungen wegen einen besondern platz bei der besprechung ein.

Im folgenden sei es mir gestattet einige ergänzungen und erläuterungen zu verzeichnen, wie sie mir beim gebrauche dieser grammatik, die ich für das studium beider dialecte für unentbehrlich halte, unter dem lesen der betreffenden denkmäler zugekommen sind.

S. 7 behauptet Heyne, dass *ô* die zusammenziehung von *au*, eine helle, einem tiefen *â* verwante aussprache im alts. hatte, weil einige male *â* statt *ô* sich geschrieben findet, dagegen *ô*, die länge des *a*, mehr nach *u* sich hinneige, weil vereinzelt *uo* im Monac. steht. Dies ist möglich, doch muss der unterschied im sprechen nicht gross gewesen sein. Denn ohne rücksicht auf ihren ursprung findet sich für beide *ô* widerholt geschrieben *â*. (Ich citiere überall nur in der grammatik nicht erwähnte beispiele nach Heynes ausgaben.) *frâho* und *frôho* gehen neben einander, *bâmô* für *bômô* 1750, *wundrâian* 2261, *bedân* 644, *minniân* 1449, *bisorgân* 1865, *gehalân* 3262, *tholân* 3383, *halâ* (imper.) 3229, *endiât* 1950, *wisâd* 3706, *wundrâdun* 816, 2336, *segnâde* f. *segnôda* 2042, *gewisâdin* 5065; nom. acc. pl. (vgl. s. 70 der gramm.) statt *ôs*: *wegâs endi waldâs* 603, *muniteriâs* 3738, *theobâs* 3746, *dreogeriâs* 3819. Auch statt der declin. endung *on* lesen wir an einigen zwanzig stellen *an* (vgl. s. 12), z. b. gen. sing. *brunnan* 1967, *neriandan* 1444; dat. *mit gôdan thiornan* 706, *herran* 1199, *hertan* 1483, *lichaman* 1531, *ubilan* 1757 u. a.; acc. pl. *gôdan* 3517; dat. pl. *te wâran* 3321. 4577. 4585, *te sôdan* 4851. 4990; zu *ia* für *io* (s. 12 unten) noch *liagan* 2779. — S. 8 oben *giwêdi* steht auch 1667, *bêdi* statt *thu bâdi* Hel. Mon. 2152. — S. 9 werden *sunu* und *fridu* als zu *suno* und *frido* geschwächt erwähnt; ich finde beide formen auf *o* im Mon. nicht, sie sind dem Cott. eigentümlich; sonst *suno* Taufgel., *fritho* Ps. — S. 11 „für ahd. *nëman* steht durchgängig *niman*," *neman* findet sich im Mon. 1552. 1565, im Cott. 3285. 3779. 3888. — S. 14 u. st. *fuot fôt* Cott. 1090. — S. 15 o. st. *ôs* als nominal-endung wie öfter im alts. einmal *âs : inwidrâdâs* 1757, auch für die verb. end. *-ôdin* einmal *-uodin* in *lithuodin* 684 *ê* als ersatzlänge des *a* für *û* komt nicht bloss in den Psalmen und den Lips. Gloss. vor, sondern auch im Cott. *lêsun* f. *lâsun* 810, *bêrun* f. *bârun* 2182. — S. 15 u. statt *ê* hat *ae* auch *araes* 2250. 4105 (*arâs* geschrieben 5082) für das gewöhnliche *arês*, *haelago* 5766, *andraedin* 2252, *gaengun* 4740. *ae* findet sich auch für *e* in *haeban* 3117, in den dativen *diskae* 3343, *kristae* 12. — S. 16 o. *hâlag* steht auch 890 in M. und C. Statt *ê* auch *ie*: *gehielie* 3. sg. cj. 1966, und *hêth* 4163 wechselt mit *hieth* 4169, wo M. *hêd* hat. — S. 16 § 12. Umlaut. Neben *hinferdi* 1038 *hinfardi* 1351, *giwal-*

did 2211, *giweldid* 3503, während M. nur *e* hat, dagegen beide *giweldi* von *giwald;* von *weg* gen. pl. ohne brechung *wigô* 1088, wo M. *wege;* neben dem regelmässigen *wis* einmal *wes* 5604. — S. 18. 4. Einen vocal hat auch eingeschoben: *an moragan* Cott. für *an morgen* Mon. 3414, *hwarabe,* dat. von *hwarf, sorogonô* 2918, *forohtead* 4708, *hwarabôda* 5467, *gihwerebian* 5794, *suaraf,* praet. von *swerban* 4508, *warahta* 5426, *warahtun* 5396, vgl. 36. 42. 5624. 5662. 5777, *soragodun* 5791 neben *sorogodun* 2244. In M. und C. stehen *hwarabôndi* 4967 und *toroht* 4184. — S. 19. 5. Auch der vocal des stammes ist durch den vocal der letzten silbe assimiliert in *huiribit* 1943, *farahtan* für *forhtun* dat. pl. ¦4752, *thana hâlagan gêst* 890, wo auch M. *halagon* hat. — S. 21. 1. Zu erwähnen auch *giu* neben *iu* in M. und C., *giâmar* neben *jâmar* in M. — S. 22. *h* im inlaute ist noch ausgefallen in: *antfâis* 1554, *gifliit* 1460, *gifratoôt* 1675, *gean* 547 (wo C. *gan* hat), *giit* 1976, *gisead* 1741, *gisean* 4335, *gesâun* 2598, *teslâat* 1822, *thiit* 4196, (Cott. *bethian* 5079); auslautendes *h wirôk* für *wihrôk* 106, *befal* st. *befalh* 1838; umgestellt ist *h: hatogea* st. *ahtogea* von *ahtôian, ahtôn* 1716, *farfioth* st. *farfehôt* 3699; für *h* tritt *u* ein in *treuuafta man* 1251. 1268. 1272. — Ausser *gisâwin* auch *gisâwi* 2311. — S. 23 neben *getholôgean* noch zu erwähnen *theonôgean* 1145, *sidôgean* 594; *hatôgea,* für das Cott. *ahtôie* 1716. — S. 24. Nicht der Mon. schreibt *blizza,* sondern der Cott., ersterer hat *blidsea* und *blitzea* im acc. (nicht dat.), ebenso Mon. *te blîdzeanne,* Cott. *blizzena.* — S. 24. *b* auslautend für das gewöhnliche *f* in *fargab* 2277, wo C. *f,* 1404, wo M. und C. *b* zeigen; *b* anlautend für *f: barleosan* 1735; *v* für *f* anlautend: *giuarana* 1228, *biuêl* 2406, *biuallen* 2407, inlautend: *kliuôde* 2410 für *kliôda.* — S. 26. Auch nach *t* ist *w* durch *u* widergegeben in *tuiflôda* 5243; *i* wird *iu* durch *w* in *triuuuiston* 3518; auch inlautend fällt es aus in *sêes* f. *sêwes* 1822, *sêe* f. *sêwe* 2975. — S. 26 u. Das alte casuszeichen *m* des dat. plur. findet sich noch öfters: *ôđrum mannum* 1611, *mannum* 1295. 1374. 1398, *suinum* 1722, *iuwom* 1616, *ôđrun* 1627, *managom* 1633, *sulikom* 1739, *wârum* 569, *bêdium* 1177, *thesum* 1286 u. a.; wie ersichtlich, mehrfach kurz nach einander, also auch wol von demselben schreiber. — S. 27. 6. Zu erwähnen sind noch *thurban* — *thorfta, dorfta, môt* — *môsta, êgan* — *êhta, brengian* — *brâhta.* — 7. Gemination. Ein *j* der bildungssilbe verdoppelt den vorhergehenden consonanten nicht, wenn die stammsilbe lang ist, wie *drôbian* got. *drobjan, dômian* got. *domjan.* Auslautende gemination ist nur geblieben in *wêll* von *wallan* 4882, im Cott. öfter, vgl. s. 33. — S. 28. Das praet. *sêu* von *sâian* findet sich nur im Cott. in *obarsêu.* — S. 29. *h* im inlaut ist ausgefallen im Cott. in *bethian* 5079, am ende: *sî* für *sih* 5580; *h* ist hinzugetreten oder vielmehr vom nom. *hi* geblieben in den pronominalen formen *him* 960, *his* 1047, *hit* 1481 anstatt der gewöhnlichen *im is it.* *g* erscheint statt *k* in *fêgni* 1740. 5654 (auch in M. 1230), *têgnô* gen. pl. von *têkan* 852. 2076, *wihrôg* für *wihrôk* 106, statt *h* in *magtig* 423. 3350, *magti* 2555. — S. 30 o. Es sieht nach den worten aus, als ob im Cott. die formen *sâhun* etc. nicht vorkämen; diese sind sehr gewöhnlich: *gisâhun* 634. 2217. 5598. 1014, *gisâhi* 5928, und im Mon. finden sich *gisâwin* und *gisâwi,* ebenso auch *farliwi* 3577 vgl. s. 22. — S. 32. 4. Auch der Monac. nimt, entgegen der behauptung des herrn H., an dem übertritte der media in die tenuis im auslaute häufig teil, wenigstens lassen sich gegen 100 beispiele aus dem Heliand für die endungen *-it, -ôt, -at* beibringen. *h* am schlusse für *g* begegnet auch in *bidrôh* 1047, *manah* 1205, *drôrah* 5157, und *mah* für *mag* steht noch 4693. — S. 33. Gemination. Auch im Cott. findet sich *libbe* 1642, *hebban* 2893 (auch Mon. hat *liggen* 2141), statt *bb* ist *ff* eingetreten in *afheffian* 4326; *j* ist ohne ersatz ausgefallen in *suokan* 5961, *dôan* st. *dôian* 4866, eingetreten in *gesprekean* 164. Auslautend findet sich die verdoppelung ziemlich oft; ausser den erwähnten 4 fällen in: *mann* 1916. 3994. 3477, *willspel* 5838. 5944. 5947, *full* 783. 2496. 2918, *gidarr* 2121, *bikann* 1961, *well* 3688. 4882. 4869, *fell* 2208, *sêgg* 3710, *ferr* 1498. 2481. 5640. — S. 34. 6. Für *bifilhu* steht *bifillin* 5656, wie auch Mon. *befeleas* für *bifelhas* 1557 zeigt. — S. 38. 9. Von *fanga* findet sich auch im Cott. *bifieng* 40. II. 1. *andrêdin* Cott. 5852, *andraedin* 2252. 2. *lêt* Cott. 3145. 5395. 3. *geriedi* Mon. 2022, *gerêdi* 2928 M. C., *riedun* 4140 M. C. 5. *sáian*. Praet. im Cott. in *obarsêu* (im Mon. fehlt das stück), sonst *sâidôs* 2551, *sâida* 2556, *sáidi* 2542. III. 1. Neben *hruopan* 1924. 3729 hat Cott. *hrópat* 1915. 1918. 2. Von *wôpian* auch *wiep* C. 5006, *biwiepi* C. 5923, *wêpin* C. 5522. IV. 1. *hêtan* hat im M. neben dem sehr häufigen *hêt* auch *hiet* 122. 343, Cott. *hêt* 5954, sonst *hiet*, einmal 1140 *iet*. — S. 40. I. 10. Von *findan* ist das praet. *antfunda* 2017 M. C. neben *antfand* 1127 M. C. 11. Statt *gifragn* findet sich in beiden hss. öfter *gifrang* und *gifran*, letzteres besonders im Cott. geschrieben. — S. 41. 39. *gibrengen* 1096 und 1928 im Mon. scheinen doch auch auf einen stamm *brengan* = Cott. *bringan* zu deuten. — S. 42. 24 statt *wráki* im Mon. steht *wrachi* Cott. 5082. III. *wahsan* zeigt auch im Cott. *ô* nicht *uo:* *wôhs* 783 2860 u. ö., ebenso *thwôh* von *thwahan;* doch *stapan* und *bigraban* haben *uo; spanan* gewährt im C. *gespôn* 1, *gispuoni* 2720; *slâhan* im C. *ô* und *uo* (M. *asluogin* 4473 und *sluggun* 2410, sonst *ô*); *skapan* — *giskuop* C. 39 *giskôp* M. C. 811. 3059, sonst C. *uo*, M. *ô; lahan lôg* M. *luog* C. 954; *hlahan* — *hlôgun* C. 5642; *faran* M. *ô*, C. meist *uo*, doch öfters *ô; dragan* M. *ô*, C. *ô* 106 588. 673. 2309, sonst *uo*. — S. 43. IV. 17. Neben *arês* im Cott. *arues* 2250. 4105, *arâs* 5082. — 18. *scân* C. 3145, sonst M. C. *skên*. — 20. Neben *skrêd* hat Mon. *skreid* 2265. — 27. C. *segg* 3710, wo M. *sêg*. — S. 44. V. 15. *farliesat* 1735 und *farliesan* 1574 hat Cott., sonst *io*, *eo*. — *biddian*. M. hat 2152 *thu bêdi* st. *bâdi*, Cott. 3335 *biddandi* ohne *i*, wie auch *sweran* 1519. *afsebbian* M. *afsuobun* 206. Neben *liggian* findet sich der infin. *liggen* im M. 2141. — S. 54. Dass die schwächung des stammschliessenden *ia* auch zu *e* geht, oder vielmehr dass die verba auf *-ian* auch von einem nebenstamm auf *-an* formen bilden, zeigt sich in beiden hss.: im Cott. *sweran* 1519, *hebban* 2893, *suokan* 5961, *fuode* 3018, *gefuore* 3369, *libbe* 1642, *thunke* 3407. 3813, *lêras* 1592, im Mon. *gewirken* 1317, *sôken* 5160, *liggen* 2141, *bebrengen* 1928, *lêres* 1592, *bimorna* 1870. — S 54. Zu 1 gehören auch *werian* und *bûan* — *bûida*. — S. 55. Von *grôtian* ist das praet. einmal im M. 819 *grôhta; dôpta* komt auch im Cott. 967 vor, wie auch *wihida* 4635; *awerdian* ist nicht erwähnt, es hat Cott. 2558 *awerda; mahlian* hat *mahlida*, aber *gimahlian gimalda* Cott. 139. 914. 3137. 3994, *gimahalda* Mon. 139. 914. 3137. — S. 56. *settian*. Auch Cott. hat *gisetta* 1082, *gisettun* 3354; *tellian* hat Cott. 492 *telda*. Als part. praet. finden sich statt *giwendit* und *farlêdit* im Cott. *giwend* 330 und *farlêd* 5319. — § 23. „Für *ô* gewährt Cod. Mon. selten *â*" vgl. dazu die zu s. 7 angeführten beispiele. S. 57 zu den erweiterten stämmen auf *-ôian* gehören noch die formen *duôian*, faciamus, Cott. 2570 und der infin. *laðôian* Mon. 2817, dessen nebenform auf *-ôn* aber nicht vorkomt. — S. 58. § 24. Von *seggian* hat M. *segis* 5092, *sagis* 3020, *sagad*, dicit. 1862. 3044. 3046, C. *sagis* und *sagid*. — S. 63. I. 3. Von *tharf* sind einige formen sowol des praes. als des praet. auch mit *d* geschrieben. II. 6. Von *mugan* hat M. *mahtes* 3063, wo C. *mahtas*, *mahte* 3 sg. hat M. zweimal, *mahta* und *mohta* beide, sonst nur C. *o* und *a*, M. nur *a*; daneben C. *muohta* 572. *muohti* 2650. 7. *farmonsta* C. 2659, wo M. *farmunsta*.

III. 8. *môt.* Die formen mit *ô* hat C. selten. — S. 64. *willian* hat ausser den angeführten formen noch: 1. sg. *willio* M. 1533, *welliu* C. 3539, *wellia* C. 3830, *wellu* C. 2957; 2. *wil* C. 1102. 5160, *willd* Mon. 4486; 3. *wil*, *will* M. C.; plur. *willeat* M. C., *welliat* C. 1917; praet. 3. sg. *welde* 3122 M., *walda* 301 C; 3. sg. conj. *woldi* 132 C., 1158 M. C., die formen mit *o* fast nur Cott. § 27. Das ver-
. bum *dôn* zeigt ferner die formen: Cott. conj. sg. *duo* 1536. 1537, plur. *duon* 1539, wo M. *ôe* und *ôen* hat, M. *dôan*, C. *duan* 1611; infin. *dôen* M., *duan* C. 4942; part. praet. *andôn* M., *antduan* C. 1800, *gidôen* M., *giduan* C. 5110. 5117. — S. 66. 2. Für *standan* M. hat C. *stann* 4872; statt *stêis* findet sich an der ange- führten stelle *stêid*. 3. Die wurzel *gâ-* hat den infinitiv *fulgân* M. 1473, wo C. *fulgangan.* — . S. 67. Neben *bium* bringt der Cott. an 5 stellen *biun* 119. 120. 285. 4680. 5957, *sind* und *sindun* kommen neben einander vor 4726 und 4727. Mit der negation *ne* wird die 3. sg. praes. oft zu *nis* und selten zu *nist* ver- bunden.

S. 70. Neben *dag*, welches bisweilen den dat. sing. ohne casusendung zeigt, ist noch zu erwähnen der dat. von *hûs* in der adverbialen redensart *at hûs* und *te hûs.* Über *âs* statt *ôs* vgl. das zu s. 7 gesagte. — S. 71. Ableitungsvocale mehr- silbiger stämme sind nicht immer ausgestossen worden, auch wenn die wortform in der flexion sich dadurch verlängert: oft findet sich von *engi* — *engilôs*, *engilô*, *engilun*; von *himil* — *himiles*; *drohtin-drohtines*; *biril* — *birilôs* 2869 M. C.; *nebal* im instr. *nebulo* M., *neflu* C. 2911; *diubal* — *diubales* 1366, *diublun* 4444; *sweban* — *swe- banôs* 688, *swefne* 701 u. a. Stämme auf *ia* haben öfter vor den casusendungen das *i* ausgestossen; dies findet statt bei folgenden: *karkari* — dat. *karkare* M. 4402, wo C. *karkre*, aber 2724 *karkarea* M., *-ie* C., gen. *karkaries* 4682; *wliti* — dat. Cott. *wlitie* 5813, *wlite* 5848; *adali* — gen. C. *es*, M. *ies* 556. 2542; *arbêdi* vgl. 304. 1890. 4584; *hiwiski* 356. 365. 3255. 3442. 3415; *kruci* M. dat. nur *e*, C. *e* und *ie* 5553. 5569 ö.; *riki*, M. C. gen. *es* 3829, dat. *e* 5400 C., sonst behält es das *i*; *gisîdi* vgl. 2296. 4479. 4990; *giwâdi* 4426. — Erstarrung der formenbildung zei- gen im dat. sing. besonders die mit *-skepi* zusammengesetzten *ambaht-*, *land-*, *folk-*, *heriskepi*; die neben den regelmässigen endungen auch den nom. als dat. gebrauchen. Auch *sinweldi* lautet so beim Mon. im dat., während der Cott. *ie* hat. — S. 72. Von *hornseli* findet sich im Cott. ein acc. pl. *hornseliôs* 3687. — Über die bisweilen vorkommende ausstossung des *w* im gen. und dat. vom stamme *sêwa* ist zu seite 26 berichtet. — S. 75. *maht* lautet ebenso im dat. sg. bei M. C. 4162. 4381; *giwald* ebenfalls 5266 neben *giweldi* 2166. 3757; auch *hand* 185 neben *hendi* 2990; *lið* decliniert im gen. und dat. plur. *liðo* M. C. 1485, *iô* C. 1531, *iun*, *on* M. 1533. 323, wo C. *on*, *ion* hat. — S. 79. Ausser den genanten femininen entwickeln noch formen nach der *a*-declination: *bâra* bei M. 2182. 2191, dat. *bâru*, wo C. *bârun* (*bâron* 2198. 2203); *wisa*, acc. *wisa* C. 2517 (M. fehlt), dat. *wisu* vertritt, wie das bisweilen (vgl s. 73) vorkomt, im Cott. 239 den gen., sonst gen. dat. *-un*, *-on*; *môdkara* 4015. 5004. 5749; *lêia* 2395. 4078.

S. 85. Den acc. auf *-ana* bilden noch *widana* 2882. 2289 (neben *widan* 2635); *ôdrana* 223. 2472 (neben *ôdarna* 1446, *ôdran* 724 oft). Dazu werden wir ziehen können die formen *godene* (text *gôdana*) 4777 M., und das 4776 kurz vor- hergehende *liabane* (text *liobana*), wofür in beiden fällen C. *-an* hat, *iuwana* C. 4441. Auch *ênna* und *thinna* neben *ênan* und *thinan* stehen für *ênana* und *thinana.* Neben dem häufigen *mahtigna* findet sich *mahtigun* C. 5921, und *krafta- gan* 2987 M. C. neben den formen auf *-ana* und *-na*; *môdagna* steht bei M. C. 550. 686. — S. 86. Der gen. sg. fem. des adj. ist auch *lêdarô sprâkâ* 3375 M. C.

Die endung -*an* für -*on* steht auch im Hel. *mid stênon starkan* C. 3991 (M. fehlt), ebenso das suffix -*â* für -*ô* im gen. pl. *wisarâ* Cott. 5.

S. 88. Von *slîdi* gen. pl. *slîderô* M. C. 2618, *earô* 3870 M. (C. hat den acc. an der betreffenden stelle); *swâri* und *niwi* bilden stets ohne *i* die casus. Auch der Mo. zeigt als neutr. plur. verkürzte formen: 1729 *sind im lâri word lioboron mikilu*, und gleich darauf folgt *unbitharbi thing*, also wol ebenfalls als plur. zu nehmen; ebenso *mâri metodogiskapu* 2190. — S. 89. Im Cott. begegnet noch *aru:* 2568 (M. fehlt) *fruhti ripia, aroa* (text *arwa*); *aroa* wie *garoa* C. 675, wofür M. *garowa* hat.

S. 90. Das masc. des comp. zeigt gewöhnlich im nom. die endung -*a*; auf -*o* ist *hêrro* und 2877 im M. *wisaro wârsogo*, wo C. *wisera* bringt. Verkürzt ist auch der comp. von *hluttar: the mêr gelôbon habdi, hluttron te himile* 2129, im text auch *thiu wrêđra* C. 5544, wo die hs. *wretha;* ungewöhnlich ist *narouuaro* (neutr. pl.) für *narwara* M. 1350. Von *blôdi* heisst der comp. *blôdora* M. *blôdera* C. 5044. — S. 95. Die ordinalzahl *nigunda* komt als acc. fem. (nicht neutr.) vor Hel. M. C. 3492, und Cott. hat ausserdem auch die form *niguđa* ebenfalls acc. sg. fem. 3421. Neben *tehando* im Hel. findet sich Freck. H. 219. 239 *tegotho*, in der weise gebildet, dass *h* zu *g* verdichtet und der dentale nasal vor *đ* (*th*) ausgefallen ist, vgl. s. 22. 24. — S. 96. Dat. pl. *bêdium* steht auch Mon. 3581. Das zahladverbium für dreimal komt auch im Hel. vor. *thriwo* 4695 Cott. (M. fehlt), 5002 Mon., wo Cott. *thriio* hat. — S. 97. Statt *iu* dat. pl. *eu* geschrieben Mon. 397. 1143, statt *iuwar* gen. pl. *iuworo* M., *iuwero* C. 1944, statt *userô*, gen. pl. zu *wi*, muss es wol heissen *úser: úser bêđerô* 5938. — S. 99. Auch der acc. sg. findet sich im Cott. auf -*on: minon gêst* 5657, und der dat. auf -*on* im Mon. *aftar minon willeon* 1368; von *thin* lautet auch der gen. sg. fem. *thinarô* 169, *thinorô* 1590 im Mon., wofür in beiden fällen Cott. *thinerâ* gewährt. — S. 99. Im Hel. Cott. 4443 steht nicht *iuwar*, sondern *iuwer*. Vom geschlechtigen pronomen der 3. person komt neben den acc. sg. masc. *ina* und *inan* auch *in* vor: M. 4847, und vom neutr. die schon zu s. 29 erwähnten formen *hit, his, him* im Cott. 1481. 1047. 960 als regelrechte bildung zum masc. nom. *hi*. — S. 100. Ausser den acc. *thana, thena* des demonstr. pronomens steht im Cott. 228 *thiena*, und neben dem dat. *themu thiem* 419, wie auch *thiemo* als dat. Freck. Heb. vorkomt, und statt des neutr. *thes* 5542 *thies*. Als dat sing. des neutr. ist auch für *themo themu* gebraucht 1550. 2023. S. 101. *thana* steht auch Hel. Mon. 1710. Als acc. plur. neutr. für *thiu* schreibt der Cott. *thia* 1178 (Mon. *thea*) 4715, und für den gen. sg. *theses* auch *allas thieses* 1105, wo *ie* ähnlich wie im artikel, vgl. s. 100. — S. 104. Statt *nigên* oft *nigiean* Mon. 2905. 3098. 3701. 3873, dat. *nigienumu* 3192. Neben *sô hwemu* ist auch M. C. *sô hwem sô* 957. 1276. 5809. — S. 105. Das adverbium von *garu* lautet garo, von *naru narawo;* als compar. auf -*ur* ist auch *sêrur* 5012 zu erwähnen. — S. 106. *wido* (oft) *widor* 536, *widôst* 45 zeigt regelmässige bildung des pos. comp. sup. Von adv. im sup. begegnen ausser den angeführten noch *mêst* 202. 2526, *êrist* 446. 634 ö.; *herôst* 3790. 5032. Als adverb. werden auch gebraucht: dat. sg. *ferne* 2511; dat. pl. *hwarbun, mahtiun, nidon, willeon, wundron, wanum, mikilun;* gen. sg. *nahtes sidôn* 425, *dages endi nahtes thionôn* 515. — Zu den praepositionen in § 49 sind noch hinzuzufügen: *far-ûtar* c. acc. 81. 1058, *inna* c. dat. 2724 Cott., *innan* c. dat. und acc.

Ein grosser teil der abweichungen vom gewöhnlichen sprachgebrauch komt wol sicher auf rechnung der abschreiber, die zum öftern dictando (?) und dann natürlich viele ihnen weniger bekante worte verstümmelt schrieben oder ältere formen in damals gebräuchliche umänderten. Deshalb gehören solche wortformen zwar nicht notwendig in eine grammatik, sind aber der vergleichung halber eine sehr wünschenswerte zugabe.

Als dritten abschnitt gibt der herr verfasser eine reihe dankenswerter bemerkungen zur syntax, welche aber, da sie nach der vorrede in keiner weise erschöpfen, vielmehr nur den lernenden zu weiterem sammeln anregen wollen, sich der besprechung entziehen.

Zum schlusse spreche ich die überzeugung aus, dass jeder, der die vorliegende grammatik durcharbeitet, dem herrn verfasser mit mir aus aufrichtigem herzen für seine mühevolle arbeit danken wird.

FRANKFURT A/ODER.   DR. ARNDT.

---

1. Über das gotische Passiv. Vom Gymnasiallehrer Andreas Skladny, Programm des Gymnasiums zu Neisse 1873.

Diese schrift enthält so gut wie nichts neues, doch mag sie immerhin als brauchbar gelten, da sie eine vollständige zusammenstellung der passivformen, so wie derjenigen der verba auf -nan gibt. Im einzelnen sind mancherlei irrtümer zu rügen. Dass die passivformen mit *visan* und *vairþan* keineswegs gleichbedeutend sind, kann herr Skladny nunmehr aus dr. Gerings abhandlung in dieser zeitschr. V s. 408 fgg. ersehen. Über die verba auf -nan heisst es s. 12: „Die stammwörter der meisten dieser passiva sind in nominibus vorhanden, eine geringe anzahl wird von verben abgeleitet, natürlich von starken, da die schwachen ja selbst abgeleitet sind." Die logik dieser folgerung ist mir unklar; warum soll nicht von einem derivatum ein neues derivatum ausgehen? Mit recht leitet L. Meyer Die gotische Sprache s. 217 alle diese bildungen von verben her, und zwar zum grösseren teile von schwachen auf -*jan*. Im letzten abschnitt seiner schrift, wo herr Skladny von der verwendung activer formen in passiver bedeutung handelt, werden mehrere ganz verschiedene erscheinungen zusammengeworfen. Bei der verbindung des infinitivs mit *mahts im, skulds im* liegt der passive sinn im particip; *sunus mans skulds ist atgiban* heisst: „des menschen sohn wird geschuldet zum geben." Wo sonst der infinitiv passivisch zu stehen scheint, ist entweder veränderte structur anzunehmen (*hvaiva vildedi haitan ina* [καλεῖσθαι αὐτόν] wie er ihn nennen wolle), oder der infinitiv steht „als allgemeinster und unbestimtester ausdruck einer tätigkeit oder eines vorgangs" weder activisch noch passivisch (*urrann Josef anameljan* „zum aufschreiben"). Hiervon ist gänzlich das verbum finitum zu scheiden; wie in jeder sprache, ist auch im Gotischen eine anzahl von verben in transitivem und intransitivem gebrauche, so die des an- und auskleidens (*gahamoþ fraujin unsaramma — gahamoþ izvis sarvam guþs*), *gavandjan* und *afvandjan*. Scheinbar intransitiv oder reflexiv stehen auch zuweilen *daupjan* und *bimaitan*: I. C. XV, 29 *hva vaurkjand þai daupjandans* οἱ βαπτιζόμενοι, d. h. die, welche eine taufe (an sich) vornehmen.

In den anmerkungen hat herr Skladny „es sich nicht versagen können, auch etwas über das vorkommen einiger gotischer worte in den andern deutschen dialekten zu sagen" und sonst mancherlei dinge zu besprechen, die mit dem gotischen passiv nichts zu tun haben. Manche dieser anmerkungen klingen sehr naiv, wie s. 4 „*siggvan* lesen hängt gewiss zusammen mit *singen*," oder s. 5 „*letan* und *leitan* ist nicht das einzige beispiel der substitution eines *ei* für *e* oder vielleicht umgekehrt *e* für *ei* im Gotischen." Andere anmerkungen lassen erkennen, dass es dem verfasser an litterarischen hilfsmitteln gefehlt haben muss, oder dass er sie nicht benutzt hat; so s. 4 anm. 6 über die verwechslung von *u* und *o*, oder s. 11 anm. 7 über den infinitiv in folgesätzen.

2. Inhaltreicher als herrn Skladnys abhandlung ist herrn **E. Eckardts** inaugural-dissertation Über die syntax des gotischen relativpronomens, Halle 1875.

Es wird hier zunächst „der umfang des gotischen relativsatzes gegenüber dem griechischen abgesteckt," d. h. die fälle aufgezählt, wo gotischer relativsatz an die stelle eines griechischen particips, adjectivs usw. getreten oder umgekehrt ein griechischer relativsatz durch eine andere satzform ersetzt ist. Daraus wird dann nachgewiesen, dass das Gotische nicht eine feststehende wortfolge für den relativsatz kent, wie das Althochdeutsche. Sodann wird der ursprung der relativen aus der anaphorischen satzfügung und der ersatz des griechischen relativs durch gotisches *sah* besprochen. Dann wird zu *ei*, dem hauptfactor aller relativen satz-verbindung, das ursprünglich demonstrativ gewesen zu sein scheint, und seinem compositum *þei* übergegangen, woran sich die darstelluug des gebrauchs von *ikei*, *þuei*, *izei*, *sei* schliesst. Den unterschied von *izei*, *sei — saei*, *soei* legt der ver-fasser richtig dar; erstere, von geringerer inhaltlicher geltung, entbehren nie des ausdrücklichen bezugsworts und leiten nach einem substantiv, das stets einen bekanten begriff bezeichnet, einen weniger bedeutungsvollen epexegetischen neben-satz ein. Wenn aber der verfasser weiterhin nachzuweisen sucht, dass *saei* an eini-gen stellen noch wirklich demonstrativ stehe, der ursprünglichen bedeutung seiner bestandteile gemäss, so kann ich ihm darin durchaus nicht beistimmen; ich halte überall an der relativen bedeutung fest, auch wo *saei* griechisches demonstrativ vertritt. Ohne grund wird dem gotischen relativ die fähigkeit abgesprochen, nach art des lateinischen anknüpfend einen neuen satz einzuleiten; Eph. V, 6 (*ni manna izvis usluto lausaim vaurdam, þairh þoei qimiþ hatis guþs* — μηδεὶς ὑμᾶς ἀπα-τάτω κενοῖς λόγοις· διὰ ταῦτα γὰρ ἔρχεται ἡ ὀργὴ τοῦ θεοῦ) beweist, durch die auslassung des γάρ, dass diese fähigkeit vorhanden war. Die übrigen von dem verfasser angeführten belegstellen zu besprechen, untersagt mir der dieser anzeige zugewiesene raum; ich begnüge mich auf den commentar meiner demnächst erschei-nenden Vulfilaausgabe zu verweisen.

Der verfasser geht nun zu dem relativen *saei* über und behandelt zuerst diejenigen relativsätze, denen das ausdrückliche bezugswort mangelt, wobei denn auch die fälle der sogenanten attraction (assimilation) zur besprechung kommen. Diese anwendung des relativs hält der verfasser für eine spätere; sie sei erst dann entstanden, nachdem das compositum *saei* in der anderen klasse der relativsätze, mit ausdrücklichem bezugsworte, fest formuliert gewesen. In jener ersten klasse ohne bezugswort soll nun *sa* „dem inhalte nach im hauptsatze stehen, *ei* die ledig-lich formale einleitung des nebensatzes sein;" „die anwendung in der syntax mache eine logische trennung beider elemente notwendig, obgleich *saei* auch hier wirklich compositum sei." Es ist mir nicht klar, was sich der verfasser unter die-ser „logischen" trennung denkt; aber mir scheint gerade die attraction des rela-tivs, d. h. die beeinflussung seines casus durch den hauptsatz, dafür zu sprechen, dass das relativ in sich und mit seinem satze zur festen einheit zusammengewach-sen war; denn jene syntaktische erscheinung hat man sich doch wol so zu denken, dass der ganze relativsatz als object behandelt und das objectsverhältnis durch den casus des an der spitze stehenden relativs bezeichnet wird, wodurch eine zerlegung des relativs in seine bestandteile ebenso ausgeschlossen wird, wie sie im Criechi-schen unmöglich ist.

Schliesslich behandelt der verfasser diejenigen relativsätze, die sich an ein bezugswort des hauptsatzes, pronomen oder substantiv anschliessen.

Wenn ich demnach mit des verfassers ansichten nicht überall übereinstimme, auch im einzelnen mancherlei misverständnisse nachweisen zu können glaube, so muss ich doch seine schrift als dankenswert und interessant bezeichnen.

3. Dieses lob kann ich der dritten, hier zu besprechhenden ahandlung:

K. Schirmer, Über den gebrauch des optativs im Gotischen, Marburg 1874.

nicht zollen. Obgleich · der verfasser jene „philosophische" sprachbetrachtung, welche vorliegende tatsachen unter die schablone eines systems zu pressen sucht, von vornherein ausgeschlossen wissen will, hat er ˙selbst doch nicht viel anderes getan. Der gotische optativ im hauptsatze spaltet sich ihm in zwei arten, den optativ als ausdruck der phantasietätigkeit, welche nach analogie der verstandestätigkeit verfährt (optativus potentialis) und den optativ als ausdruck der phantasietätigkeit, welche nach analogie der willenstätigkeit verfährt; letzterer zerfällt in die unterarten des εὐκτικός und des adhortativus, und dieser einteilung müssen sich denn auch die optative der nebensätze einfügen. Ich will den wert solcher systematischer betrachtung an sich keineswegs leugnen, nur darf sie nicht, wie in vorliegender schrift geschehen, zu oberflächlicher betrachtung der sprachlichen tatsachen verführen. Mehrere gesetze, die den gebrauch des gotischen optativs beherschen, hat der verfasser nicht erkant. Man vermisst eine angabe über den unterschied zwischen dem imperativ und dem optativus adhortativus, worüber aus Löbes grammatik aufklärung zu erlangen war. Bei den conjunctivischen relativ- und temporalsätzen ist der so auffallend hervortretende einfluss des modus im hauptsatze nicht erkant, vgl. Mt. V, 31. 32. Jh. XII, 26, und über das Althochdeutsche Erdmann, Die syntax Otfrieds s. 33. Im abschnitt von den aussagesätzen ist des häufigen falls nicht gedacht, ·wo der redende durch den optativ die aussage als angeblich, auf. fremder meinung beruhend, darstellt, vgl. Jh. IX, 19: *þanei jus qiþiþ þatei blinds gabauran̄s vaurþi* (ἐγεννήθη) und 20 *vitum þatei blinds gabaurans varþ* (ἐγεννήθη). Ebenso wenig weiss der verfasser zu erklären, warum zuweilen nach dem praeteritum des hauptsatzes im nebensatze der optativ praesentis stehe. Die stellenverzeichnisse sind mehrfach unvollständig. Die zahlreichen misverständnisse und versehen im einzelnen will ich hier nicht besprechen.

Somit harrt dieser wichtige teil der gotischen syntax auch jetzt noch einer erschöpfenden darstellung. ·

ERFURT, DEN 19. JUNI 1875.   RERNHARDT.

Ludwig Schmid. Des Minnesängers **Hartmann von Aue** Stand, Heimat und Geschlecht. Tübingen, Fues 1874. XII, 200 s. 8⁰. n. mk. 4, 20.

Der verfasser ist durch seine historischen untersuchungen über schwäbische adelsgeschlechter bewogen worden, „die frage von dem stande, der heimat und dem geschlecht des minnesängers Hartmann von Aue als eines angeblichen Schwaben und angehörigen der gegend von Rotenburg am Neckar mit besonderer beziehung auf die diesfallsigen aufstellungen des freiherrn H. C. von Ow (Germ. 16) in den bereich seiner arbeiten zu ziehen, eingehend zu untersuchen und womöglich zu entscheiden." Der erste abschnitt gibt auf 33 seiten eine übersichtliche darstellung vom verhältnis der ministerialen. Er hat nicht die absicht, etwas neues zu bringen, sondern fusst auf Fürth „Die Ministerialen," Köln 1836, und will den gegenstand auch „für einen grösseren leserkreis ansprechend" machen. Und in der tat ist das gesagte wol zu einer ersten information im stande, zumal da unter dem text und am ende des buches belege gegeben sind. Dabei wird auf die stellen in den Hartmannschen gedichten rücksicht genommen, die entweder auf das dienstmannenrecht ein licht werfen oder durch die untersuchung eine genauere erläuterung gewinnen, so Er. 4551. a. H. 1470 fl. Er. 1907 fl. Greg. 349 fl. Er. 9761 fl. Greg. 51 fl. Iw. 883 fl. Greg. 52. 2016 cf. 31 59. 374. Wenn hier und auch später immer die ausgabe von Bech allein citiert und auch auf die von Lachmann - Haupt festgestellten resultate und ihre gründe wenig rücksicht genommen wird, so geschieht dies wahrscheinlich dem „grösseren leserkreise" zu liebe; es gereicht aber dem buche bei fachleuten nicht zur besonderen empfehlung.

Der 2. abschnitt beschäftigt sich dann eigentlich mit Hartmanns stand und heimat. Zuerst wird des breiteren bewiesen, was Haupt schon 1842 (Lieder und Büchl. vorr. p. XI) aussprach: „der zu Schwaben gesessene herr Heinrich, dessen sagenhafte geschichte Hartmann erzählt hat, war kein dienstmann (sin burt unwandelbære und wol den fürsten gelich a H. 42) und kein geistlicher herr, er heiratet und der dichter denkt sich ihn offenbar dem geschlechte angehörig, mit dem er selbst durch dienstverhältnis verbunden war, dem geschlecht der herren von Aue als deren dienstmann er selbst von Aue hiess." Damit werden die ansichten des freiherrn von Ow, der Hartmann zu einem freiherrn macht, zurückgewiesen. Ebenso wird gezeigt, dass die meinung, der dichter habe zeitweilig in diensten des herzogs Conrad von Schwaben gestanden, jeder begründung entbehre und unwahrscheinlich sei.

Im 3. cap. dieses abschnitts behandelt Schmid die frage, welchen kreuzzug Hartmann mitgemacht habe. Er schliesst sich hierin wesentlich an Bechs aufstellungen an. Aus den stellen im Erec (7795 fg. 7062 fg. 7635 fg.), in denen das meer und seine eigenschaften erwähnt werden, folgert der verfasser, dass Hartmann „von all solchem augenzeuge gewesen sei" und also an einer kreuzfahrt vor dem Erec teilgenommen habe. Dadurch komt er naturgemäss zu der annahme, es sei dies der kreuzzug von 1189—91 gewesen, zumal da er mit Bech unter dem tumben man der sine libe meisterschaft niht halten kan (MF. 209, 30) einen jungen mann versteht. Dies wird gestützt durch die hypothese, dass Hartmann damals in eines grafen Burkhard von Zollern gefolge gewesen sei, weil „wir das geschlecht, welchem Hartmann höchst wahrscheinlich angehört hat, schon im 12. jahrhundert unter den ministerialen des grafenhauses Zollern - Hohenberg treffen" (s. 58). Doch steht die behauptung, dass jener Burkhard teilnehmer des kreuzzuges gewesen sei, selbst auf unsichern füssen. Ausbert neut ihn nicht unter den schwäbischen grafen. — Neue objective gründe für den kreuzzug von 1189, die auch nur das geringste zur entscheidung beitrügen, sind nicht beigebracht. Die stellen aus dem Erec usw. sind, wie schon Wilmanns (H. Z. 14, 155) ausführte, keineswegs zwingend anzunehmen, „so wie der dichter dort spreche, könne nur der reden, der die beschwerden der seefahrt aus eigener erfahrung kennen gelernt hatte."

Im folgenden (s. 62) wird nun dargetan, dass beide kreuzlieder Hartmanns (MF. 209, 25. 218, 5) unmöglich auf denselben zug gedichtet sein können. Nachdem die ansichten Wilmanns und Bechs, der seine in der 2. auflage des Erec namentlich in bezug auf die motive geändert hat, sonst aber in seinem zweifel an der echtheit des 2. liedes geblieben ist, ausführlich reproduciert worden, werden folgende gründe gegen Wilmanns geltend gemacht. Es sei unerklärlich, dass Hartmann im 2. liede den tod seines herren nicht erwähne, er sei im 1. *ein tumber man*, in dem *ich var* dagegen spreche „offenbar ein mann von vorgerückterem alter" (s. 67) oder wenigstens könne man nicht annehmen, „dass schon nach anderthalb jahren mit dem jungen manne eine solche tiefe wandlung vorgegangen sei" (ebenda) Man sieht, es sind das alles scheinbare dinge, die andern anders scheinen, und da es Schmid mit dem „;vorgerückteren alter" nicht eben sehr ernst ist, so komt dieser und der dritte grund auf die „unerklärlich tiefgehende wandlung" (s. 68) hinaus. Und warum diese nicht möglich sein soll bei einem manne, der sich entschloss, eine kreuzfahrt zu machen, ist unerfindlich. Schmid lässt ihm dazu acht bis neun jahre zeit, indem er wahrscheinlich zu machen versucht, Hartmann habe auch den andern zug mitgemacht und für diesen das 2. lied gedichtet. Erst „nach einer reihe von jahren kann der gottergebene mann trost gefunden haben über den verlust seines herrn" (s. 70).

In bezug auf die verse 218, 18—20 MF., die Wilmanns (HZ. 14, 150) bewogen, „eher zu glauben, dass er aus Franken stamme" (cf. Haupt, Lied. und Büchl. vorr. IX.) äussert sich Schmid s. 71 so: „Wenn Hartmann im gegensatz zur fremde (*zum ellende*), zu den ländern *über mer,* wie er sich ausdrückt, Franken seine zunge nent, so bezeichnet er damit eben das land, in welchem seine sprache also deutsch gesprochen wurde." (cf. Paul Beitr. I, 538.) Das ist sicher richtig; ja die ganze art des ausdrucks berechtigt nicht einmal zur identification von *miner zungen* und *Franken*, und ich kann nicht finden, dass Hartmann in der stelle gradezu Franken seine zunge nenne. Auch die verse im a. Heinr. (1422 fg.) machen es zunächst nur wahrscheinlich, dass der dichter damals nicht mehr in Schwaben war, nicht aber dass er sich „von den Schwaben unterscheide" (Wilm. a. a. o.). So auch Schmid, der s. 76 fg. noch einmal alle bekanten gründe für die schwäbische heimat Hartmanns aufzählt. Neu und kühn ist, dass er in der stelle der Krone *den von der Swâbe lande uns brâhte ein tihtære* zusammen nimt *von Swâbe lande ein tihtære* und versteht „ein dichter von der Schwaben lande." Dass auf „Hartmannsche redensarten und sprachformen, welche man heute noch aus dem munde des schwäbischen volks, namentlich am oberen Neckar hören kann," wenig gewicht zu legen ist klar. Aber es hätte sich verlohnt, einmal zusammen zu stellen, was sich aus den reimen für Hartmanns zunge ergibt. Obgleich er ja das bewuste streben hatte, dialectische eigentümlichkeiten aus seinen dichtungen zu verbannen, so entwischen ihm doch, namentlich in den älteren gedichten formen, die nur einem Schwaben angehören können. Unter diesen machte schon Paul (Beitr. I, 539) auf *pflach : geschach, bestreich : sweich* im Iwein aufmerksam, reime, die, „soviel wir bis jetzt wissen, in Ostfranken unmöglich sind (an Südfranken wird niemand, wer den unterschied der sprache kent, denken), wol aber in Schwaben wie in Baiern." Am auffälligsten ist im Erec 1780 *laste* (praet. von *leschen*) : *glaste* wie Haupt schreibt (cf. Weinhold, al. Gr. s. 156) oder *laschte : glaschte*, wie Hartmann vielmehr in seiner schwäbischen mundart sprach. — „Dem Alemannischen besonders eigen ist die starke neigung, stammhaftes *m* in *n* zu wandeln" Weinh. 172. 173. *ruon : huon* Er. 5482. *tuon : ruon* Er. 901. 4358. Büchl. 1, 971. Ebenso in den suffixen: *œhein : dehein* Er. 9408. : *stein* 435. : *mein* Greg. 565. : *Tulmein* Er. 1406. 9720. : *schein* 8018. Daneben *œheim : heim* Er. 9482. — „Gegen den mit ende des 12. jahrhunderts anhebenden umlaut *ü* zeigt die mundart abneigung" Weinh. 30. Som. z. Flor. 25. Greg. 1037 *funde : zestunde.* a. H. 1349. *funde : munde* Er. 2420. *funde : stunde.* cf. Büchl. 2, 45. — „Das Alemannische bietet neben *e* häufig *en* als flexion der 1. sing."

Weinh. 334. Er. 9348 *lân : getân*, vergl. Hpt. z. d. st. u. Zz. V, 116. — „Ungemein beliebt ist im Alemannischen die nasalierte form der 2. plur. *ent*" Weinh. 337. Som. z. Flor. 68. Erec 6396 *nement : zement*. Iw. 2172 : *vernement*. Er. 3617 *bitent : ritent*. — Weniger entscheidend für die mundart, aber doch immerhin characteristisch sind folgende reime: *riemen : iemen* Er. 2410. 3077. 4414. 9390. Iw. 319 neben *an : nieman* Er. 4740. 2663 etc. Weinh. 20. — *stat : gesat* Er. 189. 839. 1246. 3742. 6148. 7724. 7856. 8300. 8680. 6430. Greg. 745. 1673. 2007. 3327. 3619. Büchl. I, 1470. Weinh. 139.

Die frage, wie es gekommen sei, dass Hartmann in Franken zeitweise seinen wohnsitz gehabt habe, erledigt sich bei Schmid durch die untersuchungen im 4. cap. Hier wird nachgewiesen, dass das schwäbische freiherrngeschlecht (von Owe, Obernau bei Rotenburg am Neckar), zu dem Hartmann wahrscheinlich im dienstmannen-verhältnis stand, zu den vasallen der grafen von Zollern-Hohenberg gehört hat und dass der dichter nach dem aussterben seines geschlechts zu diesem in dienste gekommen ist. Die grafen von Zollern waren aber vasallen des bischofs von Bamberg. Ihre dienstmannen bildeten also eine genossenschaft mit den bischöflichen dienstmannen in Franken, und so konte Hartmann leicht dauernd in dies land gekommen sein.

Die aufstellungen des freih. v. Ow, betreffend die auffindung jenes „armen Heinrich von Ouwe," die an den schluss des gedichtes, wie ihn die Heidelberger und Kolaczaer handschriften haben, anknüpfen, werden als nichtig aufgezeigt; dagegen aber werden schwäbische freiherrn von Ouwe im anfang des 12. jahrhunderts urkundlich nachgewiesen; später ist dies unmöglich. Die später nachweisbaren von Ouwe gehören dem dienstmannen-stande an (s. 83) und führen nirgends den titel *liber* oder *fri*, wenn auch hier und da das nichts entscheidende wort *dominus* vor dem taufnamen (nicht vor dem des burgbesitzes, wie freih. von Ow durch umstellung in einem falle hergestellt hat).

Diese untersuchungen werden im III. IV. abschnitt mit grosser acribie geführt und zeigen, wie der verfasser durch seine eingehenden studien auf diesem gebiete im stande war, seine ansicht von der abstammung und heimat Hartmanns zu hoher wahrscheinlichkeit zu erheben. Einige einwürfe gegen das resultat werden von ihm mit grossem geschick beseitigt, so der dass das wappen des dichters, welches uns in den liederhandschriften überliefert wird, das wappen der schwäbischen ritter von Owe im 13. jahrhundert sei. Die schreiber jener handschriften kanten die heimat und das geschlecht des dichters nicht und schrieben ihm willkürlich das wappen eines ritters von Wesperspül zu, der ein dienstmann des klosters von Reichenau war und als solcher auch ein Ower hiess. „Die liedersamlungen entstanden sehr wahrscheinlich alle in den gegenden des Bodensees;" so lag „die versuchung sehr nahe, an das im Thurgau damals sesshaft gewesene geschlecht der ritterlichen dienstmannen auf der burg Wesperspül zu denken" (s. 130). Zugleich werden alle gründe, die für das Thurgau oder Breisgau als Hartmanns heimat sprechen, als haltlos nachgewiesen.

In einem nachtrage wird noch kurz auf die abhandlung Schreyers (Untersuchungen über das Leben und die Dichtungen Hartmanns von Aue. Programm der Landesschule Pforta 1874) rücksicht genommen.

BERLIN, MAI 1875.   KARL KINZEL.

I. SACHREGISTER.

Afsprung 362.
Ahorn, scherzname Vossens 361.
altertümer s. rechtsaltertümer.·
althochdeutsch. Laute: praefix *i*-statt *gi*- 296, 18. — Declination: starke, der ordinalzahlen 240 anm. un-flectierte form des adj. in formelh. ver-bindung mit *duan* und *lâʒan* 447. des particips, mit abhäng. casus nachgesetzt 446. — Superlativ des adv. mit ab-gefallenem ausltd. *t* 449. — Conju-gation: bildung des passivs 1 f. 241 f. 242 anm. — partic. praes. st. lat. part. perf. pass. 237. 241. 376. — Syn-tax: masculinform des pron. oder adj. statt fem. 236. neutr. des adj. auf zwei sächl. subjecte v. verschied. genus be-zogen 239. — Nominativ, absoluter 3. accusat. tempor. in Murb. hymn. und Tatian 239 f. genit. st. lat. abl: in Murb. hymn. 239. dativ, absoluter 123. 239. 240. — Part. praet. statt lat. acc. c. inf. perf. pass. 241. part. praes. statt lat. part. perf. pass. 237. 241. 376. adverbialbildung des part. praes. statt lat. abl. des gerund. 241. Infin. für lat. gerund. 241. — Entstehung des relat. satzgefüges 244 ff. lat. qui = *du der* od. *der* 240. consecutiv-satz durch *inti* eingeleitet 2. conjunc-tion *thaz* an der spitze von substan-tivsätzen 246 f. *ni* negative conjunct. = lat. quin 247. conditionalsätze mit *ni si*, *ni si thaz* 247 f. *nub* 248. altsächsisch, Nachträge u. ergänzun-gen zu Heyne, alts. gramm. 478 ff. — Instrumentalis. seine bedeutungen 123 f. seine vertretung durch dativ u. genitiv 124. — Bildung des inf. pass. 1 f. — Verbindg. eines verbums mit verschied. casus in wechselnder bedeutung 124. 126. — Relativpron. u. relativsatz 484.
Amelung, Artur, necrolog 99 ff.
Anzeigen, Rigische 45 f.
Archipreste Hita 6 anm.
Arndt, Joh. Gottfr., sein anteil an den Rigischen beiträgen 46.
artikel, unbest., stellung im mnd. 207 f.
Bahrdt, K. Fr. 362.
Bechtungisch messerwerfen 163.
Beiträge, gelehrte, zu den Rigischen an-zeigen 45 ff. Charakter u. inhalt 47 ff. Hauptmitarbeiter: Arndt 46. Harder 49 ff. Gadebusch 53 ff. Vgl. Herder.
Beiträge, Freywillige zu den Hamb. Nach-richten 360.
Beiträge in das Archiv des deutschen Parn. 362.
Beiträge zur Gesch. der deutschen Spr. u. Nationallitt. 362.

Berthold v. Regensburg, handschriftfrag-mente 466 ff.
Berlepsch, Emilie v. 365.
biermärte 164.
Boie 358. 361. 362. 363. zuname Werdo-mar 358.
Boner. poetischer wert 267. — dialek-tische eigentümlichkeiten seiner sprache 251 ff. wert der hss. für die kritik 255 ff. 274. ihr verwantschaftsverhält-nis 264. beizubehaltende lesarten aus A 256 ff. aus C 265 ff. beizubehal-tende verse 267 ff. varianten 272 f. — quellen: teils eine unbekannte prosa-bearbeitung Avians 274 ff. teils der Anonymus Neveleti 282. 289 f. einzelne aus anderer quelle eingeschaltet 285 f. 287 ff. gruppenweise anordnung der fabeln 283. 286 f. 290. verschiedener charakter der verschiedenen gruppen 284 f. verschiedene abfassungszeit 284. 285. 289. die disticha am ende der fabeln in D aus dem Anon. Nevel. ent-nommen 277 ff. 290.
Bothe, Wandsbecker 359 ff.
bräuche. fiebersegen, mitteldeutscher 94 ff. — mittel gegen die widerkehr gewaltsam getöteter 137 f. — Mecklen-burger besprechungsformeln 159 f. — notfeuer als mittel gegen viehsterben 161. vgl. rechtsaltertümer.
brieflitteratur. briefsteller (summae dictaminis) 9. Dominicus Dominici-summa dictam. 4. 5 f. lat. musterbriefe des löwen an den esel und hasen 3 ff. handschriftl. überlieferung 4 ff.
Brückner, E. Th. J. 363.
Brun, Friederike 366.
buch der märterer 250.
buch der väter 249.
Bucholz, Fr. C. 363.
bundesbuch, des hainbunds 359.
Bürger 359. 361. briefwechsel 355 ff. ehestandsgeschichte 357. intime corre-spondenz mit Sprickmann 356. origi-nal einiger seiner epigramme 364.
Buri, Ch. K. E. 362.
casus. nom. der stammvocal im alt-nord. des gold. horns erhalten, nicht im südgerman. der vorgot. zeit 335. — dativ der person ursprüngl. nirgends notwendige ergänzung des verbalbegriffs 122. absoluter bei Otfr. nur latinism. 123. — instrum., seine bedeutungs-entwickelung 123. seine vertretung durch andere casus 124.
consonanten. lautverschiebung, entste-hung derselben 345.
contraction bei Boner 254.
Cramer, J. A. 359. 360. 363. seine ehen 361.

32 *

II. VERZEICHNIS DER BESPROCHENEN STELLEN.

III. WORTREGISTER.

Literarische Anzeigen.

Preisaufgaben der Fürstlich Jablonowski'schen Gesellschaft der Wissenschaften in Leipzig.

Für die Jahre 1875—78 sind die von uns gestellten Preisaufgaben folgende:

Aus der Geschichte und Nationalökonomik.

1. Für das Jahr 1875.

Während die politischen Ereignisse, welche die Begründung der deutschen Herrschaft in Ost- und Westpreussen herbeiführten, sicher festgestellt und allgemein bekannt sind, fehlt es an einer gründlichen Darstellung, in welcher Weise zugleich mit ihnen und in ihrer Folge die deutsche Sprache dort mitten unter fremden Sprachen sich festsetzte und zur Herrschaft gelangte. Es ist dieser Process ein um so interessanterer, als sich die beiden Hauptdialekte des Deutschen an demselben betheiligten. Die Gesellschaft wünscht daher

eine Geschichte der Ausbreitung und Weiterentwickelung der deutschen Sprache in Ost- und Westpreussen bis zum Ende des 15. Jahrhunderts mit besonderer Rücksicht auf die Betheiligung der beiden deutschen Hauptdialekte an derselben.

Es darf erwartet werden, dass die Archive ausser dem bereits zerstreut zugänglichen Materiale noch manches Neue bieten werden; die Beachtung der Eigennamen, der Ortsnamen, der gegenwärtigen Dialektunterschiede wird wesentliche Ergänzungen liefern. Sollten die Forschungen zur Bewältigung des vollen Themas zu umfänglich werden, so würde die Gesellschaft auch zufrieden sein, wenn nach Feststellung der Hauptmomente die Veranschaulichung des Einzelnen sich auf einen Theil von Ost- und Westpreussen beschränkte. Der Preis beträgt 60 Ducaten; doch würde die Gesellschaft mit Rücksicht auf die bei der Bearbeitung wahrscheinlich nöthig werdenden Reisen und Correspondenzen nicht abgeneigt sein, bei Eingang einer besonders ausgezeichneten Lösung den Preis angemessen zu erhöhen.

2. Für das Jahr 1876.

Indem die Gesellschaft den

Häringsfang und Häringshandel im Gebiete der Nord- und Ostsee

als Thema aufstellt, glaubt sie mit dieser allgemeinen Fassung desselben nur die Richtung andeuten zu sollen, in welcher sie handelsgeschichtliche Forschungen anzuregen wünscht. Sie überlässt es den Bearbeitern, den Antheil einzelner Völker, Emporien oder Gruppen derselben, wie etwa der hanseatischen, am Häringsfang und Häringshandel zu schildern. Sie wünscht der Aufgabe auch nicht bestimmte zeitliche Grenzen zu stecken, und würde eben so gern eine auf den Urkundenbüchern und anderen Geschichtsquellen begründete Darstellung des mittelalterlichen Häringshandels, wie eine mehr statistische Bearbeitung des modernen hervorrufen. Preis 700 Mark.

3. Für das Jahr 1877.

Der hohe Reiz der italienischen Geschichte in den letzten Jahrhunderten des Mittelalters beruht grossentheils darauf, dass sich hier, bei dem zuerst gereiften Volke unter den neueren, schon eine Menge von Bedürfnissen, Grundsätzen und Anstalten der höheren Culturstufen wahrnehmen lässt, während daneben in Italien selbst und mehr noch im übrigen Europa so viel Mittelalterliches noch fortdauert. Auch in der italienischen Volkswirthschaft finden wir denselben Contrast echt moderner Fortschritte auf einer noch wesentlich mittelalterlichen Grundlage. Die Gesellschaft wünscht daher

eine quellenmässige Erörterung, wie weit in Ober- und Mittel-Italien gegen Schluss des Mittelalters die modernen Grundsätze der agrarischen, industriellen und mercantilen Verkehrsfreiheit durchgeführt waren.

Sollte sich eine Bewerbungsschrift auf den einen oder andern italienischen Einzelstaat beschränken wollen, so würde natürlich ein besonders wichtiger Staat zu wählen sein, wie z B. Florenz, Mailand oder Venedig.

Da wir hoffen, dass vorstehende Preisfrage namentlich auch in Italien selbst Anklang finden wird, so erklären wir uns für diesen Fall ausnahmsweise bereit, auch in italienischer Sprache abgefasste Bewerbungsschriften zuzulassen. Preis 700 Mark.

4. Für das Jahr 1878.

Bei der historischen Wichtigkeit der Ortsnamen als Zeugen für die wechselnden Wohnsitze der verschiedenen Völker und Stämme, wünscht die Gesellschaft, dass unter sorgfältiger Benutzung des um Vieles zugänglicher gewordenen urkundlichen Materials und andrerseits mit gewissenhafter Benutzung dessen, was die heutige Sprachwissenschaft an sicheren Ergebnissen zu Tage gefördert hat,

eine wohlgeordnete, aus den besten erreichbaren Quellen geschöpfte Zusammenstellung der deutlich nachweisbaren slawischen Namen für Ortschaften des jetzigen deutschen Reiches

veranstaltet werde.

Da eine Bearbeitung des gesammten Stoffes die Grenzen einer Abhandlung weit überschreiten würde, bleibt es dem Bearbeiter der Preisfrage überlassen sich irgend ein nicht allzu beschränktes, aber auch nicht übermässig ausgedehntes Gebiet für seine Untersuchung zu wählen. Preis 700 Mark.

Die Bewerbungsschriften sind, wo nicht die Gesellschaft im besondern Falle ausdrücklich den Gebrauch einer anderen Sprache gestattet, in deutscher, lateinischer oder französischer Sprache zu verfassen, müssen deutlich geschrieben und paginirt, ferner mit einem Motto versehen und von einem versiegelten Couvert begleitet sein, das auf der Aussenseite das Motto der Arbeit trägt, inwendig den Namen und Wohnort des Verfassers angiebt. Die Zeit der Einsendung endet mit dem 30. November des angegebenen Jahres und die Zusendung ist an den Secretär der Gesellschaft (für das Jahr 1875 Prof. Dr. Scheibner) zu richten. Die Resultate der Prüfung der eingegangenen Schriften werden durch die Leipziger Zeitung im März oder April des folgenden Jahres bekannt gemacht.

Die gekrönten Bewerbungsschriften werden Eigenthum der Gesellschaft.

Verlag der **Buchhandlung des Waisenhauses in Halle.**

Die Murbacher Hymnen. Nach der Handschrift herausgegeben von
Eduard Sievers. Mit zwei lithographischen Facsimiles. 1874.
7 Bog. gr. 8. geh. 3 Mk.

Im Jahre 1830 erschien Jacob Grimm's Ausgabe der althochdeutschen Interlinearversion der 26 Hymnen aus der Murbacher Handschrift. Sie beruhte auf einer
sehr fehlerhaften Copie der Originalhandschrift, die lange Zeit für verloren galt.
Dem jetzigen Herausgeber stand eine eigene Abschrift zu Gebote, die unmittelbar
nach dem Original gefertigt wurde; so ist der Text fast in jeder Zeile berichtigt
worden. Die Einleitung gibt neben den nötigen Nachrichten über die Handschrift
eine ausführliche Darstellung der Sprache des Denkmals. Zum Schlusse sind vollständige Indices, deutsch-lateinisch und lateinisch-deutsch, beigefügt.

Vulfila oder die gotische Bibel. Mit dem entsprechenden griechischen
Text, sowie einem kritischen und erklärenden Commentar. Nebst
einem die Skeireins, das Kalendarium und die gotischen Urkunden
umfassenden Anhang von Ernst Bernhardt. 1875. 46 Bog. gr. 8.
13 Mk. 50 Pf.

Auch unter dem Titel:

Germanistische Handbibliothek herausgegeben von Prof. Dr.
Jul. Zacher. III. Band.

Die gotische Bibelübersetzung ist bekanntlich der Grund- und Eckstein deutscher Sprachforschung. Wer das Verständnis dieses wertvollsten Denkmals fördert, ist sicher der Wissenschaft einen Dienst zu leisten. Nachdem für die Feststellung der handschriftlichen Ueberlieferung durch Uppström das mögliche geschehen, hat sich der Verf. die Berichtigung und Erklärung des gotischen Textes zur
Aufgabe gestellt. Sorgfältige Vergleichung des griechischen und lateinischen Textes, genaue Erwägung des Verhältnisses der verschiednen gotischen Handschriften
zu einander und Beobachtung der Gewohnheiten des Uebersetzers und der Abschreiber haben denselben vielfach zu neuen Ergebnissen geführt und ihn vor den entgegengesetzten Fehlern eines allzu ängstlichen Festhaltens auf der Ueberlieferung
und willkürlicher Aenderung behütet; weder durfte dem Uebersetzer selbst in die
Schuhe geschoben werden, was die Abschreiber gesündigt, noch durfte, bei dem
geringen Umfang der gotischen Bruchstücke, am einmal vorkommenden, sonst
unerhörten Anstoss genommen oder eine durchgehende Gleichförmigkeit der Schreibweise erzwungen werden.

In den meisten Fällen ist der griechische Text, nach dem Vulfila übersetzte,
mit Sicherheit herzustellen; ein solcher ist in dieser Ausgabe beigegeben, dem
Anfänger das beste Hilfsmittel des Verständnisses, bei grammatischer Durchforschung des gotischen Textes ganz unentbehrlich, hoffentlich auch dem Theologen
für die Textkritik des Neuen Testaments eine willkommene Gabe. Kritische Anmerkungen geben die Abweichungen von der handschriftlichen Ueberlieferung und den
seitherigen Herausgebern an, wobei Gabelentz und Löbes Ausgabe, wenngleich
nach Uppström veraltet, nicht übergangen werden durfte. Die anderen von den
kritischen gesonderten Anmerkungen enthalten die nötigen Angaben über die griechischen Handschriften und was von anderen Erläuterungen wünschenswerth schien.
Der Text der Evangelien ist, genau nach dem Codex Argenteus, in Sectionen
geteilt; die Parallelstellen sind, nach demselben Quelle, beigefügt. Auch in den
Episteln ist die Eintheilung der gotischen Handschriften angegeben.

Die ausführliche Einleitung handelt von Vulfilas Leben, seinem Verfahren
als Uebersetzer, den Schicksalen seines Textes, den Handschriften und Ausgaben.
Der Anhang enthält die sogenannte Skeireins mit lateinischer Version und Commentar; ferner den Kalender und die Urkunden von Neapel und Arezzo.

Der Verfasser beabsichtigt diesem Werke ein Glossar und eine Grammatik
folgen zu lassen.

Erdmann, Oskar, Untersuchungen über die Syntax der Sprache Otfrids. Gekrönte Preisschrift der Kaiserl. Akademie der Wissenschaften in Wien (Paul Hal'sche Stiftung). 1. Theil. Die Formation des Verbums in einfachen und in zusammengesetzten Sätzen. 1874. XVIII, 234 S. gr. 8. 6 Mk.

Der Verfasser hat danach gestrebt die wesentlichen Erscheinungen des syntaktischen Gebrauches, wie er sich in Otfrids Evangelienbuche als dem ältesten hochdeutschen Originalwerke von grösserem Umfange zeigt, in einer Weise darzustellen, die zur Erkenntnis der historischen Entwicklung auch dieser Seite des Sprachlebens beitragen und die Vergleichung des Deutschen mit den verwandten Sprachen erleichtern könnte. Aus der übrigen althochdeutschen Literatur sind die kleineren poetischen Denkmäler durchgängig hinzugezogen worden; für die aus dem Lateinischen übersetzenden Prosaiker konnte an nicht wenigen Stellen eine durch Einfluss der lateinischen Syntax erklärte Verschiedenheit von Otfrids Sprachgebrauche nachgewiesen werden.

Der vorliegende **erste Teil** stellt zunächst den Gebrauch der Tempora und Modi in einfachen Sätzen fest. Für die zusammengesetzten Sätze, die für das Althochdeutsche bisher noch nicht im Zusammenhange behandelt sind, wird eine zusammenfassende Uebersicht des Modusgebrauches und sodann der zur Bezeichnung der Satzverbindung verwandten Mittel vorangeschickt; die dann folgenden Bélege sind nach dem Sinne, den die Satzverbindungen bei Otfrid angenommen haben, eingeteilt, wobei der Verfasser innerhalb jedes Abschnittes sowol den Modusgebrauch als auch die Arten der Satzverbindung möglichst übersichtlich darzustellen gesucht hat. Die beiden letzten Kapitel behandeln den Infinitiv und die Participia. Ein Verzeichnis der im Verlaufe der Untersuchung ausführlich oder abweichend von andern Forschern erklärten Stellen ist beigegeben.

Der zweite Teil, welcher sich unter der Presse befindet, enthält die Genera, Numeri und Casus des Nomens.

Sievers, Eduard, (a. o. Prof. für deutsche Sprache und Literatur in Jena), Paradigmen zur Deutschen Grammatik. Gotisch, Altnordisch, Angelsächsisch, Altsächsisch, Althochdeutsch, Mittelhochdeutsch. Zum Gebrauch bei Vorlesungen zusammengestellt 1874. 30 Tafeln in Fol. und 1/2 Bog. Lex.-8. In Mappe gefalzt. 3 Mk.

Es fehlte bisher noch an einer Zusammenstellung von Paradigmen, die sich gleichmässig sowol den Vorlesungen über vergleichende Grammatik der altgermanischen Sprachen wie über die Grammatik der betreffenden Einzelsprachen bequem zu Grunde legen liesse. In der hier dargebotenen Sammlung ist der Versuch gemacht diesem Mangel abzuhelfen. Dieselbe enthält auf 30 Tafeln in Querfolio Paradigmen der Flexion der Substantiva, Adjectiva, Pronomina und Verba sowie Uebersichten über die Comparation, die Zahlwörter und die Bildung der verschiedenen Tempusstämme der Verba. Für die Anordnung der einzelnen Tafeln war vor allem das Bestreben massgebend, möglichste Uebersichtlichkeit zu erreichen; es ist daher die Einrichtung so getroffen, dass jedesmal die zusammengehörigen Formen einer Sprache mit einem Blicke überschaut werden können. Auf die Constatierung der wirklich belegten Formen ist tunlichste Sorgfalt verwendet worden, sodass mehrfach die früher angesetzten Paradigmen Abänderungen erfahren mussten. Ueber die Einrichtung der Tafeln im Einzelnen gibt das Vorwort Auskunft.

VERLAGS-CATALOG

DER

BUCHHANDLUNG DES WAISENHAUSES

IN HALLE ᴬ|S.

ALPHABETISCH UND FACHWISSENSCHAFTLICH

GEORDNET.

ZWEITER NACHTRAG

1873 — 1874.

HALLE,

DRUCK DER BUCHDRUCKEREI DES WAISENHAUSES.

1 8 7 5.

Inhalt des Verlags-Catalogs.

Dieser Nachtrags-Catalog, sowie der Catalog unserer Verlagsunternehmungen von 1854—1872 wird auf Verlangen durch die Post oder durch Vermittelung der Buchhandlung gratis versandt. Von unseren Schulbüchern sind wir stets bereit Exemplare zur Ansicht zu liefern, und uns bei Einführung über die ersten Bezugsbedingungen zu verständigen.

Verlag der Buchhandlung des Waisenhauses
in Halle.

Januar 1873 bis October 1874.

Ein Catalog unserer Verlagsunternehmungen aus den Jahren 1854—1872 erschien 1873. Ein vollständiger Verlags-Catalog, die Jahre 1698—1874 enthaltend, wird im nächsten Jahre erscheinen.

Die mit * versehenen Artikel sind aus fremden Verlag in den unsern übergegangen.

Abul-Baḳâ Jbn Ja'îś. Commentar zu dem Abschnitt über das حَال aus Zamachśarî's Mufaṣṣal. Nach der Leipziger und Oxforder Handschrift zum ersten Male herausgegeben, übersetzt und mit Scholien aus Handschriften des Mufaṣṣal versehen von Dr. G. Jahn, Gymnasiallehrer in Berlin. 1873. 10 $^3/_4$ Bog. 4. — 2 Thlr. (6 Mk.).

Arbeiterfreund, der. Zeitschrift des Centralvereins in Preussen für das Wohl der arbeitenden Klassen etc.

> Ging vom 11. Jahrg. — 1873 — ab, in den Commissions-Verlag des Herrn Leonh. Simion, Berlin über.

Archiv der Pharmacie. Eine Zeitschrift des allgemeinen deutschen Apothekervereins. Herausgegeben vom Directorium unter Redaction von E. Reichardt unter Mitwirkung der Herren J. F. Albers, G. H. Barckhausen, H. Böhnke-Reich, O. Borgstette, H. Brunner, C. Charles, C. Erhart, O. Ficinus, F. Fleischer, W. Heräus, A. Hirschberg, H. Köhler, A. Koster, Th. Langer, J. Lehmann, L. Leiner, H. Ludwig, H. Müller, O. Müller, E. Mylius, C. Philipps, E. Reichardt, G. Rückert, C. Schacht, J. Schnauss, C. F. Schulze, F. Smit, W. Steffen, W. Stein, G. Ulex, H. Weppen u. H. Werner. Dritte Reihe 2. 3., der ganzen Folge 202. 203. Band. 1873. 12 Hefte à 6 Bog. gr. 8. 6 Thlr. (18 Mk.).

— — Dasselbe. Zeitschrift des deutschen Apothekervereins. Herausgegeben vom Directorium unter Redaction von E. Reichardt,

I. Jahrg. I. Bd. Dritte Reihe 4., der ganzen Folge 204. Band. 1874. 576 S. und Zusammenstellung der vom Directorium des deutschen Apothekervereins publ. Bekanntmachungen und der amtl. Verordnungen und Erlasse. No. 1—6. gr. 8. 12 Hefte à 6 Bog. 6 Thlr. (18 Mk.).

*Bäck, A., Seminarlehrer am Königl. Schullehrer-Seminar zu Posen. Kleine Schulgeographie. Heimatskunde der Provinz (Grossherzogthum) Posen. Nebst einer Spezialkarte. 1869. 20 S. 8. 3 Sgr. (30 Pf.).

*Bartholomäus, H. C. W., Lehrer in Hildesheim. Kleine Schulgeographie. Heimatskunde der Provinz Hannover. Nebst einer Spezialkarte von F. Hoffmeyer, Lehrer in Lüneburg. 1870. 60 S. 8. 5 Sgr. (50 Pf.).

Becker's K. F. Erzählungen aus der alten Welt. 3 Thle. siehe: Jugendbibliothek. I—III.

*Behrens, F., Lehrer in Börssum. Kleine Schulgeographie. Heimatskunde des Herzogthums Braunschweig. Nebst einer Spezialkarte. 1870. 36 S. 8. 3 Sgr. (30 Pf.).

Beulé, M., Tiberius und das Erbe des Augustus. Deutsch bearbeitet von Dr. E. Döhler, Subrector am Gymn. zu Brandenburg. 1873. 9 Bog. gr. 8. 15 Sgr. (1 Mk. 50 Pf.)

— — Das Blut des Germanicus. 1874. 170 S. gr. 8. 20 Sgr. (2 Mk.).

— — Titus und seine Dynastie. 1875. VII, 148 S. gr. 8. 20 Sgr. (2 Mk.).

Auch unter dem Titel:

Die Römischen Kaiser aus dem Hause des Augustus und dem Flavischen Geschlecht. 2.—4. Bändchen.

Bilder aus der Weltgeschichte. Für das deutsche Volk dargestellt von H. Keck, O. Kallsen, A. Sach.

1. Theil. Bilder aus dem Alterthum. Von Dr. H. Keck, Director des Gymn. zu Husum. 1875. VI, 210 S. 20 Sgr. (2 Mk.).

Der 2. Theil „Geschichte des Mittelalters von Prof. Kallsen" erscheint voraussichtlich im October d. J.

*Block, R., Lehrer in Danzig. Kleine Schulgeographie. Heimatskunde der Provinz Preussen. Nebst einer Spezialkarte von R. Menzel. 1869. 40 S. 8. 3 Sgr. (30 Pf.).

*Böse, K. G., Lehrer in Oldenburg. Kleine Schulgeographie. Heimatskunde des Herzogthums Oldenburg. Nebst einer Spezialkarte von demselben. 1869. 32 S. 8. 3 Sgr. (30 Pf.).

*Büttner, A., Seminarlehrer in Bütow. Kleine Schulgeographie. Heimatskunde der Provinz Pommern. 1869. 24 S. 8. 2 Sgr. (20 Pf.).

Daniel, Prof. Dr. H. A., forh. Inspector adj. ved det Konegel. Paedag. i Halle. Ledetraad for Underviisningen i Geographien. Eter det af Prof. Dr. Kirchhoff besorgede 80. Oplag oversat af O. H. Rickmers og J. Petersen, Seminarielaerere. 1873. 168 S. 8. 12½ Sgr. (1 Mk. 25 Pf.).

— — Leitfaden für den Unterricht in der Geographie. 84.-94. Auflage herausgeg. von Prof. Dr. A. Kirchhoff, Oberl. an der Louisenst. Gewerbeschule und Dozent d. allgem. Erdkunde an der Kgl. Kriegs-Akademie in Berlin. 1873. 176 S. 8.

— — Dasselbe. 95.-104. verb. Aufl. herausgeg. von Dr. A. Kirchhoff, Prof. d. Erdkunde an der Univ. Halle. · 1874. 176 S. 8. 7½ Sgr. (75 Pf.), cart. 10 Sgr. (1 Mk.).

— — Lehrbuch der Geographie für höhere Unterrichtsanstalten. Herausgeg. von Dr. A. Kirchhoff, Oberl. an der Louisenst. Gewerbeschule und Dozent der allgem. Erdkunde an der Kgl. Kriegs-Akademie zu Berlin. 34. verb. (35.—38. unveränd.) Auflage. 1873. VIII, 502 S. 8.

— — Dasselbe. 39. verb. (40.—43. unveränd.) Aufl., herausgegeben von Dr. A. Kirchhoff, ordentl. Prof. d. Erdkunde a. d. Univ. zu Halle. 1874. VIII, 504 S. 8. 15 Sgr. (1 Mk. 50 Pf.).

Darstellungen aus der römischen Geschichte. Für die Jugend und für Freunde geschichtlicher Lektüre. Herausgegeben von Dr. Oscar Jäger, Director des Friedr.-Wilhelmsgymn. zu Köln. V. Bändchen.

> Erzählungen aus der ältesten Geschichte Roms. Nach den Quellen dargestellt von G. Hess, Dir. des Gymn. zu Rendsburg.

> II. Der römische Freistaat. 2. Theil. — Roms Helden-Zeitalter. Mit einer Karte von Mittel-Italien. 1874. 25 Sgr. (2 Mk. 50 Pf.).

Delbrück, B., Vedische Chrestomathie. Mit Anmerkungen und Glossar. 1874. VIII, 128 S. gr. 8. 1 Thlr. (3 Mk.).

— — Das altindische Verbum aus den Hymnen des Rigveda seinem Baue nach dargestellt. 1874. VIII, 248 S. gr. 8. 2 Thlr. (6 Mk.).

Delius, Dr. Adolf, General-Secretär d. landw. Central-Ver. d. Prov. Sachsen. Die Cultur der Wiesen und Grasweiden. Im Anhang: Mittheilungen über die Cultur der Flecht- und Band-

1*

weiden. Mit in den Text gedruckten Holzschnitten und zwei lithograph. Tafeln. 1874. VIII, 212 S. gr. 8. 1 Thlr. 15 Sgr. (4 Mk. 50 Pf.).

Dernburg, Dr. Heinrich, ord. Prof. des Rechts an d. Univ. Berlin, Mitglied des Herrenhauses. Lehrbuch des Preussischen Privatrechts. I. Band. 3. Abth. (Schluss mit Register.) 1875. 21½ Bog. 1 Thlr. 20 Sgr. (5 Mk.).

— — Dasselbe complet. 1875. XV, 920 S. gr. 8. 4 Thlr. (12 Mk.).

Dialogues and poetry with a selection of pleasing tales to an easy acquisition of the english language. Second edition revised and enlarged by Caroline F. Sallmann. 1874. X, 162 S. 8. cart. 15 Sgr. (1 Mk. 50 Pf.).

*Dietlein, W., Rector in Nordhausen. Kleine Schulgeographie. Heimatskunde der Provinz Sachsen. 1869. 24 S. 8. 1½ Sgr. (15 Pf.).

*Dietrich, Fr., Hauptlehrer in Breslau. Kleine Schulgeographie. Heimatskunde der Provinz Schlesien. Mit einer Spezialkarte von Schlesien von R. Menzel, Lehrer in Breslau. 1869. 36 S. 8. 4 Sgr. (40 Pf.).

Dümmler, E., Ermenrici epistola ad Grimoldum archicapellanum, ex codice Sancti Galli Membranaceo 265. p. 3—91. 1873. 46 S. gr. 4. 15 Sgr. (1 Mk. 50 Pf.).

*Eberhard, Dr. Hermann, Kleine Schulgeographie. Heimatskunde des Herzogthums Sachsen-Coburg. 1869. 16 S. 8. 1½ Sgr. (15 Pf.).

Echtermeyer, Dr. Th., Auswahl deutscher Gedichte für höhere Schulen. 19. unveränd. Aufl. Herausgegeben v. Herm. Masius. 1873. XIII, 922 S. gr. 8.

— — Dasselbe. 20. Aufl. Herausgegeben v. Herm. Masius. 1874. VIII, 936 S. gr. 8. cart. 1 Thlr. 10 Sgr. (4 Mk.), in Leinen geb. 1 Thlr. 15 Sgr. (4 Mk. 50 Pf.).

Eck, Dr. Ernst, Die Verpflichtung des Verkäufers zur Gewährung des Eigenthums nach römischem und gemeinem Recht. Festschrift im Auftrage der Juristen-Facultät Halle-Wittenberg verfasst. 1874. 44 S. 8. 8 Sgr. (80 Pf.).

*Ehrhardt, E., Seminarlehrer in Hildburghausen. Kleine Schulgeographie. Heimatskunde des Herzogthums Meiningen. 1869. 24 S. 8. 2 Sgr. (20 Pf.).

Eisenbahn-Coursbuch, Mitteldeutsches, zunächst für die Provinz Sachsen und die benachbarten deutschen Gebietstheile nach amt-

lichen Quellen bearbeitet. 1873. pro No. 64 S. kl. 8. 5 Sgr.
(50 Pf.), im Abonnem. für ca. 5 — 6 No. 20 Sgr. (2 Mk.).

No. 1. ausgegeben am 20. Mai.

„ 2. „ „ 25. August.

„ 3. „ „ 12. November.

No. 1. ausgegeben am 20. März 1874.

„ 2. Mai 1874.

„ 3. Juni 1874.

Eisenbahn- und **Post-Coursbuch**, Mitteldeutsches, zunächst für
die Provinz Sachsen und die benachbarten deutschen Gebietstheile nach amtlichen Quellen bearbeitet.

No. 4. Juli 1874.

„ 5. September 1874.

Erdmann, Oskar, Untersuchungen über die Syntax der Sprache
Otfrids. Gekrönte Preisschrift der Kaiserl. Akademie der
Wissenschaften in Wien (Paul Hal'sche Stiftung).

1. Theil. Die Formation des Verbums in einfachen und
in zusammengesetzten Sätzen. 1874. XVIII, 234 S.
gr. 8. 2 Thlr. (6 Mk.).

Erzählungen aus dem deutschen Mittelalter, herausgegeben von
Otto Nasemann.

6. Band: Kaiser Konrad II. und Heinrich III. Nach Wipo,
Herimann von Reichenau und den Altaicher Annalen dargestellt von Dr. A. Mücke. 1873. 8 Bog. 12 Sgr. (1 Mk.
20 Pf.).

Ewald, Albert Ludw., Die Eroberung Preussens durch die
Deutschen. II. Buch. Die erste Erhebung der Preussen und die
Kämpfe mit Swantopolk. 1875. IX, 338 S. gr. 8. 1 Thlr.
20 Sgr. (5 Mk.).

Das erste Buch „Berufung und Gründung" erschien 1872.

Festschrift den Theilnehmern an der XIV. Versammlung des Vereins
deutscher Ingenieure in Halle a/S. am 1. bis 4. September 1873
gewidmet vom Thüringer Bezirksvereine. 1873. II, 132 S. und
2 Kärtchen. 8. 15 Sgr. (1 Mk. 50 Pf.).

Fibel, neue. Zunächst für die deutschen Schulen in den Franckeschen Stiftungen zu Halle. 2. Aufl. 1873. VI, 108 S. 8. carton.
6 Sgr. (60 Pf.).

Fitting, Dr. Hermann, ord. Prof. d. Rechte in Halle. Glosse zu
den Exceptiones legum Romanorum des Petrus. Aus
einer Prager Handschrift zum ersten Mal herausgegeben und eingeleitet. 1874. 68 S. 8. 15 Sgr. (1 Mk. 50 Pf.).

Fitting, Dr. Hermann, ord. Prof. d. Rechte in Halle. Zur Geschichte der Rechtswissenschaft am Anfange des Mittelalters. Rectoratsrede. 1875. 10 Sgr. (1 Mk.).

Frahnert, Oberlehrer. Zum Sprachgebrauch des Properz siehe: Programm der lat. Hauptschule. 1873—1874.

Freytag, Dr. Carl, ausserordentl. Prof. d. Landwirthschaft a. d. Univ. Halle. Die Hausthier-Racen. Mit Zeichnungen von H. Schenck, akadem. Zeichenlehrer. I. Band. Pferde-Racen. 1. Lieferung. 1875. 30 S. und 8 lithogr. Abbild. h. 4. 1 Thlr. (3 Mk.).

*Fuchs, Dr., Corrector in Bückeburg. Kleine Schulgeographie. Heimatskunde des Fürstenthums Schaumburg-Lippe. 1869. 12 S. 8. 1½ Sgr. (15 Pf.).

Geschichtsquellen der Provinz Sachsen und angrenzender Gebiete, herausgegeben von den geschichtlichen Vereinen der Provinz.

> 3. Band: Urkundenbuch der ehemals freien Reichsstadt Mühlhausen in Thür. Herausgegeben im Auftrage des Magistrats von Mühlhausen, zugleich mit Beihülfe des sächsischen Provinziallandtages und bearb. unter Mitwirkung des Stadtraths Dr. jur. W. Schweineberg von Carl Herquet. Mit 12 lithographischen Siegeltafeln. 1874. 40 Bog. gr. 8. 4 Thlr. (12 Mk.).

> 4. Band: Die Urkunden des Klosters Stötterlingenburg. Im Auftrage des Harzvereins für Geschichte und Alterthumskunde bearbeitet von C. v. Schmidt-Phiseldeck, Archivsecretair am Herzogl. Braunschweig-Lüneburgischen Landeshauptarchive zu Wolfenbüttel. Mit IX Siegeltafeln. 1874. XX, 280 S. u. 9 lith. (Siegel-) Tafeln. gr. 8. 2 Thlr. (6 Mk.).

> 5. Band: Urkundenbuch des in der Grafschaft Wernigerode belegenen Klosters Drübeck. Vom Jahr 877— 1594. Bearbeitet im Auftrage Sr. Erlaucht des regierenden Grafen Otto zu Stolberg-Wernigerode von Dr. Ed. Jacobs, Gräfl. Archivar und Bibliothekar. Mit 4 Siegeltafeln und 3 in Lichtsteindruck facsimilirten Urkundenanlagen. 1874. XXXVIII, 344 S. gr. 8. 2 Thlr. 15 Sgr. (7 Mk. 50 Pf.).

> 6. Band: Urkundenbuch des Klosters Ilsenburg herausgegeben von Dr. Ed. Jacobs. (Unter der Presse.)

Goedicke, Albert, Archidiakonus in Delitzsch. Die Lehre des kleinen Lutherschen Katechismus biblisch dargestellt. Die neutestamentl. Sprüche mit Angabe des revidirten Textes. 1873. 20 Bog. gr. 8. 1 Thlr. 10 Sgr. (4 Mk.).

Günther, Dr. F. W., Collegen an der Realschule I. Ordnung des Waisenhauses in Halle. Aufgaben für das praktische Rechnen zum Gebrauch in den unteren und mittleren Klassen höherer Lehranstalten und in den mittleren und oberen Klassen von Bürgerschulen. I. Vier Species unben. Zahlen. Resol. u. Reduct. ganzer ben. Zahlen. Vier Species ganzer ben. Zahlen. Vierte mit Rücksicht auf die neue deutsche Reichsmünze bearb. Auflage. 1874. II, 44 S. gr. 8. 6 Sgr. (60 Pf.).

II—IV. Theil werden in ununterbrochener Folge in verbesserter Auflage erscheinen.

Hahnemann, Oberlehrer. Ueber den mathematischen namentlich geometrischen Unterricht auf Gymnasien siehe: Programm der latein. Hauptschule 1871/72.

Hennings, Dr. P. D. Ch., Oberlehrer und Collaborator in Husum. Elementarbuch zu der lateinischen Grammatik von Ellendt-Seyffert.

1. Abtheilung: Für Sexta. Dritte Aufl. 1874. IV, 116 S. 8. 10 Sgr. (1 Mk.).

2. Abtheilung: Zur Einübung der regelmässigen Formenlehre und einiger syntactischer Vorbegriffe. 2. verbesserte Aufl. 1873. 11 Bog. gr. 8. 12 Sgr. (1 Mk. 20 Pf.).

3. Abtheilung: Für Quarta erschien 1872.

Herquet, Karl, Kristan von Mühlhausen, Bischof von Samland (1276—1295). Mit zwei Abbildungen in Steindruck (und 1 Titelvignette). 1874. VI, 62 S. 8. 15 Sgr. (1 Mk. 50 Pf.).

Hertzberg, Dr. phil. Gust. Friedr., ausserordentl. Prof. d. Gesch. a. d. Univ. zu Halle. Die Geschichte Griechenlands unter der Herrschaft der Römer. Nach den Quellen dargestellt. III. Theil. Von Septimius Severus bis auf Justinian I. 1875. 36 Bog. gr. 8. 3 Thlr. (9 Mk.).

Auch unter dem Titel:

Der Untergang des Hellenismus und die Universität Athen. Der erste Theil erschien 1866, der II. 1868.

Hess, G., Director des Gymn. zu Rendsburg. Erzählungen aus der ältesten Geschichte Roms. II. Der römische Freistaat. 2. Theil: Roms Helden-Zeitalter siehe: Darstellungen aus der röm. Geschichte.

*Jacob, G., Lehrer in Sorau. Deutsches Lesebuch für Oberklassen israelitischer Volksschulen.

1. Abtheilung. 1870. IV, 124 S. 8. 6 Sgr. (60 Pf.).

2. „ Mit vielen Illustrationen. 1871. IV, 236 S. 8. 9 Sgr. (90 Pf.).

Jahn, Albert, Dr. phil. hon., Secretär des eidgen. Departements des Innern, Mitglied der philos.-philol. Classe d. Königl. Bayer. Akademie der Wissenschaften, des Gelehrten-Ausschusses des german. Museums etc. etc. Die Geschichte der Burgundionen und Burgundiens bis zum Ende der I. Dynastie, in Prüfung der Quellen und der Ansichten älterer und neuerer Historiker dargestellt. 2 Bände gr. 8. 8 Thlr. (24 Mk.).

   I. Band. Mit vier artistischen Abbildungen. 1874. XXXVI, 560 S. und 2 lithogr. Tafeln.

  II. Band. Mit einer Karte Burgundiens. 1874. IX, 560 S.

Initium theologiae Lutheri. S. exempla scholiorum quibus D. Lutherus psalterium interpretari coepit. Part. I. Septem psalmi poenitentiales. Textum originalem nunc primum de Lutheri autographo exprimendum curavit Eduardus C. Aug. Riehm, Theol. D. et prof. p. o. 1874. 27 S. hoch 4. 10 Sgr. (1 Mk.).

Jugendbibliothek des griechischen und deutschen Alterthums, herausgegeben von Dr. Fr. Aug. Eckstein.

  I-III. **Becker's, Karl Fr.,** Erzählungen aus der alten Welt für die Jugend. 13. verb. Aufl. Herausgeg. von Herm. Masius. 3 Thle. 1874. 8. cart. 2 Thlr. (6 Mk.).

    1. Theil: Odysseus von Ithaka. Mit 1 Stahlstich und 4 Holzschn.

    2. Theil: Achilleus. Mit 1 Stahlstich u. 4 Holzschn.

    3. Theil: Kleinere Erzählungen. Mit 1 Stahlstich und 4 Holzschn.

    — — Dasselbe. Neue Volksausgabe in 1 Bde. In illustr. Umschlag. 1 Thlr. (3 Mk.). (Unter der Presse.)

  X-XII. **Osterwald's, K. W.,** Erzählungen aus der alten deutschen Welt für Jung und Alt.

    1. Theil. Gudrun. 4. Auflage. Mit 2 Holzschn. nach Zeichnungen von Jul. Immig. 1873. XVI, 160 S. 8. carton. 20 Sgr. (2 Mk.), geb. in Leinen 25 Sgr. (2 Mk. 50 Pf.).

    2. Theil. Siegfried und Kriemhilde. 4. Aufl. Mit Zeichnungen von Jul. Immig. 1874. VIII, 192 S. u. 2 Holzschn. 8. carton. 24 Sgr. (2 Mk. 40 Pf.), geb. in Leinen 1 Thlr. (3 Mk.).

    3. Theil. Walter von Aquitanien. Dietrich und Ecke. 3. Aufl. 1874. In illustr. Umschl. cart. 20 Sgr. (2 Mk.), in Leinen geb. 25 Sgr. (2 Mk. 50 Pf.).

Neue Auflagen befinden sich ferner in Vorbereitung vom:
VII—IX. Band. „Hertzberg, Asiatische Feldzüge Alexander des Grossen" und

XVI. Band. „Osterwald, Erzählungen aus dem Kreise der langob. und der Dietrichs-Sage."

Kähler, Dr. K. F., Die sprachlichen u. stylistischen Uebungen der einklassigen Volksschule im Anschluss an die deutsche Fibel von Dr. K. F. Th. Schneider und das norddeutsche Lesebuch von Dr. H. Keck und Johansen. Erste Hälfte: Die Sprach- und Stilübungen auf der Unter- und Mittelstufe. Ein Hülfsbuch für Lehrer. 1875. IV, 194 S. u. 1 Schrifttafel. gr. 8. 20 Sgr. (2 Mk.).

Auch unter dem Titel:

Die sprachlichen und stilistischen Uebungen auf der Unter- und Mittelstufe der einklassigen Volksschule im Anschluss an die deutsche Fibel von Dr. K. F. Th. Schneider und an das norddeutsche Lesebuch von Dr. H. Keck und Johansen. Ein Hilfsbuch für Lehrer.

Keck, Karl Heinrich, Sedan. Ein deutsches Heldengedicht. 1873. 69 S. 8. 10 Sgr. (1 Mk.), eleg. in Leinen geb. 20 Sgr. (2 Mk.).

— — Bilder aus dem Alterthum siehe: Bilder aus der Weltgeschichte. I. Theil.

Koberstein, Prof. Dr. Aug., Laut- und Flexionslehre der mittelhochdeutschen und der neuhochdeutschen Sprache in ihren Grundzügen. Zum Gebrauch auf Gymnasien. 3. verbesserte Auflage v. Dr. Oscar Schade. 1873. VI, 83 Seiten. gr. 8. 12 Sgr. (1 Mk. 20 Pf.).

Köstlin, Dr. Julius, Prof. d. Theol. Luthers Rede in Worms am 18. April 1521. Osterprogramm der Universität Halle-Wittenberg. 1874. 36 S. 8. 6 Sgr. (60 Pf.).

Kurschat, Friedr., Kgl. Prof., ev.-litt. Prediger u. Dirigent d. litt. Seminars bei der Univ. zu Königsberg i/Pr. Wörterbuch der littauischen Sprache. I. Theil. Deutsch-littauisches Wörterbuch. I. Band A—K. 1873. XX, 724 S. Lex.-8. 5 Thlr. (15 Mk.).

— — Dasselbe. II. Band L—S. 1874. XII, 392 S. Lex.-8. 4 Thlr. (12 Mk.).

Lehmann, Prof. Dr. Aug., Gymnasialdirector a. D. Luthers Sprache in seiner Uebersetzung des Neuen Testaments. Nebst einem Wörterbuche. 1873. XI, 275 S. 18 Bog. gr. 8. 1 Thlr. 20 Sgr. (5 Mk.).

Lesebuch, Norddeutsches. Mit besonderer Berücksichtigung der Bedürfnisse der einklassigen Volksschule herausgegeben unter Mitwirkung von Dr. L. Meyn und Dr. A. Sach von H. Keck und Chr. Johansen. 10. verbess. Aufl. mit vielen in den Text gedr. Illustr. 1873. 20 Bog. gr. 8. 9 Sgr. (90 Pf.).

— — Dasselbe. 11. verbess. Aufl. (Unter der Presse.)

— — **Vaterländisches,** für die mehrklassige evangelische Volksschule Norddeutschlands. Unter Mitwirkung von Dr. L. Meyn in Uetersen und Dr. A. Sach in Schleswig herausgegeben von H. Keck und Chr. Johansen. 6. verbess. Aufl. mit in den Text gedr. Illustr. 1873. 29 Bog. gr. 8. 13 Sgr. (1 Mk. 30 Pf.).

Vergleiche auch: Tiegs, Provinz Brandenburg als Anhang hierzu.

Leuschner, C., Consistorialr. u. Dompr. zu Merseburg. Das Evangelium St. Johannis und seine neuesten Widersacher. Vorwort von Dr. H. E. Schmieder. 1873. VI, 136 S. gr. 8. 22½ Sgr. (2 Mk. 25 Pf.).

Masius, Dr. Hermann, Deutsches Lesebuch für höhere Unterrichts-Anstalten herausgegeben.

    1. Theil. Für untere Klassen. 7. verb. Aufl. 1874. XVIII, 616 S. gr. 8. 25 Sgr. (2 Mk. 50 Pf.).

    2. Theil. Für mittlere Klassen. 5. verb. Aufl. 1873. XII, 548 S. gr. 8. 1 Thlr. (3 Mk.).

    3. Theil. Für obere Klassen. 3. verb. Aufl. 1874. X, 732 S. 8. 1 Thlr. 10 Sgr. (4 Mk.).

— — Geographisches Lesebuch. Studien und Skizzen zur Länder- und Völkerkunde. I. Band. 1. Abtheilung. Zur physischen Geographie. 1873. X, 280 S. gr. 8. 1 Thlr. 10 Sgr. (4 Mk.).

Inhalt: Einleitung: Ein Blick auf die Entwickelung der Geographie. I. Geographie des Meeres. Von M. J. Schleiden. II. Ebbe und Flut: 1. Vorstellungen der Alten. Vom Herausgeber. 2. Gegenwärtige Auffassung. Von H. Romberg. 3. Küstenbilder bei Ebbe und Flut. Von J. G. Kohl. III. Der Golfstrom. Nach H. Romberg und J. G. Kohl. IV. Die Seewinde. Nach H. Romberg und A. Mangin. V. Die Tiefe des Meeres. Von H. Romberg. VI. Das Meerleuchten. Nach H. Romberg, A. Mangin u. a. VII. Bilder aus dem atlantischen und dem stillen Ocean. 1. Das atlantische Meer unter den Tropen. Von Ph. v. Martius. 2. Die Meerestiefe an der brasilianischen Küste. Nach A. v. Sternberg. 3. Das Rauschen des Meeres. Vom Herausgeber. VIII. Die Korallenbauten. Nach H. Romberg, Ad. v. Chamisso u. a. IX. Das Thierleben in den grössten Meerestiefen. Von E. Häckel. X. Die Pflanzenwelt des Meeres. Nach J. Schleiden, H. Romberg u. a. XI. Die Eismeere 1—4. Vom Herausgeber. XII. Vulcanismus und Neptunismus. Von H. Credner. XIII. Die Formen der Continente mit Rücksicht auf deren Gebirgs-

bau. Von G. H. v. Schubert. XIV. Gebirgs- und Bergformen. Vom
Herausgeber. XV. Die Vulcane. 1. Nach J. Nöggerath. 2. Nach
H. Burmeister. XVI. Die Erdbeben. 1. Von A. v. Humboldt.
2. 3. Nach A. Mangin. 4. Das Erdbeben von Lissabon. Nach
K. Hirschfeld und E. Willkomm. XVII. Wüsten und Steppen.
1. Allgemeine Gesichtspunkte. Vom Herausgeber. 2. Gemälde der
südamerikan. Steppen. Von A. v. Humboldt. XVIII. Die Dünen.
Vom Herausgeber. XIX. Die Moore, insbes. des nordw. Deutschlands.
Vom Herausgeber. XX. Die Gletscher 1—4. 5. Die erratischen
Blöcke. Vom Herausgeber. XXI. Die Quellen 1. 2. Vom Herausgeber.
XXII. Die Flüsse. 1. Ihre physikalische und historische Bedeutung.
2. Die Flüsse als hydrographische Individualitäten. Ihre Namen. Ihre
Stadien. XXIII. Züge zu einem Bilde des Amazonenstroms. 1. Von
O. Ule. 2. Vom Herausgeber. 3. Thierleben an den Ufern des
Amazonas. Von Ed. Pöppig. XXIV. Die Verbreitung des organi-
schen Lebens, insbes. auf dem Festlande. 1. Von F. Zamminer.
2. Nach Herm. Schaaffhausen.

*Mauke, Dr. Richard, in Schleiz. Kleine Schulgeographie. Heimats-
kunde der Fürstenthümer Reuss. 2. Aufl. 1870. 32 S. 8.
1½ Sgr. (15 Pf.).

*Meyn, Dr. L., Ehrenmitglied des Schleswig-Holstein. landwirthschaftl.
Generalvereins. Die natürlichen Phosphate und deren Bedeutung für die Zwecke der Landwirthschaft. 1873. VI, 162 S. 8.
20 Sgr. (2 Mk.).

Missionsnachrichten der ostindischen Missionsanstalt zu Halle, in
vierteljährlichen Heften herausgegeben unter Mitwirkung des Mis-
sionsdirectors Hardeland u. A. von Dr. G. Kramer, Director
der Franckischen Stiftungen. XXIV. Jahrg. 1872. 10 Bog. gr. 8.
10 Sgr. (1 Mk.).

— — Dasselbe. XXV. Jahrg. 1873. 10 Bog. gr. 8. 10 Sgr. (1 Mk.).

Mose, Das erste Buch, nach der deutschen Uebersetzung Dr. Martin
Luthers, in revidirtem Text mit Vorbemerkungen und Erläuterungen
und einem die Berichtigungen zu Jesaja enthaltenden Anhang, im
Auftrage der zur Revision der Uebersetzung des Alten Testamen-
tes berufenen Conferenz herausgegeben v. Ed. Riehm, D. u. o.
Prof. d. Theol. in Halle ª/S. Nebst einer Beilage von D. Ahlfeld
und D. Baur über die sprachliche Revision der Lutherbibel. 1873.
144 S. Lex.-8. 15 Sgr. (1 Mk. 50 Pf.).

Mücke, Dr. A., Kaiser Konrad II. und Heinrich III. siehe: Erzählungen aus dem deutschen Mittelalter. 6. Band.

Müller, J. H. T., Lehrbuch der ebenen Geometrie für höhere
Lehranstalten. 2. gänzl. umgearb. Auflage. Mit vielen dem
Text eingedruckten Holzschnitten. Herausgegeben von Dr. K. L.
Bauer, Lehrer der Physik u. Mathem. a. Realgymn. in Karlsruhe.

II. Theil. 1874. VI, 330 S. gr. 8. 20 Sgr. (2 Mk.).

Der I. Theil — zu gleichem Preise — erschien 1872; das Werk vertritt das gänzlich vergriffene Müller'sche Lehrbuch der Mathematik.
II. Theil. 1. Abthl.

Murbacher Hymnen, die. Nach der Handschrift herausgegeben·
von Ed. Sievers. Mit zwei lithographischen Facsimiles. 1874.
VI, 106 S. u. 1 autogr. Tafel. 8. 1 Thlr. (3 Mk.).

Nathusius-Königsborn, v., Ueber die Verwerthung der Wolle
nach geschehener Fabrikwäsche. 1874. 2 Bog. 8. 10 Sgr. (1 Mk.).

Osterwald, K. W., Prof. u. Dir. d. Gymn. zu Mühlhausen. Griechische Sagen als Vorschule zum Studium der Tragiker für die
Jugend bearbeitet.

　　　　　III. Aischylos - Erzählungen.

　2. Die Perser. — Die Schutzflehenden. — Die Sieben gegen
　　Theben. — Der gefesselte Prometheus. 1873. 7 Bog. 8.
　　12 Sgr. (1 Mk. 20 Pf.).

— — Erzählungen aus der alten deutschen Welt für Jung und Alt.
　1. Theil. Gudrun.
　2. „　　Siegfried und Kriemhilde.
　3. „　　Walter von Aquitanien.
siehe: Jugendbibliothek des griechischen und deutschen Alterthums. X—XII.

— — Alte deutsche Volksbücher in neuer Bearbeitung. I. Band.
Reineke Fuchs. 1874. 158 S. 8. cart. 15 Sgr. (1 Mk. 50 Pf.).

Auch unter dem Titel:

[Jugendbibliothek.] Erzählungen aus der alten deutschen Welt
für Jung und Alt. 9. Theil.

Pernice, Dr. Alfred, Prof. in Greifswald. Marcus Anthistius
Labeo. Das Römische Privatrecht im ersten Jahrhundert der
Kaiserzeit. I. Band. 1873. 33 Bog. gr. 8. 3 Thlr. (9 Mk.).

* — — **Herbert, Dr. jur. et phil.** Miscellanea zu Rechtsgeschichte
und Texteskritik. I. 1870. IV, 175 S. gr. 8. 24 Sgr. (2 Mk.
40 Pf.).

Inhalt: I. Die Bedeutung des Wortes Digesta. — II. Edictum breve
und monitorium. — III. Der Dupondius. — IV. §. Titius II. F. 26, 14.

Peter, Dr. Carl, Rektor d. Kgl. Landesschule Pforta etc. Geschichtstabellen zum Gebrauch beim Elementarunterricht in der Geschichte. 10. Aufl. 1873. 80 S. 8. carton. 5 Sgr. (50 Pf.).

— — Zeittafeln der griechischen Geschichte zum Handgebrauch
und als Grundlage des Vortrags in höheren Gymnasialklassen mit

fortlaufenden Belegen und Auszügen aus den Quellen. 4. verb.
Aufl. 1873. IV, 146 S. gr. 8. 1 Thlr. 10 Sgr. (4 Mk.).
Eine neue umgearbeitete Auflage der Römischen Zeittafeln befindet sich
unter der Presse.

Petersen, J. F., weil. Cantor in Bergenhusen. Anschauungs- und
Denkübungen in Dispositionen. Für Mittel- und Oberklassen
der Volksschulen. 1874. 1. 2. Lief. à 10 Sgr. (1 Mk.).

Phillips, Dr. G. J., ausserordentl. Prof. der Rechte in Königsberg.
Das Regalienrecht in Frankreich. Ein Beitrag zur Geschichte
der Verhältnisse zwischen Staat und Kirche. 1873. IV, 452 S.
gr. 8. 2 Thlr. 15 Sgr. (7 Mk. 50 Pf.).

*Pickel, J. A., Seminarlehrer in Eisenach. Kleine Schulgeographie.
Heimatskunde des Grossherzogthums Sachsen-Weimar-
Eisenach. Nebst einer Spezialkarte der Sächs. Herzogthümer
der beiden Schwarzburg und Reuss von R. Menzel. 1869.
24 S. 8. 3 Sgr. (30 Pf.).

Plath, Adj. J., Beschreibung des Winterturnlokals der Klosterschule
(R.) siehe: Programm der Klosterschule Rossleben. 1874.

Praetorius, Dr. Franz, Neue Beiträge zur Erklärung der himjarischen Inschriften. 1873. VI, 34 S. gr. 8. 15 Sgr. (1 Mk.
50 Pf.).

Programm der lateinischen Hauptschule in Halle für das Schuljahr 1871—1872 von Dr. Fr. Th. Adler, Rektor d. lat. Hauptschule u. Condirektor d. Franckischen Stiftungen. 1872. 70 S. 4.
10 Sgr. (1 Mk.).
Inhalt: I. Ueber den mathematischen, namentlich geometrischen Unterricht auf Gymnasien vom Oberlehrer Hahnemann. — II. Schulnachrichten vom Rektor.

— — Dasselbe. Für das Schuljahr 1872—1873. 58 S. 4. 10 Sgr.
(1 Mk.).
Inhalt: I. De prologis Euripideis vom Oberlehrer Dr. Voss. — II. Schulnachrichten vom Rektor.

— — Dasselbe. Für das Schuljahr 1873—1874. 67 S. 4. 10 Sgr.
(1 Mk.).
Inhalt: I. Zum Sprachgebrauch des Properz. Vom Oberlehrer Frahnert.
— II. Schulnachrichten vom Rektor.

— — der Realschule I. Ordnung im Waisenhause zu Halle für
das Schuljahr 1872—1873. vom Director Dr. Schrader, Inspector d. Realschule. 1873. 57 S. u. 6 Taf. 4. 10 Sgr. (1 Mk.).
Inhalt: I. Die Theorie der Spiegel für den Schulunterricht vom Oberlehrer Dr. Sommer. — II. Schulnachr. von Dr. Schrader.

Programm der Realschule I. Ordnung im Waisenhause zu Halle
für das Schuljahr 1873—1874. vom Director Dr. Schrader, Inspector d. Realschule. 1874. 42 S. u. 1 geom. Tafel. 4. 10 Sgr.
(1 Mk.).

> Inhalt: I. Ueber eine merkwürdige Eigenschaft ebener Polygone. —
> II. Schulnachrichten. Beides von Dr. Schrader.

— — der Klosterschule Rossleben, einer Stiftung der Familie
von Witzleben. 1874. 4. 30 S. 10 Sgr. (1 Mk.).

> Inhalt: I. Beschreibung des Winterturnlokals der Klosterschule von Adj.
> J. Plath. — II. Schulnachrichten vom Rektor Dr. Fr. Wentrup.

Ranke, F., Rückerinnerungen an Schulpforte (1814—1821).
— Ertrag zum Besten der Kobersteinstiftung. — 1874. IV, 186 S.
gr. 8. 25 Sgr. (2 Mk. 50 Pf.).

Reineck, E., Pastor d. evangel. Gemeinde u. Schulvorsteher zu Smyrna.
Neugriechische Grammatik der deutschen Sprache nach
Fabri bearbeitet. 1873. 213 S. und 1 Schrifttafel. 8. 25 Sgr.
(2 Mk. 50 Pf.).

> Auch unter dem griechischen Titel:

ΣΤΟΙΧΕΙΩΔΗΣ ΚΑΙ ΠΡΑΚΤΙΚΗ ΓΡΑΜΜΑΤΙΚΗ ΤΗΣ
ΓΕΡΜΑΝΙΚΕΣ ΓΛΩΣΣΗΣ ΣΥΝΤΑΧΘΕΙΣΑ ΜΕΝ ΠΡΩ-
ΤΟΤΥΠΩΣ ΥΠΟ Ε. ΦΑΒΡΟΥ ΜΕΤΑΦΡΑΣΘΕΙΣΑ ΔΕ
ΕΚ ΤΟΥ ΓΑΛΛΙΚΟΥ ΥΠΟ Ε. REINECK, διδάκτορος τῆς
φιλοσοφίας ΚΑΙ. Δ. Ι. ΛΟΓΙΩΤΑΤΙΔΟΥ.

Richter, Dr. Gustav, Prof. am Gymn. zu Weimar. Annalen der
deutschen Geschichte im Mittelalter. Von der Gründung
des Fränkischen Reichs bis zum Untergang der Hohenstaufen.
Mit fortlaufenden Quellenauszügen und Literaturangaben. Ein
Hilfsbuch für Geschichtslehrer an höheren Unterrichts-Anstalten
und Studierende. 1. Abtheilung. Annalen des Fränkischen
Reichs im Zeitalter der Merovinger. Vom ersten Auftreten
der Franken bis zur Krönung Pipins. 1873. XII, 230 S. Lex.-8.
2 Thlr. (6 Mk.).

— — Das Merovingische Staatswesen. Besonderer Abdruck
aus den Annalen des Fränkischen Reichs im Zeitalter der Merovinger. 1873. 48 S. gr. 8.

Schade, Prof. Dr. Oscar, Paradigmen zur deutschen Grammatik.
Gotisch, althochdeutsch, mittelhochdeutsch, neuhochdeutsch. Für
Vorlesungen. 3. Aufl. 1873. 98 S. gr. 8. 15 Sgr. (1 Mk. 50 Pf.).

— — Altdeutsches Wörterbuch. — Auch als zweiter Theil des
Lesebuchs. — 2. wesentlich verm. und umgestaltete Aufl. 1. Lief.
A—F. 1873. 160 S. gr. 8. 1 Thlr. (3 Mk.).

*Schlotterbeck, B., Kleine Schulgeographie. Heimatskunde der Grossherzogthümer Mecklenburg. 1870. 48 S. 8. 3 Sgr. (30 Pf.).

Schlottmann, Dr. Konstantin, ordentl. Prof. d. Theol. Das Vergängliche und Unvergängliche in der menschlichen Seele nach Aristoteles. Oster-Programm der Univ. Halle-Wittenberg 1873. — 1873. 57 S. gr. 8. 10 Sgr. (1 Mk.).

*Schnitger, Professor, Director des Gymnasiums zu Lemgo. Kleine Schulgeographie. Heimatskunde des Fürstenthums Lippe. 1869. 12 S. 8. 1½ Sgr. (15 Pf.).

Schrader, Director Dr., Inspector der Realschule. Ueber eine merkwürdige Eigenschaft ebener Polygone siehe: Programm der Realschule 1873—1874.

Schultze, H., Heimatskunde der Provinz Sachsen und Geographie von Deutschland. Für Volks- und Bürgerschulen bearbeitet. 3. verb. und verm. Aufl. Mit einer Karte der Provinz Sachsen und einer Karte vom deutschen Reiche. 1874. II, 72 S. 8. cart. 7½ Sgr. (75 Pf.).

— — Schulkarte vom Deutschen Reiche. 1874. In Farbendruck. 16. 2 Sgr. (20 Pf.).

— — Schulkarte von der Provinz Sachsen. 1874. In Farbendruck. 12. 1½ Sgr. (15 Pf.).

*— — Verzeichniss sämmtlicher Städte und Flecken des Preussischen Staates mit Angabe ihrer Einwohnerzahl. Nebst einer Uebersicht: Die Bevölkerung der Staaten im Deutschen Reiche. Auf Grund der Volkszählung vom 1. Dezember 1871 und nach den Mittheilungen des Königl. Preuss. Statistischen Bureaus zusammengestellt. 1872. 36 S. 8. 5 Sgr. (50 Pf.).

Schulvorschriften, Griechische. 3. Aufl. 1873. 3 Bog. qu.-4. 2½ Sgr. (25 Pf.).

Schulz, Dr. Carl, Königin Luise. Zeitbild in fünf Aufzügen. Zweite Auflage. 1874. VII, 136 S. 12. 15 Sgr. (1 Mk. 50 Pf.), in Leinen geb. 25 Sgr. (2 Mk. 50 Pf.).

— — Strafford. Trauerspiel in fünf Aufzügen. 1874. XXIV, 140 S. 12. 15 Sgr. (1 Mk. 50 Pf.), in Leinen geb. 25 Sgr. (2 Mk. 50 Pf.).

*Schulze, Dr. Moritz, Superintendent und Bezirks-Schulinspector zu Ohrdruf. Kleine Schulgeographie. Heimatskunde des Herzogthums Gotha. 1869. 20 S. 8. 1½ Sgr. (15 Pf.).

Schum, Wilhelm, Dr. phil., Vorstudien zur Diplomatik Kaiser Lothars III. 1874. 36 S. gr. 8. 15 Sgr. (1 Mk. 50 Pf.).

Seeligmüller, Dr. A., Neuropathologische Beobachtungen. Festschrift zur Feier des fünfzigjährigen Promotionsjubiläums d. Geh.
Med.-Rath Prof. Dr. Ernst Blasius, dargebracht von dem Vereine
für practische Medicin in Halle ª/S. 1873. II, 41 S. Lex.-8.
15 Sgr. (1 Mk. 50 Pf.).

Sievers, Eduard, Paradigmen zur deutschen Grammatik. Gotisch,
Altnordisch, Angelsächsisch, Altsächsisch, Althochdeutsch, Mittelhochdeutsch. Zum Gebrauch bei Vorlesungen zusammengestellt.
1874. VIII, 30 Blatt auf 25 Tafeln. In Enveloppe. Fol. 1 Thlr.
(3 Mk.).

Sommaruga, Dr. Hugo Freiherr von, Die Städtereinigungs-
Systeme, in ihrer land- und volkswirthschaftlichen Bedeutung.
1874. X, 180 S. 8. 1 Thlr. (3 Mk.).

Sommer, Lehrer Dr., Die Theorie der Spiegel für den Schulunterricht siehe: Programm der Realschule 1872 — 1873.

Stadelmann, Dr. R., Königl. Preuss. Oeconomie-Rath. Das land-
wirthschaftliche Vereinswesen in Preussen. Seine
Entwickelung, Wirksamkeit, Erfolge und weiteren Ziele. 1874.
XII, 332 S. gr. 8. 2 Thlr. 10 Sgr. (7 Mk.).

Starke, K., Die Schule im Freien. Ein Beitrag zur Förderung
freier einfacher Erziehungsweise, der Familie gewidmet. 1875.
10 Sgr. (1 Mk.).

Strassen-Polizei-Ordnung für den Stadt-Bezirk Halle ª/S. 1874.
32 S. 8. 3 Sgr. (30 Pf.).

Taciti, Cornelii, Germania. Erläutert von Dr. Heinr. Schweizer-
Sidler, Professor. Zweite Auflage. 1874. XVI, 88 S. gr. 8.
20 Sgr. (2 Mk.).

*Tiedemann, H. C. W., Schulvorsteher in Hamburg. Kleine Schulgeographie. Heimatskunde von Hamburg. 1869. 16 S. 8.
1½ Sgr. (15 Pf.).

Tiegs, F., Lehrer in Schwedt. Zur Heimatskunde. Die Mark
Brandenburg in geschichtlichen und geographischen Bildern.
Separat-Abdruck des Anhanges aus dem vaterländischen Lesebuch f. d. evang. Volksschule Norddeutschlands. 1873. 67 S. 8.
3 Sgr. (30 Pf.).

Todt, B., Königl. Prov.-Schulrath. Griechisches Vocabularium
für den Elementarunterricht in sachlicher Anordnung. 3. nach der
zweiten durchges. Aufl. 1873. VI, 78 S. gr. 8. 10 Sgr. (1 Mk.).

Urkundenbuch der ehemals freien Reichsstadt Mühlhausen in Thür.

Urkunden, die, des Klosters Stötterlingenburg

Urkundenbuch des in der Grafschaft Wernigerode belegenen Klosters Drübeck

Urkunden des Klosters Ilsenburg
siehe: Geschichtsquellen der Provinz Sachsen und angrenzender Gebiete. III.—VI. Band.

*Unger, G. B., Lehrer in Altenburg. Kleine Schulgeographie. Heimatskunde des Herzogthums Sachsen-Altenburg. Nebst einer Spezialkarte von O. Petzold. 1869. 32 S. 8. 3 Sgr. (30 Pf.).

Verhandlungen der ersten Versammlung der Directoren der Gymnasien und Realschulen I. Ordnung der Provinz Sachsen zu Magdeburg am 27.—29. Mai 1874. 20 Sgr. (2 Mk.).

Verlags-Catalog der Buchhandlung des Waisenhauses in Halle ᵃS/. alphabetisch und fachwissenschaftlich geordnet. Nachtrag umfassend die Jahre 1854—1872. Nebst einem Preis-Courant der Canstein'schen Bibeln. 1873. XV, 122 S. 8. gratis.

— — landwirthschaftlicher. (Mit Illustrations-Proben.) 1874. 24 S. gr. 8. gratis.

Verzeichniss der wichtigsten Pflanzen aus der Flora von Halle ᵃ/S. und Umgegend. Für den Schulgebrauch. 1874. 52 S. 8. 4 Sgr. (40 Pf.).

Volz, Dr. B., Gymn.-Director in Wittstock und **H. Stier,** Gymn.-Oberlehrer in Mühlhausen i/Th., Lectionarium für tägliche Schulandachten, im Anschluss an das Schuljahr entworfen. 2. verbesserte Aufl. 1873. 12 S. 16. 5 Sgr. (50 Pf.).
Die 1. Auflage erschien im Verlage von Wilh. Schultze, Berlin.

Voss, Oberlehrer Dr., De prologis Euripideis siehe: Programm der latein. Hauptschule 1872--1873.

Wackernagel, Wilhelm, Poetik, Rhetorik, Stilistik. Academische Vorlesungen gehalten zu Basel, herausgegeben von L. Sieber. 1873. XII, 452 S. 8. 3 Thlr. (9 Mk.).

*Wagner, C., Lehrer in Cassel. Kleine Schulgeographie. Heimatskunde von Hessen-Nassau und dem Fürstenthum Waldeck. Nebst einer Spezialkarte von denselben. 3. Aufl. 1869. 44 S. 8.

— — Dasselbe. 4. erweiterte und berichtigte Auflage. 1874. 50 S. 8. 4 Sgr. (40 Pf.).

Wilken, E., Ueber die kritische Behandlung der geistlichen Spiele. 1873. 37 S. gr. 8. 8 Sgr. (80 Pf.).

Wilmanns, W., Lehrer a. Grauen Kloster in Berlin. Die Entwickelung der Kudrundichtung untersucht. 1873. VIII, 276 S. gr. 8. 2 Thlr. (6 Mk.).

2

Wolff, Dr. Reinhold, Landwirth. Der Brand des Getreides, seine Ursachen und seine Verhütung. Eine pflanzenphysiologische Untersuchung in allgemein verständlicher Form. Mit fünf Steindrucktafeln. 1874. 38 S. gr. 8. 15 Sgr. (1 Mk. 50 Pf.).

Wolfram von Eschenbach, Wilhelm von Orange. Heldengedicht. Zum ersten Male aus dem Mittelhochdeutschen metrisch übersetzt von San-Marte (Dr. A. Schulz, Geh. Reg.-Rath etc.). 1873. XXII, 398 S. gr. 8. 2 Thlr. (6 Mk.).

Zeitschrift des landwirthschaftl. Centralvereins der Provinz Sachsen etc. Herausgegeben von Dr. A. Delius, General-Secr. d. Ver. XXX. Jahrg. 1873. 12 Hefte à 1½—2 Bog. gr. 8. compl. 1 Thlr. (3 Mk.).

— — für deutsche Philologie. Herausgegeben von Dr. E. Höpfner, Provinzial-Schulrath in Coblenz und Dr. Jul. Zacher, Prof. an der Univers. zu Halle. V. Band. 1874. VI, 486 S. gr. 8. 4 Thlr. (12 Mk.).

> Inhalt: Zur charakteristik des Wolframschen stils. Von K. Kinzel. — Ags. io, ëo; eo; iô, ëô; iô, eô; îo, êo. Von F. Koch. — Bemerkungen zu der ausgabe des Reinke Vos von K. Schröder. Von A. Lübben. — Anzeln. Nachträge zu IV, 320. Von F. Bech und W. Crecelius. — Worterklärungen. Swübel, gethören, geigern. Von Val. Hintner. — Die deutschen volksbücher von der pfalzgräfin Genovefa und von der herzogin Hirlanda. Von R. Köhler. — Ein brief Georg Rollenhagens. Von A. Kirchhoff. — Glossen zu Boethius. Von R. Peiper. — Beiträge aus dem Niederdeutschen. Von F. Woeste. — Eine corruptel in Schillers Braut von Messina. Von J. Mähly. — Eine stelle in Gothes Iphigenie. Von O. Jänicke. — Zur charakteristik der deutschen mundarten in Schlesien. III. Von H. Rückert. — Ueber die Heimskringla. Von Th. Möbius. — Vierzig volksratsel aus Hinterpommern. Von F. Drosihn. — Aus dem Unterharze. Von R. Thiele. — Wetter- und regenliedchen. Kinderüberlieferungen aus Niederösterreich. Von F. Branky. — Zu Walther von Metz. Von A. Schoenbach. — Beiträge zur lateinischen Cato-litteratur. Von R. Peiper. — Die gotischen handschriften der episteln. Von E. Bernhardt. — Ein parzivalfragment. Von H. E. Bezzenberger. — J. M. R. Lenz ist verfasser der Soldaten. Von K. Weinhold. — Altfriesisches. Von A. Lübben. — Belege zum vorkommen des namens Vogelweide in älteren urkunden. Von H. Palm. — Zu Goethes Zauberlehrling. Die geschichte vom Zauberlehrling aus Spanischen inquisitionsbuchern. Von A. Reifferscheid. — Zur deutschen namenforschung. Von K. G. Andresen. — Insbrucker glossen. Von R. Peiper. — Zur Germania des Tacitus (Fortsetzung von IV, 192). Von L. Meyer. — Histórie van Sent-Reinolt. Von A. Reifferscheid. — Ueber den syntactischen gebrauch der participia im gotischen. Von H. Gering. — Zur endung -a in thüringischen ortsnamen. Von Karl Regel. — Zur erklärung Otfrids. Von O. Erd-

mann. — Zum Schiller-Körnerschen briefwechsel. Von F. Jonas. —
Eine neue runeninschrift. Von M. Rieger. — Ein deutsches bibel-
fragment aus dem achten jahrhundert. Von E. Friedländer und
J. Zacher. — Zu Lessings Nathan. Von Boxberger u. J. Zacher.
— Zu der angeblichen corruptel in Schillers Braut von Messina. Von
J. Arnoldt. —· Nachtrag zu „Johann Rist und seine Zeit." Von
Th. Hansen. — Vermischtes. — Litteratur.

Zeitschrift für deutsche Philologie. Herausg. von Dr. E. Höpfner, Provinzial-Schulrath in Coblenz und Dr. Jul. Zacher, Prof.
an der Univers. Halle. **Ergänzungsband.** 1874. 622 S. gr. 8.
5 Thlr. 10 Sgr. (16 Mk.).

> Inhalt: Malshatta-Kvædi. Von Th. Möbius. — Die versteilung in den
> Eddaliedern. Von Karl Hildebrand. — Der deutsche conjunctiv
> nach seinem gebrauche in Hartmanns Iwein. Von R. Holtheuer. —
> Ueber die altdeutsche negation *ne* in abhängigen sätzen. Von
> H. Dittmar. — Lexikalisch-syntaktische untersuchungen über die
> partikel *ge-*. Von Alex. Reifferscheid. — Die entstehung von
> „Dietrichs flucht zu den Heunen" und der „Rabenschlacht." Von
> Wegener. — Zur textkritik der altfranzösischen pastourellen. Von
> Julius Brakelmann. — Nachträge und berichtigungen zu Malshatta-
> Kvædi. Von Th. Möbius. — Berichtigungen und nachträge zu
> ss. 74—139. Von K. Hildebrand.

Unter der Presse befinden sich:

Bilder aus der Weltgeschichte. Für das deutsche Volk dargestellt
von H. Keck, O. Kallsen, A. Sach. Zweiter Theil: Die Geschichte des Mittelalters von Prof. O. Kallsen am Gymnasium zu Husum. ca. 12 Bog. gr. 8.

Hanse'sche Gedichtsquellen, herausgeg. v. Hanseatischen Geschichts-
Verein unter Redaction von Prof. W. Mantels und Dr. D. Koppmann.

Hertzberg, Prof. Dr. **Gust.,** Die Asiatischen Feldzüge Alexan-
ders des Grossen. Nach den Quellen dargestellt. 2. Auflage.
2 Thle. Mit einer Karte v. Prof. Dr. H. Kiepert. ca. 30 Bog. 8.

Qu. Horatius Flaccus Lieder. Nach dem Text der Ausgabe von
Moritz Haupt. Deutsch von Wilh. Osterwald. ca. 15 Bog. 8.

Kramer, Prof. Dr. **G.,** Director der Franckeschen Stiftungen. Carl
Ritter. Ein Lebensbild nach seinem handschriftlichen Nachlass
dargestellt. Zwei Theile mit einem Bildniss Ritters in Kupfer
gest. von Thaeter. Zweite mit Briefen C. Ritters vermehrte
wolfeilere Ausgabe. (Preis ca. 2 Thlr.) ca. 40 Bog. gr. 8.

Knoortz, Karl, (in Cincinnati). Schottische Balladen in deutscher
Bearbeitung. ca. 10 Bog. 8.

2*

Leonhard, Rudolf, Ger.-Referendar. Versuch einer Entscheidung
der Streitfrage über den Vorzug der „successio graduum"
vor dem Accrescenzrechte nach Röm. Rechte. 2½ Bog. gr. 8.

Ley, Dr. J., Oberlehrer am Gymnasium zu Saarbrücken. Grundzüge des Rhythmus, des Vers- und Strophenbaues in
der hebräischen Poesie. Mit einer Auswahl von Psalmen
und andern strophischen Dichtungen der verschiedenen Vers- und
Strophenarten, mit vorangehendem Abriss der Metrik der hebräischen Poesie. ca. 20 Bog. gr. 8.

Nöldecke, Dr. Th., Prof. der orientalischen Sprachen zu Strassburg.
Grammatik der Mandaeischen Sprache. ca. 25 Bog. gr. 8.

Osterwald, K. W., Professor und Director des Gymnasiums zu Mühlhausen. Erzählungen aus der alten deutschen Welt für
Jung und Alt. Siebenter Theil: Erzählungen aus dem Kreise der
langobardischen und der Dietrichs-Sage: König Ortnit. Dietrich
und seine Gesellen. Alpharts Tod. Die Ravennaschlacht. Zweite
neu durchgesehene Auflage. ca. 12 Bog. gr. 8.

— — Alte deutsche Volksbücher in neuer Bearbeitung. Zweiter
Band: Herzog Ernst. Heinrich von Kempten. Heinrich der Löwe.
ca. 10 Bog. 8.
>   Auch unter dem Titel:
Erzählungen aus der alten deutschen Welt für Jung
und Alt. Zehnter Theil.

Schade, Prof. Dr. **Oskar,** Altdeutsches Wörterbuch. 2. Lieferung. Bog. 11—20.

Urkundenbuch des in der Grafschaft Wernigerode belegenen Klosters
Ilsenburg, bearbeitet von Dr. Ed. Jacobs. Mit Siegeltafeln
und photolithograph. Urkundenanlagen. ca. 25 Bog. gr. 8.
>   Auch unter dem Titel:
Geschichtsquellen für die Prov. Sachsen. VI. Bd.

Verzeichniss der Handschriften der Stiftsbibliothek von St.
Gallen. Herausgegeben auf Veranstaltung und mit Unterstützung
des katholischen Administrationsrathes des Cantons St. Gallen.
ca. 40 Bog. gr. 8.

Vulfila oder die gotische Bibel. Mit dem entsprechenden griechischen
Text, sowie einem kritischen und erklärenden Commentar. Nebst
einem die Skeireins, das Kalendarium und die gotischen Urkunden
umfassenden Anhang, von Ernst Bernhardt. ca. 30 Bog. gr. 8.
>   Auch unter dem Titel:
Germanistische Handbibliothek herausgegeben von Prof. Dr.
Jul. Zacher. III. Band.

Fach-Catalog.

1. Theologie. Lehrbücher für den Religions-unterricht.

Goedicke, Albert, Archidiakonus in Delitzsch. Die Lehre des kleinen Lutherschen Katechismus biblisch dargestellt. Die neutestamentl. Sprüche mit Angabe des revidirten Textes. 1873. 20 Bog. gr. 8. 1 Thlr. 10 Sgr. (4 Mk.).

Initium theologiae Lutheri. S. exempla scholiorum quibus D. Lutherus psalterium interpretari coepit. Part. I. Septem psalmi poeniten-tiales. Textum originalem nunc primum de Lutheri autographo exprimendum curavit Eduardus C. Aug. Riehm, Theol. D. et prof. p. o. 1874. 27 S. hoch 4. 10 Sgr. (1 Mk.).

Köstlin, Dr. Julius, Prof. d. Theol. Luthers Rede in Worms am 18. April 1521. Osterprogramm der Universität Halle-Wittenberg. 1874. 36 S. 8. 6 Sgr. (60 Pf.).

Leuschner, C., Consistorialr. u. Dompr. zu Merseburg. Das Evan-gelium St. Johannis und seine neuesten Widersacher. Vorwort von Dr. H. E. Schmieder. 1873. VI, 136 S. gr. 8. 22½ Sgr. (2 Mk. 25 Pf.).

Missionsnachrichten der ostindischen Missionsanstalt zu Halle, in vierteljährlichen Heften herausgegeben unter Mitwirkung des Mis-sionsdirectors Hardeland u. A. von Dr. G. Kramer, Director der Franckischen Stiftungen. XXIV. Jahrg. 1872. 10 Bog. gr. 8. 10 Sgr. (1 Mk.).

— — Dasselbe. XXV. Jahrg. 1873. 10 Bog. gr. 8. 10 Sgr. (1 Mk.).

Mose, Das erste Buch, nach der deutschen Uebersetzung Dr. Martin Luthers, in revidirtem Text mit Vorbemerkungen und Erläuterungen und einem die Berichtigungen zu Jesaja enthaltenden Anhang, im Auftrage der zur Revision der Uebersetzung des Alten Testamen-tes berufenen Conferenz herausgegeben v. Ed. Riehm, D. u. o. Prof. d. Theol. in Halle a/S. Nebst einer Beilage von D. Ahlfeld und D. Baur über die sprachliche Revision der Lutherbibel. 1873. 144 S. Lex.-8. 15 Sgr. (1 Mk. 50 Pf.).

Vorstehende Schrift eröffnet einen Einblick in die hochwichtige Arbeit der Revision des Bibeltextes, welche im Auftrag der obersten Kirchenbe-hörden der grösseren deutsch-evangelischen Landeskirchen einerseits von einer

Conferenz hervorragender Theologen, andrerseits von zwei hochangesehenen
deutschen Sprachforschern unternommen worden ist. Den Hauptinhalt der
Büchleins bildet der revidirte Text des ersten Buchs Mose mit genauer
Angabe aller seiner Abweichungen von dem bisherigen Text der Canstein'schen Bibel, sowol wo derselbe nach dem hebräischen Grundtext berichtigt,
als wo er nach den Originalausgaben der Lutherschen Bibel verbessert ist.
Ferner ist in Anmerkungen bündige und klare Rechenschaft darüber gegeben,
aus welchen Gründen bei den einzelnen Stellen Berichtigungen vorgenommen
oder unterlassen worden sind. Ueber die Art und Weise, wie das ganze
Werk ausgeführt wird, über die allgemeinen Grundsätze, welche dabei
massgebend sind, und über mehrere specielle Punkte geben die Vorbemerkungen des Herausgebers alle wünschenswerthe Auskunft. Ein Anhang enthält
die Berichtigungen des Canstein'schen Textes im Buche Jesaja's, welche von der
Theologenconferenz beschlossen worden sind. Endlich ist auch theils in den
Vorbemerkungen des Herausgebers, theils in einem Votum der Herren Pastor
D. Ahlfeld und Consistorialrath D. Baur in Leipzig das Verfahren,
welches bei der sprachlichen Revision eingehalten worden ist, so beleuchtet
worden, dass die in dieser Beziehung gegen das revidirte Neue Testament
laut gewordenen Bedenken wol schwerlich wieder geltend gemacht werden
können. — Neben dieser vollständigen Orientirung über das Revisionswerk
gewinnt der Leser aus der Schrift auch eine richtige Vorstellung von dem
Verhältnis des jetzt gangbaren Bibeltextes zu dem Originaltext Luthers, und
wird durch viele einzelne Beispiele mit dem von unserm Luther bei seinem
grossen Uebersetzerwerke befolgten Verfahren genauer bekannt gemacht.

Da voraussichtlich in nicht allzuvielen Jahren der revidirte Bibeltext
in den öffentlichen und kirchlichen Gebrauch übergehen wird, so muss es
für alle evangelischen Christen, zumal für alle Geistlichen und Lehrer
vom grössten Interesse sein, sich aus dieser Schrift im voraus darüber
zu unterrichten, welcher Art dieser revidirte Text sein wird, und zu prüfen,
ob damit der Mahnung von Claus Harms: „Rücke die deutsche Christenheit doch dem rechten Wort, das Gott gesprochen hat, wenigstens näher"
wirklich Genüge geschehen wird. Auch erhält dadurch jeder, der sich dazu
berufen fühlt, Gelegenheit, selbst an dem wichtigen Werke mitzuhelfen, indem
die in der Schrift genannten Mitglieder der Theologenconferenz alle ihnen
zugehenden Bemerkungen und Urtheile dankbarst entgegennehmen und der Ple-
narconferenz vor der definitiven Feststellung des Textes vorlegen wollen.

Schlottmann, Dr. **Konstantin**, ordentl. Prof. d. Theol. Das Vergängliche und Unvergängliche in der menschlichen Seele
nach Aristoteles. Oster-Programm der Univ. Halle-Wittenberg
1873. — 1873. 57 S. gr. 8. 10 Sgr. (1 Mk.).

Volz, Dr. **B.**, Gymn.-Director in Wittstock und **H. Stier**, Gymn.-Ober-
lehrer in Mühlhausen i/Th., Lectionarium für tägliche Schulandachten, im Anschluss an das Schuljahr entworfen. 2. verbesserte Aufl. 1873. 12 S. 16. 5 Sgr. (50 Pf.).
Die 1. Auflage erschien im Verlage von Wilhelm Schultze, Berlin.

2. Staats- und Rechtswissenschaft.

Arbeiterfreund, der. Zeitschrift des Centralvereins in Preussen für das Wohl der arbeitenden Klassen etc.

Ging vom 11. Jahrg. — 1873 — ab, in den Commissions-Verlag des Herrn Leonh. Simion, Berlin über.

Dernburg, Dr. Heinrich, ord. Prof. des Rechts an d. Univ. Berlin, Mitglied des Herrenhauses. Lehrbuch des Preussischen Privatrechts. I. Band. 3. Abth. (Schluss mit Register.) 1875. 21½ Bog. 1 Thlr. 20 Sgr. (5 Mk.).

— — Dasselbe complet. 1875. XV, 920 S. gr. 8. 4 Thlr. (12 Mk.).

Das Preussische Privatrecht hat sich bisher nur weniger Bearbeitungen erfreut, systemartiger nur vereinzelt, und doch kann ein wirklich frucht-bringendes Resultat nur eine Arbeit letzterer Art bieten. Dernburg, durch seine früheren Werke über Compensation, Pfandrecht u. s. w. längst zu den ersten Civilisten unserer Zeit gezählt, verleiht dem Preussischen Rechte endlich eine dessen würdige Bearbeitung. Streng systematisch in der Gliederung des Stoffes bietet der Verfasser nicht blos eine Darstellung des gegenwärtig geltenden Rechts, sondern ist auch überall bemüht, dasselbe durch Aufdeckung der historischen Entwickelung klar zu stellen. Dem-selben Zweck dient ein Gegenüberstellen der Eigenthümlichkeiten des Ge-meinen und des Preussischen Rechts. Hierdurch gewinnt und gewährt der Verfasser Gesichtspunkte, die in der bisherigen Literatur vergeblich gesucht wurden. Besonderen Werth erhält das Buch noch durch die eingehende Verarbeitung der neuen und neuesten Preussischen resp. Reichs-Gesetze, unter denen vor allen die neue Grundbuchordnung von 1872 sich hervorhebt, welche der Verfasser, selber Mitglied der damaligen Herrenhauscommission, wol als Erster in so gründlicher streng wissenschaftlicher Weise dem Preussischen Rechtssystem einverleibt hat.

Auch die Rechtssprechung des Obertribunals ist in reichem Masse verwerthet.

Zunächst bestimmt dem Studirenden zur Vorbereitung, Recapitulirung und Ergänzung der Vorlesung zu dienen dürfte das Werk wie keines der bisher erschienenen hierzu geeignet sein, ebenso aber auch jedem Praktiker und Theoretiker ein äusserst schätzbares Hilfsmittel zum Verständniss des Preussischen Privatrechts sein.

Der vorliegende erste Band behandelt, nachdem eine Einleitung die äussere Preussische Rechtsgeschichte gegeben, im ersten Buche die sogenannten allgemeinen Lehren und den Besitz, geht dann im zweiten Buche zum Sachenrecht über, und zwar bespricht der erste Abschnitt desselben einzelne allgemeine sachenrechtliche Lehren, die folgenden das Eigenthumsrecht, das Bergrecht, die dinglichen Nutzungsrechte, das Pfandrecht, und die ding-lichen Rechte auf den Erwerb einer Sache.

Es bleiben somit den folgenden Bänden nur noch übrig das Obligatio-nen-, Familien- und Erb-Recht.

Zwei äusserst sorgfältig gearbeitete Sach- resp. Citaten-Register erleichtern den Gebrauch des Buches in hohem Grade.

Eck, Dr. **Ernst, Die Verpflichtung des Verkäufers zur Gewäh-
rung des Eigenthums nach römischem und gemeinem
Recht.** Festschrift im Auftrage der Juristen-Facultät Halle-
Wittenberg verfasst. 1874. 44 S. 8. 8 Sgr. (80 Pf.).

Fitting, Dr. **Hermann,** ord. Prof. d. Rechte in Halle. **Glosse zu
den Exceptiones legum Romanorum des Petrus.** Aus
einer Prager Handschrift zum ersten Mal herausgegeben und eingeleitet. 1874. 68 S. 8. 15 Sgr. (1 Mk. 50 Pf.).

— — **Zur Geschichte der Rechtswissenschaft am Anfange des
Mittelalters.** Rectoratsrede. 1875. 28 S. 8. 10 Sgr. (1 Mk.).

Pernice, Dr. **Alfred,** Prof. in Greifswald. **Marcus Anthistius
Labeo. Das Römische Privatrecht im ersten Jahrhundert der
Kaiserzeit.** I. Band. 1873. 33 Bog. gr. 8. 3 Thlr. (9 Mk.).

*— — **Herbert,** Dr. jur. et phil. **Miscellanea zu Rechtsgeschichte
und Texteskritik.** I. 1870. IV, 175 S. gr. 8. 24 Sgr. (2 Mk.
40 Pf.).

> Inhalt: I. Die Bedeutung des Wortes Digesta. — II. Edictum breve
> und monitorium. — III. Der Dupondius. — IV. §. Titius II. F. 26, 14.

Phillips, Dr. **G. J.,** ausserordentl. Prof. der Rechte in Königsberg.
Das Regalienrecht in Frankreich. Ein Beitrag zur Geschichte
der Verhältnisse zwischen Staat und Kirche. 1873. IV, 452 S.
gr. 8. 2 Thlr. 15 Sgr. (7 Mk. 50 Pf.).

Strassen-Polizei-Ordnung für den Stadt-Bezirk Halle ᵃ/S. 1874.
32 S. 8. 3 Sgr. (30 Pf.).

Unter der Presse:

Leonhard, Rudolf, Ger.-Referendar. **Versuch einer Entscheidung
der Streitfrage über den Vorzug der „successio graduum"
vor dem Accrescenzrechte nach Römischem Rechte.** 2½ Bog.
gr. 8.

---

3. Classische Philologie. Lesebücher für den Unterricht im Griechischen und Lateinischen.

Frahnert, Oberlehrer. **Zum Sprachgebrauch des Properz siehe:**
Programm der lat. Hauptschule. 1873—1874.

Hennings, Dr. **P. D. Ch.,** Oberlehrer und Collaborator in Husum.
**Elementarbuch zu der lateinischen Grammatik von Ellendt-
Seyffert.**

> 1. Abtheilung: Für Sexta. Dritte Aufl. 1874. IV, 116 S. 8.
> 10 Sgr. (1 Mk.).

2. Abtheilung: Zur Einübung der regelmässigen Formenlehre
und einiger syntactischer Vorbegriffe. 2. verbesserte Aufl.
1873. 11 Bog. gr. 8. 12 Sgr. (1 Mk. 20 Pf.).
3. Abtheilung: Für Quarta erschien 1872.

Schulvorschriften, Griechische. 3. Aufl. 1873. 3 Bog. qu.-4.
2½ Sgr. (25 Pf.).

Taciti, Cornelii, Germania. Erläutert von Dr. Heinr. Schweizer-
Sidler, Professor. Zweite Auflage. 1874. XVI, 88 S. gr. 8.
20 Sgr. (2 Mk.).

Todt, B., Königl. Prov.-Schulrath. Griechisches Vocabularium
für den Elementarunterricht in sachlicher Anordnung. 3. nach der
zweiten durchges. Aufl. 1873. VI, 78 S. gr. 8. 10 Sgr. (1 Mk.).

Voss, Oberlehrer Dr., De prologis Euripideis siehe: Programm der
lateinischen Hauptschule 1872—1873.

Unter der Presse:

Qu. Horatius Flaccus Lieder. Nach dem Text der Ausgabe von
Moritz Haupt. Deutsch von Wilh. Osterwald. ca. 15 Bog. 8.

Platonis Symposion. Kritische Ausgabe mit erklärenden Anmerkungen von Prof. Dr. Rettig in Bern.

4. Orientalische Philologie. Vergleichende Sprachwissenschaft. Bibliographie.

Abul-Ḳaḳâ Jbn Jaʿîś. Commentar zu dem Abschnitt über das خلا
aus Zamachśarî's Mufaṣṣal. Nach der Leipziger und Oxforder
Handschrift zum ersten Male herausgegeben, übersetzt und mit
Scholien aus Handschriften des Mufaṣṣal versehen von Dr. G. Jahn,
Gymnasiallehrer in Berlin. 1873. 10¾ Bog. 4. — 2 Thlr.
(6 Mk.).

Delbrück, B., Vedische Chrestomathie. Mit Anmerkungen und
Glossar. 1874. VIII, 128 S. gr. 8. 1 Thlr. (3 Mk.).

— — Das altindische Verbum aus den Hymnen des Ṛig-
veda seinem Baue nach dargestellt. 1874. VIII, 248 S. gr. 8.
2 Thlr. (6 Mk.).

Eine wissenschaftliche Grammatik der altindischen Sprache ist noch nicht
vorhanden. Die vorliegende Arbeit ist dazu bestimmt, diesem immer dringen-
der auftretenden Bedürfniss zu einem Theile abzuhelfen. Es wird in ihr
versucht, sämmtliche im Rigveda vorkommendem Verbalformen in wissenschaftlicher Anordnung übersichtlich vorzuführen, und dadurch ein festes
Fundament sowohl für die indische als für die indogermanische Formen-
und Bedeutungslehre des Verbums zu legen.

Kurschat, Friedr., Kgl. Prof., ev.-litt. Prediger u. Dirigent d. litt. Seminars bei der Univ. zu Königsberg i/Pr. Wörterbuch der littauischen Sprache. I. Theil. Deutsch - littauisches Wörterbuch. I. Band A—K. 1873. XX, 724 S. Lex.-8. 5 Thlr. (15 Mk.).

— — Dasselbe. II. Band L—S. 1874. XII, 392 S. Lex.-8. 4 Thlr. (12 Mk.).

Praetorius, Dr. Franz, Neue Beiträge zur Erklärung der himjarischen Inschriften. 1873. VI, 34 S. gr. 8. 15 Sgr. (1 Mk. 50 Pf.).

Verlags-Catalog der Buchhandlung des Waisenhauses in Halle a/S. alphabetisch und fachwissenschaftlich geordnet. Nachtrag umfassend die Jahre 1854—1872. Nebst einem Preis-Courant der Canstein'schen Bibeln und einem Vorbericht über die Geschichte der Buchhandlung und Buchdruckerei des Waisenhauses und der Canstein'schen Bibel-Anstalt. 1873. XV, 122 S. 8. gratis.

— — landwirthschaftlicher. (Mit Illustrations-Proben.) 1874. 24 S. gr. 8. gratis.

Unter der Presse:

Ley, Dr. J., Oberlehrer am Gymnasium zu Saarbrücken. Grundzüge des Rhythmus, des Vers- und Strophenbaues in der hebräischen Poesie. Mit einer Auswahl von Psalmen und andern strophischen Dichtungen der verschiedenen Vers- und Strophenarten, mit vorangehendem Abriss der Metrik der hebräischen Poesie. ca. 20 Bog. gr. 8.

Nöldecke, Dr. Th., Professor der orientalischen Sprachen zu Strassburg. Grammatik der Mandaeischen Sprache. ca. 25 Bog. gr. 8.

Verzeichniss der Handschriften der Stiftsbibliothek von St. Gallen. Herausgegeben auf Veranstaltung und mit Unterstützung des katholischen Administrationsrathes des Cantons St. Gallen. ca. 40 Bog. gr. 8.

Nachdem vor mehr als vierzig Jahren zum erstenmal ein gedrucktes Verzeichniss St. Gallischer Handschriften in Hänel's Catalogus erschienen war, blieb dieses Hulfsmittel seither im allgemeinen Gebrauch, wiewohl inzwischen eine ganze Reihe von Handschriften neu untersucht und bestimmt wurden. Man erachtete es daher in St. Gallen an der Zeit, jenes kurze Summarium durch eine ausführlichere Arbeit zu ersetzen. Die Bibliothek besitzt zwar längst ihr eigenes Inventar von J. von Arx und überdies das Repertorium Weidmann's in drei Folianten; beides aber nur im Manuscript, also Fernerstehenden unzugänglich. Diese Quellen enthalten Vieles von bleibendem Werth, weshalb sie im neuen Katalog gebührende Beachtung fanden. Der Herausgeber dieses letztern hat sich jedoch die weitere Aufgabe getheilt unter Beiziehung der neuern Litteratur, die dort so gut wie unbenutzt blieb, den Handschriftenvorrath nochmals durchzusehn und im ganzen Umfang zu verzeichnen. Dabei tritt, wie schon aus den Vorarbeiten von Halm und Maassen erhellt, zwar wenig völlig Unbekanntes hervor, aber viel Abweichendes nach Inhalt und Form; manches namenlose Stück findet seinen rechtmässigen Herrn; sogar Inedita fehlen nicht ganz, wie oft auch die Bibliothek in jeder Richtung schon durchsucht wurde. Von 1700 Bänden, die die Sammlung umfasst, sind 650 auf Pergament, gegen 300 gehören dem IX. und X. Saeculum oder einem noch frühern an; unter solchen Verhältnissen erscheinen umständliche Angaben als geboten. Im Interesse bequemern Gebrauchs und durch äusserste Kürze des Ausdrucks wurde es gleichwohl erreicht, das Material nebst Registern in Einem Bande unterzubringen. An gedruckten alphabetischen Indices hat es bisher am meisten gefehlt; von den geschriebenen, die gebraucht wurden, ist der eine schon über ein Jahrhundert alt, der andere ein dürftiger Auszug des Arx'schen Inventar's mit Verweisung auf dessen Seitenzahl statt auf die der Handschriften. Es musste also der Bibliothekverwaltung selbst daran liegen und dürfte dem gelehrten Publikum nicht unwillkommen sein, ein neues Hülfsmittel sich geboten zu sehn, das keinerlei persönliche Forschungszwecke verfolgt, sondern dem allgemeinen Gebrauch zu dienen beabsichtigt. Das Unternehmen wurde von berufener Seite für wünschbar erklärt und genoss auch nahmhafter gelehrter Unterstützung.

5. Deutsche Philologie. Lesebücher für den Unterricht im Deutschen für Volks- und höhere Schulen, sowie für Universitäten.

Echtermeyer, Dr. Th., Auswahl deutscher Gedichte für höhere Schulen. 19. unveränd. Aufl. Herausgegeben v. Herm. Masius. 1873. XIII, 922 S. gr. 8.

Echtermeyer, Dr. Th., Auswahl deutscher Gedichte für höhere Schulen. 20. Aufl. Herausgegeben von Herm. Masius. 1874. VIII, 936 S. gr. 8. cart. 1 Thlr. 10 Sgr. (4 Mk.), in Leinen geb. 1 Thlr. 15 Sgr. (4 Mk. 50 Pf.).

Erdmann, Oskar, Untersuchungen über die Syntax der Sprache Otfrids. Gekrönte Preisschrift der . Kaiserl. Akademie der Wissenschaften in Wien (Paul Hal'sche Stiftung).

　　1. Theil. Die Formation des Verbums in einfachen und in zusammengesetzten Sätzen. 1874. XVIII, 234 S. gr. 8. 2 Thlr. (6 Mk.).

Der Verfasser hat danach . gestrebt die wesentlichen Erscheinungen des syntaktischen Gebrauches, wie er sich in Otfrids Evangelienbuche als dem ältesten hochdeutschen Originalwerke von grösserem Umfange zeigt, in einer Weise darzustellen, die zur Erkenntnis der historischen Entwicklung auch dieser Seite des Sprachlebens beitragen und die Vergleichung

des Deutschen mit den verwandten Sprachen erleichtern könnte. Aus der
übrigen althochdeutschen Literatur sind die kleineren poetischen Denkmäler
durchgängig hinzugezogen worden; für die aus dem Lateinischen übersetzenden Prosaiker konnte an nicht wenigen Stellen eine durch Einfluss der
lateinischen Syntax erklärte Verschiedenheit von Otfrieds Sprachgebrauche
nachgewiesen werden.

Der vorliegende erste Teil stellt zunächst den Gebrauch der Tempora
und Modi in einfachen Sätzen fest. Für die zusammengesetzten Sätze die
für das althochdeutsche bisher noch nicht im Zusammenhange behandelt
sind, wird eine zusammenfassende Uebersicht des Modusgebrauches und
sodann der zur Bezeichnung der Satzverbindung verwandten Mittel vorangeschickt; die dann folgenden Belege sind nach dem Sinne, den die Satzverbindungen bei Otfrid angenommen haben, eingeteilt, wobei der Verfasser
innerhalb jedes Abschnittes sowol den Modusgebrauch als auch die Arten
der Satzverbindung möglichst übersichtlich darzustellen gesucht hat. Die
beiden letzten Kapitel behandeln den Infinitiv und die Participia. Ein Verzeichnis der im Verlaufe der Untersuchung ausführlich oder abweichend von
andern Forschern erklärten Stellen ist beigegeben.

Der zweite Teil soll die Genera, Numeri und Casus des Nomens
behandeln.

Fibel, neue. Zunächst für die deutschen Schulen in den Franckeschen Stiftungen zu Halle. 2. Aufl. 1873. VI, 108 S. 8. carton.
   6 Sgr. (60 Pf.).

Die Murbacher Hymnen. Nach der Handschrift herausgegeben von
   E d u a r d S i e v e r s. Mit zwei lithographischen Facsimiles. 1874.
   7 Bog. gr. 8. geh. 1 Thlr.

Im Jahre 1830 erschien Jacob Grimm's Ausgabe der althochdeutschen
Interlinearversion der 26 Hymnen aus der Murbacher Handschrift. Sie
beruhte auf einer sehr fehlerhaften Copie der Originalhandschrift, die lange
Zeit für verloren galt. Dem jetzigen Herausgeber stand eine eigene Abschrift
zu Gebote, die unmittelbar nach dem Original gefertigt wurde; so ist der
Text fast in jeder Zeile berichtigt worden. Die Einleitung gibt neben den
nöthigen Nachrichten über die Handschrift eine ausfuhrliche Darstellung der
Sprache des Denkmals. Zum Schlusse sind vollständige Indices, deutsch-
lateinisch und lateinisch-deutsch, beigefügt.

*Jacob, G., Lehrer in Sorau. D e u t s c h e s L e s e b u c h f ü r O b e r -
   k l a s s e n i s r a e l i t i s c h e r V o l k s s c h u l e n.
      1. Abtheilung. 1870. IV, 124 S. 8. 6 Sgr. (60 Pf.).
      2. Abtheilung. Mit vielen Illustrationen. 1871. IV, 236 S. 8.
         9 Sgr. (90 Pf.).

Kähler, Dr. K. F., Die s p r a c h l i c h e n u. stylistischen Uebungen
   der einklassigen Volksschule im Anschluss an die deutsche Fibel
   von Dr. K. F. Th. Schneider und das n o r d d e u t s c h e Lesebuch
   von Dr. H. Keck und Johansen. E r s t e H ä l f t e: Die Sprach-
   und Stilübungen auf der Unter- und Mittelstufe. Ein Hülfsbuch

für Lehrer. 1875. IV, 194 S. u. 1 Schrifttafel. gr. 8. 20 Sgr. (2 Mk.).

Auch unter dem Titel:

Die sprachlichen und stilistischen Uebungen auf der Unter- und Mittelstufe der einklassigen Volksschule im Anschluss an die deutsche Fibel von Dr. K. F. Th. Schneider und an das norddeutsche Lesebuch von Dr. H. Keck und Johansen. Ein Hilfsbuch für Lehrer.

Koberstein, Prof. Dr. **Aug.,** Laut- und Flexionslehre der mittelhochdeutschen und der neuhochdeutschen Sprache in ihren Grundzügen. Zum Gebrauch auf Gymnasien. 3. verbesserte Auflage v. Dr. Oscar Schade. 1873. VI, 83 Seiten. gr. 8. 12 Sgr. (1 Mk. 20 Pf.).

Lehmann, Prof. Dr. **Aug.,** Gymnasialdirector a. D. Luthers Sprache in seiner Uebersetzung des Neuen Testaments. Nebst einem Wörterbuche. 1873. XI, 275 S. 18 Bog. gr. 8. 1 Thlr. 20 Sgr. (5 Mk.).

Lesebuch, Norddeutsches. Mit besonderer Berücksichtigung der Bedürfnisse der einklassigen Volksschule herausgegeben unter Mitwirkung von Dr. L. Meyn und Dr. A. Sach von H. Keck und Chr. Johansen. 10. verbess. Aufl. mit vielen in den Text gedr. Illustr. 1873. 20 Bog. gr. 8. 9 Sgr. (90 Pf.).

— — 11. verbess. Aufl. (Unter der Presse.)

— — **Vaterländisches,** für die mehrklassige evangelische Volksschule Norddeutschlands. Unter Mitwirkung von Dr. L. Meyn in Uetersen und Dr. A. Sach in Schleswig herausgegeben von H. Keck und Chr. Johansen. 6. verbess. Aufl. mit in den Text gedr. Illustr. 1873. 29 Bog. gr. 8. 13 Sgr. (1 Mk. 30 Pf.).

Vergleiche auch: Tiegs, Provinz Brandenburg als Anhang hierzu.

Masius, Herm., Deutsches Lesebuch für höhere Unterrichtsanstalten. 1. Theil. Für untere Klassen. Siebente verbesserte Aufl. 1874. 39 Bog. gr. 8. geh. 25 Sgr. — 2. Theil. Für mittlere Klassen. Fünfte Aufl. 1873. 34 Bog. geh. 1 Thlr. — 3. Theil. Für obere Klassen. Dritte Auflage. 1874. 46 Bog. geh. 1 Thlr. 10 Sgr.

Von der Erwägung geleitet, dass der deutsche Unterricht seinem ganzen Wesen nach nicht so scharfparagraphirte Klassenpensen zulässt, als etwa der Unterricht in fremden Sprachen, Mathematik u. s. w., hat der Herausgeber sein deutsches Lesebuch in drei umfassendere Theile gegliedert, welche den Stufen der Unter-, Mittel- und Oberklassen unserer Gymnasien und Realschulen entsprechen. Prosa und Poesie sind getrennt, und der ersteren selbstverständlich der grössere Raum gewidmet. Doch ist auch die

poetische Auswahl höchst reichhaltig und, gleich der prosaischen, mit sicherem pädagogischen Verständniss veranstaltet. Ueberall erkennt sich die
ordnende, vom Leichteren zum Schwereren führende Hand; überall verbindet
sich mit gediegenem Inhalt eine musterwürdige Form, und keines der grossen
geistigen und gemüthlichen Interessen, auf welchen die Bildung beruht
ist unbeachtet geblieben. Das Ganze ist somit wirklich ein Schatz, der
die jugendlichen Leser mit dem Edelsten nährt und sie einen ahnenden
Blick in die Fülle deutschen Geisteslebens thun lässt. Insbesondere tritt
der mehr litterar-geschichtliche Moment in dem dritten Theile hervor, dem
sich zugleich eine Reihe summarischer, aber sorgfältiger Charakteristiken
der betreffenden Schriftsteller und Dichter anschliesst, während in den beiden
ersten Theilen neben der überall herrschenden stilistischen Norm zugleich
das Streben sichtbar wird, die reiche Welt des Naturlebens in abgerundeten
und fasslichen Bildern vorzuführen. Und dass auch hier das Rechte getroffen worden, wird man von dem Verfasser der „Naturstudien" nicht anders
erwarten. Als eine besondere Eigenthümlichkeit des Buches mag endlich
noch die Aufnahme mundartlicher Stücke erwähnt sein. Der Herausgeber
sagt darüber im Vorworte zu einer früheren Auflage: „Ohr und Mund des
Schülers zu üben an der melodischen Tonfülle des Dialekts, ihn nachdenken
zu lehren über den Unterschied des geschriebenen und des gesprochenen
Wortes, ihn die Bedeutung der Stelle fühlen und empfinden zu lassen, welche
die Mundarten in der geistigen Lebensentwickelung des Volkes einnehmen,
ihn aufmerksam zu machen auf die naive Poesie derselben, die Erkenntniss in ihm aufgehen zu lassen, wie die Sprache an die Geistigkeit gewinnt,
was sie an sinnlicher Stärke verliert, und endlich durch Vergleiche und
Uebersetzen das Sprachgefühl zu üben: das alles scheint mir eine hinlänglich
belohnende und selbst für die untere Stufe noch theilweis erreichbare Aufgabe zu sein.' Uebrigens ist diesen Musterstücken letztgenannter Art
nur eine so bescheidene Stelle zugewiesen, dass auch, wer der Mundart
gradezu aus dem Wege gehen zu müssen glaubte, dadurch nicht von einer
Einführung des Buches in die Schule abgehalten werden wird. Der erste
Theil enthält 221 Prosastücke und 143 poetische; der zweite Theil enthält
127 Prosastücke und 117 poetische; der dritte Theil (1867 in erster und
jetzt eben in dritter Aufl. erschienen) enthält 135 Prosastücke und
136 poetische.

Reineck, E., Pastor d. evangel. Gemeinde u. Schulvorsteher zu Smyrna.
Neugriechische Grammatik der deutschen Sprache nach
Fabri bearbeitet. 1873. 213 S. und 1 Schrifttafel. 8. 25 Sgr.
(2 Mk. 50 Pf.).
    Auch unter dem griechischen Titel:
*ΣΤΟΙΧΕΙΩΔΗΣ ΚΑΙ ΠΡΑΚΤΙΚΗ ΓΡΑΜΜΑΤΙΚΗ ΤΗΣ
ΓΕΡΜΑΝΙΚΕΣ ΓΛΩΣΣΗΣ ΣΥΝΤΑΧΘΕΙΣΑ ΜΕΝ ΠΡΩ-
ΤΟΤΥΠΩΣ ΥΠΟ Ε. ΦΑΒΡΟΥ ΜΕΤΑΦΡΑΣΘΕΙΣΑ ΔΕ
ΕΚ ΤΟΥ ΓΑΛΛΙΚΟΥ ΥΠΟ Ε. REINECK, διδάκτορος τῆς
φιλοσοφίας ΚΑΙ Δ. Ι. ΛΟΓΙΩΤΑΤΙΔΟΥ.*

Schade, Prof. Dr. **Oscar,** Paradigmen zur deutschen Grammatik.
Gotisch, althochdeutsch, mittelhochdeutsch, neuhochdeutsch. Für
Vorlesungen. 3. Aufl. 1873. 98 S. gr. 8. 15 Sgr. (1 Mk. 50 Pf.).

Schade, Prof. Dr. **Oscar,** Altdeutsches Wörterbuch. — Auch als zweiter Theil des Lesebuchs. — 2. wesentlich verm. und umgestaltete Aufl. 1. Lief. A—F. 1873. 160 S. gr. 8. 1 Thlr. (3 Mk.).

Sievers, Eduard, (a. o. Prof. für deutsche Sprache u. Literatur in Jena), Paradigmen zur Deutschen Grammatik. Gotisch, Altnordisch, Angelsächsisch, Altsächsisch, Althochdeutsch, Mittelhochdeutsch. Zum Gebrauch bei Vorlesungen zusammengestellt. 1874. 30 Tafeln in Fol. und $\frac{1}{2}$ Bog. Lex.-8. In Mappe gefalzt. 1 Thlr. (3 Mk.).

Es fehlte bisher noch an einer Zusammenstellung von Paradigmen die sich gleichmässig sowol den Vorlesungen über vergleichende Grammatik der altgermanischen Sprachen wie über die Grammatik der betreffenden Einzelsprachen bequem zu Grunde legen liesse. In der hier dargebotenen Sammlung ist der Versuch gemacht diesem Mangel abzuhelfen. Dieselbe enthält auf 30 Tafeln in Querfolio Paradigmen der Flexion der Substantiva, Adjectiva, Pronomina und Verba sowie Uebersichten über die Comparation, die Zahlwörter, und die Bildung der verschiedenen Tempusstämme der Verba. Für die Anordnung der einzelnen Tafeln war vor allem das Bestreben massgebend möglichste Uebersichtlichkeit zu erreichen; es ist daher die Einrichtung so getroffen dass jedesmal die zusammengehörigen Formen einer Sprache mit einem Blicke überschaut werden können. Auf die Constatierung der wirklich belegten Formen ist thunlichste Sorgfalt verwendet worden, sodass mehrfach die früher angesetzten Paradigmen Abänderungen erfahren mussten. Ueber die Einrichtung der Tafeln im Einzelnen gibt das Vorwort Auskunft.

Tiegs, F., Lehrer in Schwedt. Zur Heimatskunde. Die Mark Brandenburg in geschichtlichen und geographischen Bildern. Separat-Abdruck des Anhanges aus dem vaterländischen Lesebuch f. d. evang. Volksschule Norddeutschlands. 1873. 67 S. 8. 3 Sgr. (30 Pf.).

Wackernagel, Wilhelm, Poetik, Rhetorik, Stilistik. Academische Vorlesungen gehalten zu Basel, herausgegeben von L. Sieber. 1873. XII, 452 S. 8. 3 Thlr. (9 Mk.).

Wilken, E., Ueber die kritische Behandlung der geistlichen Spiele. 1873. 37 S. gr. 8. 8 Sgr. (80 Pf.).

Wilmanns, W., Lehrer a. Grauen Kloster in Berlin. Die Entwickelung der Kudrundichtung untersucht. 1873. VIII, 276 S. gr. 8. 2 Thlr. (6 Mk.).

Wolfram von Eschenbach, Wilhelm von Orange: Heldengedicht. Zum ersten Male aus dem Mittelhochdeutschen metrisch übersetzt von San-Marte (Dr. A. Schulz, Geh. Reg.-Rath etc.). 1873. XXII, 398 S. gr. 8. 2 Thlr. (6 Mk.).

Zeitschrift für deutsche Philologie. Herausg. von Dr. E. Höpfner, Prov.-Schulr. in Coblenz u. Dr. Jul. Zacher, Prof. a. d. Univ. zu Halle. V. Band. 1874. VI, 486 S. gr. 8. 4 Thlr. (12 Mk.).

Zeitschrift für deutsche Philologie. Herausg. von Dr. E. Höpfner, Provinzial-Schulrath in Coblenz und Dr. Jul. Zacher, Prof.
an der Univers. Halle. **Ergänzungsband.** 1874. 622 S. gr. 8.
5 Thlr. 10 Sgr. (16 Mk.).

Inhalt: Malshatta-Kvædi. Von Th. Möbius. — Die versteilung in den
Eddaliedern. Von Karl Hildebrand. — Der deutsche conjunctiv
nach seinem gebrauche in Hartmanns Iwein. Von R. Holtheuer. —
Ueber die altdeutsche negation *ne* in abhängigen satzen. Von
H. Dittmar. — Lexikalisch-syntaktische untersuchungen uber die
partikel *ge-*. Von Alex. Reifferscheid. — Die entstehung von
„Dietrichs flucht zu den Heunen" und der „Rabenschlacht." Von
Wegener. — Zur textkritik der altfranzösischen pastourellen. Von
Julius Brakelmann. — Nachträge und berichtigungen zu Malshatta-
Kvædi. Von Th. Möbius. — Berichtigungen und nachträge zu
ss. 74—139. Von K. Hildebrand.

Unter der Presse:

Vulfila oder die gotische Bibel. Mit dem entsprechenden griechischen
Text, sowie einem kritischen und erklärenden Commentar. Nebst
einem die Skeireins, das Kalendarium und die gotischen Urkunden
umfassenden Anhang von Ernst Bernhardt. ca. 30 Bog. gr. 8.

Auch unter dem Titel:

Germanistische Handbibliothek herausgegeben von Prof.
Dr. Jul. Zacher. III. Band.

Die gotische Bibelübersetzung ist bekanntlich der Grund- und Eckstein
deutscher Sprachforschung. Wer das Vertändnis dieses wertvollsten Denkmals
fördert, ist sicher der Wissenschaft einen Dienst zu leisten. Nachdem für
die Feststellung der handschriftlichen Ueberlieferung durch Uppström das
mögliche geschehen, hat sich der Vf. die Berichtigung und Erklärung des
gotischen Textes zur Aufgabe gestellt. Sorgfältige Vergleichung des griechischen
und lateinischen Textes, genaue Erwägung des Verhältnisses der verschiednen
gotischen Handschriften zu einander und Beobachtung der Gewohnheiten des
Uebersetzers und der Abschreiber haben denselben vielfach zu neuen Ergebnissen
geführt und ihn vor den entgegengesetzten Fehlern eines allzu ängstlichen
festhaltens auf der Ueberlieferung, und willkürlicher Aenderung behütet; weder
durfte dem Uebersetzer selbst in die Schuhe geschoben werden, was die
Abschreiber gesündigt, noch durfte, bei dem geringen Umfang der gotischen
Bruchstücke, am einmal vorkommenden, sonst unerhörten Austoss genommen
oder eine durchgehende Gleichförmigkeit der Schreibweise erzwungen werden.

In den meisten Fällen ist der griechische Text, nach dem Vulfila übersetzte, mit Sicherheit herzustellen; ein solcher ist in dieser Ausgabe beigegeben, dem Anfänger das beste Hilfsmittel des Verständnisses, bei grammatischer Durchforschung des gotischen Textes ganz unentbehrlich, hoffentlich
auch dem Theologen für die Textkritik des Neuen Testaments eine willkommene Gabe. Kritische Anmerkungen geben die Abweichungen von der
handschriftlichen Ueberlieferung und den seitherigen Herausgebern an, wobei
Gabelentz und Lobes 10. Ausgabe, wenngleich nach Uppström veraltet, nicht
übergangen werden durfte. Die anderen von den kritischen gesonderten

Anmerkungen enthalten die nötigen Angaben über die griechischen Hand-schriften und was von anderen Erläuterungen wünschenswerth schien. Der Text der Evangelien ist, genau nach dem Codex Argenteus, in Sectionen getheilt; die Parallelstellen sind, nach derselben Quelle, beigefügt. Auch in den Episteln ist die Eintheilung der gotischen Handschriften angegeben.

Die ausführliche Einleitung handelt von Vulfilas Leben, seinem Verfahren als Uebersetzer, den Schicksalen seines Textes, den Handschriften und Ausgaben. Der Anhang enthält die sogenannte Skeireins mit lateinischer Version und Commentär, ferner den Kalender und die Urkunden von Neapel und Arezzo.

Der Verfasser beabsichtigt diesem Werke ein Glossar und eine Gram-matik folgen zu lassen.

6. Allgemeine Paedagogik. Schulprogramme.

Petersen, J. F., weil. Cantor in Bergenhusen. Anschauungs- und Denkübungen in Dispositionen. Für Mittel- und Oberklassen der Volksschulen. 1874. 1. 2. Lief. à 10 Sgr. (1 Mk.).

Der Verfasser ist als paedagogischer Schriftsteller weithin und rühm-lichst bekannt. Ein ausführliches Programm und Inhaltsverzeichniss des auf zwei Bände resp. 12 Lieferungen berechneten Werkes ist der ersten Liefe-rung, welche durch jede Buchhandlung zur Ansicht bezogen werden kann, vorgeheftet. Das vollständige Manuscript ist in den Händen der Druckerei, so dass die Vollendung des ganzen Werkes mit Sicherheit bis Ostern 1875 versprochen werden kann.

Programm der lateinischen Hauptschule in Halle für das Schul-jahr 1871—1872 von Dr. Fr. Th. Adler, Rektor d. lat. Haupt-schule u. Condirektor d. Franckischen Stiftungen. 1872. 70 S. 4. 10 Sgr. (1 Mk.).

> Inhalt: I. Ueber den mathematischen, namentlich geometrischen Unter-richt auf Gymnasien vom Oberlehrer Hahnemann. — II. Schul-nachrichten vom Rektor.

— — Dasselbe. Für das Schuljahr 1872—1873. 58 S. 4. 10 Sgr. (1 Mk.).

> Inhalt: I. De prologis Euripideis vom Oberlehrer Dr. Voss. — II. Schul-nachrichten vom Rektor.

— — Dasselbe. Für das Schuljahr 1873—1874. 67 S. 4. 10 Sgr. (1 Mk.).

> Inhalt: I. Zum Sprachgebrauch des Properz. Vom Oberlehrer Frahnert. — II. Schulnachrichten vom Rektor.

— — der Realschule I. Ordnung im Waisenhause zu Halle für das Schuljahr 1872—1873. vom Director Dr. Schrader, In-spector d. Realschule. 1873. 57 S. u. 6 Taf. 4. 10 Sgr. (1 Mk.).

> Inhalt: I. Die Theorie der Spiegel für den Schulunterricht vom Ober-lehrer Dr. Sommer. — II. Schulnachr. von Dr. Schrader.

3

Programm der Realschule I. Ordnung im Waisenhause zu Halle
für das Schuljahr 1873 — 1874. vom Director Dr. Schräder,
Inspector der Realschule. 1874. 42 S. und 1 geom. Tafel. 4.
10 Sgr. (1 Mk.).
> Inhalt: I. Ueber eine merkwürdige Eigenschaft ebener Polygone. —
> II. Schulnachrichten. Beides von Dr. Schrader.

— — der Klosterschule Rossleben, einer Stiftung der Familie
von Witzleben. 1874. 4. 30 S. 10 Sgr. (1 Mk.).
> Inhalt: I. Beschreibung des Winterturnlokals der Klosterschule von Adj.
> J. Plath. — II. Schulnachrichten vom Rektor Dr. Fr. Wentrup.

Ranke, F., Rückerinnerungen an Schulpforte (1814 — 1821).
— Ertrag zum Besten der Kobersteinstiftung. — 1874. IV, 186 S.
gr. 8. 25 Sgr. (2 Mk. 50 Pf.).

Starke, K., Die Schule im Freien. Ein Beitrag zur Förderung
freier einfacher Erziehungsweise, der Familie gewidmet. 1875.
10 Sgr. (1 Mk.).

Verhandlungen der ersten Versammlung der Directoren der Gymnasien und Realschulen I. Ordnung der Provinz Sachsen zu Magdeburg am 27.—29. Mai 1874. 20 Sgr. (2 Mk.).

Plath, Adj. J., Beschreibung des Winterturnlokals der Klosterschule
(R.) siehe: Programm der Klosterschule Rossleben. 1874.

Dialogues and poetry with a selection of pleasing tales to an easy
acquisition of the english language. Second edition revised and
enlarged by Caroline F. Sallmann. 1874. X, 162 S. 8. cart.
15 Sgr. (1 Mk. 50 Pf.).

Unter der Presse:

Dieter, H. E., Merkbüchlein für Turner. Neu bearbeitet und
herausgegeben von Dr. Ed. Angerstein. 7. vermehrte und
verbesserte Auflage.

Das Dieter'sche Merkbüchlein, welches ursprünglich allein dem
Jahn-Eiselen'schen Turnsystem folgte, hat sich in sechs Auflagen in
turnerischen Kreisen einer grossen Beliebtheit zu erfreuen gehabt. Vornehmlich
waren es die Reichhaltigkeit an Uebungsformen des Gerätheturnens und die
grosse Deutlichkeit der Erklärung der Uebungen, beides in kurzer, knapper
Darstellung gegeben, wodurch das Büchlein sich vor anderen ähnlichen
vortheilhaft auszeichnete, und besonders zu einer Anleitung der Vorturner in
Turnvereinen und oberen Klassen höherer Schulen geeignet wurde. Die
Pietät gegen den ursprünglichen Verfasser bedingte auch in den späteren
Auflagen eine möglichste Beibehaltung der ersten Form, die allerdings nicht
soweit gehen konnte, dass Neuerungen und Veränderungen, die sich als
berechtigt herausgestellt hatten, unberücksichtigt bleiben durften. In der
neusten Zeit ist indess der Unterrichtsstoff des Turnwesens in Bezug auf

Eintheilung, Anordnung und Lehrmethode, besonders auf dem Gebiete des Schulturnens, so schnell und so bedeutend entwickelt worden, dass gegenwärtig der Inhalt der letzten (6ᵗᵉⁿ) Auflage vielfach theils veraltet, theils ungenügend erscheinen muss. In der demnächst bevorstehenden (7ᵗᵉⁿ) Auflage ist desshalb der Inhalt des Büchleins durchweg eingehend von Neuem bearbeitet, manches Veraltete theils weggelassen, theils zeitgemäss umgestaltet worden. Besonderes Gewicht ist auf die Herstellung einer reinen, den Forderungen der deutschen Sprache und den neusten Entwicklungen des Turnwesens angemessenen Turnsprache gelegt worden; die Frei- und Ordnungsübungen, welche bisher etwas dürftig behandelt waren, sind nunmehr in vollständig neuer Bearbeitung und Anordnung sehr reichhaltig und eingehend mit Beachtung des fortentwickelten Spiess'schen Systems dargestellt worden; die alte Stufeneintheilung endlich, welche manchen Fehler — besonders den, die jüngeren Altersklassen weniger zu berücksichtigen — zeigte, ist angemessen abgeändert und für die Bedürfnisse des Schulturnens passender gestaltet worden! Hiernach dürfte die neue Auflage, ohne die Vorzüge der früheren verloren zu haben, sich zu einem neuen, vollständig auf der Höhe der gegenwärtigen Entwicklung des Turnbetriebes stehenden Hülfsmittel des Turnunterrichts umgestaltet haben.

7· Jugendschriften.

Darstellungen aus der römischen Geschichte. Für die Jugend und für Freunde geschichtlicher Lektüre. Herausgegeben von Dr. Oscar Jäger, Director des Friedr.-Wilhelmsgymn. zu Köln. V. Bändchen.

> Erzählungen aus der ältesten Geschichte Roms. Nach den Quellen dargestellt von G. Hess, Dir. des Gymn. zu Rendsburg.
>
> II. Der römische Freistaat. 2. Theil. — Roms Helden-Zeitalter. Mit einer Karte von Mittel-Italien. 1874. 25 Sgr. (2 Mk. 50 Pf.).

Erzählungen aus dem deutschen Mittelalter, herausgegeben von Otto Nasemann.

> 6. Band: Kaiser Konrad II. und Heinrich III. Nach Wipo, Herimann von Reichenau und den Altaicher Annalen dargestellt von Dr. A. Mücke. 1873. 8 Bog. 12 Sgr. (1 Mk. 20 Pf.).

Jugendbibliothek des griechischen und deutschen Alterthums, herausgegeben von Dr. Fr. Aug. Eckstein.

> I-III. **Becker's, Karl Fr.,** Erzählungen aus der alten Welt für die Jugend. 13. verb. Aufl. Herausgeg. von Herm. Masius. 3 Thle. 1874. 8. cart. 2 Thlr. (6 Mk.).

3 *

1. Theil: Odysseus von Ithaka. Mit 1 Stahlstich
und 4 Holzschn.

2. Theil: Achilleus. Mit 1 Stahlstich u. 4 Holzschn.

3. Theil: Kleinere Erzählungen. Mit 1 Stahlstich
und 4 Holzschn.

Becker's, Karl Fr., Erzählungen aus der alten Welt
für die Jugend. Neue Volksausgabe in 1 Bde. In
illustr. Umschlag. 1 Thlr. (3 Mk.). (Unter der Presse.)

X-XII. **Osterwald's, K. W.**, Erzählungen aus der
deutschen Welt für Jung und Alt.

1. Theil. Gudrun. 4. Auflage. Mit 2 Holzschn. nach
Zeichn. von Jul. Immig. 1873. XVI, 160 S. 8. carton.
20 Sgr. (2 Mk.), geb. in Leinen 25 Sgr. (2 Mk. 50 Pf.).

2. Theil. Siegfried und Kriemhilde. 4. Aufl. Mit
Zeichnungen von Jul. Immig. 1874. VIII, 192 S. u.
2 Holzschn. 8. carton. 24 Sgr. (2 Mk. 40 Pf.), geb.
in Leinen 1 Thlr. (3 Mk.).

3. Theil. Walter von Aquitanien. Dietrich und Ecke.
3. Aufl. 1874. VIII, 160 S. In illustr. Umschl. cart.
20 Sgr. (2 Mk.), in Leinen geb. 25 Sgr. (2 Mk. 50 Pf.).

Osterwald, K. W., Prof. u. Dir. d. Gymn. zu Mühlhausen. Griechische Sagen als Vorschule zum Studium der Tragiker für die
Jugend bearbeitet.

III. Aischylos - Erzählungen.

2. Die Perser. — Die Schutzflehenden. — Die Sieben gegen
Theben. — Der gefesselte Prometheus. 1873. 7 Bog. 8.
12 Sgr. (1 Mk. 20 Pf.).

— — Erzählungen aus der alten deutschen Welt für Jung und Alt.

1. Theil. Gudrun.

2. „ Siegfried und Kriemhilde.

3. „ Walter von Aquitanien.

siehe: Jugendbibliothek des griechischen und deutschen Alterthums. X—XII.

— — Alte deutsche Volksbücher in neuer Bearbeitung. I. Band.
Reineke Fuchs. 1874. 158 S. 8. cart. 15 Sgr. (1 Mk. 50 Pf.).

Auch unter dem Titel:

[Jugendbibliothek.] Erzählungen aus der alten deutschen Welt
für Jung und Alt. 9. Theil.

Unter der Presse:

Hertzberg, Prof. Dr. Gust., Die Asiatischen Feldzüge Alexan-
ders des Grossen. Nach den Quellen dargestellt. 2. Auflage.
2 Thle. Mit einer Karte v. Prof. Dr. H. Kiepert. ca. 30 Bog. 8.

Osterwald, K. W., Professor und Director des Gymnasiums zu Mühlhausen. Erzählungen aus der alten deutschen Welt für Jung und Alt. Siebenter Theil: Erzählungen aus dem Kreise der langobardischen und der Dietrichs-Sage: König Ortnit. Dietrich und seine Gesellen. Alpharts Tod. Die Ravennaschlacht. Zweite neu durchgesehene Auflage. ca. 12 Bog. gr. 8.

— — Alte deutsche Volksbücher in neuer Bearbeitung. Zweiter Band: Herzog Ernst. Heinrich von Kempten. Heinrich der Löwe. ca. 10 Bog. 8.

Auch unter dem Titel:

Erzählungen aus der alten deutschen Welt für Jung und Alt. Zehnter Theil.

---

8. Geschichtswissenschaft.

Beulé, M., Tiberius und das Erbe des Augustus. Deutsch bearbeitet von Dr. E. Döhler, Subrector am Gymn. zu Brandenburg. 1873. 9 Bog. gr. 8. 15 Sgr. (1 Mk. 50 Pf.)

— — Das Blut des Germanicus. 1874. 170 S. gr. 8. 20 Sgr. (2 Mk.).

— — Titus und seine Dynastie. 1875. VII, 148 S. gr. 8. 20 Sgr. (2 Mk.).

Auch unter dem Titel:

Die Römischen Kaiser aus dem Hause des Augustus und dem Flavischen Geschlecht. 2.—4. Bändchen.

Wie in den beiden ersten Bändchen: Augustus, seine Familie und seine Freunde; und Tiberius und das Erbe des Augustus, so sind in diesen letzten Bändchen mit einer scharfen psychologischen Analyse, gestützt auf die schriftlichen und monumentalen Quellen, die einzelnen Charaktere erklärt. Der dritte Band beginnt mit dem jüngeren Bruder des Tiberius, mit Nero Claudius Drusus und seiner Gattin Antonia. Nach einer kurzen Charakteristik derselben folgt das Leben und die Bedeutung des Germanicus oder vielmehr des Cajus Cäsar, wie er von den Geschichtschreibern der Zeit genannt wird. Hieran schliesst sich Agrippina; Caligula und die nach dem Tode des Letztern entstandene Revolution. Darauf folgen Claudius, Messallina, die Cäsarier (Narcissus, Pallas, Callistus, Felix, Polybius, Posides, Harpocras Myron), die Mutter des Nero, sodann die in jener Zeit hervorleuchtenden Biedermänner (Burrus, Seneca, Carbulo, Thrasea) und zuletzt Nero. Interessant ist die Charakteristik dieses Kaisers.

Mit dem vierten Bändchen schliesst die Reihe der Römischen Kaiser. Nachdem in einer Einleitung die drei ephemeren Cäsaren Galba, Otho und Vitellius behandelt sind, erscheint die Familie der Flavier. Zuvörderst wird die Jugendzeit des Titus behandelt, alsdann die Regierung des Vespasianus, sodann die Mitregentschaft des Titus, darauf die Regierung des Titus selbst,

und zuletzt die Jugendzeit des Domitianus, dessen Regierung, Krankheit
und Tod. Mit ihm verschwand die Dynastie, die Titus mit so unsäglicher
Mühe begründet hatte. Titus erscheint als ein Abenteurer auf dem Throne,
sein Vater als ein Emporkömmling, sein Bruder als ein Usurpator. Alle drei
haben von der Gegenwart gelebt, sie haben nicht eine einzige politische
Idee gehabt, sie sind einzig und allein ihren Freuden nachgegangen. Hätte
Domitianus nur zwei Jahre wie sein Bruder regiert, so würde er ein schönes
Andenken und ein allgemeines Bedauern hinterlassen haben; hätte Titus
funfzehn Jahre wie Domitianus regiert, so würde er vielleicht für die Welt
ein Gegenstand der Verachtung und des Schreckens geworden sein.

Bilder aus der Weltgeschichte. Für das deutsche Volk darge-
stellt von Dr. H. Keck (Director des Gymnasiums zu Husum),
Dr. O. Kallsen (Professor am Gymnasium zu Husum) und
Dr. A. Sach (Oberlehrer an der Domschule zu Schleswig). Erster
Theil: **Bilder aus dem Alterthum.** 1875. VI, 210 S. 20 Sgr.
(2 Mk.).

> Der 2. Theil „Geschichte des Mittelalters von Prof. Kallsen"
> erscheint im November d. J.

Der Verfasser Ziel ist gewesen, auf Grund der Ergebnisse der Wissenschaft ein Volksbuch zu schaffen, durch das der weite Kreis der Nicht-
Gelehrten die Gegenwart aus der Vergangenheit verstehen lernen könnte.
Es ist bestimmt einerseits für die in unserer Zeit unerlässliche Fortbildungs-
schule und die höheren Klassen der Bürgerschule, andrerseits für Erwachsene,
die, ohne gelehrte Studien betrieben zu haben, Bildung suchen.

Aus dem überreichen Stoff ist nur das hervorgehoben, was für ein
historisches Verständniss der Gegenwart unerlässlich schien. Aber das Darge-
stellte ist in lebensvollen und übersichtlichen Bildern gruppirt, häufig so,
dass eine bedeutende Persönlichkeit den leuchtenden Mittelpunkt bildet. Denn für
Nicht-Gelehrte wird am meisten anregend diejenige Darstellung sein, welche
die in langen Zeiträumen wirkenden Ideen und Kräfte in dem Höhenpunkt
ihrer Entwickelung vorführt und die lebendige Wirksamkeit grosser Männer
als hauptsächlichen Hebel der Fortbewegung aufzeigt. Auf schlichte und
einfache, zugleich aber edle und fesselnde Sprache ist die grösste Sorgfalt
verwandt worden.

Das erste Heft, von Director Dr. Keck ausgearbeitet, enthält auf
$13^1/_2$ Bogen Bilder aus dem Alterthum; das zweite, verfasst von Professor
Dr. Kallsen, wird auf etwa 12 Bogen Bilder aus dem Mittelalter bieten;
das dritte, verfasst von Oberlehrer Dr. Sach, gleichfalls auf etwa 12 Bogen
Bilder aus der neueren Zeit 1789; das vierte endlich, von Prof. Kallsen
bearbeitet, wird auf 10-12 Bogen die Geschichte bis auf unsere Tage
fortführen.

Dümmler, E., Ermenrici epistola ad Grimoldum archicapellanum, ex
codice Sancti Galli Membranaceo 265. p. 3 — 91. 1873. 46 S.
gr. 4. 15 Sgr. (1 Mk. 50 Pf.).

Ewald, Albert Ludw., Die Eroberung Preussens durch die Deutschen. II. Buch. Die erste Erhebung der Preussen und die Kämpfe mit Swantopolk. 1875. IX, 338 S. gr. 8. 1 Thlr. 20 Sgr. (5 Mk.).

Das erste Buch „Berufung und Gründung" erschien 1872.

Seit Johannes Voigt vor nahezu einem halben Jahrhundert seine Geschichte Preussens schrieb, hat sich der Standpunkt der historischen Wissenschaft sehr verändert. Eine neue eingehende Darstellung derselben ist daher ein entschieden zeitgemässes Unternehmen und dringendes Bedürfniss. Auch in weiteren Kreisen dürfte die altpreussische Geschichte ein hohes Interesse beanspruchen. Hat doch der Altmeister der gegenwärtigen Historiker Leopold Ranke in seiner vor Kurzem erschienenen Genesis des preussischen Staates ihr die volle Ebenbürtigkeit neben der brandenburgischen Geschichte angewiesen. Denn während das eine der beiden grossen Colonisationsgebiete, zwischen Elbe und Oder, die Wiege des Herrscherhauses ward, so gab das andere, zwischen Weichsel und Memel, diesem Hause die Krone und dem ganzen Hohenzollernstaate den Namen.

Ewald hat nun mit seiner Erzählung der Eroberung Preussens durch den deutschen Orden den Anfang gemacht, eine neue quellenmässige Darstellung der altpreussischen Geschichte zu geben. Das erste Buch, welches die Kämpfe an der Weichsel und deren Resultate bis zum Tode Hermanns von Salza (1239) enthielt, ist von der Kritik, namentlich auch von den massgebenden Beurtheilungen der Göttinger Gelehrten Anzeigen und der Sybelschen historischen Zeitschrift in durchaus günstiger und anerkennender Weise besprochen worden. Auch die Form der Darstellung ist allgemein beifällig aufgenommen worden.

Dem ersten Buche ist jetzt das zweite gefolgt, welches die erste grössere Erhebung der Preussen gegen den Orden und die Kämpfe des letzteren mit dem kühnen und listigen Pommernherzog Swantopolk (bis 1253) enthält.

Der Verfasser hat auf dem Königsberger Geheimen Archive gearbeitet und auch auf anderweitigen Wegen bisher ungedrucktes Material für seine Arbeit benutzt. Auch dürfte es als ein Verdienst anzusehen sein, dass Ewald die Provinz Preussen mehrfach bereist und also die Schlachtfelder und Burgen, welche bei den Kämpfen eine Rolle spielen, aus eigener Anschauung kennen gelernt hat.

Das gegenwärtig erschienene zweite Buch musste nach Eintheilung und Folge der Voigtischen Darstellung gegenüber in ganz veränderter Gestalt verfasst werden, weil die Chronologie bei Voigt eine zum grossen Theile unrichtige ist.

Auch für die Kirchengeschichte des 13. Jahrhunderts dürfte die vorliegende Arbeit von Interesse sein, weil in zwei besonderen Abschnitten die ersten Grundlagen der kirchlichen Entwickelung Preussens ausführlich und im Zusammenhange dargestellt werden.

Geschichtsquellen der Provinz Sachsen und angrenzender Gebiete, herausgegeben von den geschichtl. Vereinen der Provinz.

3. Band: **Urkundenbuch der ehemaligen freien Reichsstadt Mühlhausen** in Thüringen. Bearbeitet von Karl Herquet,

unter Mitwirkung von Dr. jur. Schweineberg, Stadtrath
zu Mühlhausen. Herausgegeben vom Magistrate der Stadt
Mühlhausen. Mit 10 Siegeltafeln. 1874. 40½ Bog. gr. 8.
geh. 4 Thlr. (12 Mk.).

Aus dem reichhaltigen Rathsarchiv der alten Thüringischen Reichsstadt
Mühlhausen finden sich hier zum erstenmal eine Reihe von Documenten
veröffentlicht, die über die bisher so sehr vernachlässigte Geschichte dieser
Stadt, sowie die der Landschaft Thüringen neues Licht verbreiten. Ebenso
wird hier der jetzt so florirenden Forschung auf dem Gebiete der Städte-
geschichte erheblich neues Material geboten, dabei kaum einem Gemein-
wesen in diesen Theilen Deutschlands die Entwicklung aus einer königlichen
Burgstadt in eine freie Reichsstadt sich so consequent vollzogen hat, wie
bei Mühlhausen, und keine sich so sehr der Gefahr, einem mächtigen
Territorialherrn anheimzufallen, zu erwehren hatte, wie diese. Mit der
Periode, in welcher diese Freiheit als gesichert gelten konnte, nämlich der
Mitte des 14. Jahrhunderts, schliesst die vorliegende Sammlung ab. Sie
enthält an 700 vollständig abgedruckte Urkunden, von denen nur ein verschwin-
dend kleiner Theil bisher bekannt war. Ebenso repräsentiren die damit
verbundenen Regesten, über 300, vielfach ungedruckte Urkunden. Ihre
Wichtigkeit für die allgemeine deutsche Geschichte beweisen nahe an 100
darin enthaltene Reichsurkunden.

Das sehr sorgfältig und übersichtlich gearbeitete Register, sowie das
als Anlage gegebene älteste Stadtrecht von Mühlhausen sind nicht weniger
geeignet, den Werth dieser Publication zu erhöhen.

**Geschichtsquellen der Provinz Sachsen und angrenzender Ge-
biete**, herausgegeben von den geschichtl. Vereinen der Provinz.

> 4. Band: Die Urkunden des Klosters Stötterlingenburg.
> Im Auftrage des Harzvereins für Geschichte und Alterthums-
> kunde bearbeitet von C. v. Schmidt-Phiseldeck, Archiv-
> secretair am Herzogl. Braunschweig-Lüneburgischen Landes-
> hauptarchive zu Wolfenbüttel. Mit IX Siegeltafeln. 1874.
> XX, 280 S. u. 9 lith. (Siegel-) Tafeln. gr. 8. 2 Thlr. (6 Mk.).

> 5. Band: Urkundenbuch des in der Grafschaft Wernige-
> rode belegenen Klosters Drübeck. Vom Jahr 877 —
> 1594. Bearbeitet im Auftrage Sr. Erlaucht des regierenden
> Grafen Otto zu Stolberg-Wernigerode von Dr. Ed. Jacobs,
> Gräfl. Archivar und Bibliothekar. Mit 4 Siegeltafeln und
> 3 in Lichtsteindruck facsimilirten Urkundenanlagen. 1874.
> XXXVIII, 344 S. gr. 8. 2 Thlr. 15 Sgr. (7 Mk. 50 Pf.).

> 6. Band: Urkundenbuch des Klosters Ilsenburg her-
> ausgegeben von Dr. Ed. Jacobs. (Unter der Presse.)

Herquet, Karl, Kristan von Mühlhausen, Bischof von Samland (1276—1295). Mit zwei Abbildungen in Steindruck (und
1 Titelvignette). 1874. VI, 62 S. 8. 15 Sgr. (1 Mk. 50 Pf.).

Hertzberg, Dr. phil. **Gust. Friedr.**, ausserordentl. Prof. d. Gesch. a. d. Univ. zu Halle. **Die Geschichte Griechenlands unter der Herrschaft der Römer.** Nach den Quellen dargestellt. III. Theil. **Von Septimius Severus bis auf Justinian I.** 1875. 36 Bog. gr. 8. 3 Thlr. (9 Mk.).

Auch unter dem Titel:

Der Untergang des Hellenismus und die Universität Athen. Der erste Theil erschien 1866, der II. 1868.

Mit diesem Band erreicht das Buch des Professor Hertzberg über die Geschichte Griechenlands unter den Römern seinen Abschluss. Die historische Darstellung beginnt in diesem Bande bei der wichtigen Verfügung des Kaisers Carakalla, durch welche alle frühern Einwohner des Römischen Reiches zu römischen Bürgern erhoben wurden. Sie verfolgt überall den Faden der politischen Ereignisse, die zu Griechenland in irgend näherer Beziehung gestanden haben. Oft in nur mühsam gewonnener Mosaik versprengte Trümmer zufällig erhaltener Nachrichten gewinnt diese Geschichte Fülle und dramatisches Leben, oft aber auch einen tief tragischen Charakter, sobald die Geschichte Griechenlands mit der Reichsgeschichte zusammenfällt: dies gilt namentlich von den verschiedenen Gothischen Kriegen, wie von den Kämpfen mit den hunnischen, bulgarischen und slavischen Barbarenstämmen. Daneben nimmt die Culturgeschichte einen immer grössern Raum ein. Und hier ist der Nachweis versucht worden, wie namentlich seit Ablauf des dritten Jahrhunderts n. Chr. das hellenische Wesen, das antike Leben allmählich verdorrt, oder aber in neue, nämlich — und zwar mit wachsender Energie seit dem fünften Jahrhundert, — in christliche Formen umgeprägt wird. Namentlich dem Kampfe zwischen dem Antiken und dem Christenthum auf hellenischem Boden ist besondere Aufmerksamkeit geschenkt worden. Daher ist denn auch die Geschichte der Universität Athen, die in der sophistischen wie in der neuplatonischen Zeit die letzte Burg der Olympier war, mit besonderer Sorgfalt und Ausführlichkeit behandelt worden; sie füllt nahezu die Hälfte dieses Bandes. Der Schluss zeigt, wie nach Auflösung dieser Akademie durch Justinian I. die Antike auch in Griechenland rasch zusammenstürzt. Elementare Katastrophen und slavische Zerstörungen ziehen Folgen nach sich, die bis zum Ausgang des sechsten Jahrhunderts auch hier den letzten Athemzügen antiken Lebens ein Ziel setzen.

Jahn, Albert, Dr. phil. hon., Secretär des eidgen. Departements des Innern, Mitglied der philos.-philol. Classe d. Königl. Bayer. Akademie der Wissenschaften, des Gelehrten-Ausschusses des german. Museums etc. etc. **Die Geschichte der Burgundionen und Burgundiens bis zum Ende der I. Dynastie,** in Prüfung der Quellen und der Ansichten älterer und neuerer Historiker dargestellt. 2 Bände gr. 8. 8 Thlr. (24 Mk.).

I. Band. Mit vier artistischen Abbildungen. 1874. XXXVI, 560 S. und 2 lithogr. Tafeln.

II. Band. Mit einer Karte Burgundiens. 1874. IX, 560 S.

Keck, Karl Heinrich, Bilder aus dem Alterthum siehe: Bilder aus der Weltgeschichte. I. Theil.

Mücke, Dr. A., Kaiser Konrad II. und Heinrich III. siehe: Erzählungen aus dem deutschen Mittelalter. 6. Band.

Peter, Dr. Carl, Rektor d. Kgl. Landesschule Pforta etc. Geschichtstabellen zum Gebrauch beim Elementarunterricht in der Geschichte. 10. Aufl. 1873. 80 S. 8. carton. 5 Sgr. (50 Pf.).

— — Zeittafeln der griechischen Geschichte zum Handgebrauch und als Grundlage des Vortrags in höheren Gymnasialklassen mit fortlaufenden Belegen und Auszügen aus den Quellen. 4. verb. Aufl. 1873. IV, 146 S. gr. 8. 1 Thlr. 10 Sgr. (4 Mk.).
<small>Eine neue umgearbeitete Auflage der Römischen Zeittafeln befindet sich unter der Presse.</small>

Richter, Dr. Gustav, Prof. am Gymn. zu Weimar. Annalen der deutschen Geschichte im Mittelalter. Von der Gründung des Fränkischen Reichs bis zum Untergang der Hohenstaufen. Mit fortlaufenden Quellenauszügen und Literaturangaben. Ein Hilfsbuch für Geschichtslehrer an höheren Unterrichts-Anstalten und Studierende. 1. Abtheilung. Annalen des Fränkischen Reichs im Zeitalter der Merovinger. Vom ersten Auftreten der Franken bis zur Krönung Pipins. 1873. XII, 230 S. Lex.-8. 2 Thlr. (6 Mk.).

— — Das Merovingische Staatswesen. Besonderer Abdruck aus den Annalen des Fränkischen Reichs im Zeitalter der Merovinger. 1873. 48 S. gr. 8.

Schum, Wilhelm, Dr. phil., Vorstudien zur Diplomatik Kaiser Lothars III. 1874. 36 S. gr. 8. 15 Sgr. (1 Mk. 50 Pf.).

---

9. Geographie.

*Bäck, A., Seminarlehrer am Königl. Schullehrer-Seminar zu Posen. Kleine Schulgeographie. Heimatskunde der Provinz (Grossherzogthum) Posen. Nebst einer Spezialkarte. 1869. 20 S. 8. 3 Sgr. (30 Pf.).

*Bartholomäus, H. C. W., Lehrer in Hildesheim. Kleine Schulgeographie. Heimatskunde der Provinz Hannover. Nebst einer Spezialkarte von F. Hoffmeyer, Lehrer in Lüneburg. 1870. 60 S. 8. 5 Sgr. (50 Pf.).

*Behrens, F., Lehrer in Börssum. Kleine Schulgeographie. Heimatskunde des Herzogthums Braunschweig. Nebst einer Spezialkarte. 1870. 36 S. 8. 3 Sgr. (30 Pf.).

*Block, R., Lehrer in Danzig. Kleine Schulgeographie. Heimatskunde der Provinz Preussen. Nebst einer Spezialkarte von R. Menzel. 1869. 40 S. 8. 3 Sgr. (30 Pf.).

*Böse, K. G., Lehrer in Oldenburg. Kleine Schulgeographie. Heimatskunde des Herzogthums Oldenburg. Nebst einer Spezialkarte von demselben. 1869. 32 S. 8. 3 Sgr. (30 Pf.).

*Büttner, A., Seminarlehrer in Bütow. Kleine Schulgeographie. Heimatskunde der Provinz Pommern. 1869. 24 S. 8. 2 Sgr. (20 Pf.).

Daniel, Prof. Dr. H. A., forh. Inspector adj. ved det Konegel. Paedag. i Halle. Ledetraad for Underviisningen i Geographien. Eter det af Prof. Dr. Kirchhoff besörgede 80. Oplag oversat af O. H. Rickmers og J. Petersen, Seminarielaerere. 1873. 168 S. 8. 12½ Sgr. (1 Mk. 25 Pf.).

— — Leitfaden für den Unterricht in der Geographie. 84.-94. Auflage herausgeg. von Prof. Dr. A. Kirchhoff, Oberl. an der Louisenst. Gewerbeschule und Dozent d. allgem. Erdkunde an der Kgl. Kriegs-Akademie in Berlin. 1873. 176 S. 8.

— — Dasselbe. 95.-104. verb. Aufl. herausgeg. von Dr. A. Kirchhoff, Prof. d. Erdkunde an der Univ. Halle. 1874. 176 S. 8. 7½ Sgr. (75 Pf.), carton. 10 Sgr. (1 Mk.).

— — Lehrbuch der Geographie für höhere Unterrichtsanstalten. Herausgeg. von Dr. A. Kirchhoff, Oberl. an der Louisenst. Gewerbeschule und Dozent der allgem. Erdkunde an der Kgl. Kriegs-Akademie zu Berlin. 34. verb. (35.—38. unveränd.) Auflage. 1873. VIII, 502 S. 8.

— — Dasselbe. 39. verb. (40.—43. unveränd.) Aufl., herausgegeben von Dr. A. Kirchhoff, ordentl. Prof. d. Erdkunde a. d. Univ. zu Halle. 1874. VIII, 504 S. 8. 15 Sgr. (1 Mk. 50 Pf.).

*Dietlein, W., Rector in Nordhausen. Kleine Schulgeographie. Heimatskunde der Provinz Sachsen. 1869. 24 S. 8. 1½ Sgr. (15 Pf.).

*Dietrich, Fr., Hauptlehrer in Breslau. Kleine Schulgeographie. Heimatskunde der Provinz Schlesien. Mit einer Spezialkarte von Schlesien von R. Menzel, Lehrer in Breslau. 1869. 36 S. 8. 4 Sgr. (40 Pf.).

*Eberhard, Dr. Hermann, Kleine Schulgeographie. Heimatskunde des Herzogthums Sachsen-Coburg. 1869. 16 S. 8. 1½ Sgr. (15 Pf.).

*Ehrhardt, E., Seminarlehrer in Hildburghausen. Kleine Schulgeographie. Heimatskunde des Herzogthums Meiningen. 1869. 24 S. 8. 2 Sgr. (20 Pf.).

*Fuchs, Dr., Conrector in Bückeburg. Kleine Schulgeographie. Heimatskunde des Fürstenthums Schaumburg-Lippe. 1869. 12 S. 8. 1¹/₂ Sgr. (15 Pf.).

Masius, Prof. Dr. Hermann, Geographisches Lesebuch. Studien und Skizzen zur Länder- und Völkerkunde. I. Band. 1. Abtheil. Zur physischen Geographie. 1873. X, 280 S. gr. 8. 1 Thlr. 10 Sgr. (4 Mk.).

Der rühmlichst bekannte Verfasser der Naturstudien bietet im vorliegenden Werke eine Reihe höchst interessanter Bilder und Umrisse, Skizzen und Charakteristiken, welche einzelne Blicke in das allgemeine Erdleben eröffnen und die physische Geographie anschaulich illustriren.

Diese Auswahl macht es sich keineweg blos zur Aufgabe die reifere Jugend, welche die Vorstufe des Unterrichts überschritten hat, in das wirkliche Studium der Erdkunde einzuführen, sondern sie strebt zugleich danach, dem gebildeten Leser den geheimnissvoll-offenbaren Zusammenhang des Menschen- und Naturlebens ahnen zu lassen und so für die Erkenntniss vorzubereiten, dass bie Geschichte nur im Spiegel der Erdbeschreibung verstanden werden kann.

Der Plan des ganzen Werkes ist auf vier Bände angelegt. Der Inhalt der vorliegenden ersten Abtheilung des ersten Bandes gehört, abgesehen von der Einleitung, welche einen Blick auf die Entwickelung der Geographie wirft — ganz der allgemeinen physischen Geographie an. Wir begegnen anziehenden und belehrenden Characterbildern aus best bekannten Werken bedeutender Schriftsteller, von denen wir nur Schleiden, Peschel, Ule, Humboldt, Kohl, Darwin, Häckel, Guthe, Tyndall, Schlagintweit nennen; nicht weniger als elf Nummern sind von dem Herausgeber neu verfasst und können gerade diese Aufsätze ebensowol in sachlicher als in formeller Hinsicht als mustergültig bezeichnet werden.

Um von dem Reichthume des Gebotenen einen Belag zu geben, sei nur erwähnt, dass allein zehn Nummern von dem Meere handeln, seinen Eigenschaften und Wundern, seinem Pflanzen- und Thierleben, die übrigen geben uns Auskunft über Vulcanismus und Neptunismus, über die Formen der Continente, über Gebirge und Bergformen, über die Vulcane, über die Erdbeben, Wüsten, Steppen, Dünen, Moore, Gletscher, Quellen, Flüsse und über die Verbreitung des organischen Lebens.

Die drei folgenden Bände sollen im Anschluss an die Lehrbücher von Daniel-Kirchhoff und Guthe Characterbilder der aussereuropäischen Erdtheile, Europas und insbes. Deutschlands bringen, während geeignete Abschnitte aus der astronomischen Geographie den Schluss zu bilden bestimmt sind.

*Mauke, Dr. Richard, in Schleiz. Kleine Schulgeographie. Heimatskunde der Fürstenthümer Reuss. 2. Aufl. 1870. 32 S. 8. 1¹/₂ Sgr. (15 Pf.).

*Pickel, J. A., Seminarlehrer in Eisenach. Kleine Schulgeographie. Heimatskunde des Grossherz. Sachsen-Weimar-Eisenach. Nebst einer Spezialkarte d. Sächs. Herzogth. der beiden Schwarzburg und Reuss von R. Menzel. 1869. 24 S. 8. 3 Sgr. (30 Pf.).

*Schlotterbeck, B., Kleine Schulgeographie. Heimatskunde der Grossherzogthümer Mecklenburg. 1870. 48 S. 8. 3 Sgr. (30 Pf.).

*Schnitger, Professor, Director des Gymnasiums zu Lemgo. Kleine Schulgeographie. Heimatskunde des Fürstenthums Lippe. 1869. 12 S. 8. 1½ Sgr. (15 Pf.).

Schultze, H., Heimatskunde der Provinz Sachsen und Geographie von Deutschland. Für Volks- und Bürgerschulen bearbeitet. 3. verb. und verm. Aufl. Mit einer Karte der Provinz Sachsen und einer Karte vom deutschen Reiche. 1874. II, 72 S. 8. cart. 7½ Sgr. (75 Pf.).

— — Schulkarte vom Deutschen Reiche. 1874. In Farbendruck. 16. 2 Sgr. (20 Pf.).

— — Schulkarte von der Provinz Sachsen. 1874. In Farbendruck. 12. 1½ Sgr. (15 Pf.).

*— — Verzeichniss sämmtlicher Städte und Flecken des Preussischen Staates mit Angabe ihrer Einwohnerzahl. Nebst einer Uebersicht: Die Bevölkerung der Staaten im Deutschen Reiche. Auf Grund der Volkszählung vom 1. Dezember 1871 und nach den Mittheilungen des Königl. Preuss. Statistischen Bureaus zusammengestellt. 1872. 36 S. 8. 5 Sgr. (50 Pf.).

*Schulze, Dr. Moritz, Superintendent und Bezirks-Schulinspector zu Ohrdruf. Kleine Schulgeographie. Heimatskunde des Herzogthums Gotha. 1869. 20 S. 8. 1½ Sgr. (15 Pf.).

*Tiedemann, H. C. W., Schulvorst. in Hamburg. Kleine Schulgeographie. Heimatskunde v. Hamburg. 1869. 16 S. 8. 1½ Sgr. (15 Pf.).

*Unger, G. B., Lehrer in Altenburg. Kleine Schulgeographie. Heimatskunde des Herzogthums Sachsen-Altenburg. Nebst einer Spezialkarte von O. Petzold. 1869. 32 S. 8. 3 Sgr. (30 Pf.).

*Wagner, C., Lehrer in Cassel. Kleine Schulgeographie. Heimatskunde von Hessen-Nassau und dem Fürstenthum Waldeck. Nebst einer Spezialkarte von denselben. 3. Aufl. 1869. 44 S. 8.

— — Dasselbe. 4. erweiterte und berichtigte Auflage. 1874. 50 S. 8. 4 Sgr. (40 Pf.).

Unter der Presse:

Kramer, Prof. Dr. G., Director der Franckeschen Stiftungen. Carl Ritter. Ein Lebensbild nach seinem handschriftlichen Nachlass dargestellt. Zwei Theile mit einem Bildniss Ritters in Kupfer gest. von Thaeter. Zweite mit Briefen C. Ritters vermehrte wolfeilere Ausgabe. (Preis ca. 2 Thlr.) ca. 40 Bog. gr. 8.

10. Mathematik. Rechenunterricht.

Günther, Dr. F. W., Collegen an der Realschule I. Ordnung des Waisenhauses in Halle. Aufgaben für das praktische Rechnen zum Gebrauch in den unteren und mittleren Klassen höherer Lehranstalten und in den mittleren und oberen Klassen von Bürgerschulen. I. Vier Species unben. Zahlen. Resol. u. Reduct. ganzer ben. Zahlen. Vier Species ganzer ben. Zahlen. Vierte mit Rücksicht auf die neue deutsche Reichsmünze bearb. Auflage. 1874. II, 44 S. gr. 8. 6 Sgr. (60 Pf.).

> II—IV. Theil werden in ununterbrochener Folge in verbesserter Auflage erscheinen.

Hahnemann, Oberlehrer. Ueber den mathematischen namentlich geometrischen Unterricht auf Gymnasien siehe: Programm der latein. Hauptschule 1871/72.

Müller, J. H. T., Lehrbuch der ebenen Geometrie für höhere Lehranstalten. 2. gänzl. umgearb. Auflage. Mit vielen dem Text eingedruckten Holzschnitten. Herausgegeben von Dr. K. L. Bauer, Lehrer der Physik u. Mathem. a. Realgymn. in Karlsruhe. II. Theil. 1874. VI, 330 S. gr. 8. 20 Sgr. (2 Mk.).

> Der I. Theil — zu gleichem Preise — erschien 1872; das Werk vertritt das gänzlich vergriffene Müller'sche Lehrbuch der Mathematik. II. Theil. 1. Abthl.

Der im Jahre 1872 erschienene erste Theil des Buches enthält: 1) die Grundeigenschaften der unbegrenzten und halbbegrenzten geometrischen Gebilde, 2) die allgemeinsten Eigenschaften der ebenen Figuren, 3) die Lehre von der Congruenz der ebenen Figuren und von den daraus ableitbaren Eigenschaften.

Hieran schliesst sich der Inhalt des zweiten Theils: 4) Anleitung zur Lösung geometrischer Constructionsaufgaben (geometrische Analysis) und 5) die Lehre von der Gleichheit der oberen Figuren nebst Behandlung der wichtigsten hierher gehörigen Aufgaben.

Der erste Theil repräsentiert demnach das Pensum für Untertertia, der zweite dasjenige für Obertertia der badischen Realgymnasien; vgl. das grossh. bad. Regierungsblatt Nr. LII. vom 11. August 1868. Das Bestreben des Bearbeiters war hauptsächlich darauf gerichtet, den allgemein als vorzüglich anerkannten Inhalt der ersten Auflage in ein gefälligeres Gewand zu kleiden und das für den Anfänger nicht selten mit allzu grossen Schwierigkeiten verbunden gewesene Verständnis zu erleichtern. Durch die Anleitung zur Lösung geometrischer Constructionsaufgaben, welche nebst einigem andern in der 2. Auflage neu hinzugekommen ist, dürfte das Buch an Brauchbarkeit und Interesse wesentlich gewonnen haben. Die zahlreichen vortrefflichen Holzschnitte, durch welche besonders der zweite Theil sich auszeichnet, werden auch dem Unterrichte im geometrischen Zeichnen nicht wenig förderlich sein.

Schrader, Director Dr., Inspector der Realschule. Ueber eine merkwürdige Eigenschaft ebener Polygone siehe: Programm der Realschule 1873—1874.

Sommer, Lehrer Dr., Die Theorie der Spiegel für den Schulunterricht siehe: Programm der Realschule 1872—1873.

11. Technologie. Landwirthschaft.

Cramer, H., Oberbergrath in Halle ᵃ/S., Beiträge zur Geschichte des Bergbaues in der Provinz Brandenburg. Drittes Heft: Kreis Oberbarnim. 1874. 341 S. gr. 8. 2 Thlr. (6 Mk.).

Delius, Dr. Adolf, General-Secretär d. landw. Central-Ver. d. Prov. Sachsen. Die Cultur der Wiesen und Grasweiden. Im Anhang: Mittheilungen über die Cultur der Flecht- und Bandweiden. Mit in den Text gedr. Holzschn. und 2 lith. Tafeln. 1874. VIII, 212 S. gr. 8. 1 Thlr. 15 Sgr. (4 Mk. 50 Pf.).

Festschrift den Theilnehmern an der XIV. Versammlung des Vereins deutscher Ingenieure in Halle ᵃ/S. am 1. bis 4. September 1873 gewidmet vom Thüringer Bezirksvereine. 1873. II, 132 S. und 2 Kärtchen. 8. 15 Sgr. (1 Mk. 50 Pf.).

Freytag, Dr. Carl, ausserordentl. Prof. d. Landwirthschaft a. d. Univ. Halle. Die Hausthier-Racen. Mit Zeichnungen von H. Schenck, akadem. Zeichenlehrer. I. Band. Pferde-Racen. 1. Lieferung. 1875. 30 S. und 8 lithogr. Abbild. h. 4. 1 Thlr. (3 Mk.).

*Meyn, Dr. L., Ehrenmitglied des Schleswig-Holstein. landwirthschaftl. Generalvereins. Die natürlichen Phosphate und deren Bedeutung für die Zwecke der Landwirthschaft. 1873. VI, 162 S. 8. 20 Sgr. (2 Mk.).

Nathusius-Königsborn, v., Ueber die Verwerthung der Wolle nach geschehener Fabrikwäsche. 1874. 2 Bog. 8. 10 Sgr. (1 Mk.).

Sommaruga, Dr. Hugo Freiherr von, Die Städtereinigungs-Systeme, in ihrer land- und volkswirthschaftlichen Bedeutung. 1874. X, 180 S. 8. 1 Thlr. (3 Mk.).

Stadelmann, Dr. R., Königl. Preuss. Oeconomie-Rath. Das landwirthschaftliche Vereinswesen in Preussen. Seine Entwickelung, Wirksamkeit, Erfolge und weiteren Ziele. 1874. XII, 332 S. gr. 8. 2 Thlr. 10 Sgr. (7 Mk.).

Wolff, Dr. Reinhold, Landwirth. Der Brand des Getreides, seine Ursachen und seine Verhütung. Eine pflanzenphysiologische Untersuchung in allgemein verständlicher Form. Mit fünf Steindrucktafeln. 1874. 38 S. gr. 8. 15 Sgr. (1 Mk. 50 Pf.).

Zeitschrift des landwirthschaftl. Centralvereins der Provinz Sachsen etc. Herausgegeben von Dr. A. Delius, General-Secr. d. Ver. XXX. Jahrg. 1873 u. 1874. 12 Hefte à 1½—2 Bog. gr. 8. compl. 1 Thlr. (3 Mk.).

Unter der Presse:

Clement, J., landwirthschaftl. Commissar zu Erfurt. Das Kosten ersparende Feldbausystem. Ein Leidfaden für Landwirthe beim Einrichten von Gutswirthschaften. 1874. 14 S. 4. und lithographirte Tafeln. 15 Sgr. (1 Mk. 50 Pf.).

12. Medizin, Pharmacie. Naturwissenschaften.

Archiv der Pharmacie. Eine Zeitschrift des allgemeinen deutschen Apothekervereins. Herausgegeben vom Directorium unter Redaction von E. Reichardt unter Mitwirkung der Herren J. F. Albers, G. H. Barckhausen, H. Böhnke-Reich, O. Borgstette, H. Brunner, C. Charles, C. Erhart, O. Ficinus, F. Fleischer, W. Heräus, A. Hirschberg, H. Köhler, A. Koster, Th. Langer, J. Lehmann, L. Leiner, H. Ludwig, H. Müller, O. Müller, E. Mylius, C. Philipps, E. Reichardt, G. Rückert, C. Schacht, J. Schnauss, C. F. Schulze, F. Smit, W. Steffen, W. Stein, G. Ulex, H. Weppen u. H. Werner. Dritte Reihe 2. 3., der ganzen Folge 202. 203. Band. 1873. 12 Hefte à 6 Bog. gr. 8. 6 Thlr. (18 Mk.).

— — Dasselbe. Zeitschrift des deutschen Apothekervereins. Herausgegeben vom Directorium unter Redaction von E. Reichardt. I. Jahrg. I. Bd Dritte Reihe 4., der ganzen Folge 204. Band. 1874. 576 S. und Zusammenstell. der vom Direct. des deutschen Apoth.-Vereins publ. Bekanntmachungen und der amtl. Verordnungen u. Erlasse. No. 1—6. gr. 8. 12 Hefte à 6 Bog. 6 Thlr. (18 Mk.).

Seeligmüller, Dr. A., Neuropathologische Beobachtungen. Festschrift zur Feier des fünfzigjähr. Promotionsjubil. d. Geh. Med.-Rath Prof. Dr. Ernst Blasius, dargebracht von dem Ver. für pract. Med. in Halle a/S. 1873. II, 41 S. Lex.-8. 15 Sgr. (1 Mk. 50 Pf.).

Verzeichniss der wichtigsten Pflanzen aus der Flora von Halle a/S. und Umgegend. Für d. Schulgebr. 1874. 52 S. 8. 4 Sgr. (40 Pf.).

Unter der Presse:

Reichardt, Dr. Ed., a. o. Prof. a. d. Univ. Jena. Ist es nothwendig, dass die Professur der Pharmacie nur durch einen Pharmaceuten vertreten werde? 1875. 20 S. gr. 8. 5 Sgr. (50 Pf.).

---

13. Gedichte.

Keck, Karl Heinrich, Sedan. Ein deutsches Heldengedicht. 1873. 69 S. 8. 10 Sgr. (1 Mk.), eleg. in Leinen geb. 20 Sgr. (2 Mk.).

Knoortz, Karl, (in Cincinnati). Schottische Balladen in deutscher Bearbeitung. ca. 10 Bog. 8.

Schulz, Dr. Carl, Königin Luise. Zeitbild in fünf Aufzügen. Zweite Auflage. 1874. VII, 136 S. 12. 15 Sgr. (1 Mk. 50 Pf.), in Leinen geb. 25 Sgr. (2 Mk. 50 Pf.).

— — Strafford. Trauerspiel in fünf Aufzügen. 1874. XXIV, 140 S. 12. 15 Sgr. (1 Mk. 50 Pf.), in Leinen geb. 25 Sgr. (2 Mk. 50 Pf.).

Lightning Source UK Ltd.
Milton Keynes UK
UKHW051811110119
334943UK00017B/885/P